JUILLET EN HIVER

Hervé Baslé
LE FILS DU CORDONNIER

Françoise Bourdin
JUILLET EN HIVER

Christine Bravo
L'ADIEU À TOLÈDE

Françoise Chandernagor
L'ENFANT DES LUMIÈRES (2 tomes)

Georges Coulonges
LA MADELON DE L'AN 40

Françoise Giroud
CŒUR DE TIGRE

Andreï Makine
LE TESTAMENT FRANÇAIS
Prix Goncourt 1995 – Prix Médicis 1995

Jean-Pierre Maurel
MALAVER S'EN MÊLE

René de Maximy
LE PUITS AUX CORBEAUX

Francis Ryck
L'HONNEUR DES RATS

Danielle Steel
CINQ JOURS À PARIS

JUILLET EN HIVER

FRANÇOISE BOURDIN

© 1995, Éditions Belfond
ISBN 2-7144-3284-0

© 1996, Éditions Feryane, Versailles
pour la présente édition
ISBN 2-84011-143-8

Pour Michel

Première Partie

Juillet bouchonna Bingo d'une main ferme puis il lui remit sa couverture de toile. L'alezan broncha un peu mais son maître le calma de la voix. Ils étaient partis faire le tour des terres avant même le lever du jour. L'inspection rituelle les entraînait à travers le vignoble, de coteau en coteau, le long d'étroits chemins qu'ils connaissaient par cœur.

Juillet quitta l'écurie en hâte, déjà absorbé par le programme surchargé de sa matinée. Cependant il s'arrêta, une cinquantaine de mètres plus loin, devant la maison blanche qui avait été celle d'Alexandre. Il eut envie d'entrer alors qu'il l'évitait depuis des semaines.

Le silence et la semi-obscurité de la Grangette avaient quelque chose d'inhabituel, de désolant. Il ne s'attarda qu'un instant avant de refermer la porte. Son frère n'avait rien oublié et aucun objet personnel ne subsistait pour rappeler sa présence, celle de sa femme ou de ses enfants. Les jumeaux manquaient un peu à Juillet, déjà.

Il se dirigea vers le château de sa démarche longue et souple, celle qui lui permettait d'arpenter ses vignes à longueur de jour quand il n'était pas à cheval ou en jeep. Il s'immobilisa, à quelques pas, pour observer la façade de Fonteyne, ses élégantes fenêtres à petits carreaux, ses toits d'ardoise, son escalier en fer à cheval et sa galerie de pierre. Un sentiment désagréable envahit Juillet. A l'évidence, Fonteyne vivait bien davantage six mois plus tôt, avant le décès de son père, avant le départ de son frère. Et Fonteyne était fait pour les grandes familles et les dîners de fête, pour les cris des enfants et l'agitation laborieuse des employés ; pas pour le silence d'aujourd'hui.

Il soupira puis chercha son paquet de cigarettes dans la poche de son jean. Aurélien Laverzac ne régnait plus sur Fonteyne et sa succession s'avérait difficile. Son autorité incontestée de patriarche avait maintenu ses quatre fils dans une apparente harmonie jusqu'à sa mort. Mais sa volonté de léguer Fonteyne – la maison et l'exploitation – à Juillet qui n'était que le fils adoptif, le bâtard, avait provoqué une première rupture qui en présageait d'autres.

Le jeune homme releva le col de son blouson. Les matinées d'avril étaient encore très fraîches, avec des gelées tardives. Même en commençant le travail à l'aube, il était débordé par l'immensité de la tâche. Cependant il refusait d'engager du personnel supplémentaire, tant qu'il n'aurait pas établi son bilan comptable de l'année. Il se devait d'avoir une gestion modèle s'il voulait parvenir à rembourser ses frères. Louis-Marie et Robert ne lui demanderaient rien, il le savait, mais Alexandre profiterait de la première erreur, il en était tout aussi certain.

Juillet tourna le dos au château et retrouva son assurance en contemplant les vignes qui s'étageaient, au loin. De cela il était capable, parfaitement capable. Il y avait déjà longtemps qu'il dirigeait l'exploitation, dans l'ombre d'Aurélien. Il était parmi les meilleurs viticulteurs du Bordelais, il en avait conscience sans en tirer d'orgueil. D'une vendange l'autre, la vie de Juillet avait toujours battu au rythme de sa terre. Non, il ne commettrait pas d'erreur, mais il n'était pas le bon Dieu et il ne pouvait pas se garder du temps, de la grêle ou du gel.

∗

Laurène avait observé Juillet plusieurs minutes avant de s'éloigner de la porte-fenêtre. Elle guettait chaque matin le bruit de la jeep ou bien celui du galop léger de Bingo. Juillet accomplissait quotidiennement un tour complet de ses terres, quel que soit son programme, quel que soit le temps. Et ce cheval était bien la seule fantaisie qu'on lui connût, la seule détente qu'il s'accordait.

Elle traversa le vaste bureau et regagna la petite pièce adjacente où elle travaillait chaque matin. Le silence du château l'oppressait. Fernande devait s'activer dans les cuisines, situées dans l'aile opposée, mais aucun bruit n'était perceptible. Clotilde n'arriverait qu'à dix heures, sur son vélomoteur, pour attaquer le ménage quotidien. Dominique n'était plus là pour tout surveiller et, indiscutablement, Laurène n'avait pas les dons de maîtresse de maison de sa sœur.

Laurène alluma l'ordinateur et envoya le programme de comptabilité. Des colonnes de chiffres s'affichèrent sur l'écran. Juillet lui avait appris le maniement de l'informatique trois ans plus tôt. Elle connaissait très bien les rouages complexes de l'exploitation et elle était aussi consciencieuse qu'ordonnée. Aurélien n'était plus là mais Juillet était au moins aussi exigeant que son père. Laurène ébaucha un sourire. Elle fondait de tendresse dès qu'elle pensait à Juillet, à ses boucles brunes, à sa silhouette filiforme, à la manière ferme mais douce qu'il avait de demander et d'obtenir les choses. Elle en était toujours aussi amoureuse que dans son enfance puis son adolescence. Elle considérait qu'elle l'avait gagné de haute lutte et qu'à présent ils étaient liés pour toujours.

– Tu rêves, ma chérie ? Tu as bien de la chance d'avoir du temps pour rêver !

Les mains de Juillet s'étaient posées sur ses épaules. Elle s'appuya contre lui, sans le regarder. Il la rendait profondément heureuse, il la comblait.

– Je dois faire un saut à Bordeaux en fin de matinée, dit-il. Demande à Fernande de ne pas prévoir le déjeuner avant treize heures trente, tu veux ?

Il s'éloignait déjà vers le bureau et elle fut déçue qu'il ne s'attarde pas davantage. La même question, lancinante, lui brûlait toujours les lèvres sans qu'elle ose la formuler.

Quand Juillet allait-il donc se décider à fixer une date pour leur mariage ? La mort d'Aurélien était sans doute encore trop récente pour aborder ce sujet, pourtant Juillet savait se passer des convenances lorsqu'il le désirait.

Après une hésitation, Laurène se leva. Elle alla jusqu'à la porte de communication, se décida à entrer. Elle n'avait pas frappé et Juillet leva la tête avec une expression de contrariété.

– Je te dérange ?

Il eut un sourire mitigé qui la mit mal à l'aise. Il était assis à la place que son père avait occupée durant quarante ans. Il n'avait touché à rien et il écrivait même avec le stylo d'Aurélien.

– Oui ?

Il attendait qu'elle parle, vaguement agacé.

– Je voulais te demander, commença-t-elle d'une toute petite voix, en ce qui nous concerne... euh... as-tu réfléchi à...

De façon imperceptible, Juillet s'était raidi. Il savait très bien ce qui préoccupait Laurène. Il la dévisageait, ne cherchant pas à esquiver sa question, la trouvant jolie, attendrissante et désirable. Comme elle n'ajoutait rien, il tendit la main vers elle.

– Viens là...

Il ne savait pas lui-même ce qui l'empêchait

de décider une bonne fois du jour et de l'heure. Il n'avait qu'à parler et elle serait comblée. Il souhaitait sincèrement en faire sa femme mais quelque chose qui ressemblait à de l'appréhension le retenait encore. Pourtant Laurène était prête à se faire toute petite, il le savait bien. Elle s'était déjà effacée devant les vendanges, devant Fonteyne. Elle acceptait d'avance que Juillet reste l'homme indépendant et épris de liberté qu'il était.

– Eh bien ? demanda-t-il en la prenant par la taille.

Elle se pencha pour l'embrasser puis chuchota :

– Quand nous marierons-nous, Juillet ?

Elle avait enfin osé aborder le sujet, mais elle n'avait pas pu s'empêcher de rougir en parlant. Juillet se mit à rire, de son rire bref et léger. Elle fronça les sourcils, vexée.

– Non, dit-il en hâte, ce n'est pas ce que tu me demandes, c'est ton air de collégienne qui m'amuse... Ecoute...

Il chercha désespérément quelque chose à lui dire. L'échéance lui déplaisait vraiment.

– Cet automne ? suggéra-t-il. Après les vendanges, nous serons plus tranquilles, qu'en penses-tu ?

Il vit son visage crispé, comprit qu'elle luttait pour ne pas montrer sa déception.

– C'est loin, se borna-t-elle à répondre.

– Non, c'est demain ! plaisanta Juillet. Je croule sous le boulot, tu le vois bien. D'ailleurs tout le monde trouverait cette noce un peu... précipitée si nous ne laissions pas passer quelques mois, n'est-ce pas ?

Il lui souriait de façon adorable, irrésistible, mais elle se força à insister.

– Tu te moques bien de l'opinion des gens, ne me raconte pas ça à moi !

Elle s'était un peu éloignée, boudeuse, mais il ne chercha pas à la retenir. Elle lui jeta un coup d'œil et constata qu'il s'était replongé dans ses dossiers. Vexée, elle quitta le bureau en hâte.

₊

Dominique, agacée, abandonna la surveillance des champignons à sa mère. Il avait toujours été impossible de cohabiter avec Marie Billot dans une cuisine. Dominique et Laurène, lorsqu'elles étaient jeunes filles, redoutaient les réflexions péremptoires de leur mère ou ses éclats de rire devant leurs maladresses.

Elle appuya son front contre la vitre et regarda la cour, au-dehors. Le bonheur des premiers jours avait disparu. Ce retour dans la maison de son enfance était une erreur. Dominique avait pris l'habitude de Fonteyne et elle avait la nostalgie du château, même si elle évitait soigneusement d'y penser. Elle s'était identifiée à la famille d'Alexandre, fondue avec les Laverzac depuis son mariage. Les années passées à Fonteyne, sous l'autorité d'Aurélien, avaient été des années merveilleuses, elle en prenait enfin conscience. Fernande lui manquait, l'immense cuisine lui manquait tout comme les menus compliqués, les réceptions fastueuses, les irruptions de Juillet et de Lucas à toute heure pour un café ou un casse-croûte. Ici, chez ses parents, il ne se passait rien. Et même Alexandre – qui avait tellement voulu quitter Fonteyne pour venir à Mazion ! – ne trouvait pas sa place. Il avait fui ce qu'il appelait la tyrannie de Juillet pour affronter un beau-père morose et peu enclin à passer la main. Antoine Billot n'était pas disposé à prendre une retraite anticipée, quel que soit le soulagement qu'il ait pu éprouver à l'arrivée de son gendre. Lorsqu'il avait été hospitalisé, l'année précédente, à la suite d'un infarctus, il avait apprécié l'aide d'Alexandre qui était venu s'occuper de tout, y compris des sacro-saintes vendanges. Mais il était parfaitement rétabli, à présent, et il ne comptait pas jouer les éternels convalescents sur ses terres.

21

Alexandre était donc voué au rôle de second, à Mazion comme à Fonteyne. Avec une différence notable, toutefois, c'est que l'exploitation de Mazion ne comportait que quelques hectares et produisait uniquement du vin blanc. En regard de Fonteyne, la propriété des Billot était peu de chose dans la hiérarchie bordelaise, Dominique le savait très bien.

– Je les sale encore un peu, si tu veux bien..., annonça Marie.

Dominique se tourna vers sa mère et esquissa un sourire machinal, de pure politesse. Les champignons seraient parfaits, comme d'habitude avec Marie. Elle prit une pile d'assiettes dans le placard et se dirigea vers la minuscule salle à manger attenante. La maison était claire, moderne, agréable. Mais comment vivre là après avoir connu durant dix ans les somptueux lambris de Fonteyne ? Elle avait beau se reprocher d'être ingrate, elle se sentait mal à l'aise en permanence.

« Je n'aurais jamais cru que je regretterais Juillet un jour... », songea-t-elle avec amertume.

Oui, les exigences et les rires de son beau-frère lui manquaient, mais aussi son assurance, sa confiance et surtout la rigueur de ses ambitions. Dominique envia Laurène une seconde, ce qui la conduisit à se demander pourquoi Juillet n'avait toujours pas fixé de date pour le mariage. Il faudrait qu'elle en parle à sa sœur et qu'elle l'incite à exiger une réponse claire. Dominique fit un rapide calcul et constata qu'il n'y avait que deux mois qu'Aurélien était mort.

– Mets-nous des fleurs sur la table, suggéra Marie qui venait d'entrer, ce sera plus gai !

Elle jeta un coup d'œil discret vers Dominique qui lui semblait soucieuse, abattue, presque éteinte. Marie soupira et repartit vers sa cuisine. Elle comprenait très bien sa fille aînée mais elle ne pouvait rien tenter pour l'aider.

*_**

Alexandre observa avec attention le dernier greffon de la rangée puis il se redressa, satisfait. Il alluma une cigarette et rejoignit son beau-père qui, une centaine de mètres plus loin, était agenouillé entre deux plants, occupé à détecter d'éventuels parasites.

– Un petit apéritif ? proposa Alexandre en débouchant la flasque d'argent qu'il avait pris l'habitude d'emporter partout.

Antoine tendit la main, but deux gorgées et s'essuya la bouche d'un revers de main. Alexandre l'aimait bien, il le trouvait facile à vivre. Antoine était méticuleux mais sans excès, il surveillait ses terres de près mais n'en faisait pas une obsession, lui.

Ils repartirent à pas lents vers la maison. Ils n'avaient pas besoin de se parler pour se comprendre. Contrairement à ce que Dominique ressentait, Alexandre n'était pas malheureux à Mazion. Il préférait les consignes bourrues d'Antoine aux ordres de Juillet. Lorsqu'il évoquait son frère cadet, Alex avait d'ailleurs pris l'habitude de penser : « le bâtard ». Il n'avait toujours pas admis l'injustice flagrante du testament d'Aurélien. Il tenait ce document pour une scandaleuse iniquité. Il n'avait jamais réfléchi à cette possibilité qu'avait Aurélien de favoriser Juillet dans la société viticole de Fonteyne en le nommant gérant à vie, en contournant les lois avec une habileté de vieux renard. Il ne s'était pas préoccupé durant des années de ce qui allait advenir après la disparition de leur père. L'idée semblait si lointaine et Aurélien était si omniprésent ! Alors Alexandre avait subi cette primauté de Juillet comme une fatalité qui trouverait sa limite dans le temps. Il avait accepté le favoritisme éhonté d'Aurélien et les diktats du cadet en attendant des jours meilleurs. Qui donc ne viendraient jamais, maintenant que Juillet régnait officiellement sur Fonteyne.

Tout en marchant, il haussa les épaules sans même s'en apercevoir. Penser à Fonteyne – et il y pensait très souvent – l'agaçait. Il avait beau trouver le château trop grand et trop froid, les terres trop vastes, la qualité du vignoble trop prestigieuse et difficile à maintenir, il avait tout de même vécu là durant trente-cinq années. Il n'avait pas oublié le mépris de Juillet, chaque fois qu'il avait été question de son départ pour Mazion. « Tu vas aller faire du vin blanc chez les autres ? Toi, un Laverzac ? » demandait le cadet avec une ironie glaciale et incrédule. Car, pour Juillet, tout ce qui n'était pas les crus de Fonteyne était déchéance, bien sûr. Alexandre haïssait les certitudes de son frère. Mentalement, il répéta le mot « bâtard » pour attiser sa propre colère. Bâtard, oui, que ce gitan brun que leur père avait imposé à Fonteyne et dont il s'était entiché. Bâtard, ce coureur de jupons, ce bagarreur, ce solitaire, ce sauvage que seul Aurélien avait pu dompter.

« Ah, elle ne doit pas rire tous les jours, la pauvre Laurène », songea Alexandre sans réelle compassion.

Le sort de sa belle-sœur lui importait peu, au fond, mais il fallait supporter les commentaires de Dominique. En pensant à sa femme, il accéléra un peu le pas. Marie et Dominique ne se plaignaient jamais de leurs retards et ils en abusaient, Antoine et lui. A Fonteyne, Aurélien ne tolérait pas d'attendre pour passer à table. Juillet devait faire de même aujourd'hui.

«Mais ils sont tout seuls, comme deux imbéciles ! Il peut toujours s'appliquer à maintenir les traditions de sa famille d'adoption, il a bonne mine ! »

– Pourquoi ris-tu, Alex ? s'étonna Antoine.

– Pour rien, pour le beau temps.

– Oui, approuva son beau-père. C'est le printemps qui règle le sort de la vigne...

Ils étaient arrivés devant la maison et Alexandre laissa Antoine entrer le premier.

₊

Juillet remonta dans la Mercedes et démarra sèchement. Il fut obligé de faire du slalom dans les rues du centre pour se dégager de la circulation. La réunion à laquelle il venait d'assister avait été houleuse. Le syndicat des viticulteurs perdait beaucoup de temps à débattre de questions sans importance. Mais il était nécessaire que Juillet y tienne sa place. On l'écoutait toujours avec respect, même si ses idées d'envergure effrayaient la plupart de ses confrères.

Il sortit de Bordeaux et prit la route de Margaux. Il était treize heures passées et il accéléra. Fernande s'appliquait chaque jour à lui confectionner d'excellents repas qu'il n'était pas à même de savourer. L'absence d'Aurélien lui était encore insupportable. Même s'il ne désespérait pas d'en guérir un jour, la blessure était grande ouverte. Il n'avait personne d'autre à admirer, à écouter, à respecter, personne avec qui se mesurer.

Il brancha la radio pour entendre les nouvelles d'un monde qui ne l'intéressait que de loin. Son univers se bornait à Fonteyne et suffisait à son bonheur. Il s'engagea dans l'allée du château, enregistra mentalement que des ardoises s'étaient déplacées sur l'aile ouest et qu'il faudrait téléphoner au couvreur, puis il freina brutalement, par jeu, devant le perron. Il escalada la volée de marches et gagna la salle à manger où Laurène l'attendait. Elle paraissait fragile et perdue, assise au bout de la longue table. Elle se leva dès qu'il entra, heureuse de pouvoir enfin s'affairer. Elle sonna Fernande, servit le vin et poussa un cendrier vers Juillet qui fumait de plus en plus, même en mangeant.

– Lucas te fait dire qu'il sera dans les caves à partir de deux heures. Tu as passé une bonne matinée ?

– Non, répondit-il tranquillement. Tu sais comment ils sont, noyés dans des détails mais négligeant l'essentiel, traînant dix ans de retard et pleurant sur leur sort. Je déteste perdre mon temps, j'en ai trop peu ! Pourquoi as-tu ouvert du Lascombes, grands dieux ?

Elle se troubla, toujours très gamine dès qu'il semblait lui faire un reproche.

– C'est mon... j'ai... eh bien, si tu ne t'en souviens pas, je...

Il s'était redressé, navré, et il posa sa main sur celle de la jeune femme.

– C'est ton anniversaire ? Oh, je suis tellement désolé...

Il leva son verre, jetant un coup d'œil de connaisseur sur la couleur rare du Margaux.

– Tu as bien choisi, le Lascombes est tellement... féminin ! A toi, ma chérie...

Il but, plissant les yeux, attentif à la saveur dont il se laissa envahir.

– Une merveille, apprécia-t-il à mi-voix, avec beaucoup de violette, comme il se doit...

Il reposa son verre et dévisagea Laurène. Elle portait un tee-shirt blanc sur un kilt court. Elle était si ravissante qu'il se reprocha pour la énième fois de ne pas lui offrir ce qu'elle attendait de lui. Il allait lui parler lorsque Fernande ouvrit la porte dissimulée dans les boiseries, tenant fièrement un plat de lamproies.

– Repas de fête, annonça Laurène, Fernande nous a gâtés.

Juillet échangea un coup d'œil avec la vieille femme. Elle représentait toute son enfance et son adolescence. Il pouvait reporter sur elle une partie de l'immense affection qu'il avait vouée à Aurélien.

– Sers-toi bien, pour une fois, recommanda-t-elle, ne chipote pas !

Il découvrit qu'il avait très faim, soudain, et qu'il allait prendre le temps de déguster le repas avec plaisir. Fernande n'oubliant jamais les petits détails de la vie, elle avait dû penser au gâteau d'anniversaire et aux vingt-trois bougies. Juillet regarda une nouvelle fois Laurène. Elle mangeait de bon appétit, gourmande et juvénile. Il regretta de n'avoir pas deux heures devant lui. Il avait une brusque envie d'elle qui le rendait gai, mais Lucas devait déjà être là et Juillet avait mille choses à faire, comme chaque après-midi.

– Je t'invite à dîner ce soir, dit-il à Laurène.

Elle se mit à rire, amusée par l'invitation impromptue.

– Au Chapon fin ? Au Rouzic ? Mais, mon amour, où mange-t-on mieux qu'ici ?

– Très bien, accepta-t-il de bonne grâce.

Alors je veux du champagne, du foie gras et du pain chaud sur un plateau, au pied de notre lit ! D'accord ?

L'air heureux de Laurène lui donna aussitôt raison. Il était conscient de lui faire mener une vie monotone dans un cadre austère, même s'il était grandiose. Elle devait être lasse des lustres et des boiseries de cette salle à manger, des doubles portes toujours ouvertes qui ne permettaient aucune intimité, de tout cet apparat qui n'avait plus sa raison d'être pour eux deux. Il jeta un coup d'œil vers la bague de fiançailles qu'elle portait depuis quelques mois à l'annulaire. Pourquoi ne parvenait-il pas à lui sacrifier sa liberté une bonne fois ? Pourquoi remettait-il toujours au lendemain cet inéluctable mariage ?

– De quoi as-tu envie ? demanda-t-il. Je pourrai m'en occuper demain après-midi, il faut que j'aille à Bordeaux.

– Une surprise, répondit-elle en le regardant bien en face. Et tu n'as pas besoin d'aller à Bordeaux pour ça !

Il ne baissa pas les yeux, n'ayant pas la lâcheté d'être hypocrite. Ce fut elle qui détourna la tête. On ne faisait pas changer d'avis Juillet, elle en avait fait mille fois l'expérience. Ne voulant pas gâcher le déjeuner, elle parla d'autre chose.

Alexandre se réveilla de sa sieste avec la bouche pâteuse. Il avait trop arrosé le déjeuner, comme toujours. Le vin coulait à flots chez les Billot. On n'ouvrait pas des crus prestigieux comme à Fonteyne, mais on se régalait sans compter de petites appellations savoureuses. Dominique avait dû partir chercher les jumeaux à l'école. Alexandre ferma les yeux. A quoi bon se lever ? Il n'avait rien de spécial à faire et personne ne lui reprocherait de rester dans sa chambre. Antoine faisait la sieste chaque jour, lui aussi, et Marie s'activait sans bruit. Alexandre regarda autour de lui. La pièce était petite mais claire, pimpante. Rien n'y rappelait la Grangette : tant mieux !

« Père nous avait relégués là-bas pour une prétendue indépendance, mon œil ! Il était content de se débarrasser de nous, tout comme il s'était débarrassé de ses vieux meubles dans cette fichue Grangette. Très peu pour moi ! »

Alexandre était injuste mais il ne l'aurait admis pour rien au monde. Il avait pris soin, lors de son déménagement, de ne rien emporter qui appartienne à sa famille. Il s'était contenté de ses affaires personnelles et de ce qu'ils avaient acheté, Dominique et lui, au début de leur mariage. Il avait laissé la petite maison exactement comme son père la lui avait prêtée dix ans plus tôt.

« Il nous a foutus à la porte du château pour y rester seul avec son bâtard... »

Alexandre rouvrit les yeux précipitamment, pris de vertige. Décidément, il avait trop bu. Il sursauta en entendant la porte. Laurène entrait comme une tornade.

– Salut, Alex ! Tu dormais ? Je suis venue vous embrasser en vitesse, c'est mon anniversaire !

Elle lui déposa un baiser léger sur la joue. Sa bonne humeur était communicative.

– Ta mère nous gave comme des oies, dit-il en plaisantant, et les digestions sont laborieuses. Comment vas-tu ?

– Bien, mais je m'ennuie, répondit Laurène avec franchise. Vous nous manquez !

– A toi, peut-être, mais à Juillet, ça m'étonnerait !

Il l'avait dit avec beaucoup d'agressivité et elle n'insista pas. Elle connaissait la rancœur d'Alexandre et les années de soumission qui l'avaient provoquée.

– Toujours pas de date pour votre mariage ? demanda-t-il perfidement. Si tu ne le secoues pas un peu, il ne te conduira jamais à l'église !

Comme Alexandre riait, Laurène haussa les épaules, agacée. Elle l'abandonna et descendit bavarder avec sa mère en attendant le retour de Dominique. Elle venait souvent passer un moment, dans l'après-midi, heureuse de parler de futilités. A Fonteyne, Fernande était trop occupée pour l'écouter autrement que d'une oreille distraite. Et il lui arrivait de poser des questions auxquelles elle était incapable de répondre. Le choix des menus, des nappes, des draps, les impératifs d'approvisionnement, les décisions en tous genres, des massifs de fleurs aux divers travaux d'entretiens : Laurène était complètement dépassée. Mais Aurélien n'était plus là, Juillet était beaucoup trop absorbé par l'exploitation et l'absence de Dominique compliquait tout.

– Quand je vous imagine tous les deux seuls là-bas, ça me fait drôle, disait Marie en préparant du café frais.

– Le pire, avoua Laurène, c'est le matin. Juillet se lève avant l'aube et s'en va arpenter les vignes ou les caves. Tu sais comment il est ! Et Fernande n'arrive qu'à sept heures ! Alors, pendant un moment, je suis l'unique habitante du château, ce n'est pas rassurant !

Marie s'était mise à rire. Elle caressa tendrement les cheveux de Laurène.

– Tu te caches sous ta couette ?

33

– Non, mais je fais monter Botty sur le lit !

Laurène pouffa comme une gamine. Le pointer de Juillet dormait sagement par terre depuis des années mais, bien entendu, il était ravi de l'invitation. Marie était redevenue sérieuse. Elle poussa une tasse vers Laurène en fronçant les sourcils. Sa fille cadette était toujours aussi fragile, aussi naïve que lorsqu'elle était adolescente. Il était impensable, lorsqu'on la regardait rire, de l'imaginer dirigeant Fonteyne. Marie s'assit et servit le café. Inutile d'ennuyer Laurène avec cette histoire de mariage. Si elle avait eu une date à leur annoncer, elle l'aurait fait en arrivant. Les atermoiements de Juillet inquiétaient Marie, mais elle ne voulait pas en parler. La seule chose que Laurène saurait faire, sans que personne ait besoin de lui expliquer quoi que ce soit, ce serait de garder Juillet pour lequel elle s'était déjà tant battue.

– Tu l'aimes, n'est-ce pas ? demanda doucement Marie.

Sa fille leva un regard brillant vers elle. Un regard qui dispensait de réponse.

– A la folie, soupira-t-elle.

Juillet était tout pour elle, depuis toujours. Marie se souvenait des colères de Laurène, de ses désespoirs, de tout ce qu'elle avait fait pour le conquérir. Ce grand amour d'enfance était le seul combat qu'elle ait jamais mené, le seul avenir qu'elle voulût.

– Nous nous marierons après les vendanges, déclara brusquement la jeune fille.

Elle avait besoin de confier ce demi-échec à sa mère, besoin de ses conseils, Marie le comprit aussitôt.

– Ce n'est pas un peu... loin ? demanda-t-elle prudemment. Vous devriez vous dépêcher de fonder une famille pour remplir Fonteyne de cris d'enfants !

Elle souriait tendrement à Laurène, essayant de lui faire comprendre quelque chose. Elle murmura.

– Je suis certaine que Juillet sera un père merveilleux. Tu sais à quel point les jumeaux l'adorent ! Il doit mourir d'envie d'être papa. Il a beaucoup reçu d'Aurélien, Juillet... Il a sûrement beaucoup à donner...

Laurène soutint le regard de sa mère quelques instants. Le message était clair. Elle allait répondre lorsque Dominique fit irruption dans la cuisine. Les deux sœurs tombèrent dans les bras l'une de l'autre.

– Vous buvez du café ? s'indigna Dominique. Mais c'est l'anniversaire de la puce, si ma mémoire est bonne ! On peut peut-être ouvrir une bouteille de champagne pour trinquer entre femmes ?

Laurène lui adressa un sourire complice et reconnaissant. Dominique savait toujours quoi faire en toutes circonstances. Et, entre autres, ne pas proposer à Alex de se joindre à elles. Elle avait déjà émis quelques réflexions sur le fait que son mari buvait un peu trop, depuis qu'il était à Mazion.

– Juillet va bien ? demanda Dominique d'une voix neutre.

Elle souhaitait réconcilier les deux frères mais ne savait pas comment s'y prendre.

– Juillet va toujours très bien ! Dieu merci ! Sauf qu'il est de plus en plus accaparé par le travail, qu'il se fait du souci pour rétablir l'équilibre financier de l'exploitation et que...

Gênée, Laurène s'interrompit. Il y avait ces terribles histoires de succession, les droits des trois autres frères, Juillet seul maître à Fonteyne et Alex réfugié ici. Dominique s'était assise pour servir le champagne.

– A mon avis, commença-t-elle, le tort de Juillet est de ne pas tenir Alex au courant de ses intentions. Il se sent écarté et méprisé depuis trop longtemps.

Comme Marie s'y attendait, Laurène prit aussitôt la défense de Juillet.

– Mais c'est très compliqué ! dit-elle en hâte. Maître Varin et Juillet ont des discussions à n'en plus finir ! La valeur des actions, le pourcentage des parts, l'étalement du dédommagement, tout ça... Tu sais bien que personne ne sera lésé !

– Mais oui, je ne prétends pas le contraire. Je connais les défauts de Juillet mais aussi ses qualités. En ce qui me concerne, je dors sur mes deux oreilles. Louis-Marie et Robert aussi, à Paris, font entièrement confiance au cadet. Seulement, Alex...

Dominique appelait parfois Juillet « le cadet », comme tout le monde. Elle avait un profond respect pour lui mais elle ne pouvait pas ignorer les griefs d'Alexandre.

– Tu comprends, reprit-elle, Alex voudrait juste savoir ce qui se passe. Il aurait aimé assister à ces réunions avec Varin.

– Alex est parti en claquant la porte ! rappela Laurène. Juillet a pris ça comme une désertion, un abandon de poste.

– Non, comme une libération ! dit la voix d'Alexandre.

Il se tenait sur le seuil de la cuisine, l'air furieux. Il marcha vers la table et désigna les flûtes.

– Vous buvez en cachette ?

Dominique, résignée, lui servit du champagne. Alex s'était tourné vers Laurène qu'il toisait de toute sa hauteur.

– Ton mec, il était ravi de nous voir partir, je ne me fais pas d'illusions...

L'expression «ton mec» resta en suspens quelques instants entre eux. L'agressivité d'Alex bouleversa Laurène.

– Sûrement pas ! protesta-t-elle avec véhémence. Tu lui manques. Il ne peut pas faire tout seul ce que vous étiez trois à faire.

– Pourtant c'est ce qu'il voulait, avoir Fonteyne rien qu'à lui et ne rendre de comptes à personne ! Du temps de père, il se tenait à carreau. Il jouait au fils modèle pour se faire donner la société. De ce côté-là, il a bien réussi son coup !

– Tu n'as pas le droit de dire des choses pareilles, s'insurgea Laurène.

Dès qu'il était question de Juillet, elle montrait ses griffes. Alexandre le prit très mal.

– Le droit ?

Il vida sa flûte d'un trait, toussa à cause des bulles, puis il reprit son souffle et débita d'une traite :

– Juillet n'est qu'une pièce rapportée, c'est lui qui n'a aucun droit ! Fonteyne est à nous, même si Louis-Marie et Robert sont trop stupides pour s'y intéresser ! Dans les derniers temps, père était malade, gâteux, il s'est laissé faire mais, moi, je ne suis pas obligé d'accepter ! Il y a des lois, on n'a qu'à les appliquer ! Varin n'est pas un notaire fiable. Il rampe comme une carpette devant Juillet depuis toujours ! Qui me garantit que toutes ces clauses testamentaires sont inattaquables, hein ?

Un silence de glace s'installa dans la cuisine. Dominique regardait son mari, incrédule. Marie avait un peu pâli. Ce qu'elle redoutait était enfin arrivé. Alexandre était sur une mauvaise pente, depuis la mort de son père. Jamais il n'aurait osé s'opposer ouvertement à Aurélien, mais à présent il n'avait plus de garde-fou. De surcroît, comme il ne vivait plus sous le même toit que Juillet, il avait cessé de le craindre, il s'imaginait pouvoir l'affronter. Marie savait qu'Alex n'aimait pas assez les vignes pour regretter les siennes. Sa frustration ne venait pas de la terre. C'était plutôt un sentiment de jalousie, l'impression d'avoir dû s'effacer ou s'incliner une fois de plus qui devait le torturer aujourd'hui. Trente ans plus tôt, avant l'adoption de Juillet, Alexandre était le benjamin, le chouchou. Et puis Aurélien avait brusquement imposé un petit garçon tout brun à sa femme et à ses trois fils. Alex avait été relégué et il en avait souffert. Plus tard, après le départ de Louis-Marie puis de Robert, Alex avait espéré que son père le prendrait comme bras droit et lui confierait des responsabilités. Mais une nouvelle fois, Juillet s'était imposé. Alex n'avait pas pu contester le savoir-faire de Juillet, sa formidable connaissance de la vigne, son instinct infaillible pour tout ce qui touchait l'exploitation. Il avait eu sous les yeux, chaque jour, l'affection particulière qui liait Aurélien et Juillet. Il les avait vus complices, tendres, farouchement d'accord dès qu'il était question du vin ou de la conduite des affaires. Il les avait vus s'aimer passionnément et il en avait conçu une immense amertume. D'autant plus qu'il ne se sentait pas de taille à lutter. Et les quelques efforts de Juillet pour le ménager n'avaient fait que jeter de l'huile sur le feu.

Marie dévisagea Alexandre. Il avait quelque chose de changé, depuis quelques semaines, mais quoi ? Avant, il était gentil, même s'il était un peu terne. Maintenant, son aigreur avait pris le dessus et le rendait presque inquiétant. Une guerre ouverte avec Juillet, au sujet de Fonteyne, serait bien le pire malheur qui puisse frapper les deux familles. Dominique et Laurène en feraient les frais, immanquablement.

Se sentant observé, Alexandre tourna la tête vers sa belle-mère. La gentillesse de Marie était désarmante, cependant il garda son air buté.

– Il faut toujours respecter la volonté des morts, dit Marie d'une voix douce.

Alex haussa les épaules. Même dans cette cuisine, à Mazion, il était mis en minorité, il était jugé.

– J'en ai marre de vous tous, dit-il, carrément insolent.

Il se leva et quitta la pièce, laissant les trois femmes très inquiètes.

**

Juillet regarda démarrer la voiture. Il se tourna vers Lucas.

– Je ne m'y ferai jamais ! dit-il avec fureur. Le culot des gens est inadmissible !

Il ne tolérait aucune intrusion sur la propriété et il n'avait pas l'intention de changer d'attitude. Et même si les promeneurs les plus hardis ne se laissaient pas décourager par les écriteaux : « Propriété privée », il se sentait de taille à leur barrer la route.

– Il y en a pour six mois, se borna à répliquer Lucas d'un ton résigné.

L'afflux des touristes, plus important chaque année, devenait une plaie pour les viticulteurs. Certains étrangers semblaient même croire qu'une dégustation gratuite était de rigueur. Leurs prétentions faisaient bouillir Juillet.

– Je crois que la taille est bonne..., dit-il en laissant courir son regard sur les vignes, loin devant lui.

Il avait oublié la voiture et le couple d'Allemands. Il se mit à marcher entre les rangs, inspectant les ceps un par un. Il avait passé tant d'heures à les tailler avec Lucas, comme chaque printemps, qu'il était presque surpris d'avoir achevé ce long travail.

– Je voulais te dire..., commença Lucas dans son dos.

Juillet s'arrêta, surpris par le ton hésitant de son maître de chai. Il le connaissait depuis toujours et il comprit immédiatement qu'il s'agissait de quelque chose de particulier. Il sortit son paquet de Gitanes, attendant que l'autre se décide.

– Il y a vraiment un boulot d'enfer depuis le départ d'Alexandre... Et aussi le décès de Monsieur...

Il faisait beau et froid. Un temps idéal pour ce mois d'avril dont dépendrait la récolte à venir. Juillet aspira une bouffée de sa cigarette.

– Je t'écoute, dit-il pour faire comprendre à Lucas que les préliminaires étaient inutiles.

— Je voudrais bien une augmentation, lâcha Lucas.

Soulagé d'avoir parlé, il regarda Juillet.

— Tu trouves le moment bien choisi ?

Lucas fronça les sourcils et répondit, sincère :

— En fait, ce serait le moment d'engager quelqu'un de plus. Mais ça, je sais que tu ne peux pas le faire pour l'instant.

— Non ! Il y a la succession d'Aurélien et... mes frères. Je ne veux pas augmenter les charges de l'exploitation pour le moment. J'ai des investissements énormes sur le dos avec la modernisation que j'ai voulue, que tu as voulue, et qu'Aurélien avait acceptée... Un type pour nous seconder, ce serait l'idéal, mais je ne peux pas. Quant à toi... Ton salaire est insuffisant ?

Lucas était très bien payé, depuis toujours. Juillet était également salarié, en tant que gérant de la propriété, ainsi qu'Aurélien l'avait souhaité.

— Tu n'as plus la charge d'Alexandre, fit remarquer Lucas. Et même si ce n'est pas un phénix, il manque ! On se partage son travail, toi et moi, et toute peine mérite salaire. Je n'ai plus vingt ans.

Juillet plongeait son regard sombre dans

celui de Lucas. Sa requête était juste, mais elle tombait mal.

– Tu ne veux pas attendre ? demanda-t-il d'une voix calme.

– Non.

Buté, Lucas ne baissait pas les yeux. Il se sentait dans son bon droit.

– Combien ?

– Quatre.

– Quatre mille ?

Juillet écrasa soigneusement sa cigarette sous le talon de sa botte. Il était conscient de n'avoir pas le choix. Lucas n'avait pas été augmenté depuis longtemps. Aurélien s'y était refusé depuis le jour où Lucas avait fauté, trafiquant quelques bouteilles pour son profit personnel. Juillet s'était alors opposé au renvoi de Lucas par égard pour Fernande et aussi parce que Lucas, malgré ses défauts ou ses faiblesses, était un formidable maître de chai.

– Entendu, dit Juillet à la grande surprise de Lucas.

Il s'était déjà détourné, reprenant sa marche dans les vignes. Lucas, incrédule, le laissa s'éloigner avant de réagir. Il s'était imaginé une discussion difficile, peut-être même un affrontement. Juillet ne cédait jamais, c'était notoire.

– Attends ! cria-t-il.

Un peu essoufflé, il rejoignit Juillet.

– Je ne veux pas casser la baraque, bougonna Lucas. Mais enfin, regarde autour de toi, tu n'es pas pauvre !

Juillet éclata de son rire caractéristique, bref et léger.

– Toi non plus ! riposta-t-il. Avec les tarifs que tu pratiques ! Tu n'es pas près de me refaire le coup de l'augmentation !

N'y tenant plus, Lucas demanda :

– Si c'est pas possible, pourquoi tu dis oui ?

Juillet s'arrêta et fit volte-face. Lucas se trouva nez à nez avec lui. Toute trace de gaieté avait disparu de son visage.

– Je dis oui parce que je ne peux pas me passer de toi, tu le sais très bien. Je dis oui parce que c'est vrai que, un peu plus ou un peu moins, on ne va pas sombrer pour ça. Et je dis oui parce que je suis seul, Lucas. Vraiment seul.

Contre toute attente, Lucas se sentit ému par le jeune homme qui le toisait. Il revit soudain le petit garçon, toujours en mouvement, avide d'apprendre, impatient de grandir, fasciné par la vigne, grave mais rieur, sérieux mais dissipé : adorable. Fonteyne existait aujourd'hui grâce à Juillet. Travailler sur les terres de Fonteyne était un réel bonheur et aussi un honneur. Fernande et Lucas étaient liés pour toujours à Juillet comme à Fonteyne.

– Ecoute..., commença Lucas.

– Nous avons réglé le problème, trancha Juillet. Tu n'as pas tort, ne te sens pas coupable !

Lucas hocha la tête et ils repartirent côte à côte. Juillet était seul, oui, mais il n'avait rien perdu de son orgueil.

Il pouvait être trois heures du matin, cependant le silence du château n'était pas absolu. Il y avait les craquements caractéristiques des boiseries, le vent qui faisait toujours ronfler les larges conduits de cheminée, les courses furtives des souris dans les greniers et les balanciers réguliers des horloges. Juillet était assis dans l'obscurité de la bibliothèque, à sa place favorite, sur un barreau de l'échelle. Aurélien avait accumulé, toute sa vie durant, des collections rares et des éditions originales. Juillet en avait conçu, dès son enfance, un profond respect pour les livres. Et comme Aurélien n'acceptait pas que ceux-ci quittent la bibliothèque et soient égarés au quatre coins du château, Juillet avait passé des nuits entières à lire, enfoui dans l'une des profondes bergères ou bien assis en équilibre sur l'un des barreaux de l'échelle, le volume ouvert sur l'une des nombreuses tablettes à tirette. Cette habitude lui était restée et, lorsqu'il venait réfléchir, il retrouvait machinalement la même position, les épaules calées entre les montants d'acajou.

Il s'étira, referma le livre dont il n'avait pas lu une seule ligne. Quand il avait quitté sa chambre à pas de loup, deux heures plus tôt, Laurène dormait, roulée en boule sous la couette, épuisée. Ils avaient fait l'amour, longuement, tendrement. Et pourtant, comme chaque fois, il manquait quelque chose à Juillet. Quelque chose qu'il ne cherchait pas à définir, repoussant avec horreur cette sensation de vacuité. Il n'était pas en quête d'absolu, pas sujet à la nostalgie, pas enclin à s'interroger ou à s'attendrir. Aussi mettait-il son malaise, vague mais persistant, sur le compte de l'absence d'Aurélien.

Il abandonna son perchoir pour faire quelques pas dans la bibliothèque. Il avait trente et un ans, d'énormes responsabilités, une terre qu'il aimait à la folie et un adorable petit bout de femme qui l'attendait dans son lit. L'été serait bientôt là, avec le raisin qui pousse, qui grossit, qui mûrit au soleil. Juillet ne souhaitait rien d'autre. Fonteyne lui procurait toutes les émotions possibles.

Il éteignit et traversa le hall dans l'obscurité. Il se dirigea vers l'office, ouvrit l'un des grands placards et prit une bouteille sur l'étagère du bas. Il gagna la cuisine, alluma, déboucha tranquillement le Margaux et s'en servit un verre. Installé sur l'un des longs bancs, il savoura la première gorgée. Le goût de mûre où passait un léger accent de vanille se dégagea d'abord, suivi par un rien de résine, puis tout l'arôme de la violette se développa. Juillet sourit, reposa son verre et le regarda en transparence. Il décida que tant qu'il saurait faire du vin de cette qualité, la mélancolie n'aurait pas de prise sur lui.

Les deux bombes éclatèrent presque simultanément, transformant le début du mois de mai en cauchemar. La première nouvelle fut assenée par maître Varin qui se déplaça en personne et débarqua à Fonteyne le mercredi matin, sans s'être fait annoncer. Fernande le conduisit jusqu'au bureau où Juillet travaillait, comme d'habitude. Lorsque le notaire fut assis et qu'il eut décliné toute invitation à se rafraîchir, Fernande s'éclipsa et referma soigneusement la porte capitonnée. Varin prit son courage à deux mains et n'essaya même pas d'amortir le choc.

– Votre frère Alexandre a confié ses intérêts à mon confrère, maître Samson, qui vient de me signifier ses intentions... Il attaque en justice le testament de votre père...

Varin connaissait Juillet depuis longtemps et il ne fut pas surpris que le jeune homme parvienne à garder son calme. Il y eut néanmoins un silence assez long.

– Le testament d'Aurélien est-il attaquable ? demanda enfin Juillet d'une voix froide.

Seule l'intonation renseigna le notaire. Le regard sombre de Juillet ne le lâchait pas. Il était responsable de tous les actes qu'il avait dressés, depuis trente ans, pour Fonteyne.

– Il a été établi en bonne et due forme, votre père était sain d'esprit, toutes les clauses sont parfaitement légales, dit-il très vite.

– Alors sur quels arguments se fonde la demande d'Alexandre et de son sbire ?

Le dernier mot fit tiquer Varin.

– Maître Samson est un excellent avocat d'affaires dont la...

– Quels arguments ? répéta Juillet.

Varin s'appuya au dossier de son fauteuil et croisa les jambes. La discussion allait être orageuse, il n'en doutait pas.

– Juillet, commença-t-il en usant avec prudence du prénom, je désapprouve complètement la démarche d'Alexandre. S'il l'a entreprise, c'est qu'il se sent floué.

– Il l'est ?

– Non ! Pas du tout. Sur un plan... matériel, Aurélien n'aurait pas pu déshériter l'un de ses fils, même s'il l'avait souhaité. La répartition est légale, je vous le confirme. Mais, évidemment, les dispositions de ce testament ont froissé Alexandre en le laissant sur la touche. Vous savez bien que vous avez l'entière responsabilité de la gestion de Fonteyne, que vous y faites ce que vous voulez...

– Encore heureux !

Maître Varin soupira. Il avait encore en mémoire les maux de tête que lui avaient procurés les exigences d'Aurélien. Il avait dû mettre tout son savoir-faire dans la bataille pour obtenir enfin l'assentiment du patriarche, après avoir exploité les ruses juridiques les plus complexes. La situation était telle qu'Aurélien l'avait voulue : l'exploitation entre les mains de Juillet.

– Les derniers statuts ont fait de vous un gérant à vie, comme vous le savez. Aucune décision ne peut vous être imposée. La consultation de vos actionnaires est presque de pure... politesse ! Vos pouvoirs sont illimités.

– Et alors ? Seuls les résultats comptent, je suppose ?

Juillet toisait le notaire, s'appliquant à ne pas reporter sur lui sa colère.

– La machine est bien rodée, vous savez, bien huilée... Fonteyne continue de prospérer, mon frère ne peut pas m'adresser le moindre reproche !

– Oh, mais il s'en garde bien ! Il n'insinue pas que vous gérez mal le domaine toutefois il prétend qu'il en a été éjecté. Il trouve vos pouvoirs exorbitants et il pense que votre père a outrepassé ses droits en « trafiquant » les statuts de la société pour vous favoriser de manière scandaleuse.

– Trafiquer ? Aurélien ?

Juillet se leva. Sa longue silhouette se découpa devant la porte-fenêtre. Varin pensa qu'Alexandre avait tort de l'affronter.

– Dans l'immédiat, un juge va statuer sur le bien-fondé de la requête. Ensuite, il y aura sans doute un examen approfondi de la société et de toutes les modifications apportées par votre père durant la dernière année de sa vie...

L'image d'Aurélien obsédait Juillet depuis une ou deux minutes. Il revoyait le sourire narquois de son père adoptif. Il se souvenait particulièrement d'une phrase : « Tu auras tes frères sur le dos mais tu garderas les mains libres, il n'y a qu'à toi que je peux confier Fonteyne. »

– Vous restez déjeuner, dit soudain Juillet.

C'était plus un ordre qu'une question et Varin acquiesça.

– Je vous demande un instant, je préviens Fernande et je nous fais servir l'apéritif...

Juillet était déjà sorti et le notaire se laissa aller tout au fond du fauteuil de cuir blond. Il y avait des honoraires en perspective, il le savait, mais ils étaient assortis de tels désagréments qu'il préférait ne pas y songer. Juillet allait le contraindre à une bataille de tous les instants et qu'il ne serait pas question de perdre ! A moins d'y laisser sa réputation. Voire son étude. Juillet Laverzac était l'un des viticulteurs les plus en vue du Bordelais. Il allait être soutenu par tout ce que la région comptait de notables. Et c'est à lui, Varin, qu'incombait la responsabilité de faire respecter chaque clause du testament d'Aurélien. En espérant qu'il n'y ait pas de faille, pas de nouvelle loi, pas de grain de sable, et surtout aucune erreur dans la rédaction de chaque pièce établie par lui ou par ses clercs. Il sortit un mouchoir de sa poche et s'épongea le front. Samson était d'une redoutable ingéniosité. Alexandre avait dû lui laisser miroiter des merveilles. Varin se dit qu'il n'avait plus l'âge de ce genre de combat mais, en même temps, il comprit qu'il n'avait pas le choix.

Juillet, de son côté, s'était arrêté dans le hall. Il avait dû s'appuyer à la rampe de l'escalier quelques instants pour retrouver son sang-froid. Il lutta pour refouler sa rage. Si Alexandre avait été devant lui, il lui aurait sauté à la gorge.

– Varin est parti ?

Juillet se retourna et tenta de sourire à Laurène.

– Non, il est dans mon bureau...

– Qu'est-ce que tu as ?

Elle s'était approchée et dévisageait Juillet, sourcils froncés.

– Alex attaque le testament d'Aurélien, dit Juillet d'une voix coupante.

Laurène ouvrit la bouche mais la referma sans avoir prononcé une parole. Ils se regardèrent et Juillet finit par l'attirer contre lui.

– J'ai retenu Varin pour déjeuner. Nous pourrons parler du problème plus en détail. Fais-nous porter un...

Il hésita une seconde. Le plus prestigieux des crus serait moins éloquent qu'un des siens, pour commencer.

– Dis à Lucas de me choisir une de nos meilleures bouteilles. Et, à table, tu nous serviras un palmer de 88.

Le nez dans le cou de Juillet, Laurène sourit.

– Tu veux l'épater ?

– Non... Je veux seulement qu'il se souvienne qu'il n'est pas n'importe où, pas chez n'importe qui... Et qu'ici je ne plaisante pas.

Il se dégagea d'elle et repartit vers le bureau. Elle le rappela :

– Attends !

Elle fut près de lui en deux enjambées. Il avait besoin d'aide, elle le devinait. Il la rassura d'un sourire.

– Il faudra que je m'y fasse, dit-il. Si Alex veut la guerre, il l'aura ! Et il la perdra, comme il a toujours tout perdu. C'est un minable de naissance. Quand il vivait avec nous, ça se voyait moins...

Il parlait sans amertume, dédaigneux, glacial. A l'évidence, Alex n'existait plus pour lui que comme un ennemi de Fonteyne. Laurène frissonna et gagna en hâte la cuisine. Dès qu'elle eut mis Fernande au courant de la nouvelle, la vieille femme dut s'asseoir.

– Il n'a pas pu faire ça..., répétait-elle en secouant la tête.

Laurène se laissa tomber sur le banc, elle aussi, ressentant un soudain malaise.

– Et personne n'a pu l'empêcher, le raisonner ? Même pas votre sœur ?

Fernande avait beaucoup de considération pour Dominique. Elle ne comprenait pas pourquoi celle-ci n'avait pas arrêté son mari. Laurène prit conscience de ce que la question de Fernande impliquait. Oui, en d'autres temps, Alex n'aurait rien fait sans l'avis de sa femme. Mais depuis quelques semaines, il avait changé.

– C'est vrai qu'il est bizarre, dit-elle à voix haute.

– Il n'aurait pas dû partir, chuchota Fernande. Sa place était ici, avec son frère, sur la terre de sa famille...

Laurène fit un effort pour se redresser.

– Il faut s'organiser pour le déjeuner, dit-elle sans conviction.

Fernande leva la tête et dévisagea la jeune femme.

– Vous n'avez pas bonne mine, déclara-t-elle en fronçant les sourcils.

– C'est toute cette histoire...

Fernande se mit debout et se dirigea vers ses fourneaux. Elle murmura, plus pour elle-même que pour Laurène :

– Juillet, je le connais, il va briser Alexandre. Toucher à la mémoire de Monsieur, il ne pouvait rien trouver de pire !

Laurène savait bien que Fernande avait raison. Elle soupira, accablée.

.

Juillet raccrocha et eut une ombre de sourire. Le premier de la journée. Parler à Robert
l'avait un peu soulagé d'une colère qui ne le
lâchait pas. Dès le départ du notaire, il avait
appelé l'hôpital Lariboisière, à Paris, et avait
entendu la voix de son frère au bout de cinq
minutes d'attente. Il était toujours difficile
d'obtenir l'éminent professeur Laverzac dans
son service de chirurgie, mais il était encore
plus hasardeux de vouloir le joindre chez lui,
un superbe studio où il ne rentrait que fort
tard, lorsqu'il y rentrait ! A trente-sept ans,
Robert continuait de mener une vie de célibataire et il sortait beaucoup, entretenant sans
passion deux ou trois liaisons flatteuses. Il ne
se remettait pas de la blessure infligée par
Pauline, la seule femme qu'il fût capable
d'aimer et qui lui avait préféré Louis-Marie.
Après une longue période de brouille, les deux
frères avaient fini par se réconcilier, grâce à la
diplomatie de Juillet. Mais aussitôt Robert
était retombé sous le charme, et Pauline lui
avait cédé, trompant effrontément Louis-
Marie qui n'en avait rien su... grâce encore
à la diplomatie de Juillet. A Paris, Robert
évitait Pauline pour éviter de souffrir. Mais
à Fonteyne, il ne pouvait pas la fuir à chaque

56

réunion familiale et le piège se refermait sur lui. Il y avait quelque chose d'effrayant, chaque fois, dans ces retrouvailles. Le double jeu de Pauline qui, avant tout, aimait séduire ; les sentiments exaltés de Robert ; l'attitude trouble de Louis-Marie qui ne voulait pas voir. Juillet était parvenu à tout dissimuler et Aurélien avait ignoré le déchirement des deux frères ou la duplicité de l'adorable Pauline. Aurélien n'aurait pas toléré la situation et, d'ailleurs, il ne l'aurait pas comprise.

« Il n'y avait que vous pour nous faire tenir tranquilles... », pensa Juillet avec une tristesse aiguë.

Oui, Aurélien aurait écrasé sans pitié Alexandre s'il avait menacé Fonteyne. Juillet était résolu à en faire autant, malgré toutes les conséquences prévisibles. Il s'était donc excusé auprès de Robert mais il tenait à sa présence et à celle de Louis-Marie. La déclaration de guerre d'Alex ne pouvait pas être prise à la légère et les quatre héritiers d'Aurélien étaient concernés par le sort de Fonteyne. Robert avait proposé d'envoyer un pouvoir à Juillet mais celui-ci avait refusé. Il voulait agir au grand jour, en présence de ses frères, et il voulait leur avis. Robert avait fini par s'incliner, à bout d'arguments, et avait promis d'être à Margaux le vendredi soir.

Juillet alluma une cigarette. Il devait appeler Louis-Marie, à présent. Ensuite il avertirait Fernande pour l'organisation du week-end. La venue des Parisiens était toujours une fête et, même si les circonstances ne s'y prêtaient guère, il fallait les recevoir selon la coutume : en mettant les petits plats dans les grands.

*_**

Laurène s'était promenée un bon moment sur le cours Clemenceau. Elle avait longuement regardé les vitrines, mais sans réelle envie d'acheter. Elle se réjouissait à l'idée de voir Pauline, Louis-Marie et Robert. Elle était venue à Bordeaux pour trouver une robe ou un tailleur, cependant rien ne la tentait. Elle finit par aller boire un café et elle se plongea dans la liste des courses. Elle releva la tête au bout de deux minutes, après avoir vérifié qu'elle n'avait rien oublié. Le coffre de la Civic, qu'elle avait laissée dans un parking du centre, regorgeait de victuailles.

« Comme au bon vieux temps », songea-t-elle avec mélancolie.

Fonteyne allait s'animer et même Juillet en serait heureux, elle en était certaine. Malgré ce que cette réunion pouvait avoir de désagréable ou de menaçant. Malgré la menace qu'Alex faisait planer sur la famille.

Le temps était magnifique et le printemps l'aurait rendue très heureuse en d'autres circonstances. Elle soupira et regarda le flot des passants, sur le trottoir. Elle ressentait une pénible sensation de solitude qu'elle ne fit rien pour chasser. Elle était en train de s'abîmer dans de sombres pensées lorsqu'une voix familière la sortit brusquement de sa rêverie. Elle se retourna et sourit à Dominique qui se frayait un chemin au milieu des tables.

— Vue de dos, lui lança sa sœur, tu as toute la misère du monde sur les épaules !

Elles s'embrassèrent et Dominique s'assit près de Laurène. Elle commanda un café avant d'allumer une cigarette.

— Tu fumes ? s'étonna Laurène.

— Depuis quelque temps, un peu...

Elles échangèrent un regard affectueux.

— Tu es au courant, pour Alex ? demanda enfin Dominique.

Laurène hocha la tête. Elle ne savait quoi dire, devinant l'embarras de sa sœur. Il y eut quelques instants de silence.

— Varin est venu lui-même, dit Laurène.

— Et Juillet ? Comment a-t-il pris ça ?

— Mal. Vraiment mal.

Dominique écrasa nerveusement sa cigarette à peine entamée. Laurène lui posa la main sur le bras, comme pour la consoler.

– Pourquoi l'as-tu laissé faire ?

– Il ne m'a pas demandé mon avis ! protesta Dominique.

Les deux sœurs se dévisagèrent. Elles se comprenaient parfaitement. Elles avaient la même certitude : une catastrophe irréparable s'était abattue sur la famille.

– Il boit trop, il est toujours de mauvaise humeur. Il sait qu'il n'aurait pas dû quitter Fonteyne mais il ne reconnaîtra pas son erreur. Toute sa fureur est centrée sur Juillet. Je n'aurais jamais cru qu'il le détestait à ce point. Et, quoi que je dise, il ne m'écoute pas...

Dominique avait débité ses phrases d'une traite. C'était bien la première fois que Laurène sentait sa sœur aussi vulnérable.

– C'est vrai qu'il a changé, murmura Laurène.

– Changé ? Il est méconnaissable, oui ! Même avec les jumeaux, il est presque... indifférent.

Dominique prit sa sœur par le cou et l'attira vers elle.

– Ma puce, chuchota-t-elle, je suis très inquiète.

Elle avait toujours eu cette faculté de parler,

60

de constater, d'être simple. D'une nature plus joyeuse, plus ouverte, plus sereine que sa petite sœur, elle était aussi réconfortante et aussi positive que Marie. Laurène fut d'autant plus surprise par cet aveu. Dominique aimait Alexandre et elle devait se faire du souci, cependant il y avait autre chose.

– Tu ne te plais pas à Mazion ? demanda brusquement Laurène.

Dominique lui sourit.

– Je n'y suis plus chez moi... Et je ne suis plus une petite fille.

Laurène hocha la tête. Elle ne serait pas retournée volontiers chez ses parents, elle non plus.

– Lorsqu'on en parlait, avec Alex, il imaginait ça comme une délivrance, comme le paradis ! Je ne voulais pas le contrarier parce que, à ce moment-là, tout le monde le contrariait ! Mais je regrette infiniment Fonteyne et je pense que lui aussi.

– Evidemment, approuva Laurène, quand on a vécu à Fonteyne...

Elle l'avait dit sans y penser, comme la chose la plus naturelle qui soit. Elles étaient en train de renier Mazion, toutes les deux, sans regrets ni remords. Déjà, lorsqu'elles étaient enfants, Fonteyne les émerveillait. Aurélien et ses quatre fils, le château, les grands crus classés, les immenses caves voûtées, les réceptions fastueuses : il y avait largement de quoi faire rêver deux petites filles. Lorsque Dominique avait épousé Alex, Laurène l'avait enviée. Antoine et Marie avaient été comblés mais la mère d'Antoine, la vieille Mme Billot, avait été la seule à mesurer vraiment la chance de Dominique. Dans l'alliance des deux familles, les Billot faisaient indiscutablement figure de parents pauvres. Se retrouver à la table d'Aurélien avait été un choc pour cette femme âgée qui connaissait sur le bout du doigt la hiérarchie des dynasties viticoles. Elle avait abreuvé Dominique de recommandations, la mettant mal à l'aise. Mais Aurélien s'était montré patient avec sa belle-fille et Fernande l'avait adoptée dès son arrivée au château. Peu à peu, Dominique s'était prise au jeu de ses responsabilités et elle était devenue une maîtresse de maison accomplie. Elle avait adoré ce rôle, malgré ce qu'il avait pu avoir d'écrasant, et il lui manquait aujourd'hui. Même si la maison des Billot était agréable, aucune comparaison avec Fonteyne n'était possible. Dominique avait la pénible impression d'avoir régressé. Le retour à Mazion n'avait pas donné à Alex ce qu'il espérait et n'avait provoqué qu'amertume chez sa femme. Durant des semaines, elle avait essayé de prendre goût à sa nouvelle vie, sans y parvenir. Puis elle s'était dit qu'un retour à Fonteyne n'était pas exclu et elle s'était mise à en rêver. Elle avait échafaudé toutes sortes de plans qu'Alex venait de réduire à néant en attaquant le testament de son père. Juillet ne pardonnerait jamais, Dominique le savait.

– Toi aussi, tu trouves ça injuste ? demanda soudain Laurène d'une voix très douce. Tu penses qu'Aurélien a... favorisé Juillet ?

Dominique regarda sa sœur, de nouveau, avec attention.

– Oui, répondit-elle gravement. Il l'a favorisé. Mais...

Elle chercha ses mots, un instant, puis elle avoua, très vite :

– Mais il a eu raison, tout le monde le sait, ça tombe sous le sens. Juillet est le plus doué, il faut bien le reconnaître, même si c'est très... irritant. Je te le dis à toi mais je soutiendrai le contraire à Alex. Il a tellement besoin d'aide ! Je vais être obligée de me ranger dans son camp, ma chérie... Contre Juillet et contre toi... Parce que toi, bien sûr, tu vas faire comme moi, tu vas épauler l'homme que tu aimes...

Dominique semblait sur le point de pleurer et Laurène détourna son regard pour ne pas la gêner. Elle s'absorba dans la contemplation des passants. Elle se sentait de nouveau fatiguée, accablée. Une silhouette, dans la foule, lui parut familière. Elle s'aperçut qu'il s'agissait d'une femme enceinte, or elle n'en connaissait pas. Elle n'y attacha donc aucune importance, trop absorbée par ses soucis.

– Il faut que j'aille chercher les jumeaux à l'école, soupira Dominique.

Elle était déjà debout et Laurène la retint par le bras.

– Passe me voir à Fonteyne, c'est toujours moi qui vais à Mazion...

Dominique hocha la tête mais ne répondit rien.

***

Juillet s'était levé avant l'aube, comme d'habitude, et il avait déjà abattu un travail considérable lorsqu'il prit son petit déjeuner. Fernande avait posé le plateau sur le coin du bureau et s'était attardée quelques minutes pour discuter des menus du week-end. Juillet avait fait deux ou trois suggestions puis s'était replongé dans ses dossiers. Si Fernande lui demandait son avis, c'est que Laurène ne l'aidait pas comme elle l'aurait dû. Mais Laurène était trop jeune et sans doute trop timide pour décider seule. Cette absence de maturité séduisait Juillet tout en l'agaçant. Laurène était encore une adorable gamine, incapable de prendre fermement en main une maison aussi impressionnante que Fonteyne.

« Pourtant, il faudra qu'elle y parvienne, que nous soyons deux ou quinze... »

Il sourit en songeant qu'elle devait dormir, roulée en boule sous la couette, après avoir invité Botty à venir se blottir contre elle. Juillet se demanda une seconde si Pauline ne pourrait pas donner quelques conseils à Laurène, mais il renonça aussitôt à cette idée. Pauline avait une assurance que Laurène ne possédait pas, certes, mais elle était tout aussi femme-enfant, les problèmes d'intendance l'assommaient vite et son snobisme parisien était parfois saugrenu.

Il finit sa tasse de café, se leva et s'étira. Il portait les bottes de cuir souple que son père lui avait offertes pour ses trente ans, l'année précédente. Il alla vers la cheminée et ajouta une bûche. Il faisait du feu dans le bureau chaque matin depuis bien des années. Clotilde bougonnait en nettoyant les cendres mais Juillet aimait trop les flambées pour y renoncer. Il arrangea les braises, reposa les lourdes pincettes de fonte et resta un moment songeur, la main appuyée au linteau. La venue de ses frères lui causait un réel plaisir. Il savait que Robert devait quitter Paris le soir même et il était impatient de le voir arriver.

« Il va rouler à tombeau ouvert une partie de la nuit... Il sera à Fonteyne avant même que Louis-Marie n'ait fini de charger les valises de Pauline dans sa voiture ! »

Il sourit à cette idée, sachant que Robert voudrait le surprendre avant l'aube et n'aurait de cesse de lui faire essayer son nouveau bolide.

« Viens m'aider à barrer la route à ce con d'Alex ! » songea-t-il rageusement.

La colère de Juillet était intacte mais elle s'accompagnait d'une grande amertume. Il avait beau travailler d'arrache-pied, Fonteyne était un navire difficile à conduire. Alexandre avait du temps à perdre, mais pas Juillet.

« Je vous le jure, Aurélien, il n'aura pas Fonteyne... »

Contrairement à ce qu'Alexandre pouvait supposer, Juillet ne voulait pas garder Fonteyne pour lui seul. Il ne voulait léser personne ni s'approprier quoi que ce soit. Simplement, Fonteyne était quelque chose de sacré, qu'il fallait préserver et faire prospérer. Or Juillet savait qu'il était le seul des quatre fils d'Aurélien à pouvoir le faire. Sa certitude était au-delà de tout égoisme, de toute considération personnelle, mais elle n'en était que plus féroce.

– Bonjour, mon chéri, dit Laurène en ouvrant la porte.

Il dut faire un effort pour dissimuler sa contrariété. Il aurait préféré qu'elle frappe au lieu de le surprendre. Elle vint vers lui et se jeta à son cou. Elle était séduisante, perdue dans un pull rose trop grand pour elle et moulée dans un jean noir. Il l'embrassa longuement, la devinant avide de tendresse. Puis il recula un peu la tête pour la regarder.

– Tu as mauvaise mine, tu as mal dormi ?

Elle se blottit de nouveau contre lui. Elle se sentait fatiguée mais elle pensait qu'il avait suffisamment de problèmes et elle ne répondit pas. Il passa une main sous le pull, caressant la peau douce, tiède. Elle frissonna et il insista, pris soudain d'un désir joyeux. Elle était sans défense devant lui, trop amoureuse pour jamais lui résister. Il en éprouvait un sentiment de puissance mais parfois, aussi, de lassitude.

– Il reste du café chaud, dit-il en se détachant d'elle. Je serai dans les caves jusqu'à onze heures. D'ici là, si tu peux me sortir le dossier des amortissements avec les nouveaux barèmes, ce sera parfait.

Il était déjà parti et Laurène soupira. Elle

était tellement épuisée qu'elle se demanda si elle ne devrait pas consulter le docteur Auber.

*_**

Alexandre avait quitté le cabinet de maître Samson avec les idées embrouillées. L'avocate semblait confiante mais elle l'avait soûlé de questions. Alexandre espérait y avoir bien répondu. Il avait toujours eu du mal à comprendre les statuts compliqués de la société créée par son père. Celui-ci n'avait d'ailleurs rien fait pour le tenir au courant. Jaloux de son autorité et de ses prérogatives, il avait géré Fonteyne en solitaire. Si l'on exceptait Juillet, bien entendu !

Penser à Aurélien et parler de lui avait mis Alex mal à l'aise. Il éprouvait le besoin impérieux d'un petit réconfort, aussi il entra dans le premier bistrot venu. Il commanda un cognac qu'il but d'un trait. Juillet et Varin n'avaient qu'à bien se tenir. La réputation de Valérie Samson n'était plus à faire : elle gagnait à tous les coups ! Elle n'était pas aimée mais ses confrères la traitaient avec respect et prudence, eu égard à la liste impressionnante de ses succès dans les procès d'affaires. En conséquence, ses honoraires avaient de quoi donner le vertige. Alexandre avait dû lui faire un chèque d'un montant considérable, à titre de provision. Or il n'était pas riche, loin de là, et c'était une des raisons de sa colère contre Juillet. Etre l'un des héritiers Laverzac et ne pas avoir d'argent lui semblait trop injuste. Tous les capitaux que manipulait Juillet à longueur de temps ne faisaient que rentrer et sortir des différents comptes de l'exploitation. Fonteyne coûtait et rapportait des sommes énormes. Alexandre avait toujours pensé que son père et Juillet investissaient à outrance. Certes, les résultats donnaient raison à cette attitude expansionniste, mais à quoi bon posséder autant d'hectares et de matériel viticole, si c'était pour manquer de liquidités ? Durant toutes les années où Alexandre avait travaillé à Fonteyne, son père lui avait versé un confortable salaire. Mais lorsqu'il avait donné sa démission à Juillet, lorsqu'il avait claqué la porte de Fonteyne pour aller à Mazion, il n'avait pas pensé aux conséquences de son geste. Il s'était bêtement imaginé à l'abri du besoin parce que son père était décédé. Sans y réfléchir vraiment, il avait supposé une sorte de partage, des rentrées immédiates. Et naturellement, Juillet s'était réfugié derrière son rôle de gérant pour expliquer à tout le monde qu'il n'était pas question de déséquilibrer la gestion du domaine et qu'il aurait besoin de temps avant d'envisager un étalement correct des versements dus à ses frères. Même si, tout au fond, Alexandre comprenait la position de Juillet, il ne voulait pas en tenir compte et il s'accrochait à sa colère, à sa mauvaise foi, à sa rancune.

Il commanda un autre cognac. Il était incapable de s'avouer que celui qu'il n'appelait plus que le « bâtard » le rendait malade de jalousie. Depuis toujours, peut-être. En tout cas depuis qu'il avait surpris, tout gosse, les regards de curiosité amusée, d'indulgence, de tendresse puis d'admiration que leur père posait sur le petit dernier. Alexandre avait aimé son père bien davantage qu'il ne l'avait montré. Mais Aurélien ne s'était jamais intéressé à lui, n'avait jamais rien fait pour lui. Aurélien n'avait d'yeux que pour le petit gitan qui le suivait comme son ombre, qui furetait déjà partout, qui s'était virtuellement approprié Fonteyne dès qu'il avait eu l'âge de marcher. Alexandre se souvenait des colères de son père, de sa façon hautaine de traiter tout le monde, y compris ses fils. Alexandre avait souvent eu peur devant Aurélien, et avait toujours fui l'affrontement. Juillet, au contraire, ne se dérobait jamais, plein d'une assurance tranquille qui faisait défaut à

Alexandre. Juillet subissait les engueulades ou les corrections sans broncher, comme si c'était la règle d'un jeu auquel il se pliait volontiers. Alexandre dissimulait ses bêtises, enfant, tandis que Juillet se rendait tout droit chez leur père pour s'y expliquer la tête haute. Et puis il y avait eu le jour où Alex avait révélé à Juillet qu'il n'était qu'un enfant adopté. Juillet livide, défiguré, en larmes. La fureur d'Aurélien. Cette heure pénible qu'ils avaient passée, humiliés, dans le bureau de leur père. Juillet refusant alors pour toujours de dire « père ». Et c'est vrai qu'il ne l'avait plus appelé que par son prénom, ensuite. Mais la révélation d'Alex n'avait rien changé, en fin de compte, Aurélien et Juillet restant main dans la main.

Alexandre quitta le bar d'une démarche hésitante. Dominique allait s'apercevoir qu'il avait bu. Elle se contenterait de froncer les sourcils d'un air sévère. Il avait horreur de ça. Il ne voulait pas qu'on le juge. Après tout, il ne faisait que se défendre, Dominique devait le comprendre. Elle l'avait toujours soutenu, elle ne pouvait pas se désolidariser maintenant !

*_**

Laurène écarquilla les yeux, s'obligeant à respirer lentement. Le cercle brun était bien visible et se détachait nettement sur le petit miroir. Elle tendit la main vers l'éprouvette mais ne la toucha pas. Elle avait acheté ce test de grossesse sans conviction, la veille, parce qu'elle avait quelques jours de retard dans son cycle. Bien sûr, elle avait cessé délibérément de prendre la pilule ; bien sûr, elle avait espéré sans se l'avouer. Le cœur battant, elle recula de deux pas et regarda de nouveau. Pas de doute, d'après la notice, elle était enceinte !

Elle résista à l'envie de hurler de joie qui l'assaillit soudain. Donner un enfant à Juillet, c'était le plus beau cadeau qu'elle puisse lui faire. Marie le lui avait bien fait comprendre et, en négligeant la contraception, Laurène n'avait fait que suivre les conseils voilés de sa mère. Un coup d'œil à sa montre lui apprit qu'il était sept heures. Elle avait attendu que Juillet se lève, un peu avant six heures, et dès qu'il avait quitté la chambre elle s'était précipitée sur son test, évitant d'y croire mais les doigts tremblants. Laissant l'urine et le réactif dans le tube de verre, elle s'était baignée, habillée puis maquillée en prenant tout son temps. A présent elle luttait contre le besoin de descendre en courant et de se précipiter dans le bureau. D'ailleurs Juillet était sans doute encore dans les terres, achevant son habituel périple de l'aube. Elle était certaine de ne pas avoir entendu rentrer Bingo. Elle adorait ce bruit de sabots sur le gravier et elle se précipitait toujours à la fenêtre pour voir passer Juillet à cheval.

Elle s'assit devant sa coiffeuse et se regarda sans indulgence. Le teint pâle, les yeux brillants, l'air un peu exalté, elle finit par sourire à son image. Abandonnant toute hypocrisie, inutile désormais, elle songea qu'elle avait atteint son but et que Juillet ne différerait plus leur mariage d'un seul jour.

₌

Juillet observait avec amusement le superbe coupé noir qui remontait l'allée de Fonteyne. Il avait guetté le bruit d'un moteur tout au long de sa promenade dans le vignoble. Il savait que Robert ne tarderait pas. Il avait laissé Bingo faire le fou, en galopant au sommet des collines. Puis il avait décidé de le laisser en liberté dans son pré au lieu de le rentrer à l'écurie. Il avait déposé sa selle et sa bride sous le petit abri qu'il avait construit trois ans plus tôt. Ensuite il avait refermé la barrière avec soin, songeant à toutes les discussions qui les avaient opposés, Aurélien et lui, au sujet de cette minuscule prairie. Lorsque Juillet avait défriché une partie du petit bois, afin de ménager un enclos pour Bingo, son père avait violemment protesté. Plus tard, lorsqu'il était venu observer l'alezan qui s'amusait comme un poulain, il avait cédé.

Juillet soupira. Aurélien n'était plus là pour l'appeler « cow-boy », de sa voix affectueuse et ironique. Plus là pour rire avec lui, contester ses initiatives ou modérer son enthousiasme. Fonteyne était entièrement sous sa responsabilité, à présent.

Alors qu'il regagnait l'allée du château, il entendit un bruit sourd, caractéristique, et il aperçut la masse sombre qui se dirigeait vers Fonteyne. Il ne s'écarta pas et Robert freina au dernier moment, par jeu, juste devant lui.

– Je voulais te faire une surprise ! protesta Robert en descendant.

– Alors il fallait venir plus tôt, toubib !

– Oui, c'est déjà le milieu de la matinée pour toi, c'est ça ?

Le jour se levait à peine sur les rangées de vignes dont les contours étaient encore imprécis. Robert prit Juillet par les épaules et le secoua sans ménagement.

– Je suis content de te voir, cadet !

Il y avait une réelle chaleur dans sa voix, des

dizaines d'années d'affection. Robert poussa son frère vers le bolide.

– Monte, tu vas voir, c'est fabuleux...

Juillet fit démarrer la voiture et écouta le ronronnement en connaisseur. Robert s'installa sur le siège passager et Juillet manœuvra pour sortir de Fonteyne.

– Juste un petit tour, dit-il en poussant le régime des douze cylindres.

Ils firent une dizaine de kilomètres à une allure folle avant que Juillet ne se résigne à rentrer. Robert riait aux éclats. Il n'avait dormi que quelques heures, la veille, et avait quitté Paris au milieu de la nuit. Il se sentait heureux d'être à Fonteyne, surpris comme chaque fois par ce sentiment d'appartenance. Ils rangèrent le coupé dans la grange qui servait de garage puis ils gagnèrent le château côte à côte et se rendirent directement à la cuisine où Fernande les accueillit avec des exclamations de joie. Le plateau était prêt mais ils s'assirent sur les longs bancs de chêne, sans même se consulter du regard.

– Je ne te réponds pas, mais si tu savais ce que tes lettres me font plaisir ! dit Robert. Que tu trouves le temps de m'écrire, déjà...

Robert avait l'élégance de ne pas croire que le seul métier de chirurgien soit accaparant. Il savait très bien que Fonteyne écrasait Juillet. Il alla droit au but sans se soucier de la présence de Fernande tant elle faisait partie de la famille.

– Alors, quelle mouche a piqué Alex ?

Juillet alluma une Gitane, inspira voluptueusement une bouffée et se servit du café.

– Je voudrais pouvoir t'en parler avec calme, répondit-il enfin. Mais je ne suis pas sûr d'y arriver !

Il rit un peu, de ce rire bref et léger que Robert adorait.

– En fait, reprit-il, je crois bien qu'il devient fou. Il est allé trouver un avocat et pas n'importe qui, Valérie Samson qui a une réputation d'hyène ! Tu te rends compte ? Et il attaque le testament d'Aurélien dans les règles...

– J'espère que Monsieur ne voit pas ça de là-haut, grogna Fernande derrière eux.

– D'après Laurène, qui l'a rencontré régulièrement à Mazion, il se laisse aussi un peu aller sur la bouteille... Mais ceci n'explique pas cela. Il n'a jamais accepté certaines choses. Ma nomination à vie au poste de gérant, entre autres !

– Oui mais, tant que père était là, il la bouclait ! Quant à toi... Il est parti pour éviter l'affrontement, je suppose ?

– Et aussi parce qu'il se croyait malheureux à Fonteyne.

Robert dévisagea Juillet.

– Malheureux pourquoi ? Ecoute, Juillet, Alex a toujours été assez effacé, un peu... médiocre, on peut se dire ça entre nous. Un gentil médiocre, ce n'est pas bien grave, mais s'il nous entraîne dans un procès...

Juillet releva la tête et planta son regard sombre dans les yeux gris de son frère.

– Nous en discuterons avec Louis-Marie aujourd'hui.

– Ils viennent ?

La question avait fusé, un peu trop enthousiaste. Le pluriel dont Robert venait d'user englobait Pauline.

– Oui... Ils seront là pour déjeuner. J'ai une journée passablement chargée mais nous serons tranquilles ce soir.

– Tu nous fais un grand dîner, dis ?

Robert se tourna vers Fernande.

– Qu'est-ce qu'il a prévu, Fernande ? Un truc d'apparat ? Un menu à rallonge ?

La vieille femme se mit à rire et se contenta de hocher la tête.

– J'adore ça ! exulta Robert. Cette maison vaut tous les Relais et Châteaux de France !

– Que tu es gamin, professeur..., dit Juillet d'une voix grave.

– Tu as promis, rappela Robert. Tu as promis de nous garder tout intact ! Tu t'en souviens ?

– J'ai promis, reconnut Juillet.

– Oh, même sans aucun serment, je ne m'inquiéterais pas ! Tu l'aimes tellement...

– Fonteyne est à nous tous, Bob... Alex compris.

Robert allait répondre lorsque Laurène fit irruption dans la cuisine. Elle embrassa Robert, à la fois heureuse et déçue de le trouver déjà là. Elle ne pourrait donc pas parler à Juillet tout de suite, malgré son impatience.

– C'est toi la maîtresse da maison, à présent ? lui demanda gentiment Robert.

– Elle rame..., répliqua Juillet avant Laurène.

Il l'avait dit sans méchanceté, comme une simple constatation amusée. Il fut stupéfait de la voir qui se mordait les lèvres, les larmes aux yeux.

– Il y a tant de choses à faire, ici ! enchaîna-t-il très vite. Laurène s'en sort bien, je plaisantais. Mais tu connais la maison, Bob, elle n'est pas légère !

Laurène lui adressa un regard indéfinissable qui le mit mal à l'aise. Il n'avait pas voulu la vexer. Il était évident que, sans Fernande, elle n'aurait jamais pu diriger le château. Robert pensa, confusément, que Laurène avait un point commun avec Alex : elle était vouée aux seconds rôles, malgré son allure charmante de jeune fille, malgré son joli sourire et sa silhouette gracieuse. Et Robert se demanda une fois encore pourquoi Juillet avait choisi Laurène.

₊

Louis-Marie et Pauline arrivèrent à une heure, comme prévu. Pauline portait un ensemble de soie crème qui n'avait pas souffert du voyage et elle était ravissante. Elle sauta au cou de Juillet et de Robert avec un naturel désarmant. Faite pour séduire, elle ne s'en privait pas et y mettait beaucoup de désinvolture. Louis-Marie s'y était résigné ou, du moins, il le laissait croire. Robert reconnut avec angoisse le parfum de Pauline, la douceur de sa peau et les intonations de sa voix. Il était incapable de l'oublier, il ne parvenait pas à renoncer. Même si elle était la femme de ses illusions déçues, de ses rêves saccagés, il l'aimait.

– Pourquoi faut-il toujours un prétexte pour se réunir ? demanda-t-elle à Juillet en souriant. Pourquoi ne le faisons-nous pas naturellement ? Par plaisir ?

– Qui vous en empêche ? riposta Juillet. La maison n'attendait que vous !

Pauline lui adressa un clin d'œil. Juillet était

le seul homme sur lequel elle n'avait jamais essayé son charme. Le seul, peut-être, qu'elle respectait profondément.

— Je suis heureuse de vous revoir, beau-frère ! déclara-t-elle avec beaucoup de sérieux.

Juillet éclata de rire. Il ressentait une joie profonde à la présence de sa famille autour de lui. La mort d'Aurélien lui avait laissé un intolérable sentiment de solitude que le départ d'Alex et de Dominique avait encore accentué.

— Voilà la plus mignonne ! s'écria Pauline en fondant sur Laurène.

Pauline intimidait la jeune fille qui répondit, un peu embarrassée :

— Je vous souhaite la bienvenue, Pauline... Je crois que nous allons pouvoir passer à table dans un instant...

— Oh, mais je vais d'abord aller saluer Fernande ! Je lui apporte un tablier comme elle n'en a jamais vu, j'en suis sûre ! Seulement il faut que je le trouve dans ma valise. Vous nous laissez cinq minutes, ma chérie ?

Laurène se sentit rougir. Elle ne savait jamais ce qu'il fallait dire ni à quel moment. Pauline avait raison, on ne devait pas sauter sur les invités et les expédier dans la salle à manger sans leur laisser le temps de s'installer. Juillet la tira d'embarras en entraînant ses frères vers la bibliothèque. Louis-Marie et Robert s'installèrent sur le canapé anglais et Juillet sur son barreau d'échelle. Une bouteille et des verres étaient posés sur une table de bridge.

– Une attention de Lucas, précisa Juillet. C'est celui de l'an dernier et vous ne l'avez pas encore goûté...

Robert se mit en devoir de déboucher le Margaux avec précaution.

– Alors ? demanda Louis-Marie sans attendre.

– Eh bien, c'est un conseil de famille, en quelque sorte, lui répondit Juillet en le regardant droit dans les yeux.

Il y eut un court silence, puis Juillet reprit :

– Je vais vous exposer les faits, c'est très simple. Alex a décidé d'attaquer le testament d'Aurélien. A long terme, il veut un partage en bonne et due forme, un partage effectif. D'ici là, car la procédure sera longue, je crains qu'il n'ait recours à des mesures d'urgence, type référé, qui risquent d'entraver la gestion du domaine. L'équilibre financier est précaire. Nous avons beaucoup investi depuis trois ans. Pour que vous puissiez avoir une appréciation exacte de la situation, j'ai convié Varin à dîner avec nous, ce soir. Vous n'êtes pas obligés de me croire sur parole, après tout...

– Tu veux rire ? demanda doucement Robert.

– Pas du tout ! Alex a autant de droits que chacun d'entre nous. Vous allez devoir choisir. Si vous êtes contre lui, je veux que vous sachiez pourquoi.

– Juillet ! protesta Louis-Marie.

Abandonnant son barreau d'échelle, Juillet vint prendre l'un des verres que Robert avait servis.

– Comment voudriez-vous que je ne me sente pas mal à l'aise ? demanda-t-il à ses deux frères. Je refuse de passer pour celui qui a lésé Alex, qui a spolié toute la famille, qui s'est approprié l'exploitation !

– Mais enfin..., risqua encore Louis-Marie.

– Laisse-moi poursuivre !

La voix de Juillet avait résonné de façon métallique à travers la bibliothèque. Ce ne fut qu'à cet instant que Robert et Louis-Marie prirent conscience de la gravité des événements. La colère qui minait Juillet depuis quelques jours venait d'affleurer, cependant il se reprit aussitôt, continuant d'une voix moins tendue.

– Vous ne pourrez vous prononcer que lorsque vous saurez où nous en sommes exactement, tous les quatre... Mais il n'y a pas d'iniquité dans le testament d'Aurélien.

– Si je l'avais pensé, je te l'aurais dit le jour même ! riposta Robert. Père voulait préserver Fonteyne, nous l'avons très bien compris. Alex ne peut pas faire ce que tu fais.

– D'ailleurs c'est lui qui a voulu partir, non ? souligna Louis-Marie. Il le souhaitait depuis longtemps !

– Il a pu changer d'avis. Je ne m'oppose pas à son retour..., dit lentement Juillet. Mais c'est moi le gérant et c'est donc moi qui prends les décisions concernant le domaine.

– C'est ce qu'il ne peut pas supporter ? Alors il est inutile qu'il revienne !

Juillet fronça les sourcils et dévisagea Robert.

– Ne prends pas mon parti aveuglément, attends d'avoir entendu Varin...

Robert se mit à rire et il resservit du vin. Il se tourna vers Louis-Marie, ignorant Juillet.

– Toujours aussi susceptible, le cadet !

Juillet vint se planter devant eux et ils durent lever la tête, ensemble, pour le regarder.

– Je suis peut-être susceptible mais, surtout, je me donne du mal...

Il désigna les verres d'un geste amoureux.

– Le vin ne se fait pas tout seul... Vous l'avez sûrement oublié, les Parisiens ! La vigne, les vendanges, les appellations, la qualité, le négoce et j'en passe... Aujourd'hui, je croule un peu sous le boulot...

Il esquissa un sourire. Il avait dit les choses de façon retenue mais ses frères le comprirent à demi-mot. Il s'assit sur l'accoudoir du canapé et enchaîna :

– Avec Aurélien et Alex, nous suffisions à peine à la besogne l'année dernière. Je n'ai pas voulu remplacer Alex... Pour lui laisser le temps de changer d'idée et aussi pour ne pas alourdir les charges. J'ai dû augmenter Lucas parce qu'il ne m'a pas laissé le choix. Malgré les ruses de vieux renard de Varin, il y a des droits de succession, comme vous le savez. Je vous ai parlé de l'endettement et, vous verrez, il est conséquent bien qu'indispensable...

Louis-Marie et Robert acquiescèrent en silence.

– Les statuts de la société viticole de Fonteyne, voulus par Aurélien, sont très complexes. A peine moins que son fonctionnement ! Je tiens à ce que Varin vous donne tous les détails. Après... Vous me direz ce que souhaitez faire.

Il y eut un nouveau silence, plus long cette fois.

– Je ne veux pas de blanc-seing, je ne veux plus de pouvoirs signés à la hâte, je veux que vous preniez vos responsabilités.

Robert et Louis-Marie se jetèrent un coup d'œil. Ils avaient une confiance absolue en Juillet mais ils avaient compris sa demande. Rien ne devait plus se faire aveuglément. Dans la perspective peu réjouissante d'un procès, chacun allait devoir défendre son opinion en connaissance de cause.

– On va donner un joli spectacle, soupira Louis-Marie. Les héritiers s'arrachant le domaine ! Tout ce que père ne voulait pas... Et nous non plus.

Il avait détaché les quatre derniers mots en se tournant vers Juillet. Ils échangèrent un sourire qui aurait rendu Alex fou de rage et de jalousie. Robert était sur le point d'ajouter quelque chose lorsque Pauline fit irruption.

– Fernande s'inquiète ! lança-t-elle. Vous n'allez pas laisser brûler son déjeuner, tout de même ?

Elle vint prendre Robert par le bras.

– Allez, allez, à table...

*_**

Malgré toutes ses tentatives, Laurène ne parvint pas à s'isoler avec Juillet ce jour-là. Pour consacrer du temps à ses frères, il avait décidé de mettre les bouchées doubles

85

afin de boucler son programme de l'après-midi. Laurène se résigna à attendre l'heure du coucher pour lui annoncer la grande nouvelle. D'ici là, il fallait s'occuper du dîner. Pauline proposa son aide et les deux jeunes femmes investirent la salle à manger pour choisir la vaisselle et l'argenterie appropriées. Pauline envoya Clotilde cueillir des fleurs et arrangea de superbes bouquets dans des chemins de table. Laurène avait descendu une nappe de dentelle mais Pauline préféra en choisir une autre et elles repartirent ensemble à la lingerie. Pauline fureta dans les grands placards qui regorgeaient de linge brodé.

– Oh, celle-là ! s'exclama-t-elle en prenant délicatement une nappe sur l'une des piles.

Elle déplia le tissu fin et soyeux.

– A et L ? Pour Aurélien et Lucie ?

Laurène acquiesça, détaillant en même temps que Pauline les motifs compliqués des broderies ajourées. Pauline s'était juchée sur le petit escabeau que Fernande laissait toujours dans la lingerie.

– C'est la caverne d'Ali Baba..., déclara-t-elle en regardant le placard ouvert. Je crois bien que je n'étais jamais venue ici... C'est drôle !

Laurène soupira. Tant que Dominique

s'était occupé de la maison, personne n'avait mesuré l'importance du travail qu'elle y faisait.

– Je suis un peu dépassée, avoua-t-elle à Pauline. J'utilise toujours les mêmes choses. Pour les serviettes ou les draps, je ne prends jamais que ce qui est à ma hauteur !

La naïveté que Laurène affichait avec tant de naturel fit sourire Pauline.

– Juillet pourrait très bien dormir par terre ou dans un sac de couchage, mais il regarde un petit trou ou une minuscule tache sur un drap avec stupeur !

– Aurélien leur a donné le goût de la perfection, je suppose, dit Pauline qui gardait une expression amusée.

– C'est vrai qu'il était très exigeant, admit Laurène. Mais l'époque a changé...

– L'époque, peut-être, mais pas eux ! Louis-Marie est pareil, il a des habitudes de luxe ! Après tout, ce n'est pas si mal...

– Je n'y ferais pas attention si Fernande ne me harcelait pas de questions à longueur de journée. Mais il faut toujours lui répondre pour tel ou tel détail dont je me moque éperdument ! Quant à Clotilde, c'est simple, elle n'a jamais d'opinion sur rien !

Pauline dévisagea Laurène avec attention, soudain.

– Un petit coup de ras-le-bol, ma chérie ? hasarda-t-elle. Réfléchissez bien, alors, avant d'épouser Juillet ! A propos, c'est pour quand ?

Laurène hésita, se sentant faiblir. Son grand secret commençait à lui peser. Et Pauline avait toujours su attirer les confidences.

– Plus tôt qu'il ne l'imagine, dit lentement Laurène.

Pauline fronça les sourcils et se pencha un peu vers Laurène.

– Pourquoi ? demanda-t-elle d'une voix douce.

– Je crois que... Eh bien, je n'en suis sûre que depuis quelques heures mais...

– C'est vrai ? s'écria Pauline, les yeux brillants. C'est magnifique !

– Je n'ai pas encore trouvé le temps de le lui dire, ajouta Laurène en hâte. Vous êtes la première.

Pauline s'était levée. Elle vint prendre les mains de Laurène.

– Alors je suis la première à vous féliciter et à vous souhaiter le plus bel enfant du monde !

Durant quelques instants, Pauline fut sincère. A la naissance de sa fille, Esther, Louis-Marie avait semblé le plus heureux des hommes. Ils avaient connu des moments agréables tous les trois mais Pauline s'était vite lassée des cris du bébé la nuit, de l'attention exigée, des soins constants.

– Je vous donnerai des idées pour les mois à venir, déclara Pauline, péremptoire. On peut continuer à bien s'habiller lorsqu'on est enceinte !

Elles éclatèrent de rire ensemble. Laurène semblait si menue et si jeune que Pauline eut pitié d'elle.

– Venez, maintenant, il faut que nous descendions cette nappe.

Elles quittèrent la lingerie, bras dessus, bras dessous. Laurène se sentait un peu coupable de s'être confiée, mais aussi rassurée par la chaleur et la gentillesse de Pauline. Elle aurait voulu lui ressembler, avoir son assurance, au lieu de cette angoisse lancinante qui ne la quittait plus depuis qu'elle occupait le premier rôle à Fonteyne.

La table de la salle à manger, même sans ses allonges, était bien trop imposante pour six convives et Pauline décida de n'en utiliser que le centre. Elle installa les couverts en vis-à-vis et décora les extrémités inutiles avec de lourds chandeliers à douze branches. Fernande, venue prendre les ordres du dîner, apprécia d'un coup d'œil ravi ses efforts. Dès que le château retrouvait son lustre, elle se sentait rajeunir. Elle regagna sa cuisine, bien décidée à se surpasser.

*_**

Juillet entra sur la pointe des pieds et alluma. Il resta quelques instants immobile, observant ce décor qu'il connaissait par cœur et auquel il n'avait strictement rien changé. La chambre d'Aurélien était telle qu'il l'avait toujours connue. Il laissa errer son regard sur le portrait de Lucie, au-dessus du lit, sur les lourds rideaux de velours bleu nuit, sur le dernier livre qu'Aurélien avait lu, un cadeau de sa maîtresse d'alors, Frédérique.

Il se dirigea vers le secrétaire dont l'abattant était ouvert. Il s'assit et contempla les six tiroirs. Il y avait rangé les objets personnels de son père, sa montre, son agenda et ses lunettes. Il effleura le stylo de laque noire avec lequel Aurélien avait signé tant de papiers. Y compris les statuts modifiés de la société viticole de Château-Fonteyne.

« Vous l'avez voulu ainsi... Mais aviez-vous prévu la guerre ? »

Juillet soupira et se mit à caresser distraitement le sous-main. Non, Aurélien n'avait certainement pas supposé qu'Alex attaquerait le testament, se dresserait contre Juillet, menacerait l'équilibre de Fonteyne. Il l'avait traité avec une indifférence bienveillante, sans imaginer qu'il semait la révolte.

« C'est quand même votre fils... Tandis que moi... »

Tandis que lui était condamné à ignorer. Il avait appris le nom de sa mère après trente ans de silence et après le décès d'Aurélien. Pour son père, le doute était permis. Peut-être Aurélien lui-même, peut-être un inconnu. Juillet n'avait aucune possibilité d'éclaircir ce mystère à présent. Mais il était le fils d'Aurélien, et pas seulement sur les documents de son adoption.

Juillet ouvrit l'un des tiroirs. La montre de gousset d'Aurélien y était posée, avec sa chaîne, sur une photo. Ce cliché était le seul qu'Aurélien ait conservé dans son portefeuille durant plus de quinze ans. On y voyait Juillet au premier plan, un soir de Noël, devant le sapin. Il riait, la tête en arrière, les boucles brunes en désordre. Pourquoi Aurélien avait-il gardé cette image-là plutôt qu'une autre ? Pour la joie qu'y exprimait Juillet alors adolescent ? Pour sa ressemblance avec sa vraie mère ?

– C'est votre musée, beau-frère ?

Juillet se retourna brusquement vers Pauline. Elle se tenait sur le seuil de la chambre, ravissante dans une robe turquoise, indiscrète et curieuse comme toujours. Elle fit deux pas dans la pièce, un peu intimidée.

– Varin vient d'arriver, annonça-t-elle.

Juillet s'était levé, refermant le tiroir.

– Vous étiez venu chercher son appui ? interrogea-t-elle avec une douceur inattendue. En tout cas, vous avez celui de Louis-Marie et de Bob ! Pour le reste, il va falloir vous débrouiller tout seul...

Elle souriait et il la prit par le bras.

– Je vous aime bien, Pauline, dit-il en l'entraînant hors de la chambre.

Ils entrèrent ensemble dans le salon et Juillet alla saluer Varin. Laurène servait l'apéritif. Juillet attendit d'avoir un verre en main pour attaquer la discussion. Il devinait l'impatience de ses frères ainsi que la gêne du notaire. Il n'éprouvait rien de tel. Il était déterminé à aller au bout de ce qu'il croyait juste, sans haine mais sans le moindre remords. Varin commença par exposer les faits. Maître Samson, au nom de son client, avait entamé une procédure afin de contester le testament. Pour le moment, ils se livraient une simple bataille de juristes. Chacun présentait des pièces pour l'information du magistrat. Ce dernier n'était pas décidé à se hâter dans une affaire de cette importance. Il avait d'ailleurs garanti à Varin qu'aucune décision ne serait prise dans l'urgence. Juillet allait recevoir sous peu une convocation, tout comme Alexandre, mais aucune confrontation n'était prévue.

Tous l'écoutaient dans un silence religieux. Robert et Louis-Marie essayaient de comprendre mais ne posaient pas de questions. En s'adressant directement à Juillet, Varin observa :

– J'avais dit à monsieur votre père que je n'approuvais pas certaines de ses décisions. Il vous a donné les pleins pouvoirs de son vivant. Je l'avais mis en garde, c'était mon devoir, mais il avait une absolue confiance en vous.

Juillet éclata de son rire clair et léger.

– Mis en garde contre moi ?

Embarrassé, Varin secoua la tête.

– Si vous aviez été en désaccord, il ne pouvait plus prendre la moindre décision sans votre aval. C'est une manière de se... dépouiller qui présente des risques. En l'occurrence, il avait raison, bien entendu... Et aujourd'hui, cela rend votre position assez inattaquable.

Varin hésita quelques instants puis acheva :

– A condition que vos frères ici présents, qui sont actionnaires et membres du conseil d'administration, vous accordent eux aussi leur confiance.

Robert haussa les épaules mais Juillet ne lui laissa pas le loisir de parler.

– Et s'ils décidaient de se ranger aux côtés d'Alexandre ?

– Mais enfin ! protesta Louis-Marie.

– C'est une simple hypothèse, précisa Juillet d'un ton neutre.

– Eh bien..., dit lentement Varin, je crois que cela compliquerait les choses mais, en tant que gérant et à moins d'une erreur de gestion, vous resteriez sans aucun doute à la tête de la société. C'est plutôt en ce qui concerne le règlement des indemnités que l'affaire se corse...

« Merci, Aurélien », pensa très vite Juillet.

– Vous avez toujours la ressource de vendre des terres, disait Varin.

– Vous plaisantez ?

Cette fois, la voix de Juillet avait claqué, autoritaire.

– L'intégrité du domaine restera mon but majeur, avec la qualité de la production, naturellement.

Robert et Louis-Marie échangèrent un coup d'œil complice. Juillet était fidèle à lui-même, et ni les années ni les circonstances n'avaient de prise sur lui.

– Je crois que nous pouvons passer à table, déclara Pauline en profitant du silence.

Laurène, qui avait écouté la discussion bouche bée, avait tout à fait oublié le dîner. Elle se leva, vexée d'être prise en défaut une fois de plus, et précéda les convives jusqu'à la salle à manger où les bougies allumées par Fernande donnaient aux boiseries un reflet blond. Juillet jeta un coup d'œil sur la table et adressa un sourire de remerciement à Pauline. Depuis le départ de Dominique, il n'avait pas revu un si superbe couvert. Mais il remarqua, au même moment, le visage défait de Laurène et il vint lui tenir sa chaise, tandis qu'elle s'asseyait. Le mot tendre qu'il lui glissa en posant sa main sur son épaule la fit tressaillir.

Robert, qui se trouvait à la gauche de Pauline, commença de plaisanter avec elle pour monopoliser son attention. Face à eux, Juillet se demanda avec stupeur s'ils allaient recommencer leur infernal manège de séduction mutuelle. Louis-Marie parlait avec Varin sans regarder sa femme.

– Toutes les grandes industries se sont repliées à Toulouse où on leur faisait des propositions autrement intéressantes ! affirmait le notaire. Bordeaux est mal dirigée, c'est une ville vieillissante...

Penché vers Pauline, Robert lui chuchotait une plaisanterie à l'oreille.

– Oui, disait Varin, je suis ravi de la récupérer, c'est vraiment une excellente secrétaire. Elle m'a promis de reprendre son poste au mois de juin...

Il parlait prudemment, comme si le sujet était délicat. Juillet réalisa soudain qu'il était question de Frédérique. Il ressentit un choc auquel il ne s'attendait pas et dut faire un brusque effort d'attention lorsque Varin s'adressa à lui.

– Je sais bien qu'elle vous a laissé un mauvais souvenir... Il faut toujours que les gens bavardent ! Parce qu'elle est jeune, jolie, et qu'elle vivait sous votre toit... Mais c'est une fille courageuse et très capable, je l'ai toujours dit !

Laurène gardait les yeux baissés sur son assiette. Entendre chanter les louanges de Frédérique lui était très pénible. Prenant conscience du silence particulier qui s'était installé, Varin toussota, gêné, ne sachant qu'ajouter. Il s'était amusé des commérages, quelques mois plus tôt, lorsque le tout-Bordeaux avait chuchoté que Frédérique était la maîtresse d'Aurélien. L'idée même était stupide à ses yeux, compte tenu de la différence d'âge : presque quarante ans !

– Monsieur votre père a conservé jusqu'au bout sa réputation d'homme très... galant ! Ce qui est plutôt flatteur, n'est-ce pas...

Les trois frères, avec un bel ensemble, le regardaient d'un air perplexe. De plus en plus ennuyé, Varin crut bon de s'entêter.

– J'espère ne pas avoir droit aux mêmes ragots lorsqu'elle aura regagné l'étude.

Il fut le seul à rire. Ce fut Louis-Marie qui se décida le premier à changer de conversation, ramenant Varin sur un terrain plus neutre. Frédérique avait bel et bien été la maîtresse d'Aurélien dans les derniers mois de sa vie. Ultime provocation du patriarche à Juillet. Parce que celui-ci avait choisi de se fiancer à Laurène, Aurélien s'était quasiment approprié la trop jolie Frédérique. Il l'avait installée à Fonteyne sous le nez de ses fils, il lui avait offert des bijoux. Tout cela pour narguer Juillet, pour lui rappeler une dernière fois leur rivalité. Et aussi, de façon plus trouble, parce qu'il avait deviné l'attirance de son fils adoptif pour Frédérique.

Juillet avala difficilement une bouchée de foie gras avec un grain de raisin chaud. Il avait trompé Aurélien, il avait trompé Laurène. Il y avait eu cette nuit de passion et de délire dans la bibliothèque, une jouissance foudroyante vécue en silence, de superbes yeux gris rivés aux siens, un désir à faire oublier qui l'on est. Et puis des semaines de remords aigus, la douleur de Laurène, les deux jeunes filles dressées l'une contre l'autre et l'infarctus d'Aurélien qui avait mis un terme à tout.

« A quoi ? se demanda-t-il. C'est Laurène que j'aime... et j'ai donné ma parole... »

Il ne vit pas le regard suppliant de sa fiancée car il s'efforçait de suivre la conversation de ses frères. Frédérique était un souvenir. Il ne fallait l'évoquer à aucun prix.

– Alex a toujours été nul, disait Robert.

– Pas nul, corrigea Louis-Marie. Tu exagères !

– A peine ! En tout cas, ce qu'il a de mieux, et de loin, c'est sa femme !

L'éclat de rire qui suivit fut désagréable à Laurène. Dominique était une femme exquise, effacée mais efficace, conciliante mais déterminée, bonne épouse et bonne mère : soit ! Cependant Laurène commençait à trouver très agaçante cette prétendue perfection de sa sœur. Même en sachant qu'il était plus facile de briller près d'Alex que de Juillet, elle devinait que jamais personne ne prononcerait ce genre de phrase à son sujet. Elle croisa enfin le regard de Juillet, presque par surprise. Elle savait très bien à quoi il pensait. Pourtant, elle soutint l'éclat des yeux sombres et parvint même à sourire. Elle avait déjà gagné contre cette Frédérique, quelques mois plus tôt. Elle n'avait aucune raison d'avoir peur. Surtout pas avec cet enfant qu'elle portait, à présent.

« Je vais le lui dire, tout à l'heure, et il sera fou de joie... Il ne pourra plus faire marche arrière, nos vies sont liées pour toujours... Même s'il revoit cette fille lorsqu'il ira chez Varin... D'ici le mois de juin, je serai sa femme... Madame Juillet Laverzac... »

Un coup de pied de Pauline, sous la table, la fit sursauter. Tous les convives avaient fini depuis longtemps et il était temps de sonner pour la suite du dîner.

$$*_*^*$$

Juillet écoutait la respiration régulière de Laurène. Elle s'était endormie d'un coup, roulée en boule comme à son habitude. Elle semblait si jeune et si fragile qu'il remonta délicatement le drap sur elle avant de se lever avec précaution, d'enfiler son jean et son pull à la hâte et de quitter la chambre sur la pointe des pieds. Il longea le palier du premier et descendit l'escalier sans allumer. Il se repérait aisément, chaque marche de Fonteyne lui étant familière. Une fois dans son bureau, il ranima le feu de cheminée. Il n'avait pas du tout sommeil et il mit deux grosses bûches, sachant qu'il aurait le temps de les voir se consumer.

Pendant un très long moment il resta debout, regardant les flammes. Il était parvenu à accueillir la nouvelle avec enthousiasme, sans poser de questions désagréables, sans demander par exemple pourquoi Laurène avait cessé de prendre la pilule. En fait, elle lui avait annoncé la chose avec tant de fierté et de crainte mêlées qu'il avait compris avant qu'elle n'ait achevé sa phrase.

Il allait donc être père... L'idée lui parut étrange. Il était l'oncle des jumeaux d'Alex, après tout, et de la petite Esther. Il adorait les enfants qui le lui rendaient bien, il n'y avait rien d'inquiétant à songer qu'il en aurait un à lui dans quelques mois. Pourtant il soupira, vaguement contrarié par quelque chose d'indéfinissable.

« Même si Laurène est un peu gamine, elle peut se révéler une excellente mère... Et puis il y aura toujours Fernande pour veiller au grain... »

Il s'assit enfin dans le grand fauteuil club au cuir patiné. Il avait comblé Laurène en disant oui à tout. La date qu'elle voudrait pour leur mariage, et le prénom de son choix pour le bébé. Ensuite il lui avait fait l'amour avec tendresse, avec patience, l'amenant au bord du plaisir puis la faisant attendre, l'écoutant gémir contre son épaule, triomphant sans peine de toutes ses réticences ou ses pudeurs. Il était tout pour elle, il le savait et il en acceptait la responsabilité. Même s'il n'en tirait pas de réel bonheur.

Il ferma les yeux une seconde, accablé par cette idée : Laurène ne le rendrait jamais entièrement heureux.

– C'est Alex qui t'empêche de dormir ? dit la voix joyeuse de Robert.

Juillet se retourna et adressa un grand sourire à son frère.

– Et toi ? C'est quoi, ton insomnie ?

Robert s'approcha des flammes.

– C'est vraiment le palais des courants d'air, ici ! Et tu fais toujours du feu, même en plein été... A Paris, quand je pense à toi, je t'imagine devant une cheminée !

Il s'assit à même la plaque de cuivre qui protégeait le parquet des escarbilles, le dos tourné vers la chaleur et il dut pencher la tête en arrière pour regarder Juillet.

– Tu n'es pas comme moi, toi, tu es trop lève-tôt pour être couche-tard ! En ce qui me concerne, j'ai rarement sommeil avant deux ou trois heures du matin...

– Et tes opérations du lendemain ?

– Je suis au bloc à huit heures, quoi qu'il arrive.

Il avait une expression amère qui inquiéta Juillet.

– Bob... Quelque chose ne va pas ?

– Non. Sur le plan professionnel, je ne vois pas de quoi je me plaindrais ! J'ai plus de travail que je ne peux en faire et... et je crois même avoir un certain don pour la chirurgie. C'est réconfortant !

Juillet scruta le visage fatigué de son frère. Il fit un rapide calcul. Robert avait trente-sept ans, l'âge de briller, ce qu'il faisait chaque jour à Lariboisière, dans son service.

– Pauline ? demanda Juillet.

Robert hocha la tête lentement.

– C'est sans doute inimaginable, pour toi, mais je l'aime toujours. Comme il y a deux ans, ou cinq ! Le temps n'a aucune prise sur cette obsession, je n'y peux rien.

– Inimaginable pour moi ? s'indigna Juillet. Pourquoi ?

Robert eut un vrai sourire, cette fois.

– Parce qu'aucune femme ne te fait cet effet-là, tiens !

– Mais... Mais qu'est-ce que tu en sais ?

– Oh, cadet ! Pas à moi ! D'accord, tu es amoureux, tu es passionné, mais c'est de Fonteyne, non ? Ah, tu ne te compliques pas l'existence ! Elle n'est pas née, celle qui te gâchera la vie !

– Tant mieux ! riposta Juillet d'une voix sèche.

Un peu surpris, Robert le dévisagea.

– Ne te mets pas en colère... Je n'ai rien dit de méchant... Tu te préserves, au fond. Tu devrais te demander, un jour, pourquoi toutes tes conquêtes, tous tes coups de cœur visent toujours le même genre de femmes...

Sincèrement stupéfait, Juillet interrogea son frère du regard.

– Mais si, tu sais bien, précisa Robert. Le genre soumis, effacé... Tu es comme père, tu les adores à condition qu'elles se fassent toutes petites...

Abandonnant son fauteuil, Juillet traversa le bureau. Il écarta l'un des rideaux de velours mais la nuit était encore pleine.

– Laurène est enceinte, dit-il soudain. Nous allons nous marier très vite. J'aimerais que tu sois mon témoin.

Robert resta silencieux quelques instants. Juillet lui tournant le dos, il ne pouvait pas voir son expression, mais quelque chose, dans sa voix, avait sonné de façon bizarre.

– Tu es heureux ? demanda-t-il enfin.

– D'avoir bientôt un enfant ? Oui... Pour le reste, je ne sais pas. Je ne tiens pas à savoir. Je connais Laurène depuis toujours. Je l'ai voulue. Aurélien était d'accord pour ce mariage... Tout est en ordre.

Robert rejoignit son frère en trois enjambées. Il lui posa la main sur l'épaule.

– Tu es sûr de ce que tu fais ? demanda-t-il.

– Je suis sûr de ne rien pouvoir faire d'autre, à présent. Pas question de reculer. J'aurais préféré régler l'histoire d'Alex d'abord... Mais j'aurais sans doute trouvé d'autres raisons ensuite ! Laurène a voulu brusquer les choses, c'était son droit. De toute façon, j'ai trente ans, il est temps.

Robert lui serra les doigts une seconde puis le lâcha. Les deux frères avaient toujours été proches l'un de l'autre, malgré leur différence d'âge et leur éloignement. Juillet désapprouvait la passion de Robert pour Pauline mais il l'avait protégé en évitant le scandale à plusieurs reprises. Robert ne comprenait rien à l'attachement viscéral de Juillet à sa terre mais il s'inclinait devant le savoir-faire et l'autorité de son cadet. Ils ne partageaient rien mais il y avait entre eux une authentique tendresse. De surcroît, Robert était le seul à savoir que la mort de leur père avait déchiré Juillet de façon irréversible.

– Je ne veux pas que tu changes, dit-il soudain.

– Je ne change pas ! répliqua Juillet. Mais j'aimerais bien savoir pourquoi tu y tiens tant.

Robert frissonna et retourna près de la cheminée. Il tisonna un moment avant de répondre. Enfin il se rassit, dos aux flammes, et jeta un coup d'œil circulaire.

– Parce que tu es tout ce qui reste. Là, sous les boiseries et les dorures, dans cette grande baraque glaciale, tu es ce qui subsiste de dix générations de traditions ! Tu es la famille à toi seul !

Ils éclatèrent de rire ensemble.

– On va se coucher ou on boit quelque chose ? demanda Robert.

– On boit ! Je vais te chercher une bouteille d'exception... Tu veux ?

– J'attends, dit Robert.

Il entendit le pas de Juillet qui s'éloignait vers l'office. Pauline devait dormir, à l'étage au-dessus, dans les bras de son mari. Et Robert allait donc demeurer le dernier célibataire des quatre frères. Avec la désespérante certitude d'avoir gâché sa vie. Sans Pauline, aucune réussite n'avait de goût, aucune voiture n'avait de charme, aucun honneur n'avait d'attrait. Il n'y avait qu'à Fonteyne qu'il pouvait trouver un peu de paix, d'oubli, mais il n'y avait qu'à Fonteyne, justement, qu'il voyait Pauline. A Paris, il pouvait la fuir. Pas ici. Mais, pour une fois que le cadet avait besoin d'aide, il était impossible de se dérober.

« On règle vite l'affaire d'Alex et puis je m'en irai... », pensa Robert. Il se mit à sourire aussitôt, mesurant sa mauvaise foi.

« D'accord, c'est l'enfer de la sentir si proche, mais demain matin, elle boira son café avec moi... Mal réveillée, son petit nez en l'air au-dessus de son bol... »

Des chuchotements lui firent lever la tête. Juillet revenait en compagnie de Louis-Marie.

– Il a l'oreille fine dès qu'il s'agit de tire-bouchon ! déclara Juillet qui tenait avec précaution une bouteille de Bel Air-Marquis d'Aligre.

Dans un silence recueilli, ils goûtèrent le vin.

– Et toujours un soupçon de réglisse, dit enfin Louis-Marie. Une pure merveille ! Que vous auriez voulu boire en douce, mes salauds ! De quoi parliez-vous, au milieu de la nuit ? De ce pauvre Alex ? De Frédérique ?

Robert eut un sourire réjoui.

– Raté ! On parlait de nous. De moi, qui suis insomniaque, de lui qui va être papa...

Louis-Marie resta interloqué puis il se jeta sur Juillet et se mit à le secouer.

– C'est vrai ? Le cadet devient père de famille ? Ah, bien sûr que ça s'arrose !

Il était si manifestement ravi de la nouvelle que Juillet se sentit ému. Peut-être avait-il négligé ses frères, depuis des années, absorbé par son exceptionnelle relation avec Aurélien. Peut-être était-il moins seul qu'il ne le croyait. Louis-Marie et Robert étaient accourus au premier appel, ils lui avaient donné raison contre Alex avant même d'entendre les explications de Varin. Ils avaient fait davantage en ne lui demandant jamais aucune précision sur ses origines, sur ce qu'il avait appris quelques mois plus tôt, juste après le décès de leur père, et qu'il était seul à connaître.

– Vous n'êtes pas de trop mauvais frères, dit-il d'un ton grave.

– Tu t'en rendrais mieux compte si tu abandonnais ton piédestal de temps en temps, riposta Robert. Tout le monde sait ce que tu vaux, tu n'as pas besoin d'en faire la démonstration du matin au soir !

– Mais je ne...

– Bob a raison, renchérit Louis-Marie.

Juillet les regarda tour à tour.

– Je n'ai rien à prouver, répondit-il calmement. J'ai cette exploitation à faire tourner, ça ne supporte pas la fantaisie. Pour le reste, j'ai autant de défauts que vous, ce qui n'est pas peu dire !

Il y eut un court silence puis Louis-Marie murmura :

– Plus un : la susceptibilité...

Juillet quitta son fauteuil et s'étira. Il était grand, très mince, extraordinairement séduisant.

– On va se coucher ou on continue ? interrogea-t-il en désignant les verres vides.

Les deux autres se contentèrent de le regarder. Ils arboraient le même sourire ironique et Juillet hocha la tête.

– D'accord, je vais en chercher une autre...

***

Pauline prit les choses en main. Elle fixa la date du mariage et accompagna Laurène à la mairie de Margaux pour accélérer les formalités. Puis elle traîna la jeune fille à Bordeaux pour y choisir une robe. Elle l'accompagna même chez son gynécologue. En fin de journée, elle se mit à la recherche de Juillet et le dénicha dans les caves, à l'étage des vins de deuxième année où il passait en revue tous les fûts, Lucas sur ses talons. L'irruption de la jeune femme, vêtue d'une jupe courte, plissée, et d'un tee-shirt rose, arracha un sourire aux deux hommes. Juillet prit sa belle-sœur par le bras, lui assura qu'elle allait avoir froid et l'entraîna vers l'escalier à vis. Lorsqu'ils sortirent du chai, le soleil les éblouit. C'était un superbe après-midi de mai. Pauline alla s'asseoir sur un banc de pierre, bien décidée à régler tous les problèmes que posait la cérémonie, à commencer par la question la plus grave : Alexandre.

– Vous comprenez bien qu'il est impensable de ne pas inviter Dominique ? D'un autre côté, vous ne voulez sans doute pas entendre parler d'Alex en ce moment ?

Elle l'interrogeait, la tête levée vers lui, câline et charmeuse comme à son habitude. Juillet soupira. Il alluma une Gitane, sourcils froncés.

– Antoine et Marie... Et Dominique, admit-il, c'est incontournable...

– Oui, mais Alex ?

– Comment voulez-vous que j'invite Alex à mon mariage, alors qu'il me traîne devant les tribunaux ?

– Je sais bien ! C'est pourquoi j'ai pensé que... Vous n'allez pas mal le prendre ?

– Quoi donc ?

– Pourquoi n'allez-vous pas vous expliquer avec Alex, Juillet ?

Il la dévisagea, sincèrement étonné.

– Pourquoi ? Eh bien, je suppose que si je l'avais devant moi je lui mettrais mon poing dans la figure. Vous pouvez comprendre ça ?

Le regard sombre de Juillet et sa voix métallique étaient éloquents mais elle poursuivit son idée.

– Comment justifier l'absence d'Alex vis-à-vis de vos invités ?

– Mais enfin, Pauline, tout Bordeaux est déjà au courant ! Vous croyez qu'on pourrait cacher quelque chose d'aussi énorme ? L'action judiciaire d'Alex contre le testament de son père, contre moi et contre la société viticole de Fonteyne est connue de tout le Médoc, ne soyez pas naïve ! Au fil des jugements, les gens vont s'amuser à compter les points ou à faire des pronostics !

Il écrasa rageusement son mégot sous le talon de sa botte.

– Il n'y a que deux solutions, ma chère belle-sœur, ajouta-t-il avec amertume. Un mariage dans la plus stricte intimité ou une réception somptueuse qui affichera au grand jour la rupture de la famille !

Pauline gardait son regard planté dans celui de Juillet.

– Vous avez choisi ? se contenta-t-elle de demander.

Il eut un sourire énigmatique, indéchiffrable et vint s'asseoir près d'elle.

– Nous allons avoir besoin de vous, Pauline, Laurène n'y arrivera pas toute seule... Je rédige la liste et vous vous chargez du reste, d'accord ?

Elle eut aussitôt l'air ravi. Elle avait prévu que Juillet opterait pour la provocation.

– Du vraiment grandiose, alors ?

– Vous avez carte blanche...

Il semblait très résolu mais sans trace de gaieté.

– Pourquoi, Juillet ?

Il eut un geste vague, qu'il n'acheva pas, en direction du château.

– Parce que justement, en ce moment, j'aurais plutôt des problèmes d'argent. Or il n'est pas question que ça se voie ! Et puis, vis-à-vis de Laurène... Elle n'aimerait pas un mariage à la sauvette, je suppose. Pour les gens, ici, les histoires de protocole ou de faste sont encore tellement importantes... Il faut sacrifier à l'esbroufe, de temps à autre... Aurélien n'est plus là pour tenir son rang mais nous pouvons très bien prendre la relève, n'est-ce pas ?

D'un mouvement spontané, Pauline mit sa main sur celle de Juillet.

– Vous pouvez compter sur moi, dit-elle gentiment.

– Oh, je sais ! répliqua-t-il. S'il y a quelqu'un que les mondanités amusent, c'est bien vous !

*_**

Alexandre avait fui dans les vignes et s'était assis au soleil. Le sermon de Dominique l'avait contrarié mais pas convaincu. Il était décidé à aller jusqu'au bout. Même s'il n'avait pas pu répondre aux questions de sa femme lorsqu'elle lui avait demandé quel était son but final. Récupérer Fonteyne pour lui, après en avoir exclu Juillet, relevait de la pure chimère. Alex savait que son frère ne lâcherait jamais Fonteyne. Tout comme il ne s'imaginait pas dirigeant seul cette trop lourde exploitation. Ce qu'il souhaitait, au fond, était plus simple et plus bête : il voulait que Juillet s'incline en lui reconnaissant une vraie place bien à lui.

« Ce bâtard sera obligé de m'ouvrir la porte toute grande, et avec des excuses, en plus ! »

Malgré tout, il se sentait angoissé. Des excuses, Juillet ? L'idée était difficile à concevoir. Alexandre poussa un long soupir. Il suivit des yeux une voiture qui remontait la route, le long des vignes, et qui se dirigeait vers la maison d'Antoine Billot. La silhouette racée du bolide le rendit brusquement inquiet. Le seul amateur de coupés ruineux qu'il connût était son frère. Il se leva d'un bond, mettant sa main en visière. Oui, c'étaient bien Robert et Louis-Marie qui descendaient, devant le perron. Alexandre chercha un endroit où se dissimuler mais il était bien visible au-dessus des ceps, et Robert lui adressa un grand signe du bras.

Très alarmé, il observa ses frères qui venaient à sa rencontre, l'un derrière l'autre. Louis-Marie, en tant qu'aîné, avait toujours un peu impressionné Alexandre. Il eut un sourire crispé, artificiel, et s'avança la main tendue.

– Comment allez-vous, les Parisiens? demanda-t-il en forçant son enthousiasme.

Robert lui serra la main mais Louis-Marie l'embrassa et il s'imagina redevenu enfant.

– Allons boire quelque chose, proposa-t-il car il ressentait un impérieux besoin d'alcool.

– Non, répondit calmement Robert, restons là pour parler, nos affaires ne regardent pas Antoine...

– Il fait partie de la famille, protesta faiblement Alexandre.

– Oui mais ça, c'est vraiment personnel.

Ils allèrent s'asseoir sur le muret qui bordait le vignoble. Nerveux, Alexandre préféra parler le premier.

– C'est Juillet qui vous envoie ? Alors c'est qu'il a besoin d'être rassuré ! Il vous a raconté quoi, au juste ? Parce que, pour arranger les choses à sa sauce, il s'y entend !

Les deux autres échangèrent un coup d'œil qui n'échappa pas à Alexandre.

– Tu attaques le testament ou il l'a inventé ? demanda Louis-Marie de sa voix grave.

– Je proteste, c'est vrai ! Mais laissez-moi le temps de vous expliquer pourquoi !

– On a tout le temps, affirma Robert. C'est pour ça que nous sommes venus te voir, pour que tu nous expliques...

Incapable de rester en place, Alexandre quitta le muret et fit quelques pas. Ses frères l'observaient, sans trace d'impatience.

– Qu'est-ce que je fais ici, à votre avis, chez mon beau-père ?

– Tu voulais y venir depuis longtemps, si mes souvenirs sont bons, rappela Louis-Marie.

– Oui, admit Alexandre, mais c'était avant la mort de père. Vous savez bien qu'il était très pénible de cohabiter avec lui ! C'était sa tyrannie que je voulais fuir, pas Fonteyne !

Louis-Marie esquissa un sourire et Alexandre se hâta d'enchaîner :

– Après son décès, si Juillet me l'avait proposé, je serais resté.

– C'est faux, dit Robert à mi-voix.

– Pourquoi ? Nous aurions pu diriger l'exploitation ensemble ! Seulement, vous connaissez Juillet... Il ne supporte pas la contradiction, il prend tout de haut...

– Nous ne sommes pas venus pour discuter du caractère de Juillet, fit remarquer Louis-Marie, mais des raisons qui te poussent à contester le testament.

– Mais enfin, père l'a tellement favorisé que c'est indigne !

– Il me semblait au contraire que les parts étaient égales, rétorqua Robert d'un ton uni.

– Les parts de la société viticole ? Possible, mais nous n'en verrons jamais la couleur ! Juillet réinvestit les bénéfices, décompte les emprunts, trafique comme il l'entend ! Il est gérant à vie, il fait ce qu'il veut sans contrôle !

Alexandre s'énervait et Louis-Marie leva la main.

– Je ne crois pas que Juillet « trafique » et ses comptes rendus sont très clairs lors des réunions de bureau. Il était gérant avant le décès de père et tu ne feras croire à personne qu'il n'est pas un bon gestionnaire.

– C'est ça ! D'après vous, il est parfait ? Ah, vous avez de la constance ! Il y a des années et des années que j'entends ce refrain-là : Juillet est le meilleur ! Et nous trois ? Les dindons de la farce ! Laissez-vous faire si vous voulez, mais je ne marche plus !

– Calme-toi ! intima Louis-Marie.

Il y eut un silence contraint. Louis-Marie avait gardé un peu d'autorité sur le benjamin, mais ce ne serait pas suffisant pour le faire changer d'avis, il le savait.

– Je ne comprends pas ce que tu cherches en entamant une procédure, reprit-il tranquillement. Tu vas y laisser beaucoup d'argent, Juillet aussi et nous aussi ! Tout ça pourquoi, au juste ?

Alexandre le dévisagea. Il avait l'air pathétique, soudain.

– Et vous aussi..., répéta-t-il. Parce que vous avez déjà fait votre choix, bien entendu ? Juillet a forcément raison et vous vous rangez derrière lui ?

– Comment veux-tu qu'on le sache ? explosa Robert. Tu ne nous dis rien de concret ou d'intelligent !

– Je dis que je ne laisserai pas Fonteyne à ce bâtard ! hurla Alexandre.

Robert s'était levé et Louis-Marie le retint. Robert parvint à se maîtriser. Il enfouit ses mains dans les poches de son blouson.

– Alex..., dit-il d'une voix sourde, Juillet a été adopté légalement. Il a les mêmes droits que nous. Je refuse de t'entendre le traiter de bâtard. Je ne connais plus rien aux affaires viticoles et Louis-Marie non plus. La seule chose dont nous soyons certains, lorsque nous sommes à Paris, c'est que Fonteyne tourne rond. Juillet a le génie de la vigne. Même si ça te rend malade, c'est la vérité et n'importe quel imbécile peut la voir. Fonteyne progresse chaque année, financièrement, et même du vivant de père c'est déjà à Juillet qu'on le devait ! Je ne veux pas d'autre gérant que lui.

Il toisa Alexandre et tourna les talons. Il s'éloigna vers la maison d'Antoine à grands pas. Louis-Marie soupira, secouant la tête.

– Qu'est-ce que tu souhaites, Alex ?

Il avait posé sa question sans agressivité. Alexandre était pâle.

– Je veux rentrer à la maison, chez moi. Je ne veux pas être méprisé, laissé pour compte ou traité en gamin.

– Et tu n'as pas trouvé d'autre moyen qu'un procès ?

Le visage fermé d'Alex rappelait cette moue qu'il avait, lorsqu'il était petit, chaque fois qu'il était dépité. Louis-Marie se reprocha de n'avoir pas compris plus tôt que toute cette jalousie finirait par étouffer Alexandre. Leur père parlait toujours de Robert avec admiration, toutefois Paris était loin de Bordeaux et un chirurgien ne fait pas d'ombre à un vigneron. Louis-Marie avait bénéficié de l'auréole de grand frère et il menait sa vie dans la capitale, lui aussi, entièrement absorbé par le milieu littéraire dans lequel il était reconnu. Restait Juillet, qui avait peu à peu relégué Alex au rang de subalterne, qui s'était imposé à Fonteyne comme le seul successeur, et avait séduit Aurélien au-delà du possible. Juillet qui s'était mesuré à Alex sur son propre terrain, sans le moindre effort. Juillet qui avait administré la preuve, chaque jour, de sa supériorité et de la sottise d'Alex.

– J'aurais voulu qu'on fasse bloc contre lui parce que nous trois, nous sommes vraiment frères, dit Alex d'une voix plaintive. Les Laverzac, c'est nous ! Tu l'as regardé, Juillet ? Avec ses cheveux, avec ses yeux ? Son adoption est légale, d'accord, mais c'est quand même un foutu bâtard et ça se voit ! Seulement vous êtes comme père, Bob et toi, vous êtes sous le charme ! Il a toujours mis tout le monde dans sa poche ! Pourtant c'est bien lui qui a présenté cette Frédérique à père, l'année dernière ? Il l'a carrément fourrée dans son lit ! A son âge, rien d'étonnant si cette liaison l'a tué ! Tu trouves ça innocent, toi ? Il était déjà gérant à vie, le dernier obstacle c'était « Aurélien », comme il l'appelait pour faire du genre...

– Arrête ! cria Louis-Marie.

Il s'était levé d'un bond, comme Robert cinq minutes plus tôt. Cependant il parvint à se contrôler.

– Ecoute-moi bien, Alex... Si tu continues, tu vas te retrouver fâché avec tout le monde, moi compris. Il y a des limites à ne pas franchir... Tout ce que tu viens de dire, ce sont des conneries. Je ne sais pas comment ton avocat a pu accepter de prendre ce dossier en main. Combien t'a-t-il déjà soutiré ?

L'air buté, Alexandre détourna son regard.

– De deux choses l'une, poursuivit Louis-Marie. Soit tu perds et tu vas y laisser ta chemise, sans parler de la haine de Juillet. Soit tu gagnes et ça te conduit où ? Bob et moi nous ne te laisserons pas diriger Fonteyne tout seul. Quant à Juillet, il n'en partira jamais, il t'aura tué avant. De quelque côté que tu regardes, c'est l'impasse. En revanche, nous étions venus te proposer une chose raisonnable...

– Quoi ? Reprendre ma place de sous-fifre sous les ordres du grand chef ? Faire comme si de rien n'était ? Rentrer à la Grangette pour lui laisser ses aises à la maison ?

Louis-Marie comprit qu'il n'arriverait à rien et il se sentit complètement découragé.

– Vous pourriez très bien cohabiter et vous entendre, dit-il sans conviction. Il faudra bien que ça finisse comme ça, Alex ! Il n'y a aucune autre solution... Ici aussi, tu es sous les ordres d'Antoine, ça te plaît davantage ?

Il remarqua que les mains d'Alex tremblaient. Celui-ci, voyant le regard de Louis-Marie, s'empressa de croiser les bras.

– Va-t'en, murmura-t-il. Ce n'était pas la peine de vous déranger. Les tribunaux départageront tout le monde...

Louis-Marie s'approcha de son frère et lui mit un bras autour des épaules, mais Alexandre se dégagea brutalement.

– Va-t'en ! répéta-t-il en élevant la voix.

Louis-Marie eut une dernière hésitation puis il se décida à reprendre le chemin de la maison.

*_**

En attendant son frère, Marie et Antoine avaient offert un verre à Robert. Chacun se contraignit à parler de choses insignifiantes mais l'atmosphère resta tendue. Dominique se tint à l'écart, délibérément, ne pouvant ni désavouer son mari ni approuver sa conduite. Elle avait passé des heures à tenter de le convaincre mais il s'accrochait à son idée de procès et de vengeance avec l'obstination des alcooliques.

Marie semblait la plus triste, ce qui n'était pas dans son caractère. Elle avait reçu, le matin même, un surprenant coup de téléphone de Juillet qui lui avait demandé très officiellement la main de Laurène. Il s'était excusé de sa démarche insolite, expliquant qu'il ne pouvait pas mettre les pieds chez Marie pour le moment. « Si je vois Alex, je lui vole dans les plumes ! » avait-il dit en riant. Marie aimait beaucoup Juillet. Cet appel incongru l'avait peinée car elle aurait préféré, de loin, avoir le jeune homme devant elle et pouvoir le serrer dans ses bras. Il avait gagné le droit d'être heureux avec Laurène depuis longtemps. Elle ne comprenait pas pourquoi il avait tardé mais elle était foncièrement heureuse qu'il se soit enfin décidé. Lorsqu'il avait soulevé le délicat problème de la présence des Billot au mariage, Marie avait compris l'étendue du désastre. Laurène devait entrer à l'église de Margaux au bras de son père. Quant à elle, elle voulait voir sa cadette en robe de mariée. Et Dominique n'accepterait jamais de rester à Mazion le jour des noces de sa petite sœur. Pourtant elle ne pouvait pas se désolidariser de son mari ni raconter n'importe quoi aux jumeaux. Marie avait fini par promettre de réfléchir à la situation et de voir ce qui était possible. Juillet avait précisé, avant de raccrocher, qu'Alex avait tout intérêt à ne pas se trouver dans son champ de vision ce jour-là, ni à Margaux, ni à Fonteyne. Lorsque Marie avait rapporté cette conversation à Antoine, celui-ci avait pris le parti d'Alex et s'était mis en colère. Il trouvait scandaleux que Juillet décide seul de tout, selon sa mauvaise habitude. A entendre Antoine, Alexandre était un gendre agréable, et il était prêt à le défendre contre ce côté tyrannique que Juillet tenait d'Aurélien. Marie avait renoncé à discuter, ne voyant aucune solution immédiate à leur problème. La visite de Robert et de Louis-Marie ne lui avait redonné espoir que peu de temps car il suffisait de voir l'expression furieuse de Robert pour comprendre que rien n'était résolu.

Les deux frères ne s'attardèrent pas et Marie grimpa jusqu'à la chambre de sa belle-mère, pour lui porter son déjeuner et lui raconter les mauvaises nouvelles. La vieille dame était impotente depuis plusieurs années mais Marie l'avait toujours adorée. Malgré son âge, Mme Billot gardait une excellente mémoire et voulait être tenue au courant de tous les potins. Elle connaissait mieux que personne la hiérarchie des familles bordelaises, leur passé, leurs alliances. Elle avait trouvé inespéré, quelques années plus tôt, que Dominique épouse Alexandre et entre à Fonteyne. Elle tenait Aurélien et ses fils en très haute estime. Peut-être même était-ce à cause d'elle qu'Antoine s'était toujours senti inférieur à Aurélien. Peut-être avait-elle, sans le vouloir, trop souligné les différences des deux familles. En tout cas elle affirmait depuis des années que si Dominique n'avait pas un mari extraordinaire, elle avait fait un bon mariage. « Elle n'a pas pris le meilleur des quatre, mais elle est à Fonteyne ! » claironnait volontiers Mme Billot. Avec le recul, sa clairvoyance stupéfiait Marie. Et, lorsque le couple était revenu à Mazion, la vieille femme avait prédit une succession de catastrophes. Marie espérait que l'annonce tant attendue du mariage de Laurène allait lui rendre un peu de gaieté. Mais, dès qu'elle poussa la porte, la voix de sa belle-mère lui ôta toute illusion.

– Eh bien, ça y est ! Bravo ! J'ai vu le chirurgien et le journaliste essayer de raisonner ce petit coq d'Alex... Même sans le son et même avec une aussi mauvaise vue que la mienne, j'en ai déduit qu'ils ont échoué, n'est-ce pas ?

Elle fit pivoter son fauteuil d'infirme pour tourner le dos à la fenêtre où elle avait dû passer une partie de la matinée et, adressant un gentil sourire à Marie, elle désigna le plateau.

– Quelle bonne odeur ! Vous vous donnez beaucoup de mal, ma fille.

Elle avait prononcé les deux derniers mots avec douceur, comme d'habitude.

– Pour cette histoire de testament, Aurélien doit se retourner dans sa tombe, non ?

Marie évita le sujet et se hâta de déclarer :

– Juillet m'a demandé la main de Laurène !

– Vraiment ? Mais je ne l'ai pas vu !

– Il m'a... téléphoné, avoua Marie.

– Vous êtes sérieuse ? Il a fait sa demande par téléphone ?

Incrédule, la vieille dame gardait pourtant une lueur amusée au fond des yeux. Elle s'approcha de la table sur laquelle Marie avait déposé le plateau.

– Tout se perd... Je n'aurais pas cru ça du cadet ! C'est pourtant le plus sérieux de la famille ! On peut dire que Laurène décroche la timbale ! Mais vous connaissez mes inquiétudes depuis le temps qu'ils se fiancent et se défiancent : comment va-t-elle le garder ? Je me demande d'ailleurs ce qu'elle a bien pu inventer pour qu'il se décide enfin ? A votre avis ?

Marie s'assit sur le lit.

– S'il n'y avait que ça..., murmura-t-elle.

Sa belle-mère la regarda avec attention.

– Marie... Marie ? Vous n'allez pas cra-

quer ? Dieu sait que ce n'est pas le moment !
Vous pensez à la cérémonie ? Qui y va et qui
s'abstient ? Pourquoi cette tête brûlée d'Alex
ne resterait-il pas ici pour garder la maison,
hein ? Parce qu'il va faire toute une histoire à
Dominique ? Mais elle est assez solide pour
lui tenir tête, que je sache !

– Antoine veut rester aussi, avoua Marie.

– Antoine ? Il n'assisterait pas au mariage
de sa fille ? De ma petite-fille ?

– C'est ce qu'il prétend.

Mme Billot pencha la tête de côté, signe
d'une intense réflexion.

– Très bien, dit-elle au bout d'un moment.
J'essaierai de le convaincre mais, si je n'y
parviens pas, nous irons à ce mariage en filles,
vous, moi et Dominique ! Il va y avoir beaucoup de commérages, ça limitera un peu les
dégâts !

Marie se leva, soudain pleine d'énergie. Sa
belle-mère s'était mise à manger de bon appétit. Après tout, l'avenir n'était peut-être pas
aussi sombre qu'il le paraissait.

₊

Pauline s'amusait beaucoup. Elle compa-
rait les devis des traiteurs, discourait à perte
de vue avec Fernande des mille et un détails de

la réception à venir, prenait l'avis de Laurène pour tout mais n'en tenait aucun compte. Clotilde fut chargée de trouver deux aides pour nettoyer les salons du rez-de-chaussée, décrocher et aspirer tous les doubles rideaux, astiquer l'argenterie, descendre du haut des placards des douzaines de verres qui n'avaient pas servi depuis des années. Juillet semblait satisfait de toutes les décisions qu'elle prenait et il ne la contredit qu'une fois, en hurlant de rire, lorsqu'elle prétendit se charger elle-même de commander du champagne. Laurène était soulagée de voir sa belle-sœur aussi active, aussi débordante d'enthousiasme, car elle vivait mal son premier mois de grossesse, partagée entre une incontrôlable envie de dormir et de fréquentes nausées.

Juillet, toujours débordé de travail, ne consacrait que peu de temps à ses frères. Toutefois il avait sollicité de Fernande un soin particulier pour les menus des dîners, sachant que ce serait des moments privilégiés. Durant ces soirées, il fit l'effort d'expliquer un peu le fonctionnement de Fonteyne à Robert et à Louis-Marie afin qu'ils ne tombent pas des nues lorsqu'ils se retrouveraient devant un juge. La perspective de ce procès hérissait Juillet. Il se levait encore plus tôt que d'habitude et étudiait les livres de droit qu'il avait demandés à maître Varin. Se couchant à deux heures et se levant à cinq, il négligeait un peu Laurène qui ne semblait pas disposée, de toute façon, à faire l'amour. Elle dormait mal et effectuait d'incessantes allées et venues entre la salle de bain et leur chambre.

La semaine de congé de Robert touchait à sa fin et, la veille de son départ, la soirée se prolongea longtemps. Ils s'étaient tous installés dans la bibliothèque, afin de mettre au point l'emploi du temps des semaines à venir. Le mariage de Juillet avait lieu dix jours plus tard et les Parisiens reviendraient à ce moment-là. A regarder la silhouette longiligne du cadet qui tisonnait, Louis-Marie se sentait un peu ému. Alex avait raison : ils étaient sous le charme, depuis que le petit « gitan » était arrivé dans la famille. Au-delà de la prospérité de Fonteyne, la personnalité de Juillet y était pour beaucoup. Obéissant à un élan irrépressible, il intervint soudain :

– Si je peux être utile, je veux bien rester avec toi !

Juillet lui adressa un sourire amusé mais Louis-Marie s'obstina.

– Lorsque père est tombé malade, l'année dernière, je t'ai rendu quelques services, souviens-toi ! Tu me donnes des choses faciles à faire et je te soulage jusqu'à ton mariage !

– Mais tu es certainement très occupé, à Paris ? demanda Juillet.

– Tu n'y penses pas ! s'insurgea Pauline.

Elle s'était bien amusée jusque-là, mais elle avait envie de retrouver son appartement et de se choisir une tenue chez son couturier préféré. La proposition de son mari la stupéfiait. Elle adorait Fonteyne, à condition de n'y séjourner que quelques jours. Ensuite, elle s'ennuyait.

– Je termine un livre, annonça Louis-Marie de sa voix calme et je peux très bien travailler ici. Mieux, même ! J'enverrai mes articles...

Il paraissait déterminé et Pauline s'énerva.

– Il y a Esther, voyons ! Et puis je n'ai rien prévu pour un long séjour...

La mine boudeuse, elle se leva.

– On ne peut pas rester, mon chéri, dit-elle avec son assurance habituelle. Mais nous reviendrons très vite...

Après un petit signe de la main à la cantonade, elle s'éclipsa. Louis-Marie, abandonnant son fauteuil à regret, adressa un clin d'œil à Juillet en passant près de lui.

– Prépare-moi des corvées, dit-il à mi-voix. De toute façon, je reste...

Il quitta la bibliothèque, traversa le hall et monta lentement l'escalier. Pauline l'attendait, debout au milieu de leur chambre.

– Qu'est-ce qui te prend ? attaqua-t-elle d'emblée. J'ai mâché le travail pour Laurène et Fernande, tout sera prêt à temps, je n'ai plus rien à faire ici ! En l'absence de Dominique, j'ai pris mon rôle à cœur, non ? J'ai bien mérité de rentrer chez moi, je trouve !

Il s'assit au pied du lit et observa son adorable petit bout de femme.

– Tu as été parfaite, assura-t-il. Mais c'est Juillet qui a besoin d'aide... Beaucoup plus que Laurène !

– Juillet ?

Pauline éclata de rire.

– Il se passe très bien de toi, rassure-toi ! Il se passe de tout le monde, d'ailleurs. La meilleure preuve, c'est qu'il a quand même un peu poussé Alex dehors, non ?

Interloqué, Louis-Marie mit quelques secondes à réagir.

– Que tu peux être injuste, parfois..., soupira-t-il.

– Sûrement pas ! Je suis plus lucide que toi parce que je ne suis pas impliquée dans vos histoires de famille et de société... Ecoute, mon chéri, tu sais que j'adore Juillet, c'est un type formidable, stupéfiant, tout ce que tu veux, mais c'est un sacré tyran, reconnais-le ! Alex a eu le choix entre obéir ou partir. Je ne le dirais pas à qui que ce soit d'autre mais, franchement, vous y allez fort avec ce pauvre Alex...

– Ce « pauvre » Alex ? Enfin, Pauline ! Tu l'aurais vu ce matin, le pauvre Alex ! Il nous a envoyés sur les roses sans même être capable de nous expliquer ce qu'il veut. En plus, il boit ! Il a le teint rouge, des cernes, les mains qui tremblent, c'est pitoyable !

– Et pourquoi crois-tu qu'il se soit mis à boire ? J'imagine sa vie, à Mazion, ça ne doit pas être folichon ! La maison est minuscule et les Billot ne sont pas à mourir de rire ! Honnêtement, à part Dominique... Regarde cette gentille gourde de Laurène, j'ai dû la remorquer toute la semaine !

Pauline riait mais Louis-Marie resta sérieux.

– Pauline, dit-il doucement, on va droit au procès, ce n'est pas drôle...

Elle vint s'asseoir près de lui et l'embrassa dans le cou.

– Qu'est-ce que Robert pense de tout ça ? demanda-t-elle d'une voix câline.

Louis-Marie ressentit un petit pincement de jalousie qu'il connaissait bien mais qu'il ignora.

– La même chose que moi, répondit-il calmement.

– Si vous êtes trois contre un, Alex a perdu d'avance, alors ?

Il prit sa femme par les épaules et la regarda bien en face.

– Ce n'est pas un jeu, Pauline ! C'est du testament de père qu'il s'agit. De Fonteyne. De cet énorme capital que nous devons tous préserver... Juillet ne dit rien parce qu'il est beaucoup trop fier pour ça, mais il en a, du poids sur les épaules, en ce moment. Comme tu viens de le dire toi-même, ce n'est pas Laurène qui l'aidera ! Donc, je reste...

– Je ne veux pas ! s'écria Pauline, hors d'elle.

Comme Louis-Marie cédait en général à ses caprices, elle fut très étonnée de son acharnement. Il l'attira vers lui et voulut l'embrasser, mais elle tourna la tête. Il la lâcha aussitôt.

– Je reste, répéta-t-il.

– Pas moi ! Vos petites histoires m'assomment, à la fin !

Ils échangèrent un regard hostile.

– Tu viens de me parler d'un énorme capital, dit lentement Pauline. C'est vrai, tu as fait un héritage... Mais nous ne sommes pas plus riches d'un franc pour autant ! Il y a ce très beau château, où vit Juillet, et ces vignes prestigieuses tout autour, soit ! Mais ça ne change rien à ma vie, ça ne me donne rien. C'est bien ce qui doit rendre furieux Alex, d'ailleurs ! Et c'est pour ça que je le comprends.

Elle attendit en vain une riposte. Louis-Marie se taisait et l'observait. Il savait qu'elle était jeune, futile, et qu'elle disait beaucoup de bêtises lorsqu'elle était en colère. C'était une mère distraite et une épouse capricieuse. Pourtant il l'adorait comme un collégien même si, durant quelques instants, il avait ressenti une certaine distance, un rien de lassitude.

– Rentre à Paris, toi, dit-il très vite. Pars avec Robert, il te déposera. Et vous n'aurez qu'à revenir ensemble dans huit jours...

Elle eut tout de suite l'air si ravi que Louis-Marie regretta ses paroles.

– C'est une bonne idée, reconnut-elle en souriant.

Elle revint près de lui et s'assit sur ses genoux. Ce fut elle qui l'embrassa, avec douceur d'abord puis avec plus de provocation. Elle avait perçu son recul, même s'il n'en avait rien laissé voir, et elle était décidée à se faire pardonner. De ses doigts agiles, elle déboutonna la chemise de Louis-Marie. Il se laissa faire, amusé de ce désir qu'elle suscitait en lui, chaque fois. Au bout de quelques minutes, il lui enleva son chemisier et sa jupe pour la caresser. Il s'était persuadé que, tant qu'il la rendrait heureuse, elle se limiterait à un simple jeu de séduction avec Robert. Il ne voulait pas penser autre chose, pas imaginer qu'elle le trompait peut-être, et surtout pas avec Bob. Elle frissonna, ferma les yeux, se laissa aller sous les mains douces de son mari. Il savait exactement quoi faire et il prit son temps.

**

– C'est le début de la floraison, dit Lucas en se redressant. Un peu précoce... Faudra bien compter cent quinze jours...

Juillet était penché sur la vigne, à quelques mètres.

– J'ai vu un lis ce matin ! lança-t-il sans se retourner.

La tradition de Margaux voulant que les fleurs de lis éclosent le même jour que celles du vignoble, Lucas maugréa :

– Ah bon... Je ne l'ai pas remarqué... Alors mettons cent dix ?

– Je te le prédis à cent cinq et tu peux commencer le compte à rebours !

Juillet passa un doigt délicat sur un embryon de grappe et Lucas ne put s'empêcher de sourire.

« C'est vrai qu'il a le don, ce gamin ! »

songea-t-il avec une tendresse bourrue. Il avait fini par reconnaître, les années passant, qu'il était impossible de prendre Juillet en défaut. Il y avait beau temps que l'élève avait dépassé ses maîtres, et tout ce qu'Aurélien ou Lucas avaient appris à Juillet n'était rien en regard de son formidable instinct de la vigne.

– Il n'y a plus qu'à prier pour que la fécondation soit bonne, à présent !

Le jeune homme approuva d'un hochement de tête. Tout pouvait arriver dans les mois à venir. Jusqu'aux vendanges, n'importe quel problème pouvait surgir, des parasites aux intempéries.

Ils repartirent à pas lents, l'œil rivé aux plants, cheminant l'un derrière l'autre. Quels que soient les investissements en matériel qu'avait effectués Juillet, rien ne pouvait remplacer cette surveillance constante qu'ils exerçaient. Chaque propriétaire, à Margaux, veillait jalousement sur ses terres, mais aucun autant que Juillet. C'est cet acharnement qui plaisait à Lucas par-dessus tout.

« Pourvu que l'année soit bonne, pensa-t-il, le gamin le mérite et il en a sacrément besoin avec les emmerdements que lui fait son incapable de frangin ! »

Il était arrivé à Lucas et à Juillet de se fâcher,

et même d'en venir aux mains, mais rien n'avait altéré leur respect mutuel et leur sentiment du travail partagé.

– Tu prends un café ? demanda Juillet alors qu'ils arrivaient en vue du château.

C'était rituel. Ils accédèrent directement à la cuisine par l'office et s'installèrent sur l'un des bancs tandis que Fernande les servait. Il était neuf heures et Juillet avait déjà englouti deux petits déjeuners. Robert était rentré à Paris en compagnie de Pauline, et Louis-Marie s'était installé dans le petit salon où il travaillait à son manuscrit en attendant les consignes de son frère.

– Tu peux aller à la gare cet après-midi, je n'ai pas besoin de toi, dit Juillet à Lucas. Il faut que l'expédition soit faite cette semaine, de toute façon. Le courrier à joindre est sur mon bureau, tu n'auras qu'à le demander à Laurène.

Il était déjà debout. Lucas hocha la tête. Il savait que Juillet tenait à soigner ses clients américains, aussi veillait-il avec un soin extrême à l'emballage des caisses destinées aux pays étrangers.

Louis-Marie eut un grand sourire lorsque Juillet fit irruption dans le salon.

– Je croyais que tu m'avais oublié ! dit-il en rebouchant son stylo.

– Il y a peu de chances, répliqua Juillet. J'ai toute une liste de trucs à te donner pour occuper ta journée! Sauf si je t'empêche de travailler...

Il vint se pencher au-dessus de l'épaule de Louis-Marie et parcourut quelques lignes.

– Ton prochain livre? demanda-t-il à mi-voix.

Il n'aimait pas beaucoup ce que Louis-Marie avait publié jusque-là et il évitait de lui en parler. La vie mondaine du tout-Paris ne l'intéressait guère, or les livres de son frère n'étaient faits que de ce genre d'anecdotes, en prolongement de ses articles ou billets d'humeur.

– Ne fais pas semblant, dit Louis-Marie en recouvrant sa feuille. Tu n'apprécies pas ce que j'écris.

– Mais non, je...

– Si, si! Aucune importance, d'ailleurs, parce que je te réserve une surprise avec celui-là... Je change de genre! Même si ça doit déplaire à mon éditeur, je m'offre une escapade littéraire, une vraie!

Juillet lui jeta un coup d'œil intrigué. Il y avait plus d'amertume que d'espoir dans ses dernières paroles.

– Quelque chose ne va pas? interrogea-t-il sans détour.

Louis-Marie soupira, haussa les épaules puis finit par sourire.

– Disons que l'idée de Pauline voyageant avec Bob ne me fait pas plaisir...

Juillet resta silencieux, attendant que son frère s'explique.

– Ne me prends pas pour un idiot, dit doucement Louis-Marie. Il faudrait être aveugle et je ne le suis pas...

Il planta un regard franc, incisif, dans celui de Juillet.

– A ton avis, ils ont remis ça ?

Juillet retint sa respiration une seconde, s'appliquant à ne rien laisser paraître. Il n'était pas question de lui dire la vérité.

– Je n'ai pas d'avis, répondit-il calmement.

– Si tu savais quelque chose, tu me le dirais ? insista Louis-Marie.

– Sûrement pas. Mais je ne sais rien.

Juillet détestait mentir ; cependant il ne pouvait pas raviver la querelle de ses frères. Pas plus qu'il ne pouvait avouer avoir surpris Pauline et Robert sortant d'un hôtel à Bordeaux, six mois plus tôt. Louis-Marie était trop vulnérable dès qu'il s'agissait de sa femme, et la famille souffrait déjà de tant de dissensions qu'il était inutile d'y ajouter celle-là.

– Pourquoi as-tu voulu rester à Fonteyne ?

137

Louis-Marie parut réfléchir un moment, comme s'il essayait de trouver la réponse la plus juste.

— Tu as besoin d'aide, cadet, plus que tu ne le crois.

— La famille, c'est... fragile, poursuivit-il. Un procès va secouer tout le monde. Alex a tort, mais sa position peut susciter des doutes, des questions... que tu ne supporteras pas !

Il pensait à Pauline qui, la veille au soir, n'était pas loin de donner raison à Alexandre. A Marie et Antoine qui se sentiraient obligés de défendre leur gendre. A Dominique écartelée. A Robert qui adorait Juillet mais qui écouterait peut-être les allusions perfides de Pauline. A Laurène qui ne serait d'aucun secours.

— Je suis l'aîné, ajouta-t-il. Objectivement, je donne raison à père pour tout ce qu'il a décidé avant sa mort. Alex est un irresponsable, car il n'y a pas que la famille qui soit fragile, une entreprise comme Fonteyne l'est tout autant. Entre nous...

Louis-Marie baissa la voix et Juillet se pencha légèrement pour l'entendre.

— Je n'ai aucun goût pour les chiffres et je ne sais même pas gérer mes propres affaires... J'ai peur de perdre Pauline chaque matin, mon compte en banque est souvent à découvert parce que je vis très au-dessus de mes moyens, et il y a bien dix ans que je n'ai rien écrit de valable ! Mais je connais la valeur de Fonteyne, j'ai bien retenu les leçons de père et je ne suis pas un parfait crétin. Donc, je vais t'aider... C'est le plus important et le plus urgent.

Juillet éprouva le besoin d'aller s'asseoir sur l'accoudoir d'une bergère.

– Merci, dit-il de sa voix claire.

Il ne se souvenait pas d'avoir jamais eu une conversation si franche avec son frère. Il sortit un papier de la poche de son jean.

– Si tu peux aller à Bordeaux ce matin, commença-t-il, il faudrait voir Meyer...

***

Louis-Marie étonna Juillet, non seulement par sa bonne volonté mais aussi par la maîtrise avec laquelle il accomplit toutes les démarches dont il fut chargé. Il aida Laurène à mettre au point un système informatique simplifiant la comptabilité du domaine. Ensuite il décida de prendre en main le jardin comme le château. Il engagea un jeune chômeur que connaissait Lucas et lui établit un programme détaillé qui allait des volets à repeindre jusqu'au nouveau dessin des pelouses ou des parterres de fleurs. Là aussi, il parvint à intéresser Laurène. C'était le genre de détails qu'elle affectionnait mais dont elle n'avait pas eu l'idée de s'occuper jusque-là.

Tandis que Louis-Marie et Laurène étaient dehors, profitant du soleil de mai pour leurs travaux, Fernande s'activa furieusement à l'intérieur, tançant Clotilde à tout propos. Elle suivait les consignes laissées par Pauline et nettoyait à fond chaque pièce de réception. Le mariage de Juillet était, Fernande l'avait compris, le moyen de faire taire les mauvaises langues. Fonteyne devait sembler prospère et accueillant malgré la nouvelle du procès qui avait fait le tour de la société bordelaise.

Débarrassé des corvées d'intendance, Juillet prit le temps de s'attarder dans les caves avec Lucas ou de passer des heures au téléphone avec des négociants et des clients.

Dans la semaine qui précédait son mariage, il reçut, en provenance de l'étude de maître Varin, une série de documents qu'il avait réclamés, dont les statuts détaillés de la société, qu'il voulait montrer à Louis-Marie. L'envoi était accompagné d'un petit mot que Juillet relut plusieurs fois. D'une écriture nerveuse, Frédérique avait écrit : « Te souhaitant bonne réception du dossier ci-joint et dans l'attente du plaisir de te voir puisque je reprendrai ma place à l'étude au mois de juin. Nous serons donc appelés à nous rencontrer. Avec toute ma tendresse pour toi. »

Il était longtemps resté songeur devant cette carte. Frédérique évoquait pour lui des souvenirs douloureux. Et beaucoup de passion, de désir, de folie. Mais il n'était plus question de penser à elle, à ses yeux gris, à son corps. Il fallait, au contraire, pouvoir l'affronter sereinement dans l'avenir, sans garder trace ni rancune de leur aventure passée. Même si Juillet l'avait aimée, tout comme Aurélien.

– Louis-Marie demande s'il peut commander des petits cailloux pour l'allée, mon chéri ?

Juillet avait eu un geste d'impatience, aussi Laurène s'arrêta net au milieu du bureau, embarrassée.

– Je te dérange ? Tu aurais préféré que je frappe ?

– Aurélien disait qu'une fois sur deux pouvait suffire..., dit-il en souriant.

Il laissa tomber la carte de Frédérique dans un tiroir puis se leva pour aller embrasser Laurène.

– Comment vas-tu ce matin ? demanda-t-il avec douceur.

Elle se blottit contre lui. Elle avait meilleure mine.

– Je vais très bien, affirma-t-elle. Je n'ai plus de nausées et j'ai pris un vrai petit déjeuner sur la terrasse avec ton frère ! Alors, pour ces cailloux ?

– Eh bien, je suppose que Louis-Marie a décidé de nous ruiner mais que nous n'en sommes plus à quelques cailloux près !

Il entraîna Laurène vers la porte-fenêtre et jeta un coup d'œil au-dehors.

– C'est vraiment très bien, apprécia-t-il.

Les abords du château s'étaient transformés en peu de temps. Les pierres du perron, passées au jet de sable, semblaient très blanches au soleil ; les rosiers étaient tous en fleur et les parterres étaient jonchés de pensées multicolores ; l'alignement des deux pelouses était impeccable, tout comme le tracé de l'allée redevenu très net.

– Louis-Marie a fait faire du bon travail au petit protégé de Lucas... Je le garderai peut-être comme homme à tout faire...

– Oh oui, s'il te plaît ! Il est en train de finir les volets du premier, la façade est magnifique !

Il lui jeta un coup d'œil amusé. Elle était décidément très enfantine et il avait envie de la protéger.

– Comment s'appelle ce jeune homme, déjà ? demanda-t-il en fronçant les sourcils.

– Bernard, mais tu...

Elle éclata de rire, se rappelant trop tard que Juillet n'oubliait jamais rien. Elle se hissa sur la pointe des pieds pour l'embrasser.

– Je suis heureuse, chuchota-t-elle.

– Moi aussi, répondit-il tout bas.

Ce mensonge le mit un peu mal à l'aise mais, après tout, il n'était pas malheureux.

***

Alexandre non plus n'était pas malheureux. Du moins le croyait-il lorsqu'il avait assez bu. Pour fuir le regard réprobateur de Dominique, il avait pris l'habitude d'aller à Bordeaux où il pouvait traîner dans différents bistrots sans que personne le reconnaisse. Au fond de lui-même, il savait bien qu'il avait tort et c'était pour faire taire cette angoisse qu'il s'était mis au cognac, accédant rapidement à une sorte d'euphorie apaisante. Dès le troisième verre, il se sentait de taille à affronter les conséquences de ses actes, le jugement sévère de sa femme ou même la fureur de Juillet. Il y pensait souvent, se demandant comment réagirait le « bâtard » si par malheur ils se rencontraient. Par Dominique, il avait appris que Louis-Marie séjournait à Fonteyne et il avait ricané, agacé par cette preuve de fidélité que l'aîné donnait à Juillet. Quant au mariage de son frère avec Laurène, il ne voulait même pas en entendre parler. Il avait déclaré à Marie qu'il fallait être folle pour confier sa fille à un individu aussi tyrannique et égoïste que Juillet. Sa belle-mère n'avait pas jugé bon de répondre, ne voulant pas s'aventurer sur un sujet aussi brûlant.

Alexandre s'était senti encore plus amer lorsqu'il avait compris que, malgré son absence et celle d'Antoine, Juillet n'optait pas pour un mariage confidentiel. Il s'était donc promis que Dominique ne s'y rendrait pas, dût-il la garder de force à Mazion.

Il fallut que maître Samson répète sa question d'une voix forte pour qu'il émerge de sa rêverie. Il essaya de se concentrer pour lui répondre. C'était insensé de devoir faire autant de confidences à un avocat pour lui permettre de trouver une piste. Impossible de démontrer qu'Aurélien était gâteux, impossible de trouver une faille dans les statuts de Varin, impossible d'imaginer une quelconque faute professionnelle de Juillet. Il allait falloir tout le génie de maître Valérie Samson pour étayer le dossier. Avec une nouvelle provision, bien entendu.

*_**

144

Robert n'avait pas laissé le choix à Pauline, il s'était garé devant le restaurant avant qu'elle ait pu protester. Malgré la présence d'Esther, il avait besoin d'une dernière halte avant d'affronter Louis-Marie.

L'avant-veille, Pauline avait accepté de dîner à Paris avec lui et ils avaient passé une soirée délicieuse. Elle avait ri tout le temps, l'avait taquiné sans retenue. Ils avaient évoqué des souvenirs, commandé du champagne, échangé des regards trop longs. Ensuite il lui avait proposé un dernier verre au bar du Crillon. C'est là qu'il avait trouvé le courage de l'embrasser, c'est là qu'ils avaient pris une chambre.

Robert savait qu'il se damnait mais rien n'aurait pu le retenir. Pauline était son calvaire, sa démence. Le lendemain serait atroce, il n'en doutait pas. Il dut en effet la ramener chez elle, à l'aube, sans aucun autre espoir que ces rares moments d'adultère dont elle semait leurs vies au gré de sa fantaisie. Elle ne promettait jamais rien et, s'il l'interrogeait, elle savait rappeler avec cruauté qu'elle aimait Louis-Marie. Robert se haïssait lui-même jusqu'à l'écœurement mais il ne parvenait pas à détester Pauline, encore moins à la fuir, malgré les horreurs qu'elle proférait d'un ton enjoué. Oui, elle adorait faire l'amour avec Robert, le retrouver, le séduire. Non, elle ne changerait rien à sa vie pour autant.

Robert avait ensuite passé une matinée infernale à Lariboisière, se déchargeant des interventions prévues sur son chef de clinique et sur ses internes, errant sans but du bloc opératoire à son bureau, fuyant la sollicitude de sa secrétaire qui lui trouvait l'air épuisé. Il avait failli téléphoner à Juillet pour lui dire qu'il ne viendrait pas à Fonteyne mais il avait renoncé, se souvenant qu'il était son témoin. Il n'était parvenu à se ressaisir qu'en fin de journée et s'était forcé à inviter l'une de ses infirmières à dîner. Finalement, il s'était retrouvé devant l'immeuble de Pauline le matin même, à l'heure prévue, et ils avaient pris la route de Bordeaux.

Si Robert avait voulu se ménager ce déjeuner, il n'y prit cependant aucun plaisir. Esther bavardait sans cesse et se comportait en enfant gâtée. Quant à Pauline, elle était obsédée par des détails insignifiants qui allaient du chapeau qu'elle porterait à l'église jusqu'aux boutons de manchette préférés de Louis-Marie qu'elle avait oubliés.

Au moment du café, ils permirent à Esther d'aller jouer dans le jardin du restaurant et Robert en profita pour demander abruptement :

– Te voilà redevenue ma belle-sœur, alors ?
On remet les masques ?

Le regard qu'elle lui adressa était aigu, dénué de tendresse.

– Tu as une autre solution ?

– Bien sûr ! Divorce !

– Non.

Elle n'ajouta rien et il fut un peu surpris de ce laconisme. Elle avait l'habitude de rejeter vertement sa sempiternelle proposition. Il crut déceler une faille, la première depuis qu'elle s'était mariée, et il eut la sagesse de se taire. Il lui tendit son paquet de cigarettes, lui donna du feu sans lui effleurer la main, et commanda deux autres cafés avec l'addition.

Juillet était encore dans la chambre d'Aurélien lorsque le jour se leva. C'est là que Fernande vint lui porter son petit déjeuner, ayant deviné sans mal où il avait choisi de passer sa dernière nuit de célibataire. Dans leur chambre du premier étage, Laurène dormait seule selon la tradition, sa robe de mariée – que Juillet ne devait découvrir qu'à l'église – étalée sur deux fauteuils.

– Elle va être jolie comme un cœur, ta promise ! dit Fernande en riant.

Elle servit le café, ouvrit à demi les rideaux, puis vint poser la tasse sur la table de nuit.

– Ton père ne déjeunait jamais au lit, à moins d'être malade ! Comme toi... On peut compter sur les doigts de la main les occasions que j'ai eues de vous dorloter !

Juillet lui sourit et lui désigna l'unique fauteuil de la pièce.

– Assieds-toi... Tiens-moi un peu compagnie...

Elle eut l'impression qu'il était mal à l'aise dans cette pièce. C'était pourtant lui qui, délaissant la chambre d'amis, avait choisi de venir y coucher. Elle obtempéra, s'installa au bord du siège et croisa ses mains sur ses genoux.

– Tes vêtements sont prêts, je viens juste de repasser ta chemise... J'ai tout mis dans la salle de bain de monsieur.

Elle s'interrompit, gênée de ce qu'elle venait de dire. « Monsieur » serait toujours Aurélien dans son esprit, elle n'y pouvait rien. Juillet n'était pas « monsieur », pas plus qu'il n'était son employeur.

– Mon petit, commença-t-elle d'une voix infiniment douce, c'est un grand jour pour Fonteyne, tu sais... Je te souhaite tout le bonheur possible. Tu le mérites !

Juillet reposa sa tasse sans répondre. Elle le

regardait avec une telle tendresse qu'il ne savait que lui dire. Elle détaillait ses boucles brunes, son profil racé, ses yeux sombres.

– Tu vas faire un beau marié... Et la petite aussi ! Je lui ai monté du thé, elle est en pleine forme. Ménage-la, aujourd'hui, elle va devoir rester debout longtemps et ce n'est pas bon pour...

Elle hésita, se demandant soudain si elle avait le droit d'aller plus loin.

– Pour le bébé ? demanda Juillet.

Fernande se permit un petit rire, derrière sa main.

– En tout cas, ça ne se voit pas !

Juillet sortit du lit en slip et tee-shirt et s'approcha de Fernande, sa tasse à la main.

– Donne-moi encore un peu de café...

Elle le servit sans le quitter des yeux, se demandant pourquoi il ne donnait jamais l'impression d'être tout à fait heureux.

– Il y a déjà de nombreux télégrammes qui t'attendent, et puis des fleurs partout...

Il s'était éloigné pour ouvrir complètement les doubles rideaux. Le soleil levant entra à flots dans la chambre. Il se tourna vers Fernande et siffla entre ses dents.

– Quelle jolie robe... C'est toi qui l'as faite ?

Habile couturière, elle confectionnait tous ses vêtements elle-même depuis toujours. Elle avait choisi un tissu bleu nuit, très sobre, qu'elle avait égayé d'un col jaune. En deux enjambées, il fut près d'elle, s'agenouilla, mit sa tête sur ses genoux. La vieille femme hésita, leva la main puis la posa sur les boucles soyeuses de Juillet.

– Tu aurais dû te faire couper les cheveux, chuchota-t-elle.

Il avait fermé les yeux mais elle ne pouvait pas ignorer son expression de détresse.

– Il ne faut pas avoir peur, lui dit-elle encore. Laurène t'aime à la folie. Elle apprendra, tu verras... La maternité va la mûrir... Et tu seras fou de joie quand tu auras ton enfant... Tu dois penser à l'avenir, Juillet... Oublie Alexandre jusqu'à demain...

C'était comme si elle le berçait. Elle pensa qu'il n'avait pas eu de mère, après tout, et que même s'il semblait fait d'acier trempé, il avait bien le droit à quelques secondes d'abandon.

**

L'église de Margaux était trop petite pour contenir la foule et un certain nombre de gens avaient dû rester à l'extérieur. Ce fut Louis-Marie qui conduisit Laurène jusqu'à l'autel où Juillet l'avait précédée au bras de Marie.

La jeune fille était resplendissante sous son

voile. Grâce aux conseils de Pauline, elle avait opté pour une robe de mariée très classique, de satin blanc, au décolleté sage. Elle s'était peu maquillée et paraissait ainsi d'une extrême jeunesse, les joues roses d'émotion, les yeux étincelants. Cependant, si jolie ou si attendrissante qu'elle fût, toute l'assistance gardait les yeux braqués sur Juillet. Il n'était pas seulement le plus beau parti du département qui se décidait enfin à convoler, ou un chef d'exploitation envié et respecté, ou encore l'un des viticulteurs les plus en vue de Margaux; c'était surtout un homme au charme exceptionnel après lequel toutes les femmes avaient soupiré un jour ou l'autre. Il portait sa jaquette et sa cravate de soie gris perle avec autant d'élégance que de désinvolture. Il écouta la messe avec une attention grave et releva le voile de Laurène délicatement pour pouvoir l'embrasser lorsque vint le moment. Comme il était très grand, il dut se pencher vers elle tandis qu'elle levait la tête et chacun put voir le sourire tendre qu'il adressait à sa toute jeune femme.

L'absence d'Antoine et d'Alexandre avait été particulièrement remarquée à l'hôtel de ville, lorsque le maire avait prononcé un discours aussi chaleureux que maladroit sur les grandes familles et leurs traditions. Marie, au premier rang, avait su garder son expression attentive et gaie, tandis que Dominique avait eu aussitôt les larmes aux yeux. Mais les invités oublièrent l'incident dès leur arrivée à Fonteyne. Le traiteur avait dressé de somptueux buffets sur la pelouse, pour le cocktail auquel assistèrent plus de trois cents personnes. Des fauteuils et des tables de jardin étaient installés un peu partout, à l'ombre ou au soleil, et une douzaine de maîtres d'hôtel servaient champagne et petits fours.

Sans lâcher Laurène qu'il tenait par le bras, Juillet sut multiplier les mots aimables ou les plaisanteries, allant de l'un à l'autre pendant toute la réception. Il connaissait par cœur la liste de ceux qui participeraient au dîner, quelques heures plus tard, et il refaisait mentalement son plan de table tout en bavardant.

Robert, le témoin de Juillet à la mairie comme à l'église, avait été plus ému que prévu en signant les registres. Il avait brusquement pris conscience que son frère n'avait pas d'amis, n'en avait d'ailleurs jamais eu. Peu familier de nature, entièrement accaparé par Fonteyne depuis toujours, Juillet n'avait pas eu l'occasion de se lier avec quiconque. Dans sa vie trop bien remplie, il avait juste donné un peu de place aux femmes, offrant tout le reste à la vigne. Autour de Juillet, il n'y avait que la famille. Depuis la disparition d'Aurélien, il n'y avait plus que ses frères, dont il fallait à présent exclure Alexandre. Robert s'était senti coupable, soudain. Il avait profité de l'absence de Louis-Marie pour renouer avec Pauline une nouvelle fois, or Juillet avait réellement besoin de soutien et seul l'aîné l'avait aidé, lui avait proposé de rester à Fonteyne et de s'y rendre utile.

Assombri par ces constatations tardives, Robert décida de se racheter en ne quittant pas Dominique de la journée. Elle aussi était seule, faisant bonne figure comme Marie, mais sans doute malheureuse. Le mariage de Juillet et de Laurène devait lui rappeler le sien, quelques années plus tôt, alors que les deux familles s'étaient réunies dans la joie. Robert escorta donc sa belle-sœur partout, après avoir recommandé aux jumeaux de laisser leur mère en paix.

Pauline, éblouissante et ravie, ne savait où donner de la tête. Elle avait endossé avec plaisir – et sans demander l'avis de personne – le rôle d'hôtesse. Comme elle ne connaissait pas la plupart des invités, elle préféra ne pas s'éloigner de Louis-Marie pour pouvoir l'interroger. Son charme faisait d'ailleurs merveille sur tous les gens à qui elle serrait la main ou à qui elle adressait un compliment. Amusé, séduit plus que quiconque, Louis-Marie resta volontiers à ses côtés durant toute la garden-party.

Lorsque le dernier invité eut pris congé, ils se réfugièrent tous à la cuisine où ils s'écroulèrent sur les bancs dans une joyeuse ambiance. Fernande prépara du café en abondance, sachant que la soirée serait très longue. Ce fut sans doute cette heure privilégiée que Juillet préféra. Il y avait longtemps, beaucoup trop longtemps que Fonteyne n'avait pas résonné des éclats de voix et de rire de la famille. Parlant en même temps, s'interrompant et se questionnant sans écouter les réponses, ils commentaient gaiement la journée, passant en revue les amis, les voisins et les relations. Pauline disait des méchancetés et Juillet lui donnait la réplique avec humour. Laurène et Dominique échangeaient des plaisanteries à voix basse tandis que Robert et Louis-Marie avaient décidé d'abandonner le café pour se remettre au champagne et continuer d'arroser le mariage du cadet. Marie, très détendue, bavardait avec Lucas tout en essayant de calmer les jumeaux et Esther qui couraient autour de la table.

Ce fut le traiteur qui mit fin à la récréation en venant demander si son installation des tables convenait pour le dîner. Juillet le suivit tandis que le reste de la famille regagnait les chambres pour se changer.

*_**

Laurène portait une robe du soir bleu pâle, gansée de blanc. Juillet était en habit, comme la plupart des hommes présents. Le couvert avait été dressé entre le grand salon et la bibliothèque pour la cinquantaine de convives, triés sur le volet.

Pauline, que Juillet avait chargée d'organiser cette journée, avait choisi ce qu'il y avait de mieux – et de plus cher ! Pour époustoufler la société bordelaise, elle s'était donné beaucoup de mal mais elle était satisfaite du résultat. Fonteyne se prêtait admirablement aux fêtes. Les plafonds à caissons, les boiseries, les hautes portes-fenêtres à petits carreaux et les parquets de chêne offraient un cadre incomparable dont elle avait su tirer parti. Les tables et les dessertes croulaient sous les fleurs et les bougies dans une subtile harmonie de couleurs pastel. Toute la vaisselle et l'argenterie étaient chiffrées aux initiales d'Aurélien. Tous les vins, servis dans des aiguières, provenaient de la propriété.

Au début du repas, Juillet s'était contenté de prononcer quelques mots, en hommage à son épouse et à ses invités. Il s'était félicité de la prospérité de sa maison, puis il avait salué sa belle-mère, Marie, ainsi que sa double belle-sœur, Dominique, en parvenant à ne jamais parler d'Alexandre, comme s'il n'existait pas. Il avait dit sa joie d'avoir toute sa famille réunie autour de lui et avait terminé son bref discours par une phrase émouvante à la mémoire d'Aurélien.

Laurène ne quittait pas son mari des yeux. Elle semblait éblouie d'être enfin parvenue à ce grand jour. Elle était la femme de Juillet et rien ne la menacerait plus jamais, pensait-elle avec naïveté. Le sourire radieux qu'elle affichait depuis le matin avait fini par exaspérer Pauline.

– Pourquoi la regardes-tu méchamment ? murmura Robert en se penchant vers Pauline.

Il était placé à sa gauche, malheureux mais ravi d'être près d'elle.

– Je crois qu'elle est bête, répliqua-t-elle à voix basse.

Louis-Marie, de l'autre côté de la table, observait sa femme discrètement. Ravissante, drôle, affable, Pauline subjuguait sans peine les hommes. Sa robe était trop décolletée, à la limite de la décence, et elle mettait une sensualité provocante dans tous ses gestes. Louis-

156

Marie avait peur de la perdre depuis qu'il l'avait épousée, mais il commençait à se sentir las de cette angoisse permanente. Quelque chose était en train de se briser en lui, il en avait vaguement conscience.

– Ton mari a l'air triste, remarqua Robert, pourtant tu lui as tenu compagnie toute la journée !

Elle fronça les sourcils, agacée par le ton de la réflexion.

– Regarde plutôt Juillet, riposta-t-elle, il est magnifique ! J'ai rarement vu quelqu'un nager dans les ennuis avec autant d'allure !

Elle était sincère, son beau-frère l'épatait. C'était bien le seul homme qu'elle admirait, sans aucune arrière-pensée.

– Pauvre Laurène, ajouta-t-elle.

– Pourquoi « pauvre » ? Elle est épanouie !

Pauline éclata de rire. Laurène n'était vraiment pas la femme qu'il aurait fallu à Juillet. Elle allait répondre lorsqu'elle sentit la main de Robert sur sa cuisse. Elle le foudroya du regard, pour le principe, mais il l'avait sentie frissonner.

– Alexandre est malade ?

La question de Sabine Démaille, la femme du préfet, prit tout le monde de court. Ses mots étaient tombés dans un malencontreux silence et une dizaine de convives s'étaient

157

tournés vers Juillet. Celui-ci eut un rire bref, léger, désinvolte.

– Malade ? J'espère que non ! Mais nous avons un petit différend, en ce moment, et il boude... Bah, c'est sans gravité.

Juillet souligna son propos d'un sourire charmant et les conversations reprirent. Pauline lui adressa un clin d'œil admiratif et Marie posa sur lui un regard reconnaissant. Dominique échangea une grimace significative avec sa grand-mère, la vieille Mme Billot, qui se tenait très droite sur son fauteuil d'infirme.

Le menu comportait sept plats successifs et les serveurs, en grande tenue, effectuaient discrètement un incessant ballet derrière les convives. La table avait été dressée en T et les invités qui se trouvaient dans la bibliothèque ne pouvaient s'empêcher de jeter des regards vers les collections d'Aurélien, qui avait passé quarante ans de sa vie à acheter des livres rares. Toutes les doubles portes du rez-de-chaussée étant ouvertes, on pouvait apercevoir la longue table de marbre du hall, couverte de cadeaux, et le petit salon dans lequel dînaient les enfants sous la surveillance de Fernande. Juillet appréciait cette soirée à sa juste valeur. L'occasion était belle pour faire cesser les commérages et redonner tout son lustre à Fonteyne. Il était d'ailleurs temps de reprendre les traditions mondaines d'Aurélien dont les dîners étaient célèbres. Le deuil avait assez duré. Machinalement, Juillet chercha des yeux son notaire. Celui-ci était placé loin de lui et il bavardait avec ses voisines d'un air jovial. Juillet se demanda si cet homme serait capable de le défendre efficacement et si le dossier de la succession était réellement sans faille. Il parcourut du regard la longue tablée. Des viticulteurs de grand renom, un député, deux maires, un préfet, des femmes élégantes, des notables réunis pour un mariage fastueux et qui allaient, dès demain, répandre le bruit que Fonteyne revivait.

« Le procès va faire du scandale mais les gens garderont le souvenir de cette soirée... Alexandre ne s'est jamais imposé, de toute façon. Il fallait toujours que je repasse derrière lui chaque fois qu'il allait traiter à Bordeaux... »

La main de Laurène se posa sur la sienne et Juillet se tourna vers elle. Elle gardait les yeux fixés sur l'alliance de Juillet.

– Tu es un homme marié maintenant, murmura-t-elle. Mais tu n'es pas obligé de la porter...

Elle caressait l'anneau presque timidement. Juillet sourit et l'embrassa dans le cou.

– Tu dois être épuisée...

– Non, penses-tu ! Je n'ai rien fait aujourd'hui qu'être heureuse ! Pauline a été fantastique...

Juillet jeta un coup d'œil vers Pauline qui se tenait penchée sur l'épaule de Robert pour suivre une conversation. Il tourna aussitôt la tête vers Louis-Marie qui était, lui aussi, en train d'observer sa femme. L'expression du visage de Louis-Marie était celle d'un homme fatigué, torturé. Juillet essaya de capter l'attention de Robert en le fixant et, effectivement, celui-ci tourna la tête vers son frère. Ils se comprirent et Robert s'écarta un peu, à regret, mais sans enlever sa main qui était toujours sur la cuisse de Pauline et que personne ne pouvait voir. Il la connaissait assez pour savoir qu'elle était sensible à cette caresse douce, depuis quelques minutes.

– Cette propriété est un des fleurons du département depuis bien longtemps, disait le député en s'adressant à Louis-Marie. Nous savons qu'avec votre frère elle est conduite de main de maître !

Il leva son verre et l'examina d'un œil connaisseur.

– Vous faites un vin d'exception..., ajouta-t-il.

Louis-Marie se sentit flatté, bêtement, alors

qu'il n'était pour rien dans la fabrication de ce cru.

Sabine Démaille ne parvenait pas à quitter Juillet des yeux. Comme la plupart des femmes, elle le trouvait irrésistible et elle aurait donné beaucoup pour être à la place de Laurène.

– Arrête, murmura Pauline à l'oreille de Robert.

Elle était plus troublée qu'elle ne l'aurait voulu. Elle jeta un coup d'œil à Louis-Marie qui continuait de bavarder avec le député. Elle lui trouva l'air vieux. Lorsque Robert retira sa main, elle se sentit déçue, frustrée. Elle aperçut Fernande qui remontait la table derrière un serveur, en direction de Juillet. Elle la suivit des yeux, intriguée par l'expression hagarde de la vieille femme.

– Juillet, chuchota Fernande en se penchant vers lui, il faut que tu t'absentes un instant...

Il se retourna, surpris, dévisagea Fernande et se leva en s'excusant. Il la suivit jusque dans le hall où elle l'attira derrière l'escalier pour être à l'abri des regards.

– Il y a un problème, dehors..., articula-t-elle avec peine.

Inquiet, Juillet fronça les sourcils.

– Un problème ? Quoi ?

– C'est ton frère... Il est là...

Juillet blêmit et Fernande lui attrapa le poignet.

– Ecoute... Le petit Bernard l'a empêché d'entrer... Il gardait les voitures et il l'a vu arriver... Lucas lui avait donné la consigne parce que... on pensait bien qu'Alexandre serait capable de venir ce soir... Attends ! Juillet !

Il s'était détourné et marchait vers la porte. Elle courut après lui et s'accrocha à son bras.

– S'il te plaît, Juillet ! Ne sois pas dur avec lui !

Il était déjà dehors, dévalant les marches du perron. Il marcha jusqu'à la grange à grandes enjambées. Tous les abords du château étaient illuminés, faisant briller les chromes de la trentaine de voitures alignées. Alexandre était appuyé à l'un des piliers, Bernard devant lui. Il regarda Juillet approcher mais il le voyait à travers un brouillard parce qu'il était ivre mort. D'une main, Juillet écarta Bernard.

– Ne me touche pas ! parvint à vociférer Alex.

– Qu'est-ce que tu fais là ?

Juillet le secouait et il eut un rire bête, immédiatement suivi d'un haut-le-cœur. Il se mit à vomir. Juillet l'obligea à se pencher sans le lâcher. Ensuite il le traîna vers le fond de la grange, ouvrit un robinet et lui maintint la tête sous l'eau pendant deux minutes. Alex se débattait sans parvenir à se dégager. Bernard, qui les avait suivis, se tenait derrière eux, silencieux. Enfin Juillet repoussa Alex qui tomba assis sur le sol de terre battue.

– Je suis venu chercher ma femme, dit-il d'une voix pâteuse.

Il n'osait pas regarder Juillet et il désigna Bernard.

– Ce petit con m'a empêché d'entrer ! Qui c'est, d'abord ? Faut que tu lui expliques que je suis chez moi !

D'un geste imprévisible, il s'accrocha au pantalon de Juillet.

– Chez moi ! Toi, le bâtard, tu n'as rien à faire ici !

Juillet se dégagea, prit Alex par le bras et le releva. Il lui envoya un coup de poing qui le projeta contre le mur mais il le rattrapa avant qu'il ne s'écroule.

– Un mot de plus et je te démolis pour de bon !

Juillet luttait pour garder son sang-froid. Il avait une envie folle de frapper Alexandre sauvagement.

– Il est soûl, dit la voix de Bernard derrière lui.

Juillet tourna la tête et vit Lucas qui arrivait.

– Retourne à table, tout le monde se demande où tu es, dit Lucas d'une voix pressante.

– Tu t'es déguisé toi aussi ? l'interpella Alex.

Mal à l'aise dans son habit de location, Lucas haussa les épaules.

– Il est pas frais..., commenta-t-il d'une voix neutre. Je vais le ramener à Mazion.

– Non ! Tu ne peux pas laisser ta place vide non plus !

Lucas baissa la tête. Juillet venait de lui rappeler qu'il l'avait invité à sa table, le traitant d'égal à égal et lui causant d'ailleurs un immense plaisir. Juillet jeta un coup d'œil vers Bernard.

– Vous pouvez vous en charger ? Vous connaissez la route ?

Le jeune homme acquiesça sans un mot. Juillet l'impressionnait beaucoup.

– Je ne partirai pas sans Dominique ! cria soudain Alexandre.

La présence de Lucas le rassurait, le protégeait contre la colère de son frère.

– Je vais la chercher, dit-il en se relevant.

Juillet ne lui laissa pas le temps de faire un pas, il le plaqua contre le mur avec violence.

– Lâche-moi ! hurla Alexandre qui prenait peur.

Il voulut se défendre et chercha à prendre Juillet à la gorge mais il ne réussit qu'à arracher son nœud papillon.

– Je suis chez moi ! Je suis chez moi ! se mit-il à sangloter.

Dégoûté, furieux, Juillet lui balança une gifle magistrale. Alex porta la main à sa joue en se recroquevillant contre le mur. Lucas s'interposa et obligea Juillet à reculer d'un pas.

– Tu ne peux pas rester là, il faut que tu rentres au château. Laisse-moi faire...

Juillet hocha la tête. Il se sentait vidé. Il se tourna vers Bernard, toujours immobile.

– Je ne veux pas d'esclandre, dit-il. Pas ce soir. Vous vous sentez de taille ?

– Je m'en occupe, dit le jeune homme.

– D'accord. Débarrassez-moi de lui.

Bernard regarda Juillet bien en face, un instant, puis il passa son bras autour des épaules d'Alexandre et l'entraîna vers la Mercedes garée tout au fond de la grange. En organisant le stationnement des voitures des invités, il avait pris soin de laisser la sortie libre pour les véhicules de la maison et il avait gardé les clefs de la Mercedes dans sa poche. Il ouvrit la portière arrière et poussa Alexandre qui s'écroula sur la banquette.

– Il va dormir ! lança-t-il d'une voix calme.

Il manœuvra et passa lentement devant Juillet et Lucas.

– Viens, maintenant, dit Lucas.

Juillet se décida à bouger. Sa colère était intacte et n'avait pas trouvé d'exutoire. Il partit en courant vers le perron mais il contourna la façade pour entrer par l'office. Il régnait une extrême agitation à la cuisine. Juillet grimpa quatre à quatre l'escalier de service, remonta le couloir jusqu'à sa chambre dont il ouvrit la porte à la volée. Il alluma, se jeta un coup d'œil dans le miroir, au-dessus de la cheminée, et mesura les dégâts. Il se déshabilla en hâte puis fila vers le dressing où il revêtit une chemise propre et un smoking bleu nuit. Il redescendit par l'escalier d'honneur en achevant de boucler son nœud papillon. Son entrée au salon fut saluée par un murmure auquel il répondit de son sourire charmeur. Dès qu'il eut repris sa place, un maître d'hôtel le servit. En quelques secondes, Juillet dispersa les morceaux de canard dans son assiette et fit signe qu'on pouvait poursuivre l'ordonnance du dîner. En gens bien élevés, les convives firent comme si de rien n'était malgré la longue pause qu'avait marquée le service.

– Qu'est-ce qui se passe ? dit Laurène entre ses dents.

Elle était un peu pâle. Juillet ne lui répondit pas tout de suite, occupé à relancer la conversation avec son autre voisine. Laurène échangea un regard inquiet avec Dominique. Elles étaient trop loin l'une de l'autre pour se parler mais elles se comprenaient.

– C'est Alex ? insista Laurène.

Juillet se tourna vers elle. Il ne souriait plus.

– Tais-toi, tu veux ?

Elle ouvrit la bouche mais la referma sans rien dire. Lorsque Juillet adoptait ce ton, il valait mieux ne pas discuter. Louis-Marie, de sa place, cessa d'observer sa femme pour regarder Juillet. Il devinait que seule une chose grave pouvait justifier l'absence de son frère en plein milieu du repas, ainsi que son changement inopiné de tenue. Il tourna la tête vers l'autre bout de la table où Lucas s'était discrètement rassis. Il se demanda combien de temps Fonteyne continuerait d'échapper au drame qui couvait. L'arrivée de la pièce montée apporta une heureuse diversion.

**

Juillet n'avait pas voulu décevoir Laurène et il était resté auprès d'elle. Il l'avait portée pour franchir le seuil de leur chambre, selon la tradition, et s'était contenté de lui raconter en quelques mots l'incident provoqué par Alex, refusant tout commentaire. Puis il l'avait déshabillée, lui avait fait l'amour longtemps, lui avait promis un avenir heureux, avait tenu sa main jusqu'à ce qu'elle s'endorme. Ensuite il avait pu se relever sans bruit et il avait filé jusqu'à la salle de bain où il avait pris une interminable douche. L'envie de frapper Alex ne l'avait toujours pas quitté. Le mot de « bâtard » l'avait profondément blessé. Il l'avait ressassé pendant toute la fin du dîner. Lorsqu'il avait raccompagné ses invités jusqu'aux voitures, il avait croisé Bernard qui lui avait adressé un signe de tête rassurant. Alex devait donc cuver son alcool bien au chaud, à Mazion. Juillet avait tenu à ce que Lucas raccompagne Dominique, Marie et la vieille Mme Billot. Il avait glissé à l'oreille de Dominique qu'elle n'hésite jamais à venir à Fonteyne, qu'elle y était chez elle. Personne n'avait demandé d'explication. Juillet avait encore pris le temps de remercier le personnel et de distribuer les pourboires avant de quitter le rez-de-chaussée. Puis il avait retrouvé Laurène et ses frères qui l'attendaient au premier étage, effondrés sur les banquettes du palier. Ils avaient trinqué une dernière fois et s'étaient séparés à quatre heures.

« Voilà, c'est fait... Vous êtes content, j'espère, Aurélien ! » se dit Juillet en s'essuyant.

Il n'avait pas sommeil mais il se persuada qu'il lui fallait dormir une heure ou deux. Il retourna s'allonger près de Laurène, délogeant Botty qui essayait de se faire oublier. Il fuma une dernière cigarette, effleura distraitement l'épaule de Laurène et éteignit. Laurène se retourna et se blottit contre lui, le serrant de toutes ses forces.

– Je te croyais endormie..., dit-il tout bas.

Elle répéta plusieurs fois son prénom, agrippée à lui comme une noyée. Il mit quelques secondes à réaliser qu'elle sanglotait. Il se dégagea pour allumer mais elle l'en empêcha.

– Juillet... Oh, Juillet, je t'ai obligé à te marier alors que tu n'en avais aucune envie ! Tu n'aimes pas dormir près de moi, tu t'ennuies avec moi ! Je ne suis bonne à rien, je...

– Arrête, Laurène.

– Je l'ai fait exprès ! Cet enfant, je l'ai voulu pour te forcer la main, pour...

– Arrête, répéta-t-il.

– Tout le monde te voit comme un dieu et moi comme une idiote ! J'aurais tellement voulu que tu m'aimes pour de bon...

Ses derniers mots étaient presque inaudibles tant elle pleurait mais Juillet les entendit très bien. Il se demanda ce qu'il pouvait faire pour la calmer, la rassurer. Il bascula au-dessus d'elle, appuya sur l'interrupteur tout en la maintenant.

– Regarde-moi, dit-il tendrement. Ouvre les yeux et regarde-moi.

Le visage de Juillet était à dix centimètres du sien et Laurène se noya dans les yeux sombres de son mari.

– Je t'aime et tu es ma femme. Je n'ai pas de temps pour te consoler si ça t'amuse d'être triste. Il faut que tu abandonnes ton cinéma de midinette, chérie...

Il l'écrasait de tout son poids et elle ne pouvait pas bouger. Elle s'abandonna dès qu'il commença de la caresser.

**

Juillet s'énervait dans les encombrements sans parvenir à gagner le centre ville. Il se répétait les phrases de Frédérique au télé-phone, une heure plus tôt. L'appel l'avait surpris puis inquiété. Elle s'était montrée laconique mais pressante : elle voulait le ren-contrer sur-le-champ. Il avait vainement tenté d'imaginer pourquoi mais il avait accepté un rendez-vous immédiat. Il avait aussitôt quitté Fonteyne, pressé de comprendre. Il avait roulé comme un fou depuis Margaux, plus troublé qu'il ne l'aurait voulu à l'idée de revoir la jeune femme. Leur aventure était proche et lointaine, effacée mais lancinante. Il se souvenait d'elle avec précision, du moindre détail de son visage. Elle était la première femme pour laquelle il avait menti à Aurélien, la première qui ait su le tenir en échec. Mais elle était aussi la dernière femme qu'Aurélien avait aimée, la dernière qu'il ait désirée.

Juillet avisa une place et manœuvra pour se garer. Il ne jeta qu'un coup d'œil sur la façade de l'immeuble pour vérifier le numéro avant de s'y engouffrer. Il grimpa en hâte les trois étages sans attacher d'importance à la peinture écaillée ou aux vitres crasseuses. Il chercha le nom de Frédérique au-dessus des sonnettes et le dénicha tout au bout du couloir.

Lorsqu'elle ouvrit, il retint sa respiration une seconde. Elle était exactement telle qu'il l'avait vue quelques mois plus tôt lorsqu'il lui avait demandé de quitter Fonteyne après l'infarctus d'Aurélien. Il fut envahi de tristesse par le souvenir de cette matinée sinistre. Son père n'avait plus jamais parlé bien qu'il ait survécu quelques semaines encore.

Elle s'effaça pour le laisser pénétrer dans une petite pièce sombre, meublée sommairement. Lorsqu'elle eut fermé la porte, ils se retrouvèrent face à face, muets, ne sachant pas comment se dire bonjour. Sans prononcer un mot, elle lui fit signe de s'asseoir. Il hésita puis se dirigea vers un fauteuil. Il se sentait gêné, maladroit, déplacé.

– C'est bien que tu sois venu tout de suite, dit-elle enfin d'une voix altérée.

Elle désigna le journal ouvert sur une petite table basse. Il se pencha, attentif, et découvrit un article qui relatait son mariage, la veille, photo à l'appui. Le cliché les montraient, Laurène et lui, sur les marches de l'église. Il releva les yeux vers Frédérique.

– Eh bien ?

Elle s'assit en tailleur sur le tapis, face à lui.

– Tu m'as prise de court...

Elle semblait chercher ses mots. Son superbe regard gris clair évitait Juillet, glissait autour de lui.

– Ou plutôt de vitesse ! Je ne pensais pas que tu épouserais cette gourde si vite.

Il ne réagit pas à ce mot désagréable, attendant la suite.

– Après la mort de ton père, j'ai cru que tu laisserais passer quelques mois... On respecte le deuil dans les grandes familles, non ?

Les intonations de Frédérique s'étaient faites mordantes mais il continuait de se taire.

– J'avais besoin de ces mois-là, Juillet !

L'accusation avait claqué. Il se raidit, pressentant la catastrophe.

– Quand tu m'as flanquée à la porte... C'est bien ainsi qu'il faut dire, n'est-ce pas ?

Complètement désemparé, il se contenta de murmurer :

– S'il te plaît !

Elle marqua une pause mais ce n'était pas pour le ménager. Au bout de quelques instants elle reprit, glaciale, détachant ses syllabes :

– Lorsque tu m'as jetée dehors, je savais que j'étais enceinte et pourtant je t'ai laissé faire...

Il ferma les yeux, une seconde, anéanti par ce qu'il venait d'entendre. Elle le laissa récupérer, réaliser peu à peu ce que sa phrase impliquait.

– Je suis restée en contact avec maître Varin. Il a toujours été gentil avec moi... J'ai dit que je reprendrais mon travail chez lui en juin parce que je voulais accoucher d'abord. Comme je lui téléphone de temps en temps, j'ai su que ton frère attaquait le testament d'Aurélien. J'étais certaine que tu serais trop occupé avec ça pour songer à te marier ! J'ai eu tort...

– Frédérique, supplia Juillet.

Il était au supplice mais elle n'était pas décidée à aller plus vite.

– Et puis, je voulais voir..., ajouta-t-elle en baissant la voix.

Il avala sa salive et parvint à demander :

– Voir quoi ?

– L'enfant ! Le bébé. Je me disais qu'en le voyant je saurais qui était son père.

Juillet était livide. Il se leva, fit deux pas vers la petite fenêtre, revint à sa place. Il ne savait absolument pas quoi faire ou dire.

– Tu calcules ? demanda-t-elle avec une ironie cinglante. Tu peux... Tu te rappelles certaines nuits ? Refais le compte lentement et tu verras comme c'est étrange, ça tombe juste... Alors tu comprends ? Il n'y a jamais que deux possibilités... Aurélien ou toi !

Elle marqua une ultime pause et conclut :

– Ton fils ou ton frère, au choix. En tout cas, un Laverzac !

Juillet avait entendu un certain nombre de choses terribles, dans son existence, mais jamais rien d'aussi inouï. Il n'était pas préparé à faire face. Toujours assise sur le tapis, elle le regardait enfin droit dans les yeux et ce fut lui qui détourna son regard. Il essayait de penser de manière cohérente mais n'y parvenait pas.

– Pourquoi..., commença-t-il d'une voix blanche sans réussir à formuler une question.

– Pourquoi ne pas te l'avoir dit ? Oh, si tu savais ce que je regrette quand je vois ça !

Elle pointa son doigt vers le journal puis laissa retomber sa main.

– Tu m'avais traitée comme une pute, Juillet ! Tu t'es débarrassé de l'encombrante maîtresse de ton père dès qu'il a été dans le coma ! Tu t'en souviens, je suppose ? J'étais tellement intrigante, à vos yeux, que personne n'a pris la peine de me donner des nouvelles de lui ! Son séjour à l'hôpital, son retour à Fonteyne, son décès, je n'ai rien su ! Sauf par les journaux, comme d'habitude...

D'un geste brusque, elle prit le quotidien et le froissa rageusement, avant de jeter la boule de papier dans un coin.

– Vous n'avez même pas supposé que je pouvais avoir au moins de la tendresse pour lui... Bien sûr, je n'en étais pas amoureuse puisque c'est toi que j'aimais ! Mais c'était quand même un type formidable, ce n'est pas à toi que je vais l'apprendre, hein ?

Juillet était tellement pâle qu'elle se tut. Elle se leva, se dirigea vers un petit meuble où elle prit une bouteille de gin. Elle se servit un fond d'alcool mais emplit presque entièrement le verre qu'elle tendit à Juillet.

– Ton père m'a aidée dans un moment difficile, reprit-elle. Il avait plus de dignité que vous quatre réunis. Toi, tu rends folles les femmes. Lui, il les aimait ! C'est une sacrée différence.

Juillet avait bu le gin d'un trait. Il était dans un piège dont il ne pourrait jamais sortir, où il s'était enfermé lui-même.

– Cet enfant, je ne l'aurais pas gardé si je n'avais pas eu tant de rancune. Tu avais le droit de ne pas m'aimer... Pas celui de me mépriser ! Tu ne t'es jamais soucié de ce que j'étais devenue. Tu m'as rayée de ta vie ! Mais tu as conservé Laurène, l'oie blanche... Pour les terres ? Les vignes ?

Juillet gardait la tête baissée, crucifié par ses paroles. Un intolérable sentiment d'humiliation, de culpabilité et de désastre l'avait envahi. Il n'avait rien à répondre. C'était bien la première fois de sa vie qu'il restait muet, encaissant les coups sans pouvoir se défendre.

– A quelques jours près, je voulais venir te voir à Fonteyne, avec mon fils... Parler avec toi... Te convaincre... J'ai imaginé ce moment pendant des mois... Si tu savais ce que j'ai enduré...

Elle avait changé de ton et il leva les yeux. Elle pleurait sans aucun sanglot, des larmes coulant sur ses joues, sur son pull.

– Il n'y a pas un seul soir où je n'ai pensé à toi en m'endormant, depuis que je te connais.

Tu m'as torturée au-delà du possible, Juillet...
Aujourd'hui je te rends la pareille... Ton fils...
ou ton frère... Mais lui, tu ne pourras pas t'en
débarrasser comme de sa mère... Jamais !

Il voulait bouger mais il dut faire un véritable effort pour avancer d'un pas. Elle
s'écroula contre lui en l'insultant et en suffo-
quant à travers ses larmes. Elle le frappa, sans
qu'il réagisse, jusqu'à ce qu'elle soit à bout de
souffle.

– Moi, dit-elle en cherchant sa respiration,
tu me prives d'une vengeance, bravo ! Mais
toi, Juillet, tu n'as plus aucun moyen de
réparer ça, maintenant !

Il le savait très bien. Il était marié depuis
vingt-quatre heures et Laurène attendait un
enfant de lui. Il n'y avait aucune place pour
celui de Frédérique mais il fallait pourtant lui
en trouver une.

– Où est-il ? demanda enfin Juillet.

Elle le dévisagea, s'écarta de lui.

– Non, Juillet, dit-elle simplement. Non.

Elle alla ouvrir la porte palière et attendit,
appuyée au chambranle. Elle avait retrouvé
son sang-froid.

– Va-t'en...

Il essaya de capter son regard mais, de
nouveau, les yeux gris le fuyaient.

– Va-t'en ! répéta-t-elle en élevant la voix.

Il n'était pas en état de discuter. Elle l'avait piétiné jusqu'au bout. Il se retrouva sur le palier et entendit claquer la porte derrière lui.

*_**

Juillet revint à Fonteyne en roulant à trente à l'heure, ignorant les coups de klaxon furieux des automobilistes qui le doublaient. Il abandonna la Mercedes devant le perron et gagna son bureau où pour la première fois de sa vie il s'enferma à clef. Il ne répondit pas à Laurène lorsqu'elle frappa, timidement, et pas davantage à Louis-Marie une heure plus tard. Robert, appelé en renfort, n'obtint pas plus de succès. D'un commun accord, les frères décidèrent de laisser Juillet tranquille jusqu'au soir malgré leur curiosité. Ils téléphonèrent à Varin pour s'assurer que rien de nouveau n'était survenu dans le procès et la réponse négative du notaire les inquiéta. Juillet ne faisant jamais ni caprice ni mystère, son attitude avait de quoi surprendre.

Vers sept heures, Louis-Marie, profitant de l'absence de Pauline et de Laurène qui discutaient avec Fernande dans la cuisine, entraîna Robert jusqu'à la porte du bureau.

– Il l'ouvre ou on l'enfonce ! déclara-t-il

d'une voix forte pour se faire entendre de Juillet.

A sa grande surprise, celui-ci apparut presque aussitôt sur le seuil et s'effaça pour les laisser entrer. Il faisait chaud et un monceau de braises rougeoyait dans la cheminée. Juillet avait passé tout l'après-midi à contempler les flammes, rajoutant des bûches régulièrement, allumant cigarette sur cigarette. Robert alla ouvrir l'une des portes-fenêtres, puis revint s'asseoir près de Louis-Marie. Juillet se tenait debout devant eux, les mains dans les poches de son jean. Il avait les traits tirés, des cernes, un regard éteint. Il s'était demandé durant des heures s'il n'allait pas s'écrouler, s'il allait pouvoir surmonter l'épreuve. Il avait mis du temps à retrouver un peu de calme et de raison mais il y était parvenu.

– J'ai quelque chose d'effrayant à vous raconter, dit-il à mi-voix.

Ses deux frères le fixaient avec une telle anxiété qu'il les mit au courant en quelques phrases rapides. Lorsqu'il se tut, il y eut un long silence. Au bout d'un moment, Robert soupira, croisa les jambes, prit une inspiration mais ne trouva rien à dire. Louis-Marie siffla entre ses dents, se secoua comme un chien qui s'ébroue puis se leva, incapable de rester immobile. Il passa près de Juillet, lui posa la main sur l'épaule et la serra très fort. Ensuite il se mit à marcher de long en large sans pouvoir prononcer une parole lui non plus.

– Une catastrophe n'arrive jamais seule, comme chacun sait ! proféra enfin Robert. Alex a ouvert le feu mais, là, on passe à l'artillerie lourde !

– Je ne sais pas quoi faire, avoua Juillet avec simplicité. Vraiment...

Cet aveu d'impuissance était particulièrement angoissant, émanant de lui.

– Toi, lui dit Louis-Marie, tu es pieds et poings liés. De quelque façon qu'on tourne le problème...

La voix de Pauline leur parvint, demandant l'autorisation d'entrer. Ils répondirent non ensemble, d'une seule voix. Ils l'entendirent qui s'éloignait, riant toute seule.

– Si Laurène apprend ça, elle va se rendre malade, déclara Robert de la façon la plus neutre possible.

Juillet acquiesça en silence. Jamais Laurène ne supporterait une révélation pareille, il en était conscient. Elle était enceinte, il fallait la ménager.

– Je me sens très responsable mais je ne vois pas ce que je peux vous proposer, ce que je peux lui proposer à elle. Je ne connais même pas ses intentions, je ne sais pas ce qu'elle a décidé, je n'ai pas vu le... le bébé. Elle n'a pas voulu.

Ils pensaient tous à leur père. Sa présence était encore perceptible à Fonteyne, particulièrement entre les murs de ce bureau.

– Il faut bien reconnaître que nous l'avons traitée sans aucun égard, constata Louis-Marie. J'ignore ce qu'elle représentait vraiment pour père. Il n'y a rien dans son testament la concernant. Il devait ignorer qu'elle attendait un...

– Le problème ce n'est pas elle, c'est le gosse! coupa Robert.

Il se tourna vers Juillet et l'observa attentivement.

– Tu es le pire faiseur d'emmerdes que je connaisse, soupira-t-il. Comment t'y prends-tu?

Il souriait en disant cela, conscient de ce que Juillet subissait. Il ajouta:

– Je dois rentrer à Paris demain, je ne peux pas laisser mon service à l'abandon! Mais je m'arrêterai à Bordeaux et j'irai discuter avec Frédérique.

– De toute façon, il faut lui donner les moyens d'élever son fils puisque...

Louis-Marie s'interrompit, chercha ses mots puis acheva:

– Puisque c'est la famille!

Robert se tourna vers lui et demanda, une drôle de lueur au fond des yeux :

– Quel effet ça te fait, à toi, d'imaginer qu'en ce moment il y a un nouveau-né qui pédale dans son berceau, quelque part, et qui est ton frère ? Ou ton neveu...

Il désigna Juillet sans le regarder.

– Lui, c'est l'homme des coups de théâtre, du genre à vous faire tomber un plafond sur la tête par jour ! Remarque, quand il nous demande de venir, ce n'est pas pour rien !

Il se mit à rire, tendit la main vers le paquet de cigarettes avec lequel son frère jouait distraitement.

– Donne-m'en une... On pourrait faire une recherche de paternité, pour savoir...

Juillet secoua la tête et envoya son briquet à Robert.

– Elle ne voudra pas. L'incertitude, c'est sa meilleure vengeance...

Même s'il avait retrouvé son sang-froid, il était à vif. A travers Aurélien, Frédérique l'avait touché à l'endroit le plus sensible.

– En tout cas, il faut les éloigner de Bordeaux, elle et son fils.

L'objectif de Robert n'était pas d'éviter un scandale. C'est Juillet qu'il voulait préserver, imaginant le calvaire qu'il allait vivre si Frédérique obtenait gain de cause. Elle avait toutes les cartes en main. Elle connaissait bien Juillet, sa droiture, son sens de la famille, sa passion pour Aurélien, son statut de fils adoptif, son intransigeance et son orgueil. Elle pouvait détruire son existence en l'acculant à un choix impossible. Elle l'avait culpabilisé, humilié, elle avait la possibilité de lui faire vivre l'enfer pendant les vingt prochaines années.

Comme chaque fois que Juillet se trouvait en danger, Robert éprouva le besoin de protéger son cadet.

— Je peux lui trouver un travail à Lariboisière. Quelque chose d'intéressant et de bien payé qui la tentera davantage qu'un job de secrétaire chez Varin.

— Et puis tu vas lui proposer une rente, ajouta calmement Louis-Marie. C'est normal. Et un logement à Paris. Nous assumerons ça tous les trois, équitablement...

— C'est injuste ! protesta Juillet.

— Pourquoi ? Tu ne veux pas qu'elle parte ? Tu es marié, tu sais !

Louis-Marie se mesura du regard avec son frère.

— Je ne l'ai pas encore oublié, ce n'était jamais qu'hier...

Juillet avait l'air buté, hostile. La réflexion de Louis-Marie l'avait braqué car elle n'était pas très éloignée de la vérité. Il mourait d'envie de connaître le bébé, malgré l'aspect tragique de leur situation à tous. Si l'enfant était d'Aurélien, Juillet l'aimait déjà, il ne pouvait pas s'en défendre et Louis-Marie le devinait. Un fils d'Aurélien, c'était un moyen de le faire revivre auquel Juillet ne renoncerait pas facilement. Des enfants bien à lui, Juillet allait en avoir avec Laurène. Mais celui-ci, c'était différent, il était né à part et personne n'y pouvait plus rien.

Louis-Marie échangea un rapide coup d'œil avec Robert. Son idée de proposer Paris à Frédérique était la meilleure solution possible. Robert avait compris, lui aussi, que Juillet renoncerait plus facilement à son propre fils qu'à celui d'Aurélien.

– Si tu n'as pas encore fait ton deuil, il faudrait t'y mettre..., dit Robert à mi-voix.

Juillet eut un bref soupir d'exaspération et il se détourna pour allumer une Gitane. Non, il n'avait pas encore accepté la mort de ce père à qui il devait tout.

– Je sais ce que vous pensez, murmura-t-il, et vous avez raison. Mais quand j'ai dit que c'était injuste, c'est parce qu'il n'y a aucune raison que vous soyez obligés de payer.

– Bien sûr que si ! A cause de père... et de Fonteyne. En bons fils, on assume tous les trois. Si ce con d'Alex était là, on le mettrait dans le coup aussi ! Mais lui, en ce moment, mieux vaut éviter des révélations de ce genre...

Robert s'était levé tout en parlant, et s'était dirigé vers Juillet. Il lui envoya une bourrade.

– Allez, quoi ! La terre ne s'est pas arrêtée de tourner !

Ils se sourirent, complices malgré eux, malgré leurs ennuis, malgré la distance et les années. A l'autre bout du bureau, Louis-Marie intervint.

– En tout cas soyez prudents, n'en parlez pas à Pauline ni l'un ni l'autre si vous voulez que Laurène continue de dormir tranquille... C'est ma femme et je l'adore mais la discrétion n'est pas son fort...

Cette remarque fit frémir Robert. Bien sûr, Pauline était bavarde et cancanière, mais dans la bouche de son frère, cela sonnait comme un avertissement. Pauline était sa femme et il profitait de leur discussion grave, de leur réunion d'hommes pour le rappeler. Robert accepta la mise en garde sans aucun commentaire. Il était prêt à tout pour reprendre Pauline un jour, dût-il se fâcher pour l'éternité avec sa propre famille. Mais, indiscutablement, le plus urgent était de régler le problème posé par cette Frédérique.

Juillet observa ses frères l'un après l'autre. Le procès d'Alexandre en perspective, le mariage imposé par Laurène, la sourde rivalité de Robert et Louis-Marie, ainsi que cet enfant sans père : tout concourait à mettre Fonteyne en péril.

« Vous êtes parti un peu trop tôt, Aurélien, je n'y arriverai jamais... », songea-t-il avec une infinie tristesse. Cependant il avait retrouvé une certaine combativité. Quelque chose se manifestait, au fond de lui-même, qui ressemblait plus à de la colère qu'à de l'abattement. Son moment de découragement était passé, en partie grâce à l'appui de ses frères, mais surtout parce qu'il avait le caractère bien trempé et qu'il se sentait de taille à tout surmonter pour Fonteyne.

« Si... Finalement, je vais y arriver... », décida-t-il soudain en remettant une bûche dans la cheminée.

– Tu vas mieux ? demanda Robert d'une voix réjouie.

Il n'avait pas cessé d'observer son frère. Il l'avait vu se redresser puis se détendre et abandonner son expression hagarde, désespérée. Il en éprouvait un intense soulagement. Si Juillet craquait, Fonteyne n'avait pas trois mois de survie. Il fallait que le cadet relève le défi, quel qu'il soit.

– Oui ! répliqua Juillet. En prenant les problèmes un par un et en les portant à plusieurs, c'est plus simple !

***

Comme tous les piliers de bar, Alexandre avait fini par lier connaissance avec quelques alcooliques désœuvrés. Il avait pris ses habitudes dans un bistrot minable mais tranquille, où il pouvait refaire le monde en paix. Il restait vague et mystérieux, dans un reste de lucidité, mais il ressassait son histoire, évoquait ses frères et son château. Le patron n'y prêtait guère d'attention, chacun de ses habitués ayant une obsession typique. Mais quelqu'un, parmi les consommateurs, avait écouté les propos d'Alexandre avec intérêt. C'était un jeune homme aux allures de loubard, mais sans vulgarité malgré son blouson de cuir usé et ses jeans déchirés. Alexandre ne le connaissait pas et ne l'avait jamais vu. Il ignorait donc qu'il s'agissait de Marc, le frère de Frédérique, avec lequel Juillet s'était battu l'année précédente.

Marc avait vite compris qui était Alexandre. Il n'avait eu ensuite aucun mal à devenir son copain de boisson. Ils avaient d'ailleurs de nombreux points communs, parmi lesquels on trouvait pêle-mêle la haine de la famille, des besoins d'argent, un goût prononcé pour le cognac et une vraie vocation de perdants. Marc estimait, à tort ou à raison, qu'il avait une revanche à prendre sur Juillet. L'animosité d'Alexandre tombait à pic. Sans savoir encore comment, Marc était certain de pouvoir l'utiliser un jour. Il n'avait jamais pardonné à sa sœur d'être devenue notoirement la maîtresse d'un « vieux ». Fâché avec la jeune femme, il ne lui téléphonait que rarement et la voyait encore moins. Il avait envie d'oublier son passé, la faillite de son père qui s'était ruiné sur un tapis de jeu, le suicide de sa mère et la conduite de sa sœur. Il ne voulait plus d'attaches pour pouvoir se laisser glisser sur la pente facile de l'alcool et de l'échec. Mais il gardait une rancune tenace contre la famille d'Alexandre et ce qu'elle représentait de réussite inacceptable, affichée, triomphante. Il s'était mis en tête que les Laverzac devaient payer pour toute une bourgeoisie à laquelle il n'appartenait plus et que donc il exécrait. Alex était leur faille, Marc allait en profiter.

***

Valérie Samson rejeta en arrière la superbe chevelure rousse dont elle était si fière et qu'elle savait mettre en valeur. Elle adressa un sourire féroce à maître Varin. Ils s'étaient trouvés face à face dans le hall du palais de justice et, ne pouvant s'éviter, s'étaient donc serré la main avec courtoisie.

– Je suis navrée d'être votre adversaire dans cette histoire de succession, avait-elle aussitôt déclaré avec une éclatante mauvaise foi. Je sors du bureau du juge. Je lui ai confié mon argumentaire...

Elle était grande, très mince, habillée avec une stricte élégance. Se glorifiant d'appartenir à une célèbre dynastie de magistrats, elle s'était spécialisée très tôt dans les affaires commerciales et elle avait vite acquis la réputation de jongler avec le code qu'elle connaissait sur le bout des doigts. Fille unique, elle n'avait pas voulu décevoir ses parents, aussi ne s'était-elle pas mariée pour se consacrer entièrement à sa carrière, avec un succès hors du commun.

Varin la regarda en manifestant une compassion très étudiée.

– Dites-moi, chère amie... Entre nous, qu'allez-vous faire dans cette galère ?

Valérie Samson fronça les sourcils mais sans quitter son air de supériorité.

– Galère ?

– La société Fonteyne et son gérant sont

inattaquables, dit Varin en souriant. Il faut être sot comme Alexandre pour imaginer le contraire. Mais vous ! Sincèrement, je crois que, pour une fois, vous misez sur le mauvais cheval...

Très content de lui, il salua sa consœur d'un signe de tête. Il allait se détourner lorsqu'elle l'arrêta d'un mot.

– Varin !

Le nom avait sonné, sec et sans préambule. Il attendit la suite en affichant une mine attentive.

– A ma connaissance, dit-elle d'un ton désinvolte, rien n'est inattaquable. Rien !

Elle s'offrit le privilège de faire demi-tour la première afin de le planter au beau milieu du grand hall sombre. Il la regarda s'éloigner, amusé malgré lui. Il aurait dû être inquiet mais il était subjugué. Il la vit pousser la porte battante et émerger à l'extérieur du palais de justice. Elle marqua une seconde d'arrêt pour laisser le soleil de juin flamboyer dans ses cheveux, puis elle descendit les marches et disparut.

***

Louis-Marie était resté, une nouvelle fois. Il prétendait vouloir finir son manuscrit. En fait, il se sentait bien à Fonteyne, utile à son frère, apaisé loin de sa femme. Laurène était heureuse de sa présence et continuait de s'occuper du parc avec lui. Ils prenaient de tardifs petits déjeuners sur la terrasse, bavardant comme de vieux amis. Certains jours, il allait jusqu'à lire à Laurène des passages de son livre. Elle l'écoutait avec plaisir même si elle ne comprenait pas grand-chose à cette grande fresque romanesque dans laquelle Louis-Marie avait mis toute l'amertume du monde.

Juillet passait la plus grande partie de son temps sur ses terres ou dans les caves avec Lucas. Il gardait le même remède quels que soient ses soucis : le travail. Et même lorsqu'il s'accordait quelques récréations solitaires avec son cheval, c'était toujours dans le seul but de surveiller sa vigne. La véraison approchait et le raisin s'était mis à changer de couleur. Suivant le proverbe qui prétend que juin fait le vin, il examinait avec précaution chaque pied de vigne, attentif au moindre détail, guettant le grossissement des grains. L'extrémité de chaque rangée s'ornait de rosiers polyanthas qu'Aurélien avait fait planter quarante ans plus tôt et qui étaient régulièrement taillés et sulfatés eux aussi. Fonteyne était tellement superbe dans ce début d'été prometteur que Juillet avait repris confiance. On voyait sa jeep aux quatre coins du domaine, il harcelait ses employés, ne déléguait rien selon son habitude et surgissait toujours là où on l'attendait le moins. Il arrivait à Lucas de rire tout seul en l'observant. Un patron comme celui-là était une bénédiction pour une exploitation. On ne transigerait jamais avec la qualité tant qu'il présiderait aux destinées de Fonteyne. Sa planification des arrachages et replantations était un modèle de sagesse et de lenteur. Ses estimations de la production étaient très exactes et ses demandes d'autorisation de dépassement toujours justifiées. Il avait modernisé outrancièrement le matériel viticole, contre l'avis de son père à l'époque. A voir les résultats des dernières années, il avait eu raison, comme toujours.

– Regarde ! Regarde ça !

Juillet rejoignit Lucas devant les cuves. Il tenait une étiquette à la main.

– Le spécimen du prochain millésime ! annonça-t-il d'un air ravi.

D'une année sur l'autre, il faisait modifier imperceptiblement le dessin qui figurait la façade de Fonteyne. Il tenait à garder une étiquette sobre, ultra-classique, mais ne voulait pas qu'elle se démode ou passe pour vieillotte. Il fallait avoir l'œil exercé pour repérer les infimes différences. Lucas examina soigneusement le papier puis hocha la tête.

– Magnifique, approuva-t-il.

– Viens, ça s'arrose, décréta Juillet en l'entraînant vers l'escalier à vis.

Ils jetèrent un coup d'œil machinal aux thermomètres et aux hygromètres. Ils se dirigeaient vers une rangée de tonneaux lorsque Juillet aperçut Bernard.

– Qu'est-ce qu'il fait là, lui ? Sa place n'est pas dans les caves ?

Il avait parlé assez fort pour être entendu du jeune homme qui s'approcha d'eux.

– Je vous cherchais, expliqua d'emblée Bernard comme s'il avait eu peur de ce que Juillet pouvait dire. Madame vous fait demander si on peut tailler les ifs de... de... de façon marrante...

Juillet fronça les sourcils, désorienté. Quand il eut compris que ce «Madame» désignait Laurène, il éclata de rire et demanda ce que ce genre de taille signifiait.

– En boule, en pointe, en cône ? suggéra le garçon.

Juillet échangea un coup d'œil avec Lucas.

– Madame n'a pas besoin de mon autorisation, commença-t-il, et je compte sur Louis-Marie pour limiter les excentricités !

Il riait toujours et Bernard se troubla, ne sachant comment interpréter cette réponse. Juillet s'adressa à lui avec gentillesse :

– Vous savez, la maison ne supporte pas beaucoup la fantaisie... Mais vous êtes un bon jardinier et vous avez sûrement une idée sur la question ? Mon frère a des goûts de citadin et ma femme est trop...

Il hésita, s'interrompit. Il ne pouvait pas confier à un employé que Laurène était une vraie gamine. Il sortit son paquet de Gitanes et en offrit à Lucas puis à Bernard qui refusa. Il se pencha ensuite vers un tonneau et emplit au robinet un petit gobelet d'argent qu'il tendit au jeune homme.

– Voulez-vous goûter ?

Bernard but une gorgée, sourit, remercia, puis il se hâta de quitter la cave. Juillet le suivit du regard avant de se tourner vers Lucas.

– Pas mal, ta recrue...

– C'est un gentil gamin. Il cherchait du travail depuis plus d'un an. Je connais ses parents qui sont employés chez Mause, à Labarde. Il n'a pas de qualification mais il est sérieux. Vivre ici, pour lui, c'est une aubaine ! Tu comptes le garder ?

Juillet pensa à l'augmentation qu'il avait accordée à Lucas, aux frais de son récent mariage, au procès qui allait être un gouffre et à la rente prévue pour Frédérique qui s'ajoutaient à la masse salariale et à l'endettement de Fonteyne.

– Je ne sais pas si je peux l'engager pour de bon, avoua-t-il.

Lucas le regarda quelques instants, sans chercher à dissimuler son étonnement.

– Tu en es là ? demanda-t-il abruptement.

– J'en suis à la prudence, répondit Juillet.

Il se remémora l'attitude calme et efficace de Bernard le soir de son mariage. Ils avaient besoin de quelqu'un comme lui à Fonteyne. Un homme jeune, discret, prêt à s'attacher à l'exploitation comme à la famille, c'était évident. Il habitait au-dessus de l'écurie et Juillet l'apercevait chaque fois qu'il allait chercher Bingo.

– Je vais réfléchir à un contrat pour lui, promit-il.

Il remplit le gobelet et goûta à son tour le vin en adressant un clin d'œil à Lucas.

– Il est nerveux, équilibré, un peu gras... Plus tendre que viril, non ?

– Avec tout ce que tu fumes, je ne sais pas comment tu fais pour avoir encore du palais !

Juillet se remit à rire et Lucas hocha la tête, rassuré. Puisque les soucis d'argent n'empêchaient pas Juillet d'être gai lorsqu'il goûtait son vin, c'est que tout allait bien.

₊

Dès que la porte fut refermée, Robert eut un long soupir de soulagement. Frédérique était venue. Malgré sa haine, son mépris, elle avait accepté. Pourtant lorsqu'il l'avait rencontrée, à Bordeaux, il avait bien cru qu'elle ne céderait jamais. Leur entretien avait été lamentable. Elle s'était montrée distante, avait commencé par se moquer de lui avant de l'agresser carrément. Elle ne pouvait pas pardonner, il le comprenait bien. Il n'avait pas cherché à la convaincre, se contentant de lui proposer des solutions. Ce jour-là, dans ce petit appartement minable, il avait eu pitié d'elle, même s'il s'était bien gardé de le lui montrer. Ce n'était pas lui qu'elle attendait, il l'avait deviné immédiatement. Avait-elle cru que Juillet reviendrait ? Avait-elle imaginé qu'elle pourrait le faire divorcer ? Pour l'empêcher de nourrir la moindre illusion, Robert lui avait appris que Laurène attendait un enfant, que c'était une des raisons du mariage de son frère. La nouvelle avait déconcerté Frédérique. C'était sans doute ce qui l'avait fait fléchir. Si Juillet était inaccessible, elle n'avait plus de raison valable pour rester à Bordeaux.

Robert avait pris son temps, il était resté là-bas près de trois heures. Elle ne lui avait même pas offert à boire, mais il avait vu le bébé, un nouveau-né un peu chétif, avec les grands yeux gris pâle de sa mère. Robert avait plaidé pour lui, pour son avenir. Il s'était expliqué, trouvant les arguments sans même les chercher. Un appartement confortable, un travail intéressant et bien rémunéré, une totale sécurité pour les vingt-cinq prochaines années, avec des actes notariés en bonne et due forme. Ensuite il avait souligné que le scandale ne serait profitable à personne et ne ferait pas changer la situation. Il lui avait ôté tout espoir en lui rappelant que Juillet avait trop le respect de la parole donnée et le sens de la famille pour revenir en arrière.

Elle l'avait écouté, froide mais attentive. Robert avait toujours su parler aux femmes. Hormis avec Pauline, il savait quoi dire et comment. Avant même qu'elle ne le lui rappelle, il s'était platement excusé pour leur attitude lors de la maladie puis du décès d'Aurélien. Mais il était certain qu'elle pouvait comprendre. Elle avait appartenu à ce monde bourgeois et en connaissait elle aussi les règles.

Lorsqu'il l'avait quittée, elle avait promis de réfléchir. Il s'était attardé cinq minutes sur le palier, lui décrivant l'hôpital Lariboisière comme un paradis et Paris comme une fête. Elle n'avait mis que quatre jours à se décider, puis elle avait fait le voyage, débarquant dans son service par surprise, son bébé sous le bras. Il l'avait conduite jusqu'à son bureau et là, en dix minutes, ils s'étaient mis d'accord sur tout. Il lui avait donné les clefs de son studio, de l'argent pour un taxi, et il avait promis de régler les moindres détails avant la fin de la semaine.

Il alla ouvrir la fenêtre et il respira avec délice l'air tiède. Il avait gagné le droit d'être content de lui, pour une fois. En cherchant par tous les moyens à séduire et à reprendre Pauline, il était dans son tort, il le savait. Là, il venait d'œuvrer pour le bien de sa famille et il pouvait être satisfait, sans arrière-pensée.

Sa secrétaire, Janine, entra en coup de vent et il lui adressa un sourire éblouissant. Il allait avoir besoin d'elle, il le lui exposa en prenant son air le plus charmeur.

En fin de matinée, lorsque Robert émergea de l'hôpital, il se sentait en pleine forme. Il se dirigeait en sifflotant vers son coupé lorsqu'il aperçut Pauline, appuyée au capot, qui le regardait venir. Il eut l'impression, comme chaque fois, que son cœur ratait un battement. En deux enjambées, il fut devant elle.

– Tu as l'air très heureux, ce matin ! C'est l'été qui te réjouit ou bien as-tu réussi la greffe du siècle ?

Il se pencha pour l'embrasser, déjà submergé par le désir qu'il avait d'elle.

– Que fais-tu là ? murmura-t-il.

– Je veux que tu m'emmènes déjeuner. Trouve-nous une terrasse au soleil.

Il fit le tour de la voiture pour lui ouvrir la portière. Elle était ravissante dans sa légère robe blanche. Dès qu'il démarra, elle murmura :

– Je m'ennuie, tu sais ! Esther est à l'école et j'en ai assez de rester seule.

Il ne releva pas la phrase. Si Pauline laissait Esther à la cantine, c'est qu'elle préférait être libre de ses journées. Il était heureux comme un collégien qu'elle soit venue. Il songea avec horreur qu'elle aurait pu rencontrer Frédérique et lui apprendre une vérité qu'il valait mieux lui cacher pour le moment, Louis-Marie avait raison.

– Ton mari est toujours à Fonteyne ? demanda-t-il.

– Je crois qu'il veut y rester tout l'été, soupira-t-elle. Jusqu'aux vendanges ! Tu te rends compte ? Je ne sais pas d'où lui vient cette subite passion pour le Bordelais...

Elle avait la mine boudeuse et il risqua :

199

– Il te manque ?

– Beaucoup !

Elle l'avait dit en riant, ce qui le rendit très perplexe.

– Quand vas-tu le rejoindre ? Les vacances scolaires sont dans huit jours...

– Je ne vais pas aller m'enterrer là-bas deux mois !

– Tu n'aimes pas Fonteyne ?

– J'adore ! Mais à petites doses. Une semaine au quatorze juillet, une semaine au quinze août et la semaine des vendanges. Sans parler de Noël. Je n'irai pas au-delà.

Robert s'efforça de ne pas sourire, de ne pas lui montrer que la nouvelle lui causait un immense plaisir. Pauline lui jeta un petit coup d'œil, déçue de ne pas le voir réagir.

– Après le déjeuner, on prend le café chez toi, décida-t-elle soudain.

Le souffle coupé, Robert essaya de trouver rapidement une parade. Il mourait d'envie de la conduire chez lui mais, pour le moment, il y avait Frédérique et son bébé. Il se maudit d'avoir envoyé la jeune femme se reposer du voyage dans son studio.

– Chez moi, dit-il, c'est un vrai foutoir de célibataire. J'aurais honte de t'y recevoir, ma chérie. En revanche...

Il venait de freiner devant l'hôtel Crillon.

– Ici, dit-il en désignant la façade, j'ai des souvenirs merveilleux avec toi. On déjeune au lit plutôt qu'au soleil ?

Elle éclata de rire, ravie.

– Tu ne t'embarrasses pas de formules, c'est ce que j'apprécie chez toi !

Il abandonna son bolide aux mains d'un chasseur et entra dans l'hôtel au bras de Pauline. Même s'il devait passer la soirée, la nuit et même les jours suivants à le regretter, il avait des heures de bonheur absolu devant lui.

**

Alexandre jeta son verre qui se fracassa sur le carrelage.

– J'en ai assez ! Je ne veux plus t'entendre ! Tout le monde me fait la morale comme si j'avais cinq ans !

Muette d'indignation, Dominique le regardait tituber et crier.

– Ta mère, ta sœur, toi ! Mais qu'est-ce que vous avez ? Vous êtes pires que ma propre famille !

– Tu es ivre, articula Dominique. Je ne te fais pas la morale mais je ne veux pas que tu boives. Je ne veux pas que les enfants te voient dans cet état. Je ne veux pas que tu hurles.

Alexandre alla vers elle et la prit par les

épaules. Il sentait l'alcool. Sa voix était mal assurée, pâteuse, ses gestes semblaient ralentis.

– Je n'ai entendu que ça depuis que je suis né... Des interdictions ! Mon père, mes frangins, le bâtard... Même Lucas, parfois, sans parler de Fernande. Et tu vas t'y mettre ? Ce n'est pas ce malheureux cognac qui m'a soûlé, quand même !

Elle savait qu'il mentait, qu'il se cachait pour boire, qu'il minimisait, comme tous les alcooliques. C'est ce qu'il était en train de devenir et elle ne pouvait pas le laisser faire.

– Tu vas devoir choisir, Alex. La boisson ou moi, dit-elle d'une voix blanche.

Elle avait enduré ses ronflements et son haleine depuis des semaines. Elle avait ignoré le regard réprobateur de Marie et l'inquiétude des jumeaux qui ne reconnaissaient plus leur père.

– Dominique, murmura-t-il en l'embrassant maladroitement. Je me sens tellement seul... Personne ne m'aime, sauf toi...

Il essayait de la pousser vers leur lit mais elle résistait. Elle l'avait surpris alors qu'il buvait dans la salle de bain attenante, la croyant encore sur la route de l'école. Il voyait qu'elle était en colère mais il s'imaginait pouvoir la calmer. Il la souleva dans ses bras, fit une enjambée hésitante et ils s'écroulèrent sur le lit. Furieuse, elle voulut se dégager mais il s'accrochait à elle comme un noyé.

– Ne t'en va pas, s'il te plaît, ma chérie, ne t'en va pas...

Il avait glissé une main sous son tee-shirt et il la caressait. Il n'avait pas conscience d'être brutal, prenant les réticences de sa femme pour un jeu.

– On s'entend bien, toi et moi, hein ? Tu as raison, il y a trop longtemps qu'on n'a pas fait un petit câlin...

Il s'énervait sur la fermeture Eclair du bermuda et il entendit le tissu qui se déchirait. Dominique luttait en silence. La maison était sonore, elle le savait depuis son enfance. Il n'y avait pas, à Mazion, les murs épais de Fonteyne. Elle ne voulait pas que sa mère entende leur dispute mais elle ne voulait pas céder à Alexandre, n'ayant aucune envie de faire l'amour avec lui.

– Tu sens bon, tu es douce..., marmonnait-il sans la lâcher.

Excité parce qu'elle se défendait, Alexandre parvint à la déshabiller.

– Arrête immédiatement, dit-elle entre ses dents. Arrête, Alex, je ne veux pas !

Il eut un rire niais qui acheva d'exaspérer

Dominique et se laissa aller sur elle de tout son poids, la forçant à écarter les cuisses. Lorsqu'il la pénétra, elle cessa de se débattre, résignée, les yeux pleins de larmes.

**

Louis-Marie observait sa jeune belle-sœur avec un sourire indulgent. Elle avait fini par s'intéresser à son roman et c'était elle, à présent, qui exigeait chaque matin la lecture des dernières pages. Il écrivait le soir, dans sa chambre, pour oublier qu'il était seul. Pauline lui téléphonait régulièrement, prenait et donnait des nouvelles en babillant, mais ne fixait pas de date pour son arrivée. Esther était partie en camp scout et Pauline voulait en profiter, disait-elle, pour ranger l'appartement et faire repeindre le salon. Elle prétendait surveiller les travaux, demandant son avis à Louis-Marie pour des détails sans importance. C'était elle qui appelait, jamais lui. Il écoutait sa voix joyeuse, lui répondait des choses tendres, riait avec elle, mais il ne pouvait s'empêcher d'être assailli de doutes et s'infligeait la torture d'une fausse gaieté en attendant qu'elle le rassure, ce qu'elle ne faisait jamais.

– Pourquoi ton héros supporte-t-il cette

garce ? demanda Laurène à la lecture du dernier chapitre. Pourquoi ne la quitte-t-il pas ?

La naïveté de la jeune femme amusait Louis-Marie. Bien sûr, il avait soigneusement travesti ses personnages, bien sûr il avait l'habileté d'un professionnel de l'écriture, mais son manuscrit était aussi son histoire, criante de vérité.

Ils avaient conservé l'habitude de partager leur petit déjeuner sur la terrasse ombragée. Fernande, soucieuse de la santé de la future maman, préparait des plateaux extraordinaires avec des fruits, des laitages, des œufs, des confitures de toutes les couleurs et des gâteaux sortant du four. Si Juillet passait par là, il avalait une tasse de café avec eux mais sans prendre le temps de s'asseoir. Louis-Marie s'informait alors des services qu'il pouvait rendre et son frère lui trouvait toujours des choses à faire. Il avait vite compris que Louis-Marie pouvait être vraiment efficace. Aussi n'hésitait-il plus à se décharger sur lui de tâches délicates ou compliquées. Enfin et surtout, la présence de son frère aux côtés de Laurène le dispensait de consacrer du temps à sa femme et, du temps, c'était vraiment ce dont il manquait le plus.

Laurène mit sa main en visière pour regarder la voiture qui remontait l'allée du château.

– Tiens, ta sœur, constata Louis-Marie.

Laurène s'était levée, ravie, pour aller à la rencontre de Dominique. Elles tombèrent dans les bras l'une de l'autre.

– Tu restes déjeuner ? demanda tout de suite Laurène.

Dominique acquiesça et gravit les marches pour aller embrasser Louis-Marie.

– Tu es toujours là ? Juillet doit être heureux de t'avoir...

Elle souriait mais il lui trouva l'air triste. Dominique avait trop d'orgueil et de pudeur pour se plaindre. Elle était venue à Fonteyne pour chercher un peu de réconfort, pas pour faire des confidences. Elle s'assit près d'eux avec l'impression étrange d'être enfin rentrée chez elle. Elle jeta un coup d'œil vers les fenêtres du bureau, navrée de penser qu'Aurélien n'était plus là. L'image de son beau-père était encore étroitement liée à Fonteyne. Se méprenant sur le regard de sa sœur, Laurène expliqua :

– Juillet est à Bordeaux ce matin mais il rentre déjeuner. Comment vas-tu ?

– Bien, ma puce, très bien. C'est plutôt à toi qu'il faut le demander !

Elle regardait tendrement sa sœur, heureuse à l'idée de la prochaine naissance.

– Je vois le docteur Auber tous les quinze jours, Juillet y tient !

Dominique allait poser une autre question lorsque Fernande fit son apparition sur la terrasse. Elle se récria à la vue de Dominique, ne put s'empêcher de l'embrasser et s'empressa d'aller lui faire du thé. Elle regrettait toujours le départ de Dominique et les habitudes que les années leur avaient fait prendre. Laurène ne pouvait pas diriger la maison, Fernande le savait, même si elle prétendait le contraire pour rassurer Juillet.

– Et Alex ? demanda prudemment Laurène. Toujours dans les mêmes dispositions ?

Elle ne voulait pas avoir l'air d'éviter le sujet, bien qu'il fût pénible pour tout le monde. Mais Alex était le mari de Dominique et on ne pouvait pas faire comme s'il n'existait pas.

– Il s'obstine, répondit Dominique de façon laconique.

Elle n'avait pas envie d'en parler, c'était évident. Alexandre faisait bien plus que l'inquiéter, il était en train de la rendre vraiment malheureuse. Il s'était excusé, la veille, d'avoir malmené sa femme. Elle ne l'avait pas écouté, s'était rhabillée sans un mot et l'avait laissé assis au bord du lit, la tête entre les mains, l'air pitoyable. Ils s'étaient bien entendus durant des années, avaient partagé les mêmes envies et les mêmes fous rires. Elle l'avait défendu contre Aurélien et Juillet, l'avait protégé, avait tenté de le rendre fort. Elle avait été comblée par les jumeaux et ne s'était jamais posé de questions. Et voilà qu'Alex réduisait tout en cendres, attaquant sa famille, ignorant ses fils et imposant à sa femme ses envies d'ivrogne. Dominique était parvenue à surmonter le chagrin et la rage, mais elle n'en pouvait plus. Elle était venue à Fonteyne sans réfléchir, certaine d'y être bien accueillie, d'y être à l'abri pour un moment de répit.

– Voulez-vous une entrecôte, madame Dominique ? J'ai des sarments de cabernet du bon âge pour la faire cuire, et quelques belles têtes de cèpes pour l'accompagner !

Fernande guettait son approbation et Dominique eut un large sourire. La vieille femme n'oubliait jamais les goûts de chacun. Le gigot d'Arsac pour Louis-Marie ou l'alose grillée pour Robert qui était le seul à savoir enlever proprement les arêtes. Elle accepta et Fernande, ravie, lui servit son thé.

– Qu'on est bien ici, murmura la jeune femme en se laissant aller dans son fauteuil.

Fonteyne n'était pas Mazion, décidément. Un bruit de moteur leur fit tourner la tête ensemble. Louis-Marie pressentit la catastrophe avant même d'entendre la voix d'Alexandre.

– Salut la compagnie ! lança-t-il de façon désinvolte en claquant sa portière.

Désespéré de ne pas trouver Dominique à Mazion, il avait emprunté la voiture d'Antoine. Il était presque à jeun, n'ayant avalé qu'une rasade de cognac pour se donner du courage. Il regrettait son excès de la veille et surtout il avait peur d'être allé trop loin. Dominique était une femme douce mais déterminée. Il voulait à tout prix se faire pardonner, même en prenant le risque de croiser Juillet. Il salua Louis-Marie de loin mais embrassa Laurène dans le cou.

– On papote entre filles ? demanda-t-il.

Tout en essayant de paraître indifférent, il jetait des coups d'œil éperdus autour de lui. La dernière personne au monde qu'il souhaitait voir apparaître était le « bâtard ». Ce fut Fernande qui fit soudain irruption et il sursauta.

– Alexandre ! Par exemple !

Elle vint le prendre par les épaules, familièrement, pour le secouer.

– Tu as mauvaise mine !

Elle ne savait que lui dire, inquiète de le voir à Fonteyne mais pleine de tendresse malgré tout. Elle n'osa pas lui proposer de café et chercha l'aide des autres en se tournant vers eux. Il y eut un silence pénible. Alexandre avait beau être chez lui, tout le monde espérait que Juillet n'allait pas rentrer à ce moment précis.

– Je boirais bien quelque chose, déclara Alexandre. C'est l'heure de l'apéritif, non ?

Il les provoquait, sentant leur malaise mais désireux de ne pas passer pour un lâche. Louis-Marie finit par se lever.

– Tu ne peux pas rester là, dit-il très calmement.

– Qui m'en empêche ? riposta Alexandre.

– Personne... Le bon sens.

Alexandre cherchait le regard de sa femme qui gardait les yeux baissés. Il aurait voulu qu'elle admire au moins les efforts qu'il déployait pour faire front.

– Ecoute, Alex, une bagarre supplémentaire ne nous apportera rien aux uns et aux autres. Tu...

– Toi, écoute-moi ! cria Alex. Dominique est accueillie à bras ouverts et je n'aurais pas le droit de mettre les pieds à Fonteyne ? Vous m'avez fait le coup du mariage, vous ne m'aurez pas deux fois !

Louis-Marie fronça les sourcils, dévisageant son frère qui crut y voir un encouragement et acheva :

– Il te l'a dit, le bâtard, qu'il m'avait empêché d'entrer chez moi ? Qu'il m'avait tapé dessus comme une brute ?

– Il me l'a dit, répondit tranquillement Louis-Marie. Et aussi que tu avais vomi sur son pantalon de smoking... Tu n'étais pas dans un état très présentable, si j'ai bien compris...

Gêné, Alexandre alla s'appuyer contre la balustrade de pierre.

– Eh bien, quoi, j'avais arrosé la noce tout seul dans mon coin...

Fernande s'était éclipsée. Dominique et Laurène regardaient ailleurs. Alexandre se sentit soudain abandonné, exclu d'un univers qu'il aimait au fond de lui. Il leva des yeux de chien battu vers Louis-Marie.

– On a tous peur de lui, dit-il tout bas. Tu te rends compte ! Toi aussi, tu es mort de trouille à l'idée de la colère qu'il pourrait faire... Il vous flanquera dehors, Bob et toi. Votre tour viendra, crois-moi...

– Alex, ça suffit !

Dominique s'était dressée entre eux sans qu'il l'ait vue approcher. Elle prit son mari par la main.

– Viens, lui dit-elle avec une gentillesse forcée.

Sans réaction, il se laissa conduire au bas des marches du perron. Elle le fit monter en voiture et ferma elle-même la portière.

– Je te rejoins...

Elle le regarda faire demi-tour pour reprendre l'allée, elle eut un soupir de soulagement. Il était venu jusque-là pour elle. Même s'il ne s'était pas fait prier pour partir, comme elle s'y attendait, il devait être fier de son audace. Lorsqu'il fut hors de vue, elle se tourna vers la façade de Fonteyne qu'elle contempla un moment. C'est là qu'elle avait envie de vivre, nulle part ailleurs.

Laurène s'était approchée au bord de la terrasse et se penchait vers sa sœur, par-dessus la balustrade.

– Tu ne restes pas, alors ?

Dominique secoua la tête et s'engouffra dans sa propre voiture.

***

Juillet suivit la secrétaire jusqu'à une double porte capitonnée de cuir. Le luxe du cabinet l'amusait. Tout le décor respirait l'opulence et le bon goût avec un peu trop d'ostentation.

– Comme je suis heureuse de faire votre connaissance ! s'exclama Valérie Samson en se levant.

Sa voix était grave, chaude, avec des inflexions très étudiées. Elle contourna son bureau pour venir serrer la main du jeune homme.

– Asseyez-vous, je vous en prie...

Elle ne cherchait pas à dissimuler sa curiosité, détaillant Juillet avec intérêt. Enfin elle se détourna et regagna son propre fauteuil. De son côté, il avait eu le temps d'apprécier la silhouette élégante de l'avocate, ses longues jambes, sa superbe chevelure.

– C'est très chic d'avoir accepté de venir, dit-elle en souriant. C'est un entretien complètement informel, bien entendu, mais la justice est dans un tel carcan que les parties adverses ne peuvent jamais se rencontrer...

Elle planta son regard doré et pétillant dans les yeux sombres de Juillet.

– Je ne vous imaginais pas comme ça...

Il éclata de rire, sortit tranquillement son paquet de Gitanes et demanda l'autorisation de fumer. Elle poussa un cendrier vers lui.

– Alex a dû vous brosser un portrait d'épouvante ?

Elle lui adressa un sourire chaleureux mais ne répondit rien, se contentant d'ouvrir un dossier sur lequel était inscrit en rouge : « Succession Château-Fonteyne ».

– Ma démarche est très inhabituelle et je ne sais pas ce qu'en pensera maître Varin... Mais j'avais envie de vous connaître pour me forger une opinion personnelle. Je lis, ici, que votre frère Louis-Marie est auteur dramatique. L'autre, Robert, est chirurgien, chef de service à l'hôpital Lariboisière...

Elle lui jeta un coup d'œil. Juillet se contentait de l'observer en silence.

– Ils sont à vos côtés dans cette affaire et n'ont aucune remarque à formuler au sujet du testament de monsieur votre père...

Elle ferma le dossier d'un coup sec.

– Trois contre un. C'est préoccupant. J'aimerais comprendre. Naturellement, vos deux frères aînés vivent à Paris et n'ont aucune raison de mettre en doute vos compétences de gérant. Le juge va vous demander un bilan détaillé des trois dernières années... Mais même si votre gestion et votre comptabilité sont sans faille, il est moralement inacceptable que votre frère Alexandre ait été éjecté de l'exploitation. C'est ce dernier point que je vais défendre... Vous voyez, je vous dis tout !

Juillet rejeta la fumée de sa cigarette. Son mutisme agaçait visiblement Valérie Samson.

– C'est une affaire plus compliquée qu'il n'y paraît, ajouta-t-elle. Le droit moral, le préjudice moral, on interprète ça comme on veut, c'est à la discrétion du juge !

Elle se leva, fit quelques pas, sachant qu'il la suivait du regard. Elle laissait peu d'hommes indifférents, aussi la question brusque de Juillet la prit-elle de court.

– Comment comptez-vous présenter votre ivrogne au tribunal ?

– C'est d'Alexandre que vous parlez ?

– Je ne vous parle pas, répondit Juillet avec un sourire charmeur, puisque nous ne sommes pas censés nous rencontrer, maître...

Sortant de sa réserve, elle éclata de rire et parut soudain beaucoup plus jeune.

– On va bien s'amuser ! prédit-elle d'une voix gaie.

Juillet ne riait pas. Il écrasa sa cigarette d'un geste nerveux.

– Je ne m'amuse pas, dit-il, ce n'est pas une partie d'échecs. Les conneries d'Alex risquent d'entraîner Fonteyne dans des difficultés insurmontables. J'ai des employés, des responsabilités.

– Des dettes aussi, je crois ?

– Ce n'est pas un secret. Les dettes sont d'ailleurs nécessaires. Mais le point d'équilibre est fragile.

Elle se tut un moment, la tête penchée sur le dossier.

– C'est le docteur Auber qui soignait votre père ? demanda-t-elle enfin.

– Oui. C'était son médecin depuis une vingtaine d'années.

– Je vais le contacter pour lui demander dans quel état de santé, physique et intellectuelle, se trouvait Aurélien Laverzac lors de l'établissement de son dernier testament, celui qui a donc servi pour la succession de Fonteyne...

Juillet s'était raidi. Elle crut avoir marqué un point mais il l'interrompit d'une voix claire.

– C'est la dernière trouvaille d'Alex ? Dieu sait qu'Aurélien n'était pas sénile !

– Aurélien ?

– Mon père, oui.

Il avait mis une telle tendresse dans le mot que Valérie Samson releva la tête. Elle le trouva très séduisant et ne put s'empêcher de sourire une nouvelle fois.

– Votre frère Alexandre m'a également demandé de vérifier que rien n'avait été fait de façon hâtive ou illégale lors de votre adoption, mais...

Juillet abattit sa main sur le bureau, devant lui, bousculant le dossier.

– Le plus grand défaut d'Alex, jusqu'ici, était la bêtise ! Vous n'allez pas me faire croire qu'il est devenu méchant, en plus ? Fouillez tant que vous voudrez, maître, et bon courage !

Il était debout, hautain, furieux.

– Si vous vous mettez en colère à chaque coup de l'adversaire, vous n'irez jamais au bout du match, dit Valérie Samson sans agressivité.

Il s'obligea à rester calme.

– Vous me l'avez déjà fait comprendre tout à l'heure, il s'agit d'un jeu pour vous. C'est votre métier et je suppose qu'il est rentable. Pour ma part je n'ai pas de temps à perdre. Vous serez aimable de vous adresser à maître Varin...

Il lui adressa un signe de tête ironique et se dirigea vers la porte sans qu'elle fasse rien pour le retenir. Elle avait voulu le voir parce qu'elle aimait rencontrer les parties adverses. Elle rangeait les gens dans des catégories bien distinctes, les jugeant en quelques minutes grâce à un instinct très sûr lié à une grande habitude. Mais Juillet était impossible à cerner ou à définir. Il ne ressemblait à personne, et surtout pas à son frère. Son indéniable charisme allait faire beaucoup pour lui lors du procès.

Elle se leva pour s'approcher d'une fenêtre et repéra aisément la silhouette haute et mince. Il regagnait sa Mercedes. Elle prit des jumelles sur une étagère pour mieux l'observer tandis qu'il déverrouillait la portière puis s'installait au volant.

– Dieu, qu'il est beau, ce mec, murmura Valérie Samson avec un gentil sourire qu'elle ne montrait jamais à personne.

***

Robert retira ses gants, son masque et sa blouse. Il avait laissé son assistant suturer la plaie après une opération particulièrement réussie. Il gagna son bureau en s'essuyant le front. Il faisait très chaud dans l'hôpital. Il consulta son agenda et soupira devant tout le travail qui l'attendait. Plusieurs messages de sa secrétaire étaient inscrits d'une écriture appliquée, près du téléphone. Il les parcourut en hâte et ne fut soulagé que lorsqu'il put constater que Pauline l'avait appelé pour confirmer leur rendez-vous. Ils se voyaient chaque jour depuis une semaine. Lassée de l'hôtel, elle avait voulu jouer à la dînette chez lui et il avait dû faire disparaître toutes les traces du bref passage de Frédérique. La jeune femme avait été casée dans les locaux de l'hôpital avec pour mission de chercher d'urgence un appartement à son goût. Robert l'avait confiée à la fidèle Janine en lui racontant une histoire de petite protégée de province. Ensuite il avait entamé les démarches nécessaires pour que Frédérique intègre le personnel administratif de Lariboisière à un bon poste. Débarrassé d'elle, il avait pu se consacrer à la grande affaire de sa vie : Pauline.

Comme il était sans illusion depuis longtemps, il restait prudent et ne posait pas de questions sur l'avenir. Il devinait les réticences de Pauline vis-à-vis de Louis-Marie mais il attendait. Elle le lui avait préféré à une époque, l'avait épousé et avait toujours déclaré depuis qu'elle l'aimait. Toutefois il y avait quelque chose de changé entre eux, il le sentait et redoutait, chaque soir, qu'elle ne lui annonce son départ pour Fonteyne. Le mois de juillet était bien entamé, pourtant elle restait évasive, ne donnait aucune date. Elle dormait chez lui quelques heures puis exigeait qu'il la ramène à l'aube. Leur relation, libre mais contrainte, avait quelque chose d'irréel. Ils faisaient l'amour passionnément, comme s'ils avaient voulu se damner pour l'éternité, comme s'ils avaient dû ne jamais se revoir. Ils buvaient du champagne, les yeux dans les yeux, riant à tout propos comme des gamins. Mais ils vivaient une parenthèse, Robert le savait.

Lorsque le téléphone sonna, il sursauta. Il décrocha tout de suite et fut glacé d'entendre la voix de Louis-Marie. Pour gagner du temps, il donna aussitôt des nouvelles de Frédérique, s'attardant sur les détails. La voix de Louis-Marie, amicale, ne présageait aucun orage et Robert se détendit un peu. Comme ses frères l'avaient prévu, Juillet s'inquiétait de l'enfant. Robert apprit à Louis-Marie, sans pouvoir s'empêcher de rire, que Frédérique avait prénommé son fils Julien, ce qui était un habile compromis entre Juillet et Aurélien. Louis-Marie s'amusa avec lui et Robert avait tout à fait oublié ses craintes lorsque la question tomba :

– Tu vois souvent Pauline ?

Bien que formulé de façon anodine, c'était un véritable piège. Mais Robert n'avait pas le temps de réfléchir, il devait enchaîner.

– Je l'ai invitée à déjeuner avant-hier, elle était en pleine forme.

Il n'y eut qu'un très bref silence puis Louis-Marie parla d'autre chose. En raccrochant, Robert était à la fois soulagé et mécontent. Sans l'accord de Pauline, il ne pouvait rien dire, pourtant le mensonge lui pesait de plus en plus. Au bout de quelques instants, il s'aperçut qu'il redoutait plus le jugement de Juillet que la fureur de Louis-Marie.

Il jeta un coup d'œil au-dehors. Il semblait régner une chaleur caniculaire. Fonteyne gardait toujours un peu de fraîcheur à l'abri de ses murs épais, même au milieu de l'été. Si Robert parvenait à récupérer Pauline, ce qui était son désir le plus cher, il ne pourrait plus y aller. Cette idée était très désagréable, très pénible. Leur famille était-elle condamnée à se déchirer sans cesse ? Du vivant de leur père, chacun des frères s'était obligé à faire bonne figure. Aujourd'hui les dissensions éclataient de toutes parts, les querelles ou les secrets s'étalaient au grand jour.

« Non, je suis injuste... Nous avons caché Frédérique et l'enfant... Nous avons laissé Juillet libre de prendre la place de père. Si Alex n'était pas aussi stupide, tout pourrait rentrer dans l'ordre... »

Il soupira, soudain mélancolique. Sa vie était à Paris depuis longtemps, pourtant il ne se passait pas un seul jour sans qu'il songe à Fonteyne, à Juillet. En y réfléchissant, il constata qu'il en avait toujours été ainsi. Contrairement à ce qu'il avait pu croire – ou vouloir – ses racines avaient beaucoup d'importance.

Le téléphone sonna de nouveau et Robert

221

décrocha en hâte. Cette fois-ci, enfin, c'était Pauline.

Laurène se mordit les lèvres pour ne pas crier, submergée de plaisir. Elle serra Juillet de toutes ses forces puis elle se laissa aller. Les lampes de chevet étaient restées allumées et, les yeux mi-clos, elle l'observa qui reprenait son souffle. Il bougea un peu, s'écarta, tendit la main vers son paquet de cigarettes. Elle savait qu'il allait fumer en silence, la regarder s'endormir, puis se glisser hors du lit. Il ne remonterait que tard dans la nuit, après avoir passé un moment à travailler dans son bureau ou à bouquiner sur l'échelle de la bibliothèque.

Posant une main sur le ventre à peine gonflé de sa femme, il dit tendrement :

— Je l'attends avec impatience, tu sais...

Elle caressa les boucles brunes de Juillet.

— Je veux qu'il te ressemble ! murmura-t-elle

Elle avait déjà sommeil et il ramena les couvertures sur elle. A l'idée qu'elle soit bientôt mère, il se sentait ému. Peut-être penserait-il moins au bébé de Frédérique lorsque le sien serait né. Il regarda le profil de Laurène qui se détachait sur la taie d'oreiller. Il n'éprouvait pas le besoin de parler avec elle et il se le reprochait. A force de la ménager, il la tenait à l'écart de tout. Il lui faisait l'amour, l'entourait de tendresse, mais il ne parvenait pas à se sentir proche d'elle. Elle était restée la gamine qu'il avait toujours connue, adorable mais sans mystère, éperdue devant lui comme au temps où elle portait des nattes.

Il se releva sans bruit et enfila un jean. En passant devant la porte de Louis-Marie, il vit de la lumière mais ne s'arrêta pas. Chacun gérait ses insomnies comme il l'entendait.

Dominique sanglotait, la tête sur l'épaule de sa mère.

– Pourquoi ne m'as-tu pas parlé plus tôt ? demanda doucement Marie. Quand j'entends la voiture au milieu de la nuit, je comprends bien qu'il traîne à Bordeaux ! Seulement, un jour, il aura un accident...

Marie avait épuisé toutes ses réserves de patience et, ce soir-là, elle était allée frapper chez sa fille. Elle l'avait trouvée en larmes, des relevés de banque et des chéquiers épars sur le lit. Elle avait compris que le temps était venu de réagir.

– Ton père s'aveugle, il aime son gendre ! Il n'a pas oublié sa gentillesse l'année dernière et il ne veut pas le voir autrement. Pourtant, Dieu sait qu'il a changé... Je m'inquiète, ma petite, pour toi, pour lui, et pour les jumeaux.

Dominique essuya ses larmes d'un revers de main rageur.

– Il envoie promener les enfants, il n'a jamais de temps à leur consacrer, il ne les embrasse même plus ! Remarque, tant mieux, parce qu'il pue l'alcool !

Saisissant l'un des papiers, devant elle, et le brandit sous le nez de sa mère.

– Tu as vu l'état du compte ? Nous sommes à découvert ! Il retire du liquide tous les jours pour faire la tournée des bars, sans parler des chèques monstrueux qu'il signe à son avocate.

Marie regarda les colonnes de chiffres jusqu'au solde, négatif.

– Tout ça pourquoi, maman ? Pour couler Fonteyne ? Laurène me parle, de temps en temps, Juillet fait des prodiges pour l'exploitation, il la tient à bout de bras et il n'a pas besoin qu'on lui mette des bâtons dans les roues ! Alex voudrait des liquidités, des rentrées d'argent, c'est exactement ce que Juillet ne peut pas lui donner. Alors il va dépenser nos économies chez Valérie Samson pour saborder son frère, incapable de comprendre

que c'est à son propre capital qu'il s'attaque !
Il est trop con !

Marie sursauta. Dominique n'employait jamais ce genre de vocabulaire, surtout pas pour parler de ceux qu'elle aimait.

– Quand nous sommes venus ici, maman, je n'ai pas vu le danger. Je voulais l'aider à grandir. Je croyais qu'un an ou deux loin de Fonteyne lui seraient salutaires, que ses rapports avec Juillet s'arrangeraient. Si je l'avais pensé capable de contester le testament, je n'aurais pas accepté de quitter la Grangette. Il n'aurait jamais osé, là-bas...

Elle livrait en bloc ses regrets et son désespoir. Elle ajouta, allant jusqu'au bout de ce qu'elle avait à dire :

– J'aime Fonteyne. Je me suis trompée, notre place est là-bas. Mais, maintenant...

Marie prit un mouchoir, dans la poche de sa robe de chambre et le tendit à sa fille. Rien ne la surprenait dans ce discours, sinon sa véhémence.

– Comment est-il, avec toi ? demanda-t-elle pour en avoir le cœur net.

– Moche, se contenta d'avouer Dominique.

Elles échangèrent un long regard.

– Je ne sais pas quoi te dire, reconnut Marie simplement.

Elle se sentait impuissante, inutile. Antoine

défendait Alex et il trinquait même volontiers avec lui. L'alcool aurait toujours raison.

– De l'argent, je t'en donnerai, déclara Marie. A toi directement. Je ne veux pas que tu manques de quoi que ce soit, et les enfants non plus !

Dominique secouait la tête mais sa mère insista.

– Ce sera notre secret. En attendant.

– En attendant quoi ?

Marie soupira et attira sa fille contre elle. Dominique et Laurène avaient toujours espéré de leur mère des solutions.

– Tu aimes ton mari ?

Dominique, étonnée, prit le temps de réfléchir.

– Oui, je crois...

Sa voix manquait de chaleur, de conviction. Marie se demanda s'il n'était pas trop tard.

*_**

Maître Varin était venu lui-même porter la convocation du juge. Il assura Juillet qu'il s'agissait d'une formalité habituelle mais qu'il pouvait, s'il le souhaitait, se faire accompagner d'un avocat. De toute façon, il allait falloir en désigner un. Il suggéra d'avoir plutôt recours à quelqu'un qui soit radicalement différent de Valérie Samson.

– Elle est redoutable, comme vous le savez, mais pas toujours très appréciée des magistrats. Prenons un homme, d'un certain âge et d'une réputation sans tache. Pas un spécialiste d'affaires, surtout !

Juillet écoutait Varin avec attention. Aurélien lui avait toujours témoigné de l'estime, le tenant pour un notaire aussi habile que rusé.

– A mon avis, disait-il, nous ne devons pas répondre sur le même ton que nos adversaires. A eux les histoires d'argent, d'intérêt, à nous la protection du patrimoine, la sauvegarde de l'exploitation, le maintien des traditions, le respect des volontés testamentaires...

Juillet hocha la tête, amusé. Il fallait organiser leur défense, puisqu'ils étaient attaqués, et Varin semblait sûr de lui.

– Pensez-vous à quelqu'un en particulier ?

– Vernon serait très bien. Il peut ingurgiter le dossier en quarante-huit heures et vous accompagner chez le juge.

Juillet donna son accord et proposa un apéritif au notaire.

– Nous allons rejoindre ma femme et mon frère sur la terrasse, dit-il, mais avant j'aurais voulu vous faire part d'une chose confidentielle.

Brusquement inquiet, Varin se pencha en avant pour mieux entendre.

– Vraiment confidentielle, insista Juillet. Qui restera entre vous, moi, Louis-Marie et Robert. Et qui concerne cette jeune femme que vous aimez bien, Frédérique...

Varin n'eut qu'un battement de cils, invitant Juillet à poursuivre.

– Nous souhaitons lui établir une rente. Et lui faire don, en bonne et due forme, d'un bien immobilier situé à Paris. Vous allez nous préparer des actes. Ma femme ignore tout de cette démarche, et ce taré d'Alex aussi, bien entendu !

L'autre se taisait, imperturbable. Le silence dura une bonne minute. Lorsqu'il comprit que Juillet ne lui donnerait aucune explication supplémentaire, il se contenta de déclarer :

– Il va y avoir des droits, sur la donation. Pour la rente, il faudrait bloquer un capital.

Juillet se leva. Il semblait fatigué.

– Ne poursuivez pas les négociations pour le rachat de la parcelle que je convoitais. Je renonce à agrandir le vignoble cette année...

Varin comprit immédiatement ce que cette décision devait coûter à Juillet. Il remit ses commentaires à plus tard et le suivit jusqu'à la terrasse ombragée où Laurène et Louis-Marie les accueillirent. On servit un délicieux Entre-

228

Deux-Mers très fruité. Juillet raconta à son frère, en riant, le bref entretien qu'il avait eu avec Valérie Samson et l'impression mitigée qu'il en avait gardée.

– Ah, c'est une femme de caractère! attesta le notaire. Intelligente, belle, très à l'aise... Mais qui veut gagner à tous les coups et qui, pour ce faire, choisit ses causes avec discernement. Je comprends mal, pour Alexandre...

– Elle a dû voir en deux minutes qu'elle avait affaire à un perdant, ajouta Juillet d'un ton méprisant. A moins d'aimer les canards boiteux...

Sa remarque étonna Laurène. Il était rarement méchant. Elle espéra qu'il s'agissait d'un moment d'humeur. Elle gardait l'idée d'une paix prochaine entre son mari et Alex. C'était leur sujet de conversation favori, avec Dominique. Elles envisageaient inlassablement toutes les solutions possibles pour rapprocher les deux frères.

– Les avocats jettent toujours de l'huile sur le feu, dit Louis-Marie d'un ton rêveur. Ensuite, les parties adverses deviennent impossibles à concilier. Mais bien sûr, une procédure courte n'est pas lucrative...

Agacé, Juillet gardait l'air soucieux. Maître Varin, en l'observant du coin de l'œil, lui trouvait une grande ressemblance d'expression avec Aurélien. Il avait souvent vu, dans son étude ou à Fonteyne, le patriarche arborer cette mine sévère et pensive. Le jeune homme avait les mêmes attitudes, la même rigueur inflexible, le même souci permanent de sa propriété. Renoncer à acquérir la parcelle qu'il convoitait depuis de longs mois devait lui sembler insupportable, Varin le savait. Mais il connaissait la situation financière de Juillet et il lui donnait raison. Investir aurait été suicidaire.

– Je vais organiser une vente de vins, dit Juillet d'une voix morne.

– C'est une excellente idée, répondit Varin sans laisser à personne le temps d'intervenir.

Louis-Marie eut l'air interloqué.

– Tu sais, lui dit Juillet avec une soudaine tendresse, j'en ai toujours beaucoup trop... Au lieu d'agrandir les caves, je vais plutôt faire de la place...

Louis-Marie adressa un sourire à son cadet. Il n'avait aucune intention de discuter ses décisions mais il était très surpris de constater que cette vente le contrariait, lui aussi. Il était infiniment plus concerné par Fonteyne qu'il ne l'avait cru jusqu'ici. Petit à petit, il s'était pris au jeu. La merveilleuse machine qu'était l'exploitation ne le laissait plus indifférent. Y avoir travaillé depuis plusieurs semaines lui avait redonné le sens de certaines valeurs qu'il avait oubliées. Se battre pour leur vignoble, pour leur nom, pour leur propriété, c'était au fond plus important que voir sa signature au bas d'un article ou son livre chez un libraire.

«Je vais finir par ne plus pouvoir partir d'ici...» pensa-t-il sans que cette idée l'inquiète.

Laurène chassa une guêpe d'un geste craintif. Il faisait très chaud.

– Puis-je vous prier à déjeuner, cher ami? demandait Juillet à son notaire.

Laurène se sentit rougir. Elle aurait dû y penser la première. Elle chercha le regard de son mari mais il était déjà debout.

– Je préviens Fernande...

Ils le regardèrent s'éloigner puis Louis-Marie s'adressa à Varin.

– Vous savez que nous sommes, Robert et moi, déterminés à l'aider au maximum... Avec le mal qu'il se donne, il a besoin d'être soutenu. N'hésitez pas à faire appel à nous.

Varin approuva cette déclaration avec la gravité qu'elle méritait. La convocation du juge donnait le coup d'envoi à la cascade d'ennuis qui risquait de s'abattre sur Fonteyne. Discrètement, il jeta un coup d'œil vers la façade du château. Rien n'aurait dû menacer cet endroit. Tous les actes exigés par Aurélien avaient été établis avec soin. Pourtant, Varin l'avait maintes fois constaté, la justice rendait parfois des jugements iniques. A force de relire les statuts de la société viticole de Fonteyne, il les connaissait par cœur. Ils semblaient inattaquables. Varin pria pour que Valérie Samson n'y découvre pas la moindre faille.

*_**

Alexandre se réveilla, la bouche pâteuse et les tempes dans un étau. La soirée de la veille avait été encore plus arrosée que les précédentes. Marc était arrivé dans leur bar habituel dans un état d'intense surexcitation. Il venait juste d'apprendre, par un copain qui travaillait à l'hôpital, que sa sœur y avait accouché quelques semaines plus tôt. Aussitôt, il avait voulu voir Frédérique mais elle était partie sans laisser d'adresse et personne dans son ancien immeuble n'avait pu le renseigner.

Marc avait tiré les déductions qui s'imposaient. Il n'avait aucune preuve, il ne pouvait rien faire, sauf apprendre la nouvelle à Alexandre. Il s'y employa sans ménagement, en commandant sa première tournée. Jusqu'ici ils n'étaient que des copains, à présent ils se sentaient de la même famille. Ils se livrèrent à toutes les suppositions et hypothèses qui leur passèrent par la tête. Marc tenait sa sœur pour une garce et prétendait qu'elle devait avoir de nombreux amants. Il ne comprenait pas, toutefois, qu'elle n'ait pas tenté d'obtenir un dédommagement.

Alexandre, plus impressionné qu'il ne voulait le montrer, trinqua sans relâche. Il regagna Mazion à l'aube, dans un état lamentable. Ils s'étaient promis, Marc et lui, une indéfectible amitié. Il ne se souvenait plus de la suite, ni comment il était parvenu jusqu'à son lit.

Il tourna la tête avec précaution vers son réveil. Il était presque midi et il entendait des voix joyeuses monter du rez-de-chaussée. Se traînant jusqu'à la salle de bain, il jeta dans le panier à linge ses vêtements de la veille et prit une longue douche tiède pour essayer d'oublier son mal de tête.

En bas dans la cuisine, il trouva Dominique et Laurène en grande conversation. Sa femme ne lui accorda qu'un coup d'œil et lui tendit une tasse de café noir. Les deux sœurs s'étaient tues à son arrivée, ce qui le rendit de mauvaise humeur.

– Tu veux ma photo ? demanda-t-il de façon agressive à Laurène qui le regardait.

233

Elle le trouvait très changé et elle n'avait pas su dissimuler une expression apitoyée.

– S'il te plaît, Alex! intervint Dominique d'une voix froide.

Furieux, il se tourna vers elle. Il lui en voulait, obscurément, d'avoir été témoin de son retour lamentable à l'aube. Il imaginait sans peine avec quel dégoût elle avait dû le voir se coucher tout habillé. L'humiliation le rendit injuste.

– Quelles têtes d'enterrement vous faites! Quelqu'un est mort?

Sa main tremblait et il reposa brusquement sa tasse. La présence de Laurène obligeait Dominique à rester calme.

– Va prendre l'air, suggéra-t-elle à son mari.

– Par cette chaleur? Tu es folle!

Ouvrant la porte du réfrigérateur, il saisit une bouteille de vin blanc. Il avait un besoin urgent de boire, malgré la mine réprobatrice des deux femmes. Il voulut s'emparer d'un verre mais Dominique l'en empêcha.

– Laisse-toi le temps de dessoûler, au moins! cria-t-elle.

Il la repoussa avec brutalité et elle dut s'appuyer à la table pour ne pas tomber, ce qui fit bondir Laurène.

– Ne touche pas à ma sœur!

Elle s'était dressée devant lui, toute petite, menue, avec son ventre un peu proéminent. Il éclata de rire.

– Toi, la bécasse, ferme-la !

Il but une gorgée à même le goulot puis baissa les yeux vers elle.

– Tu aurais dû te dépêcher un peu pour la fabrication du moutard ! J'en connais qui t'ont devancée...

Dominique et Laurène échangèrent un coup d'œil. Elles ne comprenaient pas l'allusion et il insista :

– Demande donc à ton cher mari ! Il s'y connaît en bâtards et quelque chose me dit que c'est d'actualité !

Cette fois il se mit à rire, content de lui. Dominique lui arracha la bouteille des mains et la lança dans l'évier où elle se fracassa. Puis elle prit fermement la main de Laurène et l'entraîna hors de la cuisine. Dans la cour, elles tombèrent nez à nez avec Marie.

– Qu'est-ce que c'est que ce vacarme, les filles ?

Leur mère les regardait, abasourdie. Elles avaient l'air hagard. Alex apparut sur le seuil, juste derrière elles. La vue de Marie l'empêcha d'avancer mais il cria :

– Renseigne-toi, la puce ! Tu verras que j'ai raison !

– De quoi parle-t-il ? demanda Marie.

– Je ne sais pas. Il devient fou.

Dominique, impuissante, foudroyait Alex du regard. Elle avait le pressentiment qu'il disait la vérité, alcool ou pas.

– Va poser la question à Juillet ! Frédérique, ça te dit quelque chose, hein ? Fré-dé-rique !

Marie fit les trois pas qui la séparaient de son gendre.

– Rentre, gronda-t-elle entre ses dents.

Quand elle le voulait, elle pouvait être impressionnante. Alex battit aussitôt en retraite. Marie entendit un bruit de moteur et n'eut que le temps, en tournant la tête, d'apercevoir la voiture de Laurène qui s'éloignait. Elle s'engouffra dans la cuisine à son tour, décidée à en savoir davantage.

₊

Laurène pleurait sans bruit, recroquevillée sur son fauteuil favori. Juillet faisait les cent pas devant la cheminée de leur chambre, les mains enfouies dans les poches de son blue-jean. Il n'avait rien pu faire ou dire qui la console. Il avait répondu franchement à ses questions pressantes. Il lui avait avoué la vérité parce qu'elle en savait déjà trop. Il était aussi malheureux qu'elle, peut-être davantage, mais l'enfant de Frédérique existait, rien ne pouvait l'effacer.

Il revint s'agenouiller près de Laurène et essaya, en vain, de capter son regard.

– Je t'en supplie, ne pleure pas...

Elle s'écarta un peu, gardant la tête enfouie dans ses bras. Elle n'avait pas demandé de détails, le laissant s'expliquer. Mais elle n'avait rien oublié des moments orageux qu'ils avaient vécus l'année précédente. Rien oublié de sa peur face à Frédérique. Elle se souvenait, avec une jalousie accrue, violente, des regards que Juillet posait alors sur la jeune femme. Il l'avait trompée et elle en avait éprouvé une douleur aiguë qu'elle croyait disparue et qu'elle retrouvait intacte. Il pouvait très bien être le père de ce bébé. Elle ne serait donc pas la première à lui donner un enfant. Cette idée était intolérable. Elle s'était crue à l'abri depuis qu'elle était enceinte, depuis qu'elle était mariée. A présent, son univers s'écroulait, emportant ses illusions et sa candeur. Aucun espoir ne lui était laissé. Elle connaissait trop l'amour fou de Juillet pour son père et penser qu'Aurélien pouvait tout aussi bien être le père de cet enfant était encore plus inquiétant. De quelque côté qu'elle se tournât, elle ne trouvait aucun réconfort.

– Tu vas l'aimer, tu vas l'aimer, tu l'aimes déjà, répétait-elle d'une voix monocorde.

Impuissant devant la détresse de sa femme, Juillet se releva. Il resta un long moment à la contempler, hésitant. Lorsqu'il se décida enfin à faire un pas vers la porte, elle se mit à crier :

– Ne t'en va pas ! Pas ce soir ! Tu me fuis toutes les nuits ! Pourquoi ? Parce que je ne suis qu'une petite gourde ? Tu fais ton devoir de mari et puis tu t'éclipses, j'en ai assez !

– Laurène...

– C'est vrai, à la fin, je suis toujours seule et j'ai peur ! Je dors avec toi par intermittence ! Ton chien est plus souvent dans ton lit que toi !

Echevelée, son maquillage dilué par les larmes, elle paraissait au bord de la crise d'hystérie.

– Et puis je vais devenir difforme avec ce bébé que je voulais te donner, et toi, pendant ce temps-là, tu penseras à l'autre !

Elle trébucha sur le bord du tapis et tomba à genoux. Au lieu de se relever, elle se traîna jusqu'à Juillet qui était resté immobile, horrifié.

– Je suis ta femme ! hurla-t-elle d'une voix déchirante.

Il se pencha, la prit dans ses bras et la

souleva sans effort. Elle se débattait, criant comme une folle à travers ses sanglots. Juillet entendit la porte qui s'ouvrait et Louis-Marie, en robe de chambre, s'approcha du lit où il venait de déposer Laurène. Elle criait toujours et ils échangèrent un regard. Juillet était pâle.

– Téléphone à Auber, dit-il en maintenant sa femme.

Il se sentait froid, détaché. Il pensa que s'il arrivait quelque chose à Laurène ou à l'enfant qu'elle portait, il tuerait Alexandre de ses mains.

**

Le mois d'août fut torride et d'une totale sécheresse. Juillet surveillait les raisins sans relâche. Botty le suivait partout, langue pendante, car il fuyait la chambre de sa maîtresse. Le docteur Auber avait recommandé du calme et Laurène avait saisi le prétexte pour ne descendre qu'au moment des repas. A table, Juillet ne parlait pas de ses soucis, et il essayait de la faire rire. Elle lui jetait des regards de chien battu, souriait par politesse, posait quelques questions à Louis-Marie au sujet du parc, mais sans conviction.

Malgré son travail, Fernande avait pris l'habitude de passer un long moment avec elle, chaque matin, en lui montant son plateau du petit déjeuner. Elle la trouvait triste et sans réaction. Elle avait constaté que Juillet dormait souvent en bas, dans la chambre d'Aurélien, mais elle s'était gardée de poser des questions, se contentant de refaire le lit, de vider le cendrier et de fermer la porte-fenêtre.

Laurène passait ses après-midi à dormir, volets fermés pour échapper au grand soleil, attendant en vain, roulée en boule, que Juillet vienne la voir. Il ne l'avait plus touchée depuis sa crise de nerfs et elle était persuadée qu'il lui en voulait de s'être laissée aller à autant de colère. Mais chaque fois qu'elle pensait à cette Frédérique, elle était soulevée de la même rage aveugle et prête à redire des horreurs.

Elle se sentait frustrée, abandonnée et souffrait physiquement de le savoir au rez-de-chaussée, la nuit, persuadée qu'il se vengeait ainsi des reproches qu'elle lui avait adressés. Les caresses, la présence rassurante, l'odeur même de Juillet lui manquaient. Lorsqu'elle entendait son pas sur les graviers, elle s'embusquait derrière les volets pour le regarder aller et venir de sa démarche souple, longue, infatigable. Et lorsqu'elle voyait la silhouette de Bingo au sommet des collines, elle guettait le bruit des sabots annonçant son retour. Elle avait envie de l'appeler mais n'osait pas. Elle l'avait obligé à se marier. Pour mieux le contraindre, elle avait arrêté de prendre la pilule. Peut-être lui en voulait-il ? Peut-être la trouvait-il gênante maintenant qu'il y avait cet enfant ? Chaque coup de téléphone de Robert à Juillet ou de Pauline à Louis-Marie l'inquiétait. Donnaient-ils des nouvelles de Frédérique ? Juillet avait dit qu'elle vivait à Paris avec son fils. Ses frères l'avaient donc aidé à mentir, à dissimuler.

Sans cesse, elle ressassait les mêmes rancœurs, les mêmes terreurs. Elle n'allait plus à Mazion mais elle téléphonait beaucoup à Dominique qui restait son seul lien avec le monde extérieur.

– Comment allez-vous ce matin ? demanda Fernande en entrant.

Elle ouvrit les rideaux des trois fenêtres, posa le plateau sur les genoux de Laurène et la dévisagea.

– Toujours une petite mine... Vous devriez sortir un peu. En fin de journée, il fait moins chaud.

Elle versa le thé, le sucra.

– Les massifs sont splendides, vous verrez ! Bernard les arrose chaque matin, à l'aube.

Laurène sourit à la vieille femme. Elle avait confiance en elle.

– Juillet est dans les vignes ? demanda-t-elle d'une voix timide.

Elle voulait toujours savoir ce qu'il faisait et où il était. Fernande se sentit envahie de pitié.

– Non, il est à Bordeaux. Il sera là pour déjeuner. Il m'a donné ceci pour vous.

Elle désignait une rose blanche, sur le plateau. Laurène se demanda si c'était vraiment Juillet qui avait pris le temps de la cueillir. Mais Fernande ne mentait jamais.

– C'est gentil, dit-elle en caressant la fleur.

– Ce qui serait gentil, dit Fernande d'une voix ferme, ce serait de ne pas passer votre vie au lit. Il faut marcher, le docteur l'a dit.

– Je ne suis pas malade, protesta Laurène.

– Raison de plus.

Fernande tapota affectueusement la main de Laurène.

– Et puis il ne faut pas avoir peur de parler, vous savez...

La jeune femme sembla se recroqueviller sur elle-même et Fernande secoua la tête, navrée.

– Allez, je vais préparer le déjeuner...

Laurène s'assit brusquement, dans son lit, manquant de faire chavirer le plateau.

– Je ne vous aide pas assez, Fernande !

La vieille femme plissa les yeux, ravie de sauter sur l'occasion offerte :

– J'avoue que ça me manque... Pour les courses, tout ça... Je me débrouille avec Lucas, Clotilde, ou même parfois monsieur Louis-Marie, et puis la plupart des fournisseurs nous livrent, vous savez bien, mais quand même, ce n'est pas simple...

Elle avait récupéré le plateau et se dirigeait vers la porte sans attendre.

– Faites-moi une liste ! dit Laurène dans son dos. J'irai à Bordeaux cet après-midi.

Fernande hocha la tête, contente d'elle.

₊

Juillet sortit du bureau du juge, ravi. Le magistrat avait posé quelques questions de pure forme au début de l'entretien, puis, rassuré par la présence de maître Vernon qui faisait partie de son cercle de bridge, il s'était laissé aller à une véritable conversation. Les trois hommes avaient discuté de tout et de rien, de leurs amis communs, du souvenir admirable qu'Aurélien avait laissé derrière lui, de la réputation sans faille des vins de Château-Fonteyne.

– Je n'ai toujours pas compris, avait déclaré

le juge d'un ton las, sur quoi s'appuie exactement la requête de maître Samson.

Il avait prononcé ce nom avec réticence puis avait ajouté :

— Je déteste ces procédures pour battre monnaie !

C'était ainsi qu'il appelait les actions de justice ayant un but trop clairement avoué : la cupidité. Enfin il avait laissé tomber, définitif :

— D'ailleurs cette femme me soûle...

Valérie Samson s'était moquée de ses avances, quelques années auparavant, et s'en était fait un ennemi. Juillet comprit qu'il avait de la chance mais il ne fit aucun commentaire désobligeant sur l'avocate. Il se força même à parler d'Alexandre en termes mesurés, le dépeignant comme un gentil faible, un paresseux naïf. Feuilletant le dossier distraitement, le juge avait laissé voir sa conviction, approuvant sans réserve la gestion impeccable de Juillet. Maître Vernon avait ensuite souligné la totale confiance des deux frères aînés dont la respectabilité et la bonne foi ne pouvaient être mises en doute.

Les trois hommes s'étaient quittés en se serrant chaleureusement la main, entre gens du même monde. Quand il avait pris congé de Juillet, dans le hall du palais de justice, maître Vernon s'était montré très optimiste pour la suite mais avait conseillé à Juillet de ne faire aucune dépense ou aucun investissement afin de garder une comptabilité limpide. Ce dernier point était le seul qui soit préoccupant. Les engagements pris vis-à-vis de Frédérique nécessitaient des transferts de fonds. Juillet ne jugea pas utile d'en parler à son avocat, préférant consulter Varin d'abord.

Sur les marches du palais, il croisa Valérie Samson qui s'arrêta pour le saluer.

– Comme je suis heureuse de vous voir ! s'exclama-t-elle avec un sourire éblouissant. Je cherchais un compagnon de rafraîchissement, cette chaleur est intolérable et je n'aime pas boire seule ! Vous venez ?

Elle l'entraînait sans attendre son avis, l'ayant pris par la main.

– Je connais un bistrot délicieusement frais ! Vous sortez de chez le juge ? Quelle vieille barbe, hein ?

Elle riait, repoussant de sa main libre sa chevelure rousse. Ils entrèrent dans un bar sombre et luxueux avant que Juillet ait pu prononcer un mot. Elle commanda du champagne puis elle se laissa tomber sur une banquette.

– Bien entendu, dit-elle, il serait immoral que je trinque avec vous !

Elle éclata d'un rire très communicatif. Elle

était vêtue d'un chemisier et d'une jupe blanche qui mettaient en valeur son irréprochable silhouette. Sensible au charme des femmes, Juillet finit par sourire malgré lui.

– Nous ne sommes que le 2 septembre et les vacances judiciaires sont déjà terminées, soupira-t-elle. D'un autre côté, je ne suis pas fâchée de reprendre le collier, l'inaction me tue.

Elle avait quelque chose de séduisant et de différent qui frappa Juillet. Il aimait les fortes personnalités et il en était privé depuis la mort d'Aurélien. Il leva sa flûte, hésita une seconde puis déclara :

– A vous !

Il but quelques gorgées. Il n'appréciait pas le champagne à cette heure-là.

– Très bien, votre idée de prendre Vernon comme défenseur ! Très habile... Il est aussi sinistre que le juge, ils vont bien s'entendre ! Vous êtes pressé ?

Juillet, qui venait de jeter un coup d'œil à sa montre, s'excusa aussitôt.

– Vous comprenez, je suis à un mois des vendanges, à peine...

Il accompagna sa phrase d'un irrésistible sourire. Valérie Samson sentit brusquement son cœur se serrer. Elle se pencha en avant, au-dessus du guéridon.

– Vous savez pourquoi j'ai accepté le dossier de votre frère ? Pour vous rencontrer, vous.

Juillet la regardait, interloqué.

– J'aime autant vous le dire, c'est plus loyal. Il y a très longtemps que j'entends parler de vous.

– Par qui ?

L'étonnement sincère de Juillet la fit rire.

– Par tout le monde ! Vous avez toujours été l'un des sujets de conversation favoris d'une certaine société. Vous ne l'ignorez pas, je pense ? Bien sûr, vous faites partie d'une famille très en vue, bien sûr il y avait la légende de votre père, ses maîtresses, votre adoption, tout ça... Mais c'est surtout parce que vous êtes la coqueluche des femmes. Elles sont nombreuses à rêver de vous !

Juillet haussa les épaules, gêné, ne sachant que répondre.

– J'ai au moins deux amies qui sont intarissables à votre sujet ! Dont une qui a fait un très bref passage dans votre lit et qui en parle encore...

Elle était tellement directe qu'il faillit rougir. Il ne demanda aucun nom, se bornant à soutenir son regard.

– Je dois reconnaître, ajouta-t-elle, que vous feriez craquer n'importe qui, y compris une femme de mon âge.

Il fut blessé pour elle de cette phrase mais elle acheva, impitoyable :

– J'ai quarante-trois ans. Puis-je vous inviter à dîner ?

– Non, je...

– Si.

Il alluma une cigarette pour cacher son embarras. Elle attendit qu'il ait tiré une bouffée puis elle se saisit de la Gitane qu'elle écrasa posément dans le cendrier.

– Je n'aime pas l'odeur des brunes. Vous en avez imprégné mon bureau, l'autre jour. Vous devez être un des derniers Français à fumer ce truc.

Elle fouilla dans son sac, alluma une cigarette blonde, ultralégère, et la lui tendit. Ce geste aurait dû le braquer mais il l'accepta.

– Vous êtes un mari modèle au point de ne pas pouvoir rentrer à dix heures ? Juste un soir ?

Juillet se leva.

– Ma femme attend un enfant et elle n'est pas très en forme...

Valérie se mit debout à son tour, avec une lenteur étudiée. Elle s'approcha de lui et il fut enveloppé par l'odeur lourde de son parfum. Il détourna la tête pour poser des billets sur la table. Il sentit à peine la main qui effleurait sa nuque, sous les boucles. Il s'écarta un peu, à regret.

– Sortez le premier puisque vous êtes si pressé, monsieur Laverzac ! dit-elle d'une voix dure.

Il s'éloigna sans se retourner.

₊

Dominique luttait en silence, de crainte de réveiller les jumeaux. Cette fois-ci, elle était farouchement résolue à ne pas se laisser faire. Alexandre avait déjà oublié l'incident précédent et, de nouveau, il faisait semblant de croire à un jeu lorsqu'elle se refusait à lui. Sans violence mais avec toute sa force, il l'avait immobilisée.

– Lâche-moi tout de suite, chuchota-t-elle.

Il eut un rire niais qui acheva de la mettre hors d'elle. Il était lourd et dégageait une odeur âcre de transpiration, autant due à la chaleur qu'à tout ce qu'il avait ingurgité. Il écarta le chemisier de Dominique puis passa sa main dans le soutien-gorge. Elle eut un sursaut, révulsée par ce contact imposé. Elle prit Alex par les cheveux et tira de toutes ses forces. Il protesta mais elle avait assuré sa prise avec une énergie désespérée. Elle réussit à le faire basculer sur le côté pourtant il s'accrocha à elle, lui faisant mal. Elle se mordit les lèvres pour ne pas gémir, le sein douloureux.

– Espèce de sale brute, finit-elle par hoqueter à travers ses larmes.

Elle parvint à se redresser mais il la repoussa sur le lit, cherchant à lui écarter les cuisses, surexcité. Il haletait et Dominique eut un haut-le-cœur. Sans réfléchir, elle leva la main et le gifla maladroitement. Il riposta aussitôt d'un véritable coup de poing. Elle se laissa aller, sonnée, essayant de reprendre ses esprits.

– Je vais te faire passer le goût de la révolte, grogna Alexandre.

Il se mit à la frapper, perdant tout contact avec la réalité. Ce ne fut qu'en voyant le sang qui coulait de la lèvre éclatée qu'il s'arrêta net, horrifié.

– Dominique, murmura-t-il d'une voix inquiète. Dominique !

Elle rampa jusqu'au bord du matelas et se mit debout en titubant. Il n'essaya pas de l'arrêter, brusquement conscient de ce qui venait d'arriver.

***

Juillet se réveilla en sursaut. Il alluma la

lampe de chevet d'Aurélien. Il était trois heures du matin. Il repoussa le drap et se saisit de son blue-jean qu'il enfila à la hâte. Il remonta le couloir en courant et déboucha dans le grand hall. Il déverrouilla la porte principale en quelques instants, l'ouvrit et s'immobilisa, cloué par le spectacle. Dominique s'abattit sur lui avant qu'il ait pu faire un geste. Il la retint, d'un bras, faisant signe aux jumeaux d'entrer. La lumière du grand lustre tombait crûment sur la jeune femme qui semblait incapable de parler, le visage tuméfié, couvert de sang séché.

– Salut, les bouts de chou ! Maman a un petit souci, on dirait ? Rien de bien grave, les amours, tout va s'arranger...

Il passa son autre bras sous les genoux de Dominique et la porta jusqu'à la bibliothèque pour l'allonger sur le canapé.

– Vous seriez gentils de me faire passer un verre et la bouteille de cognac, les mecs !

Il leur parlait d'une voix ferme, rassurante, ayant noté leur pâleur et leur mutisme. Soutenant la tête de Dominique, il la força à boire.

– Elle est tombée, maman, c'est ça ? Elle va aller mieux dans deux minutes... Et vous, sur la pointe de vos petits pieds, vous allez monter réveiller votre tante, d'accord ? Vous appuyez sur tous les interrupteurs que vous trouvez et vous filez au premier...

Il jeta un coup d'œil par-dessus son épaule pour observer les jumeaux.

– Vous pouvez aussi sortir votre oncle Louis-Marie de son lit si ça vous amuse.

Les jumeaux hochèrent la tête sans sourire. Ils paraissaient traumatisés par l'expédition nocturne.

– Allez, allez, insista Juillet, illuminez-moi ce château !

Après leur départ, Dominique se mit à pleurer. Juillet la serra contre lui en la berçant doucement. Bouleversé, il détailla les ecchymoses, le visage tuméfié.

– Tu es en sécurité, lui dit-il avec tendresse. Tu es chez toi, ma grande.

– Les garçons... je ne pouvais pas les laisser là-bas...

– Encore heureux ! On va les dorloter, et toi avec !

Il prit une profonde inspiration avant de lui demander :

– C'est Alex ?

Le regard de Dominique devint dur. Il la sentit se raidir tout entière. D'un geste convulsif, elle referma son chemisier qui pendait, déchiré. Il s'obligea à ne rien dire mais il avait compris. Sentant la présence silencieuse de

Louis-Marie derrière lui, il prit une profonde inspiration pour lutter contre la rage folle qui l'envahissait. Il se tourna vers son frère qui était en train d'ôter sa robe de chambre pour la poser sur Dominique.

– La version pour tes enfants, c'est quoi ? demanda-t-il très vite.

Dominique eut un sourire pitoyable.

– Comme tu voudras, souffla-t-elle d'une voix épuisée.

Ils s'écartèrent de quelques pas, ne sachant que faire.

– J'irai à Mazion demain matin, chuchota Juillet.

– Non, protesta Louis-Marie. C'est moi qui m'en charge !

La colère creusait les traits de Juillet. Mais ils n'eurent pas le temps d'en dire davantage. Laurène dévalait l'escalier. Hagarde, elle fit irruption dans la bibliothèque. Elle se précipita vers sa sœur et tomba à genoux à côté d'elle. Sa tête enfouie au creux de l'épaule de Dominique, elle murmurait des gentillesses inaudibles. Juillet et Louis-Marie quittèrent la pièce sur la pointe des pieds. Dans le grand hall, assis sur les marches, les jumeaux se tenaient serrés l'un contre l'autre, Botty à leurs pieds. Juillet leur adressa un sourire chaleureux.

– Vous n'auriez pas un petit creux, par hasard ?

– Tu prends celui de droite et moi celui de gauche, décida Louis-Marie qui les confondait tant ils se ressemblaient.

Dans un bel ensemble, les deux frères soulevèrent les enfants et les portèrent jusqu'à la cuisine sur leurs épaules.

***

Aussi intraitable que l'aurait été son père, Juillet fit venir le docteur Auber et lui demanda un certificat médical lorsqu'il sortit de la chambre d'amis où Dominique avait été installée. Cette attestation de coups et blessures fut enfermée dans le coffre-fort du bureau. Juillet ne décolérait pas. Louis-Marie était revenu de Mazion en affirmant qu'Alexandre regrettait amèrement sa dispute de la veille et qu'il était prêt à tout pour se faire pardonner. Il appelait leur bagarre une « querelle d'amoureux » et, pour ne pas inquiéter Marie outre mesure, il prétendait qu'ils avaient juste échangé quelques injures et quelques paires de gifles. Louis-Marie s'était contenté d'annoncer que Dominique resterait quelques jours à Fonteyne avec les enfants pour s'y reposer. Avant de quitter Mazion, il avait pu parler en tête à tête à Alex. Sans même essayer de lui faire la morale, il l'avait mis en garde contre les effets désastreux de l'alcool avant de lui décrire l'état réel de sa femme. Tête basse, Alex avait promis de ne plus boire.

– Serment d'ivrogne ! commenta Juillet en écoutant le récit de Louis-Marie.

Révolté, exaspéré, il ne pensait qu'à une chose : administrer à son frère la correction qu'il méritait. Antoine était trop mou pour le faire, hélas.

– Tu n'iras pas à Mazion, déclara fermement Louis-Marie.

Tant qu'ils ne connaîtraient pas les intentions de Dominique, il n'était pas question d'intervenir.

– Une bagarre avec Alex en ce moment serait très mal-venue. Demande à notre avocat ce qu'il en pense !

Et c'est parce que Louis-Marie avait utilisé ce « notre » que Juillet accepta d'attendre. Il alla passer sa rage dans les vignes, arpentant ses terres durant plusieurs heures, semant Lucas qui cessa de le suivre au bout d'un moment, épuisé.

Fernande voulut prendre en main les enfants mais Laurène, sortie brusquement de son apathie, décida de s'occuper elle-même des jumeaux. La rentrée scolaire ayant lieu deux jours plus tard, elle se rendit dans une grande papeterie de Bordeaux avec eux pour y acheter les fournitures nécessaires et, surtout, pour les distraire. Ensuite elle les emmena goûter avant de regagner Fonteyne. Après qu'elle eut garé sa Civic sous la grange, Bernard aida les petits à décharger le coffre et à tout porter jusqu'au château. Au moment de quitter la grange, elle remarqua la silhouette de Juillet, dans l'ombre, appuyée au mur du fond. Elle se dirigea vers lui d'un pas résolu.

– Les jumeaux vont bien, dit-elle. Ils se sont beaucoup amusés en ville...

Juillet sourit et lui tendit la main pour l'attirer contre lui.

– Je crois que ce garçon, Bernard... eh bien, je crois qu'il est amoureux de toi !

Elle éclata de rire, trouvant l'idée farfelue. Il l'entraîna au-dehors, la tenant par l'épaule.

– Finies, les grandes siestes ? demanda-t-il d'une voix douce.

– On a besoin de moi, non ?

L'air décidé de sa femme lui plut.

– Tu m'en veux toujours ? interrogea-t-il presque timidement.

Elle s'arrêta de marcher pour lever la tête vers lui.

– De me négliger ? Oui, je t'en veux ! Je t'aime tellement, si tu savais...

Elle le reconnaissait facilement, sans fausse honte.

— Mais je ne suis pas une bonne épouse, poursuivait-elle. Je te fais des tas de reproches et je ne m'occupe de rien. Tu croules sous le boulot pendant que je dors. Et puis...

— Non ! Non...

Il se pencha pour l'embrasser. Il ne voulait pas qu'elle s'accuse, se sentant beaucoup plus coupable qu'elle. Il s'obligea à en parler.

— Cet enfant de Frédérique, je n'y peux rien... Je l'ignorais. Je ne veux pas te savoir malheureuse. Pas toi !

Il pensait à Dominique et il serra très fort sa femme dans ses bras.

— Tu t'en es occupé, Juillet ? Ce gosse, tu... je veux dire, financièrement... Tu ne peux pas le...

— Oui. C'est fait.

Il y avait longtemps qu'ils ne s'étaient pas parlé avec autant de sincérité.

— Très bien, dit-elle simplement.

Elle restait blottie contre lui, respirant son odeur avec béatitude.

— Tu m'invites dans ton lit, cette nuit ? murmura-t-il. Si Botty accepte de me céder la place !

Elle se mit à rire, soudain folle de joie, et se haussa sur la pointe des pieds pour pouvoir l'embrasser de nouveau. Ils reprirent leur marche lente, côte à côte. Le soir tombait et il faisait à peine moins chaud.

– Arrange-toi pour que Dominique descende dîner au lieu de ressasser des idées noires. Et dis-lui qu'on la garde, que Fonteyne est sa maison !

Laurène hocha la tête, bien décidée à protéger sa sœur.

**

La première ordonnance du juge fut exactement celle que Juillet espérait. Rien ne s'opposait à ce qu'il continue de gérer la société Château-Fonteyne comme il l'entendait. Aucun des arguments de maître Samson n'avait été retenu pour invalider le testament d'Aurélien. Ce dernier ayant été considéré sain d'esprit, le juge concluait que ses dispositions testamentaires ne visaient qu'à préserver l'exploitation. Des requêtes mineures restaient à examiner mais la plupart des prétentions d'Alexandre se trouvaient déboutées. Un mot de maître Vernon, qui avait le triomphe modeste, prédisait toutefois à Juillet qu'Alex n'allait pas manquer de faire appel.

Dominique s'était reposée vingt-quatre heures, puis avait décidé d'oublier son visage de boxeur et de se remettre à vivre normalement. Elle descendit jusqu'au bureau pour discuter avec Juillet. Installée dans un fauteuil, face à lui, elle avait la sensation d'avoir affaire à Aurélien, comme par le passé. Juillet avait toutes les attitudes de son père, la même autorité froide, la même rigueur, mais aussi la même générosité.

– Tu ressembles à ton père, déclara-t-elle en préambule.

Il comprit ce qu'elle voulait dire. Ses trois frères avaient les yeux clairs d'Aurélien et ses cheveux blonds. Juillet était seul de son espèce avec cette allure superbe de gitan, mais c'est bien lui qui avait, tout naturellement, pris la place d'Aurélien.

Il dévisagea Dominique durant une bonne minute. Elle avait un œil à moitié fermé, souligné d'un large bleu. Sa lèvre supérieure était enflée, violacée.

– Je ne peux pas, dit Juillet en baissant les yeux vers le sous-main. Je ne peux pas te voir comme ça !

– Ce sera fini dans quelques jours, murmura-t-elle.

Il y eut un long silence, puis Juillet releva la tête.

– Quelles décisions as-tu prises ? demanda-t-il avec calme.

– Je vais rester ici un moment. Si tu es d'accord.

– Moi ?

Il semblait surpris, incrédule.

– Mais... tu es chez toi, ma grande ! Tu es rentrée à la maison, ça ne peut que me faire plaisir.

Il était si sincère qu'elle se sentit fondre de reconnaissance.

– Je te fais remettre la Grangette en état ou tu prends les deux chambres d'amis de l'aile ouest ?

– Pour la Grangette, attends un peu. On verra plus tard.

– Très bien... Et pour l'école ?

Il lui souriait, fraternel, sûr de lui.

– Laurène a rendez-vous avec l'institutrice de Margaux tout à l'heure. Elle sera contente de retrouver les jumeaux, elle les adorait ! Mais je préfère qu'elle ne me voie pas dans cet état, elle est bavarde comme une pie... Louis-Marie accepte de les conduire et d'aller les rechercher jusqu'à ce que je sois présentable.

– Bien sûr ! Louis-Marie, ou moi, ou Laurène, ou même Bernard, ou encore Lucas ! Tu n'es pas seule au monde, tu sais !

Il riait et elle fut touchée par sa gaieté.

– Il y a tout de même une chose, Juillet... Deux, à vrai dire. La première est que je n'ai pas d'argent. Pas du tout. La seconde est qu'Alex risque de mal prendre mon départ.

Elle le vit serrer ses doigts sur le stylo qu'il tenait. Il y eut un bruit sec et de l'encre se répandit sur le buvard du sous-main. Etonné, il regarda la tache, se hâta de l'éponger et mit les morceaux du stylo dans le cendrier avant de répondre.

– Laurène réglera les questions d'argent avec toi, ce n'est vraiment pas un problème. Quant à Alex...

Incapable de rester assis, il se leva et contourna le bureau pour venir se planter devant Dominique.

– C'est ton mari. Je préfère ne pas savoir ce que tu penses ni si tu peux lui pardonner. C'est le père des bouts de chou. C'est mon frère... Mais tout ça n'est pas suffisant pour m'ôter l'envie de le démolir !

Pâle de colère, il ajouta, très vite :

– Je donnerais n'importe quoi pour le coincer dans un coin, si tu savais ! J'espère qu'il va mal prendre ton départ ! J'espère qu'il va venir jusqu'ici pour me demander des comptes ! Oh, oui !

Dominique haussa les épaules. Elle était au-delà de la rancune.

– Alex est devenu quelqu'un d'autre. Que

je n'aime pas. Il se retrouvera un de ces quatre... Il redeviendra lui-même.

– Lui-même, ce n'est pas grand-chose !

– Tu n'as pas le droit de dire`ça, soupira Dominique. Tu ne le fais pas exprès mais tu l'empêches de vivre depuis toujours.

– Parce que sans moi, il vit mieux ? explosa Juillet. Il en a fait la preuve, à Mazion ?

Elle préféra renoncer à répondre. Juillet n'avait pas tort. Peut-être Alexandre avait-il besoin d'une poigne de fer, que ce soit son père ou son frère, pour le maintenir dans le droit chemin.

– Quoi qu'il en soit, décida-t-elle, je ne retournerai pas à Mazion. Une éventuelle réconciliation avec Alex passera par Fonteyne. Ce sera à lui de choisir, le moment venu. Il faudra bien que vous vous expliquiez un jour ou l'autre...

Elle le regardait d'un air suppliant. Elle voulait laisser une chance à Alex, si infime soit-elle. Juillet se pencha vers elle et la prit par le bras. Il la sortit brutalement de son fauteuil et la conduisit jusqu'au trumeau de la cheminée.

– Tu te vois ? demanda-t-il d'une voix coupante, l'obligeant à rester face au miroir. Le jour où je m'expliquerai avec Alex, comme tu dis, la facture sera lourde.

Elle baissa la tête et il la serra contre lui, désolé.

***

Fernande reprit enfin sa respiration, épuisée par la quinte de toux qu'elle venait de subir. Elle ne se sentait ni grippée ni fiévreuse, et elle mit sa crise sur le compte de la poussière. Jetant un coup d'œil autour d'elle, elle vérifia que tout était en ordre. Juillet n'avait pas dormi là, par bonheur, c'est donc qu'il avait retrouvé son lit et sa femme. « C'est mauvais, ce culte qu'il a pour Monsieur... Il se réfugie ici et il souffre, quelle bêtise ! Il faudrait que je lui parle, à la fin, il y a des choses qu'il ignore encore... »

Elle leva les yeux vers le portrait de Lucie, considérant la toile avec perplexité.

« Pauvre Madame... Elle non plus, ne savait pas tout ! D'instinct, elle n'aimait pas ce gamin que Monsieur lui avait imposé... Mais elle veillait sur lui, c'était une femme de devoir... Si elle avait connu la vérité, elle les aurait haïs tous les deux. »

Fernande était jeune, à l'époque, et Lucie l'impressionnait beaucoup. Elle traquait la poussière, les traces sur l'argenterie, les reflets sur les vitres et la plus légère auréole sur les nappes. Une véritable femme d'intérieur. De Juillet, elle ne disait rien mais elle se crispait dès qu'il entrait dans une pièce.

« Pourtant, il était craquant ! Quel adorable petit sauvage... Et dès le début, il s'est accroché à Monsieur. C'était son sauveur et son bourreau, après tout ! »

Fernande soupira. Toutes les familles ont leurs secrets, leurs malheurs. Elle se remit à tousser et dut s'appuyer sur son balai.

**

Pauline n'écoutait Esther que distraitement. Elle l'avait aidée à défaire son sac à dos puis avait jeté tous les vêtements du camp scout dans la machine à laver, d'un air dégoûté. Le retour de sa fille lui faisait plaisir mais signifiait la fin de sa tranquillité. A la rigueur, on pouvait voir « oncle » Robert de temps en temps, mais il y avait des limites.

La petite fille s'était émerveillée devant les transformations de l'appartement, le salon fraîchement repeint en jaune et sa nouvelle chambre, entièrement tendue de soie rose. Pauline s'était servie du prétexte des travaux pour rester à Paris mais elle fut sincèrement contente de la joie d'Esther. Ensuite, bien entendu, il fallut fixer une date pour le départ à Fonteyne. Esther mourait d'envie de retrouver son père et ses cousins puisque, par chance, ils étaient revenus habiter le château.

Pauline téléphona à Robert qui les invita à dîner le soir même dans un grand restaurant. Il n'appréciait pas beaucoup la compagnie d'Esther qui le gênait, le culpabilisait. Avec cet instinct infaillible des enfants, elle le regardait souvent d'un air boudeur et se tenait mal en sa présence. Leur soirée ne fut donc pas très réussie. Ils convinrent de se retrouver le surlendemain, Robert acceptant de les conduire à Fonteyne et d'y passer le week-end. Lorsqu'il les déposa ensuite devant leur immeuble, il était d'humeur morose. Il regagna son studio, triste et agacé par cette situation sans issue. Il en était responsable, il le savait. Il subissait le malaise d'un mélange complexe de remords et de regrets, sans parvenir à envisager une solution possible. Même en admettant, comme il avait cru le sentir ces derniers temps, que Pauline se soit un peu détachée de Louis-Marie, elle n'était sans doute pas prête à affronter un divorce. Pour Esther, de toute façon, le couple que pourraient former sa mère et son oncle resterait inacceptable. A moins que la petite fille ne choisisse alors de vivre avec son père.

L'obstination de Louis-Marie à ne pas

quitter Fonteyne inquiétait Robert. Si jamais son frère décidait de s'y fixer, Pauline serait peut-être plus disposée à le quitter. Mais alors Fonteyne leur serait interdit à jamais.

Robert passa un long moment sur le balcon de son studio. Pauline y avait installé, quinze jours plus tôt, des chaises et un guéridon de fonte laquée. Ils y avaient bu du champagne glacé, dans la chaleur des nuits du mois d'août, contemplant les lumières de Paris à leurs pieds. Pauline prétendait adorer cet endroit. Le studio était immense, luxueux avec son sol de marbre et ses murs de velours, mais Robert ne l'avait jamais apprécié avant d'y emmener la femme de sa vie. A présent il s'y plaisait, se demandant si elle aimerait vivre là, l'imaginant installée pour de bon avec lui.

Il se décida à rentrer et jeta un coup d'œil morne à son courrier. Une lettre de Frédérique retint son attention. Trop fière pour remercier de quoi que ce soit, la jeune femme exprimait néanmoins sa satisfaction d'avoir trouvé un appartement proche de Lariboisière. Elle avait pris contact avec maître Varin, comme convenu, pour en faire l'acquisition. Son travail lui plaisait et elle avait déniché une excellente nourrice pour Julien.

Robert examina longuement la feuille à l'écriture élégante. Julien. Qui était vraiment ce bébé ? Il avait beaucoup de mal à imaginer qu'il puisse s'agir de son frère. Frédérique avait été formelle, elle n'accepterait jamais que Juillet fasse une recherche de paternité. Ce qui arrangeait tout le monde, au fond. Un cinquième fils d'Aurélien aurait-il des droits sur Fonteyne ?

Il replia la lettre avec soin, la mit dans une autre enveloppe qu'il adressa à Juillet. C'était lui le plus concerné, il avait le droit de savoir. Une partie cachée de la vie de leur famille était écrite là. Juillet saurait enfermer ce papier en lieu sûr, avec tous les autres mystères de Fonteyne.

Robert se souvint de ce jour où, juste après le décès de leur père, Juillet avait été trouver un certain commandant Delgas, officier de gendarmerie en retraite. Il était revenu de l'entretien complètement bouleversé. Il avait dit à Robert qu'ils avaient une chance d'être vraiment frères. Par la suite, il avait livré quelques bribes de cette vérité tue pendant trente ans. Il était le fils d'une Hongroise de passage, venue pour les vendanges. Une belle garce qui avait collectionné les hommes au point de ne plus savoir à qui elle devait ce bébé qu'elle avait ramené avec elle l'année suivante. Aurélien avait été de ses amants, entre autres. Puis elle était morte dans des circonstances étranges. Une fois l'affaire classée – étouffée ? – Aurélien avait adopté légalement le petit. Et voilà qu'avec cette Frédérique, l'histoire se répétait, d'une certaine manière.

Juillet n'avait pas manifesté l'envie de chercher la trace de sa famille maternelle, en Hongrie. Il n'avait pas été au cimetière de Bordeaux où cette femme – sa mère – avait été discrètement enterrée. Il s'en était tenu à la version du commandant Delgas qui lui laissait une chance d'être le fils d'Aurélien Laverzac. C'était la seule chose qui comptait pour lui, Robert l'avait compris.

Pour la millième fois de sa vie, Robert s'interrogea sur la passion jalouse et orageuse qui avait uni leur père à Juillet. Leur trait d'union était Fonteyne, aimé jusqu'au vertige.

« Et Alex qui croit pouvoir se mettre impunément en travers de tout ça, le pauvre ! »

Robert ne ressentait qu'un vague mépris pour Alexandre. Juillet lui avait expliqué en quelques mots, au téléphone, les raisons du retour de Dominique et des jumeaux. Peut-être fallait-il envisager, avant qu'il soit trop tard, une cure de désintoxication avec placement volontaire de la famille. En tant que médecin et que frère, Robert pouvait le décider.

« J'irai le voir à Mazion pour me rendre compte de son état... »

Robert alla se servir un gin et retourna le déguster sur le balcon. Il aimait sa famille. Il aimait Fonteyne, ses souvenirs d'enfance. Par-dessus tout, il aimait Juillet. Mais il était prêt à tout sacrifier pour Pauline parce que, sans elle, il n'était rien. Il avait fait l'impossible afin qu'elle soit bien avec lui, durant ce merveil-leux été qui s'achevait et où ils avaient enfin pu se voir seuls. A présent que la parenthèse était refermée, elle allait devoir choisir. L'idée de la voir dans les bras de Louis-Marie, dès le surlendemain, était insupportable à Robert. Cependant il n'avait aucun moyen d'y échap-per.

*_**

Alexandre avait fini par téléphoner à Fon-teyne. Il était tombé sur Laurène à qui, d'une voix plaintive, il avait demandé Dominique. Mais celle-ci n'avait aucune envie de parler à son mari et elle refusa d'aller répondre. Deux heures plus tard, il renouvelait son appel. Cette fois, ce fut Juillet qui décrocha et le pria d'un ton glacial de cesser d'importuner sa femme.

Les jumeaux avaient réintégré avec bonheur

leur école de Margaux. Ils se sentaient en sécurité auprès de leur mère, de leur tante et de leurs oncles. Ils connaissaient bien le château, même si la Grangette avait été plus particulièrement leur maison. Rassurés de ne plus avoir à affronter leur grand-père Aurélien au détour des couloirs, ils furetaient partout, au grand émoi de Clotilde qu'ils adoraient faire sursauter.

Fernande préparait activement l'arrivée de Pauline, d'Esther et de Robert. Louis-Marie paraissait tendu à l'idée de retrouver sa femme après cette longue séparation. Son manuscrit était terminé et il le relisait, le corrigeait sans cesse.

Juillet, que l'approche des vendanges rendait toujours anxieux, restait avec Lucas dans les vignes ou dans les caves. Il avait réduit au strict nécessaire un emploi du temps surchargé. Il envoyait Louis-Marie à Bordeaux à sa place, le plus souvent, le chargeant même de missions délicates auprès des négociants. Maître Varin se déplaçait jusqu'à Fonteyne une fois par semaine pour s'entretenir avec Juillet de l'évolution du procès, des déplacements de capitaux nécessaires à l'installation de Frédérique, des prévisions financières de l'exploitation.

Laurène accomplissait, pour sa part, un

énorme travail de comptabilité. Elle avait accumulé du retard et ne se le pardonnait pas, même si Louis-Marie avait paré au plus urgent. Elle s'acharna sur le clavier de l'ordinateur des heures durant pour se mettre à jour. Dominique avait repris en main la maison, comme s'il s'agissait de la chose la plus naturelle du monde. Sans consulter personne, elle avait retrouvé sa place et ses responsabilités, soulageant sa sœur d'un grand poids et redonnant vie à Fonteyne comme par le passé.

Robert et Pauline, arrivés le samedi pour déjeuner, furent conscients du changement qui s'était opéré en leur absence.

– Les Parisiens ! s'écria Dominique en reconnaissant le coupé de Robert.

Esther escalada les marches du perron et sauta au cou de son père. Il embrassa sa fille avec effusion, attendant que Pauline vienne vers lui. Elle était ravissante, habillée d'une petite jupe en jean et d'un chemisier de soie bleu pâle.

– Laisse-m'en un peu ! dit-elle à Esther en souriant.

Elle prit son mari par le cou, se haussa sur la pointe des pieds et le gratifia d'un véritable baiser de cinéma en se collant contre lui. Juillet fut amusé, sans être étonné, des démonstrations excessives de Pauline. Cependant le regard de Robert en disait long, annonçant un inévitable drame. Juillet n'eut besoin d'aucune explication pour deviner ce qui s'était passé à Paris depuis deux mois. Contrarié, il cessa aussitôt de les observer et demanda à Dominique de faire servir l'apéritif.

Ils eurent tout de suite l'impression de se retrouver comme au bon vieux temps, même si Aurélien manquait, même sans Alexandre. Les jumeaux et Esther se poursuivaient sur la terrasse, Pauline et Laurène s'étaient lancées dans une de leurs éternelles discussions sur les massifs de fleurs, Robert écoutait Juillet et Louis-Marie lui raconter les derniers événements, Dominique s'affairait avec Fernande. La perspective des vendanges était proche, excitante. Fonteyne vivait de nouveau.

*_**

Marie jeta un regard furieux vers Antoine. Encouragé par Alexandre, il avait bu trois verres coup sur coup. Leur gendre s'accusait sans relâche du départ de sa femme mais il trouvait scandaleux qu'elle soit allée se réfugier à Fonteyne. Il affirmait que c'était une trahison. Marie avait essayé de l'apaiser, de lui faire comprendre que Dominique avait besoin de calme, de réflexion, et surtout de la présence de sa sœur qu'elle adorait. Marie rappela que, lorsque Dominique avait épousé Alexandre puis quitté Mazion pour Fonteyne, Laurène s'était empressée de la suivre en se faisant engager comme secrétaire par Aurélien.

– Elles ne sont pas heureuses quand elles sont loin l'une de l'autre, expliquait Marie.

C'était vrai mais Alex ne voulait pas en démordre : en allant se mettre sous la protection de Juillet, sa femme l'insultait.

– Si vous ne vous étiez pas disputés, rétorqua Marie, elle serait toujours là !

De cela, elle était moins certaine, ayant senti depuis des mois le malaise de Dominique.

« Tu aurais fini par partir, de toute façon, ma grande... », pensa Marie avec tristesse.

Le dîner était excellent, comme toujours, mais Marie n'avait pas faim. Elle surveillait Antoine qui mangeait avec appétit et qui buvait trop. A quoi bon lui rappeler son infarctus, il n'en tiendrait aucun compte. Il était à deux semaines des vendanges, heureux du bel été qui venait de s'écouler et qui avait mûri la vigne au-delà de toute espérance.

Agacée par la voix plaintive d'Alex qui ressassait ses griefs, Marie débarrassa le plat de confit avant qu'ils aient pu se resservir. Elle posa le saladier sur la table d'un geste brusque. Le joyeux babillage des jumeaux lui manquait. Elle se demanda une seconde ce qu'Alex faisait à leur table et combien de temps cette situation allait durer.

– Elle ne veut pas me parler, paraît-il ! Mais est-ce qu'on lui dit seulement que j'appelle ?

Marie haussa les épaules, exaspérée cette fois.

– Si elle te manque, va la chercher ! dit-elle d'une voix ironique.

Antoine la regarda avec stupeur. Il se demanda pourquoi elle était si agressive avec leur gendre. Il avait besoin d'Alex pour ses vendanges et il ne voulait pas se mêler de ces histoires de couple. Perplexe, il regarda le verre vide d'Alexandre, puis se décida à le resservir.

– Pas trop, pas trop ! se récria Alex avec une hypocrisie consommée. Je vais à Bordeaux tout à l'heure pour voir mon avocate. Nous avons décidé de faire appel.

Incapable de se contenir davantage, Marie explosa :

– Tu as vraiment les moyens de poursuivre cette stupide procédure ? Tu n'y as pas laissé assez d'argent comme ça ?

– Nous sommes tombés sur un mauvais juge et...

– N'importe quel juge te déboutera !

– Marie, intervint Antoine, sois gentille...

– Je suis gentille ! Beaucoup trop ! Regarde-le, ton gendre ! Il ne respecte ni son père, ni sa femme, ni ses enfants !

Elle quitta la cuisine en claquant la porte et grimpa chez sa belle-mère où elle entra, à bout de souffle. La vieille Mme Billot ne montra aucune surprise devant cette arrivée intempestive.

– Je vous entendais crier d'ici, c'est navrant...

Elle fit pivoter son fauteuil d'infirme pour faire face à Marie.

– Vous devriez vous débarrasser d'Alex... Après les vendanges, je veux dire.

– Et où irait-il ?

Elle échangèrent un long regard tendre et complice.

– Même si... Même si je persuadais Juillet d'accepter le retour de son frère, Alex ne voudrait pas.

Mme Billot eut un petit sourire amusé.

– Persuader Juillet ? Comme vous y allez !

Marie s'assit au bord du lit, poussant un interminable soupir.

– Pas de découragement, ma fille ! protesta la vieille dame. Bien sûr, ce n'est pas très drôle pour vous de ne plus avoir Dominique et d'avoir gardé Alexandre en cadeau ! Mais vous saviez qu'elle partirait un jour. On ne peut pas la blâmer d'aimer Fonteyne. Ah, Fonteyne...

L'air rêveur, Mme Billot songeait à cet endroit magnifique dont allaient profiter tous ses descendants.

– Alexandre aurait besoin de voir un docteur, je crois.

Marie fronça les sourcils, intriguée. Elle trouvait Alex désagréable mais elle ne le croyait pas malade.

– Il a perdu les pédales. Il y a l'alcool, mais ce n'est pas tout. Il ne va tarder à faire une... comment dit-on ? Une dépression. Il est devenu violent. Vous le saviez, ma fille ? Vraiment violent... Or ce n'est pas dans sa nature, il faut être juste.

– En fait de médecin, répondit Marie, il va voir son avocate.

– Encore ? Quelle sottise ! Toute la magistrature bordelaise prendra la défense de Juillet ! Alexandre perdra toujours, parce que sa cause est mauvaise.

Mme Billot fit rouler son fauteuil jusqu'au lit. Elle prit la main de Marie dans les siennes.

– Ils feront barrage, poursuivit-elle, volubile. Juillet fait partie de leur monde tandis qu'Alex, on sait à peine qui c'est ! Le tandem Aurélien-Juillet était connu comme le loup blanc. Son père l'a présenté partout comme son successeur unique et les gens s'y sont habitués. Ils veulent avoir affaire à lui. C'est un véritable patron, c'est quelqu'un de fiable. Dans une région comme la nôtre, c'est une valeur sûre et nous en avons besoin.

– Mais sur un plan juridique...

– Il n'existe pas, votre plan juridique ! On ne lutte pas contre les mentalités. Est-ce que vous imaginez un seul instant le mauvais exemple que ce serait si les juges acceptaient les prétentions d'Alexandre ? N'importe qui se croirait autorisé à attaquer n'importe quoi, les héritiers ne seraient jamais d'accord, on retournerait au morcellement des propriétés ? Oh non, ils sont bien trop malins, dans une certaine société, pour créer ce genre de précédent...

Marie ne put s'empêcher de rire. L'esprit lucide et incisif de sa belle-mère l'enchantait.

– Alex va se retrouver sans le sou, conclut la vieille dame. Avec son orgueil à vif et sa femme chez l'ennemi ! Un vrai désastre... Seulement, même si ça ne vous amuse pas de consoler cet idiot, pensez à vos filles qui sont bien à l'abri, elles, c'est le principal !

Marie hocha la tête. Elle revoyait Laurène en robe de mariée et Juillet se penchant pour l'embrasser dans l'église de Margaux.

– Que voulez-vous, tout se paie, conclut Mme Billot avec un nouveau sourire.

***

Louis-Marie s'éloigna de la fenêtre. Esther et les jumeaux traversaient la pelouse derrière Juillet. Ils avaient obtenu la promesse d'un petit tour sur le dos de Bingo, Juillet ayant accepté, exceptionnellement, de consacrer une heure aux enfants.

Louis-Marie se tourna vers Pauline qui défaisait sa valise. Elle poussa les vêtements de son mari, dans la haute armoire, en lui disant qu'il avait pris des habitudes de célibataire.

– Tu restes jusqu'aux vendanges ? demanda-t-il avec une fausse désinvolture.

Pauline suspendit l'un de ses tailleurs avant de répondre.

– Qu'est-ce que c'est que cette question ? Comment ça, moi ? Nous restons jusqu'aux vendanges, si tu veux, et puis nous rentrons chez nous, non ?

Il paraissait absorbé dans la contemplation du tapis.

– Eh bien..., dit-il au bout d'un moment, ça dépend.

– De quoi ?

– De toi, de moi.

Elle n'avait pas imaginé attaquer une discussion avec lui de cette manière. Elle savait bien qu'ils allaient avoir une explication, mais pas si vite, et surtout pas sur ce ton neutre. Elle avait retourné la question sous tous les angles sans jamais parvenir à formuler une réponse cohérente. Elle n'était pas certaine de vouloir se fâcher avec Louis-Marie. Elle l'observait, de l'autre bout de la chambre, sans indulgence. Oui, il avait l'air vieux et fatigué. Robert paraissait tellement plus jeune ! Pas seulement parce qu'il l'était, mais par une allure différente. Ce séducteur adoré de toutes les femmes de son service, infirmières ou internes, mais qui gardait devant Pauline une attitude de petit garçon amoureux, avait de quoi la flatter.

« Je n'en épouserai jamais une autre que toi », lui avait affirmé Robert dix ans plus tôt et, contrairement à toute attente, il avait tenu parole. Une passion aussi tenace ne pouvait pas laisser une femme indifférente. Et puis Robert n'avait pas ce côté paternaliste et calme de Louis-Marie ; or Pauline, après l'avoir apprécié, n'en ressentait plus le besoin, arrivée à la trentaine. Enfin elle devinait chez Louis-Marie, depuis toujours, une envie de se retirer de la vie parisienne qui la faisait frémir.

Pauline était coquette, futile, mais très têtue. Elle aimait les restaurants, le théâtre, les boutiques, les cocktails. Alors que Louis-Marie semblait se lasser peu à peu des mondanités. Insensiblement, leurs goûts s'étaient mis à diverger.

– Tu t'interroges, ma chérie ?

Pauline sursauta. Elle eut l'impression détestable que Louis-Marie avait deviné ses pensées.

– Je suis un journaliste médiocre et un auteur dramatique raté jusqu'ici..., poursuivit-il. Robert est un brillant chirurgien, très à la mode, invité partout. Il n'aime ni la province ni les enfants. Comme toi...

Pauline avait pâli, tant l'accusation était directe.

– Qu'est-ce que Bob...

Mais elle n'acheva pas sa phrase, désemparée. Louis-Marie la regardait avec une agaçante bienveillance.

– Tu t'imagines des choses..., dit-elle sans conviction.

– Oui, mais c'est une torture !

Il avait élevé la voix, il se reprit aussitôt.

– Te savoir avec lui, c'est très douloureux,

murmura-t-il. Et lui ? Que ressent-il dans sa chambre, en ce moment ? A ton avis ? Il va falloir que tu arrêtes de faire souffrir les gens autour de toi, ma chérie.

– Ecoute-moi ! Tu te trompes...

– C'est toi qui me trompes, Pauline ! Seulement ce sont des mots... Tu ne m'appartiens pas, tu ne me dois rien.

Il était au supplice mais elle ne s'en apercevait pas, furieuse du ton docte qu'il employait. Ignorant qu'il prêchait le faux, elle concéda :

– Il nous est arrivé de nous voir, c'est vrai, mais ce n'est pas ce que tu crois.

Ne trouvant rien à ajouter, elle prit l'air boudeur. Il se détourna, regardant de nouveau au-dehors.

– Je vais rester ici, je pense, annonça-t-il. Définitivement.

Pauline fut aussitôt gagnée par la panique. Elle n'avait pas prévu que le choix lui serait imposé avec une telle brutalité. Elle s'approcha de son mari et se blottit contre lui avec toute la sensualité dont elle était capable.

– Ne me tente pas, chuchota-t-il d'une voix altérée.

Il se répétait la phrase de Pauline : « Il nous est arrivé de nous voir. » Elle le reconnaissait. Se voir comment ? Les yeux dans les yeux, les rires, Pauline se déshabillant. Les mains expertes de Robert. Louis-Marie avait toujours admiré les mains de son frère. Des doigts faits pour la chirurgie : délicatesse et précision.

Il eut envie de la frapper, d'exiger qu'elle lui dise pourquoi elle l'avait épousé, lui. Il se contenta de lui caresser les cheveux comme il l'aurait fait pour un petit animal sauvage. Pauline était une femme-enfant, il ne s'était jamais leurré.

Lovée contre lui, elle le provoquait en se servant de sa meilleure arme, la séduction. Il pensa qu'elle était encore sa femme, après tout, et que ce n'était pas à lui d'avoir des scrupules.

*_**

Dominique et Fernande s'étaient surpassées. Un agneau de Pauillac venait de succéder aux rouelles de bar. L'ambiance du dîner était gaie, même si Robert et Louis-Marie évitaient de s'adresser la parole. Laurène avait définitivement surmonté son difficile début de grossesse et elle affichait un air épanoui qui la rendait vraiment jolie. Elle dévorait, sous l'œil attendri de Dominique et malgré les mises en garde ironiques de Pauline.

Autorisés à dîner avec les adultes, pour une

fois, les trois enfants étaient sages et silencieux, au bout de la table. Les jumeaux, amoureux de leur cousine, la regardaient bouche bée. Elle affichait des manières de grande fille, en mangeant, et ils essayaient de l'imiter.

Robert ignorait Pauline, à sa gauche, et ne parlait qu'à Dominique.

– Tu devrais raisonner Fernande, toi qui es médecin, lui suggéra-t-elle. Elle tousse du matin au soir.

– C'est vrai, confirma Laurène, mais tu la connais, elle traite toujours les grippes par le mépris.

Robert promit de lui parler. Il sentait la jambe de Pauline contre la sienne mais il ne voulait pas lui accorder un regard et il demeurait impassible. Elle était restée enfermée avec Louis-Marie tout l'après-midi et Robert ne décolérait pas.

– Je pars demain après-midi, dit-il à Juillet, toutefois c'est promis, je reviens pour le week-end des vendanges.

Esther jeta un coup d'œil haineux vers son oncle. Décidément, elle ne l'aimait pas. En revanche, l'idée des vendanges la ravissait. Elle n'y comprenait rien mais elle était sûre, comme chaque année, de rater quelques jours d'école.

– C'est encore toi qui nous ramènes à Paris ? On s'en va déjà ? demanda-t-elle à Robert avec une insolence délibérée.

Pauline foudroya sa fille du regard mais Juillet intervint le premier, s'adressant aux enfants.

– Je croyais que vous aviez promis d'être sages ?

– Je suis sage, protesta Esther, je pose une question !

– On ne parle pas à table, à votre âge, répliqua Juillet calmement.

Baissant les yeux sur son assiette, Esther lança :

– Tu retardes, mon vieux !

Juillet jeta un rapide coup d'œil vers Louis-Marie qui se leva. Un silence lourd s'était abattu sur la table. Esther vit avec inquiétude son père approcher.

– Excuse-moi, dit-elle à Juillet d'une petite voix.

Louis-Marie la prit par la main, gentiment.

– Viens...

Ils quittèrent la salle à manger côte à côte. Dominique fut la première à réagir.

– C'était une erreur de les faire manger avec nous, déclara-t-elle en souriant. Ils s'ennuient et ils nous ennuient. Ils préfèrent chahuter avec Fernande ! N'est-ce pas ?

Les jumeaux hochèrent la tête sans prononcer un mot. Dominique se leva et fit signe à ses fils qui la suivirent jusqu'à la cuisine. Louis-Marie était installé sur l'un des longs bancs, Esther dans ses bras et une assiette de mousse au chocolat devant eux.

– On en veut ! crièrent les jumeaux que Fernande servit en riant.

Louis-Marie sourit à Dominique. Il embrassa Esther et quitta le banc. En traversant le hall, il dit à sa belle-sœur, d'un ton triste :

– Pauline lui laisse faire tout ce qu'elle veut...

– La salle à manger les assomme et nos dîners sont trop longs, le rassura Dominique. Pour les miens aussi !

Ils reprirent leurs places à table, comme si de rien n'était. L'incident était clos, les enfants ne pouvant pas faire la loi à Fonteyne, d'un avis unanime. Cependant Pauline murmura à l'adresse de Louis-Marie :

– Tu es quand même très vieux jeu...

Elle accompagna sa remarque d'un soupir agacé. Elle aurait trouvé normal, Aurélien n'étant plus là, que l'atmosphère des repas soit moins protocolaire. Elle se tourna vers Juillet qui parlait des journaliers engagés pour les vendanges.

– Il n'y a plus aucun travailleur étranger,

expliquait-il à Robert. D'ailleurs j'ai mécanisé un certain nombre de tâches et j'ai moins besoin de main-d'œuvre qu'avant. J'engage des étudiants, la plupart du temps.

– Pas des chômeurs ?

– Non, c'est très curieux, ils ne sont pas demandeurs. A croire que le travail est trop fatigant !

– Il l'est, affirma Robert en riant. J'en ai gardé un souvenir épuisant.

– Tu prétextais la rentrée universitaire pour te défiler, je m'en souviens !

A l'évocation de ces souvenirs de jeunesse, ils échangèrent un regard très fraternel, très chaleureux. Puis Robert se demanda si le prix à payer, pour garder Pauline, serait de ne plus jamais pouvoir s'asseoir à cette table, chez lui, pour s'y amuser avec ses frères. A cet instant le téléphone sonna dans le petit salon, et Juillet leva les yeux au ciel. Il se tourna vers Dominique qui faisait comme si elle n'entendait rien. Juillet repoussa sa chaise et quitta la salle à manger à grandes enjambées. Ils entendirent sa voix furieuse mais il revint presque aussitôt.

– C'était Alex, je l'ai envoyé au diable, dit-il à Dominique.

Il se rassit et reprit la conversation où il l'avait laissée.

*
* *

— Ta femme tousse, dis-lui d'aller voir un toubib !

Juillet parlait sans se retourner, Lucas sur ses talons. Ils suivaient les rangées de ceps, attentifs à tout.

— Quarante-cinq hectos, répondit Lucas.

Juillet s'arrêta net. Il fit volte-face.

— Oui, dit-il, quarante-cinq à l'hectare et sûrement une année d'exception. Mais je te parlais de Fernande. Ne prends pas ça à la légère.

La réflexion arracha un sourire à Lucas, malgré lui. Que Juillet puisse parler d'autre chose que de sa vigne, en ce moment, prouvait son réel attachement à Fernande.

— Elle n'a qu'à en toucher un mot à Auber lorsqu'il vient voir Laurène. Comme ça elle n'aura pas à se déplacer et moi, je serai plus tranquille...

Juillet reprit son minutieux examen des grappes.

— Toi aussi, tu devrais te surveiller, déclara Lucas dans son dos. Tu en fais beaucoup trop...

Il détaillait la silhouette de Juillet, juste devant lui, le trouvant amaigri, flottant dans sa chemise et son jean.

– Quand tu pourras respirer financièrement, engage quelqu'un. Tu veux tenir tous
les rôles à la fois, propriétaire, gérant, régis-
seur, chef de culture... Tiens, si je te laissais
faire, tu mordrais même sur mon territoire !

Il entendit le rire bref et léger de Juillet.

– Tu ne peux pas t'empêcher de te mêler de
tout, soupira Lucas.

Juillet aurait sans doute aimé s'occuper de
la vinification, de la mise en bouteilles ou
même des expéditions si Lucas n'avait pas
veillé à conserver ses prérogatives de maître
de chai. L'organisation de Fonteyne était
vraiment particulière en raison de cette omni-
présence de Juillet, que pas un seul aspect de
l'exploitation ne laissait indifférent. Aurélien
lui en avait donné l'exemple, mais la capacité
de travail de Juillet était largement supérieure.

– Alex et ton père, ça fait quand même un
sacré trou, je te l'ai déjà dit !

Juillet effleurait des grains, tout en marchant.

– Tu ne m'écoutes pas, constata Lucas avec
résignation.

– Je voudrais qu'ils soient déjà dans les
cuves de fermentation, dit soudain Juillet. Je
voudrais que...

– Tu voudrais déjà le boire ! coupa Lucas en
haussant les épaules.

Ils étaient arrivés au bout de la vigne et Juillet s'arrêta pour allumer une Gitane.

– Tu diras à ton petit protégé, Bernard, que s'il veut bien arrêter de regarder ma femme avec ces yeux de merlan frit, je lui ai préparé un contrat d'engagement définitif. On a vraiment besoin d'un jardinier.

– Je trouve aussi, approuva Lucas.

Il regardait autour de lui, parfaitement heureux d'être là, en compagnie de son jeune patron.

– C'est beau, dit-il en levant le bras.

Il désignait les vignes et Fonteyne dont les toits d'ardoise brillaient, au loin. Juillet prit une profonde inspiration. Il n'avait rien à ajouter, approuvant sans réserve les mots simples de Lucas. Une voiture, sur la route en contrebas, montait vers le château. Juillet mit sa main en visière pour la suivre des yeux.

– Merde, marmonna-t-il, voilà Antoine...

***

Juillet entra dans la bibliothèque où Laurène avait installé son père. Dominique était là, elle aussi, le visage crispé.

– C'est toujours un plaisir de vous voir, Antoine, déclara Juillet sans le moindre humour.

Il en voulait à son beau-père d'avoir boudé son mariage mais il parvint à garder l'air détendu.

– Tu devines pourquoi je suis venu jusqu'ici ?

Le tact n'avait jamais été une qualité d'Antoine. Juillet se tourna vers Laurène et lui demanda de faire servir du vin blanc.

– Je ne veux pas boire, je veux parler, s'entêta Antoine.

– L'un n'empêche pas l'autre ! riposta Juillet en souriant.

Il ne s'était pas assis et Antoine était obligé de lever la tête pour le regarder. Il préféra se tourner vers sa fille pour la questionner.

– Pourquoi refuses-tu de parler à ton mari, au téléphone ? Il en est malade, le pauvre !

Il y eut un silence. Juillet observait Dominique, attendant sa réponse.

– Je veux la paix, dit-elle enfin. Je n'ai rien à lui dire.

– Il n'est pas méchant, commença Antoine.

– Il a été odieux !

Laurène revenait, portant elle-même le plateau de l'apéritif. Elle avait choisi du vin provenant de chez son père, par délicatesse. Elle le servit et distribua les verres dans une atmosphère très tendue, presque hostile.

– Je ferais peut-être mieux de parler en tête à tête avec Dominique, suggéra Antoine.

– Rien ne s'y oppose, répondit froidement Juillet. Mais je suis concerné.

– Trop ! Tout ce qui touche à Alex te fait sortir de tes gonds.

– Il m'intente un procès, il a cru bon de faire des révélations très désagréables à Laurène et elle a eu du mal à s'en remettre, il est alcoolique, vous le savez très bien, et il est venu faire du scandale ici le jour de notre mariage. Pour finir, il s'est permis de frapper sa femme. Ce n'est pas un geste qu'on peut pardonner. En tout cas, pas moi !

– Oh, toi, tu es tellement...

Antoine chercha un mot, renonça. Il s'était toujours senti mal à l'aise à Fonteyne. C'était trop grand pour lui, trop froid, trop austère. Ce n'était pas son monde, même si c'était devenu celui de ses filles.

– Je ne sais pas ce que je suis selon vous, mais une chose est sûre, Alex est un minable !

Souffle coupé, Antoine dévisageait Juillet. Il avait eu l'impression de se trouver devant Aurélien, l'espace d'un instant. Même morgue, même autorité. L'illusion se dissipa tout de suite, Juillet étant un homme jeune, mince, dont les boucles brunes et le teint mat n'évoquaient nullement son père adoptif.

– Ne te mets pas en colère, dit Antoine. Ne te mets pas toujours en colère !

Juillet prit une gorgée de vin blanc, la savoura, reposa son verre.

– Vous êtes le bienvenu ici, comme tous les Billot. Mais n'espérez pas arranger une situation qui nous dépasse tous. Dominique décidera comme elle l'entend, au sujet de son mari. Elle est chez elle à Fonteyne. Vous pensez sûrement qu'Alex aussi est chez lui. C'est vrai. Toutefois il vaut mieux qu'il n'y mette pas les pieds pour l'instant et il le sait très bien. Après tout, la justice est là pour nous départager.

– Vous départager ? Mais enfin, Juillet ! Même si Alex a tort, en ce qui concerne le testament de votre père, il reste propriétaire d'un quart du domaine !

Juillet haussa les épaules, comme si Antoine venait de proférer une énormité.

– Vous pensez que je vais couper le château en quatre ? Et les terres ? Et pourquoi pas les bouteilles ? Fonteyne est indivisible, il s'agit d'une seule propriété.

– Sur laquelle tes trois frères ont les mêmes droits que toi ! hurla Antoine.

Il ne se contrôlait plus, mis hors de lui par l'arrogance de Juillet.

– Je ne conteste les droits de personne,

répondit Juillet d'un ton neutre. Alexandre avait sa place ici, c'est lui qui a choisi de la quitter. Et en fanfare ! Depuis qu'il est chez vous, il multiplie les conneries. Même sa jalousie est mesquine, étriquée. Il tire des petits pétards mouillés, de chez beau-papa, sur sa propre famille ! Bon Dieu, Antoine, est-ce que vous vous rendez compte qu'il est tombé assez bas pour taper sur Dominique ? C'est votre fille et vous tolérez ça sous votre toit ?

Ebranlé, Antoine chercha machinalement l'appui de ses filles. Mais Dominique et Laurène se taisaient, leur silence approuvant Juillet.

– Qu'est-ce que je peux faire ? finit par demander Antoine d'une voix plaintive.

– L'empêcher de boire. Et quand il sera à jeun, envoyez-le-moi. Qu'il ose venir me dire en face ce qu'il veut. Si c'est diriger Fonteyne, il n'en est pas question, que ce soit bien clair. Pour le reste, on verra...

Antoine comprit que jamais Alexandre ne pourrait affronter son frère. Même lui, en ce moment précis et malgré son âge, redoutait la colère de Juillet. Il se tourna vers Dominique.

– En tout cas, toi, téléphone-lui. Vous êtes mariés, quand même !

Dominique gardait la tête baissée, l'air

buté. Antoine se sentit dépossédé à l'idée que ses filles se soient docilement rangées dans le camp de Juillet. Pourquoi ce bâtard décidait-il de tout ? Partageant le ressentiment d'Alex, il fit une dernière tentative.

– Il faudra bien que tu t'expliques avec ton mari un jour ou l'autre, ma fille ! C'est à toi de le reprendre en main. Mais si tu l'aimes encore, ne le laisse pas évincer par celui-là...

Juillet avait pâli sous l'insulte.

– Antoine, dit-il lentement, vous devriez rentrer chez vous.

– Tu me mets dehors aussi ?

Antoine s'était levé. Laurène regardait son père, consternée. A cause d'elle, Juillet se contrôla.

– Non, répondit-il. Je ne me permettrais jamais. Excusez-moi, j'ai du travail.

Il quitta la bibliothèque en faisant l'effort de ne pas claquer la porte.

***

Pauline pleurait et ce n'était pas des larmes de théâtre, pour une fois. Louis-Marie semblait détaché d'elle, hors de portée. Il n'avait pas résisté à ses avances, il lui avait encore fait l'amour, mais avec une certaine maladresse qui ne lui ressemblait pas. C'était comme si, sachant qu'elle avait renoué avec Robert, il n'éprouvait plus le même plaisir à la toucher.

Pauline avait adoré Louis-Marie, quelques années plus tôt. Elle l'avait admiré, s'était mise sous sa protection, avait joué longtemps à la femme-enfant. Elle avait appris beaucoup de choses avec lui mais elle ne s'était jamais donné la peine de l'observer, de le connaître. Trop égoïste pour s'intéresser aux autres, elle avait vécu à côté de lui comme elle vivait à côté d'Esther, sans aucune curiosité.

Elle était scandalisée, terrorisée par l'idée de ce renoncement qu'il annonçait posément. Il abandonnait son ancienne vie sans regret, elle le sentait. Il était lassé de Paris, des exigences de Pauline, des soirées mondaines, de la méchanceté de ses confrères, de l'hypocrisie et des sermons de son banquier. Il avait perdu ses repères au fil du temps. Il n'avait plus ni but ni ambition, il l'avouait sans honte.

– Il faut que je me retrouve, disait-il à Pauline. J'y parviendrai en restant ici, chez moi.

Elle essaya de le persuader qu'il était chez lui dans cet appartement qu'il n'avait jamais aimé, qu'elle avait décoré et redécoré à son goût. Il avait depuis trop longtemps la sensation de vivre dans une boîte de dragées. Il appréciait les boiseries sobres de Fonteyne, une certaine élégance austère, les grandes cheminées et la bibliothèque de son père. Par-dessus tout, il souhaitait la présence de Juillet comme un exemple, un remède, une réponse à ses questions de l'âge mûr. La vie pleinement réussie du cadet le fascinait, lui donnait une irrésistible envie de stabilité.

Pauline secouait la tête, incrédule, lui disant qu'il était fou. Elle se reprochait de l'avoir laissé à Fonteyne seul, et qu'il ait pris goût à cette solitude. Elle argumenta en affirmant que c'était elle, Pauline, ainsi qu'Esther, la famille de Louis-Marie. Mais il n'était pas convaincu, il souriait tristement et répondait que sa famille était à Fonteyne.

Il ne voulait pas la culpabiliser en lui expliquant qu'il l'avait espérée tout l'été. Ni en lui décrivant ses insomnies, sa jalousie de chaque minute, son chagrin infini. A une certaine époque, Pauline ne pouvait pas se passer de lui, il s'en souvenait très bien, trop bien. Elle l'accompagnait partout, se pendait à son bras. Elle avait toujours envie de faire l'amour avec lui, commençant de se déshabiller dans leur entrée, la porte à peine refermée. Aujourd'hui elle était capable de l'ignorer durant deux mois, téléphonant de loin en loin pour lui parler de la peinture du salon. Et Louis-Marie avait trop d'orgueil pour accepter la déchéance du couple qu'ils avaient formé.

D'Aurélien, Louis-Marie tenait une solide éducation qui impliquait un minimum de fierté. Un homme de la famille ne pouvait ni quémander ni implorer, encore moins se laisser ridiculiser. Si Pauline était trop inconséquente pour comprendre qu'il lui fallait choisir une bonne fois entre son mari et son amant, Louis-Marie devait le faire pour elle.

Il avait ruminé l'échec de sa vie durant des heures. Aurait-il dû veiller sur elle à chaque instant ? Parler franchement à Robert aurait-il servi à quelque chose ? Il avait laissé la situation évoluer sans lui parce qu'il était fatigué, parce qu'il avait vieilli, parce que sa femme était trop jeune et trop futile pour lui. La garder était une lutte de tous les instants, épuisante et vaine. Il ne voulait plus rivaliser avec Robert.

Pauline pleurait toujours et il ne tentait rien pour la consoler. Même sans apitoiement excessif, il était plus à plaindre qu'elle.

— Je ne veux pas te quitter, répétait-elle avec obstination.

Elle sanglotait d'exaspération, sans réel chagrin. Elle avait peur, soudain, de ce qui l'attendait. Robert ne serait ni paternel, ni libéral, ni complaisant avec elle comme Louis-

Marie avait su l'être. La passion de Robert était tranchante comme une lame et ne supporterait aucune concession après avoir été brimée si longtemps. Pauline pensa avec horreur à tout ce qui l'attendait, un déménagement, un changement d'école pour Esther qu'il faudrait traîner malgré elle dans une nouvelle existence, un divorce douloureux, un remariage, des formalités administratives à perte de vue. Sans parler de la réprobation qui accompagnerait forcément ce troc d'un frère pour l'autre. Confusément, elle devina qu'en perdant Louis-Marie elle perdait son meilleur appui, son meilleur ami.

– On ne pouvait pas continuer comme ça, Pauline, lui dit-il d'une voix apaisante.

Il n'avait pas voulu voir la vérité pendant trop longtemps. Il s'était cru à l'abri, au début, puisqu'elle l'avait choisi, lui. Elle trouvait Robert trop « léger » à cette époque-là. Pourquoi avait-elle tout fait pour le reconquérir ? Par un insatiable désir de plaire ? Parce que Robert avait mûri sans vieillir encore ?

Il avait envie de poser des questions crues mais il ne le fit pas, étouffant sa propre jalousie. Au début de leur mariage, Pauline avait admis en riant que Robert était un amant merveilleux. Louis-Marie n'avait pas voulu savoir ce que ce mot signifiait, même s'il se l'était répété en secret jusqu'à la torture. Aujourd'hui il y repensait, amer et désabusé.

– Tu veux garder Esther avec toi ? demanda Pauline d'une toute petite voix.

Il ressentit un choc, comme si elle l'avait insulté. Il avait beau connaître le peu d'instinct maternel de Pauline, il trouvait la phrase indécente. Il adorait sa fille, il était capable de s'en occuper, mais ce n'était pas à lui de choisir. Il songea qu'Esther serait sans doute malheureuse avec Robert et son cœur se serra. Ensuite il fut accablé par une autre idée, menaçante et inéluctable : Pauline et Robert pourraient très bien décider d'avoir un enfant à eux. Imaginer Pauline enceinte, telle qu'il s'en souvenait, adorable et gamine, lui fut aussitôt intolérable. Il se leva tout de suite, enfila en hâte sa robe de chambre et quitta la chambre.

₊

Alexandre fit signe au serveur.

– C'est ma tournée, dit-il à Marc.

Ils étaient installés dans l'arrière-salle de leur bistrot habituel. Alex se pencha au-dessus de la table et agita son doigt sous le nez de Marc.

– Mon beau-père, Antoine, eh bien, le

bâtard l'a accueilli comme un chien dans un jeu de quilles ! Il lui a dit des horreurs ! Tu te rends compte ? Quand même, c'est sa fille, c'est ma femme ! Antoine n'était pas obligé de supporter ça !

Marc n'écoutait que d'une oreille distraite mais il considérait Alex avec intérêt. Le moment semblait être venu. La haine d'Alex pour son frère adoptif avait pris des proportions suffisantes à présent. Il était mûr pour la vengeance, Marc en était persuadé.

– Je trouve qu'il mérite une bonne leçon, ton Juillet, dit-il enfin.

– Oh oui ! Oh, si seulement je pouvais...

– Mais tu peux !

Alex secoua la tête, maussade.

– Non, c'est un bagarreur, une vraie brute.

Marc s'en souvenait. Juillet l'avait envoyé à l'hôpital un an plus tôt.

– Je ne t'ai pas dit d'aller te battre avec lui. Il y a d'autres moyens...

Alex vida son cognac. Il ne comprenait pas où Marc voulait en venir.

– Ton frangin, il y a forcément une chose à laquelle il tient par-dessus tout, non ?

– Oui, ricana Alex, la vigne ! Avec ça...

– Justement. Avec ça.

Alex fronça les sourcils, intrigué. Aussitôt, Marc insista :

– La justice t'a donné tort ? Fais justice toi-même ! C'est quand, les vendanges ?

– Dans quelques jours.

Marc eut une dernière hésitation. Après tout, Alex appartenait à une famille de viti-culteurs. Il risquait de mal prendre la sugges-tion.

– J'ai eu une idée, je ne sais pas ce qu'elle vaut. Je n'y connais rien. Mais il me semble qu'en ce moment, tout ce raisin mûr à point doit être particulièrement vulnérable...

– Les derniers jours, c'est l'angoisse ! confirma Alex en soupirant. On redoute les orages violents, les trucs de dernière minute...

– Je ne te parle pas de la grêle ou des sauterelles ! Il y a des moyens plus techniques, plus sûrs, plus... chimiques.

Alex fit un nouveau signe de la main au serveur. Il commençait à comprendre et il était effrayé. Il avala sa salive. Juillet répugnait à utiliser les insecticides, comme tous les éle-veurs de grands crus. Il avait des théories personnelles sur l'emploi des traitements pour ses vignes, affirmant que les plateaux de graves maigres se passaient très bien de désherbant, par exemple.

– On déverse quelques bidons d'un truc bien toxique sur quelques parcelles bien choi-sies, poursuivait Marc. Imagine un peu ! La terre est très sèche, ça va ruisseler du haut en bas des coteaux ! A nous deux, on peut s'occuper d'une jolie petite surface en un rien de temps.

– Juillet surveille tout et tout le temps, rétorqua Alex d'un air contrarié.

Le projet commençait à le séduire. Le point sensible de Juillet, c'était le vignoble, évidemment.

– Il lui arrive de dormir, je suppose ? A trois heures du matin et sans approcher de la maison, on sera peinards, crois-moi !

Alex vida son verre d'un seul trait. Il n'aurait jamais trouvé tout seul une si terrible revanche.

– Et puis de deux choses l'une, poursuivait Marc. Ou il s'en aperçoit tout de suite et il meurt de rage, ou ça ne laisse pas de trace et son vin sera infect ! Dans un cas comme dans l'autre...

Marc s'était mis à rire, plein d'entrain. Alex hésitait encore. Il avait grandi dans le respect du raisin, dans la plus stricte tradition. Mais la proposition de Marc était tentante parce que, tout en poignardant Juillet, Alex s'attaquait aussi à l'image de son père qui l'avait tant ignoré, méprisé. Il pouvait régler ses comptes d'un coup et sans prendre de risques.

– Je ne sais pas ce qu'il faut utiliser comme

pesticide ou défoliant, mais tu n'es pas un débutant, toi ?

Les yeux brillants, Marc attendait la réponse d'Alex. Il y eut un long silence uniquement troublé par les allées et venues du serveur qui leur ramenait des verres pleins.

— Si tu as la trouille..., lâcha enfin Marc d'un ton dédaigneux.

On avait trop souvent fait comprendre à Alexandre qu'il était lâche. Il ne pouvait plus supporter d'être pris pour un minable.

— Je sais où trouver ce qu'il nous faut, dit-il lentement.

Dès qu'il eut prononcé cette phrase, il eut la sensation d'avoir sauté dans le vide. Pour se donner du courage, il pensa à Dominique et à ses fils que Juillet retenait à Fonteyne. A maître Samson à qui il avait donné tant d'argent en pure perte jusqu'ici. A ce jet d'eau glacial sous lequel Juillet l'avait maintenu dans la grange, le soir d'un mariage auquel il n'était pas convié et dont il avait été chassé par un petit employé prétentieux. Au château de son enfance qui lui était interdit par le bâtard de son père.

— On y va ? demanda-t-il en se levant.

₊

303

Juillet détestait les obligations mondaines mais il n'avait pas pu refuser de faire une apparition au cocktail organisé par Maurice Caze. Il était arrivé à vingt-deux heures, décidé à ne pas aller au-delà d'une demi-heure de présence. Caze l'avait accueilli à grand renfort d'exclamations et de bourrades dans le dos. Juillet connaissait presque tous les invités mais il dut subir d'inutiles présentations tant Maurice Caze était heureux d'avoir chez lui l'héritier Laverzac.

Par petits groupes, les gens parlaient des vendanges à venir ou des élections municipales qui se préparaient. La fille de Maurice, Camille, était toujours subjuguée par Juillet. Elle avait assisté à son mariage, les larmes aux yeux comme beaucoup d'autres jeunes filles, et elle était ravie de constater qu'il sortait déjà sans sa femme. Elle arracha Juillet à son père pour l'escorter jusqu'au buffet.

— Tu es si gentil d'être venu ! répétait-elle comme une litanie.

— Ton père est mon parrain, je ne l'oublie pas, répondit poliment Juillet.

Il accepta une coupe de champagne et, au moment où il allait boire, quelqu'un heurta violemment son bras.

— Oh, je suis désolée ! s'écria Valérie Samson d'une voix réjouie.

Juillet lui adressa un sourire mitigé qu'elle ignora.

— Laissez-moi vous en offrir une autre, dit-elle avec autorité. Je crois que ton père a besoin de toi, Camille...

En effet, Maurice faisait signe à sa fille, à l'autre bout du salon. Elle s'éloigna, très déçue de devoir abandonner Juillet à la seule compagnie de Valérie.

— Ils sont adorables, les Caze, et incroyablement nouveaux riches, déclara l'avocate posément.

— Leur fortune n'est pas très nouvelle, détrompez-vous.

— En tout cas, elle est voyante !

Juillet jeta un coup d'œil circulaire et murmura :

— Vous n'aimez pas cette décoration ? C'est curieux... On se croirait pourtant dans votre bureau !

Il avait un sourire moqueur mais gentil et elle s'amusa autant que lui.

— C'est le métier qui veut ça, affirma-t-elle. Ma maison est très différente mais vous n'avez pas envie de la connaître...

— Vous ne m'y avez pas invité, que je sache.

— Si, l'autre jour, pour dîner. Seulement vous avez refusé. Auriez-vous déjà oublié ?

Il fit alors quelque chose d'insolent qu'il se

permettait rarement : il l'examina des pieds à la tête avec ostentation. Immobile, elle attendit que leurs regards se croisent de nouveau pour demander :

– L'examen de passage est réussi ? Vous avez enfin des regrets pour cette soirée que vous m'avez refusée ?

Juillet chercha ses cigarettes puis se souvint qu'elle les détestait.

– Me donneriez-vous une blonde ?

– Oui, dit-elle en ouvrant son sac. Et une rousse, aussi !

Elle éclata de rire en rejetant sa superbe chevelure en arrière.

– Je dois vous changer de vos conquêtes habituelles, poursuivit-elle, je suis certaine que vous ne vous faites jamais draguer comme ça ! Mais je plaisante, bien sûr. Je suis trop vieille pour vous, jeune homme !

Il eut un geste vague de la main. Il était déconcerté, plus intrigué qu'agacé. De nouveau, il regarda autour de lui. Valérie Samson était l'une des plus belles femmes de la soirée, indiscutablement. Il se demanda si elle se comportait autrement dans l'intimité, si elle laissait tomber son masque provocateur. Comme si elle avait deviné ses pensées, elle eut soudain une expression adorable, presque timide.

– J'aperçois Camille qui tente de nous re-joindre, dit-elle très vite. J'ai quinze secondes pour vous convaincre de m'inviter à déjeuner, une seule fois pour voir... S'il vous plaît...

Au même instant, Juillet sentit la main de Camille sur son épaule. Valérie Samson venait juste de lui tourner le dos d'un mouvement brusque et s'était mise à bavarder avec deux de ses confrères qui se tenaient près du buffet. Distraitement, Juillet suivit Camille, échangea des propos anodins avec des viticulteurs amis, grignota un petit four à contrecœur. Camille ne le lâchait pas et il s'ennuyait. Au bout d'une demi-heure, comme il l'avait décidé, il prit congé de ses hôtes. Il perdit plusieurs minu-tes, dans la cour, à trouver ce qu'il cherchait. La voiture de Valérie exhibait une carte bien visible avec son nom suivi de la mention : «Avocat à la cour», qui lui permettait sans doute de stationner au palais de justice. Il s'agissait d'une Porsche noire, ce qui n'avait rien d'étonnant. Il alla chercher une carte dans sa propre voiture et écrivit simplement : «Un de ces jours, promis.» Il la glissa sous un essuie-glace sans l'avoir signée.

Il se demanda avec stupeur, tout le long de la route jusqu'à Fonteyne, pourquoi il avait agi ainsi. Il ne souhaitait pas tromper Lau-rène, il n'avait pas envie d'aventure. Même si cette femme était différente des autres, même si elle était étrangement attirante, même s'il était incapable de résister à son offre incongrue. Exactement semblable à son père sur ce point, Juillet n'avait jamais laissé passer une seule occasion de se retrouver au lit avec une belle femme. Mais il était marié, à présent, il avait des responsabilités envers Laurène et surtout le devoir de ne pas lui faire de mal. Elle s'était rendue malade avec l'enfant de Frédérique, elle souffrait de la détresse de sa sœur, elle faisait des efforts inouïs pour être à la hauteur de Fonteyne. Par-dessus tout, elle aimait Juillet à la folie, n'importe qui pouvait le voir. Or Juillet avait accepté les conséquences de cet immense amour en l'épousant. Prendre une maîtresse, si séduisante qu'elle soit et même pour un unique cinq à sept, n'était vraiment pas souhaitable.

A force de songer à Valérie Samson, il se sentait démoralisé et coupable en arrivant à Fonteyne. Il regrettait déjà l'impulsion qui lui avait fait glisser une promesse, même vague, sous l'essuie-glace de l'avocate. Il était presque parvenu à se persuader qu'il ne s'agissait que d'un défi, d'une humiliation facile à infliger à Alex en séduisant son défenseur. Il s'amusa avec cette idée en montant l'escalier. Laurène ne dormait pas, elle lisait, roulée en boule sous la couette, Botty niché dans son bras.

Le chien leva la tête, se glissa hors du lit et vint lécher la main de Juillet, sachant qu'il était en faute. Juillet lui accorda une caresse avant de lui désigner sa place, près de la cheminée. Ensuite il alla embrasser sa femme avec une fougue qui la fit rire.

– Alors, ta soirée ? Maurice est toujours aussi exubérant ? Et sa fille en pâmoison ?

Elle riait en se souvenant qu'à une époque elle avait été jalouse de la jeune fille, comme de toutes celles qui approchaient Juillet.

– Je déteste ces réunions stupides, dit Juillet en se couchant contre elle.

Il n'était pas encore déshabillé, il sentait le tabac et l'eau de toilette. Elle l'entoura de ses bras minces, se laissant embrasser tant qu'il voulait. Il finit par poser sa main sur le ventre de sa femme. Il était ému chaque fois qu'il pensait au bébé à venir. Malgré son envie impérieuse de faire l'amour, il eut un scrupule.

– Tu as envie ? chuchota-t-il. Tu veux bien ? Sinon je comprendrai, tu sais...

Laurène se serra contre lui, un peu maladroite comme toujours, mais tout à fait consentante.

.

309

Juillet regarda son réveil une nouvelle fois. Il était presque quatre heures et il n'avait vraiment plus sommeil. A quelques jours des vendanges, il ne dormait jamais beaucoup. Il décida de se lever sans attendre davantage. Il avait pris la peine d'expliquer à Laurène que, non, il ne la fuyait pas lorsqu'il quittait leur chambre sur la pointe des pieds, mais qu'il préférait arpenter ses vignes ou étudier un dossier plutôt que subir passivement une insomnie.

Il alla prendre une douche, enfila un jean, ses bottes et un pull. Il avait envie de marcher avant de se faire du café. Négligeant la cuisine, il sortit par la grande porte du hall et respira longuement, en haut des marches du perron, l'air saturé d'odeurs merveilleuses. L'automne était là et le raisin attendait la cueillette. Juillet décida de commencer sa promenade par les coteaux ouest qui avaient toujours eu sa préférence. Il établissait des parcours compliqués, à ces heures de l'aube qu'il adorait, toujours les mêmes selon un ordre précis qu'il était seul à connaître.

Il faisait frais et il allongea ses foulées pour se réchauffer. Même du vivant d'Aurélien, ses marches matinales étaient solitaires. C'était son moment de méditation, de flânerie, c'est là qu'il bâtissait ses projets à long terme pour l'exploitation en laissant son esprit vagabonder librement. Il dépassait parfois la limite de ses terres, allant rêver devant une parcelle d'un voisin qu'il convoitait.

Il obliqua vers le petit bois et la masse imprécise de Fonteyne disparut dans son dos. La nuit était encore très noire mais Juillet connaissait par cœur tous les sentiers. Lorsqu'il émergea des taillis, il s'arrêta net. Au sommet d'une croupe, à une centaine de mètres, il distinguait la lueur d'une lampe électrique. Il observa avec attention et parvint à discerner deux silhouettes qui s'agitaient bizarrement. Il attendit quelques instants, cherchant en vain une explication possible. S'il tentait de s'approcher, il allait se trouver à découvert. Juillet sentit le danger avant de comprendre quoi que ce soit. Il regagna le bois et partit en courant. Il fallait qu'il contourne le coteau et, pour cela, qu'il passe près de la maison de Lucas. Il s'y arrêta, hors d'haleine, pour frapper au volet. Fernande, qui avait le sommeil léger, ouvrit presque aussitôt. Juillet fonça jusqu'à la chambre de Lucas et le secoua sans ménagement.

– Viens avec moi, vite !

Lucas fut rapide et silencieux. Il lui fallut moins d'une minute pour s'habiller. Fernande s'était mise à tousser, dans sa cuisine.

– Qu'est-ce qui se passe ? leur cria-t-elle dès qu'elle retrouva son souffle.

Ils lui firent signe de se taire et sortirent l'un derrière l'autre. Lucas tenait son fusil.

– Il y a deux types dans les vignes, avec une lampe électrique. Ils étaient en haut de la parcelle vingt-sept. Rejoins-moi le plus vite possible !

Juillet se mit à courir et distança rapidement Lucas. Il savait, avec son infaillible instinct, que quelque chose de dramatique était en train de se produire. Une peur inexplicable l'empêchait de respirer normalement et il dut ralentir un peu. Il repéra la lueur de la lampe, à une cinquantaine de mètres sur sa gauche. Il s'obligea à marcher, posant ses bottes avec précaution dans le sillon pour éviter de se faire entendre trop tôt. Les deux silhouettes étaient penchées sur un bidon métallique. Juillet s'immobilisa une seconde pour identifier l'odeur inhabituelle autour de lui. Il entendit des rires étouffés et au même instant, il reconnut les effluves détestables d'un produit chimique concentré.

Il n'avait plus que dix mètres à faire et il sauta sur l'ombre, devant lui. Il y eut un choc sourd lorsqu'il roula à terre avec l'homme qu'il avait empoigné. Juillet mit tant de force dans son premier coup que l'autre resta inerte, assommé. Juillet se releva immédiatement. Il se rua vers la lueur de la torche qui fuyait.

– Arrête ! glapit Alexandre lorsque Juillet parvint à le saisir par une cheville après un véritable plongeon.

Paniqué, incapable de réfléchir, Alex se débattait avec l'énergie du désespoir.

– Ne fais pas le con, ne fais pas le con ! hurla-t-il.

Lorsqu'il sentit les mains de Juillet autour de son cou, il fut submergé par une terreur folle. Il parvint à repousser son frère mais une douleur fulgurante éclata dans sa jambe lorsque Juillet la frappa du tranchant de la main. Alex se mit à hurler sans retenue jusqu'au moment où le genou de Juillet, sur son estomac, lui coupa le souffle.

– Je vais te tuer, gronda Juillet entre ses dents.

Ce n'était pas une menace, c'était un passage à l'acte pur et simple. Alexandre secoua la tête dans tous les sens pour essayer de s'échapper. Juillet le prit par les cheveux et le retourna, lui écrasant le visage contre la terre. Alex ne sentait même plus son tibia fracturé. Il éprouvait une peur viscérale, atroce, à l'idée de mourir. Il vit le sol s'éloigner et se rapprocher plusieurs fois. Il entendit un craquement lugubre et eut aussitôt la bouche inondée de sang. Il essaya de cracher le liquide et la terre mêlés mais il étouffait.

– Lâche-le ! Lâche-le ! suppliait une voix lointaine, familière.

Alex était sur le point de perdre connaissance, soulevé par des vagues successives de douleur. La nuit était moins noire, le ciel pâlissant à l'est, mais Alex ne voyait plus rien et suffoquait sous le poids de son frère.

Le fusil de Lucas tenait Marc en respect.

– Juillet ! cria Lucas. Lâche-le !

Fou d'inquiétude, Lucas fit un pas vers les deux frères. Tenant solidement son fusil de la main droite, il prit Juillet de l'autre par l'épaule.

– Arrête, Juillet ! Bon Dieu !

Alexandre parvint à pousser un cri rauque, suivi d'un gargouillement. Juillet n'avait pas cessé de lui cogner la tête contre les cailloux du sillon et il était à bout de forces, ne luttant même plus pour trouver un peu d'air.

Lucas fit alors la seule chose qu'il pouvait faire. Il retourna son fusil et frappa Marc d'un coup de crosse pour s'en débarrasser. Ensuite il laissa tomber l'arme et se jeta sur Juillet qu'il tira violemment en arrière. Mais Juillet était comme un bloc. Lucas fut entraîné avec lui et ils retombèrent sur Alex qui ne bougeait plus. Agrippé à Juillet, Lucas essayait de le ceinturer.

– Laisse-le ! Laisse-le maintenant ! N'y touche plus !

Il lui prit les mains pour lui faire lâcher prise mais sans succès. Comprenant qu'il n'avait aucune chance d'avoir le dessus, Lucas se mit à crier, contre l'oreille de Juillet :

– C'est ton frère ! Arrête ! Pense à Aurélien ! Aurélien ! Aurélien !

Le prénom résonna étrangement dans la nuit et sembla se répercuter d'un coteau à l'autre. Juillet céda d'un coup et Lucas put enfin l'écarter d'Alexandre. Malade d'angoisse, il tâtonna le long du corps immobile. Lorsqu'il entendit enfin la respiration sifflante d'Alex, Lucas eut comme un sanglot de soulagement.

Il ne se passa rien durant quelques minutes, puis Juillet se releva, titubant. L'aube se levait déjà. Lucas ramassa le fusil, la torche, et examina Alexandre sans le toucher. Ensuite il regarda dans la direction de Marc qui ne bougeait pas, les yeux ouverts, l'air terrorisé.

– Les salauds, dit Juillet d'une voix à peine audible.

Lucas dirigea la lampe vers le visage de Juillet puis il l'éteignit. Il y eut un nouveau silence.

– Il faut appeler une ambulance, murmura Lucas.

– Vas-y. Je reste là. Je ne m'en approcherai pas.

– Tu me le jures ?

– Oui.

– Tu veux que je prévienne la gendarmerie ?

– Non.

Lucas eut une dernière hésitation puis il s'éloigna.

*_**

Lucas avait obéi à la suggestion de Fernande et avait appelé le docteur Auber, qui vint lui-même avec l'ambulance. Alexandre n'avait pas repris connaissance lorsqu'on l'installa sur la civière. Juillet, livide, déclara au médecin que Marc et Alexandre s'étaient battus. Une querelle d'ivrognes. Marc n'était pas blessé. Il resta muet et ne contredit pas la version de Juillet. Lorsque le gyrophare de l'ambulance eut disparu, Juillet lui fit signe de s'en aller. Sans demander son reste, le jeune homme détala.

– Qu'est-ce que tu lui as dit pour le convaincre ? demanda Lucas.

– Que ses empreintes sont sur les bidons. Qu'il en a détruit pour un sacré paquet de pognon. Un hectare de Margaux...

Juillet tourna la tête, des larmes ruisselaient sur ses joues.

– Oh, Lucas, au moins un hectare !

Celui-ci posa sa main sur le bras de Juillet et le serra à s'en faire mal aux doigts. Il ne l'avait jamais vu pleurer. Il se sentait à bout de fatigue et de désespoir devant le gâchis de cette vigne qu'ils avaient soignée depuis tant de mois tous les deux. Il eut comme un vertige et ce fut Juillet qui le retint.

– Viens, murmura le jeune homme. Viens...

Il l'entraîna jusqu'à Fonteyne et ne s'arrêta que devant les marches du château. Il semblait plus calme.

– Trouve tout de suite deux employés, dit-il à Lucas. Et Bernard. On va mettre en place tous les moyens d'arrosage possibles. Même si on ne sauve pas le raisin, il faut nettoyer la vigne sans perdre un instant. On va la noyer, tant pis, mais il faut diluer cette saloperie.

– Tu vas infiltrer la terre ! protesta Lucas.

– Je n'ai pas le choix ! On va faire un barrage en bas, au niveau de la route.

Juillet escalada le perron et se précipita au premier étage. Il réveilla Louis-Marie, lui résuma la situation et lui dit d'appeler immédiatement leur ingénieur agronome. Il ne lui laissa pas le temps de répondre, ne le renseigna même pas sur l'état d'Alexandre, n'adressa pas la parole à Pauline. Cinq minutes plus tard, il était déjà en train de donner des ordres à tout son personnel.

*_**

Le travail, harassant, dura des heures. Inlassablement, la vigne fut nettoyée. L'eau ruissela en pluie fine toute la matinée sur les grappes. Juillet n'avait aucun espoir de sauver la parcelle mais il voulait au moins préserver son avenir. Les employés creusèrent des rigoles pour une évacuation rationnelle de l'eau polluée.

Visage fermé, n'acceptant pas de s'interrompre un seul instant, Juillet supervisait la tâche, montant et redescendant les rangées de ceps. Lucas le suivait parfois du regard, navré. Il se remettait mal du cauchemar de la nuit. A la terreur avaient succédé le dégoût puis l'angoisse. Juillet avait voulu tuer Alex et Lucas tenait pour un miracle d'avoir pu l'en empêcher.

A l'heure du déjeuner, Lucas s'était absenté pour avaler un sandwich. Il était allé voir Louis-Marie qui lui avait donné des nouvelles rassurantes d'Alexandre. L'atmosphère du château était lourde, silencieuse. Même Fernande, dans sa cuisine, semblait accablée.

Il fallut attendre neuf heures du soir pour que Juillet consente à déclarer le travail terminé. Le reste de la famille l'avait attendu autour d'un repas froid. Il traversa la salle à manger et s'arrêta derrière la chaise de Dominique.

– Je suis désolé, dit-il d'une voix atone.

Pauline regardait ailleurs. Laurène avait la tête baissée vers son assiette. Louis-Marie observait Juillet du coin de l'œil.

– Moi aussi, répondit Dominique.

Puis elle se leva brusquement et s'écroula contre lui dans un élan imprévisible.

– Tu n'y peux rien ! Je lui en veux, à lui ! Oh, Juillet...

Il la fit rasseoir, parvint à lui sourire et gagna sa place.

– Comment est-il ? demanda-t-il à Louis-Marie.

Son ton restait impersonnel, comme s'il avait parlé d'une vague relation.

– Auber a téléphoné dans l'après-midi. Son état n'est pas... alarmant.

Juillet ne fit aucun commentaire et Laurène sonna discrètement. Fernande vint leur porter un superbe colin mayonnaise accompagné d'une salade de langoustines. Juillet attendit qu'elle passe près de lui pour lui murmurer :

– Laisse tout ça sur la table et va te coucher.

Elle avait l'air si fatigué qu'il eut le cœur serré pour elle. Les quatre fils d'Aurélien étaient comme les siens, défauts compris. Elle avait autant de peine pour Juillet que pour Alexandre.

– Va...

Elle hocha la tête et se hâta de quitter la salle à manger. Juillet se tourna vers Laurène.

– Quand tu verras Auber, dis-lui d'examiner Fernande, qu'elle soit d'accord ou pas. Elle m'inquiète beaucoup.

– On l'entend tousser du matin au soir, confirma Pauline.

Même s'il était absurde d'évoquer la santé de Fernande alors qu'Alex était à l'hôpital, personne ne fit de commentaire. Dominique se leva pour servir, par habitude. Le silence qui s'installa avait quelque chose de gênant et Juillet se sentit obligé de parler.

– J'ai fait ce que je pouvais pour limiter le désastre, expliqua-t-il. La récolte de cette parcelle sera détruite dès demain. Je refuse de prendre le moindre risque. Je pense que le composant toxique, le lindane, est suffisamment dilué pour que par la suite la vigne ne souffre pas. Je continuerai quand même l'arrosage quelques jours.

Personne ne songeait à manger. Ils écoutaient Juillet, sourcils froncés, attendant la suite.

– Je n'ai pas prévenu la gendarmerie parce que... Parce que c'est impensable !

Il sembla désemparé, soudain, presque vulnérable. Louis-Marie se redressa pour déclarer :

– J'irai voir Alex demain.

– Vraiment ?

Juillet le dévisageait avec une sorte de curiosité. Ils s'affrontèrent du regard un moment, puis Juillet haussa les épaules.

– En ce cas, je te laisse juge de ce que tu dois lui dire.

Sa colère était toujours là, dense et compacte, accablante.

– C'est sa terre aussi, ajouta lentement Juillet. Je ne sais pas comment il a pu... Je ne croyais pas que... que...

Il jeta rageusement ses couverts dans son assiette qui s'ébrécha.

– Même en l'aimant moins que moi, je n'aurais jamais imaginé qu'il puisse s'attaquer à Fonteyne ! C'est là qu'il a grandi. Il sait que c'est ce qui nous fait vivre, tous, et lui avec ! J'aurais préféré qu'il mette le feu au château !

Juillet le pensait sincèrement, les autres ne le mirent pas en doute.

– Il avait bu, sûrement..., plaida Laurène d'une toute petite voix.

– Comme le jour où il s'en est pris à Dominique, oui ! Et alors ? C'est une excuse ?

– C'est une explication, dit Louis-Marie calmement.

Juillet faillit exploser mais il se contint.

– Je ne veux pas accepter tout ça, répliqua-t-il.

– Alors envoie-le devant les tribunaux à ton tour. Tu peux le faire, tu as toutes les preuves.

Juillet eut un bref soupir d'exaspération.

– Je n'irai jamais porter ça sur la place publique, tu le sais très bien. Les Bordelais ont assez ri avec notre famille, non ?

Louis-Marie voulut répondre mais il ne trouva rien à dire. Juillet était à bout de patience, c'était normal. Les drames s'étaient accumulés sur lui depuis des mois. La proximité des vendanges compliquait tout. Louis-Marie regarda Juillet qui se tenait très droit, à la place que leur père avait toujours occupée. Il pensa que son cadet n'avait pas besoin qu'on lui donne tort ou raison.

– Remercie le bon Dieu pour ta promenade matinale, Juillet. Remercie Lucas d'être comme ton ombre, toujours dans tes pas. Il te reste combien de dizaines d'hectares à vendanger ?

Le regard sombre de Juillet sembla s'éclairer. Il fit un clin d'œil à Louis-Marie.

– Tu apprends vite ! lui dit-il en plaisantant. On finira par te croire né ici !

Pauline éclata de rire, bien décidée à alléger l'atmosphère pénible de leur dîner. Elle posa sa main sur celle de Louis-Marie, en signe de paix. Elle sentit qu'il tressaillait et elle en fut ravie. Elle n'avait donc pas perdu tout pouvoir sur lui.

– Je me demande où Alex a pu trouver autant de bidons de ce produit, reprit Juillet.

– A Mazion...

Dominique, navrée, ajouta :

– Papa en a tout un stock, depuis des années. C'est une vieille histoire. Alex lui disait toujours de s'en débarrasser...

Elle se sentait bizarrement responsable de ce qui venait d'arriver. Alex avait voulu se venger de Juillet, du départ de sa femme, de ses propres échecs. Elle l'avait abandonné à son penchant pour l'alcool sans beaucoup lutter. Et c'est à la table de Juillet qu'elle se sentait chez elle, alors que son mari était sur un lit d'hôpital.

– Et l'autre type, tu le connaissais ? demanda Laurène.

– Vaguement...

Il avait dit la vérité à Louis-Marie mais il ne

323

tenait pas à entrer dans les détails avec sa femme. Tout ce qui touchait à Frédérique la hérissait, il le savait. Il n'avait pas encore réfléchi à ce qu'il devait faire avec ce Marc. Comment Alex pouvait-il être l'ami d'un minable pareil !

– Je n'aurais pas dû laisser Alex traîner dans les bars, murmura Dominique.

– Tu n'as rien à te reprocher, riposta Juillet. Comment pouvais-tu l'en empêcher ?

Il faisait allusion à l'état lamentable dans lequel elle se trouvait lorsqu'elle était venue frapper à la porte de Fonteyne en pleine nuit. Non, elle n'était pas de taille à lutter avec l'homme qu'était devenu Alex.

– Robert parlait de désintoxication..., laissa tomber Pauline.

Louis-Marie lui jeta un coup d'œil agacé. Il détestait l'entendre prononcer le prénom de son frère.

– De toute façon, d'après Auber, il en a pour un bout de temps ! Il sera bien obligé de se passer d'alcool à l'hôpital.

– Puisque Bob revient pour les vendanges, il n'aura qu'à discuter avec ses confrères, conclut Juillet qui ne voulait plus parler d'Alexandre.

Il essaya de manger quelques bouchées mais il y renonça. Il n'avait pas faim et il ne ressentait rien d'autre qu'une immense fatigue. Le nettoyage de la vigne avait été épuisant, cependant c'était sa colère de la nuit précédente qui l'avait vidé de son énergie. Il avait voulu, de toutes ses forces, tuer son propre frère. Cette pensée l'avait poursuivi toute la journée comme un leitmotiv. Sans Lucas, il se serait acharné jusqu'au bout. Rien au monde, même pas la vigne, ne pouvait justifier cette volonté de meurtre.

« Il faudrait que je me méfie davantage de mes propres colères... », songea-t-il avec amertume. Aurélien n'était plus là pour le protéger de lui-même. Ni pour faire régner la paix dans la famille sans cesse déchirée depuis des mois.

« Je suis en dessous de tout... Qu'est-ce que vous auriez fait, vous ? »

– Juillet ? Je peux sonner ?

Il regarda Laurène, un peu hébété, puis hocha la tête. Ce fut Clotilde qui vint servir le fromage, annonçant que Fernande était partie se coucher.

– Rentrez chez vous aussi, Clotilde, nous nous débrouillerons très bien, lui dit Dominique.

Elle adressa un coup d'œil impérieux à sa sœur. Aussitôt Laurène posa sa main sur celle de Juillet.

– Toi aussi, monte...

Juillet refusa d'un geste morne mais Louis-Marie s'interposa.

– Bon sang, va te reposer ! Tu tombes de sommeil...

Juillet se leva en répliquant, exaspéré :

– Je croule sous les emmerdements, plutôt ! Mais ça revient au même...

Il quitta la salle à manger sans dire bonsoir à personne. Louis-Marie le suivit des yeux, désolé. Il comprenait très bien ce que son frère devait ressentir mais il ne pouvait rien pour lui. Ce qu'avait fait Alex était inconcevable, odieux, et il avait mérité une correction, même trop sévère. Il était grand temps qu'Alex cesse de s'attaquer à sa famille et à Fonteyne.

– A quoi penses-tu, mon chéri ? demanda Pauline d'une voix câline.

– A nous, dit Louis-Marie.

Elle se mit à sourire mais il ajouta :

– A nous tous.

*_**

Deux jours plus tard, lorsque Marie quitta l'hôpital, elle dut s'asseoir sur un banc pour récupérer. Elle avait passé une demi-heure au chevet d'Alexandre et il ne lui avait pas dit deux phrases. Il avait une jambe dans le plâtre, soutenue par des sangles, il portait une minerve et son visage était couvert de points de suture. Il était bardé de tuyaux et contrôlé en permanence par des appareils compliqués. Les médecins ne semblaient pas inquiets, malgré le traumatisme crânien, mais Marie, elle, l'était. Qu'était devenu le jeune homme séduisant que Dominique avait épousé dix ans plus tôt ? Ce blond aux yeux clairs, au teint hâlé, à l'éducation sans faille, avait cédé la place à un homme aigri, sans âge, au regard éteint. Il était devenu laid en devenant méchant. Mais surtout, dans cette chambre impeccable du service des polytraumatisés, Marie avait vu un garçon maigre, abandonné, désespéré. Alex souffrait, et pas seulement physiquement. Condamné à l'immobilité et à la sobriété, il avait des jours sans fin pour mesurer ce qu'il avait fait. Et aussi ce que son frère lui avait fait.

Marie savait par ses filles qu'Alex avait corroboré la version de Juillet lorsque les gendarmes l'avaient interrogé. Il n'avait pas porté plainte, évidemment. Il pouvait se taire, protégé par ses blessures, mais il ne pouvait pas s'empêcher de réfléchir.

« Aurélien lui aurait pardonné, au bout du compte... Mais Juillet saura-t-il ? »

C'était le début des vendanges un peu partout. Antoine se débrouillait seul, à Mazion, avec ses employés habituels. Fonteyne venait de commencer.

« Dominique et Laurène doivent avoir du travail... Avec tous ces journaliers et Fernande qui est malade, paraît-il... Heureusement que Louis-Marie est là... C'est bien, les grandes familles ! Surtout les familles d'hommes... »

Marie aurait dû quitter son banc et se dépêcher de rentrer chez elle mais elle décida de s'octroyer cinq minutes supplémentaires. Rares étaient ces moments de pause. Il faisait encore beau et chaud, même si les jours avaient raccourci.

« Comme tout était plus simple, avant... »

Avant la mort d'Aurélien, peut-être, avant que ses filles soient mariées, lorsqu'elle était encore jeune et qu'elle avait un enthousiasme à toute épreuve.

« Juillet peut tenir Fonteyne à bout de bras. Il a le courage de faire face à n'importe quoi. Je l'ai toujours admiré pour ça... Mais que ce soient les siens qui lui portent les coups les plus rudes et les plus bas, c'est dur... J'espère que Laurène le soutient... J'espère qu'ils sont heureux, malgré tout... »

Marie avait perdu ses illusions une à une. Antoine n'était pas un mauvais mari, leur petite maison de Mazion n'était pas désagréable, leurs vignes donnaient un vin correct. Rien de terrible et rien de glorieux. Le mariage de Dominique avait ouvert une porte sur des horizons prodigieux. Et aujourd'hui, hélas, Fonteyne était un enfer de rivalités et de déchirements.

« Que vont-ils devenir, tous ?... » se demanda Marie avec angoisse.

Elle se leva pour regagner en hâte sa voiture, se reprochant déjà le temps précieux qu'elle avait perdu. Antoine devait être impatient d'avoir des nouvelles de son gendre pour lequel il avait une réelle affection. Après tout, Alex avait été le seul à l'aider lorsqu'il avait été malade. Le seul, aussi, à ne pas considérer les Billot comme des parents pauvres. Antoine ne s'était jamais remis du mépris qu'Aurélien lui avait témoigné. Parce qu'ils avaient été amis d'enfance, Antoine s'était cru l'égal d'Aurélien. Parce que les deux familles s'étaient unies, Antoine les avait crues liées.

« Sa mère a raison, on ne mélange pas les torchons et les serviettes dans une certaine société... »

Pour la millième fois de son existence, Marie se reprocha de n'avoir pas donné de garçon à son mari. Un héritier aurait tout changé, chez les Billot.

« Un fils comme Juillet, tiens ! Le rêve... »

Tout en marchant, elle esquissa un sourire. Depuis qu'elle le connaissait, Marie avait une infinie tendresse pour Juillet. Même enfant, il l'avait toujours émue.

« Avec lui, Laurène est à l'abri, quoi qu'il arrive. »

Cette pensée était tellement réconfortante qu'elle se sentit soudain plus gaie. Juillet était capable de tout arranger s'il le voulait vraiment, Marie en était persuadée. Elle chassa l'image d'Alex sur son lit d'hôpital. Il n'y avait rien d'étonnant à ce que Juillet ait sorti ses griffes en voyant sa vigne saccagée.

« S'il est assez fort pour remettre Alex dans le droit chemin, je lui en serai reconnaissante toute ma vie ! »

Elle l'espérait ardemment, pour Dominique, pour les jumeaux et pour elle-même. Pour Fonteyne aussi. Fonteyne qui, un jour, reviendrait aux petits-enfants de Marie.

Deuxième Partie

Journaliers et chefs d'équipe, sous l'étroite surveillance de Lucas, avaient vendangé durant plusieurs jours toutes les parcelles de Fonteyne. Juillet, omniprésent, avait supervisé le travail heure par heure, de l'arrivée des douils aux fouloirs jusqu'aux cuves de fermentation. Il ne se déclara satisfait qu'une fois les vendanges terminées, comme s'il avait redouté une nouvelle catastrophe. Et ce fut détendu, sourire aux lèvres, qu'il présida le traditionnel banquet de clôture.

Il avait un besoin vital de cette récolte pour l'avenir de Fonteyne. Il était dans un équilibre financier d'une extrême précarité. La vente de vins qu'il avait organisée durant l'été lui avait permis de faire face sans le mettre à l'abri. Il se débattait dans de lourdes échéances mais refusait de freiner la modernisation de son matériel. L'achat de l'appartement destiné à Frédérique avait encore aggravé la situation mais Louis-Marie et Robert avaient tout fait pour lui faciliter les choses.

Varin s'était montré prudent et réservé en ce qui concernait le procès en cours. Juillet bénéficiait de l'appui du juge et son poste de gérant n'était pas menacé. Toutefois des versements rapides pouvaient lui être demandés sur la part revenant à Alexandre. Juillet avait eu gain de cause pour un certain nombre de points mais, paradoxalement, il restait à la merci de la mauvaise volonté de son frère. Celui-ci était toujours à l'hôpital et se remettait mal. Il s'était enfermé dans un silence quasi total, refusant de recevoir sa femme et ses frères. Seule Marie pouvait s'asseoir à son chevet et lui tenir la main sans qu'il se mette en colère. Robert lui-même s'était heurté à un mur lorsqu'il avait essayé de lui parler.

Louis-Marie avait vécu les vendanges avec une excitation et un plaisir auxquels il ne s'attendait pas. Il s'était intéressé à tout en ayant la sensation de rajeunir, de revivre son adolescence. Il avait suivi discrètement Juillet, observant en silence l'intense activité de l'exploitation. Même Pauline, qui était restée à contrecœur pour tenter d'arranger les choses, avait compris que son mari lui échappait pour de bon. S'il avait trouvé un refuge à Fonteyne, au début de son long séjour, à présent il y occupait une vraie place.

Pauline avait évité de dire des choses définitives. Elle avait laissé Robert partir le premier puis, le surlendemain, elle avait regagné Paris en TGV avec Esther. Sur le quai, elle s'était contentée d'exiger un délai de réflexion raisonnable, pour eux deux, et Louis-Marie avait accepté en affichant une sorte d'indifférence qui avait glacé Pauline.

Après les vendanges, Juillet avait ramené Bingo du pré où il l'abandonnait chaque année à la même époque. Il l'avait réinstallé dans l'écurie que Bernard avait nettoyée et passée à la chaux, puis il avait repris ses promenades matinales avec plaisir durant tout le mois d'octobre.

Novembre fut sinistre, froid et pluvieux. Dans les derniers jours du mois, il se mit à neiger. Laurène attendait son bébé pour la fin de l'année. Depuis plusieurs semaines, Juillet se montrait délicat et attentionné. Il ne la touchait plus mais l'entourait de tendresse, dissimulant son impatience à l'idée d'être bientôt père.

Dominique faisait des projets pour Noël, s'occupait de ses fils et de la maison. Fernande avait subi un traitement antibiotique qui l'avait beaucoup fatiguée mais elle avait refusé tout net de prendre du repos.

Juillet et Louis-Marie passaient de longues heures ensemble, dans le bureau ou dans la bibliothèque, très occupés par la comptabilité de Fonteyne et sa gestion. Ils discutaient à perte de vue d'étiquettes, de bouchons, de caisses pour les expéditions. Ils parlaient des négociants, des cours du marché, des millésimes. Louis-Marie apprenait, bon élève, ou faisait appel à ses souvenirs.

– Tu retardes ! protestait sans cesse Juillet.

Il ne lui parlait pas d'avenir, conscient de la fragilité passagère de son frère aîné. Une ou deux fois par semaine, Juillet demandait des nouvelles d'Alexandre à Dominique. Il ne faisait jamais de commentaire. Nul ne parvenait à savoir ce qu'il éprouvait. Il n'avait pas mis les pieds à l'hôpital et n'avait jamais posé la moindre question au docteur Auber qui venait pourtant régulièrement à Fonteyne. C'était comme si, incapable de résoudre le problème que lui posait Alexandre, Juillet l'avait définitivement rayé de son esprit.

Marie était la bienvenue, chaque fois

qu'elle trouvait un moment pour s'échapper. Elle câlinait les jumeaux, prodiguait des conseils à ses filles puis repartait pour Mazion, la mort dans l'âme. Elle n'osait pas parler d'Alex à Juillet, se reprochant de manquer de courage mais retardant toujours l'échéance.

Le matin du 28 novembre, lorsque Juillet descendit, Botty le suivit dans l'escalier, surexcité. En lui ouvrant la porte du hall, Juillet constata qu'il avait neigé toute la nuit. Il accompagna son chien en bas du perron et chahuta avec lui comme un gamin. Il en était encore à le bombarder de boules de neige lorsque Louis-Marie vint le rejoindre.

– Tu es matinal ! lui cria Juillet en visant le col de la robe de chambre.

Louis-Marie reçut la neige sur la joue et il se précipita sur son frère mais, gêné par ses chaussons, il s'écroula dans la neige poudreuse. Juillet se rua sur lui en poussant des hurlements de joie, Botty sur ses talons. Il y eut une brève lutte puis ils se relevèrent, trempés, hilares.

– Et quand j'aurai une pneumonie, tu seras content ? Qui fera toutes les corvées, hein ?

Ils avaient regagné le hall et Juillet jeta un coup d'œil amusé à son frère.

– C'est très pertinent, ça, comme ré-flexion... Viens par là, je vais te faire du café pour te réchauffer...

Ils trouvèrent Fernande à la cuisine, déjà occupée derrière ses fourneaux. Lucas, ins-tallé au bout d'un des longs bancs, les salua d'un large sourire.

– Tu ne devrais pas te lever si tôt ! dit Juillet à Fernande.

– Elle ne m'écoute pas, soupira Lucas.

– Si tu ne te ménages pas un peu, tu finiras par tomber malade pour de bon !

Fernande haussa les épaules, agacée parce qu'il avait raison et qu'elle ne venait pas à bout de sa fatigue.

– Va dans ton bureau, maugréa-t-elle, je vais vous porter un plateau... Allez-vous-en, il fait trop froid ici...

– Pourquoi ne chauffes-tu pas cette cuisine la nuit ? protesta Juillet.

– Et pourquoi ça ? s'indigna-t-elle. On ne l'a jamais fait ! Je mets en route en arrivant, c'est bien suffisant.

Juillet leva les yeux au ciel et entraîna Louis-Marie. Dès qu'ils furent installés dans le bureau, Juillet se mit en devoir d'allumer la cheminée.

– J'adore ce temps, dit-il en entassant des bûches selon un ordre précis.

– C'est sans souci pour la vigne ?

– Mais non, voyons ! Pas à cette saison, tu sais bien.

– Moi, j'en voudrais à Noël, de la neige. Plein !

Juillet le regarda, par-dessus son épaule. Il semblait plus serein qu'il ne l'avait été durant l'été. Il avait l'air moins las, moins résigné.

– Pauline et Esther viendront ? demanda Juillet.

– Esther, bien sûr ! Quant à Pauline, sincèrement, je n'en ai aucune idée.

Louis-Marie s'était avancé vers les flammes qui s'élevaient en crépitant.

– Ma fille me manque. Je crois qu'elle serait heureuse si elle vivait ici, avec les jumeaux...

Juillet hocha la tête sans poser de question. Il laissait Louis-Marie libre de continuer ou pas. Il souffla délicatement sur le petit bois pour activer la flambée.

– J'aurais voulu que Pauline prenne une décision au moment des vendanges. Mais elle en était incapable. C'est une enfant, les choix l'affolent toujours.

Louis-Marie s'assit à même le parquet où Juillet était agenouillé. Il regarda son cadet bien en face.

– Je vais rester à Fonteyne, déclara-t-il. Tu vas m'avoir sur le dos jusqu'à la fin de tes jours.

Juillet attendit une seconde puis il eut un sourire radieux.

– Rien ne peut me faire plus plaisir, dit-il simplement.

Il n'y avait ni politesse ni affectation dans cette déclaration. Louis-Marie commençait à devenir indispensable et non plus seulement utile. Il avait soulagé Juillet au moment où celui-ci se débattait dans un excès de travail et de responsabilités. Il avait tenté de combler, ne serait-ce qu'un peu, la double absence d'Aurélien et d'Alexandre. Même si ce n'était pas suffisant, il avait permis à Juillet de respirer, de faire face.

– Au début, dit Louis-Marie d'un ton rêveur, c'était pour t'aider. Tu ne pouvais pas rester seul à la tête de ce bazar et tu n'aurais jamais accepté qu'un étranger s'en mêle... Mais j'y ai pris goût, je n'en reviens pas moi-même ! Paris aurait dû me manquer au bout de quelques mois, et c'est tout le contraire. L'idée d'y retourner me déprime. J'ai envoyé ma démission au journal la semaine dernière. Elle sera effective à la fin de l'année.

Juillet alluma une Gitane, attendant la suite sans impatience.

– Je vais travailler avec toi pour de bon, poursuivit Louis-Marie. Si tu veux bien, évidemment ! Et pour ne pas perdre la main, je trouverai bien un job de correspondant dans un journal local...

– Tu as vraiment pris ta décision ? Si tu trouves un éditeur pour ton roman, ce n'est pas le moment de t'enterrer ici, non ?

– J'ai trouvé un éditeur, répondit tranquillement Louis-Marie.

Il fouilla la poche de sa robe de chambre et tendit une lettre toute froissée à Juillet. Il avait dû la relire cent fois, déjà.

– Compliments ! s'exclama Juillet en jetant un coup d'œil sur l'en-tête. Ce n'est pas n'importe qui... Et tu veux quand même rester là ? Tu ne veux pas te lancer dans une carrière d'écrivain ?

Louis-Marie secoua la tête, amusé.

– Ce n'est pas si simple. Entre nous, si j'avais un talent fou, je crois que je le saurais. Et les autres aussi ! Mais ce livre, j'avais besoin de l'écrire. Je crois qu'il m'a... guéri.

– De Pauline ?

La question avait fusé trop vite et Juillet la regretta.

– Oui, répondit lentement son frère. En quelque sorte, c'est de Pauline.

Il commençait à faire chaud et ils s'éloignèrent de la cheminée. Juillet s'assit à sa place, derrière le bureau. Louis-Marie s'installa en face de lui. Ils se regardèrent en silence un moment. Puis Fernande frappa et vint déposer le plateau du petit déjeuner. Ils attendirent qu'elle soit sortie pour reprendre leur conversation.

– Donne-moi vraiment des choses à faire, demanda Louis-Marie. Je veux m'investir à fond dans l'exploitation.

Juillet se pencha au-dessus du bureau.

– Tu en as besoin ?

– J'en ai envie, corrigea Louis-Marie.

Il se recula dans son fauteuil et se mit à rire.

– Tu ne peux pas savoir à quel point tu ressembles à père en ce moment ! Tiens, c'est simple, j'ai l'impression d'avoir quinze ans !

Juillet parut s'amuser à cette idée, sans se vexer de la réflexion. Oui, il avait pris la place d'Aurélien, oui, il avait ses manières et ses intonations tout en étant parfaitement différent.

– Très bien, dit-il. Etudie un contrat à ton idée.

– Non, je ne...

– Ah si ! Ou tu bricoles, en invité, ou tu travailles pour de bon !

Il gardait l'air malicieux en servant le café. Louis-Marie soupira.

– J'y penserai, d'accord, mais pas tout de

suite. C'est fou ce que tu peux être à cheval sur...

– Si je ne le suis pas, coupa Juillet, j'en connais un qui en profitera pour crier au scandale !

Louis-Marie fronça les sourcils, contrarié soudain.

– Pas forcément. Je ne crois pas qu'Alex soit dans le même état d'esprit, aujourd'hui. Peut-être... Peut-être devrais-tu aller le voir, un de ces jours ?

Juillet ne répondit pas tout de suite. Il tourna la tête vers l'une des portes-fenêtres. Le jour se levait sur la neige.

– Pour lui dire quoi ? demanda enfin Juillet d'une voix altérée.

– Ce que tu as sur le cœur. Fais-le.

Le regard de Juillet s'était durci. Il se leva en déclarant qu'il avait rendez-vous à Bordeaux. Louis-Marie le laissa partir sans rien ajouter.

_

Il faisait vraiment froid et Juillet se hâtait vers sa Mercedes. Il était presque midi mais le ciel était noir, menaçant. La neige s'était transformée en gadoue dans les rues de Bordeaux puis, avec le vent glacial qui s'était levé, tout avait gelé. Juillet dut chauffer sa clef à la flamme de son briquet pour parvenir à l'enfoncer dans la serrure.

– Bonjour ! dit une voix gaie derrière lui.

Il se retourna et se trouva face à Valérie Samson. Elle était superbe, emmitouflée dans une fourrure claire dont elle avait relevé le col. Il lui sourit en lui adressant un petit signe de tête. Elle posa son sac sur le toit de la Mercedes, l'ouvrit et se mit à chercher quelque chose.

– Je dois l'avoir gardée... la voilà !

Elle brandit une carte que Juillet reconnut aussitôt.

– Un de ces jours, dit-elle, c'est aujourd'hui ! Vous n'avez pas de vendanges en vue, pas d'épouse à consoler ?

Elle se moquait gentiment de lui, se tenant dos au vent pour se protéger du froid.

– Vous aviez promis, rappela-t-elle, c'est écrit là !

Il la trouva belle, tentante comme une gourmandise malgré ou à cause de son invraisemblable culot. Il fit le tour de la voiture, ouvrit l'autre portière et attendit qu'elle monte. L'idée d'un déjeuner impromptu le réjouissait soudain beaucoup. Tout comme la neige l'avait mis de bonne humeur pour la journée.

– La Réserve, à Pessac, ça vous va ?

– Vous n'avez pas peur de rencontrer des gens que vous connaissez ? répliqua-t-elle du tac au tac.

– Evidemment, si je tombe sur mon avocat, nous serons tous ridicules...

Il se mit à rire et démarra. Les routes étaient déjà verglacées, le vent soufflant avec plus de force d'heure en heure.

– J'adorerais me trouver bloquée ici pour deux jours ! déclara Valérie lorsqu'ils furent attablés.

Juillet avait pris le temps de téléphoner à Fonteyne pour informer Louis-Marie, de manière laconique, qu'il était retenu à Bordeaux et qu'il ne rentrerait qu'en fin d'après-midi. Il avait ajouté une phrase tendre à l'intention de Laurène et il avait raccroché, libéré. Il rejoignit Valérie juste à temps pour trinquer avec elle car elle ne l'avait pas attendu pour commander du champagne. Elle avait posé son paquet de cigarettes sur la table, en évidence, et il se servit.

– Depuis combien de temps ne vous êtes-vous pas offert une escapade ? attaqua Valérie dès qu'il fut assis.

– Très longtemps, répondit-il franchement.

Il l'observait sans complaisance, la détaillant comme il l'aurait fait d'un bel animal. Il retrouvait le plaisir de la séduction, de la conquête, soudain décidé à oublier Fonteyne et sa famille pour un moment.

– Qu'allons-nous manger ? demanda-t-elle en lui souriant.

Elle était sûre d'elle, en général, mais Juillet la déroutait par son silence. Il s'absorba dans le menu puis donna ses ordres au maître d'hôtel sans même la consulter.

– Vous êtes très... directif ! fit-elle remarquer.

– Désiriez-vous autre chose ?

Elle secoua la tête, amusée.

– Non, c'est parfait. Je suis d'ailleurs certaine que vous êtes un homme parfait ! C'est l'un des griefs de votre frère Alexandre...

Juillet ne semblait pas comprendre et elle se mit à rire.

– Quand on l'écoute avec attention, c'est fou ce qu'il vous admire ! Il vous admire tellement qu'il vous hait. Il se console en croyant que vous lui avez volé sa place de cadet. Mais vous êtes ce qu'il n'est pas, ce qu'il ne pourrait pas être, même si vous n'existiez pas.

– Je ne veux pas parler d'Alex, déclara Juillet. Surtout pas avec vous !

– Pourquoi ? Il m'a fait des confidences, vous savez... D'autant plus volontiers que je suis étrangère à sa famille. Sa très pesante famille !

Juillet hésita un peu avant de demander :

– Pourquoi avez-vous accepté de le défendre ? C'est un perdant né !

– A cause de ça. Quelle gageure !

Elle but quelques gorgées de champagne. Ses yeux brillaient, malicieux et provocants.

– Et puis je vous l'ai dit, c'était aussi pour vous rencontrer, vous...

– Je n'y crois pas.

– Vous avez tort. Vous ne vous êtes jamais regardé dans une glace ?

Juillet esquissa une moue dubitative, un peu gêné.

– Cette espèce de... modestie vous va bien, en plus ! Vous êtes persuadé que vous n'êtes que le fils de votre père. Et son débiteur.

– Mais c'est vrai ! protesta Juillet.

Elle rejeta la tête en arrière pour rire aux éclats. Son gilet blanc mettait son teint de rousse en valeur. Elle n'avait ni pudeur ni timidité, affichant la maturité épanouie d'une femme de quarante ans. Juillet eut une brusque envie d'elle et il fut soulagé par l'arrivée du maître d'hôtel.

– Je ne sais pas ce que je fais ici avec vous, murmura-t-il en attendant qu'elle attaque son homard.

– Nous subissons les préliminaires avec délice, vous et moi, ensuite nous leur demanderons une chambre pour prendre un peu d'exercice sur la digestion...

Il resta interloqué une ou deux secondes. Aucune des jeunes filles qui avaient été ses maîtresses ne lui avait parlé de cette manière.

– Je n'ai jamais cru à cette histoire de bagarre entre buveurs, reprit-elle abruptement. C'est vous qui avez mis votre frère en petits morceaux, j'en ai la conviction. Et je ne comprends pas pourquoi il n'a pas porté plainte. Quel argument de poids ! J'en aurais fait mes choux gras...

Juillet goûta le vin qu'on venait de leur servir et il fit un signe d'assentiment au sommelier. Lorsque celui-ci se fut éloigné, il répondit lentement :

– Vous ignorez tellement de choses que vous êtes condamnée à perdre ce procès.

Elle le dévisagea avec intérêt. Elle n'avait rencontré personne, jusque-là, qui ressemble à Juillet.

– Peut-être, admit-elle.

Elle se mit à manger de bon appétit, méditant les paroles de Juillet. Lorsqu'elle repoussa son assiette, elle déclara :

– Les juges vous aiment, votre adversaire

vous aime, tout le monde vous aime ! Et moi aussi...

Elle le défiait mais il soutint son regard. Ostensiblement, elle baissa la tête vers sa montre.

– Si vous demandiez la suite, nous gagnerions du temps, dit-elle d'une voix très douce.

***

Robert referma la porte de son bureau, affreusement mal à l'aise. Frédérique n'était restée que cinq minutes, le temps de fumer une cigarette, son bébé dans les bras. Robert n'avait pas quitté l'enfant du regard. Julien était beau et sage, pour ses six mois.

Robert ne pouvait pas reprocher à Frédérique un quelconque manque de discrétion. Il n'avait pas rencontré la jeune femme depuis longtemps. Il savait qu'elle était appréciée dans son travail, et aussi qu'elle sortait avec un jeune interne qu'elle rendait fou. La pension du petit Julien était régulièrement versée, maître Varin y veillait, et Frédérique était légalement propriétaire de son appartement. Elle n'avait pas émis d'exigence particulière. Elle n'était venue saluer Robert, ce matin-là, que par courtoisie. Du moins c'est ce qu'elle avait prétendu. En fait, elle voulait des nouvelles de Juillet, bien entendu. Robert avait consenti à parler de son cadet à regret, se demandant combien de temps Frédérique mettrait à accepter de l'avoir perdu. Combien de temps encore elle l'aimerait en pure perte, gâchant sa jeunesse dans une amertume sans fin.

Fasciné par ce bébé qui était peut-être son frère, Robert n'avait pu se défendre d'un sentiment de culpabilité. Le problème posé par Frédérique et son enfant avait été réglé de manière odieuse : avec de l'argent. Même si la jeune femme avait accepté cet arrangement sans discuter et même s'il n'y en avait pas d'autre, Robert ressentait une sorte de honte. En se servant de ce qu'ils étaient socialement, ses frères et lui avaient écarté le bébé comme un objet gênant.

Le sourire énigmatique de Frédérique ainsi que sa politesse forcée avaient encore accentué le malaise de Robert. Il l'avait vue se lever avec soulagement. Il lui avait serré la main sans oser toucher l'enfant. Et, dès qu'il avait été seul, il avait compris que cette culpabilité-là ne faisait que s'ajouter à l'autre, celle que suscitait sa liaison avec Pauline.

Il faisait gris et froid sur Paris. Laurène, au téléphone, avait dit qu'il neigeait à Fonteyne. Robert eut une brusque bouffée de nostalgie en pensant aux cheminées du château où Juillet devait, selon son habitude, entretenir des feux d'enfer.

Pauline avait réclamé un répit, un délai. Elle avait juré de trancher, après Noël, voulant assurer un dernier réveillon de paix à sa fille. C'est du moins ce qu'elle prétendait. Robert aurait pu apprécier cette séparation progressive d'avec Louis-Marie car elle avait le mérite de leur épargner à tous une brusque déchirure. Mais il avait attendu Pauline si longtemps qu'il était torturé à l'idée de devoir patienter encore. Il souhaitait une explication, il ne la redoutait pas. Il voulait un divorce rapide, pour elle, et pouvoir enfin l'épouser. Elle leur avait fait perdre de précieuses années en lui préférant Louis-Marie et en se trompant, bien entendu.

Il avait tout essayé, depuis deux mois, pour achever de la décider. Il ignorait délibérément les réflexions désagréables d'Esther ; il déjeunait avec Pauline tous les jours dans les meilleurs restaurants ; il lui faisait envoyer des fleurs et lui téléphonait longuement chaque soir. Il lui avait même offert une alliance en diamants, déclarant qu'elle pourrait la porter dès qu'elle aurait eu le courage de jeter l'autre.

Cependant il sentait chez elle une ultime

résistance qui l'exaspérait. Il avait pourtant l'impression de l'aimer chaque jour un peu plus, de se noyer dans cette effrayante passion qui le minait depuis plus de dix ans. Il lui avait proposé toutes les solutions possibles. Parler lui-même à Louis-Marie, partir à l'étranger sans explication, n'importe quoi, ce qu'elle voulait, pour qu'ils en finissent. Mais elle s'accrochait à son idée de délai. Elle voulait du temps. Or l'idée, la simple idée d'un Noël à Fonteyne le rendait fou. Il imaginait Pauline montant se coucher avec Louis-Marie, ce qui le rendait malade. Depuis qu'il se sentait des droits sur elle, il était redevenu jaloux. Il aurait pu attendre le retour de Pauline, après les fêtes, la laissant libre de régler son présent et son avenir comme elle l'entendait, mais il ne voulait pas accorder la plus infime chance à Louis-Marie. Il était le père d'Esther, après tout, il connaissait bien les faiblesses de sa femme et pouvait se montrer capable de la convaincre, de la retenir, de la reconquérir.

« S'il ne s'était pas enterré là-bas, s'il ne m'avait pas laissé le champ libre, je n'y serais jamais arrivé... Pourquoi a-t-il fait ça ? Il savait bien qu'il prenait un risque énorme, il n'est pas aveugle... »

Robert s'était déjà posé mille fois la question sans jamais trouver de réponse. Comme toujours, il chassa Louis-Marie de son esprit. Il ne voulait pas de crise de conscience, pas d'attendrissement. Il avait enfin un espoir et il s'y accrochait désespérément.

∗

Juillet souffla doucement la fumée de sa cigarette blonde tout en observant Valérie. Elle lui souriait, couchée à plat ventre, sa chevelure emmêlée sur l'oreiller. Il promena son regard le long du dos, des reins, des cuisses. Elle était musclée, mince sans être maigre, superbe. Elle avait fait l'amour avec une totale impudeur et beaucoup d'expérience, reléguant Laurène et toutes celles qui l'avaient précédée au rang de gentilles bécasses.

Elle avait su taire les mots tendres qu'elle avait failli prononcer, elle avait dissimulé le sentiment qu'il lui inspirait. Au contraire, elle lui avait parlé crûment, tout absorbée dans leur plaisir réciproque. Elle devinait, confusément, qu'il avait besoin de se mesurer. Elle ne pouvait pas savoir que, depuis Aurélien, Juillet n'avait plus aucun partenaire à sa taille dans son entourage, mais elle comprenait qu'il méritait mieux qu'une femme effacée et qu'un frère pendu à ses basques pour le mordre comme un roquet.

– Dans tes loisirs, tu joues aux échecs et tu montes à cheval, non ?

– Bravo, miss Marple ! Tu dis ça au hasard ou tu as pris tes renseignements ?

Elle tendit la main pour qu'il lui donne une bouffée de sa cigarette.

– C'était une supposition... Tu fais partie de ces gens qui recherchent toujours la lutte, sous une forme ou une autre.

Elle avait envie de s'attarder, de bavarder, de refaire l'amour. Au contraire, elle se leva et se dirigea vers la salle de bain en déclarant, avec une indifférence étudiée :

– Il est cinq heures et je suppose que tu es pressé de rentrer chez toi.

Elle n'attendit pas la réponse pour disparaître. Il fallait qu'elle l'étonne et qu'elle le tienne en respect si elle voulait garder une chance de le revoir. Elle prit une douche rapide, négligeant le confort luxueux de la salle de bain, mais lorsqu'elle regagna la chambre, Juillet n'était plus là. Elle fouilla dans son sac, trouva de quoi retoucher son maquillage et descendit cinq minutes plus tard. Juillet était dans l'un des petits salons de l'hôtel où il avait commandé deux cafés. Il se leva en la voyant.

– Je voulais vous dire au revoir, dit-il avec un sourire poli.

Elle fut contrariée par cette distance qu'il mettait entre eux mais elle n'en laissa rien voir. Elle but une gorgée de café, debout.

– Chose promise, chose due, déclara-t-elle en reposant sa tasse. Vous vous êtes acquitté. On se dit adieu ?

Elle le narguait, hautaine. Sa fourrure était posée sur ses épaules, ses cheveux retombaient en vagues sur son col relevé. Elle savait qu'elle était belle. Juillet enfouit les mains dans les poches de son jean et eut l'air d'un adolescent, soudain.

– Au revoir, Valérie, murmura-t-il.

Il avait mis beaucoup de douceur dans le prénom, ainsi qu'une nuance qui ressemblait à du respect. Un serveur s'approcha en toussotant, gêné de les interrompre.

– Votre taxi est arrivé, madame.

Elle s'éloigna vers la sortie de l'hôtel sans accorder un regard de plus à Juillet. Il neigeait de nouveau, à gros flocons. Juillet regagna sa Mercedes après avoir réglé une vertigineuse addition. Il patina un peu en démarrant et se maudit de n'avoir pas mis de pneus neige. Il contourna Bordeaux par l'autoroute qui avait été dégagée mais retrouva ses inquiétudes sur la route de Margaux. Des congères s'étaient formées un peu partout, obligeant les automobilistes à rouler au pas. Juillet se demanda si Varin et Auber, qu'ils attendaient pour dîner le soir même à Fonteyne, auraient le courage d'affronter les intempéries.

Il avait beau être très attentif à la conduite de sa voiture, il pensait à la femme qu'il venait de quitter. Elle ne lui laissait pas le sentiment amer de satiété qu'il avait souvent connu après ce genre de rencontre. Il n'avait aucune expérience des femmes de cette génération. Et pas du tout l'habitude d'être traité en gamin. Il réalisa qu'il avait trompé Laurène pour la première fois depuis leur mariage. Il se le reprocha, sans conviction, conscient que l'abstinence avait décuplé son désir pour Valérie, ce qui constituait un début d'excuse. De toute façon, il était impossible d'établir la moindre comparaison entre les deux femmes.

Lorsque Juillet se gara dans la grange de Fonteyne, il faisait nuit. La voiture de Varin était là, soigneusement rangée par Bernard sans doute. Juillet trouva d'ailleurs le jeune homme occupé à répandre du sel sur les marches du perron. Il gagna en hâte la bibliothèque dont il avait vu les fenêtres illuminées.

– Je me faisais du souci ! s'écria Laurène en se précipitant vers lui.

Elle dut se mettre sur la pointe des pieds pour l'embrasser dans le cou. Elle s'était emmitouflée dans les pulls de son mari afin de dissimuler un peu sa grossesse. Mais, malgré son état, elle faisait toujours irrésistiblement songer à une collégienne. Juillet la serra contre lui, dans un réflexe de protection, et il se sentit coupable de la journée qu'il venait de vivre.

– J'avais plein de rendez-vous, dit-il très vite. La route est vraiment dangereuse.

Maître Varin s'était levé et Juillet alla lui serrer la main.

– Je suis arrivé plus tôt que prévu, expliqua le notaire, car j'avais des documents à étudier avec vous. Je me suis permis d'en discuter avec Louis-Marie.

Juillet jeta un coup d'œil soulagé à son frère.

– Vous avez bien fait ! Asseyez-vous, je vous en prie...

Machinalement, il arrangea les bûches dans la cheminée. Il s'était amusé de la gêne de Varin mais il le rassura :

– Louis-Marie adore la paperasserie et je la lui abandonne d'autant plus volontiers qu'il a décidé de rester à Fonteyne !

Varin, tranquillisé, arbora son sourire le plus professionnel.

– Je suis heureux que vous ayez de l'aide, dit-il à Juillet.

Il le pensait sincèrement. Même en dehors

de ses intérêts personnels et de ses honoraires, il éprouvait un attachement particulier pour Fonteyne.

– Auber ne s'est pas décommandé ? demanda Juillet. Il faut être fou pour rouler ce soir. Nous vous logerons si besoin est, maître...

Satisfait de la flambée qu'il avait ranimée, il se redressa au moment où Dominique entrait, portant le plateau de l'apéritif. Juillet lui adressa un regard reconnaissant. Il était réconforté par la présence de sa belle-sœur, par la sérénité qu'elle donnait à la maison. Elle servit le Margaux avec délicatesse puis proposa des petits toasts au chèvre chaud.

Juillet était allé s'installer sur le canapé, près de Laurène. Il remarqua qu'elle avait l'air fatigué et il lui prit la main. Il frôla la bague de fiançailles, celle qu'il lui avait offerte en présence d'Aurélien, un soir de l'année précédente. Confiante, la jeune femme se laissa aller contre lui.

Un bruit de moteur, assourdi par l'épaisse couche de neige, au-dehors, leur annonça l'arrivée d'Auber. Dix minutes plus tard, il fit son apparition sur le seuil de la bibliothèque.

– Vous êtes téméraire ! lui lança Louis-Marie en guise de bienvenue.

– J'ai l'habitude... Et j'ai aussi des chaînes !

– C'est toujours la tempête ? demanda Juillet en tendant la main au médecin.

– C'est de pire en pire ! Je n'ai jamais vu ça en novembre.

Heureux d'être arrivé indemne, le docteur Auber jeta un coup d'œil autour de lui. Il appréciait Fonteyne à chacune de ses visites. La vaste bibliothèque, tapissée de précieuses reliures, lui sembla encore plus accueillante que d'ordinaire.

– Vous n'avez pas bonne mine, dit-il à Laurène en la saluant.

Il fronçait les sourcils, hésitant, trouvant la jeune femme très pâle. Juillet, en revanche, semblait en pleine forme et Auber lui sourit.

– Mais vous, je désespère de vous compter un jour parmi mes patients...

– Surtout que la patience n'est pas son fort ! persifla Louis-Marie.

Il trouvait à son cadet un air conquérant et amusé qu'il ne lui avait pas connu depuis longtemps. Auber profita de l'atmosphère très détendue qui régnait pour glisser :

– J'ai un message à vous transmettre, Juillet... Alxandre aimerait vous parler, à l'occasion, si vous passez du côté de l'hôpital.

Le silence s'abattit sur eux comme une chape. Auber savoura une gorgée de Margaux et reposa son verre sans bruit. Laurène étreignit la main de Juillet et ce geste le toucha. Il sentit le regard aigu de Dominique sur lui.

– Entendu.

Tous eurent conscience qu'il se forçait pour dire ce simple mot, mais il avait accepté. Auber étouffa un soupir de soulagement. L'état psychologique d'Alexandre l'inquiétait depuis plusieurs semaines. Il était le seul à savoir ce qui s'était passé cette nuit-là, dans les vignes, alors que tout le service de traumatologie était persuadé qu'un ivrogne s'était acharné sur le pauvre Alex. Celui-ci n'ayant pas démenti cette version, il avait droit à l'exaspérante compassion des infirmières. En réalité, l'alcool lui avait beaucoup manqué au début. Robert s'était longuement entretenu à ce sujet avec Auber. Mais, les jours passant, le silence buté d'Alex s'était transformé en un mutisme triste, presque effrayé. Physiquement, il se remettait bien, tandis que moralement il s'écroulait, Auber le constatait à chaque visite. Aussi la brusque requête d'Alex au sujet de Juillet, le jour même, avait agréablement surpris le médecin. C'était surtout pour cette raison qu'il avait bravé la tempête de neige.

– Madame est servie, annonça Fernande en entrant.

Dans la salle à manger, les rideaux de velours étaient tirés et Clotilde avait préparé une flambée. Dominique alluma les bougies des hauts chandeliers, sachant que Juillet aimait leurs reflets sur les boiseries. Ils s'assirent avec un sentiment de sécurité et de bien-être, heureux de goûter aux ravioles de morue dont Fernande avait le secret.

– Dieu qu'on mange bien, chez vous, soupira Varin avec un sourire béat.

– Vous devriez surveiller Fernande de près si vous voulez continuer à déguster sa cuisine, dit Auber à la cantonade.

– C'est à vous de la surveiller ! protesta Juillet.

– Non, se défendit le médecin, moi, elle ne m'écoute pas. Elle prend ses médicaments les deux premiers jours puis elle décrète que ça la fatigue et elle jette tout ! Or ce ne sont pas les remèdes qui épuisent, c'est la maladie !

– Vous en avez parlé à Lucas ? demanda Dominique.

– Oui, bien sûr. Mais elle ne tient pas compte de son avis non plus. Fernande est une personne très obstinée...

Cet euphémisme fit rire Juillet et Louis-Marie. En réalité, la vieille femme était têtue comme une mule, ils le savaient.

– C'est bon, dit Dominique, je vais m'en occuper. J'essaierai de la convaincre.

Juillet sourit à sa belle-sœur. C'est elle qui passait plus de temps que quiconque avec Fernande et elle la connaissait bien. Leurs longs tête-à-tête, derrière les fourneaux, les avaient rendues complices depuis longtemps.

– Votre épouse doit vous rejoindre bientôt ? demanda Varin à Louis-Marie.

Il y eut un court silence puis Louis-Marie répondit, d'un ton neutre :

– La famille sera réunie pour Noël, bien entendu.

Varin n'osa pas aller plus loin et il échangea un coup d'œil discret avec Auber. Les bouleversements de la famille Laverzac n'étaient pas faciles à suivre. Un bruit de galopade, au premier étage, fit lever la tête de Dominique. Les jumeaux avaient dû quitter leurs lits pour regarder la tempête de neige. Elle sourit en les imaginant, nez contre la vitre et regards émerveillés.

Fernande vint servir le turbot aux morilles, affirmant que le temps ne s'arrangeait pas et qu'on allait vers un désastre. Juillet, qui ne craignait rien pour ses vignes à ce moment de l'année, haussa les épaules avec insouciance.

– J'aime bien l'hiver, dit-il d'un air réjoui.

Louis-Marie se mit à rire et déclara que son

frère aimait toutes les saisons, du moment qu'il les passait à Fonteyne.

– Vous ne prenez jamais de vacances? s'étonna Auber.

– Pour aller où?

– Eh bien... Dans les pays chauds, par exemple.

– Margaux est un pays chaud, l'été. Très chaud!

Dominique éclata de rire à son tour, égayée à l'idée de Juillet en touriste, soupirant après Fonteyne au pied des Pyramides. Elle se tourna vers sa sœur et fut saisie par son expression hagarde.

– Tu ne te sens pas bien?

Dominique était déjà debout, penchée sur Laurène. Auber se leva en hâte tandis que Laurène balbutiait:

– Je ne sais pas ce qui m'arrive...

Juillet fut plus rapide que tout le monde. Il prit sa femme dans ses bras et la souleva en lui murmurant des paroles rassurantes.

– Portez-la dans sa chambre, s'il vous plaît, demanda Auber d'une voix contrariée.

Laurène avait le teint gris, les traits creusés, les yeux fermés. Juillet grimpa l'escalier si vite que le médecin eut du mal à le suivre. Lorsque Laurène fut installée sur son lit, il demanda à Juillet de sortir.

– Depuis combien de temps avez-vous mal ? interrogea-t-il gentiment.

Elle essayait d'ignorer la douleur, lancinante et régulière, depuis plusieurs heures. Lorsqu'il l'examina, il constata, très alarmé, qu'elle n'allait pas tarder à accoucher.

*_**

Juillet était allé chercher la trousse du médecin dans sa voiture, et il avait dû lutter contre un vent glacial qui faisait tourbillonner la neige. Auber avait appelé une ambulance, tout en sachant qu'elle mettrait trop de temps à gagner Fonteyne. Le travail était déjà très avancé et Laurène se tordait de douleur en hurlant. Elle avait résisté aux contractions tout l'après-midi, refusant de croire à un accouchement prématuré. Elle avait voulu parler à Dominique, mais celle-ci était occupée à la cuisine avec Fernande, entièrement absorbée par la préparation du dîner. Comme Juillet n'était pas là, Laurène n'avait pas voulu se confier à Louis-Marie et elle était restée allongée, persuadée que son malaise passerait. Bien décidée à ne plus se conduire en petite fille gâtée, elle s'était promis de parler en aparté au docteur Auber dans la soirée, mais de n'effrayer personne d'ici là. Pour se donner du courage, elle s'était accrochée à l'idée que son enfant ne pouvait pas naître quatre semaines avant terme. A présent, la souffrance l'avait entièrement envahie et elle était terrorisée, broyant la main d'Auber dans la sienne.

En bas, dans la bibliothèque où ils s'étaient retirés, tous les autres restaient silencieux. Louis-Marie avait fermé les portes pour être certain de ne rien entendre. Aucun bruit du premier étage ne risquait de leur parvenir dans cette grande pièce tapissée de livres. Dominique avait disparu discrètement, certaine qu'elle pourrait être utile au médecin et à sa sœur. La compétence d'Auber comme son expérience et son âge avaient quelque chose de rassurant mais ne suffisaient pas à apaiser Juillet. Il faisait d'incessantes allées et venues pour observer la tempête au-dehors. Varin et Louis-Marie s'étaient lancés dans une partie d'échecs. Lucas était venu demander, timidement, s'il pouvait être utile à quelque chose.

Dans la salle à manger, Fernande avait débarrassé le baron de lapereau auquel personne n'avait eu le temps de goûter. Elle décida de préparer un plateau de pâtisseries pour accompagner le café devenu indispensable. Très émue à l'idée de cette naissance, elle voyait comme un signe du destin dans la présence du docteur Auber ce soir, précisément, et la persistance du mauvais temps. Louis-Marie, Robert et Alexandre étaient nés à Fonteyne. Pour rien au monde Lucie Laverzac n'aurait accouché ailleurs qu'au château. Que le premier enfant de Juillet vienne au monde dans ces murs avait une valeur de symbole, Fernande en était persuadée.

« C'est une revanche sur sa naissance à lui... Pour effacer le cauchemar... Il ne sait pas tout, je lui parlerai quand son bébé sera né... »

Elle gagna la bibliothèque où elle entra sans bruit. Elle servit Juillet en dernier et lui glissa à l'oreille :

– Tout ira très bien, crois-moi...

Il leva sur elle un regard soucieux et elle eut le cœur serré, le revoyant tel qu'il était lorsqu'il avait dix ou douze ans, avec les mêmes yeux inquiets et pleins d'espoir. Elle lui caressa les cheveux, une seconde, d'un geste maternel, remettant de l'ordre dans les boucles trop longues. Elle avait été la seule présence féminine de leur enfance, mais si elle les aimait profondément tous les quatre, Juillet était son préféré, depuis toujours. Elle savait bien qu'il souffrait d'être impuissant, immobile, alors que sa femme se tordait de douleur au premier étage.

Elle sortit en refermant soigneusement les portes et elle traversa le hall en hâte pour ne pas entendre Laurène. Arrivée à la porte de l'office, elle s'aperçut qu'il régnait un silence complet. Elle revint sur ses pas, ne sachant que faire, et hésitait encore, la main sur la rampe, lorsque la voix de Dominique lui cria, depuis le palier :

– C'est une fille ! Elles vont bien toutes les deux !

Prise d'un étourdissement, Fernande dut s'asseoir sur la première marche du grand escalier.

– Ce n'est rien, c'est l'émotion, murmura la vieille femme en souriant.

Elle fit signe à Dominique de ne pas s'occuper d'elle et elle se releva, essoufflée, réprimant son habituelle envie de tousser. Juillet jaillit hors de la bibliothèque pour se lancer à l'assaut des marches mais il broya l'épaule de Fernande au passage, d'un geste affectueux et triomphant. Lorsqu'il ouvrit la porte de sa chambre à la volée, Auber tenait le nouveau-né dans les bras et Clotilde roulait en boule des draps et des serviettes sales. Juillet ne vit rien de tout ce désordre. C'est vers Laurène qu'il se précipita, débordant de joie, de soulagement, de gratitude.

– Vous allez l'étouffer ! protesta Auber.

Elle a besoin de calme, l'épreuve a été pénible.

Il était venu mettre le bébé sous le nez de Juillet qui le contempla, muet, avant d'oser tendre la main vers lui. Il s'en saisit avec d'infinies précautions et l'installa contre l'épaule de Laurène. Ensuite il se mit à genoux, au bord du lit, pour contempler sa femme et sa fille.

– Merci, dit-il tout bas.

Laurène parvint à lui sourire. Elle était tellement fière de lui avoir fait ce cadeau qu'elle oublia une seconde sa fatigue. Avant de s'endormir, elle se rassasia du regard de Juillet qui contenait toute la tendresse du monde.

***

L'ambulance, arrivée à trois heures du matin, repartit vide. Juillet avait tellement insisté auprès d'Auber que le médecin avait dû céder. Il exigeait toutefois qu'une infirmière soit engagée pour la semaine à venir. Avant d'être autorisé à gagner la chambre d'amis qui l'attendait, Auber dut trinquer avec la famille. Il souligna le courage de Laurène, passa sur ses propres angoisses et fit remarquer qu'il y avait plus de dix ans qu'il n'avait pas accouché une femme chez elle.

– Je déteste ça, avoua-t-il. On est à la merci de n'importe quel pépin et complètement démuni pour y faire face.

Il s'était promis d'avoir une conversation avec Laurène dès qu'elle en serait capable. Elle avait fait courir des risques inutiles à son enfant et s'était comportée en gamine.

– Je ne comprends pas que votre épouse n'ait pas filé à la clinique dès le début de l'après-midi ! Surtout pour un premier, c'était de la folie...

Juillet se sentit aussitôt très mal à l'aise. A l'heure où Laurène ressentait les premiers signes de l'accouchement, il faisait l'amour avec Valérie Samson. S'il avait été à Fonteyne, Laurène se serait confiée à lui.

– Tu fais une drôle de tête ! lui lança Louis-Marie. C'est la stupeur d'être père ?

– Pour une prématurée, elle est superbe, répéta Auber. Mais je maintiens qu'un bref séjour à la maternité...

– Non, trancha Juillet. Je la garde à Fonteyne, je garde sa mère, et si vous y tenez, je fais venir toute une équipe médicale ici.

Il resservit du champagne, envahi par le brusque souvenir du commandant Delgas. Lorsque le vieux gendarme lui avait raconté ce qu'il savait de sa naissance à lui. Des efforts de sa mère pour lui trouver un père. De cette cabane sordide où elle était morte. De cet enfant de deux mois qui criait de faim près du cadavre.

Il se redressa, livide, et Louis-Marie le secoua.

– Tu vas bien ?

– Oui, oui...

Juillet fit un effort pour retrouver son sang-froid. Il trinqua de nouveau avec Auber et Varin qui tombaient de sommeil. Il ne pensait jamais à ses origines. Sa vie commençait et finirait à Fonteyne.

– Comment s'appelle ma nièce ? demanda Louis-Marie.

Juillet et Laurène n'avaient pas encore choisi de prénom, persuadés qu'ils avaient quelques semaines devant eux. Mais Juillet n'eut pas besoin de réfléchir pour répondre.

– Lucie-Malvoisie Laverzac.

Auber et Varin échangèrent un regard étonné.

– Malvoisie ?

– Vin grec, doux et sucré ! commenta Louis-Marie en éclatant de rire.

Il tapa joyeusement sur l'épaule de son frère.

– J'aime beaucoup ! J'adore ! Malvoisie... Et puis ce sont mes initiales, L et M, c'est très bien. Laurène est d'accord ?

– Je vais le lui demander, décida Juillet en reposant sa coupe.

– Pas question ! protesta le médecin. Laissez-la dormir, elle le mérite...

Dominique était restée près de sa sœur, décidée à surveiller le nouveau-né jusqu'à l'arrivée de l'infirmière, prévue dans la matinée du lendemain. Clotilde s'était endormie sur un fauteuil, dans la chambre des jumeaux qu'on avait eu toutes les peines du monde à faire tenir tranquilles. Auber termina son champagne et supplia qu'on le laisse se reposer un peu. Louis-Marie le conduisit, ainsi que Varin, aux chambres que Fernande avait préparées. Ensuite il redescendit, certain que Juillet n'avait pas sommeil. Effectivement, son frère l'attendait, assis sur le barreau de l'échelle. Il avait remis des bûches dans la cheminée et débouché une nouvelle bouteille.

– Il neige toujours, dit-il à Louis-Marie. Les routes seront tout à fait impraticables demain. Au besoin, il faudra envoyer Bernard chercher l'infirmière... Je lui dirai de mettre des chaînes sur le break... Dominique l'accompagnera pour prendre l'ordonnance d'Auber et tout ce qu'il faut pour la petite à la pharmacie...

Juillet parlait d'un air rêveur, planifiant la journée à venir pour sa femme et sa fille.

– Tu es heureux ? lui demanda Louis-Marie.

– Oui... Vraiment, oui! Tu as ressenti la même chose à la naissance d'Esther?

– La même chose? C'est-à-dire? J'ai souvenir d'un moment merveilleux où on se sent gonflé d'orgueil, dégoulinant de reconnaissance et de bons sentiments...

Sa voix était amère, désabusée. Il ajouta, très bas:

– J'en aurais voulu d'autres. Un enfant unique, c'est triste. Mais Pauline ne le souhaitait pas.

Il se servit de champagne et vida sa coupe d'un trait.

– Tu vois, mon premier réflexe, ce soir, était de lui téléphoner pour lui annoncer la naissance de ta fille... Mais je ne l'ai pas fait parce que je suppose qu'elle dort avec Robert.

Juillet restait silencieux, désolé pour Louis-Marie.

– Cette situation ne me rend plus malade, j'ai passé le cap. Je connais Bob, il ne me fera pas de cadeau. Il la veut à tout prix... A n'importe quel prix... Et elle, elle est tellement...

Il n'acheva pas sa phrase, certain que Juillet comprenait. Il but de nouveau, décidé à se soûler.

– J'enterre dix ans de bonheur, conclut-il.

D'angoisse, aussi. Je ne serai plus inquiet, maintenant ! Et plus heureux non plus...

– Tu n'en sais rien, dit Juillet.

– Mais si, voyons ! Comment veux-tu que je la remplace ? Pauline, c'est la femme d'une vie. Pourtant, elle n'a rien d'extraordinaire. Au contraire !

Juillet quitta son barreau d'échelle et vint prendre Louis-Marie par le cou, d'un geste tendre.

– Tu l'aimes toujours, c'est ça le problème.

– Je ne veux pas gâcher ta joie de ce soir. Je suis ridicule.

Il se redressa et sourit à son frère.

– Le jour où ta fille t'appellera papa, tu vas adorer ça !

– Je vais me sentir vieux.

– Penses-tu ! Lucie-Malvoisie va tous nous rajeunir, au contraire.

– Je n'ai pas beaucoup de souvenirs de notre mère. Mais toi oui, sûrement... Elle était gentille ?

Cette question prit Louis-Marie au dépourvu.

– Elle était... oui, elle était assez douce. Pour supporter père, il fallait qu'elle le soit ! Je sais que tu l'as pris pour le bon Dieu mais, entre nous, il n'était pas facile. J'ai eu beaucoup de peine quand elle est morte et il n'a pas eu un mot ou un geste pour me consoler. Il exigeait beaucoup...

– Il donnait beaucoup aussi !

– A toi, oui. Et encore, pas tout de suite. Tu lui as forcé l'affection. Tu étais comme un chiot, Juillet...

Louis-Marie souriait, amusé par ces souvenirs. Il n'avait jamais éprouvé la moindre jalousie envers le petit « gitan ».

– Alex a été perturbé par ton arrivée, tu sais. Ne l'oublie pas trop... Et fais ce qu'Auber t'a demandé, va le voir.

Juillet alluma une Gitane. Il savait qu'il devait en passer par là, qu'il n'aurait aucune excuse pour différer plus longtemps un face-à-face devenu inéluctable.

– J'irai, dit-il simplement.

Sa parole valait tous les serments et Louis-Marie soupira, soulagé.

*_**

Laurène était aux anges. Elle ne quittait pas des yeux son bébé. L'infirmière l'avait chaudement emmailloté et installé contre sa mère après son biberon. Juillet était venu passer une demi-heure dans la matinée, s'asseyant timidement au bord du lit sans dire un mot. Il avait fallu que Laurène lui prenne la main et la pose elle-même sur le nouveau-né. Avant de quitter la chambre, il lui avait promis d'aller chercher Marie malgré la neige. L'infirmière avait discrètement attendu dans le couloir et, lorsqu'il sortit, elle lui adressa un grand sourire.

Le temps ne s'était pas arrangé, au contraire. Dans la nuit, le vent avait glacé la neige en profondeur. Juillet renonça à son habituelle promenade dans les vignes et se rendit à l'écurie. Il lui fallut un bon quart d'heure pour mettre des crampons sous les fers de Bingo puis il le conduisit jusqu'au pré où le cheval s'en donna à cœur joie.

Chaussé de bottes fourrées que lui avait prêtées Lucas, Louis-Marie rejoignit son frère devant la barrière.

– Je suppose qu'il n'y a strictement rien à faire, aujourd'hui ?

– Tu peux venir avec moi dans les caves, tout à l'heure, je vais profiter de ce temps de chien pour passer en revue la futaille. Et puis j'aimerais voir quelque chose sur le programme informatique avec toi. Et...

– Arrête ! Mais quel bourreau de travail tu peux faire ! Je veux un jour de congé, un seul !

– D'accord. Noël...

Juillet souriait mais ne plaisantait qu'à moitié. Il entra dans le pré, récupéra son cheval par le licol.

– Il deviendrait fou si je le laissais enfermé trois jours de suite, expliqua-t-il à son frère. Donne-moi cinq minutes pour le rentrer et ensuite on ira chercher Marie à Mazion.

– A Mazion ? Tu deviens fou ?

– Bernard a bien fait la route jusqu'à Bordeaux ! Tu ne voudrais pas que ce gamin nous donne une leçon de conduite, quand même ?

Louis-Marie accepta, de mauvaise grâce, de l'accompagner. Il leur fallut deux heures pour arriver chez les Billot où Marie les accueillit à bras ouverts. Elle insista pour que Juillet monte saluer sa belle-mère qui voulait le féliciter pour cette arrière-petite-fille. Dans l'escalier, il rencontra Antoine qui l'arrêta.

– Où vas-tu ?

La voix était sèche, presque agressive.

– Embrasser votre mère, Antoine. Mais bonjour, d'abord...

Juillet avait répondu sur le même ton et Antoine se fâcha carrément.

– Tu n'as rien à faire chez moi. Tu ne m'as pas très bien reçu à Fonteyne, la dernière fois, si j'ai bonne mémoire.

Juillet fit une dernière tentative pour que leur rencontre ne dégénère pas.

– Laurène a eu une superbe petite fille, Antoine.

– Je sais. Marie me l'a dit.

– Voulez-vous venir jusqu'à Fonteyne pour faire sa connaissance ?

– Non. Il faut être fou comme toi pour se mettre sur les routes aujourd'hui.

Juillet sentit que la colère le gagnait. Il retint un soupir d'exaspération.

– Marie est impatiente et Laurène l'attend.

Comme Antoine lui barrait l'accès de l'étage, Juillet fit demi-tour, renonçant à voir Mme Billot.

– Attends ! Est-ce que tu peux me dire ce que tu manigançais, hier midi, à Pessac ? Quelqu'un t'a vu déjeuner avec l'avocate de ton frère à La Réserve. C'est vrai ?

Juillet se retourna lentement pour faire face à Antoine et le dévisagea avec une insolence délibérée.

– Je ne crois pas vous devoir de comptes...

– Tu es mon gendre ! Ton frère est mon gendre ! Les Laverzac ont fondu sur mes filles comme s'il n'y en avait pas d'autres dans tout le département ! C'est bien ma chance...

Juillet remonta une marche pour pouvoir regarder Antoine droit dans les yeux.

– C'est votre chance, Antoine, oh oui !

– Tu es bien comme Aurélien, toi ! On pourrait croire que tu es son fils...

– Vous ne dites pas un mot de plus ou nous allons nous fâcher pour de bon, prévint Juillet d'une voix dure. Je vous respecte parce que vous êtes le père de Laurène. Mais en tant qu'Antoine Billot, je vous tiens pour un vrai médiocre, c'est clair ?

Antoine prit une profonde inspiration. Il avait peur de Juillet et cette crainte le rendait encore plus furieux que ce qu'il venait d'entendre.

– Casse-toi ! hurla-t-il. Dehors ! Aurélien a déjà pris la porte, c'est ton tour !

Juillet descendit posément jusqu'au rez-de-chaussée. Marie attendait au pied de l'escalier, le visage inquiet.

– Qu'est-ce qui se passe ? murmura-t-elle.

Antoine arrivait, essoufflé par sa colère.

– Je ne veux pas que tu montes en voiture avec ces deux cinglés ! dit-il à sa femme en pointant un doigt vengeur sur Louis-Marie.

– Mais enfin, Antoine...

Louis-Marie regarda Juillet et comprit qu'il était au bord d'un éclat. Il s'approcha d'Antoine.

– Comment allez-vous ? demanda-t-il avec un sourire poli.

Son attitude déconcerta Antoine qui resta sans réaction.

– Votre petite-fille est belle comme un ange, ajouta Louis-Marie. Pour la route, soyez sans inquiétude, nous avons mis des chaînes et nous avons roulé très douce-ment.

Il y eut un silence, puis Antoine haussa les épaules et décida de saisir la perche que lui tendait Louis-Marie.

– Soyez prudents, bougonna-t-il.

Il sortit en claquant la porte et faillit tomber sur la neige verglacée de la cour. Affronter en même temps Juillet et Marie était trop difficile pour lui.

« Et voilà, songea-t-il avec amertume, le bébé s'appelle Laverzac, comme les jumeaux. Et tous mes descendants porteront ce nom-là ! Il n'y aura plus de Billot. Les terres seront vendues. Et je n'aurai servi à rien... »

Il se réfugia dans son chai et se mit à marcher de long en large devant les fûts. Il n'aimait pas Juillet et il n'aimait pas Fonteyne. C'était exactement ce qu'il aurait voulu et qu'il n'avait pas eu. Il sursauta en entendant des pas dans son dos. Juillet s'avançait vers lui.

– Antoine ? Vous ne voulez vraiment pas nous accompagner ?

La voix était amicale mais il secoua la tête sans répondre.

– Je vous ramènerai Marie dans l'après-midi, ajouta Juillet.

Il semblait sur le point de repartir mais il

eut une hésitation. Il enfonça ses mains dans les poches de son jean et releva brusquement la tête.

– Je voulais vous dire... Excusez-moi, je suis désolé.

Juillet quitta le chai à grandes enjambées et Antoine le suivit des yeux.

« Le problème, avec ce garçon, c'est qu'il est irrésistiblement sympathique quand il veut... »

Antoine écouta le bruit du moteur puis le crissement des chaînes qui mordaient la glace. Il eut un sourire involontaire en pensant à la joie de Marie qui avait une véritable passion pour les bébés. Particulièrement les petites filles.

*_**

A Paris, la neige avait fondu et tout était sale, sinistre. A quelques jours des vacances de Noël, Pauline commençait à s'inquiéter pour de bon. Esther boudait depuis des semaines et s'enfermait dans sa chambre dès qu'elle rentrait de l'école. Lorsqu'il était question de Robert, elle devenait carrément insolente.

Pauline était loin d'être une bonne mère mais elle aimait sa fille à sa manière. Elle finit par lui proposer de partir pour Fonteyne avant la date prévue. Ravie à l'idée de rejoindre son père et ses cousins, de manquer les derniers jours de classe et de prendre seule le train, Esther accepta aussitôt. Pauline téléphona à Louis-Marie qui approuva sa décision avec son calme habituel. Elle l'appelait trois fois par semaine et raccrochait toujours avec perplexité. Louis-Marie avait accepté un délai de réflexion mais elle savait bien qu'elle devrait se décider à trancher avant les fêtes de fin d'année. Robert devenait exigeant, lui aussi.

Pauline pliait les jupes et les pulls d'Esther, puis les entassait distraitement dans un sac de voyage. Assise à son bureau, sa fille semblait absorbée par un livre. Pauline se sentit accablée à l'idée du dîner qui les attendait : un sempiternel steak haché et des frites surgelées, seul menu capable de dérider Esther. Avant un bonsoir hâtif, accordé du bout des lèvres.

– Je te mets tes mocassins bleu marine, déclara Pauline sans espoir de réponse.

Qu'une enfant de neuf ans puisse imposer sa mauvaise humeur lui sembla soudain très excessif. Avant que Louis-Marie ne décide de s'enterrer à Fonteyne, il sortait presque chaque soir avec sa femme. Pauline n'éprouvait alors aucune culpabilité à faire garder

Esther par une quelconque baby-sitter. A présent, elle se faisait un devoir de ne pas s'absenter trop souvent, refusant la moitié des invitations de Robert. D'ailleurs les amis de Robert n'étaient pas drôles. Leurs conversations tournaient essentiellement autour de la chirurgie de pointe ou, au mieux, des compétitions automobiles.

– Mets-moi mon bonnet rouge, aussi, celui que papa m'a envoyé pour ma fête...

– Tu pourrais dire s'il te plaît !

– S'il te plaît, maman, répéta docilement la petite fille.

Pauline, agacée, fourra une écharpe dans le sac puis le ferma rageusement en coinçant la fermeture à glissière. Elle s'acharna et finit par se casser un ongle, à bout de patience. Lorsqu'elle fila à la cuisine, elle y découvrit la table jonchée des miettes du goûter. Elle s'assit sur l'un des hauts tabourets, les coudes sur les genoux, au bord des larmes tant elle était exaspérée. Elle eut soudain envie de partir pour Fonteyne, elle aussi. Envie d'un Noël où Dominique, Fernande et Clotilde s'occuperaient de tout en lui laissant le beau rôle. Pourquoi devait-elle absolument choisir et chambouler toute son existence ? Elle ne voulait pas vivre à Fonteyne sans pour autant y renoncer. Tout comme elle aurait voulu pouvoir garder Robert et Louis-Marie.

L'heure tournait. Il fallait dîner tôt car le TGV d'Esther partait de bonne heure le lendemain. Robert avait parlé de Venise, pour Noël, mais Pauline n'avait pas encore pris sa décision. Le téléphone sonna et elle décrocha en hâte. Dès les premiers mots, elle se mit à sourire. Elle aimait beaucoup la voix chaude de Robert, ses inquiétudes ou ses rires. Mais elle n'était pas certaine, décidément, d'avoir envie de vivre avec lui pour toujours.

₊

Juillet était à peine assis que la secrétaire vint le chercher. Il la suivit jusqu'au bureau de Valérie, heureux qu'elle puisse le recevoir aussi vite.

– Monsieur Laverzac, je suis particulièrement heureuse de vous voir ! dit l'avocate avec enthousiasme.

Elle fit signe à sa secrétaire et attendit que celle-ci ait quitté la pièce pour adresser un grand sourire à Juillet.

– Asseyez-vous... Assieds-toi. Comment nous parlons-nous ?

– Comme vous voudrez, répondit Juillet en indiquant ainsi ses intentions.

Elle fronça les sourcils. Depuis deux semaines, jour et nuit, elle pensait à lui. Personne ne l'avait jamais troublée puis séduite comme cet homme-là. C'était pire que d'être sous le charme, elle se sentait carrément déstabilisée.

– Cette visite me fait plaisir, déclara-t-elle à mi-voix.

Elle devinait qu'il n'allait pas dire des choses agréables.

– Je ne voulais pas vous téléphoner, commença Juillet.

– Dommage ! J'ai attendu votre appel...

Elle restait distante, maîtresse d'elle-même, mais elle avait peur de ce qui allait suivre et préféra le devancer.

– J'ai appris la naissance de votre fille. Félicitations !

– Merci...

Elle se tenait debout, près de la fenêtre, et il vint la rejoindre. Il posa ses mains sur ses épaules, la faisant tressaillir.

– Il fallait que je vous voie, pour vous expliquer.

– Est-ce bien utile ? Il suffisait de vous taire, de ne plus donner signe de vie. Je ne vous aurais pas poursuivi, vous savez !

Se dégageant d'un geste sec, elle le toisa, hautaine.

– Aujourd'hui, vous êtes un jeune papa et

vous avez découvert les vertus de la fidélité, c'est ça ? Vous n'auriez pas dû vous déranger pour si peu ! Nous ne nous étions rien promis, que je sache...

– Valérie, écoutez-moi.

– Non ! Excusez-moi, j'ai beaucoup de travail.

Elle alla s'asseoir derrière son bureau, remit ses lunettes et ouvrit un dossier. Il la rejoignit en deux enjambées, la forçant à faire face.

– Vous me plaisez infiniment, dit-il très vite. Je meurs d'envie de faire l'amour avec vous, de parler avec vous. Mais nous n'y gagnerons rien, ni vous ni moi.

– Qu'en savez-vous ? dit-elle d'une voix étranglée.

Elle luttait pour ne pas le supplier. C'était la première fois de son existence qu'elle était amoureuse, stupéfaite de se découvrir si vulnérable, prête à n'importe quelle bassesse pour qu'il lui laisse une chance.

– S'il te plaît, Juillet...

Elle avait prononcé ce drôle de prénom avec désespoir. Il recula.

– Je ne veux pas, dit-il seulement.

Ce fut pire que s'il l'avait giflée. Il venait de la rejeter, d'une toute petite phrase sèche. Elle avait douze ans de plus que lui, elle en prit conscience douloureusement à cet instant. Elle releva la tête, le regard dur.

– Mais je ne vous retiens pas, monsieur Laverzac...

Il regrettait d'avoir été si maladroit. Il n'était pas venu pour la blesser. Peut-être même pas pour rompre tout à fait. Il n'en savait plus rien. Il se sentait toujours comme un gamin avec elle. Il hésita mais l'orgueil fut le plus fort et il sortit sans ajouter un mot.

Valérie eut besoin de cinq longues minutes pour retrouver un peu de calme. Elle aurait tout le temps d'être malheureuse, pour le moment c'était l'humiliation qui la faisait le plus souffrir. Elle haïssait l'échec et celui-ci plus que n'importe quel autre. Elle tendit la main vers son agenda pour y chercher le numéro du juge qui s'occupait de l'affaire Laverzac. Lorsqu'elle l'eut en ligne, elle retrouva une voix enjouée pour le convier à dîner. Elle avait si longtemps repoussé ses avances qu'il parut stupéfait de l'invitation. Valérie se fit charmeuse, trouva un vague prétexte professionnel et n'eut aucun mal à le convaincre.

*_**

Juillet revint de Bordeaux assez tôt dans

l'après-midi et il s'offrit une promenade à cheval, avant la nuit, pour essayer d'oublier sa pénible entrevue. Ensuite il prit une douche et rejoignit Laurène juste à l'heure du biberon. Il insista pour le donner lui-même, toujours émerveillé d'avoir sa fille dans ses bras. Il avait des gestes doux, précis, attentifs. Laurène le regardait avec jubilation, heureuse comme une gamine qu'il se plaise dans son rôle de père. Elle s'était bien remise de son accouchement et elle s'était beaucoup occupée d'elle-même depuis quelques jours, mettant à profit le sommeil du bébé pour essayer des maquillages sophistiqués ou de nouvelles coiffures. Dominique la poussait à la coquetterie en insinuant que Juillet devait être fatigué de l'abstinence forcée des dernières semaines. Elles avaient piqué des fous rires étouffés en échangeant des confidences, plus proches l'une de l'autre qu'elles ne l'avaient jamais été.

Dès que la petite Lucie-Malvoisie fut endormie dans son berceau, Juillet détailla sa femme des pieds à la tête.

– Tu es ravissante, lui déclara-t-il avec sincérité.

Laurène ne possédait ni l'élégance ni l'assurance de Valérie, et Juillet avait rarement envie de discuter avec elle de choses sérieuses.

Mais elle était si menue, si juvénile et si confiante qu'il était ému dès qu'il la regardait avec un peu d'attention.

– Tu es une enfant qui a eu une enfant, c'est drôle, dit-il attendri.

Elle vint l'embrasser, se lovant contre lui comme un chaton. Il fouilla la poche de son blue-jean puis lui tendit un petit écrin noir. Elle le prit mais ne l'ouvrit pas, étonnée.

– Pour moi ? Pourquoi ?

– Pour te dire merci.

Elle hésitait encore et il eut ce rire particulier qu'elle adorait. En soulevant le couvercle, elle poussa un cri de joie. Une émeraude scintillait sur le velours de l'écrin. Juillet prit la pierre précieuse montée en pendentif, amusé par l'expression stupéfaite de sa femme.

– Tu es devenu fou, balbutia Laurène.

Sans répondre, il accrocha la chaîne au cou de Laurène. Elle se précipita devant une glace tandis qu'il riait toujours. C'était la première fois qu'il lui achetait un bijou, le diamant de leurs fiançailles, offert par Aurélien, ayant appartenu à Lucie. Elle revint vers lui, les yeux brillants. Il crut que c'était l'excitation mais il s'aperçut qu'elle pleurait.

– Qu'est-ce qui se passe ? murmura-t-il, désolé.

Elle s'abattit contre lui en sanglotant, comme si elle était inconsolable.

— Alors tu m'aimes quand même ? bafouilla-t-elle contre son épaule.

Il lui prit le menton pour l'obliger à lever la tête.

— Mais enfin, Laurène... Regarde-moi... Regarde-moi !

Il avait élevé le ton, inquiet soudain.

— Bien sûr que je t'aime... Et j'aime le petit bout de chou que tu m'as fait. Et j'aime déjà les suivants parce que j'en veux plein !

Il essayait de la calmer, se demandant avec angoisse si quelqu'un avait pu lui parler du déjeuner à Pessac avec Valérie Samson. Il se reprocha d'avoir été inconséquent. Il était marié, père, il devait changer sa façon de vivre. Emmener cette femme à l'hôtel, sans même s'éloigner de Bordeaux, avait été un stupide réflexe de célibataire. Il n'était pas certain d'être toujours fidèle à Laurène dans l'avenir, mais il se devait de la préserver. Elle était trop fragile pour qu'il prenne le moindre risque.

— C'est difficile d'être ta femme, chuchota Laurène. Je suis comme un petit paquet inutile, je t'encombre, je t'agace...

— Laurène !

— Il t'aurait fallu quelqu'un d'exceptionnel.

Dominique me l'a dit, maman me l'a dit... Avec moi, tu peux faire n'importe quoi, je suis bouche bée devant toi ! Tu me traînes comme une groupie...

Affolé, il préféra mettre ça sur le compte du blues des jeunes mères. Il la saisit par la taille, la souleva et la porta à bout de bras jusqu'au lit.

– J'ai envie de toi, dit-il. Je te promets d'être très doux...

Il la déshabilla sans qu'elle proteste, stupéfaite.

– Tu n'es pas une gamine, tu es une femme que je désire. Tu n'es pas un objet, Laurène. Ni inutile ni encombrant. Et je veux que tu me le prouves, maintenant.

Il attendait qu'elle prenne l'initiative, la regardant sans aucune indulgence. Elle surmonta sa gêne et décida de lui plaire.

*_**

Très embarrassé, Lucas s'était résolu à frapper. Il était six heures du matin, il faisait nuit noire et il gelait toujours. Il hésitait, dansant d'un pied sur l'autre. Il ne montait que rarement au premier étage du château mais il s'était dirigé vers la chambre de Juillet sans hésiter. La porte s'ouvrit et Juillet, interloqué, le dévisagea.

– Je suis bien embêté, débita Lucas. C'est ma femme, elle ne va pas du tout...

– Fernande ? Attends...

Juillet enfila en hâte son jean, un col roulé et mit ses bottes sans chaussettes. Il fut dans le couloir en quelques secondes.

– Elle a encore toussé toute la nuit et quand j'ai parlé d'appeler le médecin, elle n'a pas dit non. Seulement, le temps que je m'habille et elle était dans les pommes !

Lucas était venu en courant de sa maison, et il avait les joues marbrées de rouge.

– C'est toujours verglacé ? demanda Juillet en dévalant l'escalier.

– C'est pire !

Ils sortirent dans le froid sans que Juillet ait pris le temps de décrocher un blouson. Ils coururent jusqu'à la grange et grimpèrent dans le break Rover que Bernard avait laissé équipé de ses chaînes.

Dès qu'il fut au chevet de Fernande, Juillet vit qu'elle allait vraiment mal. Elle avait repris connaissance mais sa respiration sifflante faisait peine à entendre. Il lui prit la main et se força à lui sourire.

– Je vais te conduire à l'hôpital, d'accord ? J'irai beaucoup plus vite qu'une ambulance, tu me fais confiance ?

Il l'enveloppa dans sa robe de chambre puis

dans la couverture et la souleva, trouvant qu'elle était lourde et sans force. Lucas ouvrit la porte de la maison, puis du break. Ils l'installèrent comme ils purent sur la banquette arrière. Juillet se mit au volant, très inquiet. Il savait que la route ne serait pas dégagée avant le lever du jour, et il s'obligea à la prudence en dépit de son impatience. Lucas se taisait. Malgré le bruit du moteur, ils percevaient le souffle rauque de Fernande. Dans les phares, le paysage blanc avait quelque chose de lugubre.

Juillet jeta un rapide coup d'œil vers le profil de Lucas. Impénétrable, le vieil homme fixait le pare-brise. Juillet se demanda si Lucas aimait sa femme. S'ils partageaient autre chose qu'une habitude l'un de l'autre. Vingt-huit ans plus tôt, c'est Aurélien qui les avait mariés. A la mort de Lucie, il avait voulu s'attacher définitivement les services de Fernande. Il lui fallait une femme pour s'occuper des quatre enfants. Il avait poussé Lucas à faire sa demande, n'imaginant même pas que son maître de chai puisse avoir un autre avis. Or Fernande n'était ni jeune ni jolie. Il leur avait donné la maison du bois où Fernande ne pouvait passer que bien peu de temps. Aurélien exigeait qu'elle arrive à l'aube et trouvait normal qu'elle serve le dîner. Juillet n'avait rien changé à ce programme établi depuis si longtemps. Fernande et Lucas n'avaient pas eu d'enfants et nul ne s'était demandé pourquoi. Leur dévouement était naturel. Ils n'étaient ni des domestiques, ni des employés, ni des membres de la famille.

La gorge serrée, Juillet avala péniblement sa salive. Il ne s'était jamais posé la question, mais soudain il avait une conscience aiguë de l'importance de Fernande dans la vie de Fonteyne, dans sa vie à lui. Il prenait la mesure de tout l'amour qu'elle lui avait donné. Combien de fois l'avait-elle consolé, bercé, choyé ? Combien de chagrins d'enfant avait-elle effacés ? A combien se montait la dette des Laverzac envers cette vieille femme ?

Juillet ne se sentit un peu soulagé que lorsqu'il vit le panneau lumineux qui signalait l'entrée des urgences, à l'hôpital. Lucas n'avait toujours pas prononcé une parole.

*_**

Deux heures plus tard, Fernande avait été installé dans une chambre individuelle, grâce à l'intervention du docteur Auber. Le diagnostic de l'interne de garde était simple, il s'agissait d'une double pneumonie. Juillet avait envoyé Lucas s'occuper des formalités d'admission mais il avait refusé d'abandonner le chevet de Fernande. Il lui tenait la main et ne la quittait pas des yeux, certain qu'elle détestait l'hôpital, qu'elle en avait peur.

— Il faut que je te parle, dit soudain Fernande d'une voix rendue nasillarde par le tuyau d'oxygène.

— Ce n'est vraiment pas le moment, répondit Juillet en souriant.

— Si !

Comme elle s'agitait, il lui caressa le front d'un geste tendre.

— Je suis très malade, déclara-t-elle, sinon je ne serais pas là.

— C'est à force de ne pas te soigner que tu es malade ! protesta Juillet. Ils vont s'occuper de toi...

— Tu dis des bêtises pour me rassurer.

— Non !

— Si. Mais ça ne fait rien.

— Fernande !

— Ne crie pas comme ça. Il y a quelque chose que tu dois savoir. Il y a un moment que je veux te le dire. Et puis, avec la naissance du bébé, je n'ai pas trouvé l'occasion.

— Tu la trouveras plus tard.

– Ah, que tu es têtu, mon Dieu, tu ne changeras donc jamais ?

Elle s'énervait pour de bon et Juillet se tut, docile.

– C'est à propos de ta mère... Ta vraie mère...

Elle sentit que la main de Juillet se crispait dans la sienne.

– Ecoute, petit, je vais mourir un jour, comme tout le monde. Peut-être pas aujourd'hui mais tu n'en sais rien et moi non plus. N'est-ce pas ?

Il hocha la tête, plongeant ses yeux sombres dans le regard triste de la vieille femme.

– Qu'est-ce que tu as appris, sur elle ? Cet homme que tu es allé voir l'an dernier, le gendarme, qu'est-ce qu'il t'a raconté ? La version officielle ? L'accident ?

Juillet restait muet, glacé d'angoisse.

– Ne me regarde pas avec cet air de chien perdu, je ne peux pas le supporter, supplia Fernande.

Elle hésitait, au seuil d'une vérité difficile. Elle s'était tue depuis tant d'années que les mots ne passaient pas ses lèvres.

– Tu l'as tellement aimé, poursuivit-elle comme si elle voulait atténuer le choc. Trop. C'est comme une espèce de culte ! Alors il faut que tu saches, à la fin...

Juillet avait lâché la main de Fernande. Il était debout et elle comprit qu'il ne voulait pas de la suite.

– Attends... Ne t'en va pas. A quoi ça sert de s'aveugler ?

Elle prit une inspiration et lâcha, d'un coup :

– Tout ce que ton père a fait pour toi, il te le devait !

Elle le vit marcher jusqu'à la porte, poser la main sur la poignée. Elle retomba sur son oreiller, à bout de souffle. Il y eut un long silence, à peine troublé par les bruits du couloir. Juillet revint vers le lit. Il posa la question qu'elle attendait.

– C'est Aurélien qui l'a tuée ?

Elle ferma les yeux. Elle n'avait pas besoin d'en dire davantage, à présent. Il pouvait imaginer le reste. Elle avait revécu mille fois la scène. Elle n'eut même pas conscience de parler lorsqu'elle raconta, tout bas :

– J'attendais son retour pour aller me coucher, comme toujours. Madame était en haut. Il avait l'air tellement hagard quand il est arrivé ! J'avais peur, je ne le reconnaissais pas. Il était fou de cette fille, tu sais, il était enragé après elle. Il l'a poursuivie dans sa cabane, bousculée, corrigée. Il était si dur... A la fin, elle est tombée contre cette pierre. Il ne l'a pas tuée de ses mains mais c'était lui quand même et ça l'étouffait. Je ne l'avais jamais vu dans un état pareil. Le chagrin, l'horreur, il a pleuré la moitié de la nuit. Je ne voulais pas qu'il se dénonce. Aurélien Laverzac, un assassin... Non ! Avec Madame et les trois petits qui dormaient. Il tournait en rond, il devenait fou. Il a dit qu'il allait t'adopter mais je croyais que ce ne serait pas possible. Qu'il ne le ferait pas. Tu avais tout vu, Juillet, même si tu ne t'en souviens pas, tu étais là, dans ce taudis ! Et il a fallu se taire, attendre que quelqu'un vous découvre, elle et toi... Mon Dieu, il a expié, je peux le dire, et moi avec lui... Deux jours, ça a duré. Tu ne peux pas te douter de ce que j'ai vécu en sachant qu'il y avait un bébé, là-bas, avec elle. Après ça, il était obligé de se racheter, tu comprends, obligé ! Il aurait dû te haïr mais c'est drôle, tu l'as forcé à t'aimer. Tu l'as contraint, jour après jour, parce que tu t'acharnais en silence, tu quémandais... Seulement c'était le meurtrier de ta mère, pas ton sauveur...

Le récit de Fernande avait atteint Juillet comme un poison. Il avait eu le courage de ne pas l'interrompre. Le filet de voix était devenu inaudible mais il avait tout perçu jusqu'à la dernière syllabe. Il était tellement atterré qu'il n'entendit pas la porte s'ouvrir. Il sentit la présence de Lucas, juste derrière lui et il se détourna pour que le vieil homme ne puisse pas le regarder. Il sortit en murmurant que tout allait très bien.

**

A la mairie, Juillet avait perdu un temps fou. Il ne disposait que de quelques renseignements. Prénom, Agnès. Nom de famille hongrois imprononçable. Jeune. Enterrée à l'automne, trente et un ans plus tôt. L'employé finit par trouver, sur un registre, le numéro de l'emplacement au cimetière.

Parmi les tombes recouvertes de neige, il dut chercher longtemps. Le caveau était sobre, net, fait d'une coûteuse dalle de marbre noir. Il n'y avait aucune inscription. Juillet resta immobile presque une demi-heure. Il attendit en vain, ne ressentant rien, même pas la trace d'une émotion ancienne. Il se répéta que sa mère était là, sous la terre, sans éprouver autre chose qu'une immense compassion pour Aurélien.

Il regagna sa voiture à pas lents. La compassion était tout de même un sentiment nouveau. Jusque-là, Juillet s'était enfermé dans une sorte de respect aveugle, de reconnaissance éperdue. Les révélations de Fernande montraient qu'Aurélien n'avait pas été qu'une statue de pierre, un modèle irréprochable.

Juillet éternua en s'installant au volant du break. Il était toujours sans blouson et pieds nus dans ses bottes.

« Cette histoire ne me concerne pas... »

Il voulait s'en persuader mais il était touché. Qu'aurait-il fait, à la place d'Aurélien ?

« Il aurait pu se dénoncer, être jugé, emprisonné. Fonteyne se serait écroulé, Lucie serait tout de même morte de sa bronchite un peu plus tard, le nom de Laverzac aurait sombré dans la honte, et le bébé d'Agnès se serait retrouvé à l'assistance publique. Le désastre... Il a donc choisi la seule issue, il s'est tu. Le pauvre... »

Ce mot-là aussi était nouveau, incongru. Juillet soupira, désolé. Fernande avait atteint son but en lui faisant découvrir un autre Aurélien.

« Et alors ? De toute façon, je l'aime. »

Lorsqu'Aurélien punissait Juillet, enfant, qui visait-il ? Trouvait-il insupportable le regard de ce petit garçon qui avait assisté à la tragédie de la cabane et qui la lui rappelait sans cesse ?

« Mais c'est à moi qu'il a donné Fonteyne ! »

A Juillet ou au souvenir d'Agnès, en ultime réparation ? Juillet repoussa l'image de sa mère tombant sur une pierre. Cette scène, même s'il l'avait vue et même si elle était inscrite dans son subconscient, ne lui évoquait rien. Ni chagrin, ni angoisse.

« Aurélien m'a payé au-delà de ce qu'il me devait, Fernande... Il m'a aimé, tu ne peux pas m'enlever ça... »

C'étaient bien d'authentiques regards d'amour qu'Aurélien avait posés sur son fils adoptif durant trente ans, oui. Ils s'étaient observés tous les deux comme dans un miroir, se reconnaissant l'un et l'autre à travers leur tendresse mutuelle, se fondant dans leur passion de la terre et du vin.

« C'est sans importance, tout ça, c'est du passé... », songea encore Juillet en démarrant.

*_**

Les crampons des fers mordaient la glace au rythme du galop de Bingo. Juillet longea les vignes en direction du petit bois et il ne se remit au pas que lorsqu'il aperçut la silhouette massive du château, sur sa droite. Il avait parcouru ses terres pendant un long moment, heureux de ne penser qu'à son cheval. Il s'était amusé du manège de Botty qui, pour les suivre, avait dû couper à travers le vignoble, langue pendante.

Ils étaient encore essoufflés, tous les trois, lorsqu'ils arrivèrent à l'écurie. Bernard était là, sablant les pavés de la cour, et Juillet lui adressa un grand sourire. Il avait fini par s'habituer à la présence du jeune homme, même si le regard de celui-ci devenait langoureux dès qu'il apercevait Laurène.

– Je m'en occupe, si vous voulez ? proposa Bernard en tendant la main vers Bingo.

Depuis des mois qu'il habitait au-dessus de l'écurie, il s'était lié d'amitié avec le superbe alezan. Il rêvait de le monter mais n'avait jamais osé en parler à Juillet. D'ailleurs son patron l'impressionnait beaucoup et il lui adressait rarement la parole. Peu enclin à discuter avec ses employés, Juillet appréciait ce laconisme.

– J'avais envie de passer un coup de chaux sur les murs de la sellerie, dit encore Bernard.

– Bonne idée, approuva Juillet.

Les initiatives du jeune homme étaient souvent les bienvenues. Il prenait son travail très à cœur et il avait profité de l'hiver pour entreprendre toute une série de réparations. Juillet se pencha pour ôter ses éperons, surveillant Bernard du coin de l'œil. Il le vit bouchonner Bingo, ajuster la couverture puis fermer soigneusement la porte du box.

– J'ai besoin d'un coup de main pour aller

couper un sapin, déclara soudain Juillet. On va prendre la jeep avec le treuil. Vous venez ?

Sans faire de commentaire, Bernard hocha la tête, les yeux brillants. Lorsqu'il était arrivé à Fonteyne, Lucas l'avait mis en garde contre le caractère ombrageux de Juillet. Il lui avait expliqué qu'il n'était pas très facile de gagner la confiance des Laverzac. Mais Bernard s'était plu au château dès le premier jour et il était décidé à y rester.

Il suivit Juillet, ravi qu'on ait besoin de lui. Devant la grange, ils trouvèrent Louis-Marie qui sortait la Mercedes.

– Tu vas à Bordeaux ? Sois très prudent si tu ne veux pas finir dans une congère ! Même avec les pneus neige, cette bagnole est vraiment pénible...

Louis-Marie avait baissé sa vitre. Il sourit à son frère.

– Je vais rouler au pas, promis ! Le train d'Esther arrive à onze heures...

Ils échangèrent un regard joyeux. Juillet donna une petite tape amicale, du plat de la main, sur le toit de la voiture.

– File...

Louis-Marie s'engagea dans l'allée, content comme un gamin d'aller chercher sa fille. Pauline l'avait appelé, tôt dans la matinée, pour s'assurer qu'il serait bien sur le quai de la gare. Ils avaient bavardé avec plus de chaleur que de coutume. Pauline semblait presque regretter de ne pas être en route pour Fonteyne, elle aussi. Fidèle à sa ligne de conduite, Louis-Marie ne lui avait pas posé de questions. On était déjà le 18 décembre et il mourait d'envie de savoir si elle serait avec eux pour Noël. Mais il s'était promis de ne pas faire un pas de plus, de ne pas lutter en vain contre la folie de Pauline. A elle de choisir, de trancher.

En descendant du TGV, Esther repéra immédiatement son père. Il lui parut en forme, presque rajeuni. Elle se jeta dans ses bras en poussant des cris de joie et déclara aussitôt qu'elle adorait le blouson noir qu'il portait. Il se mit à rire, conscient d'avoir un peu changé d'allure depuis qu'il vivait à Fonteyne en compagnie de Juillet. Il s'empara du sac de voyage et saisit la main de sa fille avec fierté.

**

Valérie Samson brandissait triomphalement le papier sous le nez d'Alexandre. Elle avait effectué une entrée remarquée dans le service, subjuguant l'interne à qui elle avait demandé la chambre d'Alex.

– Pour la validité du testament, je crois

qu'on ne pouvait rien, franchement. Même si ça valait la peine d'essayer ! En revanche, le tribunal s'est montré sensible à nos arguments et il a trouvé légitime que vous perceviez rapidement votre part de capital.

Elle souriait, très contente d'elle. La soirée passée en compagnie du juge avait été interminable mais la récompense ne s'était pas fait attendre. Valérie avait expliqué qu'elle ne pouvait pas perdre sur toute la ligne sans se déconsidérer professionnellement. Que ce serait un très mauvais exemple. Que le pauvre Alexandre Laverzac n'avait plus ni toit ni moyen d'existence, un comble. Qu'il serait inique de repousser les échéances de Juillet durant des années. Elle avait dû déployer tout son charme, faire appel à son expérience des hommes, et aussi oublier son orgueil. Cette dernière concession était, de loin, la plus pénible. Valérie avait gagné nombre d'affaires délicates et compliquées. Sa réputation était celle d'un requin et elle avait été contrainte de minauder comme une petite fille. Mais elle était déterminée à mettre Juillet à genoux, le prix à payer pour y parvenir important peu. Elle n'éprouvait aucune sympathie particulière pour Alexandre. C'était un client comme un autre et il ne discutait pas le montant de ses honoraires. Elle ne s'était chargée de ce dossier que pour rencontrer Juillet, c'était vrai. Elle voulait le mettre à son tableau de chasse, comme un trophée rare, mais pas en tomber amoureuse, hélas. Cependant sa vie d'ambition et de solitude l'avait trahie. Les contraintes qu'elle s'était imposées depuis trop longtemps, le mépris qu'elle avait pour les hommes, les barrières qu'elle avait patiemment construites : tout avait explosé devant le charme irrésistible de Juillet Laverzac. Et il était venu lui dire : « Je ne veux pas. » L'histoire ne pouvait pas finir sur ces quatre mots sans qu'elle lui donne une leçon.

– Votre frère sera peut-être dans une situation un peu difficile, dit-elle à Alexandre, mais il a toujours la ressource de vendre une partie des terres...

Alex la regardait sans sourire. Il avait beaucoup maigri depuis qu'il était hospitalisé. Il avait le teint pâle et terne des gens enfermés, mais ses mains ne tremblaient plus, Valérie le nota.

– J'espère que vous êtes content ? demanda-t-elle.

Il détaillait les traits réguliers du visage de Valérie, sa chevelure rousse, cependant c'est à Dominique qu'il pensait. Contrariée par son peu d'enthousiasme, Valérie attendait.

– Très, dit-il d'une voix morne.

– Vous serez bientôt riche ! souligna-t-elle. Et votre action en justice n'aura pas été inutile.

– Oui.

Valérie se leva. Juillet allait connaître quelques insomnies, à présent, c'était un juste retour des choses.

– Si vous vous étiez confié à moi, à propos de la raison qui vous a conduit ici, j'aurais pu obtenir bien davantage. Vous ne m'ôterez pas de l'idée que c'est avec votre frère que vous vous êtes battu !

Elle espéra en vain une confidence, puis elle haussa les épaules. Elle déposa le jugement du tribunal sur la table de chevet.

– Quand sortez-vous ? s'enquit-elle poliment.

– Dans quelques jours.

– Eh bien, si vous avez besoin de quoi que ce soit, n'hésitez pas.

Il hocha la tête et se mit à regarder par la fenêtre. Agacée, elle sortit. Même si ce n'était pas pour lui qu'elle avait obtenu cette victoire, elle aurait aimé la partager. Elle dut constater, incrédule, que sa vengeance ne lui procurait qu'amertume. Elle longea le couloir, bouscula un chariot, s'excusa. Elle quitta l'hôpital très mal à l'aise. Contrairement à ce qu'elle avait espéré, elle pensait toujours autant à Juillet.

Mais en plus, à présent, elle y pensait avec attendrissement. L'acculer à vendre des terres était peut-être un châtiment trop dur.

Elle était tellement perdue dans ses songes qu'elle faillit ne pas le voir, sur le parking. Il était appuyé à une barrière et fumait. Elle s'arrêta, pétrifiée. Elle se glissa au volant de sa voiture, le cœur battant, soulagée qu'il n'ait pas tourné la tête dans sa direction. Elle le trouvait encore plus beau que dans son souvenir. Elle le voyait de profil, ses boucles trop longues soulevées par le vent froid. Il semblait mélancolique, presque grave. Elle se serait damnée pour passer une semaine avec lui. Ou même deux jours.

– Et merde ! dit-elle à mi-voix en tournant sa clef de contact.

Elle avait attendu d'avoir quarante-trois ans pour être amoureuse mais elle ne l'était pas à moitié.

_

Robert se laissa aller sur le dos, épuisé. Il ferma les yeux et chercha à tâtons la main de Pauline. Ils avaient dîné dans un endroit agréable, ils avaient beaucoup bu puis merveilleusement fait l'amour, à présent il fallait qu'il lui parle.

– Alors c'est décidé, tu m'épouses, commença-t-il.

– Bob...

– On ne peut pas continuer comme ça, mon amour ! Même ta fille trouve cette situation insupportable, je le vois bien. Si tu as pris ta décision, je crois qu'il faut régler tous les problèmes le plus vite possible. Commencer la procédure de divorce, vous mettre d'accord pour la garde d'Esther, déménager...

Il sentit que Pauline s'était raidie à l'énoncé de toutes ces catastrophes en perspective.

– Je ferai tout ce que je peux pour te faciliter les choses. Je t'ai proposé d'aller parler à Louis-Marie.

– Non !

– Pauline... Il faut le faire. Tu ne peux plus reculer.

Elle le savait bien mais elle ressentait toujours le même affolement à l'idée d'une rupture définitive.

– Puisque Venise ne te disait rien, j'ai réservé une chambre au mont d'Arbois, à Megève. Comme ça nous verrons Noël sous la neige. De la vraie ! Pas cette gadoue parisienne... Tu es d'accord ?

Elle fit semblant de se réjouir, n'éprouvant pourtant aucune excitation à l'idée d'un réveillon en montagne. Inquiet, Robert se tourna sur le côté et s'appuya sur son coude pour la regarder.

– Tu l'aimes encore ? demanda-t-il d'une voix altérée.

Il avait peur, soudain, qu'elle change d'avis. Qu'elle soit trop faible pour affronter la souffrance d'un divorce.

– Je ne vais pas effacer dix ans de ma vie en claquant des doigts ! protesta Pauline.

Il la prit dans ses bras, la serrant contre lui avec angoisse.

– Je ne pourrais pas supporter que tu me quittes maintenant, Pauline. On touche au but. C'est juste un moment pénible. Je t'aime à la folie...

C'était vrai, elle le rendait fou. Et elle continuait de se taire, augmentant la terreur brusque de Robert.

– Si tu vas à Fonteyne, prévint-il, je plaque tout, je me tire au bout du monde et je ne te reverrai jamais !

Elle se demanda comment il avait pu deviner son fléchissement. Il s'était levé et il déambulait dans la chambre, les mâchoires serrées.

– Tu as pris les billets d'avion pour Genève ? demanda-t-elle, résignée.

Il revint vers le lit, s'agenouilla près d'elle.

– Ne me fais pas peur tout le temps, supplia-t-il.

*_**

Juillet quitta la chambre de Fernande, rassuré. La vieille femme était bien soignée, elle se remettait sans mal de sa pneumonie et elle avait cherché avec avidité, sur le visage de Juillet, la trace d'une éventuelle rancune. Mais il n'avait fait que lui sourire, doux et affectueux.

Sous les regards des infirmières, Juillet se dirigea vers les ascenseurs. Les mains enfoncées dans les poches de son jean, il attendait sagement lorsque, tout d'un coup, il se détourna, revint vers le bureau de la surveillante et se fit indiquer le service où se trouvait encore Alex. Il suivit un chemin compliqué dans les bâtiments de l'hôpital avant d'atteindre la porte de son frère. Il prit une profonde inspiration et entra sans frapper.

Alex sortait du cabinet de toilette. Il sursauta en découvrant son frère, puis il eut un mouvement de recul mais se domina. Juillet n'approchait pas, appuyé à la porte qu'il avait refermée.

– Bonjour... Je te dérange ?

Alex secoua la tête sans répondre. Juillet regarda la chambre, autour de lui, qui trahissait un long séjour avec son désordre de livres et d'objets personnels.

– Comment vas-tu ?

– Je sors après-demain.

– Pour aller où ?

– Eh bien... A Mazion, je suppose.

Juillet sortit son paquet de Gitanes mais se contenta de jouer avec un moment.

– Tu peux fumer, lui dit Alex.

Il alla jusqu'à la table pour prendre un cendrier. Juillet remarqua qu'il boitait et qu'il se tenait raide. Alex accepta une cigarette et attendit que Juillet reprenne la parole. Mais il y eut un très long silence jusqu'à ce qu'Alex se décide à demander :

– La vigne ?

– Rincée, noyée. Sauvée pour l'année prochaine, je pense.

– Et Marc ?

– Je ne sais pas. Je m'en fous...

C'était dit sans hargne, comme une chose naturelle.

– Bien sûr, tu m'en veux ?

– Bien sûr, admit Juillet.

– Je comprends.

– Je ne crois pas, non.

Alexandre regarda son frère dans les yeux.

– Pourquoi es-tu venu ? Pourquoi aujourd'hui ?

– Je n'étais pas là pour toi. Fernande a été hospitalisée pour une pneumonie. Mais elle va bien ! Si tu as le droit de te promener dans les couloirs, va lui faire une bise.

– Je ne sais pas si elle serait contente de me voir...

– Toi, moi, les deux frangins, même si nous étions des terroristes, je pense qu'elle nous aimerait de la même manière.

Il étudiait le visage d'Alex comme s'il cherchait à le reconnaître.

– Tu as changé, dit-il abruptement.

Alex alla s'asseoir au bord du lit. Il observa ses chaussons un moment, puis releva la tête.

– C'est toi. Ta faute... Tout est toujours ta faute. Du plus loin que je puisse m'en souvenir. Mais tu aimes ça ! Etre à l'origine des événements, je veux dire.

Interloqué, Juillet ne trouva rien à répondre. Alex poussa un long soupir avant d'ajouter :

– J'avais demandé à Auber...

– Il m'a transmis le message.

– Il a mis le temps !

– Ecoute, protesta Juillet, Laurène a accouché à la maison, il neige et il gèle depuis des semaines, en plus...

– Oh, ne t'excuse pas ! persifla Alex.

Ils se turent de nouveau, attentifs à ne pas laisser monter l'animosité entre eux.

– Je ne bois plus, dit enfin Alex.

– Oui ? Ce n'est pas vraiment l'endroit, ici...

– En fait, j'aurais pu. Les infirmières sont très complaisantes quand on sait les prendre. Mais je n'en ai pas eu envie.

– Bravo.

Alex se leva, fit un pas vers Juillet mais s'arrêta. Il se dirigea vers la fenêtre en murmurant :

– Tu ne te poses pas de questions, toi. Jamais ! Tu as raison une fois pour toutes. Tu es dans ton bon droit, tu es sur des rails... Tu me juges, du haut de ta rigueur sans tache...

Dans son dos, Juillet riposta d'une voix ironique :

– Tu n'as pas la bande son ? Parce qu'il faudrait des violons, pour t'accompagner...

Alexandre fit volte-face et jeta un regard rageur à son frère.

– Mais tu te rends compte ? Tu es là, tu n'as pas un mot de regret, pas un geste amical...

– De regret ? Tu veux rire ? Je n'ai fait que me défendre !

La porte s'ouvrit et un homme en blouse blanche vint déposer le plateau du déjeuner sur la table. Ils attendirent qu'il ait quitté la pièce pour se regarder de nouveau.

– Tu voulais me parler, rappela Juillet.

– Oui... C'est vrai...

Alex jeta un coup d'œil dégoûté vers les petits raviers métalliques remplis de viande hachée et de haricots verts.

– De Dominique. J'ai été moche avec elle...

– Tu l'as frappée, je sais.

– J'ai fait pire ! Je crois bien que je l'ai violée.

Juillet resta interdit mais il s'abstint de tout commentaire.

– C'est pour ça que je n'ai pas voulu la voir, depuis des semaines. Parce que j'ai honte. Si je raconte ça à Louis-Marie, il va me donner des petites tapes dans le dos et me dire que ce n'est pas grave. Alors que toi, tu vas me traîner dans la boue dès que tu auras retrouvé la parole ! Non ? En tout cas, tu peux au moins m'expliquer dans quel état d'esprit elle est, sans me dorer la pilule...

Alex avait l'air tellement misérable, soudain, que Juillet répondit, sans même réfléchir :

– Je ne suis pas dans sa tête. Le mieux serait que tu lui poses la question à elle. Puisque tu sors après-demain, elle pourrait venir te chercher... Le drame, avec toi, c'est que tu fuis tout le temps ! Ou alors, si tu attaques, c'est par-derrière.

Alex traversa la chambre et vint se planter devant Juillet.

414

– Je me passerais volontiers de tes leçons de morale !

Il espérait une réaction qui ne vint pas et se détourna en soupirant de nouveau.

– Eh bien, si elle est d'accord, pourquoi pas ?

– Je vais le lui demander, dit Juillet d'une voix neutre.

Il mit la main sur la poignée de la porte et ajouta :

– Si elle accepte, elle viendra avec la Mercedes dans la matinée et elle te ramènera à Fonteyne.

– Pourquoi à Fonteyne ? s'indigna Alexandre comme s'il avait peur de cette éventualité.

Juillet lui adressa un sourire mitigé. Il ouvrit la porte, hésita une seconde puis déclara avant de sortir :

– Tu passes Noël avec nous, j'imagine ?

∗

Laurène n'avait pas pu résister, dans le magasin de jouets, et un employé dut l'accompagner jusqu'à la voiture pour mettre tous les paquets dans le coffre. Dominique éclata de rire en voyant la mine déconfite de sa sœur.

– Toi, tu viens de signer un chèque vertigineux !

– J'ai beaucoup gâté Lucie, admit Laurène, et puis il y a tes fils et Esther... Mais bon, c'est Noël !

Dominique hocha la tête et prit sa sœur par l'épaule.

– Allons boire un café, les courses m'ont épuisée...

– Juillet m'avait dit de bien faire les choses. C'est le premier Noël sans Aurélien et il a sûrement peur d'être triste. Alors il veut du grandiose, tu le connais ! Il prétend que c'est le Noël des enfants, maintenant qu'il en a un à lui.

Elles entrèrent dans un bar et s'assirent face à face.

– En l'absence de Fernande, j'ai eu un mal fou à trouver des idées pour le menu, soupira Dominique. Ton mari insiste pour qu'on invite Lucas, c'est normal.

– Est-ce que Louis-Marie a dit quelque chose au sujet de Pauline ?

– Non, pas encore. Et je n'ose pas lui en parler !

D'Alexandre non plus, elles n'osaient pas parler. Ni de leurs parents ou de leur grand-mère que Juillet n'avait pas conviés.

– Et ton soupirant ? Bernard ?

Amusée, Laurène leva les yeux au ciel.

– A la cuisine avec Clotilde !

– Je trouve qu'il est devenu indispensable en peu de temps. Il a l'œil à tout, il répare, il repeint, il jardine... Comme il est en extase devant toi et qu'il a plein de bonnes idées, tu devrais en profiter pour prendre certaines choses en main, ma puce...

Dominique adressait un sourire encourageant à sa cadette. Celle-ci baissa la tête, l'air embarrassé.

– Non, protesta Dominique, ne réagis pas comme ça ! Tu n'as plus quinze ans, tu es mère de famille. Tu ne peux pas te comporter comme du temps d'Aurélien, en invitée, en employée...

– Mais tu es là, maintenant ! Et tu vas rester, dis ?

– Oui, répondit Dominique sans hésiter.

– Alors c'est toi le chef. D'ailleurs tu es l'aînée ! Et tu connais cette baraque mieux que moi.

– Laurène... Tu es madame Juillet Laverzac...

– Et alors ? Je vais élever nos enfants, je vais l'adorer toute ma vie et... Euh... Ecoute, Do, l'époque a changé. Je ne peux pas jouer les duègnes, quand même !

– Personne ne te le demande. C'est juste de... d'être attentive pour le linge, la vaisselle, les tapis, les rideaux, les huisseries, les

sanitaires, la toiture, le jardin et j'en passe !
Moi, je m'occupe des provisions, des fourneaux et des employés, d'accord ?

Dominique riait de nouveau et Laurène se
sentit gaie. Avec sa sœur à ses côtés, rien ne lui
paraissait jamais effrayant. Elles quittèrent le
bar et regagnèrent Fonteyne. Le temps s'était
radouci, faisant fondre la neige par endroits.
Clotilde et Bernard les aidèrent à décharger le
coffre puis Laurène se précipita au premier
étage où Lucie dormait sagement. Elle l'observa un moment avec une immense fierté. En
donnant un enfant à Juillet, elle l'avait rendu
heureux. Tant qu'il serait heureux, elle le
garderait. Quoi que puissent en penser les
gens autour d'eux, elle se sentait de taille à
affronter n'importe quoi pour Juillet. On lui
avait répété sur tous les tons qu'un homme
comme lui se méritait, qu'il faudrait qu'elle
soit à la hauteur, qu'elle sache lui tenir la
dragée haute et autres conseils inutiles. Laurène savait l'essentiel : Juillet était un homme
de parole, de devoir. Il lui suffisait d'être une
bonne épouse et une bonne mère pour que
Juillet ne cherche jamais à rompre son engagement vis-à-vis d'elle. Qu'elle soit maladroite avec l'organisation de Fonteyne
importait peu. Elle se forcerait à apprendre
au fil du temps. Qu'elle n'ait pas une person-

nalité assez forte pour captiver Juillet était sans gravité puisque sa seule passion était la terre et que rien, jamais, ne passerait avant. Il y aurait sans doute – il y avait peut-être déjà – des femmes qui chercheraient à conquérir son mari. Mais à présent il y avait Lucie-Malvoisie, adorable petit ange qui mettait sa mère à l'abri. C'était grâce à elle, d'ailleurs, que Juillet avait accepté de se marier et d'engager son avenir.

Laurène arrangea la couverture du berceau. Oui, ce bébé était sa meilleure protection mais, de toute façon, elle était prête à tout, absolument tout, pour faire durer son bonheur. Juillet était l'homme qu'elle aimait et elle ne lui donnerait jamais de raison de le regretter.

Elle descendit jusqu'à la bibliothèque où le reste de la famille prenait l'apéritif. Juillet, qui venait de battre Louis-Marie aux échecs, salua son arrivée d'un grand sourire.

– Les enfants meurent d'envie de décorer le sapin, disait Dominique en servant avec précaution le Margaux. Je vais demander à Clotilde de descendre les décorations du grenier.

– Je peux leur consacrer une heure ou deux demain matin, dit Louis-Marie. Pas question qu'ils fassent ça tout seuls ! Tu as vu la hauteur de cet arbre ?

Dominique se tourna vers sa sœur.

– Juillet l'a installé dans le grand salon. Il est splendide ! Il fait au moins trois mètres cinquante...

– Les enfants aiment bien les grands sapins, affirma Juillet. Esther l'adore ! Elle va se charger des boules, elle s'est mise d'accord avec les jumeaux qu'elle tient pour de vrais brutes et qui doivent s'occuper de la partie électrique !

– Très bien, répliqua Louis-Marie avec une résignation feinte. Je passerai donc toute la matinée avec eux. Ils vont avoir besoin d'un arbitre...

L'ambiance était gaie, chaleureuse, détendue. Juillet, trouvant que l'instant était propice, s'adressa d'un ton dégagé à Dominique.

– Tu vas à Bordeaux, demain ? Parce que, si tu as des courses à faire ou si tu vas voir Fernande, j'ai dit à Alex que tu pourrais éventuellement le récupérer et le ramener ici...

Il y eut un bref silence stupéfait, puis Dominique demanda :

– Ici ?

– Oui... Mais seulement si tu es d'accord, si ça te fait plaisir. J'ai pensé qu'il pourrait passer Noël en famille.

– Tu lui as parlé ?

– Ce matin, oui.

– Et qu'est-ce qu'il dit ?

– Lui ? Rien, comme d'habitude. Mais je te le répète, ça dépend de toi, Dominique...

Elle posa son verre et traversa toute la longueur de la pièce pour venir jusqu'à Juillet. Elle se pencha vers lui et l'embrassa dans le cou d'un geste spontané.

– Merci, lui dit-elle à l'oreille.

Il la regarda bien en face et répéta :

– Tu y réfléchis et tu fais exactement ce que tu veux.

Il se leva pour éviter qu'elle ne le remercie encore une fois. Il n'avait rien décidé. Il éprouvait des sentiments contradictoires envers Alexandre. Il ne s'était pas demandé si une éventuelle cohabitation était possible. Il ne voulait pas penser à son frère au-delà de ce réveillon. Il croyait seulement que la famille devait être réunie pour Noël. Il n'était pas certain d'avoir eu une bonne initiative mais il ne voulait pas être celui qui sépare. Au contraire.

Clotilde ouvrit timidement la porte et bredouilla quelque chose qui pouvait vouloir dire que le repas était servi.

**

421

Le lendemain matin, les enfants constatè-rent, désolés, que la neige avait fondu. Do-minique avait très mal dormi. Bien sûr, depuis des semaines, elle s'était mille fois posé la question de leur avenir. Elle ne voulait pas d'un mari alcoolique ou violent. En admettant qu'Alex soit redevenu sobre, allait-il le res-ter ? Le long séjour forcé à l'hôpital l'avait sans doute ramené à la raison, mais pour combien de temps ? S'il avait refusé de voir sa femme, était-ce par rancune ou par culpa-bilité ? Il avait pu croire que Dominique l'abandonnait, à certain moment. Elle s'était réfugiée à Fonteyne, mise sous la protection de Juillet, ce qui était le pire affront qu'elle pût lui infliger. Mais, de son côté, il avait fait pire.

Dominique avait trop aimé Alexandre pour pardonner facilement les coups ou la contrainte physique qu'il lui avait fait subir. Elle était persuadée qu'ils avaient commis une grave erreur en quittant Fonteyne après le décès d'Aurélien. Mais comment pourraient-ils s'organiser, à présent ? Elle pensait que Juillet haïssait Alex pour de bon. L'attaque du testament en justice, les insinuations odieuses ou la destruction de la vigne n'étaient pas des choses qu'il pourrait oublier de sitôt.

Elle avait pleuré, certaines nuits, envisa-geant un divorce inéluctable. Les jumeaux posaient souvent des questions à propos de leur père. Comment leur expliquer que ce paradis de Fonteyne était quasiment interdit à Alexandre ?

Dominique s'installa au volant de la Mercedes. Les clefs étaient toujours sur le contact depuis que Bernard s'occupait des voitures. Elle démarra et quitta lentement la grange pour s'engager dans l'allée. Il y avait trois mois qu'elle n'avait pas vu Alexandre et elle se sentait oppressée. Tout le temps du trajet, elle s'obligea à ne pas penser à cette rencontre, à ce qu'elle allait dire. Elle s'était habillée comme d'habitude, sans effort particulier. Ce n'était pas à elle de reconquérir son mari, avait-elle décidé.

Elle se gara sur le parking de l'hôpital puis elle dut demander son chemin à l'accueil. Elle parcourut le dédale des couloirs d'un pas rapide et se retrouva devant la chambre d'Alex sans avoir eu le temps de réfléchir. Elle frappa mais il ne lui cria pas d'entrer, il vint ouvrir lui-même. Il portait un jean et un col roulé noir. Elle le trouva pâle et amaigri mais ses yeux clairs avaient un éclat qu'elle ne leur avait plus connu depuis longtemps.

– Tu es venue me chercher ? demanda-t-il avec un sourire de gamin. C'est gentil ! Je crois... eh bien, il me semble que nous devrions, euh... nous expliquer un peu, toi et moi ?

Elle était beaucoup plus émue qu'elle ne l'avait craint. Elle chercha quelque chose à dire et bafouilla une phrase incompréhensible qu'il ne releva pas.

– Mes bagages sont prêts, dit-il d'une voix douce. Je ne suis pas mécontent de partir ! En fait, je ne supporte plus cette chambre... On pourrait bavarder dans la voiture, si tu veux. Je me suis occupé des papiers, on n'a même pas besoin de s'arrêter à l'administration.

Elle hocha la tête et il alla prendre son sac sur le lit, en cherchant à dissimuler sa claudication. Elle préféra ne pas lui proposer son aide, pour ne pas l'humilier, et elle le précéda jusqu'au parking.

– C'est mon tibia, expliqua-t-il en refermant le coffre de la voiture. Ils vont être obligés de le réopérer dans quelque temps. Juillet n'y a pas été de main morte !

– Toi non plus, marmonna Dominique en lui ouvrant la portière, côté passager.

– C'est quand même un salaud, dit Alexandre tranquillement. Il a voulu me tuer. Vraiment. Aucun pied de vigne ne mérite ça, même à Margaux.

Elle s'était assise mais ne démarrait pas, la tête tournée vers lui.

– Aurélien en aurait fait autant à l'âge de Juillet, répliqua-t-elle clairement, l'informant qu'elle ne partageait pas son avis.

– Oui, approuva-t-il, sûrement ! Tous les Laverzac sont des monstres et je ne suis pas le dernier.

Il se mit à rire. Elle avait oublié son rire communicatif.

– Nous allons à Fonteyne, c'est ça ? Juillet m'a invité pour le réveillon, quel honneur...

– Alex...

– Je plaisante, la rassura-t-il. Je suis impatient d'embrasser les jumeaux... Mais il y a une chose dont j'ai encore plus envie, c'est de t'embrasser, toi.

Il ne faisait pas un geste, l'épaule appuyée contre sa portière. Elle se pencha et lui déposa un baiser léger sur les lèvres. Il n'essaya pas de la retenir contre lui.

– Je te demande pardon, Dominique, dit-il sans la quitter des yeux.

Embarrassée, elle tourna la clef de contact et manœuvra pour sortir du parking.

– J'ai fait des tas de choses que je regrette infiniment mais je ne vais pas passer mon temps à m'excuser. Il te faudra peut-être un peu de temps pour avoir de nouveau confiance ?

Il attendait désespérément une réponse et elle murmura :

– On verra...

– J'ai payé mes conneries, plaida-t-il. Juillet m'a présenté la facture ! Il sait très bien faire ça ! Il sait tout faire, d'ailleurs...

Dominique lui jeta un coup d'œil inquiet.

– Je le pense, ajouta-t-il. Contrairement à ce que tu imagines, je le pense. C'est pour cette raison qu'il m'exaspère, me fait sortir de mes gonds. Il me ramène toujours au rang de minus, c'est très pénible. Je vais m'expliquer avec lui en arrivant, mais ce n'est pas le plus important pour moi. Non, le plus grave, c'est que je t'aime, Dominique... Et que tu ne m'as rien dit de rassurant jusqu'à présent...

Elle profita d'un feu rouge pour poser sa main sur le bras de son mari.

– Si tout le monde fait un effort, je suppose que tout ira bien, dit-elle.

Il fronça les sourcils, essayant de comprendre ce que cette phrase signifiait.

– Je suis prêt à faire exactement ce que tu veux, répondit-il. Tu es beaucoup plus sage que moi... Mais être minable, lâche, et en plus malfaisant, c'est lourd à porter, tu sais ! Si la famille entière me voit sous ce jour-là...

– A Mazion c'était pratique, les parents ne portaient pas de jugement !

Elle avait répliqué d'un trait et il comprit

que la partie était loin d'être gagnée. Il choisit d'être honnête.

– Mazion, j'en ai soupé. J'y ai trop de mauvais souvenirs. Même si c'est entièrement ma faute. J'aimerais bien rester chez moi, maintenant. Mais ça ne dépend pas de moi.

Dominique réalisa que Juillet obsédait Alex. Elle se demanda avec angoisse si les deux frères pourraient jamais se réconcilier. Retrouvant un geste habituel, elle mit sa main sur le genou d'Alex et le sentit tressaillir. Il caressa les doigts de sa femme d'un geste timide. Elle aima ce contact parce qu'il faisait partie d'une complicité ancienne.

– On sera bientôt à Fonteyne, dit-elle machinalement pour rompre le silence.

– Je connais la route aussi bien que toi ! rappela-t-il en se remettant à rire.

*_**

Juillet ouvrit la porte de la Grangette, précédant Bernard. La maison était froide et déjà envahie de toiles d'araignées, toutefois aucune odeur désagréable d'humidité n'était perceptible.

– Je ne suis pas certain que nous ayons besoin de cette maison, déclara Juillet, mais j'aimerais qu'elle soit nettoyée, au cas où...

427

Bernard regardait les fenêtres à petits carreaux, les peintures un peu défraîchies où d'anciens tableaux avaient laissé leurs marques. Il tomba en arrêt devant une belle cheminée large et trapue dont le foyer de pierre était surélevé. Leurs pas laissaient des marques sur la poussière du dallage. La Grangette avait le charme des vieilles maisons habilement restaurées.

– Si vous voulez, proposa-t-il, je peux lessiver les murs et les sols, aérer, ramoner le conduit...

– Oui. Et vous regarderez s'il y a besoin d'une réparation ici ou là.

– Je vais ouvrir les volets, dit le jeune homme.

La lumière les surprit l'un comme l'autre. Plusieurs meubles semblaient abandonnés, le long des murs, avec leurs tiroirs ou leurs portes ouvertes. Machinalement, Juillet referma une armoire.

– Si vous avez le temps de vous en occuper aujourd'hui, ce sera parfait, décida Juillet.

Il souffla sur deux ou trois insectes venus mourir dans l'embrasure d'une fenêtre. La cuisine était gaie. Il se rappelait y avoir donné le biberon aux jumeaux, certains jours. A l'époque où il s'entendait bien avec Alex.

« Je vais le lui proposer parce que c'est mon

devoir de le faire... Et parce que c'est sa place, après tout. »

– Juste un nettoyage, pour commencer, dit-il à Bernard. S'il y a un coup de peinture à donner, par la suite, j'aviserai. Mais je ne sais pas encore exactement si... enfin, je verrai.

Il se retourna vers le jeune homme qui attendait, impassible.

– Il ne fait pas très chaud, vous pourrez rallumer le chauffage et vérifier qu'il fonctionne bien.

– Je m'en occupe tout de suite, assura Bernard.

Ils gagnèrent le petit office où se trouvait la chaudière.

– C'est une jolie maison, dit doucement Bernard.

La Grangette avait longtemps servi de débarras. Avant qu'Alex et Dominique ne s'y installent, Aurélien expédiait dans cette annexe tout ce dont il ne voulait plus au château. Les quatre frères avaient l'habitude d'y jouer, lorsqu'ils étaient petits. Par la suite, des travaux l'avaient rendue agréable et accueillante. Au moment de son mariage, Alexandre avait protesté que son père le reléguait mais Dominique avait beaucoup aimé la Grangette, y trouvant un peu d'indépendance.

Juillet observa Bernard qui décrassait la veilleuse et la rallumait.

« Il est carrément indispensable, lui... Ni imbécile, ni maladroit... »

Son sourire surprit Bernard qui n'osa pas y répondre. Un ronflement sourd se répandit bientôt dans la maison, le long des tuyauteries.

– Je vous laisse, annonça Juillet, j'ai promis aux enfants de décorer le sapin avec eux.

Il quitta la Grangette, étonné d'avoir fourni une explication à Bernard. Mais la visite de la maison l'avait mis mal à l'aise, lui rappelant une époque révolue. Il hésita, jeta un coup d'œil à sa montre en se demandant s'il avait le temps d'effectuer un tour dans les caves. Puis il décida de ne pas faire attendre les enfants et de leur sacrifier pour une fois sa matinée.

De la fenêtre de sa chambre, Louis-Marie le vit rentrer. Lui aussi avait promis de descendre pour faire plaisir à sa fille et aux jumeaux. Mais il devait d'abord appeler Pauline, afin d'être fixé. Il avait beau être sans illusion, il avait retardé ce moment le plus possible. Il restait une différence entre deviner ou s'entendre dire la vérité. Il soupira, s'installa confortablement dans une bergère et composa le numéro de son appartement parisien. Son ancien appartement, en quelque sorte. A cette heure-ci, Robert était à l'hôpital, nageant dans des flots de sang, son bistouri à la main. Pauline décrocha à la deuxième sonnerie.

– C'est toi, mon chéri ? s'écria-t-elle d'une voix ravie. Attends un instant, je prends un peignoir... Je sortais de la douche ! Ne quitte pas...

Il attendit patiemment, l'imaginant qui courait jusqu'à la salle de bain.

– Tu es là ? demanda-t-elle. Je suis ravie de t'entendre, tu ne m'appelles jamais !

Avec son habituelle inconséquence, elle lui faisait déjà des reproches.

– Nous sommes le 23 décembre, dit-il. J'aimerais connaître tes projets pour demain. Si tu t'en souviens, nous étions convenus de...

– Je sais, je sais !

Il y eut un silence puis il l'entendit renifler.

– Tu pleures ?

Pauline ne pleurait jamais, sinon de rage, et Louis-Marie eut l'impression qu'elle lui jouait la comédie.

– Je ne viens pas à Fonteyne, tu t'en doutes, murmura-t-elle d'une voix étouffée.

Il savait qu'elle allait dire cette phrase mais il eut quand même un choc.

– Que suis-je censé dire à Esther ? Que nous divorçons ?

Cette fois c'était lui qui attaquait le premier. Elle riposta tout de suite.

– Dis-lui ce que tu veux. Ce qui te paraît bien pour elle. Je comprends que tu veuilles me quitter.

Il resta abasourdi une seconde avant de réagir.

– Te quitter? Moi? Je n'ai jamais rien entendu d'aussi inouï, Pauline !

– Attends, tu mélanges tout ! Je t'avais demandé un délai et il est écoulé, je sais. Je vais passer Noël avec Bob, c'est vrai. Je le lui ai promis et je ne peux pas faire autrement, maintenant. Mais ce n'est pas ce que tu crois... C'est peut-être juste un moment de folie. Tu n'es pas obligé de supporter ça et je ne te le demande pas. Et même si tu me raccroches au nez, je t'aime, chéri. Je ne te souhaite pas un joyeux Noël parce que tu es triste. Moi aussi, je suis triste. C'est ma faute, j'en suis tout à fait consciente, seulement ça ne me console pas !

Louis-Marie ressentit un détestable pincement au cœur. Non, elle ne jouait pas la comédie, elle n'était pas heureuse. Elle gâchait l'existence de Louis-Marie, celle d'Esther, peut-être celle de Robert aussi. Et tout ça pour déclarer qu'elle était triste ! Il se souvint qu'elle n'avait jamais su prendre de décision.

Dès que quelque chose de grave se produisait, Pauline s'évaporait. Et si on la mettait au pied du mur, elle paniquait.

– Tu mets ta fille dans un train, tu réveillonnes avec mon frère qui est ton amant, et tu me dis que tu m'aimes, j'ai bien entendu ?

– Chéri...

– Attends, Pauline, attends ! Ne m'interromps pas, sois gentille. Je ne veux pas souffrir toute ma vie, je suis certain que tu peux comprendre ça malgré ton égoïsme. Je t'ai laissé du temps. Beaucoup ! Plus que tu ne l'imagines, d'ailleurs. Pour Robert, je crois que j'ai toujours su. Il est possible, après notre longue... séparation, que Bob ne t'ait pas convaincue et que tu me trouves encore de l'intérêt. Mais tu ne peux pas nous avoir tous les deux ensemble. D'accord ?

– Mais je ne...

– Si, c'est exactement ce que tu aimerais. En ce qui me concerne, n'aie pas trop de regrets, je ne pouvais pas continuer d'être un mari complaisant. Organise ta vie, mets l'appartement en vente. Je prendrai volontiers la garde d'Esther si ça t'arrange et tu pourras envisager ton avenir sans trop tenir compte d'elle. Je pense qu'elle aimera vivre ici.

– A Fonteyne ? Non, tu...

– Je suis installé définitivement, Pauline. Esther aura toute sa famille, ses tantes, ses cousins, ce sera bien pour elle. Et je te verserai une pension si tu ne te remaries pas, tu ne seras pas à la merci de Robert, ni obligée de travailler.

Il reprit sa respiration et entendit qu'elle sanglotait. Il se raidit et ajouta d'une voix tendre :

– Ne pleure pas, ma chérie, il y a tant de gens qui t'aiment...

Il raccrocha doucement, luttant contre l'envie de la rappeler aussitôt. Il avait espéré jusqu'au bout, contre toute évidence. Il avait imaginé qu'au dernier moment elle sauterait dans un train. Malgré toutes ses résolutions, il n'était pas guéri d'elle et il aurait voulu la serrer contre lui, lui pardonner et lui promettre n'importe quoi. Cependant il fallait bien qu'il se préserve un peu. Il avait déjà tellement bataillé pour s'habituer à l'absence de sa femme qu'il ne pouvait pas tout gâcher par une minute de faiblesse.

Il alla jusqu'à la salle de bain, se regarda sans indulgence et se passa la tête sous l'eau avant de descendre jusqu'au grand salon. Esther était déjà juchée sur l'échelle que tenait Juillet. Les jumeaux tentaient de s'arracher mutuellement une guirlande électrique et

Laurène, qui avait Lucie-Malvoisie dans les bras, n'arrivait pas à les calmer.

– Fais quelque chose, demanda Juillet à Louis-Marie en désignant les garçons.

Comme il hésitait, Laurène lui confia le bébé et se précipita sur les jumeaux. Louis-Marie avait beau se sentir seul, il entonna immédiatement une berceuse. Juillet éclata de son rire bref et léger.

– Tu vas la dégoûter de la musique pour toujours ! Arrête ça ou je lâche l'échelle et c'est ta fille qui tombe !

Esther fit semblant d'avoir peur et se mit à crier. Laurène avait saisi la guirlande dont deux ampoules étaient cassées. Les jumeaux se jetèrent avec ensemble sur le carton qui contenait les décorations.

– Doucement ! supplia Laurène.

Il régnait un tel chahut que personne n'avait remarqué l'arrivée d'Alex. Dominique s'avança et ses fils se précipitèrent sur elle pour arbitrer leur querelle. Ils aperçurent leur père au même instant et se mirent à hurler de joie. Juillet tourna la tête vers son frère puis, posément, il prit Esther par la taille et la fit descendre.

– Juste un instant, promit-il en souriant.

Il marcha vers Alex qui parut se raidir comme s'il redoutait une agression.

– Tu tombes bien, dit Juillet, tout le monde va devenir fou avec ces guirlandes électriques qui ne marchent jamais d'une année sur l'autre ! Si tu pouvais commencer par les démêler...

Les jumeaux, enthousiastes, entraînèrent leur père qui n'avait pas prononcé un mot. Pour les enfants, chacun fit l'effort de maintenir une ambiance joyeuse. Dominique adressait des regards inquiets à Juillet et, à un moment, il lui répondit par un clin d'œil. Il l'observait, lui aussi, mais sans qu'elle s'en aperçoive. Il saisit un geste tendre et discret qu'elle eut pour Alex. Il attendit que le sapin soit décoré du haut en bas et prit même le temps de se réjouir et d'applaudir avec les autres lorsque Louis-Marie brancha la multitude de prises et que l'arbre s'illumina. Enfin, il passa près d'Alex et lui dit, à mi-voix :

– Je vais dans mon bureau...

Son frère n'eut aucune hésitation et l'accompagna en silence.

– J'ai dit « mon » bureau, je suis désolé, dit Juillet en refermant la porte.

– Je ne vois pas pourquoi ! Déjà, du temps de père, c'était ton bureau, non ?

Juillet s'agenouilla devant la cheminée en soupirant. Il ajouta deux bûches.

– On est mal parti, on devrait recommencer l'entrée en matière, plaisanta-t-il.

– C'était la tienne ! protesta Alex. Pour ma part, j'avoue ne pas très bien savoir par où commencer... Mais une explication est indispensable, je présume ?

– Non, pas du tout, ça m'est égal. Si tu n'as rien à me dire...

– Oh si ! Des tas de choses ! Et d'abord une question. Est-ce que tu ressens ma présence comme une intrusion ?

– Tu as le chic pour proférer des âneries... Cette maison est aussi la tienne, même si tu as tiré dessus à boulets rouges depuis quelque temps.

– La mienne ? Ah bon... Tu ne me fais pas l'aumône en m'acceptant sous ton toit, alors ?

– Tu m'emmerdes ! explosa Juillet. C'est quoi, ce ton ridicule ?

– Avec toi, c'est toujours le ton de la colère, d'après ce que je vois...

Juillet donna un coup de poing sur le bureau, devant lui, et dut faire un immense effort pour retrouver son sang-froid.

– Si tu continuais à vider ton sac ? proposa-t-il.

Alexandre, au lieu de répondre, regarda autour de lui avec intérêt. Il connaissait cette pièce sur le bout du doigt. Il y avait souvent eu peur, enfant, lorsqu'il faisait signer des carnets de notes médiocres. Et même beaucoup plus tard, lorsque son père le toisait, mécontent de ses négociations, de ses initiatives ou de ses idées.

– J'aimerais bien travailler à Fonteyne si tu n'existais pas, dit-il à Juillet.

Il semblait accablé, soudain, mais sans haine.

– Fonteyne n'existerait pas si je n'étais pas là, répondit Juillet.

– Des tas de propriétés vivent très bien sans toi.

– Bien sûr ! Mais ici, c'est différent. Tu ne t'es jamais intéressé aux chiffres, c'est dommage. L'exploitation est en progression constante. Les bénéfices n'ont pas cessé d'augmenter depuis dix ans, et jamais au détriment de la qualité. J'ai tout modernisé contre l'avis d'Aurélien, contre celui de Lucas et aussi contre le tien, à l'époque ! Je me suis ouvert des marchés uniques. J'ai beaucoup plus de clients que de production, et ce sont des clients fidèles. La société Château-Fonteyne ne dépend de personne, ne subit aucune pression. J'ai des vins de garde dont la valeur a décuplé. Je ne vends que ce que je veux et à qui je veux. J'ai économisé des fortunes de salaires et de charges sociales parce que je ne voulais rien confier à personne. J'ai consacré cet argent à agrandir le domaine. Je tiens Fonteyne à bout de bras, avec plaisir et avec orgueil, je le tiens également hors de portée de toute attaque. Nos crus ont concouru partout, Alex. Les négociants me font des conditions qu'ils ne consentent à aucun autre viticulteur. Nous sommes complètement à part. Je l'ai voulu et je l'ai obtenu.

Juillet ne lâchait pas le regard de son frère.

– Je ne cherche pas de compliments ou de reconnaissance. Cet outil de travail vous appartient autant qu'à moi mais vous ne sauriez pas vous en servir aussi bien que moi. J'ai voulu le mieux, toujours, même si c'est un peu simpliste. Tu as tout fait pour démolir cette société. C'est quand même une preuve de bêtise ! Pour m'atteindre, tu n'hésites pas à scier la branche sur laquelle tu es assis aussi... C'était tellement important de te venger ?

Alexandre baissa la tête mais Juillet insista :

– Te venger de quoi, d'ailleurs ? Qu'est-ce que je t'avais fait, moi ? Tu voulais être calife à la place du calife ? Quelle connerie !

Juillet se leva, alla jusqu'à la cheminée et tisonna les braises.

– J'aurais dû te passer la main dans le dos, te flatter, épargner ton amour-propre... Pourquoi ?

Il se retourna brusquement et surprit les yeux clairs d'Alexandre posés sur lui.

– Qu'est-ce que tu attends de moi ? demanda Juillet d'une voix lasse. Que je te console ? Que je te dise des niaiseries ? Que tu es bourré de qualités et qu'on va repartir gentiment la main dans la main comme si rien ne s'était passé ?

– Salaud...

– Pas moi. Toi. Je ne frappe pas Laurène, je ne la baise pas de force et je ne massacre pas mes terres.

– J'ai fait tout ça, oui ! explosa Alex. Et je me suis soûlé la gueule tous les jours ! Tu vas me le reprocher jusqu'à la fin des temps ? Tu n'as jamais commis d'erreur, Juillet ? Aucune, c'est sûr ?

Ils avaient tellement élevé la voix qu'ils se turent, inquiets. Le reste de la famille devait attendre qu'ils sortent du bureau.

– Je ne veux pas que tu me juges, murmura Alexandre. Je ne peux plus le supporter.

Juillet hésita puis il s'approcha du fauteuil qu'Alex n'avait pas quitté. Il effleura les cheveux pâles de son frère d'un geste très maladroit.

– Je suis désolé, dit-il. Pour tout...

Il alla se poster devant l'une des portes-fenêtres, laissant à Alex le temps de souffler.

Durant quelques instants, ils n'entendirent que le craquement des bûches. Le vent s'était levé et Juillet suivit du regard les quelques feuilles oubliées par Bernard qui voltigeaient.

– Qu'est-ce qu'on va faire ? demanda enfin Alex.

Juillet prit une profonde inspiration avant de lui répondre.

– Si tu veux retrouver ta place ici, elle est libre.

– Louis-Marie travaille avec toi ?

– Il s'occupe de la partie administrative, essentiellement.

Il fit de nouveau face à Alex.

– J'ai besoin de quelqu'un, ce serait bien que ce soit toi. Et puis il y a toujours la Grangette, nous ne serions pas obligés de nous supporter vingt-quatre heures sur vingt-quatre.

– Pourquoi fais-tu ça ? demanda Alexandre d'une drôle de voix.

« Parce que tu as besoin d'aide », pensa Juillet. Cependant il répondit :

– Je n'ai jamais voulu t'enlever ta part de Fonteyne. Je ne parle pas des actions de la société, mais de ta part de responsabilité ou de travail. Tu y as droit. Tu es mon frère... et tu sais bien qu'on ne choisit pas sa famille, hélas !

Juillet souriait, prêt à faire la paix une bonne fois. Il ajouta :

– C'est moi le gérant, Alex... Mais ça ne gêne pas Louis-Marie et je ne vois pas pourquoi ça t'ennuierait. Il faut bien que quelqu'un conduise ce navire !

Son frère le dévisageait d'un air incrédule.

– Tu fais ça parce que je t'ai attaqué en justice ? demanda-t-il. Pour avoir les mains libres ?

– Tu plaisantes ? J'ai gagné, que je sache !

Juillet semblait outré. Alexandre se décida à sourire, à son tour. Il se leva et fouilla la poche arrière de son jean dont il extirpa un papier plié.

– Puisque tout est réglé, dit-il, je vais te faire un cadeau de Noël. Mais je n'ai pas eu le temps de courir les magasins, bien sûr...

Il tendit la feuille à Juillet qui la déplia, intrigué, et la parcourut.

– Mon avocate m'a confié ça l'autre jour, avant que tu ne viennes me voir. J'avais déjà eu le temps de réfléchir... Je n'aime pas cette femme, d'ailleurs ! Elle est prétentieuse, méprisante... Je lui ai donné beaucoup d'argent. Et elle finit par m'annoncer d'un air triomphant que tu vas être obligé de vendre des terres pour me payer ma part d'héritage ! J'ai trouvé ça... effrayant. Des capitaux, ça ne m'intéresse pas du tout. Même si tu ne me crois pas, j'aime Fonteyne. Je t'offre ce bout de papier, tu peux le mettre dans la cheminée.

Juillet avait pâli. Il prit son paquet de Gitanes d'un geste brusque et alluma une cigarette. Il n'avait pas lâché la feuille.

– Tu l'aurais fait ? demanda-t-il avec un calme exagéré.

– Non... Même ivre, non.

– Tu en es certain ?

Ils s'observèrent quelques instants. Alexandre avait été capable de s'en prendre à la vigne, Juillet n'était pas près de l'oublier. Alex s'approcha de lui, prit le papier, le déchira et jeta les morceaux dans la corbeille.

– Je n'aurais pas pu aller jusque-là. Même si tu étais trois fois plus chiant, ce qui est difficile à imaginer, je ne pourrais pas. Ces terres sont à nous.

– Oui.

– A nous quatre.

– Oui.

– Mazion, je m'en fous.

– Evidemment !

Ils se turent de nouveau. Juillet pensait à Valérie Samson avec un sentiment de rage et d'amertume. Ce qu'il n'avait pas accepté d'Alex, il ne pouvait pas le tolérer d'une maîtresse de passage. Mais il était fautif, il

443

le savait. Il avait pris le risque de jeter de l'huile sur le feu en devenant son amant. Il l'avait blessée, elle s'était vengée, c'était la règle du jeu.

– Est-ce que tu crois qu'on pourra... que ce sera possible de...

– De quoi ? s'impatienta Juillet.

– De ne plus parler de tout ça ?

Juillet dévisagea Alexandre. Son frère avait gardé, dans les traits de son visage, quelque chose de juvénile, d'inachevé.

– Il me semble que ça vaudrait mieux, admit-il.

– Tu sais, dit Alex d'une voix douce, je n'ai jamais eu envie de diriger Fonteyne. D'ailleurs je détesterais ça ! C'est trop lourd, trop fatigant, trop risqué. Je ne voulais pas ta place. Je voulais seulement que tu me demandes mon avis de temps en temps. Mais tu es comme père, tu ne ménages jamais personne.

– Défaut de jeunesse. Mais je vieillis, rassure-toi. J'ai une famille qui me fait vieillir à vue d'œil !

Juillet s'était mis à rire. Il se sentait détendu, presque heureux. Leur conversation effaçait des mois de soucis, de culpabilité latente. Juillet n'oubliait pas non plus qu'il avait failli tuer Alex. Qu'il avait souhaité le faire. Tout comme il avait espéré une réconciliation, par la suite, sans jamais se l'avouer.

Il se pencha, récupéra les morceaux de l'ordonnance du tribunal dans la corbeille.

– Sans regret pour la fortune immédiatement disponible que tu viens de jeter ? demanda-t-il d'un ton léger.

– Aucun, dit Alex fermement.

– Bien... Merci pour ce cadeau de Noël, alors !

Il déposa les bouts de papier dans la cheminée, les regarda brûler et se retourna. Alexandre était devant la porte-fenêtre, comme Juillet cinq minutes plus tôt, observant les abords du château et les vignes à l'horizon. Juillet vint lui taper sur l'épaule en déclarant :

– Tu as raison, regarde bien, ça n'a pas de prix.

***

Robert déboucla sa ceinture de sécurité et demanda du champagne à l'hôtesse. Il passa son bras autour des épaules de Pauline, l'attirant contre lui.

– C'est la première fois que nous voyageons ensemble, murmura-t-il.

Elle était ravissante dans son chemisier de soie bleu nuit.

– Si tu savais comme je t'aime, dit-il d'un air grave.

Il avait eu tellement peur qu'elle refuse au dernier moment de le suivre qu'il était presque étonné d'être assis près d'elle dans cet avion.

Pauline ne lui avait rien dit de sa conversation téléphonique avec Louis-Marie. Elle avait pleuré longtemps, après qu'il eut raccroché. Elle n'était pas prête à le perdre mais il l'y avait obligée et elle avait la certitude d'avoir commis la pire bêtise de sa vie. Quel genre d'existence allait-elle bâtir avec Robert ? Elle ne voulait plus d'enfant, mais lui ? Et où allaient-ils habiter ? Et à quoi occuperait-elle ses journées puisqu'il disparaissait du matin au soir à Lariboisière ?

– A quoi penses-tu ? demanda-t-il en sachant que ce genre de question n'avait aucune chance de réponse.

– A Esther. J'espère qu'elle va passer un bon Noël.

– Elle adore son père, non ? Et puis il y a les jumeaux et le bébé...

Il essayait de la rassurer mais Pauline n'était pas inquiète pour sa fille. Dominique et Laurène s'en occuperaient très bien. D'ailleurs Esther se plaisait à Fonteyne. Au fil du temps, elle allait sûrement convaincre son père de faire une piscine ; ou son oncle Juillet de lui apprendre à monter à cheval. Un programme irrésistible pour une enfant de cet âge-là.

« Et moi, pensa Pauline, je ne pourrai plus jamais y mettre les pieds ! »

Louis-Marie avait parlé d'une pension, de la vente de leur appartement. Pauline se demanda comment ils avaient pu en arriver là. Est-ce que Robert en valait la peine ? Elle lui jeta un regard en coin. Il était séduisant, plus jeune que Louis-Marie, plus brillant, plus drôle. Il serait aussi plus exigeant et plus jaloux, elle n'en doutait pas. Elle termina son champagne et prit un chewing-gum dans son sac, en prévision de l'atterrissage. La tête appuyée contre l'épaule de Robert, elle somnola un peu. Robert était un merveilleux amant et il commençait à bien la connaître. Elle sentait avec plaisir la main qu'il avait doucement posée sur sa cuisse. Elle décida de ne penser à rien d'autre qu'au réveillon de rêve qui l'attendait.

*_**

Juillet sortit sur le perron, intrigué, et regarda le taxi qui se garait en bas des marches. La portière s'ouvrit et Fernande descendit avec précaution. Juillet se précipita vers elle.

– Mais qu'est-ce que tu fais ? Mais tu es folle !

Elle lui adressa un clin d'œil, très contente d'elle.

– Je n'ai rien sur moi... Tu veux bien payer le chauffeur ?

Il sortit des billets de la poche de son jean, régla la course puis récupéra la valise de Fernande. Elle était en pantoufles et en robe de chambre. Juillet la fit aussitôt entrer.

– Tu es partie sans autorisation ?

– Pas du tout ! J'ai convaincu le docteur Auber que je ne supporterais pas de passer Noël à l'hôpital ! Je vais très bien...

Juillet leva les yeux au ciel mais il se pencha pour l'embrasser.

– Quelle tête de pioche tu peux faire, murmura-t-il.

– Je vais à la cuisine, décida-t-elle.

– Dans cette tenue ? Oh, Fernande...

Il la dévisageait, ému et inquiet.

– Je te conduis chez toi, dit-il. Tu t'habilleras chaudement, promis ? Et ensuite tu regarderas Clotilde travailler ! Tu ne touches à rien, d'accord ?

– Je te le jure, répondit-elle gravement. Mais ne t'inquiète pas, je ne suis pas contagieuse ! Et je ne m'approcherai pas du bébé. D'ailleurs je ne tousse plus.

Il éclata de rire, ravi qu'elle soit là, qu'elle se soit débrouillée pour revenir seule, qu'elle n'ait pas pu rester loin d'eux.

– Mais je rêve ! s'écria Alexandre qui descendait l'escalier. Qu'est-ce que tu fais là ?

Fernande se tourna vers lui, ahurie, et jeta un coup d'œil incrédule à Juillet. Il se contenta de sourire sans donner la moindre explication sur la présence d'Alex à Fonteyne.

– Et toi ? dut-elle demander au bout d'un moment.

– L'emmerdeur m'a invité à réveillonner, à dormir et à rester, répondit-il d'un ton léger.

Fernande hocha lentement la tête. La réconciliation des deux frères la stupéfiait. Elle voulut poser une question mais l'irruption de Dominique l'en empêcha. Tout le monde se mit à parler en même temps. Alex finit par proposer d'aller chercher une voiture et de s'occuper lui-même de Fernande. Il promit de faire un détour par les caves pour prévenir Lucas.

Le retour de Fernande les avait tous rendus joyeux. Ils se sentaient rajeunis et, d'une certaine manière, protégés lorsqu'elle était là. Juillet gagna son bureau en sifflotant. Il était parvenu à réunir presque toute la famille, en somme. Sauf Pauline et Robert, mais le problème le dépassait.

Il regarda le téléphone, songeur, puis finit par tendre la main et composer le numéro des Billot. Laurène ne lui avait rien demandé, Dominique non plus. Mais Marie devait attendre son appel, il en était certain.

**

Parce qu'il avait envie d'une belle tablée, Juillet avait autorisé les enfants à dîner à la salle à manger. Des promesses solennelles de sagesse avaient été formulées avec sérieux par Esther et les jumeaux. Comme Lucas était invité, Juillet proposa à Fernande de se joindre à eux. Elle ne s'était jamais assise à la table des Laverzac et elle se récria, horrifiée. Il insista mais elle se buta, comme d'habitude. Que son mari soit convié, en tant que maître de chai, passait encore. Mais elle ne se sentait pas capable d'en faire autant, sinon au prix d'un grand malaise. Noël ou pas, elle tenait à superviser la cuisine et à y rester. Elle était si sincère qu'elle parvint à convaincre Juillet.

L'arrivée de Marie et d'Antoine, vers vingt heures, provoqua la stupeur. Mme Billot, dans son fauteuil d'infirme, arborait un sourire conquérant en pénétrant dans la bibliothèque. Jusqu'au dernier moment, Juillet s'était tu pour réserver la surprise à Laurène et à Dominique. Marie se comporta avec Alex comme si elle l'avait vu la veille puis, d'autorité, elle s'empara de la petite Lucie-Malvoisie qui s'était endormie dans les bras d'un des jumeaux qui n'osait plus bouger.

Deux heures plus tard, lorsqu'ils passèrent à table, Juillet put constater les efforts accomplis par Laurène. En l'absence de Pauline, elle avait décoré seule la salle à manger et s'était appliquée à dresser un somptueux couvert. Elle n'avait pas demandé d'aide à Dominique, la laissant s'occuper du menu, et elle était assez fière d'elle. Elle avait profité de la sieste du bébé pour fouiller les grands placards de la lingerie et de l'office, y dénichant des objets précieux tels que cloisonnés de vermeil, cendriers ornés d'émaux, porte-bougies individuels en cristal ou angelots de porcelaine. Elle avait disposé ses trouvailles avec soin. Elle fut récompensée par le regard émerveillé des enfants à qui elle indiqua leurs places. Juillet présidait et avait pris Marie à sa droite. Laurène s'assit entre son père et Lucas, laissant Dominique s'occuper d'Alex et de Louis-Marie. Lorsque Clotilde et Fernande entrèrent pour servir le foie gras chaud, elles retrouvèrent l'atmosphère des réunions familiales d'autrefois.

Juillet leva son verre pour porter un toast à Fonteyne et aux Laverzac. Ce fut Alexandre qu'il regarda, en parlant, avant de lui sourire. Son frère avait retrouvé facilement ses habitudes, heureux d'être chez lui malgré tout ce qui était arrivé.

« Je ne sais pas ce que vous auriez fait à ma place, Aurélien, mais il fallait qu'il revienne... »

Juillet avait pensé à son père avec autant de tendresse que de respect, comme par le passé. Il espéra qu'il en serait toujours ainsi. Le récit de Fernande n'avait rien changé. Juillet qui avait failli, dans un acte délibéré, être le meurtrier de son frère, ne pouvait pas reprocher à son père d'avoir tué involontairement. Il ne voulait plus songer qu'à l'avenir. Il était responsable de sa famille.

– Tu nous as réunis, chuchota Marie en posant sa main sur celle de Juillet. Je ne sais pas comment tu as fait mais c'est bien, tu sais...

Elle le regardait avec une affection qui le toucha. Il avait toujours beaucoup aimé Marie.

– Il y a des montagnes de paquets à mettre sous le sapin, lui dit Juillet à voix basse. Je m'absenterai à la fin du repas, et on fera croire aux enfants que le père Noël est passé pendant le dîner, d'accord ?

– Tu n'attends pas demain matin ?

– Non, ce soir. Je veux que vous soyez là, avec eux. Je veux qu'on se couche tard, qu'on en profite !

– Gamin, va...

C'était dit si gentiment qu'il éclata de son rire caractéristique.

– De quoi parlez-vous donc ? bougonna Antoine.

Il ne voulait pas qu'on le tienne à l'écart. Il gardait une sourde rancune à l'égard de Juillet sans s'apercevoir qu'il avait reporté sur lui toute l'amertume que lui avait inspirée Aurélien. Il ne se sentait jamais à l'aise à Fonteyne et il ne comprenait pas que ses filles ou même sa femme s'y plaisent autant. Ni comment Alexandre pouvait être assis là avec eux.

– D'avenir ! répondit Juillet.

– Ah oui, d'avenir... Si je me trompe tu m'arrêtes, mais je vais me retrouver seul à Mazion, je suppose ?

Juillet hocha la tête avec une lueur d'ironie au fond de ses yeux sombres.

– Vous savez, dit-il en souriant, c'est tellement lourd, ici... L'absence d'Aurélien se fait sentir... Mais enfin, entre Louis-Marie, Alex et moi, on va y arriver...

Antoine haussa les épaules. Décidément, Juillet l'agaçait.

– Pauline est restée à Paris ? demanda-t-il en sachant qu'il commettait une gaffe.

– Oui, dit Juillet très vite. J'espère que vous aimez le homard, Antoine ?

Du regard, il avertissait son beau-père de ne pas insister.

– Doit-on inviter maître Varin et le docteur Auber, la semaine prochaine ? intervint Laurène.

Juillet fut agréablement surpris qu'elle fasse diversion au bon moment et il lui adressa un sourire reconnaissant.

– Hélas oui ! répondit Louis-Marie. Ils viennent chaque année pour la Saint-Sylvestre, c'est traditionnel.

– Nous n'y échapperons pas, confirma Juillet. Mais le moins qu'on puisse dire est qu'ils se sont montrés utiles à Fonteyne, cette année...

Alexandre fut le premier à rire, signifiant qu'il ne se vexait pas de l'allusion. Puis il se tourna vers Mme Billot pour bavarder un peu avec elle, mais y renonça tout de suite en voyant que la vieille dame s'était absorbée dans la contemplation de ses arrière-petits-fils, au bout de la table. Elle avait toujours considéré comme un prodige que ces gamins, qui étaient de son sang, soient aussi les héritiers Laverzac. Alexandre chercha des yeux une carafe d'eau et Dominique la lui fit passer. Il avait tenu sa promesse, il ne buvait plus. Mais il n'avait pas encore osé poser ses mains sur sa femme et il s'endormait loin d'elle, le soir, sans qu'elle fasse un geste de rapprochement. Il était déterminé à attendre en dissimulant son impatience.

— Tu sais que le petit Bernard a nettoyé la Grangette de fond en comble ? lui dit soudain Dominique en se penchant vers lui.

Il respira le parfum de sa femme et lui sourit.

— Tu voudrais y habiter de nouveau ? Pour fuir la tyrannie du cadet ?

Il avait plaisanté, sans baisser la voix. Le mot de « cadet » lui était venu spontanément, comme avant. Il croisa le regard de Juillet et il se sentit en paix avec lui-même.

— J'ai toujours aimé cette maison, dit Dominique. Et nous y avons été très heureux.

Il prit la main de sa femme, sous la table, et il ne la lâcha que lorsque Fernande servit le chevreuil.

— J'ai reçu mon cadeau de Noël ce matin, des mains du facteur, dit alors Louis-Marie.

Il affichait un air de fausse modestie. Intrigué, Juillet l'apostropha :

– Tu nous le montres ou c'est top secret, ce cadeau ?

– Il vaudrait mieux pour moi que ce ne soit pas trop confidentiel...

Louis-Marie prit quelque chose dans la poche intérieure de son smoking. Il déposa un petit livre blanc sur la nappe, près de son assiette.

– Comme vous voyez, il s'agit d'un roman...

– Donne ! hurla Juillet d'un air radieux en tendant une main impatiente.

Dominique lui fit passer le livre, dont il s'empara avec une évidente fierté.

– Même si tu n'en as qu'un seul exemplaire, il est à moi ! Je veux que tu me le dédicaces tout de suite !

L'enthousiasme de Juillet n'était pas feint. Il jubilait à l'idée que Louis-Marie ait enfin publié ce livre qui allait, d'une certaine manière, le libérer de Pauline.

– Je fais mon service de presse à Paris après-demain. Je ne serai absent que vingt-quatre heures. J'en rapporterai d'autres puisque tu t'appropries celui-là !

– Je peux voir, moi ? Juste un coup d'œil..., demanda Alexandre.

Juillet sourit à son frère en lui passant le roman.

– Ce n'est pas parce que tout m'est dû, souligna-t-il, c'est parce que j'ai parlé le premier !

Alex éclata de rire devant cette justification inattendue. Il examina le livre et nota que Louis-Marie l'avait dédié à sa fille. Ensuite, tout le monde voulut s'en emparer, même les enfants, et Juillet finit par se lever pour le récupérer. Lorsque Fernande apporta la bûche, personne n'avait plus faim depuis longtemps. Il était presque minuit, les jumeaux bâillaient. Juillet, décidant qu'il était temps de jouer au père Noël, s'éclipsa discrètement pour gagner le grand salon où trônait le sapin, après avoir adressé un clin d'œil à Laurène. Il croisa Clotilde dans le hall. Elle venait de vérifier, pour la dixième fois au moins, que le bébé dormait tranquille dans son berceau, au premier étage.

– J'y retournerai dans un quart d'heure, promit-elle avant de filer vers la cuisine.

Juillet disposa sous le sapin illuminé les innombrables paquets que Laurène avait préparés. Ensuite il recula de quelques pas, jugea de l'effet et se mit à sourire. Combien de fois avait-il espéré tel ou tel jouet en entrant dans ce même salon le matin de Noël ? Maintenant c'était à lui de deviner les désirs de ses neveux, de sa nièce et, bientôt, de sa fille.

Après la mort d'Aurélien, Robert avait dit, en parlant de Fonteyne : « Tu nous le gardes. » Juillet était décidé à tout préserver, bien sûr, mais Robert s'était interdit Fonteyne lui-même. Il manquait à Juillet, dont il restait le préféré.

« J'aurais bien aimé t'avoir avec nous ce soir, Bob... »

Il soupira mais décida aussitôt qu'il avait beaucoup de raisons d'être heureux. Louis-Marie et Alex étaient à Fonteyne. La petite Lucie-Malvoisie souriait aux anges dans sa chambre. Il avait fait tout ce qui était en son pouvoir pour assurer un avenir serein.

Il prononça une ou deux phrases à voix haute, comme s'il bavardait avec quelqu'un, puis il ouvrit la double porte du salon et appela les enfants.

***

Le 26 décembre, il faisait un temps doux et pluvieux. Robert ralentit à peine en prenant son virage. Il avait battu son propre record sur cette même route mais sans le vouloir. Il conduisait nerveusement, faisant parfois craquer sa boîte de vitesses – ce qui ne lui arrivait jamais. Il essayait vainement de repousser la vision dramatique du corps disloqué. Il avait pourtant l'habitude de la mort, comme tous les médecins. Il maîtrisait très bien ce genre d'émotion, c'était son métier.

Bordeaux n'était plus qu'à une cinquantaine de kilomètres. Il atteindrait Fonteyne avant l'aube. Juillet serait dans les vignes et il y serait seul. Robert avait calculé l'heure de son départ en fonction de Juillet. Comme la pluie redoublait, il se décida à ralentir un peu.

Il avait passé un bon Noël. Il avait offert à Pauline une montre choisie amoureusement chez un grand joaillier. Ils avaient été heureux de déjeuner au soleil, face aux pistes enneigées. Tout s'était déroulé comme prévu jusqu'au coup de téléphone de sa fidèle secrétaire. Il s'était douté qu'il s'agissait de quelque chose de grave. Elle ne l'aurait jamais dérangé pour rien, il le savait en allant répondre. Il avait pris la communication dans le hall de l'hôtel. Et il avait écouté, pétrifié.

Dans le sac de Frédérique on avait retrouvé une carte de visite portant le numéro de Robert. Il était désigné comme la personne à prévenir en cas d'accident. Le commissariat avait joint Lariboisière. Et Robert était prié de rentrer au plus vite pour aller reconnaître le corps de Frédérique à la morgue, dans ce sinistre hôpital de banlieue où elle avait été transportée.

Pauline et Robert avaient pris le premier avion. Il n'avait pas pu échapper aux explications. Il avait dû tout raconter. Le bébé, le job, l'appartement, la rente. Pauline était entrée dans une rage folle en apprenant qu'elle avait été tenue à l'écart de ce secret de famille. Il n'avait même pas essayé de la calmer. Il pensait au bébé. Il ne parvenait pas à penser à autre chose qu'au bébé qui, lui, était sain et sauf. Bien attaché sur son petit siège, à l'arrière de la voiture, il était sorti indemne de l'accident et demeurait en observation, dans le service de pédiatrie, cinq étages au-dessus de la morgue de ce même hôpital.

Robert avait identifié Frédérique malgré les blessures et mutilations du cadavre. Puis il était monté voir Julien. Il avait usé de son nom, de sa réputation, pour exiger que le bébé soit particulièrement surveillé, choyé. Il était ressorti hagard de l'hôpital, mais il avait dû se rendre au commissariat pour faire une déposition. On lui avait appris les circonstances du carambolage sur le boulevard périphérique qui avait fait plusieurs victimes. Un camionneur semblait être à l'origine du sinistre.

Robert s'était retrouvé dans sa voiture, perdu dans cette banlieue où il n'était jamais venu, et il avait pleuré comme un gosse, la tête sur le volant. Ils s'étaient donné beaucoup de mal, ses frères et lui, pour protéger cet enfant qui était de leur sang, qui était un des leurs. Qui était orphelin à présent. Père inconnu, mère décédée. Avec pour toute famille un oncle ivrogne et voyou.

Il n'avait pas pu se résoudre à démarrer, à rentrer chez lui, à affronter de nouveau Pauline. Ce drame ne concernait que les Laverzac. Robert ne pouvait pas se dérober, il fallait qu'il parle à Juillet. Il avait quitté son coupé, marché longtemps dans des rues désertes. Dans une brasserie il avait mangé un sandwich infâme et bu trois cafés. Ce n'est qu'à la fermeture de l'établissement qu'il s'était décidé à prendre la route de Margaux.

Il avait dû s'arrêter deux fois sur l'autoroute pour marcher de nouveau, boire encore du café, mettre de l'ordre dans ses idées, calculer son arrivée.

A partir de Cantenac, il s'obligea à rouler doucement. Juillet devait être dans les vignes, à pied ou à cheval. Il baissa sa vitre, malgré la pluie, pour observer le paysage qu'éclairaient les premières lueurs de l'aube. Il eut la chance de repérer la silhouette de Bingo au sommet d'une colline, et il donna un petit coup de klaxon.

Ils se rejoignirent à trois cents mètres de l'allée de Fonteyne. Dans ses phares, Robert vit l'alezan qui s'énervait. Il s'arrêta, coupa son moteur, regarda son frère qui sautait à terre.

Juillet portait une casquette et il avait relevé le col de son blouson. Retenant Bingo d'une main ferme, il s'approcha de la portière et échangea un premier coup d'œil avec Robert.

– Quelque chose de grave ? demanda-t-il avant même de lui dire bonjour.

Robert hocha la tête et descendit. La pluie tombait en rafales. Bingo piaffait, incapable de rester immobile.

– Pauline ? interrogea Juillet d'une voix rauque.

La présence de Robert, l'expression de son visage et son mutisme annonçaient une catastrophe.

– Frédérique, dit Robert. Elle est morte.

Bingo fit un écart et Juillet faillit le lâcher.

– Le bébé ?

– Il n'a rien.

Juillet sembla chercher sa respiration, une seconde.

– Rejoins-moi à l'écurie, dit-il en mettant le pied à l'étrier. Il faut que je le rentre.

Il disparut en quelques foulées dans la semi-obscurité. Robert se réinstalla au volant et roula doucement jusqu'à l'écurie. Une lumière brillait, au-dessus des boxes, dans la chambre de Bernard. Il alla vers la sellerie où Juillet était en train d'accrocher sa bride et ferma la porte derrière lui. Il régnait une odeur de cuir que Robert aimait bien. Il attendit que Juillet se retourne. Son frère était livide, décomposé, ainsi que Robert s'y attendait. Ils s'assirent ensemble sur l'unique banc de bois, contre un mur.

– Il fallait que je vienne. Je ne veux pas voir Louis-Marie mais, au pire, ça m'est égal. Je ne sais pas ce que nous pouvons faire, Juillet...

Tête baissée, regardant obstinément ses bottes, Juillet resta un moment silencieux.

– En partant de Paris, tu connaissais la réponse, déclara-t-il enfin.

– Tu ne peux pas faire ça. Pas ça, non.

– Je ne peux rien faire d'autre, Bob ! Rien !

Il marqua une pause puis murmura, d'un ton désolé :

– Oh, Laurène...

Il se leva, donna un violent coup de poing contre un porte-selle.

– Son frère ne voudra pas, dit Robert.

– Je l'enverrai en taule, alors ! J'ai toutes les preuves qu'il faut pour ça ! Tu imagines cette petite frappe en train d'élever un enfant ? Mon fils ? Celui d'Aurélien ? Jamais !

Juillet avait crié, hors de lui. Robert avait prévu la décision que prendrait Juillet. Devant le corps de Frédérique, à la morgue, il avait su ce que son frère allait vouloir à tout prix.

– Même s'il accepte, ce ne sera pas simple.

– Peu importe !

Un coup discret fut frappé à la porte et Bernard entra. Sans un mot, il tendit un thermos à Juillet et fit un petit signe de tête dans la direction de Bob avant de sortir. Juillet servit un gobelet de café à Robert.

– Tu restes ?

– Non. Sauf si tu y tiens.

– Où est Pauline ?

– Chez moi.

A son tour Juillet but quelques gorgées. Bernard lui offrait souvent du café à sa descente de cheval, le matin. Il pensa que le jeune homme allait bouchonner Bingo, comme chaque jour. Les choses paraissaient à leur place habituelle alors que Robert venait de tout bouleverser, durablement.

– Il n'y a pas d'autre solution, décida Juillet. Je vais aller réveiller Alex. Il doit savoir où trouver ce Marc. Je veux que tout soit réglé très vite.

Robert se leva. Il semblait épuisé.

– Ne laisse pas Julien seul d'ici là... Je viendrai dès que possible...

Le regard de Juillet était suppliant. Robert acquiesça en silence. Ils étaient aussi bouleversés l'un que l'autre. Mais Robert n'avait pas été l'amant de Frédérique. Il ne l'avait pas aimée. Il ne pouvait pas être le père de Julien.

– Je n'ai pas le choix, dit encore Juillet.

Il s'approcha de Bob et appuya son front contre l'épaule de son frère.

– Pourquoi tout ça ? murmura-t-il.

Il était si rarement en détresse que Robert eut un élan et le serra une seconde contre lui. Juillet ferait face, comme toujours, il en était certain. Il avait juste besoin de rassembler son courage pour affronter ce qui l'attendait. Ils s'écartèrent l'un de l'autre. Le jour s'était levé mais la pluie persistait, diluvienne. Avant de sortir, Robert jeta un coup d'œil autour de lui, se demandant s'il reverrait jamais cet endroit.

**

Pauline était rentrée chez elle après avoir laissé un mot rageur à l'intention de Robert dans son studio. Elle était d'autant plus en colère qu'elle avait pris plaisir à leur escapade en montagne. Elle avait réussi à chasser ses soucis durant deux jours et s'était sentie en confiance, presque heureuse. Or Robert avait dissimulé, menti. Malgré ses sempiternelles protestations d'amour fou, il avait fait comme les autres, il l'avait traitée en étrangère. La

prenait-il, lui aussi, pour une femme inconséquente et légère, bavarde et étourdie ? Ce
jeu-là était drôle au côté de Louis-Marie mais
il perdait tout son sel avec Robert.

« Est-il à ce point soumis aux Laverzac que
les secrets de famille doivent passer avant
tout ? »

Pour se consoler, elle décida d'oublier Fonteyne et ses drames, de se désolidariser pour
de bon. Puisqu'on l'avait exclue, elle s'en
désintéressait.

Elle erra d'une pièce à l'autre, indécise et
mal à l'aise. Louis-Marie devait venir à Paris
pour signer son service de presse. Il avait
annoncé son intention de récupérer ses affaires personnelles, vêtements et papiers.
Pauline avait prévu de l'éviter mais elle
changea brusquement d'avis. Elle n'avait aucune raison de se conformer aux désirs de
Robert. Qui devait être en train de pleurni-
cher sur la disparition de cette Frédérique
en compagnie de Juillet. Ils avaient pourtant
souhaité ardemment qu'elle disparaisse de
leurs vies lorsqu'elle était la maîtresse d'Aurélien !

Pauline trouvait cette histoire d'orphelin
abominable. Elle songea à cet appartement
que les frères Laverzac avaient cru bon d'offrir en guise de dédommagement.

« Ce sont de sales bourgeois de province !
Ils sont monstrueux, tous les quatre ! »

Pourquoi Louis-Marie lui avait-il caché la vérité ? Pour qu'elle n'en parle pas à cette gourde de Laurène ?

« La pauvre chérie, je vois très bien ce qui l'attend... Juillet en est capable, il est capable de tout ! »

Elle s'assit devant sa coiffeuse, regardant sans les voir les innombrables flacons. Elle avait toujours refusé de s'intégrer à la famille de Louis-Marie. Les Laverzac l'amusaient, elle les aimait bien, mais elle se sentait parisienne avant tout. Elle s'était persuadée, au fil des années, que Louis-Marie avait oublié ses racines. Et il s'était réfugié là-bas, puis il avait décidé d'y rester ! Pourquoi ? Comment pourrait-il supporter l'existence paisible d'un viticulteur alors qu'il avait adoré sa vie mondaine de journaliste ?

« Adoré... après tout, peut-être pas... »

Sourcils froncés, Pauline examinait une photo de son mari, un cliché pris lors d'une soirée dans un grand restaurant. Louis-Marie était souriant mais distant. N'était-il resté à Paris que pour elle ? Il avait éprouvé le besoin de couper les ponts avec son père, lorsqu'il était jeune, pour venir faire ses preuves dans la capitale. Mais depuis ?

«Nous n'avons jamais parlé de choses sérieuses, au fond...»

Elle soupira. Robert allait rentrer, l'appeler, exiger qu'elle revienne. Elle se pencha vers le miroir et s'étudia de près, sans aucune indulgence. Si elle le voulait vraiment, elle pouvait séduire Louis-Marie encore une fois. Il suffisait de l'attendre en mettant du champagne au frais. Après tout, ils avaient à discuter tous les deux. Robert attendrait, c'était bien son tour. Tranquillement, elle débrancha la prise du téléphone.

Juillet et Alex avaient accompagné Louis-Marie à l'aéroport. Il s'était engagé à revenir le soir même, à prendre directement un taxi de chez son éditeur. Il avait abandonné l'idée d'aller chez lui, reportant ses projets de déménagement à plus tard.

Juillet avait annoncé à ses frères la mort de Frédérique durant leur réunion matinale dans le bureau. Ensuite il avait dû expliquer à Alex les mesures prises à l'égard de Frédérique et de son fils. Alex avait ainsi appris comment ses trois frères avaient assuré de leur mieux l'avenir du petit bâtard, sans même le consulter. Il ne fit aucune réflexion, aucun commentaire, se souvenant très bien de son état d'esprit à ce moment-là. Poursuivant son exposé sans reprendre son souffle, Juillet avait dévoilé ses intentions. Louis-Marie et Alex l'avaient écouté sans broncher. Même si la solution était effrayante, elle était logique. A présent, rien ne pourrait détourner Juillet de son objectif.

La première chose à faire était de trouver Marc. Juillet se laissa guider par Alex et ils entamèrent la tournée des bars. Au bout de deux heures, ils dénichèrent le jeune homme qui jouait au flipper dans l'arrière-salle d'un bistrot minable. Pris de dégoût, très gêné, Alexandre laissa parler Juillet. Il se revoyait dans ce genre de bouges, payant des tournées à de pauvres ivrognes comme lui. Peut-être serait-il encore là, à tituber devant le comptoir, si Juillet ne l'avait pas envoyé à l'hôpital. Peut-être était-ce pour cette unique raison qu'il ne lui en voulait pas et qu'il avait choisi de faire la paix. Il resta donc à l'écart, préférant ne pas adresser la parole à son ancien compagnon de beuverie, à son complice de cette abominable nuit sur les terres de Fonteyne.

Il n'était que deux heures de l'après-midi et Marc n'était pas encore soûl. Il écouta Juillet avec réticence mais sans manifester de

469

chagrin. Il y avait longtemps qu'il avait oublié sa sœur et il ne s'était jamais posé de questions au sujet de l'enfant. Juillet eut un certain mal à le persuader de quitter son flipper pour les accompagner au-dehors. Marc jetait des coups d'œil intrigués et inquiets dans la direction d'Alex. Il ne comprenait rien à ce qui se passait. Il n'avait rencontré Juillet que deux fois dans sa vie et, les deux fois, il y avait eu bagarre. Mais Juillet ne lui laissa pas le temps de réfléchir et il le fit monter en voiture. Ils se retrouvèrent à l'étude de maître Varin moins d'une demi-heure plus tard.

Le notaire les reçut sur-le-champ, ne laissant rien paraître de son étonnement. Juillet lui apprit le décès de Frédérique, qui sembla beaucoup le chagriner. L'appartement de la jeune femme revenait bien entendu à Julien.

Varin connaissait Marc. Il l'avait perdu de vue depuis un moment mais Frédérique lui en avait souvent parlé. Il suffisait de regarder le jeune homme pour comprendre qu'il était hors de question qu'il puisse se charger d'un bébé. Varin devina d'emblée les intentions de Juillet. Il prit les devants, remplissant son rôle de médiateur. Il fit donc remarquer à Marc qu'il allait devenir le tuteur légal de son neveu et qu'il en serait responsable. Il énuméra toutes les charges qui allaient lui incomber dorénavant. Il ne fit grâce d'aucun détail ennuyeux, passant en revue tous les cas de figure possibles. A la fin de son discours, il consulta Juillet puis Alexandre du regard.

– A moins que votre neveu ne soit adopté par une famille et que vous renonciez à votre tutelle, conclut-il doucement.

Marc comprit enfin ce qu'on lui voulait. Il se sentait complètement dépassé par les événements.

– Vous voulez le moutard ? demanda-t-il d'un ton incrédule à Juillet.

– Oui, répondit celui-ci sans hésiter. Il est autant de ma famille que de la vôtre et, moi, j'ai les moyens de l'élever.

Marc médita la phrase plusieurs minutes. Juillet alluma une Gitane. Maître Varin dessinait machinalement sur un coin de dossier. Alex regardait Marc.

– C'est possible ? demanda enfin le jeune homme à Varin.

– Si vous le désirez, c'est possible, oui, répondit le notaire avec prudence.

– Et qu'est-ce que j'y gagne ?

La question était tellement directe, crue, que Juillet se raidit pour ne pas céder à la colère.

– Je n'ai pas porté plainte, au sujet de mes

vignes, mais je peux encore le faire, dit-il d'une voix glaciale.

– C'est une plaisanterie ? protesta Marc. Et lui, alors ?

Il désignait Alex, l'air goguenard.

– Mon frère ? interrogea Juillet qui parvenait à rester calme. C'est lui qui vous a surpris. Vous vous êtes battu avec lui. Il portera plainte également pour coups et blessures. Nous avons le témoignage de mon maître de chai et celui du docteur Auber, des gens dignes de foi...

Varin avait cessé de crayonner et il faisait semblant de lire un quelconque papier. Marc l'apostropha.

– Vous êtes dans le camp de ces deux salauds ? lui cria-t-il.

Impassible, Varin fit celui qui n'avait pas entendu. Il ne pouvait pas aller plus loin. Il laissait faire Juillet, c'était déjà beaucoup.

– Attendez, dit Juillet à Marc.

Le jeune homme le regarda. Il y avait autant de méfiance que de haine dans son expression.

– Vous n'avez rien à faire de cet enfant, et moi je le veux. Il y a toujours une solution à tout. Dites-moi quelle est la vôtre.

Marc essayait de suivre le raisonnement de Juillet sans y parvenir.

– Je vous demande un chiffre, précisa Juillet. C'est assez simple. Nous ne sommes pas ici par hasard. Je n'ai jamais pensé que vous me croiriez sur parole. Je peux vous débarrasser du bébé et assurer votre avenir. La seule condition est de vous décider ici, maintenant.

Marc se tourna vers Varin, cherchant de l'aide. Il ne savait pas quoi répondre. Le notaire pensa le moment venu et il abandonna sa lecture, adressant un large sourire à la cantonade.

– Eh bien, commença-t-il d'un ton encourageant, prenons une base de discussion... Je suis sûr que vous allez trouver un terrain d'entente... A votre âge, on n'a pas envie de s'encombrer d'un enfant, Marc ! Je crois savoir que vous êtes sur une... comment dirais-je ? une mauvaise pente. Si vous disposiez d'un capital, vous pourriez redémarrer, n'est-ce pas ?

Varin parlait avec chaleur, présentant la transaction comme la chose la plus naturelle du monde. Mais il avait assisté à tant de discussions ahurissantes, entre les murs capitonnés de son étude, que rien ne le surprenait plus. Trente ans plus tôt, par exemple, Aurélien Laverzac était venu lui parler de l'adoption d'un enfant, dans des circonstances tout aussi étranges. Il dévisagea Marc par-dessus ses petites lunettes. La seule difficulté résidait dans ce chiffre que personne ne voulait prononcer. Il fallait que la proposition soit alléchante mais qu'elle reste possible, financièrement, pour Juillet et ses frères. Varin jeta un coup d'œil satisfait vers Alex. Au moins ce problème-là semblait réglé. Lorsqu'ils avaient des ennuis, les Laverzac savaient se serrer les coudes. C'est la tradition des grandes familles. Et Varin adorait les traditions parce qu'il en vivait. De l'index, il remonta ses lunettes sur son nez. Puis il avança un chiffre.

**

Le soir même, Juillet s'enferma dans son bureau avec Laurène. Il avait obtenu l'accord de Marc, il lui fallait maintenant celui de sa femme.

Il l'avait fait asseoir devant la cheminée et il était resté debout, dos aux flammes. Il avait parlé longtemps, d'un ton uni, sans qu'elle l'interrompe. Conscient de ce qu'il imposait, il avait défendu la cause du petit Julien avec une authentique émotion. Cet enfant de huit mois n'avait plus personne sauf eux. Qu'il soit le fils ou le frère de Juillet en faisait un Laverzac à part entière. Il avait besoin d'une famille, la sienne, et d'une mère. Juillet ne dit rien des deux heures passées chez Varin. Il déclara seulement que Marc ne voulait pas du bébé.

Laurène l'avait écouté, atterrée, anéantie. Elle ne pouvait ni accepter ni refuser ce qu'il demandait. Frédérique revenait comme un cauchemar dans son existence. Elle l'avait haïe, l'année précédente, puis le danger s'était éloigné lorsque Frédérique avait quitté Fonteyne. Ensuite Laurène s'était rendue malade en apprenant la naissance du petit Julien mais, une nouvelle fois, la menace avait semblé disparaître. Et voilà que tout recommençait, implacablement. Ce n'était plus Frédérique que Laurène devrait craindre, dans l'avenir, c'était son fils. Or elle ne pouvait pas lutter contre un enfant sans défense. La décision de Juillet était odieuse, inique, mais rien ne le ferait changer d'avis, elle le savait. D'ailleurs, y avait-il une autre solution ? Il n'était pas concevable d'abandonner cet orphelin. L'innocence de ses huit mois le mettait à l'abri de tout ce que Laurène aurait pu trouver à redire. Juillet plaçait sa femme devant un impossible choix.

Paniquée, elle chercha en vain un argument capable d'atteindre Juillet. Elle finit par constater, amère et pitoyable :

– Mais tu ne me demandes pas mon avis, là, tu me mets devant le fait accompli ?

– Non, répondit-il doucement, j'ai besoin de toi. Il faut que je sache si tu es d'accord, au fond de toi, et si tu pourras l'aimer.

– Quelle importance ? Tu l'aimeras pour deux !

Lucie-Malvoisie n'avait que quelques semaines. Elle ne serait pas restée longtemps la fille aînée de Juillet. A cette idée, Laurène se mit vraiment en colère.

– Et le nôtre, de bébé ? Tu y penses, au moins ?

– Il me semble que tu peux t'occuper de deux enfants ? Il y a Dominique et Fernande pour t'aider. Si tu veux engager quelqu'un, en plus...

– Tu es vraiment prêt à tout !

Il vint près d'elle, s'assit sur le bras du fauteuil et soupira.

– Oui... A tout. Et cette adoption va nous coûter très cher...

Au point où il en était, il avait brusquement décidé d'être franc avec sa femme, d'aller au bout de son histoire.

– Je n'ai pas le choix, Laurène. Ce qu'Aurélien a fait pour moi, il faut que je le rende aujourd'hui. Une partie de Fonteyne appartient à cet enfant, de droit. J'ai été tellement heureux ici ! Je ne pourrai plus jamais l'être si je ne vais pas le chercher.

Elle n'avait rien à répondre. Ses sentiments pour Juillet étaient si forts qu'ils primaient tout. Elle savait se battre pour garder Juillet mais elle ne pouvait pas se battre contre lui. Elle accepta son propre malheur pour ne pas faire celui de son mari.

*_**

Le 1er février était un mardi. Il faisait un beau froid sec sur la région parisienne. Robert et Pauline avaient invité Juillet à déjeuner chez Taillevent. Il y avait des années qu'il ne s'était pas rendu dans la capitale et son frère voulait le recevoir dignement.

Juillet trouva Pauline changée, moins gaie et pétillante que de coutume. Il savait par Louis-Marie que la procédure de divorce était engagée. Il chipota sur son turbot, préoccupé par la perspective de l'après-midi, le rendez-vous à l'hôpital. Les papiers nécessaires à l'adoption, signés par Marc et par Laurène, étaient dans sa mallette. Il n'avait pas proposé à sa femme de l'accompagner, devinant qu'elle n'en avait pas envie. L'administration avait fait peu de difficultés, l'intérêt de l'enfant étant de se retrouver dans sa nouvelle famille le plus vite possible. D'autre part, les Laverzac offraient toutes les garanties souhaitables. Enfin Robert avait usé de son influence pour accélérer les démarches.

Juillet avait pris l'avion le matin même, laissant sa voiture au parking de l'aéroport. Il souhaitait être seul lorsqu'il reviendrait avec l'enfant à Fonteyne.

Anxieux, nerveux, il écouta distraitement Robert durant le déjeuner. Son frère comprit qu'il avait hâte de voir Julien et il écourta le repas. Pauline, qui avait rendu trois ou quatre visites au bébé, le décrivit comme un enfant souriant mais parfois coléreux. Elle affirma que les infirmières et les puéricultrices avaient été exemplaires, faisant de Julien le chouchou du service de pédiatrie.

Pour faciliter leurs déplacements, Robert avait emprunté la voiture d'un confrère, une confortable limousine. Durant le trajet vers l'hôpital, Juillet voulut donner à son frère quelques précisions sur l'état des finances de la société Château-Fonteyne. Robert l'en empêcha, se récriant qu'il avait envoyé des pouvoirs en blanc et que tout ce que Juillet déciderait serait parfait. Si Julien était le fils d'Aurélien, les quatre frères devaient s'en partager la responsabilité financière. Dans le cas contraire, ils avaient toute la vie pour régler leurs comptes. Lorsque Pauline lui demanda s'il comptait effectuer une recherche de paternité, Juillet répondit, d'un ton ferme, qu'il n'en voyait pas l'utilité dans l'immédiat. Selon Robert, ce type d'investigations ne pouvait donner de résultat absolu. On parvenait à déterminer, à coup sûr, qu'un enfant n'était pas le fils de tel père et c'était tout. Sinon, il y avait une possibilité mais jamais de certitude.

Leur arrivée dans le service de pédiatrie ne passa pas inaperçue. Le directeur de l'hôpital était là ainsi qu'un représentant du ministère de la Santé. Il fallut d'abord subir les formalités administratives. Puis un psychologue vint s'entretenir avec Juillet mais, impressionné par la présence du professeur Laverzac, il ne prononça qu'un discours restreint. Enfin ils se dirigèrent en groupe vers la chambre de Julien.

Sur le pas de la porte, Juillet regarda les quatre enfants qui jouaient dans leurs lits entourés de barreaux. Il n'eut aucune hésitation. Il se tourna vers son frère en désignant l'un des bébés.

– C'est lui ?

Robert hocha la tête et le laissa s'approcher seul du petit qui observait sans appréhension ce visage inconnu. Juillet s'arrêta, détaillant celui qui allait désormais partager sa vie. Il aima d'emblée les grands yeux gris, semblables à ceux de Frédérique. Il y eut, l'espace d'une seconde, un véritable échange de regards entre eux. Puis Juillet sourit et Julien en fit autant, se mettant à gazouiller.

De sa place, Robert voyait le profil de son frère et il fut submergé par une émotion très douce. La puéricultrice, qui avait retenu son souffle, tendit un sac à Pauline en lui chuchotant qu'il contenait tout ce qu'il fallait pour le voyage.

Juillet se pencha au-dessus des barreaux, prit délicatement le bébé et l'installa contre son épaule. De sa main libre, il caressa la nuque et les cheveux fins de l'enfant avant de récupérer un lapin en peluche, oublié sur l'oreiller.

– Bonjour, murmura-t-il à voix basse. N'aie pas peur, je t'emmène chez toi...

Le psychologue et le pédiatre, qui se tenaient aux côtés de Robert, furent frappés par l'assurance tranquille de Juillet, la sûreté et la tendresse de ses gestes, la confiance qui s'instaurait avec l'enfant. Personne ne trouvant rien à dire, le petit groupe s'écarta de la porte pour le laisser sortir. Robert et Pauline le suivirent en silence.

***

Juillet avait fait ce que personne n'attendait, il avait pris une chambre au Novotel en arrivant à l'aéroport de Mérignac. Laurène, prévenue par un coup de téléphone laconique, supposa que son mari voulait se ménager un long tête-à-tête avec l'enfant pour s'habituer à lui. En fait, Juillet passa une partie de la nuit à regarder dormir Julien.

A la réception de l'hôtel, une jeune fille lui avait proposé spontanément son aide, attendrie par ce père solitaire au sourire irrésistible. Mais il avait refusé, affirmant qu'il se débrouillerait très bien tout seul à condition qu'on lui monte le plateau du dîner. Pour le reste, il savait préparer un biberon, faire tiédir un petit pot de jambon-purée ou changer une couche.

Il réfléchit beaucoup durant cette longue nuit. Au-delà de l'adoption, quelque chose de particulier le liait à Julien, il en était conscient. Cet enfant avait vu mourir sa mère. Juillet aussi. Il ne s'en souviendrait jamais mais il grandirait avec ce drame inscrit dans son subconscient. Comme Juillet.

Le sens du devoir n'entrait pour rien dans sa décision. C'était son amour infini pour Aurélien qui l'avait conduit dans cette chambre d'hôtel. Et ce serait toujours son père que Juillet allait chercher à reconnaître, au long des années, dans les traits de Julien.

Ils quittèrent le Novotel à sept heures du matin. L'enfant fit quelques difficultés lorsque Juillet l'installa dans le siège pour bébé de la Mercedes, mais il se calma peu à peu sur la route. Ils arrivèrent à Fonteyne avant huit heures, comme Juillet l'avait souhaité. Il arrêta la voiture dans l'allée, sachant que Bernard viendrait la récupérer. Julien bien emmitouflé et calé au creux de son épaule, il fit un petit tour dans les vignes en murmurant toute une litanie de mots tendres qui s'adressaient aussi bien au bébé qu'aux ceps. Il présentait Fonteyne à Julien, tout comme il présentait son héritier au vignoble.

Il finit par s'asseoir entre deux rangées de plants, l'enfant sur ses genoux. Immédiatement, Julien voulut toucher la terre et il saisit un gravier dans sa petite main.

– Tu as raison, dit Juillet. C'est ça qui fait la richesse des Laverzac. C'est du calcaire et de l'argile... Je t'apprendrai. Tu veux manger un caillou ? Non, Julien, non... C'est la meilleure terre du monde mais elle ne se mange pas. Elle se boit ! Tu comprendras...

L'enfant avait laissé sa main dans celle de Juillet qui se releva lentement.

– Je vais te montrer ta maison, regarde... C'est un château de contes de fées... Tu le vois ? Si nous étions arrivés hier soir, tu n'aurais rien vu de tout ça... Et maintenant, tu vas faire la connaissance de ta petite sœur. Quand tu seras grand, il faudra la protéger, veiller sur elle parce que tu es l'aîné...

Il leva les yeux vers la fenêtre de sa chambre et ajouta, un peu hésitant :

– Allons-y, ta mère doit nous attendre...

Il avait aperçu la silhouette de Laurène qui disparut aussitôt. Elle s'était reculée en hâte, refermant le rideau de velours d'un coup sec. Elle l'observait depuis dix minutes au moins. Des larmes d'impuissance et de rage coulaient sur ses joues. Elle avait pris des jumelles pour mieux se torturer, pour noter en détail chaque geste de Juillet. Il était fou de cet enfant, comme prévu. Et tout ce qu'il allait lui donner serait ainsi retiré à Lucie-Malvoisie. Il s'était montré doux et affectueux avec sa fille, depuis des semaines, mais jamais il n'avait eu cette expression de fierté, ce regard d'amour absolu, cette éclatante complicité. A contempler son mari sans qu'il le sache, Laurène venait de prendre la mesure de l'enfer qui l'attendait. Si jamais elle rejetait ce bébé, ils allaient tous vivre vingt ans de calvaire. Il fallait donc l'accepter. Ou, au pire, faire semblant.

**

Juillet entra dans la cuisine d'un pas décidé, faisant sursauter Fernande. Lucas buvait son café, installé au bout d'un banc comme à son habitude. Juillet posa son sac sur la longue table, l'ouvrit et en extirpa un biberon. Fernande le regardait, figée, incapable de bouger ou de prononcer un mot. Elle avait beau s'y être préparée, la présence soudaine de ce bébé la pétrifiait.

– Il s'appelle Julien, dit Juillet qui faisait chauffer le lait.

Emergeant de sa torpeur, elle s'approcha et tendit les bras en murmurant :

– Donne-le-moi, je vais m'en occuper.

Il fallait que quelqu'un d'autre, tout de suite, prenne ce petit en charge, Fernande l'avait compris. Ou bien Juillet ne pourrait plus jamais le lâcher, elle en était certaine. Il n'hésita qu'une seconde avant de lui passer l'enfant qui se mit à pleurer, effrayé. Juillet renversa une goutte de lait sur le dos de sa main puis il donna le biberon à Fernande. Julien se saisit goulûment de la tétine.

– Il a de beaux yeux, dit Fernande.

Elle était sincère, elle trouvait ce bébé magnifique. Avant de quitter Fonteyne, l'avant-veille, Juillet l'avait prise à part et lui avait tout raconté. Elle aimait trop la famille et elle avait trop bon cœur pour rester insensible à ce drame. Contrairement à Laurène, elle n'avait pas de raison d'être jalouse. Peu lui importait que Julien soit le fils d'Aurélien ou de Juillet puisque, de toute façon, il était des leurs. Elle était prête à le chérir et même à l'élever comme elle l'avait fait pour les autres.

La porte s'ouvrit et Laurène apparut. Elle portait un blue-jean et un pull. Elle n'était pas maquillée et Juillet vit qu'elle avait pleuré. Elle essaya de lui sourire, sans vraiment y parvenir. Fernande jeta un coup d'œil vers Juillet. Il attendait, immobile, l'air inquiet. Il n'esquissa pas un mouvement pour aller vers sa femme et ce fut Laurène qui bougea.

– Je vais le faire, dit-elle d'une voix mal assurée à Fernande. J'ai l'habitude...

Elle s'assit sur le banc et Fernande lui mit Julien dans les bras. Laurène eut un infime recul avant de saisir le bébé et le biberon.

– Il est lourd, déclara-t-elle sans regarder personne. Il est grand aussi, ça fait drôle...

Lucas leva la tête, un instant, au-dessus de son journal. Il observa la scène, puis se replongea dans sa lecture. Fernande ne quittait pas Laurène des yeux. Elle savait que Juillet guettait sa femme, sans indulgence. Mais ce qu'elle constatait, elle, ne pouvait rien rappeler à Juillet. Elle revoyait Lucie Laverzac, trente et un ans plus tôt, dans cette même cuisine, tenant un enfant dans ses bras avec les mêmes réticences et la même maladresse. Lucie ne s'était jamais habituée à Juillet. Elle avait donné le change, pour Aurélien. Elle avait fait semblant d'aimer sans rien éprouver. Laurène lui ressemblait tellement, à cet instant, que Fernande dut s'appuyer d'une main à la table. Elle ne voulait pas revivre certaines choses, elle n'avait plus l'âge.

Juillet contourna la table et s'approcha de sa femme. Il lui mit la main sur l'épaule avec tendresse.

– Tout ira bien, murmura-t-il.

Mais, ainsi que Fernande l'avait redouté, ce n'était pas Laurène qu'il regardait. C'était Julien.

POUR L'AMOUR DE L'INDE (2 tomes)
Prix des Bibliothèques Pour Tous 1994

Francisco Coloane
TIERRA DEL FUEGO
Préface de Luis Sepùlveda

Georges Coulonges
LA FÊTE DES ÉCOLES
LES TERRES GELÉES (épuisé)
Grand Prix de Littérature de la Ville de Bordeaux 1993

Didier Decoin
DOCILE

Patrice Franceschi
QUELQUE CHOSE QUI PREND LES HOMMES
Prix des Relais H 1993

Dan Franck
UNE JEUNE FILLE

Pierre Galoni
LE PITAUD

Louis Gardel
DAR BAROUD

Françoise Giroud
MON TRÈS CHER AMOUR...

Michel de Grèce
LA BOUBOULINA (épuisé)

Frédérique Hébrard
LE MARI DE L'AMBASSADEUR (2 tomes) (épuisé)

Catherine Hermary-Vieille
LA PISTE DES TURQUOISES (épuisé)
LOLA (2 tomes)
LA POINTE AUX TORTUES

Denis Humbert
LA MALVIALLE (épuisé)
UN SI JOLI VILLAGE (épuisé)

Pierre Jakez Hélias
LE DIABLE À QUATRE

Alexandre Jardin
FANFAN (épuisé)

Marcel Jullian
CHARLEMAGNE

J.M.G. Le Clézio
ÉTOILE ERRANTE (épuisé)

Brigitte Le Treut
LUMIÈRE DU SOIR
Prix François Mauriac 1994

Eduardo Manet
HABANERA

Félicien Marceau, *de l'Académie française*
LA TERRASSE DE LUCREZIA

Robert Merle
LES ROSES DE LA VIE (2 tomes)

Patrick Modiano
CHIEN DE PRINTEMPS

Malika Mokeddem
L'INTERDITE
Mention Spéciale Prix Femina 1993

Erik Orsenna
GRAND AMOUR

Jean Piat
LE DÎNER DE LONDRES
VEILLE DE FÊTE (épuisé)

Yves Pouliquen
LES YEUX DE L'AUTRE

Daniel Prévost
LE PONT DE LA RÉVOLTE

Pascal Quignard
TOUS LES MATINS DU MONDE (épuisé)

Mariella Righini
FLORENTINE

Jacqueline de Romilly, *de l'Académie française*
OUVERTURE A CŒUR (épuisé)

Jean Rouaud
DES HOMMES ILLUSTRES
LES CHAMPS D'HONNEUR (épuisé)
Prix Goncourt 1990

Annie Sanerot-Degroote
LA KERMESSE DU DIABLE
Préface de Jacques Duquesne

John Steinbeck
LUNE NOIRE

Susanna Tamaro
VA OÙ TON CŒUR TE PORTE

Jean-Michel Thibaux
LA BASTIDE BLANCHE

Bernard Tirtiaux
LES SEPT COULEURS DU VENT
Prix des Relais H 1995
LE PASSEUR DE LUMIÈRE (épuisé)

Henri Troyat, *de l'Académie française*
LA FEMME DE DAVID (épuisé)

Pierre Veilletet
CŒUR DE PÈRE

Frédéric Vitoux
CHARLES ET CAMILLE (2 tomes)

Anne Wiazemsky
CANINES
MARIMÉ (épuisé)

Collection HISTOIRE

Alain Decaux, *de l'Académie française.*
NOUVELLES HISTOIRES EXTRAORDINAIRES
Volume I - Volume II
HISTOIRES EXTRAORDINAIRES (épuisé)
NOUVEAUX DOSSIERS SECRETS (épuisé)

Jacques Duquesne
JEAN BART

Eve Ruggieri
L'HONNEUR RETROUVÉ DU MARQUIS DE
MONTESPAN (épuisé)

Cornelius Ryan
LE JOUR LE PLUS LONG

Henri Troyat, *de l'Académie française*
NICOLAS II (2 tomes)

Collection TÉMOIGNAGE

Abbé Pierre
TESTAMENT...

Sœur Emmanuelle
CHIFFONNIÈRE AVEC LES CHIFFONNIERS (épuisé)

Guy Georgy
L'OISEAU SORCIER
LA FOLLE AVOINE (épuisé)
LE PETIT SOLDAT DE L'EMPIRE (épuisé)

Monique de Huertas
MÈRE TERESA

Daniel Pennac
COMME UN ROMAN

Bernard Pivot : Réponses à Pierre Nora.
LE MÉTIER DE LIRE (épuisé)

LA JEUNE FILLE ET LA MORT
QUI A TUÉ L'ASTROLOGUE ?
TIMBRE MORTEL
CRIME AU FESTIVAL DE CANNES (épuisé)
HIGGINS MÈNE L'ENQUÊTE (épuisé)
LES DISPARUS DU LOCH NESS (épuisé)
L'HORLOGER DE BUCKINGHAM (épuisé)

Estelle Montbrun
MEURTRE CHEZ TANTE LÉONIE

Daniel Pennac
LA FÉE CARABINE (épuisé)

Pierre de la Pyramide
MEURTRE AU LOUVRE (épuisé)

Georges Simenon
LA COLÈRE DE MAIGRET
LA PATIENCE DE MAIGRET
MAIGRET ET L'AFFAIRE NAHOUR
MAIGRET TEND UN PIÈGE
UNE CONFIDENCE DE MAIGRET
LE VOLEUR DE MAIGRET (épuisé)
MAIGRET A VICHY (épuisé)

Fred Vargas
DEBOUT LES MORTS

Patricia Wentworth
LE CHEMIN DE LA FALAISE

Achevé d'imprimer en janvier 1996
dans les ateliers de T. J. PRESS à Padstow,
Grande Bretagne
pour le compte des Éditions Feryane
B.P. 314 – 78003 Versailles

Dépôt légal janvier 1996

M.H.WEALE. '83

ICELAND
THE TRAVELLER'S GUIDE
by

TONY ESCRITT

Foreword by

Vigdís Finnbogadóttir
President of the Republic of Iceland

Published by
The Iceland Information Centre
LONDON

Til allra vina minna á Íslandi sem hafa verið mér til svo ómetanlegrar aðstoðar síðastliðin þrjátíu ár.

First published July, 1990
ISBN 0 948192 04 6

© The Iceland Information Centre
  P.O. Box 434
  Harrow
  Middlesex
  HA1 3HY

Printed by Ambrose Printing Limited, Granby, Bakewell, Derbyshire, England.

Cover photograph: The Church at Stærri-Árskógur, Eyjafjördur. (Tony Escritt)

ICELAND IN A NUTSHELL

President	Vigdís Finnbogadóttir
Prime Minister	Steingrímur Hermannsson
Government	Parliamentary democracy
Religion	Lutheran
National Day	17 June

Latitude		Longitude	
Dýrhólaey	63° 24'N	Bjargtangar	24° 32'W
Hraunhafnartangi	66° 32'N	Gerpir	13° 30'W
Currency	Krona	**Power**	220 volts
Language	Icelandic	**Literacy**	99.9%
Population Density	2 per km²	**Life Expectancy: Men**	75.0
Area (Km°)		**Women**	80.4
Total	103,125 km²	Thingvallavatn	84 Km²
Vatnajökull	8,456 km²	Heimaey	13 km²

Land Use (%)

Cultivation	1	Glaciers	12
Grazing	20	Lakes	3
Lavas	11	Sands	4
Other Wasteland	53		

Population (1988)

Total	251,960	Kópavogur	15,037
Reykjavík	95,811	Akureyri	13,972

Employment (%)

Agriculture	5.3	Fishing	5.2
Fish Processing	7.6	Manufacturing	14.0
Construction	9.4	Services	58.5
Unemployment (%)	0.7		

Foreign Currency Earnings (%)

Marine Products	53	Manufactures	15
Transportation	11	Tourism	5
Misc. Services	12	Misc. Goods	3
Agricultural prod.	1		

Imports (%)

Consumer Goods	28	Intermediate Goods	26
Transport. Equip.	20	Investment Goods	20
Fuel and Lubricants	6		

Distances (Km)

Length of Ring Road:	1402	Reykjavík-Egilsstaðir:	706
Reykjavík-Egilsstaðir:	710★	(★ via south coast)	

Highest passes (m./Route No.) Other heights (m.)

Sprengisandur	940 (F28)	Öraefajökull	2119
Kaldidalur	727 (F35)	Kverkfjöll	1920
Fjallabaksleið	700 (F22)	Snaefell	1863
Möðrudalsfjallgarður	660 (1)	Dettifoss	44
Oddskarð	632 (92)	Gullfoss	32
Fjarðarheiði	620 (93)		
Breiðadalsheiði	610 (60)		

International Dialling Codes

UK - Reykjavík:	010-354-1 + local number
UK - Akureyri:	010-354-6 + local number
Iceland - London:	90-44-71 + local number

FOREWORD

Vigdís Finnbogadóttir
President of the Republic of Iceland

The population of Iceland may be small, but the achievements far exceed the expectations of larger countries. Over the centuries, foreign travellers in Iceland have marvelled at the learning, the fortitude, and the kindness of a population that has both endured and benefited from a sometimes very inhospitable environment. It is this that has made Iceland so different from other nations, and we welcome a book designed to help the visitor to explore the link between the Icelanders and the Icelandic landscape.

There is a freshness unique to Iceland. It is to be found in the air, the simplicity of patterns and of colour, and in the quality of life that we enjoy here. Simple joys are often the most enduring, and here our children can witness such fundamental happenings as the birth of an arctic tern, the birth of a new land, or the birth of new movements in politics or lifestyles.

We very much want our guests to have the opportunity to meet with us, to experience our culture, and to appreciate the interaction of landscape and man in Iceland. To understand Iceland you must understand both, and we hope very much that this new interpretation of our country will enable visitors to gain more from their stay with us, and to go away with a greater sense of belonging.

PREFACE

This guidebook is the product of over 20 years of accumulation of information about Iceland, mainly as the leader of numerous expeditions from school and from the Brathay Exploration Group. Since then I have had the opportunity to visit Iceland regularly as secretary, first, to the Iceland Unit of the Young Explorers' Trust, then as director of the Iceland Information Centre and its offshoot, the Iceland Travel Club.

Over the years so many individuals have directly or indirectly contributed to the contents of this Guidebook that it is difficult to single them all out by name. If their names are omitted then I apologise because sincerest thanks are due to everyone. In the early days the initial impetus was given by Paul Sowan, secretary of the former Anglo-Icelandic Field Research Group. Twenty years on, Paul still digs out Icelandic references for our bibliographies. Icelandair also provided considerable practical support and, later, financial support to the Information Centre. My thanks in particular to Bob Miller, Jóhann Sigurdsson and Steinn Lárusson.

In Iceland the help and encouragement has been no less forthcoming. Over the years the Youth Council of Reykjavík (Hinrik Bjarnasson, Ómar Einarsson, Ketil Larsen) have always welcomed me to their offices and allowed me to base my work there. I cannot underestimate the value of their kindness and support. The late Professor Sigurdur Thorarinsson was always in strong support as was the late Dr. Finnur Gudmundsson. These were two great men to whom I looked up with enormous affection. In 1972 I discussed the idea of the Unit with one Vigdís Finnbogadóttir. Her views on Iceland and the conservation of Icelandic culture and landscape have remained with me and I hope that not only are they evident in this Guidebook but that those who follow will pursue the conservation ethic in its widest sense.

I am enormously grateful for continuous support from the Iceland Tourist Board (Birgir Thorgilsson) and The Iceland Tourist Bureau (Kjartan Lápusson). Gratitude is also extended to Aevar Petersen (ornithology), Eythór Einarsson (botany and conservation), Hannes Hafstein (rescue services), Gudjón O Magnússon (mountaineering and conservation), Gustav Arnar (radio communications), Helgi Björnsson (glaciology), Helgi Hallgrímsson, Hördur Kristinsson (botany), Ingvar B. Fridleifsson (geology), Péter O. Thórdarsson (accommodation), Sigrún Helgadóttir (conservation), Sigurjón Rist (hydrology), Olöf Bóasdóttir (language), Jóhanna Sveinsdóttir and Marinó Björnsson (research).

Perhaps the greatest single 'thank you' should go to Brian Holt, formerly Her Majesty's Consul in Reykjavík where he still lives and, happily, is still very active with in-bound groups. His advice, admonishment, and kindliness has. over the years, provided the greatest encouragement.

To those with a direct input to the Guidebook I must thank Roger Smith (mountaineering), Dr. Ian Ashwell (Vatnajökull), Olaf Richardson (Vatnajökull), Geoff Treglown (vehicles), Richard Moore (vehicles), Bryan Dawson (water supplies), Graham Derrick (radios), Dick Phillips (many snippets of information). Ted Gray (YET), has run our successful annual gathering ("Ping") for a number of years, and Dr. Chris Caseldine has analysed the annual expedition questionnaires that have yielded so much information for our files.

The preparation of this new book has meant many hours of hard labour and I am very grateful for the assistance of Roger Bracey (Head of Computer Studies, Harrow School) and Clive Stacey (Arctic Experience Ltd.), as well as the patience of my family.

Tony Escritt

Illustrations

Illustrations are by the author except as indicated below:

Post and Telegraph Administration	Fig. 11.1
Náttúruverndarráð	Fig. 1.6
Landmaelingar Íslands	Fig. 1.4 and 3.4; 1=1,000,000 map
Roger Smith	Fig. 13.1 and 13.2
Ian Ashwell	Fig. 14.1 and 14.2
Hönnun h.f.	Fig. 12.3
Snaevarr Guðmundsson	Fig. 13.3

All the incidental line drawings are by Michael Weale (Wiltshire Schools Exploration Society).

LIST OF ADVERTISERS

LIST OF CONTENTS

20. APPENDICES

PHOTOGRAPHS

CONTRASTS: *Top: Ísafjardardjúp (north-west); Bottom: A Krafla eruption in Gjástykki (north-east); Background: basalt columns at Kirkjugolf, Kirkjubaejarklaustur (south).*

INDEPENDENCE: *Top: Reykjavík street market; Bottom: Horse riding in Fljótshlíd (south-west); Background: Herdubreidarlindir (central).*

HERITAGE: *Top; Turf church at Grof, Hofsós (mid-north); Bottom: Ísafjördur Maritime Museum (north-west); Bottom: Skógar Folk Museum (south).*

SEASONS: *Top: Thingvellir rift valley and Skjaldbreidur shield volcano in April (south-west); Background: Horses in Öraefi (south-east).*

ICE: *Top: Gullfoss in winter hue; Background: Holarjökull, Öraefi (south-east).*

SPACE: *Top: Vopnafjördur (north-east); Bottom: Skeidarárjökull (south-east); Background: Arctic fireweed and pinks (central).*

WATER: *Top: Strokkur erupting (April); Background: Skógarfoss (south).*

LIGHT: *Top: Fáskrudsfjördur (east); Background: Reydarfjördur (east).*

CREATION: *Top: Dreki hut and Ódádahraun from Askja (central); Bottom: Near Hlidarvatn, Snaefellsnes (west); Background: ice and natural heat, Kerlingarfjöll (central).*

CONTRASTS

1 WHY VISIT ICELAND?

1.1 INTRODUCTION

Iceland has served as a North Atlantic stepping stone ever since it was created on the mid-ocean ridge. Mankind has been resident for over 1100 years and has evolved a culture that has remained largely intact inspite of outside influences. Today the forces that strive to destroy a nation's identity are as real in Iceland as anywhere else but there exists a national consciousness to do battle with them. The language remains almost pure old Norse; the sagas, passed on from generation to generation are still recounted and permeate the literature; attention is drawn to ancient Viking sites revered as much by Icelanders as foreign visitors. But as the pace of life becomes faster and faster so the need to secure these traditions becomes even more pressing and we all have a responsibility to conserve what could so easily be swamped by thoughtless misuse. Iceland is first and foremost a land of people with a rich tradition. We come not to stare but to participate in a living phenomenon in the full realisation that we will be experiencing and learning from involvement in something far more precious than a summer holiday.

That the Icelanders happen to live in one of the strangest landscapes known to man is no accident. The island occupies a unique position in the north Atlantic straddling the mid-ocean ridge and serving as a stepping stone for vegetation and birdlife. Ornithologically it has drawn many of the famous names including Sir Peter Scott who studied the pink-footed geese colonies and G. K. Yeates who recorded his ornithological adventures in 'The Land of the Loon'. The late Dr. Finnur Guðmundsson was much respected in the world of ornithology. Botanists and ecologists have extensively studied the expansion of vegetation into the newest of this planet's environments which include land released from frozen ice, fresh lava surfaces and the island of Surtsey. Here Sturla Friðriksson and his colleagues continue to study the evolution of an island ecosystem. Early glaciological studies involved Iceland in a study of ice in the north Atlantic region and records for Icelandic glaciers go back to the saga books. Processes operate so quickly here that many students of geomorphology have used Iceland as their living laboratory for studies of periglacial phenomena, landslides, rock glaciers, and soil erosion.

But the principal attraction must be the outstanding location for studies in geology and geophysics. Our knowledge of tectonic processes has evolved so rapidly over the last twenty years that it seems but yesterday that we were saying that it looked as though Wegener wasn't so far wrong after all. Iceland can boast an eruption every 7-10 years to provide fodder for each new generation of geologists and vulcanologists. At the focus of this rapid growth was the late Professor Sigurður Thorarinsson who has so many papers to his name in the scientific literature for Iceland (and a song in the

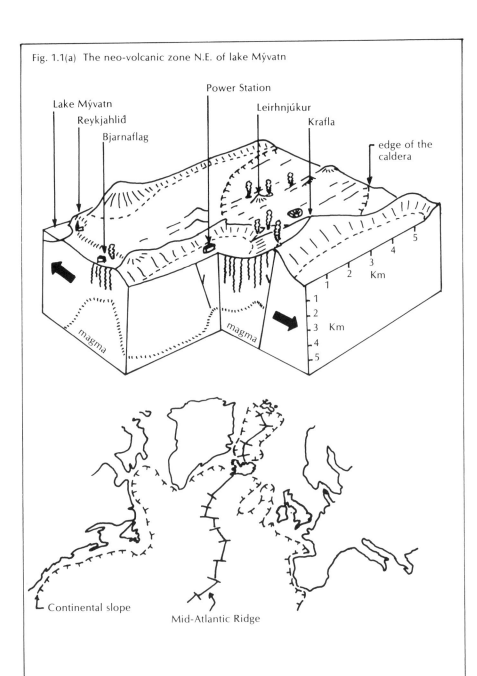

Fig. 1.1(a) The neo-volcanic zone N.E. of lake Mývatn

Power Station

Lake Mývatn
Reykjahlid
Bjarnaflag

Leirhnjúkur

Krafla

edge of the caldera

5
4
3
2
1
Km

1
2
3 Km
4
5

magma

magma

Continental slope

Mid-Atlantic Ridge

Fig. 1.1(b) Iceland and the Mid-Atlantic Ridge

2

Icelandic hit parade!). His "Thousand Years Struggle Against Ice and Fire"
is a classic in this collection. It was he who developed the study of
tephrachronology that has been such a useful tool in unravelling the history
of the Icelandic landscape. It is not surprising that Iceland now hosts the
United Nations Geothermal Training Programme with an Icelandic director
and a host of Icelandic lecturers whose expertise is sought world-wide.

Iceland's history has been carefully documented from the first settlement
to provide an invaluable tool for the demographer. Iceland itself is
developing very rapidly while trying to resist the worst of outside
influences. Its developments in agriculture and industry, and the changing
patterns of settlement are of interest to the human geographer.

Iceland is an unusual destination for the traveller, and this is its attraction. It
is not overrun with visitors (for one thing it physically could not cope with
the numbers), and it has an invigorating atmosphere, expansive landscapes,
and a lively, intelligent population. Icelanders may be amused or bemused
by the annual flock of 'expeditions' to their island but it is not so surprising
when so much of interest is on their doorstep.

In looking at Iceland the book has been effectively divided into three
sections. Firstly, the background to the people and landscape; secondly,
detailed descriptions of all corners of the island; thirdly, more detailed
information for the traveller and explorer. Most of those who visit Iceland
do so as outdoor enthusiasts of one kind or another and so there is much
advice for them. Every year there are a sizeable number of 'expeditions'
who need detailed advice and so much of their needs is incorporated here
too. However, the book aims to provide a range of information for all kinds
of traveller whether business person, conference delegate, or just plain
curious.

There is much more information available than can possibly be included in
this tome. Specific enquiries can be addressed to the Publishers. Those
living in Britain may want to join the Iceland Travel Club which is run by the
Iceland Information Centre (see Appendix L).

1.2 THE ICELANDIC LANDSCAPE
Geological Background
Iceland lies astride the Mid-Atlantic Ridge (Fig. 1.1), a weak zonal in the
Earth's crust where enormous forces are ripping the rocks apart, and have
done so for the last 25 million years. As the North American continent has
drifted west, away from Europe, new magma has welled up to fill the cracks.
Most of the time, the magma has simply plastered up flaws beneath the
surface, but from time to time (every five years or so) the crust actually leaks
along giant fissures. The magma becomes lava, flowing on the surface at
high speeds, and for great distances. This highly fluid lava is called basalt, is
rich in heavy minerals, and is low in silica; a contrast to the acid types of
eruption associated with those parts of the world, such as the Californian
coast, where ocean crust is actually being consumed beneath the
continental crust.

3

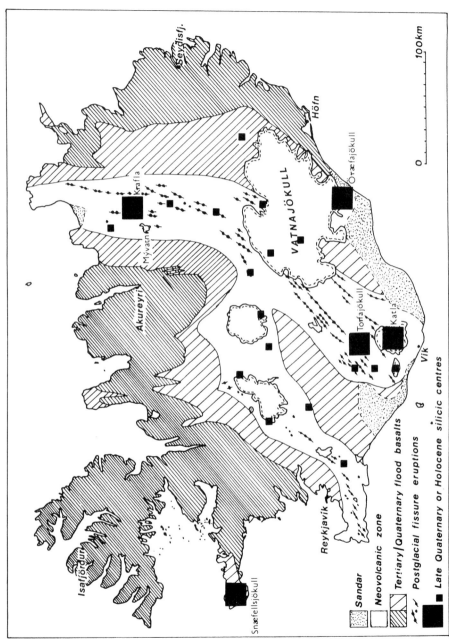

Fig. 1.2. Simplified geological map of Iceland (after Saemundsson, 1973).

4

Iceland is the only place along this mid-ocean ridge where the entire rift can be seen at the surface. This is quite remarkable because the crust is so thin at this point, in places as little as two kilometers. Indeed engineers drilling for steam near Lake Mývatn managed to accidentally pierce the magma in 1977. Recently, fishermen off the north coast, in Axarfjördur, hauled in nets that had been singed by submarine volcanic activity. Geologically recent volcanic excrescences are visible everywhere. The earliest rocks are layer upon layer of so-called plateau basalts that erupted in vast quantities at the same time as the Alps were being formed, and lavas extruded onto the Isle of Skye and the Antrim Plateau in north-east Ireland. These Tertiary eruptions produced some prodigious shield volcanoes, that is to say, circular volcanoes shaped like an up-turned shield. Today we see these only as well-worn, yet gigantic, remnants around the fringes of Iceland, notably in the Vestfirdi (north-west), Tröllaskagi (mid-north) and the Austfirdi (east) (Fig. 1.2). Only by painstaking research, mainly in the eastern fjords, has the geology of these immense volcanoes been unravelled.

Not all the erupted material is basaltic. There are localities where magma must have sat for longer in the chamber so that the heavy minerals subsided. Viscous acidic eruptions have created such prominent features as the mountains beneath Snaefellsjökull, Torfajökull, and Öraefajökull.

As time went by the pile of Tertiary basaltic volcanoes and flows was split down the middle, as fresh cracks, and fresh activity, continued to enlarge the island. This neo-volcanic belt, which divides the island into three broad zones, is where activity is concentrated today. In the last thirty years there have been eruptions in Askja (1961), the island of Surtsey (1963-67), Hekla (1970), Heimaey (1973), Grimsvötn (1983), and the fascinating series of eruptions near Lake Mývatn, within the Krafla central volcano (1975-1985) (Fig. 1.1).

The rifting of Iceland has not been simple, and a glance at the geological map will show that, in the south, the active zone is split into two arms. There are also two older active zones in Snaefellsjökull and the Skagi peninsula. The huge step-like cracks, indicative of a rift valley, are well seen at Thingvellir, where the crust has been let down below the water-table level to create lake Thingvallavatn. Here too you can see the classic shape of a shield volcano exhibited by Skjaldbreidur ('Broad shield'). But perhaps the best assemblage of all the forms is at Lake Mývatn where there are ash cones (eg. Hverfjall), explosion craters (eg. Viti), hot water and mud springs (Hverarönd), lines of spatter cones (eg. Threngsliborgir), pseudocraters (eg. Skútustadagígar) and lava flows of recent age.

A further complication in the volcanic evolution of Iceland has been the Quaternary Ice Age that blanketed the island in ice while the volcanoes continued to leak beneath, as happens today at Grímsvötn (Vatnjökull) and Katla (Mýrdalsjökull). Imagine a lump of magma approaching the earth's surface only to find that it has a further 400 meters of ice to penetrate before reaching the atmosphere. It might be somewhat shattered. Indeed,

5

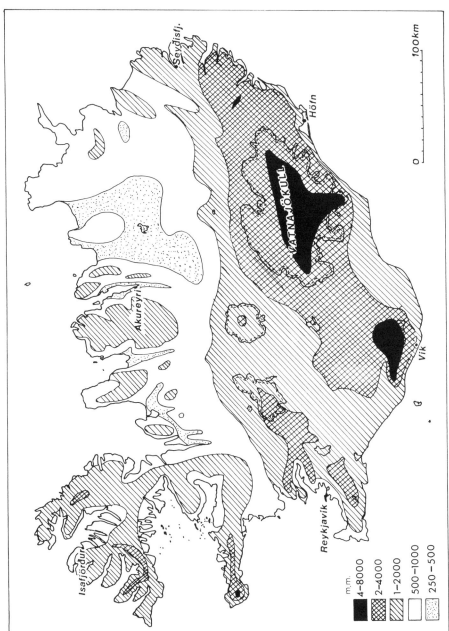

Fig. 1.3. Simplified precipitation map of Iceland.

6

such subglacially erupted material is characterised by shattered fragments of lava, now weathered to look like sandstone. It is known as palagonite and forms the foundation of many ridges (eg. Leirhafanafjöll on Melrakkasletta in the north-east), and many volcanoes (eg. Herdubreið). The latter are quite distinctive, and sometimes referred to as 'table mountains' on account of their tabular shape.

After long periods of quiescence, it may be that the pressure beneath a volcano may build up to the point where it literally 'blows its top'. The crater erupts violently, ejecting lava, ash and rocks in all directions, but receiving the bulk of the shattered mountain back into the void left by the ejected magma. The result is a saucepan shaped crater of large dimensions, such as the Askja crater in the Dyngjufjöll, which is 6.5 kilometers across. Others exist (eg. Krafla, or in Glerárdalur above Akureyri) only as the worn down remnants of once large volcanoes.

Inevitably, Iceland's hot spots are in the neo-volcanic zone,and it is there that you will find the most impressive hot springs, geysirs, mud pools, and solfataras; notably Geysir, Hvergerði, Hveravellir, Krísuvík, Kverkfjöll, and Lake Mývatn. Nevertheless there are many other places where natural hot water surfaces, and in most places in Iceland geothermal heat can be tapped by drilling.

The superficial deposits of Iceland are no less interesting than the solid geology. In a country where extremes of temperature are experienced through the year, the soils have a pretty rough time, being frozen and expanded one minute and thawed and comfortable the next. In Britain, stones gradually find their way to the surface pushed by needles of ice, but here on a grander scale. Open desert surfaces may be littered with stones but the skeletal soil beneath will often be fine. The freezing of the ground produces contortions that squeeze the soils into hummocks and, when the temperatures reach -22°C, causes contraction, thus cracking the ground. The result is patterned ground; polygons, circles, stripes, lobes and chains of soil and detritus. You may not notice them at first, but once your eye has tuned in to the scale of these features you begin to notice them everywhere. Polygons may range from 15cm lower down, to 4 metres in diameter on the summits of the plateaus in Tröllaskagi.

Icelandic Glaciers

Today only one eighth of Iceland is under permanent ice and most of that is held within the four major icecaps, Vatnajökull, Langjökull, Hofsjökull, and Mýrdalsjökull. Because of its maritime position Iceland receives a lot of precipitation (6000mm at Kvísker on the south coast) and thus snow and ice readily accumulate with only minor changes in annual temperatures. So prodigious is the precipitation, and thus the ice response, that the ice of Vatnajökull is no more than 2000 years old at the base — and the Ice Age in Britain ended some 10,000 years ago. The greatest accumulation of ice is in the south, where precipitation is greatest (Fig. 1.3), and it seems likely that the crest of the iceshed, in the last ice age, was quite far south (between

Fig. 1.4. Air photograph of Skaftafellsjökull
and Svinafellsjökull. The National Park
camp site lies centre left. ©Iceland
Geodetic Survey. Photo 5216G. 1982.

southern Langjökull and southern Vatnajökull). The higher ranges of the north and west may well have projected through the ice and acted as refugia for plants. The snowline is also lowest on the south side of these icecaps. The föhn winds, descending the northern flanks, are warmed internally and melt the snow.

The icecaps feed the largest glaciers in Iceland (Fig. 1.4), but there are many more permanent ice masses in the mountains. There are over one hundred small ice masses in Tröllaskagi alone, one of which, Gljúfurárjökull, is 3.5km in length. Most are no more than small cirques, and some of them are so laden and mixed with debris that they are termed rock glaciers. Volcanic ash and cinders have periodically lain on glacier surfaces, and have become embedded within the ice mass. When such material is melted out, towards the snout of the glacier, the accumulation of debris is prodigious, forming distinctive, conical dirt cones and piles of moraine, often, masking the true terminus of the glacier.

In this maritime climate the glaciers are close to their melting point and there is a considerable discharge of meltwater over and within the ice. Where the snout has been buried beneath debris the streams have to erupt to the surface through vauclusian springs which, after volcanic activity beneath the ice, may spurt 5 metres or so into the air. These so-called *jökulhlaup* (glacier bursts) are regular occurrences around the margins of Vatnajökull where the hot spot beneath Grímsvötn melts the ice, eventually causing the water to escape beneath the glacier. Smaller glaciers may also show rapid readvances, however. In 1971 the tiny Teigardalsjökull, in Tröllaskagi, advanced 100 metres overnight, but in this case the cause was almost certainly a surfeit of snow and rock falls over a period of time. At any time the pro-glacial zone is awash with meltwater channels charged with debris. As the channels drop their load and change their courses with each flood, so the outwash plains (sandar) are expanded laterally to fill their valleys or to extend the plain yet further into the sea. The snout of the Preidamerkurjökull is actually below sea level.

Glaciers have carved mighty valleys in the mountain regions, and have left piles of moraine in the lower plains. They have smoothed rock protruberances, and steepened the headwalls of their collecting basins. Iceland has all that a glacier buff would want to see, and most of the glaciers are readily accessible, especially those on the south coast which are so conveniently near to the road. The nearest glacier to Reykjavík is the Sólheimajökull near Skógar, south of the Mýrdalsjökull, and the most impressive collection of glaciers is in the Skaftafell National Park, and along the southern edge of Vatnajökull.

Glacier advances and retreats are recorded annually by scientists and farmers around the country using a set of fixed points *(jöklarmerki)* in front of the glacier snouts. Records also exist in the Icelandic sagas and early records of farms, the last significant advance having occurred as recently as the 1750's when outfields along the south coast were consumed by hungry glaciers.

Man and Landscape

When Flóki came to Iceland in 860 his experiences with the weather left him with a bad impression, yet not all of his crew had the same bad news to spread of this ice land. Perhaps Flóki wanted to deter others because he did in fact return to Iceland to settle in the north. Somehow this landscape has a magnetic attraction. Apart from tourism, the effects of volcanic activity can be beneficial in other ways. Iceland has ample geothermal power and ample geothermal heat for domestic space heating, and for horticultural purposes. At Lake Mývatn you may notice some bright green fields that are often downwind of the steam from the geothermal plant. The warmth in the ground together with the periodic dousings of warm vapour have given them surprising fertility in an otherwise barren landscape.

It is not surprising that Icelandic geothermal expertise is sought worldwide, and that Iceland hosts the United Nations Geothermal Training School. American astronauts have used Iceland's lunar landscapes for basic training. Volcanic materials, mainly ash and pumice, make excellent road aggregate and ash has been used in the manufacture of breeze blocks and as fashionable stucco on buildings. Recent experiments with pumice in 'growbags' have shown that it possesses excellent properties to hasten and improve plant growth. At lake Mývatn diatoms thrive on a diet of silica naturally fed into the water by hot springs. The result is a sediment accumulation of 1mm/year that can be extracted to make industrial filters.

The science of tephrachronology (using volcanic ash as a dating tool) was developed in Iceland and has successfully been used to date the advances of glaciers, the dates of viking remains, and the ages of soils. In many places around the island you may well see bands of dark and light coloured ash exposed in soil sections (in ditches for example). The light colour could, for example, be from the acidic eruption of Viti, in Askja; a dark layer could be from Hekla in 1947.

Ice and fire have their disadvantages too, although the events have been spasmodic, and the summer visitor is unlikely to see more than the results as pages of a history book. Furthermore, natural hazards are much more predictable these days. The periodic subglacial eruptions of Katla have washed away farms south of Mýrdalsjökull. The eruption of Laki in 1783 effectively wiped out 9-10,000 people and 66% of the livestock — more by gaseous emissions than by physical contact (see Section 2.7). The spring thaws can bring hazardous situations to the communities huddled between fjord and mountain in the alpine areas of Vestfirdi, Tröllaskagi and the east coast. Avalanches and landslides have wrought havoc on many occasions in the past. Eighteen lives were lost in Geitdalur in 1185. Twenty four were killed in Seydisfjördur in 1885, and there was a near miss in 1989 when a landslide cut a swathe through a part of the town. The largest slide this century, in Hnífsdalur, beside Ísafjördur, killed twenty people.

Ever since man set foot on Iceland the fragility of the environment has been exposed. The Settlement Book (Landnámabók) reports that Iceland was wooded from shore to mountain but the livestock brought by the Vikings soon nibbled away at the shoots of young trees and bushes. This demolition of natural cover, together with the periodic blanketings of volcanic ash, have resulted in serious soil erosion. The effect of snowmelt on a loose ash surface can be devastating and, if the sheep prevent regeneration, then there is little chance of recovery without concerted conservation measures (see Section 1.5).

Icelandic roads have been notorious for their grit surfaces. Indeed some years ago an English driver, seeking directions, was heard to exclaim 'Road? What road?" The situation is very different today, as more and more surfaces become metalled, and as building and maintenance techniques improve. Spring frost and snow melt can reduce roads to impassable slurries, frost action can temporarily close roads, and sections of roads can be washed away by snowmelt. These problems are unlikely to trouble the summer motorist but few drivers will leave Iceland without experiencing road reparation somewhere, and the sight of enormous graders scraping the material into a drivable surface. Many Icelandic roads are actually built up from the surrounding surface. This is in part because of the technique of using surrounding glacial debris or volcanic ejectamenta, and in part because a raised road is less likely to hold snow in winter.

Until 1974 there was no complete ring road around Iceland. The break in the chain was across Skeiðarársandur where the meltwaters constantly change course, and every seven to ten years a glacier burst washed away all evidence of a track. Guiding across the sands was a skilled business left to the farmers either side. The only way into Skaftafell was by air to Fagurhólsmýri or to Höfn. This was truly a region isolated between the sands with a charm of its own. The sandur was eventually conquered by bulldozing mighty barriers and constructing lengthy bridges. A *jökulhlaup* may wash away the road but the bastions will remain and the road bulldozed back into place again.

1.3 HISTORY AND SAGAS

There is something rather special about the relationship between landscape and man in Iceland. Whereas in Britain the meanings of place-names have been clouded by years of evolution, in Iceland they are as fresh as the day they were given. Past heroes, trolls, giants and events are recorded in local names. As Magnús Magnússon says: "Iceland is full of lovely places; lyrical places, dramatic places, places to discover, places to cherish, places to tell about. For every place in Iceland has its own saga." Somehow the old and the new are sharply juxtaposed in Iceland. The outline of a ruined turfhouse lies adjacent to a geothermal power station; the site of the first settler's farmstead lies at the heart of an increasingly international city; a busy container terminal lies close to the peaceful island-setting of the 18th Century Viðeyarstofa. Even though no building is older than the mid-18th Century, the visitor is still very aware of the ancient — aware of the primitive use of land, almost to the point of believing that a viking yet lives around the next corner. All this in spite of the fact that

Icelanders are well launched into the 20th Century and probably expect a much higher standard of living to that of many visitors.

Precisely who the first settlers were is a little vague but place-names in the eastern fjords suggest the homesteading of Irish monks *(Papar)*, and there is Patreksfjörður in the north-west. These monks are referred to in both the *Landnámabók* (Book of Settlements) and Ári Thórgilsson's *Íslendingabók* (Book of the Icelanders). Even before the main Norse settlement of Iceland, vikings had come, wintered and gone and at various stages in Icelandic history, foreign pirates have locally wrought havoc, as in the Westmann Islands in 1614. Apart from Naddoddur, who landed in Reyðarfjörður around 850, and Garðar Svavarsson, who proved the island by circumnavigation and stayed in Skjálfandi, the first resident was a man called Nattfari, whose name is immortalised in Nattfaravík. However, as Nattfari happened to be in Iceland by accident (he was left behind when Garður sailed for Sweden) the honour of first settler goes to Ingólfur Arnarsson in 874, and it is his statue which stands proudly on the bank overlooking the now invisible course of the brook that flowed through central Reykjavík. The name Iceland, however, dates from around 860 and is attributed to Flóki Vilgerðarson *(Hrafna-Flóki)*, whom we meet in Section 2.3, and whose name is recorded in Flókalundur. It is fun to think that every raven now in Iceland perhaps comes from the original viking stock, once used to seek out land by mariners surrounded by ocean.

Ingólfur, and his blood-brother Hjörleifur Hröðmarsson, alighted first at Ingólfshöfði and Hjörleifshöfði respectively. The fate of Hjörleifur is told in Section 2.6, but Ingólfur, using the time honoured tradition of throwing the pillars of the high-seat of his boat overboard, vowed to settle wherever they came to rest. Happily for him, the prevailing easterly winds carried the pillars past the Westman Islands (and many will know just how windy the islands can be), and around the Reykjanes peninsula into a bay whence steam emerged from cracks in the ground. This 'smokey bay' *(reykja-vík)* was to become his home and ultimately the capital of Iceland. It just so happened that his Reykjavík possessed one of the few protected anchorages in south Iceland, and lay close to the flattest, most fertile parts of the island. Life in Norway, under King Harald, was not at its happiest and many vikings followed in Ingólfur's footsteps thus making this the **Age of Settlement.** We shall meet many of these vikings as we travel around the island.

Iceland is small, and space for comfortable habitation was limited in the early days. Inevitably the settlers staked their claims and fought to preserve their rights. Gradually groups began to unite until finally the wise began to seek unification and a common law, to preserve the peace on the island. It seems remarkable even now, to consider the immensity of this task. One would think that the land, the climate, and the means of communication would have militated against any form of unification and yet these people evolved a legal and parlimentary model that has scarcely been equalled in its fairness and process of law. They had dispatched to Norway one Úlfljótur (whose name survives in Úlfljótsvatn, south of Thingvallavatn) to study the law, and they then built their own on the Assembly Plain *(Thingvellir)* at Bláskógar (Blue Woods). This important site is described in more detail in Section 2.6. This then was the emergence of the **Icelandic Commonwealth** (930) which, in the absence of any central, absolute power, lasted for a surprisingly long time (nearly 400 years).

Today Icelanders read, write and publish more books per head of population than any other nation, yet in the early days of the parliament *(Althing)* the law was learned by the lawspeaker and recited from the law rock. In fact nothing was committed to paper until the 12th Century. Through the long winters the Icelanders passed on their stories by word of mouth and built up a tradition of sagas that ultimately were carefully written down after years of embellishment and, doubtless, corruption from the originals. The sagas are intricate, sometimes hard to follow, yet packed with enthralling detail. Blood-feuds feature highly in the stories. In many ways they come to life when read on site, or once you have visited Iceland and can sense the atmosphere in which they evolved. Two of the sagas, Laxdaela and Njáls, are related within Sections 2.4 and 2.6. These stories were never written down until the 13th Century and then were inscribed onto parchment. Many have been lost, some of them in a tragic fire in 1728, but many remain, and are preserved and displayed in the Árni Magnússon Institute in Reykavík. This priceless collection of the oldest literature in Europe, had been gathered in Copenhagan by Árni (1663-1730), to be generously transferred to Iceland again in 1971.

The Commonwealth was prosperous and the Icelanders, came and went on north Atlantic raids adding more and more details to the accumulating literature. Many of them spent time in Norway serving the King. One of the most famous was Eirikur Thorvaldsson (Erik the Red) who, sentenced to exile, settled in Greenland. His son, Leifur (Leif Erikson), later discovered America. His statue stands close to the modern cathedral in Reykjavík, and his story is told in the maritime museum in Hafnarfjörður.

It was during this period that Christianity was brought to Iceland by various missionaries. Its introduction was somewhat turbulent in that missionaries, such as Stefnir Thórgilsson and the Flemish bishop Thrangbrandur, seemed to share something of the viking habit of burning and decapitating those that they took a disliking to. King Ólafur Tryggvason of Norway was so angry at the lack of success of Christianity in Iceland that he threatened to slay every heathen Icelander in Norway. It was only because of the intervention by two of the goði, Gissur the White and Hjalti Skeggjason, that this bloodbath was prevented for trade with Norway was vital to the Icelandic Commonwealth. Once the goði had decided to adopt Christianity, and Thórgeir Thorkelsson and led the way by throwing his pagan idols over the Goðafoss waterfall, its general acceptance in the year 1000 was almost a formality although many continued to serve their pagan gods as well. No church, as such, existed until fifty six years later when one was erected at Thingvellir. The first bishop, Ísleifur, son of Gissur the White, settled at Skálholt (Section 2.6) where the first bishopric was established and lasted until 1785 when it moved to Reykjavík. Later, to balance the provision of Christianity, a bishopric was established at Hólar in Skagafjördur in north Iceland (see Section 2.2).

With Christianity came almost one hundred years of peace in Iceland, and with it, too, the introduction of Latin and the ability to commit words to paper. Thus began an age of writing in which the learned painstakingly set down the history and sagas of Iceland. Of these scholars we will meet Saemundur the Learned (1056-1133) whose statue stands outside the University of Reykjavík, Ári Thórgilsson (1067-1148) author of the Book of the Icelanders *(Íslendingabók)* and the first to write in Icelandic, and Snorri Sturluson (1179-1241) author of *Heimskringla* (Orb of the World).

Snorri's life straddles the age of peace and an age of internal struggle — the so-called **Sturlunga Period** (1230-1262) when the most powerful families, notably the Sturlungs and those from Haukadalur, struggled for supremacy amongst themselves, as well as finding disagreement with the Norwegian crown. The killings, which included the murder of Snorri, led to a general state of disorder as a result of which Norwegian rule was imposed upon the Icelanders and peace restored in 1262. The period that followed was somewhat uneasy in that Iceland came under the rule of whichever Scandinavian royal family wished to lease it, and the various governors had a difficult task exacting taxes from reluctant Icelanders who periodically ambushed and killed them. Finally, as a result of inter-marriage between the Norwegian and Danish crown, Iceland came under the rule of Denmark in 1383.

It was at this time that English fishermen came to Iceland, established trade links, and even bases in Iceland, notably the Westman Islands. This inevitably caused conflict with Danish authorities and resulted in often fatal clashes; the forerunners of the so-called 'Cod Wars' of the 20th Century. The Danes, with assistance of merchants of the Hanseatic League eventually disposed of the English influence. Even more serious than these clashes was the occurrence of The Plague in Iceland between 1402 and 1404, killing one third of the population and, as it also hit Norway, reducing the number of ships trading with Iceland. At about the same time, the climate seems to have deteriorated, and several volcanic eruptions added to the general air of natural decline.

Up to now Iceland had evolved under Roman Catholic ecclesiastical law under which tithes were payable to the church and the church assumed increasing power in the country. In the rest of Scandinavia Lutheranism had been established under the respective heads of state but Iceland, with two strong bishops, Ogmundur Pálsson (Skalholt) and Jón Arason (Hólar), resisted. With time, however, the visiting merchants established their own Lutheran churches in Iceland and Icelanders became more and more acquainted with the new faith. A Lutheran bishop, Gissur Einarsson, was ordained at Skálholt in 1541. Jón Arason held out as the only Catholic bishop left in Scandinavia and, when Gissur died, he captured the Lutheran bishop and elected a Catholic successor. However, after a battle in 1550, Jón was taken prisoner and executed at Skálholt. The **Reformation** has won, and Iceland was now even more firmly under the Danish crown.

Denmark had been unable to compete with the merchants of the Hanseatic League but in the next fifty years Danish overseas trade began to strengthen and, in 1602, the King leased Icelandic trade to the merchants of Copenhagen, Elsinore and Malmo, a monopoly that was to last until 1787. During this period King Frederick III changed the constitution so that his heirs would become hereditary monarchs, and, in 1662, Iceland was, with great reluctance, literally forced to sign the new treaty.

The ancient lands of Bessastaðir had been acquired by the Norwegian crown in 1262 and became the headquarters of the Danish governors after 1662. Happily, for the Icelanders, the first Icelandic bailiff, Skúli Magnússon (1711-1794), was elected in 1749. This was to be a turning point in Icelandic history as Skúli turned his attention not so much to extracting what he could from his charges, but to improving living conditions and Icelandic industry and trade. This was only a beginning, but it saw an awakening of national interest, and the growth of the little settlement in 'Smokey Bay' which received its municipal charter in 1786.

Taxes, climate and volcanic eruptions were to exact a tough control over Icelandic fortunes in the 18th Century. Smallpox killed 18,000 people in 1707, the Laki eruption (see Section 2.7) decimated the population in 1783, and numerous earthquakes unsettled the communities — notably the destruction of Skálholt in 1785. There was even talk of evacuating Iceland and, because of these troubles, the trade monopoly was abolished in 1787 and the Icelanders became free to trade in their own right. The episcopal see (1785) and the Althing (1798) were moved to Reykjavík and the latter abolished in 1800 to be replaced by another court for the whole country. All was not over for in 1809 a Dane, serving on a British frigate, arrested the Danish governor for not allowing English merchants to trade. He actually ruled Iceland for two months before being taken back to England, tried and exiled to Australia. By then Icelandic law was managed by a central court in Denmark, a fact that did not exactly please the nationalistic Icelanders. Several men were active in promoting the resumption of the Althing and the independence of Iceland as a nation state. Among those were Jónas Hallgrímsson (1807-1845), and Jón Sigurðsson (1811-1879) who became leader of the Icelandic people, and who saw the return of the Althing in 1843, not to Thingvellir, but to Reykjavík. It did not last long, for again the Danes tried to impose rule from Denmark. Jón Sigurðsson and his men stood together in protest but the Althing was dissolved in 1851. The Icelanders continued to fight for home rule and, on the occasion of the millenium of the settlement of Iceland (1874), they had an opportunity to show their feelings to the first Danish monarch to set foot on Icelandic soil. King Christian IX visited in travelled around Iceland (his monogram is engraved at Geysir — Section 2.6(a)), bringing with him the first constitution. This brought about a very real sense of common purpose and prepared the Icelandic people for home rule in 1904, independence under the Danish crown in 1918 (1st December), and full independence as the Republic of Iceland in 1944 (17th June — Jón Sigurðsson's birthday).

Modern Iceland really stems from 1904, since when progress has been swift and Iceland has gained all the infrastructure necessary for a nation state. There was a brief period of occupation by, first, British troops and then American on account of Iceland's strategic position in the North Atlantic and the key shipping lanes. This occupation preserved Iceland's neutrality and, as a side effect, provided work, roads, airfields and harbours. The NATO alliance still has an airbase on the Reykjanes peninsula at Keflavík, which also serves as Iceland's international gateway. Iceland is a member of NATO but has no forces of its own, other than for fishery protection. The latter have been actively employed three times since 1952, when Iceland extended its fishery limit by one mile to four miles. The so-called 'cod wars' of 1958, 1972, and 1975 occurred when the limits were extended to 12, 50 and 200 miles respectively.

Iceland has a democratically elected government and a democratically elected head of state. The constitution is essentially that of 1874 with minor revisions and states that the legislative authority in the Republic is vested jointly in the Althing and the President, whose signature is required for any new law. The President also has the power of veto and presides over the Council of State. The Constitution states that the President 'exercises his authority through his ministers' and is thus placed outside and above politics. The Constitution was, of course, written before women heads of state became fashionable and Vigdís Finnbogadóttir was the first woman in the world to be elected head of state in a democratic election. The period of office is four years, and she has twice been re-elected unopposed.

The form of the Icelandic flag is similar to that of the other Scandinavian countries and consists of a red cross on top of a white cross set within a sky-blue background. The coat of arms shows silver instead of white and features the four protective, mythical beings, referred to in the Heims-kringla: a bull, a giant (Surtur), a vulture, and a dragon.

Iceland is rapidly earning its place in world recognition, trade, manufacturing, technical know-how, sport, and the arts. Geographically, Icelanders place great emphasis on their position in mid-north Atlantic, and on a great circle route from Japan to Europe; they place an emphasis on quality, and expect high standards; they have by-passed the railway age and fly everywhere; they have their faults like anyone else but the visitor will doubtless be surprised at Icelandic achievement since independence.

TABLE 1.1: ICELANDIC CHRONOLOGY

COMMONWEALTH PERIOD	850	Naddoddur lands in Reyðarfjörður
	860	Floki Vilgerðarson spends two winters
	874	Ingólfur Arnarson settles in Reykjavík
	930	Althing established at Thingvellir
		Saga Age (to 1030)
	1000	Adoption of Christianity
	1030	Period of peace (to 1120)
	1056	First church (Thingvellir)
	1106	Bishopric established at Hólar
	1120	Period of scholastic writing (to 1230)
	1230	Period of Sturlung strife
DARK AGES	1262	Norwegian rule imposed
	1300	Eruption of Hekla (also 1341 and 1389)
	1383	Danish rule imposed (until 1918)
	1402	Black Death
	1541	First Lutheran bishop (Skálholt)
	1550	Triumph of the Reformation
	1602	Danish Trade Monopoly (to 1787)
	1662	Danish Kings assumed hereditary power
	1707	Smallpox kills 18,000
	1749	Skúli Magnússon elected bailiff
	1783	Laki eruption kills 10,000
	1785	Earthquake destroys Skálholt
	1786	Reykjavík receives its municipal charter
	1798	Althing moves to Reykjavík
	1800	Althing abolished
MODERN ICELAND	1801	Awakening of national identity
	1845	Struggle for home rule begins
	1874	New Constitution
	1904	Regional autonomy under Danish rule
	1918	Independent status in union with Denmark
	1944	Establishment of the Republic of Iceland

1.4 NATURAL HISTORY

Iceland's situation, south of the arctic circle and athwart the passage of trans-Atlantic depressions, results in very variable weather conditions especially in the south of the country where the highest precipitation is to be found (Figure 1.3). But because of the pattern of relief interesting local variations of weather may be observed as, for example the fohn effect of the Öraefajökull massif protecting the farms on the Skaftafell side. The wide expanse of inland plateau north of the Vatnajökull is a veritable desert as much for the porosity of the substrate as the rainshadow effect of the mighty icecap. Glaciers and icecaps generate their own weather conditions and in Iceland steep pressure gradients develop between ice and bare sandur below resulting in frequent dust devils blowing across the plains. The effects upon soil erosion are readily appreciated. Those in steep-sided glacial valleys will soon appreciate the effect of aspect on temperatures.

The severity of the climate has been important in the development of the Icelandic flora but today's climate is probably less important than that of the glacial period. One of the early settlers, Thorolf, reported that 'every blade of grass was bedewed with butter'; a reference perhaps to the remarkably rich flora, especially the *ranunculae*, that can be found beneath the shade of the birch, or in nooks and crannies left undisturbed by sheep. The present paucity of vegetation cover (only one quarter of the island has continuous cover) is in large part due to destruction by early settlers and their flocks, who could not have been expected to understand the fragility of this sub-arctic ecosystem. It is frequently astonishing to see how plant life clings to the most precarious of habitats, rooted to cracks, gravel banks or loose sand, and in danger of being swept away by ever-changing stream courses.

Botanically Iceland leans towards the European continent, but with a third of the plants termed arctic-alpine. Of interest is the island's relative isolation and the thesis that perhaps as many as half of the vascular plants are survivors of the last ice age. Man alone cannot be held responsible for the destruction of vegetation. Climatic changes, volcanic eruptions, and glacial readvances have all played a part. If volcanic ash, or wind-blown dust, settles on a vegetated surface it will become snow covered in the winter. Spring melt will develop gullies in the ash, and proceed to expose the fine, friable soils which will then be removed by wind or by water.

Since the Second World War strenuous efforts have been made to reclothe the waste lands. Aerial seeding of resistant grasses and hardy introduced species, such as the arctic lupin, have fixed many central areas. Popular schemes encouraging drivers to cast packets of seeds along roadside verges, or participate in large scale dune fixing programmes have received much support. Forestry research at Hallormsstaðarskógr (Section 2.1), and near Akureyri, have seen the expansion of tree-covered areas.

Iceland has a fascinating assemblage of habitats from bare or moss-covered lava, to richly coated woodland floor or extensive upland grasslands and bogs. The margins of upland glaciers, such as those in the Tröllaskagi peninsula, north-west of Akureyri, show successions of plants from primitive lichen colonisation to climax assemblages beyond the furthest moraine (probably dating from around 1750). Who can forget the extraordinary spread of *Racomitrium* moss-covered Eldhraun lava near Kirkjubaejarklaustur, in the south; the arctic harebells *(Campanula uniflora)* jangling in the breeze in north Iceland; or the bright arctic fireweed *(Linum angustifolium intermedium)* colourful amid black desert rock and sand in the wastes of Ódáðahraun.

With such a short growing season the identification of Icelandic plants can be difficult and a visit to the botanical garden in Akureyri is recommended.

The natural History Museum there also houses a herbarium containing some 19,000 vascular plants, 9000 specimens of fungi (mainly mushrooms), and about 7000 specimens of lichens. The bulk of this material is from Iceland, but some collections from neighbouring countries are kept for the purpose of identification and comparison.

There are a number of species protected by Icelandic law and the current list appears in Appendix A. The visitor has an important part to play in conserving the Icelandic vegetation, simply by appreciating its fragility (see Section 1.5).

Iceland's mid-ocean position provides habitat for birds that are at the extreme edge of their north American or European range as well as the truly Arctic species that many will come to see. Most are migrants or visitors while only 73 nest regularly on the island. The Lake Mývatn area probably has the world's largest concentration of breeding ducks, notably the Barrow's goldeneye. Perhaps the attraction to the visitor is the tameness of the birdlife.

An Act of Parliament provides for bird protection in Iceland. All birds, their nests and eggs are protected with certain exceptions within defined seasons. The law applies particularly to eider duck and special permission is required for the taking of photographs or film of eagles, gyr falcon, snowy owls, and little auk in or near their nests. Only the Icelandic Museum of Natural History has the right to ring or mark wild birds and no rings other than those issued by them may be used. It is absolutely illegal to possess birds, eggs, eggshells, or nests let alone export them from Iceland.

That many Icelandic birds are on the endangered list may be attributed to a number of factors including a general warming of the climate, drainage of wetlands, escaped mink, poisoning, egg collecting, and disturbance by visitors on the breeding grounds.

A survey (Petersen Æ. 1984) presented in Icelandic to the Nature Conservation Council includes four categories of birds which include recent, and perhaps temporary immigrants such as the brambling and wood sandpiper.

Threatened by extinction: little auk, grey phalarope, water rail.

Recent immigrants with low populations: snowy owl, pochard, house sparrow, fieldfare, barnacle goose, wood sandpiper, brambling.

Endangered species: white-tailed eagle, slavonian grebe.

Rare, or common only to particular locations: gyr falcon, shoveler, short-eared owl, great northern diver, Barrow's goldeneye, harlequin, gadwall, goosander, storm petrel, Leach's petrel, manx shearwater.

Several birds have found particular places in the hearts of visitors. The arctic tern hovers and swoops with the utmost skill, attacking anyone who comes too near its young. The great skua, with its one metre wing span can be equally alarming. By contrast the miniscule red-necked phalarope bobs around in pools; the golden plover stands in its territory issuing a plaintive cry. The redwing, as common as a sparrow, hops around camp sites, sometimes coming between tent and flysheet. Whooper swans swim majestically on ponds and lakes while great northern divers chug up and down. The eider duck is protected, and its down still collected; the puffin chatters gregariously outside its burrow, and is caught as an Icelandic delicacy; the young fulmar ejects its previous meal with deadly accuracy over anyone fool enough to stick his head onto its rocky ledge. Two birds change their colour to white during the winter: the ptarmigan (a game bird), and the snow bunting which has the distinction of two, seasonal, names in Icelandic: *snjótittlingur* in winter, and *sóltittlingur* in summer (snow- and sun-bunting respectively). If you are exceptionally lucky you may experience the sight of a sea eagle soaring majestically along a fjord, or of a gyr falcon, perhaps in skilful aerial combat with an arctic skua.

A list of Icelandic breeding birds is given in Appendix C.

The birds feed off fish, berries, or the small lepidoptera population of the island; 82 species as against 2,469 for the British Isles. This may in part be due to the lack of attention given to the insects of Iceland. Visitors will be aware of small white moths, wolf spiders and harvestmen but few will observe the bumble bees and butterflies, which include the red admiral, peacock and small tortoiseshell. Lake Mývatn owes its name to the presence of midges which are so prolific as to fertilise the surrouding soils, feed the local duck populations and fatten the salmon and trout of the river Laxá. The swarms appear, briefly, twice a year (June and August), stick close to the lake margin, and can be very irritating, although not too painful unless you encounter the female blackfly. Generally you will have no need to fear the invasions.

That airborne plants, seeds and birds have reached Iceland is no surprise, just as it is no surprise that few mammals have made the journey except as passengers on ships and icebergs, or by deliberate introduction. Examples of the latter are reindeer, mink, horse, and the temporary experimentation of musk ox. The Arctic fox is probably the only indigenous terrestrial mammal in Iceland and yet is destined for official extinction. There are two types, the blue and white morphs, which interbreed yet produce no intermediate varieties. Through extermination they are now found only in the remoter areas, especially in the spring, when their footprints dint the snow. The fox, like the mink, is also farmed for its fur in Iceland.

The largest mammal is the polar bear but his visits are shortlived. He hitches lifts on the arctic pack ice, alighting in Iceland for as long as he can escape the hunter's gun. A hungry bear is not popular among farmers. Reindeer were introduced as long ago as 1771 with a view to domestication but they quickly became feral. Today there are about 3,000, mainly in the east and south-east. During the summer they move inland and away from populations; in the winter they migrate to the lowlands. There is a shooting season from 1st August to 15th September.

The domestic livestock came over with the Vikings and are of sturdy stock. The Icelandic dog, with its stocky appearance, pricked up ears, curly tail, and extra dew claw, resembles a rather less than thickly-coated husky. The horse is peculiarly Icelandic; short, sturdy, and with a striking mane. The animals are sure-footed, robust, and able to withstand long periods on the move. It is said that they have strong homing instincts. The unusual characteristic of the Icelandic horse is its high-stepping running trot, the tolt. The horse has been bred since saga times and has never inter-bred with other strains. It thus remains as the purest record of the Viking stock. Once an important packhourse, it is now used for the September sheep round up, for pleasure, and for trekking. Local horse shows and races are held around the country, and even internationally. That it is no longer such an important work horse can be measured by the fact that whereas the journey through the central highlands, through Kjölur, takes five days by horse, the journey can be accomplished today, in the winter, in just five hours by snowscooter.

In some localities you may be lucky to see some of the marine mammals, notably harbour and grey seals, which frequent the south and south-east coasts. The sandy shoreline is ideal for seals to haul out, bask, pup and moult. Several other species visit Iceland from the arctic and are therefore more likely to be seen on the north coast. One such was 'Wally the Walrus' who achieved some notoriety when Icelandair flew him from Britain to Greenland in 1982. He reappeared off the coast of Snaefellsnes a year later.

Icelanders have always hunted shark, notably in Húnaflói, and have received considerable adverse press for their continuation of whaling after the decision of the International Whaling Commission to halt commercial whaling in 1982. Iceland actually complied but continued agreed research into stocks of the sei and fin whales. No endangered whales have been taken and total whale stocks have been estimated at 100,000 in Icelandic waters. Of these only 68 fin and 10 sei whales were taken in 1988. Research whaling ended in the summer of 1989. The Icelanders argue that since whales consume many times the biomass taken by the Icelandic fishing fleet, they are an important element of the marine ecosystem which must be managed and conserved.

Fig. 1.5. Areas under visitor pressure.

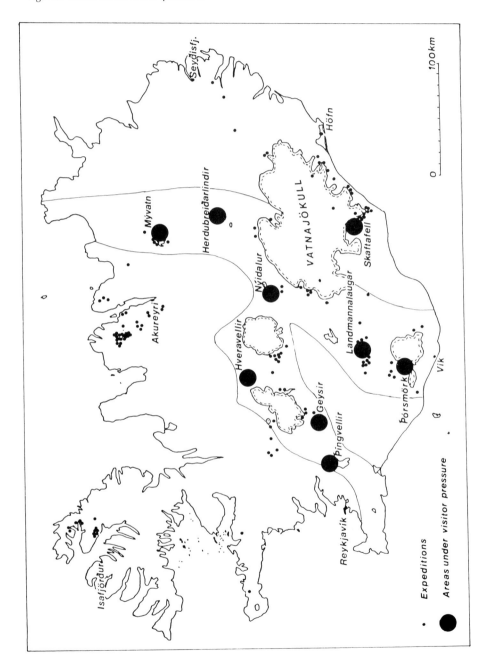

1.5 CONSERVATION ICELAND

BACKGROUND

The Icelandic landscape represents the product of a tenuous balance between land and natural forces. The climate in this northerly latitude is unpredictable and often extreme. Rain, snow, and high winds can lash the rocks with great ferocity. The rocks and soils are young and often unconsolidated so that their fragility may be revealed by wind and water erosion. It is thought that when the first settlers came to Iceland more than half of the total land area was covered in vegetation. Human settlement and annual grazing eventually led to the destruction of the woodlands and the deterioration of the soils and vegetation. Today only about 25% of the land is vegetated of which only 1% is wooded. The geographical isolation of the island results in a paucity of flora so that 31 of the 475 species of wild vascular plants are protectd by law. If we add to this picture the periodic damage caused by falls of volcanic ash, the ravages of 'glacier bursts', and the not inconsiderable effect of tourism (Fig. 1.5) we can appreciate the concern in Iceland for nature protection.

The need for conservation meaures were recognised in the last century and truly began in 1907 when the Althing enacted "A Law on Forestry and Erosion Control" and the State Soil Conservation Service was created. Many small projects were tackled in the years that followed but not real progress was made until the 5-year plan of 1975-79 which tackled large areas between 100 and 400 m. above sea level and bounded by exclusion fences.

Iceland now has its own equivalent of the British Trust for Conservation Volunteers. They may be contacted through the Nature Conservation Council (see Appendix H). Their title is Sjálfboðaliðasamtök um Náttúruvernd (SJÁ for short!)

NATURE CONSERVATION ACT

In April 1971 the Althing passed the Nature Conservation Act with three clearly expressed purposes:

1. To encourage the intercourse of Man and Nature in such a way that life or land be not heedlessly wasted, nor sea, freshwater or air polluted.

2. To ensure as far as possible the course of natural processes according to their own laws, and the protection of exceptional and historical aspects of Icelandic nature.

3. To enhance the nation's access to and familiarity with Nature.

The Act also clarified the public's right of access to land as follows:

1. Everyone is entitled to free passage through, and stay in, areas lying outside the property of registered farms for legitimate purpose.

Fig. 1.6. Map of protected areas in Iceland. 1. Country Parks, 2. National Parks, 3. National monuments, 4. nature reserves.

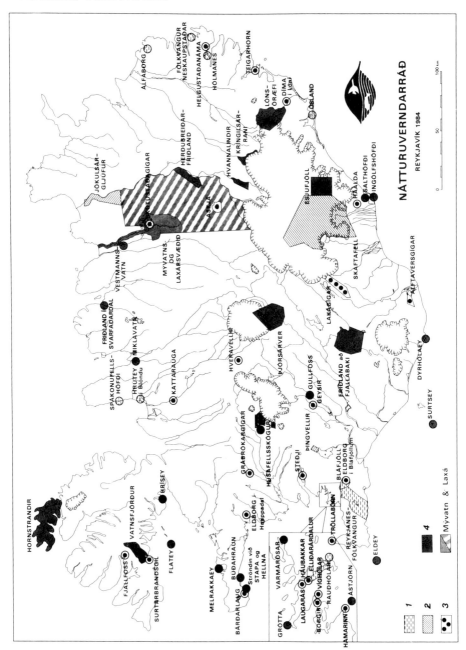

2. Walkers may pass through privately owned ground, provided it is uncultivated and unfenced, and also provided that their stay does not disturb livestock or cause inconvenience to those holding legal rights to the land.

3. On fenced ground, the permission of the owner is required for the purpose of passing through or staying on the land. The same applies to cultivated land.

4. Everyone shall take care to avoid unnecessary damage to the nature of the country. Damage to nature in an illegal way, whether intentionally or inadvertently, is punishable.

5. It is the duty of the Council to prohibit all unnecessary driving outside roads and marked trails, where this can cause the ravage of nature.

6. In the open countryside it is prohibited to throw away or leave behind refuse which can constitute danger or defilement, or deposit such waste or refuse into the sea, on beaches or sea coasts, into rivers or on river banks, streams or stream banks. Rest areas and camping grounds shall at all times be left clean and tidy, and nothing must be left behind which despoils the environment.

7. Vegetation must not be damaged or ruined unnecessarily, either by the tearing up of moss, heaths or shrubs in any manner, nor shall water supplies, whether rivers, brooks, lakes or wells, be polluted.

8. Wherever a fire is lit in the open, this shall be done either in a specially prepared hearth, or on soil of a type where there is no danger of its spreading. Care shall be taken that the fire has been entirely extinguished before leaving the site.

NATIONAL PARKS AND NATURE RESERVES (Figure 1.6)

Following vigourous activity by the Nature Conservation Council (Náttúruverndarráð) Iceland now has three National Parks (Thingvellir, Skaftafell, and Jökulsárgljúfur), and one area, Mývatn-Laxá, that has been designated by special law (1974). Of the National Parks only Thingvellir is not managed by the Council as it was established separately by the Althing in 1928. In addition there are:

    10 Landscape Reserves (eg. Gullfoss)
    17 Wildlife Reserves   (eg. Surtsey)
    23 Natural Monuments (eg. Geysir)
     9 Nature Parks   (eg. Bláfjöll ski area)
    over 200 areas designated as worthy of protection

Figure 1.6 shows the distribution of these parks and reserves but the 1984 report of the Nature Conservation Council also shows a further 36 sites singled out for priority protection in the next three years and another 230 sites that are in need of protection. In this handbook we refer to these as Category 2 and Category 3 sites respectively.

These figures will almost certainly be out of date by the time that you read this paragraph. However the message is still clear: visitors must be aware of the location and status of reserves in an environment that is ecologically sensitive to over-use.

To enable Iceland to maintain its existing vegetation and to reclaim that which has been destroyed requires the help and understanding not only of Icelanders but of visitors and especially large groups who by sheer weight of numbers are capable of irrepairable damage.

The full list of protected areas is given in Appendix B.

A VISITOR'S CODE

The code that follows applies to movement in any part of Iceland, not only in the parks and reserves.

1. Do not camp within the reserves without special permission.
2. Take nothing but pictures, observations and measurements without the express written consent of the Nature Conservation Council and National Research Council (see Chapter 10).
3. Pack out what you take in. Do not drop or bury litter.
4. Keep all water clean. Others will be using it after you.
5. Do not damage vegetation of any kind, or disturb wildlife and livestock. People's livelihood may depend upon it.
6. Do not light fires.
7. Keep to the track when driving cross-country. Tyre marks on virgin ground will be visible for many years.
8. Keep to marked footpaths when requested to do so.
9. Observe the conservation rules and heed wardens' advice.
10. Always treat your surroundings with respect.
11. If, as an expedition, you are working within or close to a reserve you must have the permission of the Nature Conservation Council and, where appropriate, the landowners.

PROTECTED PLANT AND BIRD SPECIES

The list of protected plants is given in Appendix A and the laws applying to the protection of birds and geological sites are referred to in the relevant sections of Chapter 10. In some instances the penalty is imprisonment.

1.6 THE ICELANDIC LANGUAGE

Icelandic is a difficult language to master but worth looking at because it remains so close to Old Norse and the language spoken by the Vikings. If you attempt to read a scientific paper in, say, French or German, there is a good chance that you will get the gist of it because of certain similarities in words and constructions. Icelandic literature is not so comparable because so few foreign words have been incorporated into the language and indeed all new words are translated into a pure Icelandic form. A good example is that of the word 'ecology' (French: 'écologie'; German: 'Ökologie') which has been translated into Icelandic as 'vistfraedi' (literally: 'life study').

At first the Icelandic place-names will seem to be utterly unpronounceable. But if you apply a few basic rules and tackle them with determination they soon become manageable. That some place-names seem interminably long can be understood when you realise that in Icelandic several words may be linked together. For example:

-Breiðamerkurjökull	Breiður	(broad)
	- merki	(mark)
	- jökull	(glacier)
Kirkjubæjarklaustur	Kirkja	(church)
	- bær	(farm)
	- klaustur	(monastery)
Hveravellir	Hver	(hot spring)
	- vellir	(plain)

A number of words will crop up again and again and some of the most common are given at the end of this chapter.

The most important piece of advice is to lay the stress on the first syllable of the word. This rarely fails. If you then apply a modest knowledge of welsh and think of towns kike Llangollen such words as 'jökull' or 'fjall' (mountain) become easier to cope with. The word 'fell', incidentally, is pronounced as it looks (eg. Snaefellsjökull). There are several other combinations of letters which in Icelandic require their own intonation. For example there are plenty of banks in Iceland but 'banki' is pronounced 'bowngki'. In other words '-an' followed by a 'g' become 'owng'. The same applies if '-an' are followed by a 'g' as in 'langur' (long). 'ae' is pronounced as in the English 'eye' (eg. as in 'baer'). But be careful with names such as Vestmannaeyjar where the 'a' and the 'e' represent the last and the first letters of two separate words ('manna' and 'eyjar') 'ö' is pronounced as in the English vowel in 'turn'.

Now try saying 'Öraefajökull' (er-eye-va jerkle). The 'j' is like the 'y' in 'yoke'. If you still have difficulty try climbing it first and then have another go!

A few more rules:

1. The Icelandic letters 'þ' ('Þ') and 'ð' ('Ð') are pronounced as a hard and a soft 'th' as in the English 'the' and 'thorn' respectively.

2. Acute accents transform the pronunciation of 'a', 'i', and 'u' as follows:

'á' is pronounced as the 'ow' in the English 'down'. Since the Icelandic rivers are 'á' you are likely to trip over this one rather often.

'í' is pronounced like the vowels in the English 'been'. Try saying 'Reykjavík' which is two words with a rolling 'R' and the emphasis very much on the first syllable.

'ú' is pronounced like the 'oo' sound in the English 'moon'. The word 'stúlka' should materialise a young girl but in this case the '-lk' is palatized resembling the Welsh 'll' (the same is true of '-lp' and '-lt'). Perhaps easier (and safer) than 'stúlka' is this memorable ditty:

> Remember that in Icelandic
> A House is 'hús'   (hoose)
> A Mouse is 'mús'   (moose)
> And a Louse is 'lús'!!   (loose)

By now you will have looked up a few words in the dictionary and will have found words that look like the one that you seek but that they differ in some small degree. You are probably right. The problems are that:

(a) Icelandic nouns have nominative, accusative, dative and genitive cases in both singular and plural. As a generalisation the datives end in '-i' (plur. '-um', genitives end in '-s' (plur. '-a'), and nominative plurals end in '-ir' or '-ar'. For example ('hestur' a horse):

	Singular	Plural
nom.	hestur	hestar
acc.	hest	hesti
dat.	hesti	hesta
gen.	hests	hesta

(b) In many cases the whole word seems to alter as the noun declines. For example:

	Singular	Plural
nom.	jökull	jöklar
acc.	jökul	jökla
dat.	jökli	jöklum
gen.	jökuls	jökla
nom.	fjörður	firðir
acc.	fjörð	firði
dat.	firði	fjörðum
gen.	fjarðar	fjarða

(c) Now the fun starts because the nouns that we have used so far have all been translated with the indefinite article. The definite article, 'hinn' also declines and is tacked on to the end of the noun except when an adjective precedes the noun. To take our horse as a simple example:

	Singular	Plural
nom.	hesturinn	hestarnir
acc.	hestinn	hestana
dat.	hestinum	hestunum
gen.	hestsins	hestanna

Simple isn't it? Well not really, because 'hestur' is a masculine noun and Icelandic also has feminine and neuter nouns, and the appropriate definite article declines accordingly!

(d) This is not a teach-yourself-Icelandic primer and so we go no further except to mention that of course the verbs decline, and many are irregular (of course). The present and past indicative tenses of the verb 'ad vera', 'to be', may be useful:

Person	Present	Past
eg	er	var
pu	ert	varst
hann	er	var
vid	erum	voru
pid	erud	vorud
peir	eru	voru

That's enough! If you want to know more get hold of a dictionary and the 'Teach Yourself Icelandic' book. Better still find a patient Icelander to help you with a few phrases and if you get the chance try communicating with a few Icelandic children. One of the best ways to learn to pronounce the language is to sing in church. Hymns are slow enough for you to hear and participate.

Góda ferd!

SOME WORDS COMMON TO ICELANDIC PLACE-NAMES

Note that in this list the nominative singular is given but in the example the plural may have been used to indicate an alternative form of the same word. The number in brackets indicates the number of words that comprise the placename.

Icelandic	English	Example	
á	river	Breidá	(2)
ás	small hill	Ásbúdir	(2)
austur	east (eystri — eastern)	Austurhlíd	(2)
bær	farm, small settlement	Saurbær	(2)
bjarg	cliff, rock	Látrabjarg	(2)
borg	town, crag	Dimmuborgir	(2)
botn	head of valley	Leirbotn	(2)
breid	broad	Skjaldbreidur	(2)
brekka	slope	Lundarbrekka	(2)

29

brú	bridge	Jökulsárbrú	(3)
bunga	rounded summit	Háabunga	(2)
dalur	valley	Skíðadalur	(2)
djúp	deep, long inlet	Djúpivogur	(2)
drangur	column of rock	Hraundrangur	(2)
dyngja	dome	Trölladyngja	(2)
eld	fire	Eldfell	(2)
ey	island (pl. eyjar)	Flatey	(2)
eyri	sand spit	Akureyri	(2)
fell	mountain, hill	Sandfell	(2)
fjall	mountain (pl. fjöll)	Dyngjufjöll	(2)
fjörður	fjord (pl. firðir)	Eyjafjörður	(2)
fljót	large river	Markarfljót	(2)
flói	large bay, marshy area	Faxaflói	(2)
foss	waterfall	Gullfoss	(2)
gígur	crater	Lakagígar	(2)
gil	gorge, ravine	Brekkagil	(2)
gjá	fissure, chasm	Gjástykki	(2)
háls	ridge, saddle	Tröllaháls	(2)
heiði	heath, moorland	Lyngdalsheiði	(3)
hlíð	mountain side	Reykjahlíð	(2)
hnjúkur	peak	Hvannadalshnjúkur	(3)
höfði	promontory	Ingólfshöfði	(2)
höfn	harbour	Höfn	(1)
hóll	rounded hill (Pl. hólar)	Raudhólar	(2)
hólmur	islet	Stykkishólmur	(2)
holt	stony hill	Skálholt	(2)
hraun	lava	Eldhraun	(2)
hryggur	ridge	Tungnahryggur	(2)
hver	hot spring	Hveragerði	(2)
innri	inner	Innra-Höfðagil	(3)
jökull	glacier	Vatnajökull	(2)
kirkja	church	Kirkjabæjarklaustur	(3)
laug	warm spring	Laugavatn	(2)
lón	lagoon	Jökulsárlón	(3)
mýri	marsh	Fagurhólsmýri	(3)
nes	headland	Akranes	(2)
norður	north (nydri — northern)	Norðurá	(2)
öræfi	wilderness, desert	Öræfajökull	(2)
reykur	steam, smoke	Reykjavík	(2)
sandur	sand, sands	Skeiðarársandur	(3)
skarð	mountain pass	Námaskarð	(2)
skógur	wood	Hallormstaðarskógur	(3)
staður	place	Egilsstaðir	(2)
suður	south (syðri — southern)	Suðurárdalur	(3)
tjörn	small lake	Nykkurtjörn	(2)
tunga	tongue	Tungnahryggsjökull	(3)

vatn	lake	Grímsvötn	(2)
vegur	route, way	Kjalvegur	(2)
vík	inlet	Grindavík	(2)
völlur	plain	Thingvellir	(2)
ytri	outer	Ytri-Bægisá	(3)

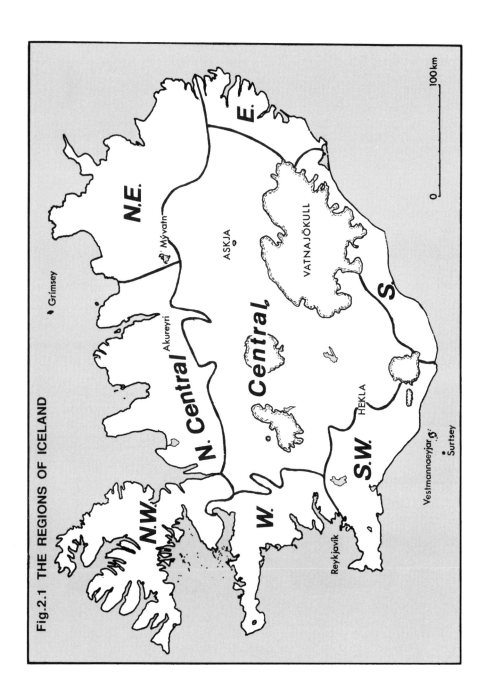

Fig.2.1 THE REGIONS OF ICELAND

CHAPTER 2

THE REGIONS OF ICELAND

INTRODUCTION

Working on the assumption that you have brought your own car, we take the North eastern part of Iceland first, and progress in an anticlockwise direction around the island. If heading for Reykjavík it is definitely a shorter run via Akureyri than it is via the south coast. The regions are shown in Figure 2.1.

The information for this journey has been gathered over many years, and from many sources, but it may be helpful to the reader to know that the final journey, that tied together all the loose ends, took 21 days, including five days based in Reykjavík. This was a journey of 3468 miles (5549 Km) from Seyðisfjörður and back, but of course it involved numerous detours, and was not a journey designed to spend too long in any one place. The average distance covered in a day was 165 miles (264 Km), not something generally recommended, because Icelandic roads can be very tiring. It was tough on the driver, and tough on the car, a 1986 Vauxhall Nova which suffered no ill effects whatsoever.

Information on taking your own car are given in Chapter 7 where information is also given about Shetland and the Faroe Islands.

At the beginning of every section there is a summary. This information was correct during the summer of 1989. Since then it is possible that sections of road have been improved, and perhaps even metalled. The driving times are based on the author's driving times (excluding stops) and must be viewed with a fair degree of latitude because although he has tried to eliminate lengthy stops within the calculations, there will be discrepancies due to road conditions, and the number of stops actually made.

During the journey there were several invaluable companions:

1: The 1:500,000 Touring map of Iceland.
2: A complete set (9) of the 1:250,000 maps.
3: "Iceland Road Guide", published by Örn and Örlygur.
4: "Iceland: A Tourist Guide", published by Ferðaland. It appeared in 1987 and then, in Icelandic, as "Land" in 1989. An English version is promised for 1990.
5: "Iceland: or the Journal of a Residence in that Island during the years 1814 and 1815", by Ebenezer Henderson. This is not the only early account of travels in Iceland but one which the author found so enjoyable that excerpts are included *in italics* throughout the regional descriptions.

Finally, a word about the sketch maps. For the most part they have been drawn by eye, by the author. They are not to scale and are thus not directly comparable. They do not show every street or building because they serve solely to guide the motorist to the most essential locations. The symbols used are given on the back flap of the book. The maps are designed to give you a quick visual impression of the settlement and to enable you to see whether or not, for example, there is a chemist or a camp site.

NLF = No Lead-free petrol available.

Explore Iceland
Icelandic-Style

If you are serious about your Tour Program, we are too. We at Arena Travel — the only technical travel operation specializing exclusively in highland explorations — have since 1970 been leading expeditions into the magnificent, untamed interior region of Iceland. Share our experience and challenge the forces of nature with the thrill of Iceland Explorer. Feel the excitement that the Viking explorers felt when they first set eyes on the unbelievable landscapes of Iceland's open spaces.

INDEPENDENCE

Fig.2.2 NORTH EAST ICELAND

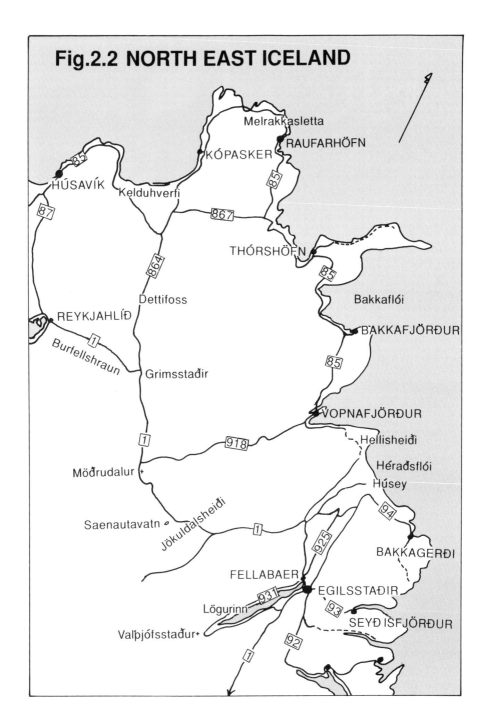

2.1. NORTH EAST ICELAND

2.1(a) Seydisfjördur to Egilsstadir (37 miles/59 km)

Petrol: Seydisfjördur, Egilsstadir.
Road Conditions: Very good out of Seydisfjördur. Steep winding descent into Egilsstadir but good road.
Approx. Driving Time: 60 mins.

Having escaped the clutches of the m.s. Norröna, it is worth spending a little time in the peaceful town of **Seydisfjördur** (Fig. 2.3; Population: 1000), to find your land legs, get used to driving on the right, and to accustom to the Icelandic sounds and atmosphere. The town has most essentials. There is a camp site very close to the harbour, and almost adjacent to the Shell petrol station. Be warned that this tends to get rather crowded the night before a ferry departure and you might do well to camp a little further away on that occasion (eg. in Hallormsstadarskógr; see below). You can obtain a certain amount of supplementary food at the small store and the bakery but it is more limited than many stores you will come across later.

Apart from fishing, fish processing, the landfall of the first submarine cable from Europe, Seydisfjördur's other claim to fame is its late winter/early spring avalanches and landslides from the steep-sided mountain Bjólfur. The last being in the summer of 1989 when the spring was almost a month late in arrival.

The initial, winding climb out of Seydisfjördur is an excellent introduction to the grandeur of Iceland, and invites so many stops to photograph the first of so many waterfalls, gaze back at the town from the columnar basalt monument, or admire the starkness of the heavily glaciated **Fjardarheidi.** The road is tarmac for most of the ascent but then gives way to your first experience of a grit road. However, it is well used and maintained and, although you may well treat it with the caution that any grit road deserves, it presents no difficulties.

The descent from Fjardarheidi towards Egilsstadir is marked by a viewpoint (hringsjá) on **Nordurbrún** that offers magnificent views over the Hérad district that includes Fljótsdalur, the Lagafljót (Lögurinn), and the twin settlements of **Egilsstadir** (Fig. 2.4; Population: 1400) and **Fellabaer** (Fig. 2.3; Population: 50). At the heart of Egilsstadir, as you drive towards the bridge across the river, is a commercial area (Kaupangur) that is adjacent to the large Esso station. This is an ideal place to refuel, revictual, and generally reorganise yourself. In one place you have petrol, bank, tourist bureau, cooperative food store, cafe, and camp site. This is a good point from which to leap off to other parts of the Eastern Fjords.

Umbilically linked, by the bridge, to Egilsstadir is the town of **Fellabaer** where there is camping, farm accommodation and even some delightfully located huts for rent on the farm Skipulaekur. The views across the

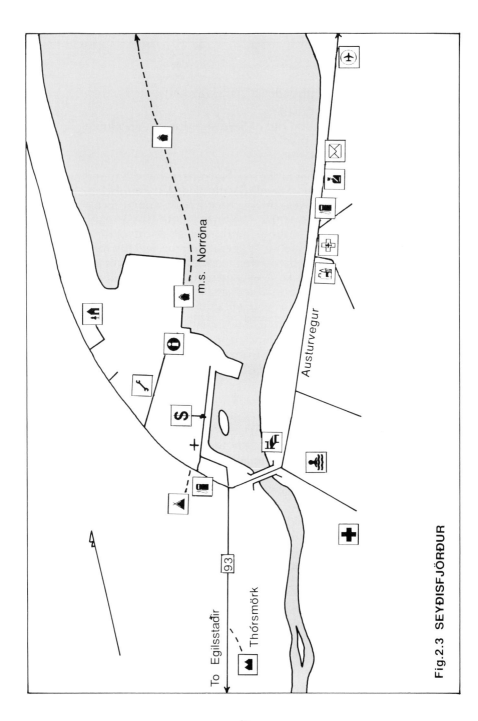

Fig.2.3 SEYÐISFJÖRÐUR

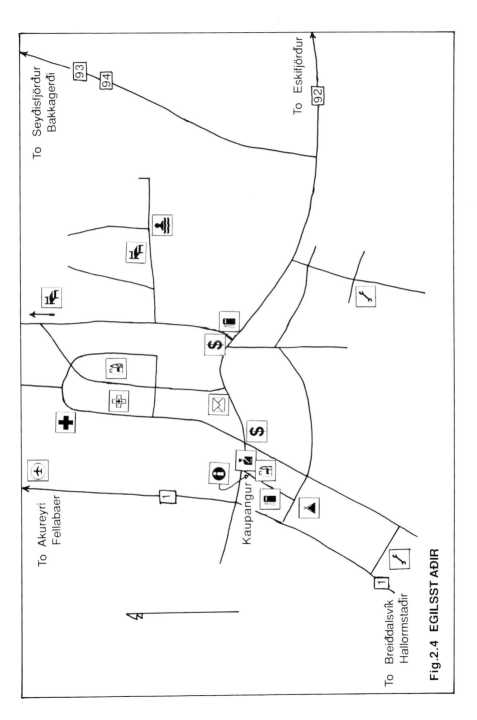

To Seydisfjördur
Bakkagerði

93
94

To Eskifjördur

92

To Akureyri
Fellabaer

1

Kaupangur

To Breiðdalsvík
Hallormstaðir

1

Fig.2.4 EGILSST AÐIR

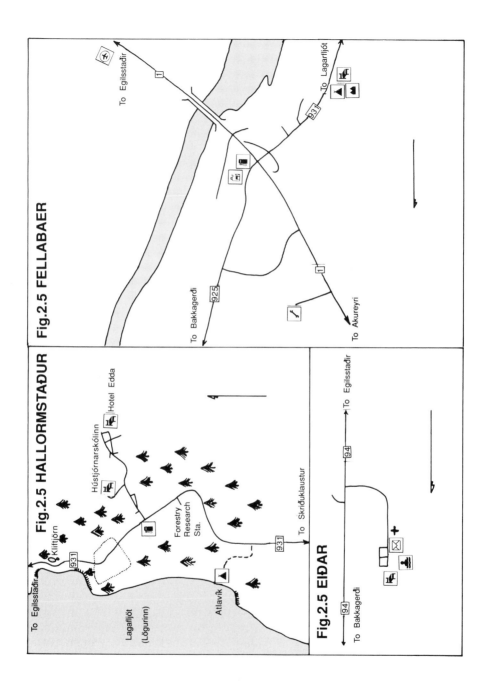

Fig.2.5 FELLABAER

Fig.2.5 HALLORMSTAÐUR

Fig.2.5 EIÐAR

Lagarflgót to Egilsstaðir, and the mountains that separate it from Seyðisfjörður, can be most impressive in the evening light from your tent or hut door.

2.1(b) Lögurinn (Circular route: 40 miles/64 Km)

Petrol: Egilsstaðir, Hallormsstaðir, Skriðuklaustur (NLF), Fellabaer.
Road Conditions: East side: very good; West side: good.
Approx. Driving Time: 30 mins to Atlavík. 55 mins to complete the circuit back to Egilsstaðir.

If you want an attractive camp site and have the time to spare, drive south-west to **Hallormsstaðarskógr** (skógr = forest) on Routes 1 and 931, and to the lakeside site at **Atlavík** (Fig. 2.5). The road to Atlavík is tarmac for all but one kilometer. The landscape ahead is dominated by the snowclad mountain Snaefell and the glorious glacial green of the lake. Woodlands of conifer and birch line the later stages of the journey, and arctic lupins, sown as a part of a regeneration programme, provide a colourful foreground. You will know that you are approaching the main forestry research area when the road runs alongside the lake and passes a small pond (Kliftjörn) beside a large rock on the left. **Hallormsstaður** was at one time a large farm, but is now a boarding school (Edda Hotel in the summer), and the principal centre for forestry and forestry research in Eastern Iceland.

The valley as a whole, although uncharacteristic of most Icelandic landscapes on account of its woodlands, has been a cradle for Icelandic cultural history: Hrafnkell Freysgoði lived for a while at Hrafnkellstaðir (see Section 2.1(b)), the saga chieftain Helgi Ásbjarnarsson (Fljótsdaela Saga) lived at **Mjóanes,** the seventeenth century poet Stéfan Ólafsson lived at **Vallanes,** and Thorvarður Thórarinsson, one of the most powerful of thirteenth century Icelanders lived at the ancient farm of **Valþjófsstaður,** the ancient church door of which is now in the National Museum in Reykjavík. It is an impressive door that was probably a measure of the might of the chieftain whose house it guarded around the year 1200. This is also one of the places in Iceland where reindeer (not indigenous) may be seen. If you keep your eyes open you may see the reputed monster (Lagarfljótsormur) that lives beneath the waters of Iceland's third largest lake whose glacially-scoured bed lies 100m below sea level.

Having camped the night at Atlavík you may well want to complete the circuit around the lake by driving south to **Skriðuklaustur** (25 mins) where there is an an unusual building of basalt blocks with a white cement. There was a church here until 1792. As the 'klaustur' suggests, this was once the site of a monastery but today it is an agricultural research institute. The building contains a bust of Gunnar Gunnarsson (1889-1975) author of 'The Church on the Mountain' an autobiographical work generally reckoned to be one of the finest works of literature ever produced by an Icelandic author. He built the house in 1939. At the junction with Route 933 a prominent dyke runs steeply up the mountainside, slicing the layers of basalt at about 40°. Valþjófsstaður (see above) lies close by. As you drive

HÓTEL TANGI

*Welcomes you to Vopnafirði
and the Eastern Fjords.*

Quiet atmosphere
Superb cuisine
Family bungalows
Group sleeping bag
accommodation

Sea Angling and Bird Watching

**Hafnabyggd 17
690 Vopnafirði
(97) 31224**

GISTIHÚSIÐ EGILSSTÖÐUM

Low-priced single, double, and sleeping bag accommodation.

In quiet, peaceful, and homely surroundings beside Lake Lagafljót. Close to the small town of Egilsstaðir.

An ideal location for exploring North-east Iceland.

**700 Egilsstaðir
(97)-11114**

north you will come to the river bearing the impressive waterfall **Hengifoss** which at 118m is one of the highest in Iceland. It has carved an impressive gorge and may be approached from the road by walking up either bank. On the way you will pass the smaller **Litlifoss** which tumbles into a plunge pool encircled with basalt columns.

2.1(c) Egilsstaðir to Bakkagerði (50 miles/80 Km)

Petrol: Egilsstaðir, Hlégarður (NLF), Bakkagerði, Hallfreðarstaðir (NLF).
Road Conditions: Good. Some steep, winding ascents. Njarðsvík screes not for the faint-hearted — but perfectly straightforward.
Approx. Driving Time: 1$^1/_2$ hours.

This can be a thoroughly rewarding drive through varied scenery with, at times, stupendous views. Initially the Route 94 follows the broad, open sweep of Hróastunga, traversed by the Lagarfljót and dotted with small lakes. At **Eiðar** (Fig. 2.5) an Edda Hotel nestles in a small, pleasant valley but there are few other facilities except for fishermen who use Eiðavatn. This was also the home of Helgi Ásbjarnarsson (see Lögurinn, above). The views across to the north-east gradually unfold; huge mountain blocks, jagged peaks and ridges rising above the general plateau level. Most impressive is **Dýrfjöll** (1136m) which, later, comes tantalisingly close to the road. At the northern end of the valley you enter Hjaltastaðarþingha where, at **Hjaltarstaðir,** a devil is supposed to have terrified the farmer and his family, and to have challenged him to duels.

By now the terrain has flattened out and by the farm, Móberg, rocky polygonal basalt outcrops herald the gateway to the **Héraðsflói** coast. Here the scene is noteworthy for its sandy flatness, the product of Vatnajökull's glacial outwash, moulded by coastal processes. This is **Nýagras** or Héraðssandur which will delight the ornithologist. Arctic tern hover over every pool, whooper swans and greylag geese paddle in the wetland or flap majestically at takeoff; arctic skuas and Bonxies swoop to protect their young. A similar landscape must have greeted Uni Garðarsson, after whom the farm **Unaós** is named. His father, Garðar Svavarsson, discovered Iceland and called it Garðarshólmi. Uni was sent by Harald Fairhair of Norway to colonise the island but failed when killed by Icelanders already in residence.

From Unaós the road begins to climb through hairpin bends towards the rescue hut (saeluhús) at the top of **Vatnsskard,** named after the small lake that you pass. From here the view west over Héraðssandur to Hellisheiði is impressive; the view east is directly onto the enormous block of **Dýrfjöll** which provides an imposing backdrop to the photograph that you will undoubtedly take of your car! The road descends an equally tortuous set of bends to the very attractive grass and birch covered **Njarðvík** valley into which spreads a large, light-coloured rhyolitic alluvial fan. The cliffs at the seaward end are rhyolite split by black basalt dykes and the road is a light colour from the same rocks. A short drive along the east flank brings you to the farm Borg and the beginning of the **Njarðsvíkurskríður.** The road

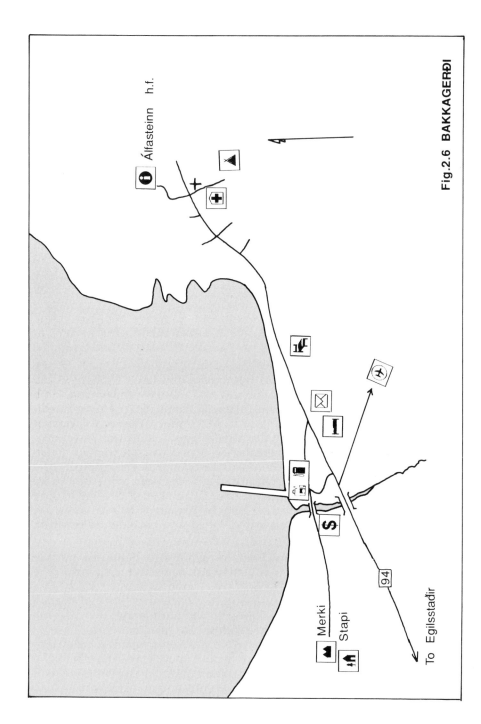

Fig.2.6 **BAKKAGERÐI**

traverses these screes which drop directly to the sea and, quite clearly, are prone to periodic movement. Accidents have been attributed to Naddi, a mythical being who lived in Naddagil at the north end of the screes. Since 1306 a cross has always warned and offered protection to travellers who stopped to pray. It bears the inscription: EFFIGIEM CHRISTI QUI TRANSIS PRONUS HONORA (Whoever passes the statue of Christ, does so on his face). It is a spectacular road.

Bakkagerdi, also known as Borgarfjördur-Eystri (Fig. 2.6; Population: 200), is a small quiet settlement whose activity focuses on the fishing harbour and the Álfasteinn stone and mineral works, where there is also tourist information. Unique to this works is the fashioning of huge spheres of rhyolite into various ornaments, plaques, clocks, nameplates and awards. 70-80% of the stones are from the local seashore and only 1% are imported. The village is surrounded by spectacular mountains among which is the colourful rhyolite mountain **Stadarfjall** with its basalt arches. The local church (ask opposite for a key) contains an altar piece painted by the well-known Icelandic artist Kjarval who was born in Borgarfjördur at the farm Geitavík. While in the village stop also to photograph the attractive, privately owned turf house, Lindarbrekka, with its collection of old farm implements, and to scramble onto the Álfasteinn to sit with the elves.

South of Bakkagerdi there is a jeep track across to Husavík in deserted **Lödmundarfjördur.** Though impressive and inviting this is not a route for the ordinary vehicle.

To return to Egilsstadir retrace your steps to Héradsflói on Route 94 and, by way of a change of scene, turn onto Route 944 which passes by **Lagafoss** and the hydro-electric power station and salmon ladder. At the junction with the 925 you have a choice. Turn left and you go straight back to Egilsstadir via **Urridavatn,** which contains warm water springs and from which water is piped to Egilsstadir. On the way you will pass **Thinghöfdi,** beside the Krakalaekur stream, which was an ancient assembly site. The remains can still be seen. If you turn right you pass **Kirkjubaer** where the church is said to have been designed by Jón Jónsson of Vogar. For the energetic there are some strange stones **(Skersl)** to the north of the farm and said to be the home of the troll Þórir who eventually froze to death in Thórisvatn. His wife was turned into the stone named **Skessusteinn.** You can then either return to the 925 by the Brekkuvegur (927 — not generally advisable for small cars) or continue to the 925 where again you have a choice. Either turn right and drive to the outermost farmstead, Húsey, or left and south to Route 1. Húsey is a charmingly isolated hostel where natural historians will enjoy the birdlife, seals, and peace.

2.1(d) Egilsstadir to Vopnafjördur (99 miles/159 Km)
Petrol: Egilsstadir, Skjöldólfsstadir (NLF)
Road Conditions: Good
Approx. Driving Time: 3 hours

To reach Vopnafjördur you will take Route 1 out of Egilsstadir. As you approach the Jökulsá á Brú, Iceland's longest river (150km), there is a turning north to Húsey (see previous section), and just after the bridge Route 85 goes north to **Ketilsstaðir** from where you can cross Hellisheiði to Vopnafjörður by the Hlíðarvegur route (917), the highest pass in Iceland. The route is steep and snow often lingers. In this description we stick to the main road.

As you cross the **Jökulsá á Brú** look into the waters above the bridge for the horse-sized monster said to dwell there. The white-coloured water, laden with fine particles of glacially ground rock flour, comes from Brúárjökull, an outlet of Vatnajökull. In the summer of 1963/64 this glacier surged forward 8km, its creaks and groans being heard as much as 80km away.

Over this channel a slender wooden bridge is thrown, about five feet in breadth, with ledges, consisting of a few poles which are raised from the beams on either side, and bound together at five different places above, which gives them the appearance of as many doors. Alighting from my horse, I went to the bridge, and after having looked for a minute or two into the profound chasm, through which the light brown torrent rolled and boiled with the most tremendous fury, I took hold of the ledges, and shook the bridge with the utmost ease. Indeed, its instability is such, that I have no manner of doubt but a person of powerful muscle could shake the whole structure to pieces in less than a quarter of an hour.

Jökuldalur is a very fine open valley with farms sited up on the broad, flanking terraces. Further mysteries are embroidered into the folklore of Jökuldalur. As you drive up the valley and cross the tributary, Teigará, there is a rocky mound called Maelishóll, the home of fairies who, so the legend goes, will bewitch any three women owners of the farm **Hnefilsdalur** if their name is Ingibjörg. Two are supposedly bewitched into **Maelishóll** already. Close by, on the **Góðanes** promontory that projects into Jökulsá, are the remains of an ancient temple of Thór. The reddish, iron-stained spring that issues beside it is named **Blotkelda** (Spring of Sacrifices). At **Hjardargrun** the farm boundaries are, unusually for Iceland, made of stone. Whereas in Britain stone walls are two stones thick and bound by through-stones these are only one stone thick, relying on their coarseness for friction. A little further on the gorge and waterfall of the **Yzta Rjukandi** expose the basalt and red tuff layers that make up these massive mountainsides.

The southern fork of the valley (Route 923) leads into the Hrafnkells Saga country. Right at the head of the valley is Hrafnkellsdalur and the farm **Adalból** where the remains of numerous Saga Age dwellings have been found. Hrafnkell Freysgoði (Priest of Freyr) built a temple there and kept his prized horse, Freyfaxi. So prized was this beautiful dun stallion that he swore to kill anyone who dared to ride it without his permission. One day his shepherd, Einar Thórbjörnsson, took the risk of riding Freyfaxi to retrieve some lost sheep. He rode the steed fast and furiously across the mountain and successfully found the flocks. Unfortunately, on dismounting, the dishevelled horse cantered back to Aðalból, alerted Hrafnkell who rode out to slay the unfortunate, unarmed shepherd. Such killings required some retribution but Hrafnkell never paid compensation. However, on this occasion he felt sorry for his avowed action and offered a generous settlement to Einar's father. Though very poor, Thórbjörn's pride would not allow him to accept but rather take the matter to court at the

Althíng, thus elevating his son's position. He asked his nephew Samur to take the case. In the event none of the chieftains was prepared to stand against Hrafnkell in the Althíng and Thórbjörn would have lost but for the fact that Hrafnkell's way to the court was blocked by the supporters of two chieftains from the Western Fjords who took up the case at the last minute. Hrafnkell was thus outlawed for not appearing before the court. Nevertheless he rode home and would have stayed there if the other chieftains had not suggested to Samur that, to save his face, Hrafnkell would take his revenge if he did not take action first. Accordingly they descended on Aðalból, tortured Hrafnkell, stripped him of his authority, destroyed the temple to Freyr and took possession of the farm. Freyfaxi was ridden, over a cliff (known as Freyfaxahammarr ever since) to drown in a deep pool. Hrafnkell was driven out and built himself a new home at Hrafnkellsstaðir by Lagarfljót. It was just a matter of time before he took his revenge, slew Samur's brother as he passed by Lagarfljót, threw Samur out of Aðalból and re-established himself as chieftain of his former territory.

Shortly after **Skjöldólfsstaðir** the road rises towards **Jökuldalsheiði** where, in the rock-strewn tundra, you can almost imagine the ice to have retreated only yesterday. The road descends to a small grassy plain beside **Saenautavatn** beyond which rises the snowclad mountain **Snaefell.** At one time this area was well farmed but, in the 1875 eruption of Askja, the district was covered with ash and today, since 1946, only ruins can be seen. The small lakes are still noted for their trout fishing however. The ash covered landscape is in places very dramatic and nowhere more so than on the approach to **Möðrudalsfjallgarður,** where there seems to have been a cairn convention! The view over **Möðrudalur** is superb; black ash and palagonite ridges dominated by the queen of the Óðáðahraun desert, mount Herdubreið. Herdubreið is one of the finest mountains of its type. Formed by subglacial eruptions and, later, when the surrounding ice and meltwater had drained away, a small conical vent opened on the summit. The road descends to the farm **Möðrudalur,** the highest farm in Iceland and a veritable jewel in the wilderness. You can stop for a coffee, admire the view, write, and post, some cards. If the atmosphere really gets to you, you can also pitch your tent.

Eight kilometers after Möðrudalur turn right onto Route 918 which is an impressive, fast, desert road made of red ash. For 14 km you can drive comfortably at 50-60mph. The road then climbs up from **Langidalur,** through 18 km of barren country and past an emergency shelter (saeluhús). At the head of the Hofsá valley there is a viewpoint from which the descent is steep, tortuous and rapid. Whatever you do, do not sail past the turning to **Burstarfell,** one of the finest turf farms in Iceland. It is now a state-owned museum.

When you reach the mouth of the valley and join Route 85 go slowly and watch out for a pull-in to the right from where you can obtain a good view across the fjord with its black sand, wrecked trawler, and hovering seabirds. **Vopnafjördur** (Fig. 2.7; Population: 850) is a small, friendly town in what must be one of the sunniest spots in Iceland. Lying in the lee of the central

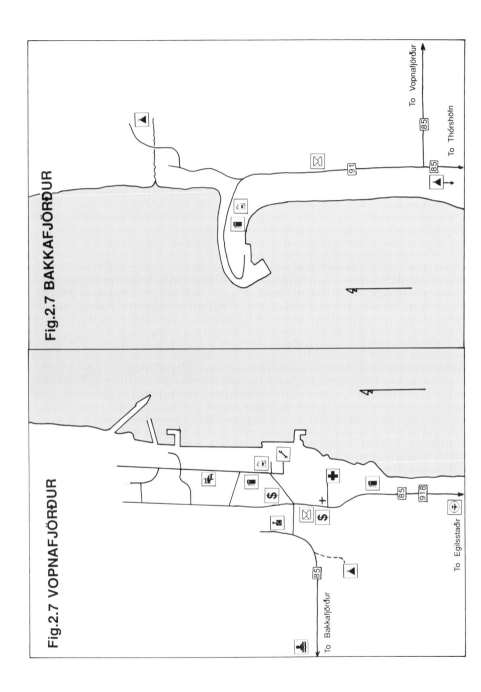

Fig.2.7 BAKKAFJÖRÐUR

Fig.2.7 VOPNAFJÖRÐUR

48

highlands, the rain shadow effect has sometimes earned the town the nickname of the Riviera of North Iceland! The Esso petrol station is open daily (0800-2300), sells foodstuffs, has a cafeteria, and, unusually for an Icelandic petrol station, takes VISA credit cards. If you want a swim then you must drive 10 km out of town towards Bakkafjordur where, after 3 km, turn left to a newly refurbished, geothermal, open-air pool in **Selardalur.** Parking is limited. Natural historians will want to trek along **Fuglabjarganes** to the north of the town.

2.1(e) Vopnafjördur to Raufarhöfn (96 miles/154 km)
Petrol: Vopnafjörður, Bakkafjörður (NLF), Skeggjastadir (NLF), Thórshöfn, Raufarhofn.
Road Conditions: Good
Approx. Driving Time: 2 hours 25 mins.

Having climbed up out of Vopnafjörður you will pass the turning to the swimming pool at **Selardalur** (see previous section). Shortly after, the road climbs to the emergency shelter (saeluhús) on **Sandvíkurheidi** and crosses a low, lake-studded plateau. On reaching a large cairn, Bakkaflói comes into view, with the spread of coast stretching away to **Gunnólfsvíkurfjall,** which is topped by the white dome of a radar system. On a clear day the blue of the water, the green of the farmland and the yellow of the buttercups are a glorious sight. **Bakkafjördur** (Fig. 2.7; Population: 145) is a very small fishing settlement where the boats are hauled out of the water on wheels. There are very few facilities here but if you have the time to make the detour explore the track towards the **Digranes** lighthouse, past the fish drying racks, where flocks of tern and their young may well be warming themselves on the road.

Back on the main road, you will first pass the farm **Skeggjastadir.** It has been the focus of the parish since the Settlement but the present church is only 160 years old. Approached from the south you see first the tiny original church but on drawing nearer you will see that the bell tower, perched on four legs, sits astride a newer section built this century. Camping is usually permitted at the farm. If you carry on, beware of terns and their young on the road and, if you get out of the car to photograph them, wear a hard hat!

The road takes you on towards Gunnólfsvíkurfjall where you pass once again onto the neovolcanic zone that you left in Langidalur near Mödrudalur. You cross **Brekknaheidi** bringing you into the county of Nordur-Þingeyjarsýsla in which lies **Thórshöfn** (Fig. 2.8; Population: 410) which in many ways commands a similar geographical location to Bakkafjördur although it is larger, more spacious, and with more facilities. This has long been a sheltered anchorage but the town dates only from 1875 when the shop and warehouse were built. It is a good point from which to explore the coastline of **Langanes** and that of rugged **Raudanes,** towards Raufarhöfn, with its bird life and coastal stacks. There is a large tern colony by **Skóruvík,** and an eider colony at **Saudanes. Skálabjarg** is 130m high. An alternative overnight spot is the **Svalbard** parish primary school which

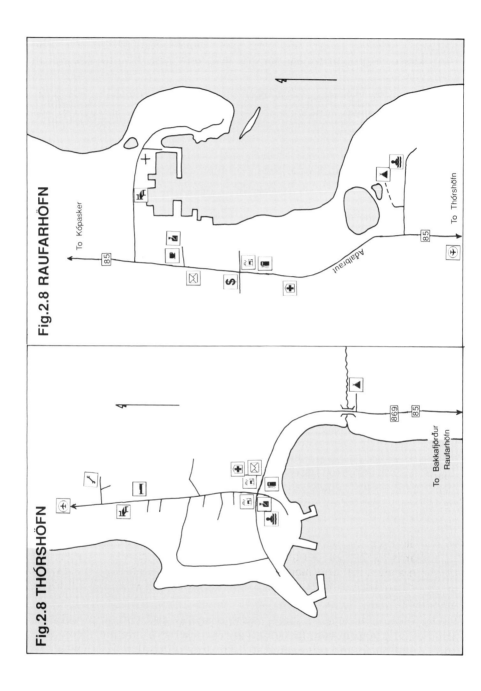

Fig.2.8 RAUFARHÖFN

Fig.2.8 THÓRSHÖFN

serves as summer accommodation. Svalbard is one of the oldest farms in Iceland. Shortly after this you can bypass Raufarhöfn and the Melrakkasletta peninsula by turning left onto the 867 to Ásbyrgi in Öxarfjörður.

Raufarhöfn (Fig. 2.8; Population: 400), closest mainland town to the arctic circle, was once one of the busiest fishing ports in Iceland when herring was a major catch. Thousands of people migrated to work in the meal factory. Today, though still a fishing town, it is a shadow of its former self and many jetties lie empty of vessels. The camp site is in a pleasant man-made, grass mound enclosure but beware the terns which may well divebomb you, if young happen to be lurking in the grass. Drive or walk out to the lighthouse on the promontory to view the town and coast and to watch the small fishing vessels coming in to harbour trailed by a cloud of sea birds. This is the place from which to explore the Melrakkasletta (see next section).

2.1(f) Raufarhöfn to Húsavík (111 miles/168 km)

Petrol: Raufarhöfn, Nýhöfn (NLF), Kópasker, Ásbyrgi, Lón (NLF), Húsavík
Road Conditions: Good
Approx. Driving Time: 4 hours.

There is a remoteness about **Melrakkasletta** that is appealing. The landscape may be very flat, but it is pitted with small lakes and tarns that attract wildlife. The first farms that you come to, Hóll and Höfði in **Hólsvík,** epitomise the human geography, sitting astride a low ridge with the sea on one side, a lagoon on the other, arctic tern winging overhead, and flotillas of eider duck bobbing around on the sea. Some places are almost white with dots of arctic tern. Protect your head if you get out of the car! The lighthouse at **Hraunhafnartangi,** the northernmost point on mainland Iceland, stands starkly against the sea. There is a pull-in on the right from which you can see both the lighthouse and the eerie silhouette of an abandoned farm. This desolate spot is where, according to Föstbraeðra Saga, Thorgeir Hávarsson was slain and where his burial mound is said to be. Occasional visiting polar bears, carried by icebergs, would find this a pleasant spot to roam and fish.

In the distance, to the west, the palagonite ridge of **Leirhafnarfjöll** runs northwards to the sea. At the northern end, the Rauðinúpur crater, the cliffs are a vivid red and made all the more striking by the adjacent stack (Karl, or Jón Trausti) which is so white with gannet excreta that it looks almost chalky.

Having crossed the ridge the road descends to a greener, more farmed area, around the farm **Leirhöfn.** Icelanders are reknowned for their wide reading and love of books and none more so than farmers in isolated corners of the island. Helgi Kristjánsson, the farmer at Leirhöfn, donated his collection of 10,000 books to the district library. At various places along this stretch of coast you may see collections of small flags that mark the positions of eider nests, and deter predators.

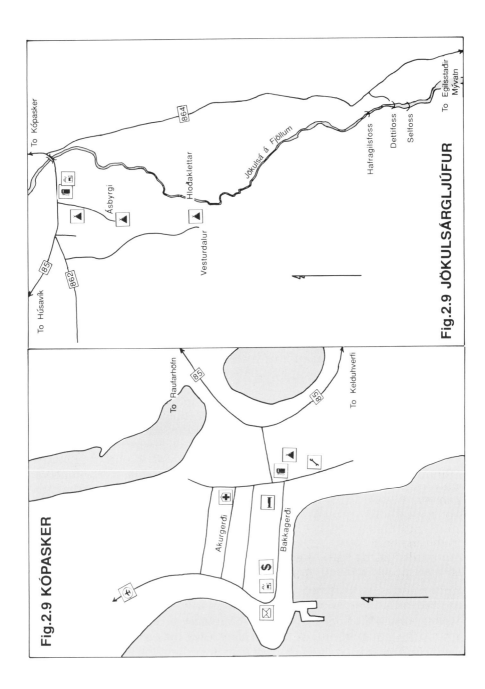

Fig.2.9 KÓPASKER

Fig.2.9 JÖKULSÁRGLJÚFUR

52

The road now climbs through **Leirhafnarskarð** where a small eruption occurred in 1823. It then descends to the almost deserted, shrimp fishing village of **Kópasker** (Fig. 2.9; Population: 150) which was rocked by a force 8 earthquake in 1976. The quake was one of a series related to the movements taking place along this northern arm of the Mid-Atlantic ridge, and related to the movements associated with the Krafla series of eruptions (see Section 2.1(g)). The harbour wall was damaged and several buildings rendered uninhabitable. At **Hraunhólar,** near Presthólar, rocks were loosened from the cliffs above.

From Kópasker the road winds in and out of piles of glacial moraine resting on palagonite, and approaches the shoreline bordered by small sand dunes. The small stream near Buðlungahöfn produces a fine, but small waterfall into the sea. As the road descends to **Öxarfjörður** the sand dunes increase and the sandflats widen. Sand storms become more frequent, often obliterating the view. At one point an old tractor lies hitched to a wire to winch a ferry across the Brunná to the sandur pastures. Gaggles of whooper swans feed in the lusher meadows, and skuas fly overhead. At **Lundur** boarding school there is a geothermally-heated open-air pool and camp site to the right of the road and accommodation in the buildings to the left. From here there are fine views, across the sandur, to the Tjörnes peninsula beyond. The metalled road surface begins again at **Skinnustaðir** and winds through well-wooded birch towards the suspension bridge that straddles the mighty **Jökulsá á Fjöllum,** descended in 1985 by Paul Vander-Molen and his team in kayak and microlite. It is Iceland's second longest river (206km) which falls over the island's most powerful waterfall, **Dettifoss** (44m), where 212 tons of water per second cascade into a magnificent canyon. Beside the torrent, and indeed many others around Iceland, you will notice a white and red box. This is a hydrological stage recorder monitoring the flow of the river.

At the bridge you have two choices: either to turn off to visit **Dettifoss,** or continue across to **Ásbyrgi** and the west side of the canyon. Dettifoss can only be reached by ordinary cars using the 864 road on the east side of the canyon. That on the west may well be difficult even for four-wheel drive if you are early in the season or if the ground is very wet. If you are undecided as to your route, cross the bridge, drive to the **Ásbyrgi** service station, sit down and have some refreshment while pondering your options. Write a few cards; you can post them from there.

As you approached the bridge you will have had good views into the horseshoe-shaped Ásbyrgi, part of the **Jökulsárgljúfur** National Park, described by some as a giant's footprint, but in reality the remains of a former waterfall (90m) of the Jökulsá á Fjöllum. It is a popular place for Icelanders, and you will find two camping locations. The first, near to the main road, is run by Náttúruverndarráð (Nature Conservation Council) and manned by resident wardens. It has full facilities. The second, one kilometer further on, is in the birch woodland within Ásbyrgi and served by tap water and A-frame WCs. It is not advisable to plan to camp here at a weekend. The track is narrow, winding, bounded by tall birch trees, and provided with small passing places. Do not drive too fast. You can get a map of the National Park (Fig. 2.9) from the warden.

More attractive as a camping location is **Vesturdalur** (Route 862) where again there is a resident warden, who lives in a wooden house surrounded by one of the most magnificent stone walls in Iceland. It was re-built, Pennine style, by a team from the British Trust for Conservation Volunteers in 1978. From here you can explore the canyon and particularly the extraordinary rock formations around the **Hlóðaklettar,** which derive their name from the echoes here, and owe their origin to a fissure eruption that occurred post-glacially across the river. The dyke that actually fed this eruption is visible in the gorge walls just upstream of the rocks. A short way downstream are the two rocks Karl og Kerling (Man and Woman). If you spend a day or two here there is some lovely walking to be done.

Progressing west on Route 85 you cross the plain of **Kelduhverfi** crossed by post-glacial lava flows, rifted over the years by earthquakes, most recently in 1976 when a force 8 earthquake shook Kópasker and disrupted farmland. This entire lowland is a north-south trending rift valley. Generally speaking you have lava and rifts to the left of the road and glacial outwash to the right. In places you can see the results of aerial seeding of the sand by Landgreiðsla Ríkisins (State Reclamation Service). There are two farm holiday establishments here which offer horse riding. **Hóll** actually rents the neat little farmhouse while **Skúlagardur,** a community centre, can cater for up to 100 in sleeping bag accommodation. The latter is named after Skúli Magnusson, Chief Bailiff (1711-94) (see Section 2.5) who is commemorated by the eagle on a basalt column. This group of farms is fed by a spring that emerges from beneath the otherwise waterless lava flows. The road passes attractive **Víkingavatn** and the petrol station at Lón, where there is a salmon hatchery in the lagoon. After the small, westernmost farm, **Audbjargarstadir,** the road climbs up onto the **Tjörnes** peninsula and to a viewpoint marked by a white painted pillar on the right, 600m past a 'blindheið'. It is worth getting out to view the expanse of Öxarfjörður with its lagoons and black sandspits. In the distance the mighty Jökulsá á Fjöllum discharges its load of white, glacial rock flour that discolours the ocean for some distance out to sea. The debris brought down over thousands of years has created such a shallow offshore profile that the waves often break offshore building up the next generation of sandspits.

There are some spectacular cliffs to the right of the drive around Tjörnes and the sea is a deep, cold, blue. The wave tops look tantalisingly like the rises of whale and porpoise. Out to sea the **Mánareyjar** islands can be seen, one with a prominent rock arch. These belong to the farm **Mána** on the left of the road. Much further out to sea, and well beyond your vision, is the important island of **Kolbeinsey** which has been so eroded that its disappearance would considerably reduce the size of Iceland's 200 mile fishing limit. The rock is being strengthened for perpetuity. Mánarbakki is one of many farms around Iceland that collects daily meteorological records. There is a ruined turf farm at Mánarsel. Below the **Valadalstorfa** lighthouse four closely-spaced stacks lie like huge boulders fallen from the cliff.

Beyond Mána the sweep of the inaccessible **Breidavík** bay comes into view, its head buried by a 200m thick layer of marine inter-glacial deposits similar to those to be seen shortly at Hallbjarnarstaðir which in fact are buried beneath them. These contain the remains of arctic gastropods and brachipods. The surface of these young deposits have been easily eroded by water and by wind so that, in some places, the vegetation has been stripped bare. On windy days fine dust is whipped into the air sometimes as small 'dust devils'.

The earliest research into the deposits was carried out by Kári Sigurjónsson (1875-1949), farmer at **Hallbjarnarstaðir.** The cliff below the farm can be reached by a track leading down from beside the farm **Ytritunga** where, on the beach, there is a large, green, gabbroic boulder which is clearly not of local origin, but an erratic block carried across the sea from Greenland by drift ice. The fossil fauna here are indicative of warmer seas within the Tertiary period. The deposits, which in places are 400ft thick and contain lignite, indicate considerable changes in sea level pre-glacially. One striking feature of the upper beds is the occurrence of fossil molluscs of colder, Pacific Ocean ancestry that are not present in the lower layers. These must relate to the opening up of the Bering Straits some three million years ago and indicate the general cooling that led to the Ice Age.

Out in the bay is the island of **Lundey,** belonging to the farm Héðinshöfði and noted for the puffins from which, like our own Lundey Island, it takes its name. If you are lucky you may get a glimpse of the, surprisingly, flat, now uninhabited island of **Flatey** that lies off the coast north of the Skjálfandi bay. Even further out **Grímsey** can sometimes be seen.

As you descend to **Húsavík** (Fig. 2, 10; Population: 2500) you will pass a sign to **Húsavíkurfjall** the prominent peak above the town. The track lies through a yellow gate but is strictly only accessible for 4-wheel drive vehicles. Small cars have attempted it but the track becomes so steep and loose that they lose traction. Reversing down is a hazardous pastime. Húsavík is an attractive fishing town which also exports the diatomaceous earth from near lake Mývatn (see next section). It gained its name, 'Housebay', from the viking Garðar Svarvarsson who, prior to the settlement of Iceland, overwintered here. It is fast becoming an important focal point for tourism in the north-east with its hotel, youth hostel, camp site, museum, airport, and all the necessary facilities.

Besides salted mutton, wool etc, Husavik has, until very lately, exported annually a large quantity of refined sulphur; a mineral which has been produced in abundance by the mines around Mývatn, but is now more scanty, owing to their having been overwrought, through the injudicious conduct of the peasants, by whom the sulphur is dug up and carried on horseback to the factory. These mines in former times produced a clear profit of from ten to eighteen thousand rix-dollars. During the last forty years, about 220cwt. of refined sulphur have, at an average, been annually exported from this harbour.

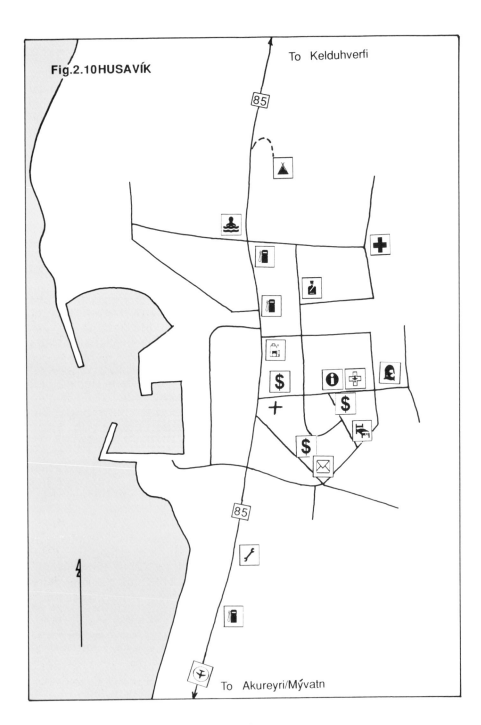

Fig.2.10HUSAVÍK

To Kelduhverfi

To Akureyri/Mývatn

2.1.(g) Húsavík to Lake Mývatn (Reykjahlíð) (30 miles/ 48 km or 34 miles/54 km)

Petrol: Húsavík, Laxárvirkjun, Reykjahlíð.
Road Conditions: Very good.
Approx. Driving Time: 2 hours via Laxarvirkjan; 1 hour via Route 87.

On leaving Húsavík you pass the large, well-kept **Laxámýri** farm opposite which the Keysilvegur (Route 87) leads towards Lake Mývatn. You can either take this road or, we think more interestingly, stay on the road to the south. About 5 miles past the airport the main road veers to the right but you keep straight on on Route 845. The official road map marks the availability of petrol at this point but there was none when this description was compiled. You are here travelling up the older **Laxárhraun** lava that is interspersed with ashy volcanic cones and blisters. If you feel like staying in this attractive valley there is a camp site at **Jónasvellir** just past the Hafraleikjaskóli.

The tarmac surface ends at the 853 junction but keep going to the 854 where you turn left and where lava has been used to construct walls. There is horse riding at **Aðalból** and at **Grenjaðarstaðir** there is a 19th Century turf house museum and a medieval rune stone in the churchyard, shortly after which there is sleeping bag accommodation on the left. If you are interested in turf houses then you should take the 856 to the farm Thverá where the church, built in 1978, is constructed of stone. The turf house was the birthplace of the oldest cooperative in Iceland (Kaupfélag Þingeyinga) and is now in the care of the National Museum. On the way you will pass **Halldórsstaðir** where the first wool-processing machinery to be powered by water was set up in Iceland in 1883. It was destroyed by fire in 1923.

If you continue on the 854 you will come to a large yellow tank which indicates the approach to the **Laxárvirkjan** hydro-electric power station at the mouth of the Laxárgljúfur gorge. If you turn to the right after this tank you find an information board and also a small cooperative shop and petrol/diesel. From the power station continue to the 853 where you turn right and up the hill from where there is a fine view back over Laxárdalur with Aðaldalur and the mountains of the Flatey peninsula beyond. At the top of the hill you join the Mývatn road or Keysilvegur, so named because it carries the traffic bearing the diatomaceous earth (keysil) extracted from the floor of Lake Mývatn. If you want the farmhouse accommodation at **Bláhvammur** you will have to turn to the left towards the steaming farm Hveravellir where natural heat supplies greenhouses, a swimming pool, and even the town of Húsavík. The spring **Ystihver** is one of the largest in Iceland. The road to Mývatn is very good and fast (50-60mph), climbs higher and higher, and over a series of switchbacks, towards the more barren and desolate area around Skýli, the emergency shelter on **Grímsstaðaheiði.** As you approach the lake the views open up to reveal all the mountains, including, if the weather is clear, Askja and Trölladyngja over 60km away. Several of the mountain blocks (Bláfjall, Sellandafjall, Burfell) are subglacially formed palagonite mountains, some of the so-

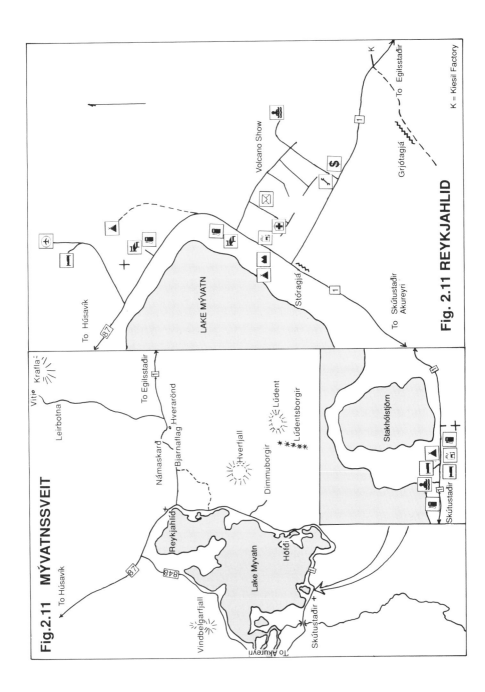

Fig.2.11 MÝVATNSSVEIT

Fig. 2.11 REYKJAHLID

K = Kiesil Factory

called 'table mountains' of Northern Iceland similar to Herdubreið previously seen from Möðrudalsfjallgarður (Section 2.1(d)). Sometimes, however, the view of the more distant peaks may be obliterated by sand storms blowing within, or out from, the Óðáðarhraun ('Desert of Crimes'). The air pressure difference between the cold Vatnajökull icecap and the warm, barren desert surface causes strong winds to blow off the icecap, drying out the land surface, and blowing away sand and dust. The nearest, most prominent mountain is **Vindbelgarfjall,** to the right. Your destination, **Reykjahlíd,** is tucked away in the extreme left-hand top corner of the lake as you view it from here.

From this place a prospect presents itself, which, perhaps, of all the views in the world, bears the most striking resemblance to that in the vicinity of the Dead Sea. The Mývatn, or Gnat Lake, so, called, from its being frequented by immense swarms of that troublesome insect, lies directly before you; and the whole of the intervening tract, which may be about a mile in breadth, is one vast field of black, rugged, and cavernous lava, now projecting a considerable way into the lake, and now giving place to the water: thus forming innumerable creeks and promontories along the greater part of the northern margin.

Mývatnssveit (Fig. 2.11)

Mývatnssveit is the district around Lake Mývatn which although not designated as a National Park actually has a higher protected status on account of its fauna, flora and assemblage of volcanic landforms. The best single description of the area in English is given in Mike Williams' book 'Mývatn — A Paradise for Nature Lovers'. It is worth spending several days here exploring on foot. The lake takes its name from the midges that frequent the lakeside twice a season; midges that provide food for the fish and birdlife, and organic matter for the soil and vegetation. The lake, dammed by a lava flow, is also fed by hot springs that keep large sections of the surface clear of ice during the winter and which supply minerals to the water such that diatoms live and die in the lake at a sediment accumulation rate of 1mm a year. The latter is sucked from the lake floor, piped to the geothermally powered factory at **Bjarnaflag,** processed in powdered form to be shipped off around the world to be used in industrial filters and gunpowder. The creation of this factory, and the development of the **Krafla** geothermal power station in **Leirbotna,** has led to the rapid expansion of the settlement at **Reykjahlíd.**

In the 1960's the settlement was little more than two hotels, the largest farm in Iceland (6000 km²), and a store. Today it has a population of around 300, and tourism has become an important element. In 1724 there began a series of eruptions in the district to the north-east of the lake known as **Gjástykki** ('Fissured place') that became known as the Mývatn Fires. They continued until 1729 when lava approached the village and, as if by a miracle, surrounded but did not overflow the stone church. Today the public campsite is set amongst this lava.

Volcanic upheavals are regular phenomena here although many would not be seen or felt by the casual visitor or observer. Seismographs and tilt meters continuously record the earthquakes and ground fluctuations, and an early warning system alerts the Civil Defence and local population of

events up in Gjástykki, such that there is little immediate danger to the visitor, unless he is oblivious to the cautionary warnings around hot springs, or wanders off alone among the active area in Gjástykki. You can imagine the surprise of a passing policeman who, in 1977, witnessed 24 tons of lava being ejected from the top of a borehole in Bjarnaflag; the drilling crew had just gone off for lunch. The shattered casing is now in the Volcano Show in Reykjavik. In 1979 a somewhat surprised Dane was witness to the birth of a fissure eruption and had to run for all his worth for safety. Less dramatic, but no less fascinating is the white silicious deposit that you may see by the lake side. It is wider in the northern part of the lake indicating, like a natural spirit level, a warping of the crust.

So moon-like is this landscape that in 1968 Commander Neil Armstrong and his colleagues came to this district, and that of Askja, for a part of their training programme before the first successful landing on the moon. Most lunar are the craters of **Hverfjall,** dominating the immediate skyline, and **Lúdent,** a little further to the south east. Both are easily accessible on foot.

Most of the Mývatnssveit flows are geologically young and, for the most part, 1000 - 2500 years old, having emerged from Hverfjall and the 8 km fissures known as **Threngsliborgir** and **Lúdentsborgir.** Much of this lava was erupted into water whence the violent reactions created over a thousand pseudocraters, especially in the southern part of the lake by Skútustaðir. Most remarkable is the former lava lake, **Dimmuborgir** (Twilight Castles), which on emptying westwards, subsided to create a depression filled with curious lava forms.

That natural heat is never far away is reinforced by the constant roar from boreholes, the visible steam, and the hot water to be found in fissures and caves. Nearest to the settlement is the fissure, **Stóragjá,** and further to the east (10 minutes by car) is the larger **Grjótagjá** where, since the start of the current series of eruptions, the water has been too hot for a bath. At all times, however, the geothermally-heated community swimming pool is available and very popular.

On December 20th, 1975 a brief eruption north of the geothermal power station raised the question of man's wisdom of tinkering with the infernal plumbing system. Measuring instruments were placed all over the Krafla district to monitor the tremors, ground inflation, and movements of the subterranean lava. After the eruption, the ground subsided, only to begin to rise again, and these upheavals have continued ever since, like the breaths of a sleeping giant. Never before had Icelandic geologists had such an accessible volcano to study. If you venture up to Gjástykki you will not see the popular conception of a volcano because the mountain **Krafla** only forms a part of the rim of an enormous caldera (cauldron-shaped volcano) that has been so rifted, eroded, and flooded with lavas as to be unrecognisable. What you will see are lines of steaming fissures, eruptive cones, and many square miles of new lava. Since 1975 the volcanic zone has erupted eight times, the last being in November 1981 when the outburst was captured on film for Part 1 of David Attenborough's 'Planet Earth' series.

On the approach to the Krafla geothermal power station the road climbs up over the sulphurous **Námaskard,** beyond which are the sulphur pits and boiling mud pits of **Hverarönd.**

Almost directly below the brink on which I stood, at a depth or more than six hundred feet, lay a row of large cauldrons of boiling mud, twelve in number, which were in full and constant action; roaring, splashing, and sending forth immense columns of dense vapour, that, rising and spreading in the atmosphere, in a great measure intercepted the rays of the sun. The boldest strokes of poetic fiction would be utterly inadequate to a literal description of the awful realities of this place; nor can any ideas, formed by the strongest human imagination, reach half the grandeur, or the terrors, of the prospect.

The wildness of Krafla has to some extent been spoiled by the engineering and drilling required for steam, the more so since the volatile nature of the steam source results in periodic, subterranean migrations, that leave the steam wells devoid of energy. Nevertheless it is a fascinating sight. In 1814, when Ebenezer Henderson visited Krafla the explosion crater **Viti,** was still boiling and emitting columns of mud equivalent to the eruptions of Geysir. Such phenomena have been known to occur since; borehole gear above Leirbotna, was blown off following the 1975 eruption and subsequently collapsed several hundred feet below ground to produce a geyser 40m across. The noise was horrendous.

. . . its horrors are absolutely indescribable. To be conceived, they must be seen; and, for my part, I am convinced, that the awful impression they left upon my mind, no length of time will ever erase. Surely were it possible for those thoughtless and insensible beings, whose minds seem impervious to every finer feeling, to be suddenly transported to this burning region, and placed within view of the tremendous operations of the vomiting pool, the sight could not but arouse them from their lethargic stupor, and, by superinducing habits of serious reflection, might be attended with the happiest consequences, both to themselves, and all within the sphere of their influence.

Volcanic scenery apart, the Mývatnssveit is most noted for its birdlife. The warm waters, multitude of creeks and nesting places, and the myriads of midges (June and August) provide a luxuriant vegetation and source of food for the 15 species of duck found in Iceland. Barrow's goldeneye, gadwall, and common scoter nest nowhere else in Iceland, and Barrow's goldeneye and Harlequin nowhere else in Europe. Most attractive is the Slavonian grebe, and the red-necked phalarope can be seen bobbing about in the coves. The south east corner of the lake, especially around the headland known as **Höfdi,** is perhaps the best place to see a variety of duck.

There are so many activities and places to visit from Reykjahlíd that it is well worth spending several days at least. The settlement has all the necessary facilities and is well placed for journeys out in all directions both on foot and by transport. Prominent in the village, opposite the shop, is the Elda bus company which also has a camp site, cycle hire, horse riding and boat hire, and lake fishing (see advertisement). You must try smoked Mývatn trout before you leave.

2.1(h) Mývatn to Egilsstadir (109 miles/174 km)

Petrol: Reykjahlíd, Grimsstadir (NLF), Skjóldölfsstadir (NLF), Fellabaer, Egilsstadir.

Road Conditions: Good.
Approx. Driving Time: 3-4 hours.

Initially much of the route is covered by descriptions given in the section on Mývatnssveit. Once past the turning to Krafla however, you are on new ground as you traverse the wilderness of **Burfellshraun.** Lava flows and crater rows indicate the unsettled history of this part of the Mid-Atlantic ridge. Once past the turning to the west side of the **Jökulsá** river (not generally recommended for ordinary vehicles) you cross the 20km² **Nýjahraun,** lava that emanated from the giant **Sveinagjá** fissure in 1875, the year that the explosion crater Viti was blasted out of Askja to the south. Later, by the turning to **Herdubreidarlindir** and **Askja** (F88), is the prominent, elliptical crater, **Hrossaborg** which you can actually drive into. It is the remnant of an explosive post-glacial eruption which was subsequently over-ridden by a later glacial advance. The river **Jökulsá á Fjöllum** is then crossed by a suspension bridge beside which is a hydrological stage recorder. This river has experienced numerous glacier bursts and has carried the raging torrents through various courses in its lifetime. In August it normally carries some 500 m³/sec and proved quite a challenge for the 1983 Iceland Breakthrough team whose kayaking expedition was screened on Channel 4. At one time the river was crossed by a ferry which ran from a stone shelter a little further downstream. The shelter is said to be haunted. The keeper of the ferry lived at the next farm, **Grímsstadir,** situated at the junction with the road to Dettifoss and the north coast. Today there is a petrol station and facilities for camping. This is an exposed spot and often swept by sand storms from the interior as evidenced by the sand dunes beside the road to Dettifoss and, if you look carefully, wind-faceted stones and boulders. The noon meridian mark for this farm is the splendid, broad-shouldered mountain, **Herdubreid,** visible to the south. In the past, the natural horizon was divided into eight equal parts using significant landscape features. Where these were absent, the Icelanders erected cairns on low mounds. Midnight was about 11 o'clock, Morning Vigil 2am, Shepherd's Rising Hour 5am, and thus, every three hours, around the clock.

The route to **Mödrudal** now passes through the highest inhabited farmland in Iceland (400m), Hólsfjöll, from which smoked mutton (hangikjöt) is well-known. Once eight, there are now 3 farms in the district. On reaching Mödrudal you are back on the route described in Section 2.1(a) and your tour of the northeast is complete on returning to **Egilsstadir.**

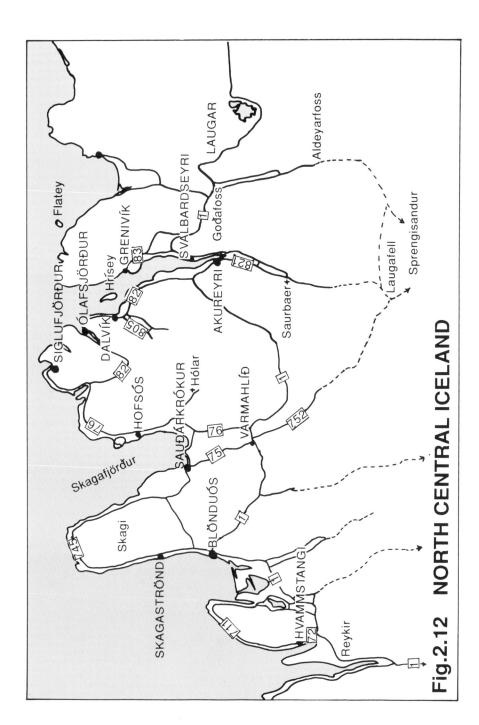

Fig.2.12   NORTH CENTRAL ICELAND

2.2 NORTH CENTRAL ICELAND

2.2(a) Reykjahlíd to Akureyri (102 miles/163 Km)

Petrol: Reykjahlíd, Skútustadir, Laugar, Fosshóll, Stórutjarnir, Vaglaskógar, Grenivík, Svalbardseyri, Akureyri.
Road Conditions: Good to excellent.
Approx. Driving Time: 3 hours.

Mývatnssveit (the Mývatn District) is left as you depart the River Laxá, to your right, on Route 1. If you take the Route 848 from near Skútusstadir there is a track on the left which leads down towards the farm called **Hófstadir.** Magnús Magnússon (in 'Iceland Saga') says that this might perhaps be the farm of the same name that is referred to in Eyrbyggja Saga, built by Thórólfur Mostrarskeggi, which should, by rights, be located on the shores of Breidafjördur at Thórsnes (Section 2.4(b)). No site matching the saga description has ever been found there, but here in Mývatnssveit, excavations in 1908 revealed a substantial long house. Curiously it is not mentioned in the Landnámabók.

The road climbs up a short way before reaching the left turn to the farmhouse accommodation at **Stöng.** This is a sizeable, isolated, farm with plenty of accommodation (35+) some 3 miles (5Km) from the main road; ideally located for those wishing to explore the region without the tourist crowds. The main road continues past the good fishing lake **Másvatn,** and then descends into **Reykjadalur** where the road is straight and fast (beware speed traps!). Towards **Einarsstadir,** where the road turns off towards Akureyri, there is the summer Edda hotel of **Laugar** (Fig. 2.13) situated in the regional school. The swimming pool in the basement was the first indoor pool to be built in Iceland (1925).

It is quite a climb up from Einarsstadir to the moorland known as **Fljótsheidi.** This pass is often closed by snow in the winter demanding a lengthy detour by the alternative Adaldalur route towards Húsavík. In the summer however it provides extensive views back over Mývatnssveit situated as it is on an elevated plateau. To the west the road now descends quickly to **Fosshóll,** the crossing of the River Skjálfandafljót, and the mighty **Godafoss** falls where Thorgeir Thorkelsson, the *godi* of nearby **Ljósavatn,** threw his pagan idols into the boiling waters. As wise, and long-time Law-Speaker of the Althíng, Thorgeir had come down in favour of Christianity when pressure began to mount within the Viking assembly. His judgement was one of masterly compromise but effectively established Christianity in Iceland in 1000 AD.

At Fosshóll both you and your vehicle can take brief refreshment while contemplating that not only water has tumbled down this valley. Some 7000 years ago the volcano **Trölladyngja,** 130Km to the south, spewed up enormous quantities of fast-flowing basalt lava which proceeded to engulf **Bardardalur,** the longest inhabited valley in Iceland. This must be one of

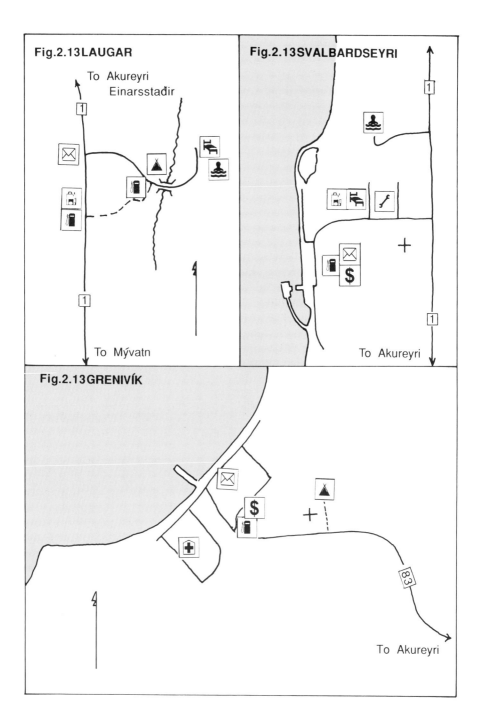

Fig.2.13 LAUGAR

To Akureyri
Einarsstaðir

To Mývatn

Fig.2.13 SVALBARDSEYRI

To Akureyri

Fig.2.13 GRENIVÍK

To Akureyri

the longest post-glacial lava flows ever to wash Icelandic soils. The valley marks the boundary between the Tertiary basalt system to the west and the more recent volcanics to the east. It is noticeable that soil erosion is more prevalent on the eastern side.

If you want to explore Bardárdalur it is certainly worth a drive up to the **Aldeyarfoss** falls where the river tumbles over the most incredible display of polygonal basalt lava columns. You take either road (844 or 842) but you must cross onto the 842 for the last few miles to the farm **Mýri** where the **Sprengisandur** route (F28) begins. The latter is for four-wheel drive vehicles only but you can take a small car to the Aldeyarfoss. The **Kidagil** summer hotel, which has sleeping bag accommodation, is situated at **Stóruvellir,** 20km from Route 1.

On returning to Route 1 you turn west towards Akureyri and the Edda Hotel at **Stórutjarnir.** Having passed Ljósavatn and the hotel, on your left, the road is then very straight until you approach the junction with Route 835. Here you have a choice either to stay on Route 1 and climb the Vadlaheidi or turn north to Grenivík.

The present day, Route 1, **Vadlaheidi** route takes you up a series of hairpin bends that are nothing compared to the old, tortuous road that used to descend slightly further to the south, where there is the old 'rainbow' bridge near the entrance to the **Vaglaskógar** forest and camp site on Route 833. When it was constructed in 1908 the bridge was the longest of its type in Scandinavia. Certainly, until 1969, when the new bridge opened, it was an exciting bridge to cross in a coach bound for Akureyri. Vadlaheidi boasts the longest word in the Icelandic language; a word that illustrates the Icelandic propensity for stringing words together to make new ones: Vadlaheidar/vegavinnumanna/verkfaera/skúrs/vördur (The Vadlaheidi roadworkman's tool shed warden! Note that the oblique slashes are the author's). From the Vadlaheidi route the views back down into Fnjóskadalur and, later, across Eyjafjördur are quite stupendous.

Here we take Route 835 down **Fnjóskadalur** a wide open valley that turns sharp left into that part of the valley known as **Dalsmynni.** The farms here are sited well up off the valley floor on a pronounced terrace giving them all a sweep of land from river to birch-clad mountain. Careful scrutiny of the hillsides will reveal formations not dissimilar to the parallel roads of Glen Roy, suggesting that a once large pro-glacial lake occupied the valley only to be let down by stages as the ice melted. It is even possible that ice or meltwater evacuated northwards across **Flateyardalsheidi** and into Flateyardalur. Not all agree as to this origin however. There is no road into Flateyardalur for ordinary vehicles. The peninsula to the north of the road has effectively been abandoned since the 1950's although the grazings are still used and there are some private summer homes in the valleys.

Once you enter Dalsmynni you will observe the tracks of spring avalanches down the hillsides. These are not the only objective dangers in here: there are many dips in the road that conceal unexpected sheep and cattle. Markers indicate the rod stretches of this excellent trout fishing river.

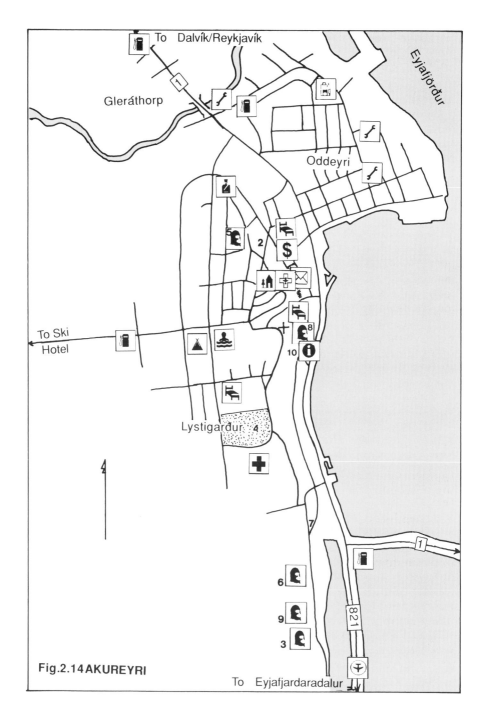

Fig.2.14 AKUREYRI

Shortly after you turn onto Route 83 towards Grenivík you will pass the riding stables at Gryttubakki II, the home of Polar Hestar. Here, in addition to farmhouse hospitality there is sleeping bag accommodation available. **Grenivík** (Fig. 2.13; Population: 450) is a small fishing village with a population of about 300 but few facilities for the traveller who, having refuelled, will probably head for the beautiful, old turf farm at **Laufás** set overlooking Eyjafjörður adjacent to its small church. At **Svalbardseyri** (Fig. 2.13; Population: 350), where the Þingeyarsýsla Cooperative was founded in 1885, there is a pleasant, small guesthouse. At one time there was herring salting here but all that remains are the old warehouses and the cooperative buildings down by the quay. The camp site here is adjacent to a small geothermally-heated swimming pool but the facilities are limited. As you approach the southern end of the fjord watch out for the layby on the right where you can pull in to overlook Akureyri. There is also a short stroll you can take to stretch your legs before the final descent into the town. You will see from here that the modern road crosses the fjord to the seaward side of the airfield. Until 1987 it crossed to the south but a programme of fjord infill and reclamation has seen significant changes in recent years. During the Settlement of Iceland the farm Kristnes on the far side of Eyjafjarðarádalur, beyond the airport as you look from the layby, was said to have been approachable by boats. Indeed the name **Kaupangur,** given to the farm just a short way down the road from here, is a reminder of its former importance as a trading post adjacent to the fjord. Since then the rivers from the interior have silted up the estuary and the Pollurinn (pool).

2.2(b) AKUREYRI (Fig. 2.14)

About four o'clock we arrived at the factory of Akureyri, which is one of the principal trading stations on the northern coast of Iceland. It is situated on the west side of the Eyafiord bay, and consists of three merchants' houses, several storehouses and cottages, amounting in all to about eighteen or twenty. The trade is much the same as the other stations, consisting chiefly in bartering rye and other articles of foreign produce for wool, woollen goods, salted mutton, etc. It was formerly famous for its herring-fishery; the herrings frequenting the bay in such quantities, that between 180 and 200 barrels have been caught at a single draught; but they have of late years almost entirely disappeared, to the no small disadvantage of the peasantry in the district, who were furnished with them at the rate of a rix-dollar per barrel.

The town of Akureyri (population: 13,750) is truly the capital of the north and one of the most attractive towns in Iceland. Set in Eyjafjörður, surrounded by mountains, it is a town where urban, rural and marine life mix easily, and where a proud community spirit prevails. The settlement in Eyjafjörður was first established to the south of present-day Akureyri at Kristnes where Helgi Magri (Helgi the Lean) established his farm at what may then have been the limit of sea navigation in the fast-silting delta. Though a christian, Helgi invoked the guidance of the god Thór to help him to find his landfall in Iceland. Nevertheless he then reverted to christianity in naming his home. Needless to say, Helgi had been brought up in Ireland. The statue of Helgi and his wife, Þórunn Ketilsdóttir, pointing south to Kristnes, can be seen on a rocky outcrop in the junction between Glerárgata (the main road out of Akureyri to the north) and

Thorunnarstraeti. Akureyri boasts several other well-known sculptures, notably The Outlaw by Einar Jónsson, which stands close to the Grammar School and the Botanic garden, at the top of Eyrarlandsvegur.

As you drive in to Akureyri along the new Drottningsgata you will see what remains of the old town on your left below the steep bank known as the Fjará. Here there was a small harbour close to the original cooperative (KEA) building which still survives. Small agricultural plots were found on the slopes, steeply angled to benefit from the sun's rays, and clusters of small houses crammed the narrow 'gils' such as Laekjargata. The oldest surviving house, Laxdalshús (1795), has recently been renovated. The flat land of the river spit (Oddeyri) that projects into the fjord was doubtless cultivated at that time (Akur = field; eyri = spit) but as the town grew so the land disappeared under houses, warehouses and all the paraphernalia associated with a seafaring port, that has records of trade dating back to 1602. This is still the industrial part of Akureyri. Other industries grew up in the small side valleys, now occupied by Kaupvangstraeti (where there used to be margarine, cheese, milk and soap manufacture) and Glerárdalur where the Álafoss woollen industry is based. Space for the growth of Akureyri along the shoreline was strictly limited by the steep slopes (actually the remains of a glacial rock and moraine terrace), and recent growth has taken place first above the Fjará and west towards the mountains, and secondly across the river Glerá in Gleráthorp which is almost a separate suburb of the town.

It is worth spending several days in the vicinity of Akureyri and making forays in various directions. The town is well supplied with hotels, guest houses, and camping facilities, a Youth Hostel, and there are several farms in the Farm Holiday Scheme within close reach of the town. The Akureyri Tourist Bureau caters for many trips, and there is a new tourist information facility in one of the old trading houses at the southern end of Hafnarstraeti, where the bus terminal is to be found. This is probably the best place to park in the first instance because the car park in the centre of town, close to the harbour, is generally very busy. The principal street (Hafnarstraeti) is a pedestrian precinct.

This book cannot describe in detail the places of interest within Akureyri but the most well-known are listed below (see map for locations):

1. Akureyri Church (1940): includes stained glass from the old, bombed Coventry Cathedral.
2. Akureyri Library: A large collection of books and periodicals. Good for a wet day browse.
3. Akureyri Town Museum (Minjasafn) includes the small 19th century wooden church moved across the fjord from Svalbard.
4. Botanical Garden (Lystigardur) (1912): includes some 2000 species.
5. Davidshús: books and personal items of writer David Stefánsson.
6. Fridbjarnarhús: former home of Fridbjörn Steinsson who set up the first Icelandic order of the International Order of Good Templars in 1884.

7. Laxdalshús (1795): oldest house in town.
8. Natural History Museum.
9. Nonnahús (1850): the childhood home of children's writer Jón Sveinsson.
10. Sigurhaeði: Built in 1902 by poet and clergyman Matthias Jochumsson. It now houses his study and a collection of his personal items.
11. Ski Hotel: above Akureyri. Worth a visit if only for the view. Experienced walkers may like to walk up the mountain, almost along the line of the ski lifts, to gain the summit whence a fairly level, stony, walk brings you to the Vindheimajökull glacier. The prominent mountain summits are Strýa (1451m) and Kista (1447m).
12. Arctic Circle: flights to the island of Grímsey are arranged from Akureyri by the Akureyri Tourist Bureau in the central square.

2.2(c) Eyjafjarðarádalur (60 miles/96 Km)

Petrol: Akureyri, Hrafnagil (Vín), Steinhólarskáli.
Road Conditions: Good to excellent.
Approx. Driving Time: 4 hours round trip.

This is worth a one-day trip to experience the grandeur of a farmed northern valley that has many links with the viking past. Driving south from Akureyri on Route 821, leaving the airport to your left, you first pass **Kristnes** the home of Helgi Magri, the fjord's first settler (see previous section). Shortly afterwards is **Hrafnagil** which has been a farm and parsonage for many years. Today there is an hotel, swimming pool, camp site, and a geothermally heated glasshouse centre **(Vín)** that you can visit. Just after the junction with Route 824 is **Grund,** one of the most fascinating farms in North Iceland on account of its striking church built in 1905. Still further south is the turf church at **Saurbaer** built in 1858 on a site occupied since the eleventh century. Beyond, at **Leyningur,** are glacial moraines, landslide debris, and woods containing native birch. Shortly after Leyningur you can turn left onto Route 826 to begin your return northwards past Hólavatn and **Hólar** where there is a turf house. If you need fuel, a snack, or decide to camp here rather than return to Akureyri all three can be found at **Steinhólaskáli.** Certainly the keen walkers would find interesting a day's rambling at the upper end of **Solvaðardalur** where you can search for the warm springs and the hut belonging to the Akureyri Tourist Association at **Laugafell** where there is a beautifully constructed, natural hot water pool. This mountain, Laugafell, is an Icelandic equivalent to the plague village of Eyam in Derbyshire. Thorunn of Grund is said to have dwelt there with her family during the Black Death. There are excellent views to be obtained from the summit of Hólafjall. If you have 4-wheel drive and are planning to travel across the Sprengisandur you should return to Route 821 and follow it to the very head of Eyjafjarðarádalur and onto Mountain Track F82.

To return to Akureyri retrace your steps until you reach the junction with Route 829 on the right. The farm **Mödruvellir** has a fine altar piece in the church. **Munkathverá** was originally named Thverá but when, in 1155 it became the site of a Benedictine monastery, it was renamed. Viga-Glums Saga tells the tale of Viga-Glúmur (killer-Glúmur), an ungainly, lazy Viking, born at Thverá, who allowed his inlaws to take over the property belonging to his mother and himself. Although his grandfather had been the christian viking Helgi Malgri, Viga-Glúmur worshipped Freyr to whom his grandfather had constructed a temple at **Rifkelsstadir.** The so-called **Vitadsgjáfi** (Certain Harvest) is an adjacent field that was always fertile and never lay fallow. However, while in Norway he slew a berserk that had terrorised the neighbourhood and earned himself the respect of Vigfuss of Voss who gave him three family heirlooms: a hooded cloak, a sword, and a spear, all representations of Odinn. At this Viga-Glúmur became an Odinn worshipper and a typical fearless Viking. On returning to Thverá he slew his inlaws, reclaimed his land and became invincible so long as held the heirlooms. Eventually, after being accused of a killing, he swore his innocence but, as so often happens in the Icelandic language, his statement contained a double negative that incriminated him. By then however he had given away his heirlooms to those who had supported him, was no longer protected, and ended his days an outlaw.

Continuing north you will pass the hot springs and boreholes at **Laugaland** whence Akureyri obtains its domestic heating. Finally you will pass **Kaupangur,** the former quay and trading place in the days when the sea lapped its rocky coastline. It is said that Helgi Magri moored his boats here. An old packhorse route leads from here up Bildsárdalur and across the pass into Fnjóskadalur. The former road across the fjord used to depart from this point but now, since 1987, crosses north of the airfield and back to Akureyri.

2.2(d) Akureyri to Siglufjördur (95 miles/152 km)

Petrol: Akureyri, Hauganes (NLF), Árskógssandur (NLF), Dalvík, Ólafsjördur, Ketilás (NLF), Siglufjördur.
Road Conditions: Good to excellent.
Approx. Driving Time: 5 hours.

The drive northwards out of Akureyri provides an expansive view that somehow fills one with hope for the day. The Eyjafjördur is dominated, to the north, by the mountain Kaldbakkur at whose foot the island of Hrísey seems to sail up the fjord. On the way out of Akureyri you will pass first the turning to the farm Pétersborg and then the accommodation at Pelamörk. Both are run by Helene Dejek, who operates Nonni Travel (see advertisement). To stay at Pétersborg is a delight if you appreciate landscape and all its beauties. The road soon turns right onto Route 82 which is surfaced all the way to Dalvík. If you wish you can take a brief detour onto Route 813 to pass the farm **Mödruvellir** where Akureyri Grammar School originated in 1880 (The science block of the modern school also bears the name Mödruvellir). The first church here was founded in 1296 although the present building dates only from 1868. Apparently Mödruvellir has seen more fires than any other inhabited place in Iceland! Jón Sveinsson (see Nonnahús in Akureyri) was born here in 1857.

Back on Route 82 the flat-topped mountain to your left (Flaa), has an impressive line of armchair-shaped, east-facing hollows which at one time contained small glaciers that hung above the main valley glacier of Eyjafjördur. The rocks either side of the road bear witness to glacial scouring being smoothed on the southern flanks and plucked and jagged on their northern sides. Today the farmers cultivate grass for sheep and cattle by cutting deep ditches to drain the peaty soil. In some places white and black ash layers can be seen in these man-made soil sections, evidence of former volcanic eruptions in central Iceland. East of Kambhóll, along the shoreline, you will catch a glimpse of a narrow sand and shingle bar sealing off the small bay behind it. After this the mountain pulls back as the mouth of Thorvaldsdalur opens by **Staerri-Árskógur** (see cover photograph) and the district known as Árskógsstrónd. This is an attractive scene with farm mountain, and fjord in close harmony, the seabirds nesting in the cliffs of Harmundarstaðafjall above. It is said that Helgi Magri spent his first winter here before moving south to Kristnes (see previous section). Keen walkers may like to walk up Thorvaldsdalur. It has some impressive landslides and, on its west flank, a number of valleys that still contain permanent ice. The valley is separated from Hörgadalur only by a low watershed, making this an attractive walking route so long as transport can be available to pick you up at the other end. Now is the moment to decide whether or not you will visit the island of **Hrísey** because the turning right onto Route 808 takes you to the quayside at Litle-Árskógssandur and the ferry point for the island. The ferry departs five times a day. Hrísey is well worth a visit and a stopover using either the camp site, sleeping bag, or private accommodation. Details can be obtained from the Brekka Restaurant. Local specialities include Galloway steaks from the nearby beef cattle farm. The island is a conservation area and as such the nesting grounds at the northern end have limited access but nevertheless the island is wonderful for its birdlife and for the geological interest along the shore. During the Second World War there were British servicement billeted here while keeping an eye on the approach to Iceland's largest fjord. There was a naval officer, billeted with the local school mistress, an aircraftman, and three army signallers. One of them, Doug Carley, writes that their "work was with the Navy mainly, only one side of the waterway off Hrísey was open and all shipping had to enter that way. Two converted trawlers, one week on and one week off, stopped all incoming ships. They were given flags to fly and orders before moving to Akureyri. Half way between Hrísey and Akureyri was a Royal Artillery battery, and if any ship didn't have correct flags, would be fired on. Our main work was receiving information from the trawlers, by lamp (Morse), or sometimes semaphore, and then, by wireless, pass on to the R.A. battery. Hrísey had only a very small populations who lived mainly by fishing. All fish was collected, stored, and three-masted sailing ships from the Faroe Islands called, picked it up and brought it over to England. They had one Lewis machine gun for protection; it usually didn't work."

As you descend towards Dalvík and the river Svarfaðardalsá you may decide to be drawn into **Svarfaðardalur** for a major detour along Route 807 and back along Route 805. You will not be disappointed. This, and its tributary Skíðadalur, is one of the most splendid inhabited valleys in Iceland. At its mouth is the Svarfaðardalur wetland reserve and at the divide between the two valleys the prominent mountain Stóll whose armchair is split by a vertical volcanic dyke. The left fork, **Skíðadalur,** is fed by the meltwaters of several glaciers the largest of which, Gljúfurárjökull, dominates the valley. The highest farm is Klaengshóll but there used to be three more farms on the west side. It is possible to park close to the farm Kongsstaðir, now used only as a summer house, and walk up the west side of the valley as far as a small footbridge that crosses the Skíðadalsá. From here it is a stiff climb up into the valley that contains the glacier tongue. The round trip could take you six hours.

Returning down Skíðadalur you can take Route 806, Tunguvegur, that crosses the tongue of land between the two rivers. The sagas say that this land was so wooded as to enable a ship to be built but today there is not a tree to be seen, but a heather and bilberry moorland watched over by golden plover issuing plaintive cries. It is a spot to stop, breathe the fresh air and appreciate the stillness of the place. Below you on the river terrace gravels is a sheep round up (rétt) and an Icelandic horse racing track. You can here decide whether or not to go to the head of Svarfaðardalur or return to Route 82 by the north side of the valley. The head of the valley might draw the walker keen to ascend the track that leads from **Atlastaðir** to the pass across Heljardalsheiði. If you do drive up to Atlasstaðir glance across at Teigardal. In 1971 its small glacier surged forward 100m, overnight discolouring the waters of the farms Melar and Urðir, and fracturing the ice with a chaos of crevasses.

Although you can see little of the permanent snow and ice from the valley floor there is plenty of it; far more than was realised by glaciologists until surveys by young British expeditions, following the International Hydrological Decade (1965-1974), located and mapped over one hundred ice masses. Snow and ice are woven into the local folklore in that the mythical horse, Nykur, on reawakening in the spring, takes a rollicking bath in the mountain lake **Nykurtjörn** above the farm **Grund.** The resultant splashes and waves spill out and down the mountain washing rocks and boulders across the farmland. In reality the lake ponds up behind a wall of winter snow, bursting dramatically during the spring thaw. The results are obvious to the passer by.

Beyond Grund, on the hillside to your left, is the first indoor geothermally-heated swimming pool to have been built in Iceland. It is owned by the local parish. The next farm on the left is **Tjörn,** home of archaeologist and Icelandic President Kristján Eldjarn Thorarinsson who died in office in 1982. His relatives still farm the land.

Back on Route 82 you enter the town of **Dalvík** (Fig. 2.15; Population: 1,430) which has all the facilities for travellers. A pleasant little town, Dalvík is

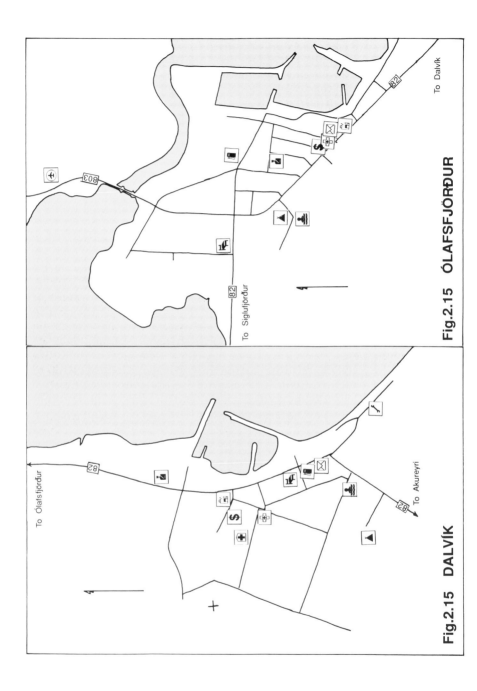

Fig.2.15 ÓLAFSFJÖRÐUR

Fig.2.15 DALVÍK

76

perhaps best known for the earthquake of 1934 which destroyed 12 houses, damaged a further 65, and rendered 250 of the 550 inhabitants homeless. Events like this, related to the fault represented by the alignment of Eyjafjörður, are very rare and today Dalvík is a thriving trading and fish processing centre for the district. Walkers might well make this a base for various routes either in Svarfaðardalur, Thorvaldsdalur (see above), or even some of the treks across the high passes. For example there are old routes from Hóll and Boggvisstaðir across to Ólafsfjörður at Reykir and Bustarbrekka.

The existing route from Dalvík to Ólafsfjörður goes around the headland of **Ólafsfjarðarmúli** but a 3.2km tunnel is planned for 1991. After the waterfall, Migandi, the road climbs to a pull-in, almost opposite the lighthouse on Hrólfssker, whence there is an exhilarating view of Eyjafjörður, Hrísey and the Flatey peninsula. On a clear day the island of Grímsey can be seen astride the arctic circle. The road crosses screes and is definitely not for the faint-hearted. With the spring thaw come rock and snow falls that block the road. There is an emergency shelter at the top.

Ólafsfjörður (Fig. 2.15; Population: 1180) has all services for travellers but in itself little of interest. In the winter of 1988 the snowfall was so deep that 60,000 volt power lines were less than one metre from the snow surface. The town is a fishing port with one of the earlier provincial geothermal heating systems. The lake Ólafsfjarðarvatn has a fish hatchery and sometimes sea fish are caught there. On leaving the town there are many summer houses in the broad, open valley and it is easy to see why this is such a popular spot. The road here is a bit rough as it climbs the splendid, but not difficult, pass at the top of which there is an emergency shelter.

On the other side of the **Lagheidi** pass the road descends into **Stifla** which was blocked by the huge landslide (Stifluhólar) that, together with the Skeiðsfoss hydro-electric dam, holds back the lake Stifluvatn. This glacial trough has some striking glacial valleys hanging above it, the emergent streams of which have built up some remarkably symmetric alluvial cones. It is curious how some of the smallest of farms so often have a church attached to them and **Knappsstaðir** is a striking example of this.

At **Ketilstadir,** where there are both petrol and snacks, the road joins Route 76 alongside the sea loch Miklavatn. The farm **Hraun** has a salmon hatchery and offers accommodation, camping, fishing and horseriding. The routes north to Siglufjörður have been subject to various misfortunes. The old route over **Siglufjarðarskard** is said to have been haunted until consecrated in 1735, and in 1919 seven people were killed by avalanches in **Engidalur** (and a further nine below Staðarhólsfjall, around the corner in Siglufjörður). Today the road goes through an 800m tunnel, **Strákagöng,** which pierces the 676m mountain Strákar.

This peninsula (Tröllaskagi), and that of North-west Iceland, have seen more than their share of avalanches and associated loss of life; indeed two policemen were swept away in Ólafsfjörður in the winter of 1988. This century there have been over one hundred deaths from avalanche in

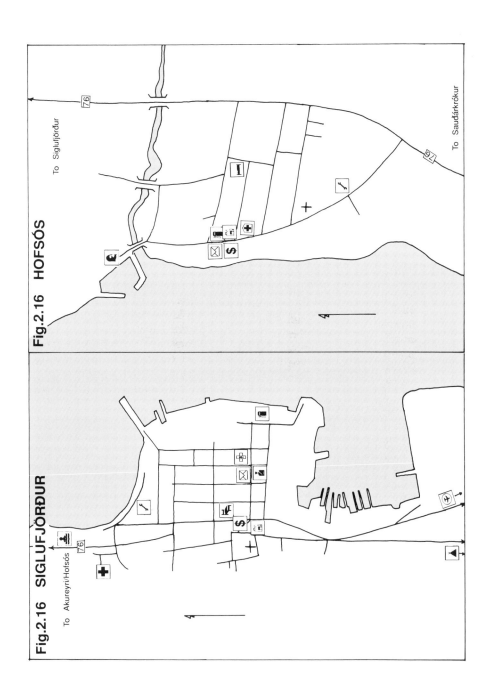

Fig.2.16   HOFSÓS

Fig.2.16   SIGLUFJÖRÐUR

Iceland, of which over 30 have been from Tröllaskagi. Unfortunately the worst avalanche was in Hnífsdalur, by Ísafjörður, in 1910 when 20 people lost their lives.

Siglufjördur (Fig. 2.16; Population: 1900) was at one time the principal centre for the herring industry, but in the 1960's the herring stocks were virtually eradicated by overfishing and the town became a shadow of its former self. Within the town, on the spit that protects the harbour, a new maritime museum is nearing completion. Keen walkers may like to use the town as a base from which to explore the mountain routes, especially the route over Hestfjall to the now abandoned valley of Héðinsfjörður. It is said that skiing continues year round in Skarðsdalur where there is sleeping bag accommodation at Hóll.

2.2(e) Akureyri to Saudárkrókur (74 miles/118 Km)

Petrol: Akureyri, Varmahlíð, Sauðárkrókur.
Road Conditions: Good.
Approx. Driving Time: 3 hours.

Drive north on Route one and having passed the turning to Dalvík the road bears south-west into Hörgárdalur where there is a summer hotel with a geothermally-heated swimming pool at **Laugaland.** You will detect from the grey colour that several of the streams descending from the mountains on the left, notably Húsá, Fossá, and Baegisá, are glacial. This area with its steep mountains and high glaciers was selected for the British army's Winter Warfare School in the winter of 1941-42. It was located at **Baegisá.** 'The personnel, mainly the 49th (West Riding) Division, were being trained for a winter warfare role that never materialised. The instructors were recruited largely from the ranks of explorers and mountaineers, including such Greenland veterans as Quintin Riley and J. M. Scott. The camp was conveniently situated for access up Baegisárdalur to the small glacier at its head. During an exercise there one member, digging a snow-hole for the night, fell into a large ice-cave beneath the glacier, which thereafter provided a useful 'advanced base' out of the wind and weather.' (W. S. Allen — personal communication). This is also the location for some disagreements over the age of glacial advances. The peat deposits here have been interpreted in various ways. One researcher suggests a glacial advance of 2,500 years before the present, another, studying well-preserved lignite 700m above sea level suggests that the glaciers of today are the same as they were 50,000 years ago.

From Baegisá is the best approach route to the magnificent glacial mountain valleys, ridges and peaks that nurture the glaciers Baegisárjökull and Vindheimajökull, and should you take to the hills try to imagine the remoteness and magic of this place when visited by Ebenezer Henderson in 1814:

I rode . . . to Baegisa, the dwelling place of the poet, Sira Jon Thorlakson. Like most of his brethren at this season of the year, we found him in the meadow, assisting his people in hay-making. On hearing of our arrival, he made all the haste home which his age and infirmity would allow; and, bidding us welcome to his humble abode, he ushered us into the apartment, where he translated my countryman, Milton, into Icelandic. The door is not quite four feet in height, and the room may be about eight feet in length, by six in breadth. At the inner end is the poet's bed, and close to the door, over against a small window not exceeding two feet square, is a table where he commits to paper the effusions of the muse. ... Alluding to his halting, he said it could not be matter of surprise, since Milton has used him several years as his riding-horse, and spurred him unmercifully through the celestial, chaotic, and infernal regions."

A plantation at **Steinsstaðir** commemorates the life of Jónas Hallgrímsson (1807-45), one of Iceland's greatest lyrical poets. He spent much of his early life at Steinsstaðir but was born at **Hraun** a little further up the valley. It is hardly surprising that such patriotic writings, blending as they do both natural landscape and saga, emerged from a man who lived in such a striking environment. His poetry nurtured a nationalistic pride that evolved in Iceland in the late 19th Century leading ultimately to Iceland's autonomy and independence from Denmark in 1944. Opposite Steinsstaðir is **Bakki** which has the oldest church (1843) in the district. The setting of **Hraun,** amidst the chaos of landslip material, can be quite magical when misty clouds enshroud the pinnacles (Hraundrangi, 1075m). The pinnacles look impregnable but were first climbed in 1956 thus exploding the myth of the legendary treasure chest.

As the main road continues up Öxnadalur the farmland gives way to rocky terrain, much of it the result of landslips and glacial deposition. The last farm, **Bakkasel,** was once an inn but is now abandoned. This could indeed have been a fearsome place on a winter's night and ghosts surely lurked among the boulders. Travellers would have been relieved to reach the inn at **Ytri-Kot** (Thorbrandsstaðir in the Book of the Settlement) but even this was swept away in a landslide in 1954. The sister farm, **Fremri-Kot,** still remains as the highest occupied farm in Norðurárdalur on the western side of the pass. You will find that farms often have the prefix Ytri- (outer), Fremri- (inner), on Innri- (inner), or the suffix -nyðri (northern), -syðri (southern), -eystri (eastern), or -vestri (western) — all indicative of the farm's geographical position within the valley.

Shortly after Fremri-Kot there is a magnificent canyon, **Kotagil,** on the right. It is worth pulling in and taking a short stroll up the gorge. The geologically minded will appreciate the beds of Tertiary basalt separated by red bands of burnt soil (tuff). From here the valley opens out into **Skagafjörður** through which flows the Héraðsvötn. Below the road close to the first farm, **Silfrasstaðir,** after the route 759 turning, there is a large stone (Skeljungssteinn) with two holes in it, proof that a ghost was once tied to it. The stretch of road north to the road bridge across the river has seen its share of legends (trolls live in **Bólugil),** battles (1238 at **Örlygstaðir),** firsts (first Skagafjörður potatoes grown at **Vidivellir),** and Icelandic notables. The biggest battle ever fought in Iceland was at **Haugsnes,** on the banks of the Djúpá in 1246, when 111 were killed. This was the Sturlung Age when the various Icelandic dynasties struggled for supremacy. **Flúgmýri** had been the home of Gissur Thorvaldsson who, in 1241, had descended on Reykholt in Borgarfjörður (q.v.) to murder Snorri Sturlason (Section 2.4(f). In 1253 his own house was burned down when his enemies attempted to take his life.

Across the river is the settlement of **Varmahlíd** (Fig. 2.17) where you will surely stop to refuel both yourself and your vehicle. This is a good spot to view the wall of the Tröllaskagi mountains east of Héradsvötn and through which you have just driven. If the thin bands of cloud line the valley sides, yet reveal the peaks above, then you can be sure of some fine weather. The pleasant little camp site is just below the settlement, 200m or so along Route 752. If you have the time visit the waterfall **Reykjafoss**. A little further on is the hot spring area of **Reykir** which has a swimming pool and Steinsstadir where there is sleeping bag accommodation and camping place. Horse riding is arranged at Reykir and **Vindheimamelur** by Hestasport. Ash pottery is made and demonstrated at **Steinsstadaskóli** and if you are feeling energetic you can drive to the foot of **Maelisfellshnúkur** whence a marked footpath leads to the summit.

Your next stop will undoubtedly be the splendid 18th Century turf house at Glaumbaer which also houses the Skagafjördur Folk Museum. The drive to Saudárkrókur is pleasant especially beside the Miklavatn noted for its bird life. **Saudárkrókur** (Fig. 2.17; Population: 2500) is, after Akureyri, the second largest town in north Iceland and heated by geothermal water from beside Áshildarholtsvatn. First settled in 1870 it is rapidly growing as a fishing, industrial and trading centre. One company, the only one in the world, uses local hydro-electric energy to melt sand to produce rock wool. Boat trips can be arranged to the island of Drangey details of which can be obtained from the Hressingarhúsid by the harbour. The island is a haven for birdlife hunted in the spring by the farmers at Fagranes who also catch puffin there in July.

If returning to Akureyri you could vary the route by crossing the delta of the Héradsvötn and driving south on Route 76. You may of course be continuing to Siglujördur (see below and Section 2.1(d)).

2.2(f) Saudárkrókur to Siglufjördur (65 miles/104 Km)

Petrol: Saudárkrókur, Sleitustadir, Hofsós, Ketilás (NLF).
Road Conditions: Good.
Approx. Driving Time: 3 hours.

The drive across the Héradsvötn is very pleasant with its grassy meadows and sandy outwash, especially if the mountains have their characteristic thin veil of cloud with peaks projecting above them. The islands of Malmey and Drangey and Lundey project strikingly to the north. The first major valley is the combined mouths of Kolbeinsdalur and Hjaltadalur in which is the ancient bishopric of **Hólar** (1106-1798). It was constructed in response to complaints that the bishopric of Skálholt, in the south, was too far away for the people of the north. The first bishop, Jón Ogmundarson, worked hard to eliminate all immoral and pagan practices. It was he who banned the traditional days of the week named after Norse gods and replaced Tyr's, Woden/Odinn's, Thor's, and Frigg's days (Tues-, Wednes-, Thurs- and Friday) with the present Þridju-(Third), Midvikur-(Midweek), Fimmtu-(Fifth), and Föstudagur (Fast Day). In deference to the planets Sunday and

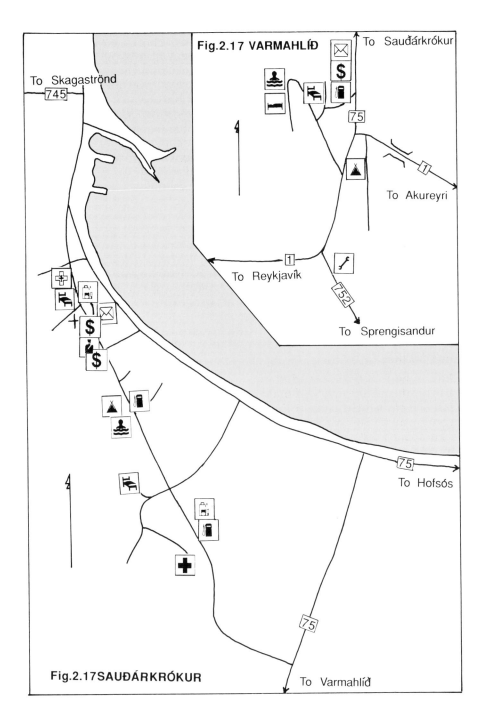

Fig.2.17 VARMAHLÍÐ

Fig.2.17 SAUÐÁRKRÓKUR

82

Monday remained, as also Laugardagur (Hot Springs Day or, in other words, bath day). Hólar also housed a learned grammar school and printing press until 1802. Originally the manuscripts were handwritten by teams of copyists and found their way to all corners of the see to encourage people to righteous ways. It was doubtless no accident that this valley became the home of christianity in the north since it had housed a church since 984, sixteen years before christianity was adopted at the Althíng, and the church at Thíngvellir became the first to be formally consecrated (Section 2.6(a)). That church was at Neðri-Ás where the site still bears the name *baenhús* (prayer-house). Today Hólar is an agricultural college and the cathedral (1763), built of local basalt and red sandstone, has been restored and whitewashed. Apparently the builder of the cathedral, Thoroddur Gamlason, used to eavesdrop on the Latin lessons going on around him and became so proficient himself that he became a noted scholar in his own right. There is also a turf house dating from 1854. Beyond Hólar is the farm **Hof** where, when Hjalti Thordarsson (after whom the valley is named) died, his two sons are said to have held a memorial feast for 1440 guests; a feast typical of the grandeur of the Saga Age. Just west of Hólar there is a track leading across a low col into the green valley of **Kolbeinsdalur.** Walkers with adequate provision against footrot will find the route up to Tungnahryggsjökull very fine. It is possible with experience, to ascend the side of the glacier and cross over into Barkárdalur and Hörgárdalur that drain towards Eyjafjörður. On the other hand there is also a path up to Heljardalsheiði and down into Svarfaðardalur (see Section 2.2(d)).

Returning to the main road (Route 76), there is a beautiful turf church at **Gröf** in the middle of a field of buttercups. The church was restored in 1953 but one of the bells is dated 1720 and the wooden pennant 'flying' from the roof is dated 16--., the last two digits having been worn away. The farm is now abandoned but you can stroll across the field to admire this church in its mountain setting. Behind, at the head of the valley, is the Deildardalsjökull and, to the north, the expanse of Skagafjörður with its islands. This was the birthplace of the hymnwriter Hallgrímur Pétursson (1614-74). **Hofsós** (Fig. 2.16; Population: 289) is one of the oldest trading places in Iceland and has one of the oldest timber buildings, the 18th Century Bjalkahús warehouse. The town is rather unusual in that it has spread over quite a wide area on the flat terrace above the fjord but its harbour is very small. There are basalt columns in the cliffs (Staðarborg) along the shoreline south of the old harbour. Continuing north the promontory, **Thordarhöfdi,** is very striking, linked to the mainland by two shingle spits and providing a secure home for elves. Close by are two mounds at **Mannskadahóll,** said to be the burial place of eighty English robbers killed by Icelanders in 1431.

As you drive north the islands are very impressive and **Malmey,** abandoned in 1951, seems much larger than the map suggests. You will come eventually to a turning to **Hauganesvík,** and a brief drive into the past when herring was more prolific. With its poor harbour Hauganesvík stood little chance of survival and the old warehouses bear witness to this. Today there

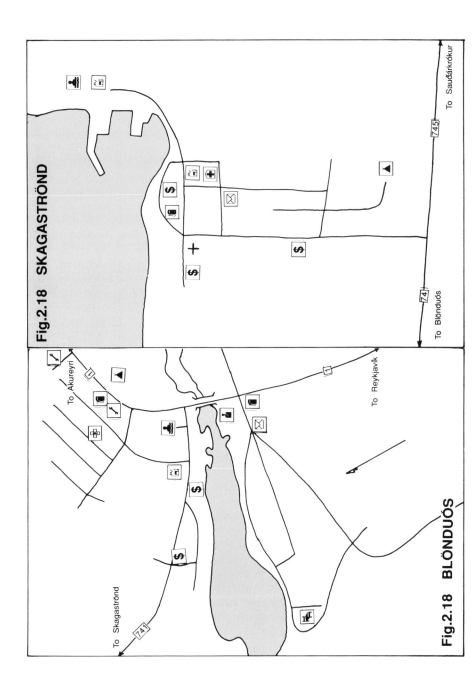

Fig.2.18 SKAGASTRÖND

Fig.2.18 BLÖNDUÓS

are only two inhabited houses and the most numerous inhabitants are arctic tern and eider duck whose nests are marked by many small flags to discourage predators. If you plan to use the sleeping bag accommodation or swimming pool at Sólgarður take the northern of the two turnings labelled '787 Flókadalur'. Otherwise continue to the petrol station and snacks at **Ketilás** where you join the route described in Section 2.2(d).

2.2(g) **Varmahlíð to Brú** (113 miles/ 180 Km)

Petrol: Varmahlíd, Hunaver, Blönduós, Stóra-Gilja, Veiðileiði, Skagaströnd, Hvammstangi, Staðarskáli.
Road Conditions: Good.
Approx. Driving Time: 4 hours.

The road climbs up and over Vatnsskarð past the lake Vatnshlíðarvatn where you may see whooper swans. Having crossed the *heiði* the road descends steeply into the Svartá valley which has some dramatic cliffs and a near perfect alluvial fan spreading across its floor. At the bottom of this descent is the **Hunaver** community centre where there is a camp site and sleeping bag accommodation, a petrol station and the farm **Bolstaðarhlid.** The name Svartá is common in Iceland and usually indicates a dark coloured and therefore non-glacial stream. When you reach the mouth of the valley and compare the colour with the river Blandá, which comes from Hofsjökull, you will appreciate the difference. You are now in **Langidalur** flanked by the long wall of Langadalsfjall. Periodic landslides have broken from this face through which there are several passes (eg. Geitaskard) through to Laxárdalur and the relatively unvisited hills between here and Skagafjördur. The farm **Geitaskard** makes an ideal base for forays into this peninsula of hills (Laxárdalsfjöll) and small lakes which is rarely walked by visitors.

At the mouth of the valley is **Blönduós** (Fig. 2.18; Population: 1100) which is the service, market and light industrial centre for this region. Upstream is the nature reserve and island of Hrutey noted for its birdlife and vegetation. A footbridge makes it accessible.

An alternative centre from which to explore the peninsula is **Skagaströnd** (Fig. 2.18; Population: 700) north of Blönduós on Route 74. Having turned onto this road you first travel through an area of glacial moraines and kettle holes (hollows where blocks of glacier ice melted). On the right, in a most unexpected place, is a golf course! Skagaströnd, also known as Höfðakaupstaður, was an important trading port in the 16th Century but is another settlement that was hit by the loss of herring catches in the 1960's. Nevertheless it gives the impression of being an up and coming town with a very pleasant feel about it. The inhabitants are clearly trying to put it back onto the map. Above the town is the imposing **Spákonufell** named after the fortune-teller Thórdis who lived at the farm of that name and who is mentioned in Kormaks Saga.

Skagaströnd is a good base from which to explore the **Skagi** peninsula. The coastline is particularly attractive with its basalt cliffs notably the 10Km

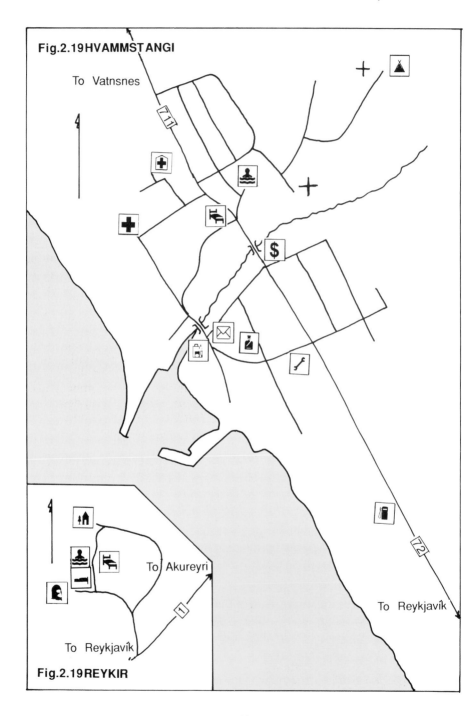

Fig.2.19 HVAMMSTANGI

To Vatnsnes

711

$

Fig.2.19 REYKIR

To Akureyri

To Reykjavík

To Reykjavík

72

1

Króksbjarg, Ketubörg and Landsendi at the mouth of the attractive **Saevarlandsvík.** Much of the land is now abandoned and former fishing settlements such as Hafnir and Selvík are now abandoned. The name Húnaflói (Bears Bay) no doubt reflects the periodic landings made by polar bears that have hitched lifts on drifing icebergs from the Greenland icesheets.

Returning to Blönduós and continuing west the road gives views across the flatness of Thíngeyarsandur and the Hóp lagoon. In 1545 a landslide overwhelmed the farm **Hnausar** killing 14 people and once across the Hnausakvisl there is a collection of hillocks known as the **Vatnsdalshólar** blocking the mouth of the valley. They are a huge pile of landslipped material from the cliffs above. This is Vatnsdaela Saga country.

Ingimundur the Old, considered to be ordained by luck, lived at Hof at the head of the dale. He rose to become one of the most redoubtable 13th Century Viking chieftains, was rewarded by King Harald of Norway for his prowess in battle, and given a talisman to the god Freyr. It so happened that a sorceress foretold that Ingimundur would settle in Iceland and that his talisman had already gone before him to the place where he would make his home. The talisman had indeed disappeared and full of disbelief Ingimundur sent some sorcerers in search. They claimed to have found the missing talisman in a very green place, but that whenever they had attempted to approach it, it had eluded them and Ingimundur would have to come to catch it himself. When he did so he paused a while at the Vatnsdalshólar where his wife, Vigdís, gave birth to a baby girl named Thórdis. The spot is marked by a patch of woodland known as Thórdísarholt and a memorial. The birth was deemed a good omen, and as they moved up valley Ingimundur saw the beautiful green valley described by the sorcerers. He selected a spot for a temple (hof) and as he dug the foundations for the high-seat pillars off his ship he found his missing talisman.

Above **Hof** there is a hillock known locally as Goðhóll (God Hillock) on top of which there are the remains of what could be Ingimundur's temple. Sadly, to prevent a blood feud, Ingimundur chose to intervene in a quarrel between his two sons and a neighbour, Hrolleifur. Wading into the river he ordered his sons to go home and when they had gone Hrolleifur, in a fit of temper threw his spear at Ingimundur striking him in the stomach. Knowing that he had been fatally wounded Ingimundur warned Hrolleifur that before dawn his sons would be seeking their revenge, returned to his home and sat in his high-seat. As a man of honour he had a duty to protect any man whom he had welcomed under his roof. Nevertheless his sons took their revenge only later realising the significance of their father's honourable action. Unrelated to this saga but nonetheless a measure of judgement are the three hillocks **(Thristapar)** on the opposite side of the road which mark the site of the last execution in Iceland in 1830. Agnes and Friðrik of Tjörn had murdered Natan Ketilsson on the adjacent farm, Illugastaðir, on the Vatnsnes peninsula to the north. This same peninsula has many places of interest including cliffs, seal haunts, and trolls turned to

HERITAGE

stone. Of peculiar interest is the construction, part natural and part man-made, known as Borgarvirki which may have been a defensive position of the Saga Age.

The road now crosses the mouth of Vididalur and on the other side the farm of Audunnarstadir. The first settler here was Audunn Skökull who fathered two distinguished lines of descent. The one, through his son Ásgeir of nearby Ásgeirsá, led to bishops Ísleifur and Gissur in the eleventh century. The other, through his daughter Thóra Mosháls, linked with the Duke of Brunswick and thence to the House of Hanover from which the British Royal family is descended. The valley to the right is Linakradalur which refers to flax but it could well be that it refers to the abundant flaxen heads of cotton grass. After Midfjardarvatn the road descends to the junction with Route 72 which leads to **Hvammstangi** (Fig. 2.19; Population: 676) whose economy is based on shrimp fishing and shellfish, knitwear, and dairy produce. There is a very pleasant camp site above the town tucked in beside a small church, and close to the swimming pool. This is a relaxing spot from which to gaze across Midfjördur towards the setting sun. Alternatively you may prefer to drive further along Route 1, past the steam and greenhouses of Laugabakki to **Reykir** (Fig. 2.19) where there is a summer hotel, camp site and youth hostel. The museum contains an old shark fishing boat.

Finally Route 1 takes us to either Stadarskáli (Fig. 2.19) or Brú for refreshment.

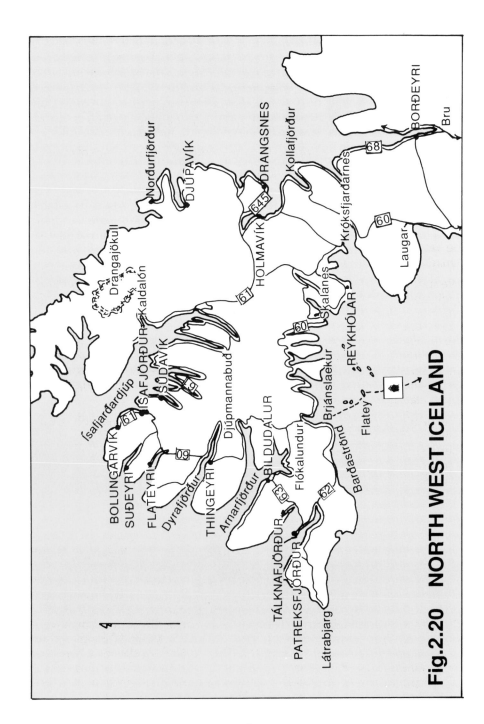

Fig.2.20 NORTH WEST ICELAND

2.3 NORTH WEST ICELAND

2.3(a) Brú to Ísafjörður (119 miles/190 Km)

Petrol: Brú, Borðeyri (NLF), Hólmavík, Drangsnes, Gjögur (NLF), Norðurfjörður, Kirkjuból (NLF), Reykjanes (NLF), Djúpmannabuð, Súðavík, Ísafjörður.

Road Conditions: Sound for most of the way but the short stretch of road in Seyðisfjörður is the worst in Iceland!

Approx. Driving Time: 12 hours.

This section covers the whole of the North-west Fjords (Vestfirðir) which can involve quite lengthy driving distances. However, there are plenty of places to explore, not least the extreme north-western peninsula which can be reached by ferry from Ísafjörður, or on foot from Norðurfjörður or Unaðsdalur in Ísafjarðardjúp.

We start at Brú, at the head of Hrútafjörður where the post office is perhaps indicative of rural trends in that it used to be at Borðeyri a little further up the fjord. From the bridge at **Brú** the road travels up the west side of Hrútafjörður, at times lying close to the shore, where waders and seagulls forage and swoop. **Borðeyri** (Fig. 2.21; Population: 30) is a very small fishing settlement, a shadow of its former local importance. It lies just south of the junction with Route 59 over **Laxárdalsheiði** which you can take if the whole peninsula seems too daunting a prospect. The road leads straight into Laxdæla Saga country (see Section 2.4(a)).

The headland north of **Borgir** has a number of pond habitats and is obviously enjoyed by the birdlife, but the land is inaccessible without the farmer's permission. **Kolbeinsá** at the north of this headland has good views across the tip of **Heggstaðarnes** to the east and towards Miðfjörður on which stands Hvammstangi. The road goes slightly inland at this point to approach **Bitrufjörður** and for a while the going is good. Just over the top of the rise the road deteriorates rapidly. Once around the fjord the road again moves inland to climb **Skriðnesenni** where you can believe that the same family has lived for over 200 years. On this pass there are numerous frost heaved corrugations resembling a washboard; hence the Icelandic word *thvottabretta* for features of this type. As you come over the brow your perseverance across the bone-shakers is rewarded with an expansive view up the length of **Steingrímsfjörður.** This is the only location from which you will obtain any impression of its size, winding shape, and its small islands. The descent to **Kollafjörður** is winding and once at the bottom you have a choice as to whether to take Route 69, across **Steinadalsheiði,** or to continue along the north side of the fjord to **Kollafjarðarnes** where the shape of the coastline is dictated by numerous north-south trending dykes, which project rocks and reefs out into the fjord. Two prominent stacks stand up from one of these dykes. They are, of course, Trolls who were

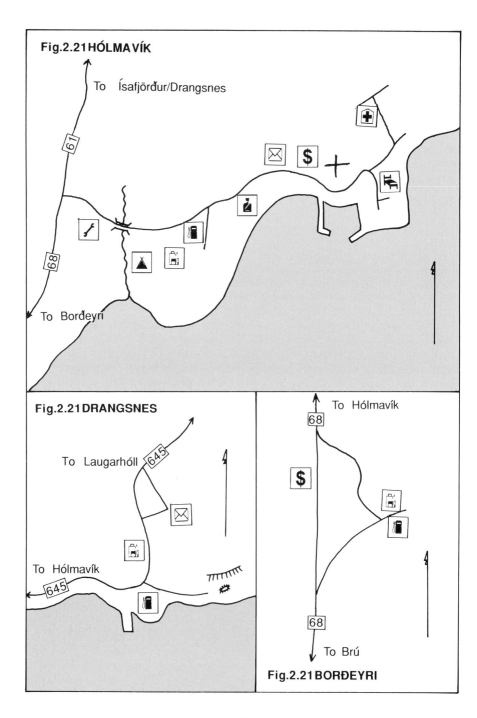

Fig.2.21 HÓLMAVÍK

To Ísafjörður/Drangsnes

To Borðeyri

Fig.2.21 DRANGSNES

To Laugarhóll

To Hólmavík

To Hólmavík

To Hólmavík

To Brú

Fig.2.21 BORÐEYRI

trying to chip the Vestfirðir away from the mainland. They had managed to remove **Grímsey,** visible to the north, when they were caught and turned to stone.

Once out of Kollafjörður it is a good run into the fishing village of Hólmavík, at times almost driving along the shore itself. By the Saevangur community centre the mountain road (Route 605) leads across to Króksfjarðarnes which is passable for small cars in dry weather. **Hólmavík** (Fig. 2.21; Population: 490) is a pleasant place, with all necessary facilities, including a small hotel. The camp site uses the facilities at the large cooperative store. At one time the village was at Skeljavík, just to the south. The road out of the village (now Route 61) winds in and out of rocky knolls, until it follows the shoreline. The road may not be at its best, but the scenery is most attractive. This road is more like the 'good old days' when Icelandic roads were uniformly poor, and driving speed was rarely more than cautious and urbane.

Ten kilometers out of Hólmavík the junction with Route 61 is met but, for the moment, we will continue along the coast, following Route 645. This has always been a seal *(sel)* hunting area and the word crops up so many times in this fjord. It is also derived from the nickname given to the son of the viking, Grímur, who settled on the island of Grímsey, at the mouth of the fjord. His son, Thórir, used to accompany him fishing, safely secured to the boat with an inflated seal skin bag — hence the name Sel-Thórir. One day Grímur caught a merman who prophesied that, after Grímur's death, Thórir would settle where his mare, Skálm, lay down under her load. That winter Grímur was drowned at sea and the following spring Thórir and his mother set off, west, across the peninsula to the north shore of Breiðafjörður where their story is picked up in Section 2.3(c).

On the approach to Drangsnes the heathland is studded with arctic tern and their young. If tempted to get out of the car to take photographs of the fluffy chicks beware of dive-bombing adults who show no fear whatsoever. A hard hat would be more than welcome! **Drangsnes** (Fig. 2.21; Population: 150) is a very small settlement with few facilities. Its most prominent feature is the large, isolated rock, Drangur, which stands in a garden on the lower platform, below the old cliff line.

Climbing out of Drangsnes you have a tremendous feeling of space looking out across the vast Húnaflói bay and back down the length of Hrútafjörður. In the foreground is the island of Grímsey, no longer inhabited. The road follows the coastline and almost breaks through a rocky gateway to enter **Bjarnarfjörður,** reaching the shoreline once again. After the general feeling of remoteness engendered by this peninsula, it is something of a surprise to come across such an open valley with its collection of buildings clustered around a hot spring at **Laugaholl.** There is a camp site here making use of the summer hotel with its outdoor pool and hot pots. This is quite a good place to stop while pondering whether to continue to Norðurfjörður, or to complete the circumnavigation of this small peninsula and return to the head of Steingrímsfjörður.

It is 85 Km to **Nordurfjòrdur** along a coastline once active with open shark and herring fishing boats. This has long since ended, and farms stand abandoned. The name Gjögur is reminiscent of the village of the same name (Gjög) on the Faroes where life and fishing activities must have been very similar. At Norðurfjörður there is an unusual geothermal swimming pool set in the rocks adjacent to the sea. On the peninsula north of **Kaldbaksvík** there is the remnants of a huge landslide. There is an hotel at **Djúpavík.**

When returning west from Laugarhóll watch out for the sharp bend at the head of the valley just before the ascent of Bjarnarfjarðarháls. Route 643 brings you very quickly back to Route 645 and the return to the junction with Route 61. The road climbs steadily up the **Steingrímsfjardarheidi** which, though barren and exposed, has a good surface. The 1:500,000 map does not mark the emergency shelter which is situated just before the junction with Route 608. The metalled surface is resumed here and it is an excellent run, down into Ísafjörður, through a landscape of small lakes and snow patches.

The metalled surface ends abruptly at the bottom of the pass where, to reach Ísafjörður we bear left. The road to the right can be followed for 40 Km, along the north shore of **Ísafjdardjúp,** to the isolated glacier-hewn valley of **Kaldalón** into which tumbles one of the few remaining outlets of the much dwindled Drangajökull icecap.

You might want to make **Reykjanes** your port of call because it has a summer hotel and camp site associated with hot springs and greenhouses. This is an old farm which at one time extracted salt from the geothermal waters to use in food preservation, especially through the long winters. The ferry boat, m.s. Fagranes, periodically comes in here and also to **Vatnsfördur,** just to the west, where there is an old farm with turf and stone fish drying racks.

Back on Route 61, there is no need to follow the coastline because the road climbs up and over the pass and down into Mjóifjörður. The climb is tough on a small car, not so much because of the steepness, but because of the marble-like gravel and the corrugated road surface. It is a hairpin descent into **Mjóifjördur** but there is a very spectacular view up the verdant, birch-lined valley, where, if you are lucky, you might catch a glimpse of a sea eagle soaring above the valley side, or fishing in the stream below. Around the corner is the surprising sight of a small restaurant and petrol, station. Miles from anywhere this pleasant building commands a magnificent site looking up the fjord which, in the late afternoon glow, can be idyllic. There is no official camp site here.

The road continues northwards along the fjord and, when it breaks out at the northern end, there is a fine view across the Ísafjarðardjúp to Kaldalón and the white dome of the **Drangajökull** icecap. This is a very scenic road, and the more so when the buttercups are out, the sea is a deep blue, and the mountains across the fjord have snow down to the shoreline. At the head of the peninsula, in Ögurvík, is the farm and church at **Ögur,** noted for its large, 19th Century farmhouse. **Skötufjördur** is a pleasant, easy drive. It is largely abandoned now although sheep still graze there. The streams at the head of the fjord descend from the plateau that once supported the Glámajökull. The farm, **Hvítanes,** has unusual stone walls built of flattish stones, and a quayside, that stresses the need for self-sufficiency in remote areas such as these. Close by there is also a stone sheep pen.

At the mouth of the next fjord, **Hestfjördur,** the huge block-like peak, Hestur, stands guard over the entrance. It is an open valley with snowclad peaks at the head. The road is good and fast but once beyond **Eyri,** in Seydisfjördur, there is what must be the worst stretch of road in Iceland. The vehicle is almost reduced to a standstill while it tries to cope with the cobbled surface. This is a very good test of what a small car can take, and you can be proud of your vehicle as it pulls out at the head of the fjord where there is a good view out to sea and across to the island of **Vigur** with its small settlement, church, windmill and millstone.

The east side of **Álftafjördur** has the name Sjótúnahlíd, reminiscent of the days when there were seven farms along its shore. Today these grazings are abandoned and one cannot help but wonder what the winter thaws must bring to remote, steep-sided valleys like this. Avalanches and landslides cannot be uncommon. The farm, **Dvergasteinn,** seems to have had a narrow miss from a large boulder which stands close by. Outside the farm for all to see is a fascinating collection of model farmhouses. In the late 19th Century there was a Norwegian whaling station here, whose remains are still visible.

Súdavík (Fig: 2.22; Population: 250) has most facilities, but no accommodation or camp site, but camping is permitted at the southern end of the fjord. The slopes above the road at the head of the peninsula are liable to collapse with spring thaws and it is here that Iceland's first tunnel was constructed — all 10m of it. Once round the headland, **Arnarnes,** it will probably be late in the day, and you should be rewarded with views towards the dipping sun casting shafts of light across the waters. Small fishing boats chug in and out of the fjord, their silhouettes standing against the sun. The road descends to Ísafjördur, passing isolated rocks, the remains of volcanic dykes, each with its own name, Klíka and Kluka.

Ísafjördur (Fig. 2.22; Population: 3450), because of its projecting spit, used to be called Eyri. It has long been the principal fishing and trading centre for the Vestfirdi and today some of the oldest buildings have been renovated and opened as the Nedstikaupstadur folk and maritime museum. One of the houses, dated 1734, is reputedly the oldest in Iceland — a claim that seems to be repeated around the island. It is a pleasant, open, town with a small camp site adjacent to the summer hotel Mí in mid-town. The main camp site, with facilities, lies to the south of the town on a site occupying several fields close to some woodland. Not far away there is a large supermarket, Vörumal, close to the junction between Routes 60 and 61. The ferry boat, m.s. Fagranes, is based in Ísafjördur, and plies the Ísarfjardardjúp.

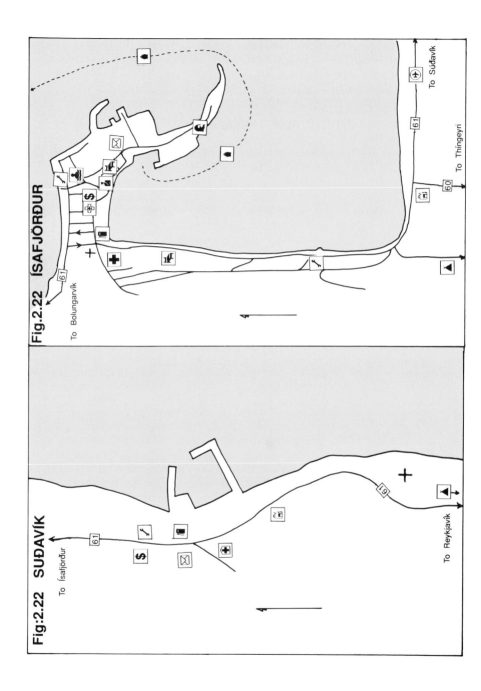

Fig:2.22 SUÐAVÍK

To Ísafjörður

To Reykjavík

Fig.2.22 ÍSAFJÖRÐUR

To Bolungarvík

To Súðavík

To Thingeyri

96

2.3(b) Ísafjördur to Patreksfjördur (202 miles/323 Km)

Petrol: Ísafjördur, Bolungarvík, Súdeyre, Flateyri, Kirkjuból (NLF), Thingeyri, Hrafnseyri (NLF), Bildudalur, Patreksfjördur.
Road Conditions: Moderate to good.
Approx. Driving Time: 8 hours.

Before leaving Ísafjördur, it is worth a trip along the fine coastal road to Bolungarvík. Passing numerous net drying houses, the road leads first through **Hnífsdal,** which is little more than a suburb of Ísafjördur with only a small shop right on the road. It suffered a major avalanche in 1910, when 20 people were killed. Around the steep headland, **Óshlíd,** the road is protected by stone and avalanche chutes. Just past the lighthouse, on the right of the road there is a recently renovated turf house. **Bolungarvík** (Fig. 2.23; Population: 1200) lies in a great sweep of a bay, an amphitheatre of mountains and snow, into which comes the attractive Sydridalur. Excursions across to the Jökulfirdir can be arranged from here.

Returning to Ísafjördur, Route 60 climbs steeply out of the fjord, demanding second gear for most of the way. The saeluhús, towards the top, is incorrectly marked on the 1:500,000 map as it is in fact right at the junction with Route 65, at a good point to take a breather and to admire the view. Following Route 65 the road winds steeply down into **Súgandafjördur,** where it is not surprising to find a snowcat and plough parked outside the farm at **Botn.** The road along the fjord is not the best kept road in Iceland; it is subject to winter and spring slippage and needs much attention. **Sudureyri** (Fig. 2.23; Population: 400) is almost the end of the road, and is basically two streets beyond the harbour. The town has its own, small, geothermally heated swimming pool adjacent to the fjord 1.7Km south of the town. It is a little difficult to see from the road but it is marked by a swimming pool sign. If you have time drive north to **Stadur** where there is a church and some fine, horizontally-lain basalt formations on the coast.

Rejoining Route 60 the road continues to climb up **Breidadalsheidi.** Almost at the top there is a small track to the right which leads to a radio station on the top of **Thverfjall.** The view back over Ísafjördur is quite good from the road, but for an even better view it is worth driving to the top. The track is passable by a small car if you can read the road and you know which side of the vehicle your exhaust is on. There is a sharp bend to the left where you can stop if you are having second thoughts, and a pull-in 0.8 miles (1.28Km) from the main road.

Once across the pass it is an impressive descent into **Önundarfjördur** where the most remarkable discovery is a beach of golden shell sand. After nothing but rocky coastlines and black basalt sand beaches, this comes as something of a shock. The shells are the remains of scallop beds. **Flateyri** (Fig. 2.24; Population: 400) is a small fishing town which has a small restaurant but no official accommodation or camp site. It was here that the Norwegian, whaling station owner, Hans Ellefsen, lived. His residence was presented by him to Hannes Hafsteinn in 1904 and transported to Reykjavík, where it now stands beside the Tjörnin (see Section 2.5).

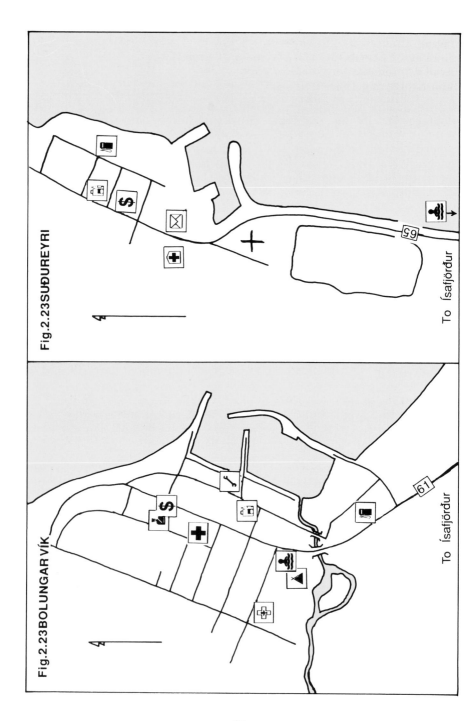

Fig.2.23 SUÐUREYRI

Fig.2.23 BOLUNGARVÍK

To Ísafjörður

To Ísafjörður

65

61

98

From Önundarfjörður the road climbs **Gemlufallsheidi** and close to the highest mountain in the Vestfirdi, Kaldbakur (741m). On the descent, the views across **Dýrafjördur** can be spectacular, especially northwards towards **Eyrarfjall,** whose precipitous slopes pitch into the fjord as a gatepost. At the bottom of the pass the farm, **Mýrar,** set in an idyllic shell beach bay, has one of the largest eider duck breeding grounds. The head of the fjord, which has a nature reserve, is particularly attractive, being wooded on the south side and hemmed in by a steep back wall with snow patches. The farm Botn was destroyed in an avalanche in 1925.

The mountains on either side of the bay present one of the most romantic and irregular scenes imaginable. They are every now and then transversed by deep vallies, which give the most of them an insulated and pyramidical form; and their strata, forty or fifty in number, are piled one above another in the most perfect order. Similar geologic appearances pervade the whole of the north-western peninsula, though not in the same grand, and interesting style as in the neighbourhood of this bay.

Further north, at the end of Route 624 is the farm **Saeból** which indirectly interlinks with Gísla Saga and both Laxdaela (Section 2.4(a) and Eyrbyggja Sagas (Section 2.4(b)). It was the home of Gísli Súrsson and his sister Thórdís, who married Thorgrímur *godi* of Helgafell on Snaefellsnes (Section 2.4(b)). The two men got along well together until Thorgrímur murdered a friend of Gísli's, in consequence of which Gísli murdered Thorgrímur. In fact there was no proof of either murder but the inter-family tensions were obviously running so high that when, after Thorgrímur's death, Thórdís gave birth to a son, she sent him away to be fostered. The son was no less than the turbulent Snorri, later known as the Priest.

It is a quick run into **Thingeyri** (Fig. 2.24; Population: 450) which has all facilities. This is a good spot from which to explore the peninsula that has some splendid mountains. Apparently the road north of here was opened in 1973 by a private road contractor, after the government highways department had dismissed it as impractical. Like so many remote places that had roads built to them, the farm at Svalvogar was abandoned a year later, the manned lighthouse having been replaced by an automatic one. The road was then extended to Hrafnabjörg and Lokinhamrar in 1974, thus linking the last two mainland farms to the Icelandic road network. The main road away from Thingeyri is a rough hairpin route to the top of Hrafseyrarheidi. At the top of the first pass, there is a turning right, leading to the radio station at the top of **Sandafell,** from which there is a fine view. From the top of the main pass there is an impressive view down into **Arnarfjördur.** Away in the distance is Bildudalur but, because of the twists and turns of the route, it will be some time before we actually reach there. Once at the bottom there is a feeling of remoteness, shared by hundreds of arctic tern and their young. Yet close by is the farm **Hrafnseyri** where Iceland's national hero, Jón Sigurdsson (1811-79) was born. A great literary scholar, Jón, working in Denmark, was an arch protagonist of independence. While true independence was not achieved in his lifetime, he did see the re-establishment of the Althing in 1845, and Iceland's release from the Danish trade monopoly in 1854, and the release of legislative

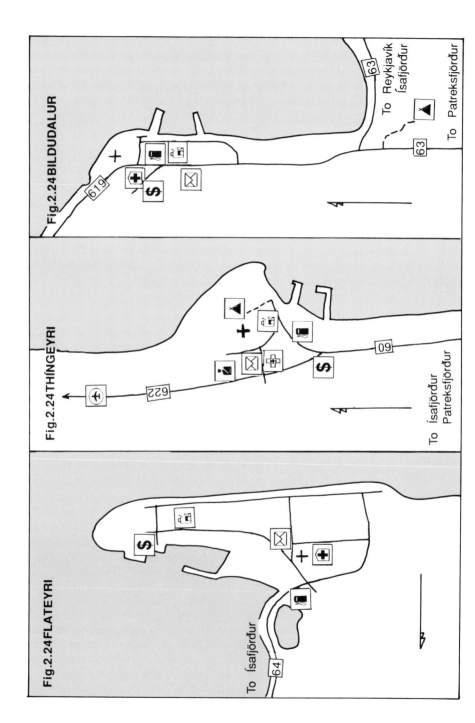

Fig.2.24 FLATEYRI

To Ísafjörður
64

Fig.2.24 THÍNGEYRI

60
622

To Ísafjörður
Patreksfjörður

Fig.2.24 BILDUDALUR

619
63

To Reykjavík
Ísafjörður

To Patreksfjörður

powers to the Althing in 1874. There is a museum here in his memory.

At eleven o'clock I arrived at the church and parsonage of Hrafnseyri, where I was agreeably surprised to find a Latin inscription above the door of the dwelling house, of the following import:

> *"Be peace and rest to all that enter here,*
> *And when they leave may health their journey cheer."*

The flow of good spirits, however, which this animating inscription excited me was in a great measure damped by the distressed state of the family; the clergyman having been nearly killed by a disruption from a neighbouring mountain having overtaken him while climbing in search of a fox's den, and, carrying him along with it, he was left half buried in the midst of the debris. Had not one of his servants accidentally discovered the spot where he lay, he must have perished in this condition.

While travelling along the side of the fjord the waterfall **Dynjandifoss** is visible across the bay. It disappears briefly from sight as the road enters Borgarfjörður but re-emerges in all its glory on rounding the headland. The waterfall tumbles from the plateau in a series of steps and is wonderful to walk beside. There is space to pull in and some pyramid toilets provided by the locality. From here it is a steep, rocky climb out of the valley, which is wooded with many small waterfalls and lakes. The road emerges onto the plateau close to the headwaters of the **Dynjandisá,** the top of which can be seen disappearing out of sight. There is a very high, exposed emergency shelter towards the top, from which there is a splendid 360° panorama. The road eventually emerges very high above **Geirthjófsfjörður,** where Gísli Sursson was slain by Thorgrímur (see above), and is still climbing towards the junction with Route 63. This elevated position is guarded by two huge mountain blocks, the **Hornataer,** between which the Reykjavík road descends. At the top here, the rocks are heavily glaciated and the ice-eroded, polygonal basalt outcrops seem like building blocks. We turn right onto Route 63 to descend past the head of **Trostansfjörður. Reykjafjörður** is a beautiful location where there is the remains of a heated swimming pool. There is a fine waterfall in **Fossdalur** and here the road goes down onto the shore where arctic tern chicks litter the highway, sunning themselves on the cobbles. You have to drive with care.

Finally **Bildudalur** (Fig. 2.24; Population: 400) comes into sight, its pointed church spire standing proud against the backdrop of mountains across the far side of Ísafjarðardjúp. Shrimp and scallops are the main catch here and, just north of the town, piles of scallop shells litter the shoreline. It is a strong climb out of Bildudalur across the pass named **Hálfdan.** On the descent to Tálknafjörður look out for the very fine examples of frost-heaved ground on the right flank of the valley. Stone chains, stripes and lobes are evidence of freeze-thaw processes degrading this subarctic landscape.

Tálknafjörður (Fig. 2.25; Population: 370), formerly Sveinseyri, is a small fishing town with salmon hatcheries, and most facilities, including a small hotel. The spit that protects the harbour is a protected eider nesting colony. From the head of the fjord it is a steep climb over **Botnaheiði** but the road is metalled and fast to the fishing town of **Patreksfjörður** (Fig. 2.25; Population: 1000), formerly Vatneyri. The fjord was named by the viking Örlygur who made landfall here while attempting to establish a settlement

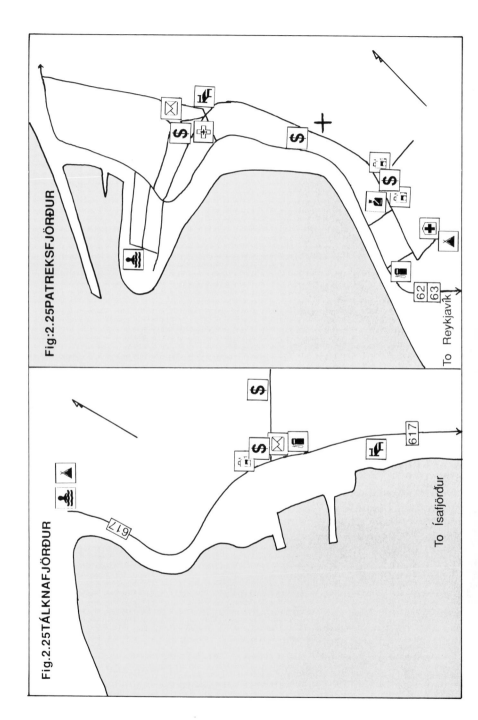

Fig:2.25PATREKSFJÖRÐUR

To Reykjavik

Fig.2.25TÁLKNAFJÖRÐUR

To Ísafjörður

and church in the name of St. Columba. His visit to Patreksfjörður was brief. The town centres around fishing although in 1989 the economic situation forced the closure of two processing plants, and the future must seem rather uncertain. The town has all facilities, including a fine outdoor swimming pool.

2.3(c) Patreksfjörður to Laugar (193 miles/308 Km)

Petrol: Patreksfjörður, Breiðavík, Innri-Muli (NLF), Brjánslaekur, Flókalundur, Skálanes (NLF), Bjarkalundur, Reykhólar, Baer, Króksfjarðarnes, Skríduland.
Road Conditions: Moderate to good.
Approx. Driving Time: 8 hours.

Across the far side of the fjord there is a striking shell sand beach and dunes that have blown inland into **Saudlauksdalaur** where protective works have been carried out in the past. You may wish to explore this peninsula, noted for **Látrabjarg,** one of Iceland's biggest bird cliffs. You can base yourself at the **Breidavík** hostel. There is a small museum at **Hnjótur** and beyond, in Látravík, the remains of the fishing village of **Hvallatur.** It was from here that the rescue of the crew of the British trawler Dhoon was organised in 1947. The boat was shipwrecked off Látrabjarg, an extremely dangerous and difficult situation, but the Icelanders, all experienced cliff egg gatherers, brought them all to safety one by one. The road now goes all the way to the lighthouse at **Bjargtangur,** the most westerly point in Europe with nothing but sea between there and Antarctica. From Hvallatur it is possible to walk towards the east end of Látrabjarg and to **Raudasandur,** the most westerly settlement in Iceland.

Returning to the main road, it is an impressive approach to the head of the fjord, and you begin to wonder how the road will escape until the pass over **Kleifaheidi** reveals itself. At the top there is a man-shaped cairn (Kleifabúi) 5m high, and again the emergency shelter is further on than the location shown on the 1:500,000 map. Another winding descent brings you into **Bardaströnd** where the golden sand fringes the coast once again. On a clear day the view across Breidafjörður is stunning, to the snowcapped shield volcano, Snaefellsjökull.

From just past **Birkimelur** (Kross), where there is a geothermal pool beside the beach, the view back along the strond is very attractive; rocky outcrops between dunes and beach with dark islands basking like whales. The coast has many parallel dykes projecting into the water.

At **Brjánslaekur,** in Vatnsfjörður, they have constructed a new terminal to allow vehicles to drive on and off the m.s. Baldur which plies across Breidafjörður between here and Stykkishólmur, stopping at the island of **Flatey** en route (see advertisement). In the 12th Century Flatey was the site of a monastery which was subsequently moved to the holy place of Helgafell on Snaefellsnes (Section 2.4(b)). Few people live there now but you can camp overnight. It is likely that Brjánslaekur was the temporary winter home of Flóki Vilgerðarson (Hrafna-Flóki) in about 860. Looking out

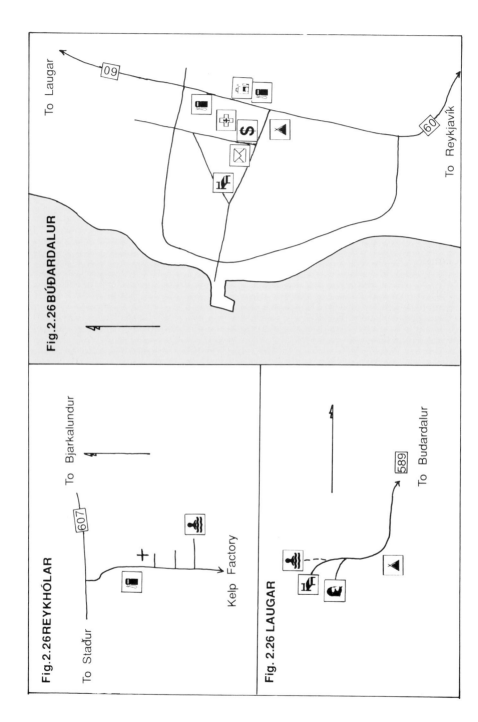

Fig.2.26BÚÐARDALUR

To Laugar

09

60

To Reykjavík

Fig.2.26REYKHÓLAR

To Bjarkalundur

To Staður

607

Kelp Factory

Fig. 2.26 LAUGAR

589

To Budardalur

to sea you can imagine a Viking ship laden, like a Noah's ark, with Flóki and his family, being led by a raven seeking land (hence his nickname, Hrafna). That summer was so good that Flóki thought nothing of gathering winter fodder. His flocks died. Climbing a nearby mountain (probably Lónfjall above Vatnsdalsvatn), Flóki spied ice flows in all directions and, blocked in, he had to spend another winter in Iceland. It was he who ungenerously gave Iceland its name, but in the circumstances of his plight, he might perhaps be forgiven. Had he stayed, he would have gained the recognition of being the first settler of Iceland but that honour had to wait another fourteen years.

At the head of the fjord Route 60 comes in from Arnarfjörður to join at **Flókalundur,** where there is an hotel and petrol station. Flóki is commemorated with a statue erected on the thousand year anniversary of the settlement of Iceland. Shortly after this the road crosses the short stream that emerges over a small waterfall from **Vatnsdalsvatn.** The lake has an undulating shoreline, making it a very pleasant, wooded spot in which to camp.

The coastline is very indented here with rocky promontories and offshore islets. It was here that Sel-Thórir and his mother came from Grímsey, led by their unfaltering horse Skálm (see Section 2.3(a)). They wintered here on **Skálmarnes** (the peninsula named after the horse) but must have found it bleak for they set off again, to the south, in search of more hospitable pastures. Again their story is resumed in Section 2.4(d). The road is good as it winds in and out of the small fjords before ascending the pass north of the **Svínadalsfjall** peninsula where there is an emergency shelter not marked on the 1:500,000 map. It is an attractive ascent, but a rough pass over and down into **Kollafjörður,** where there is a jeep track across the Kollafjarðarheiði to Ísafjörður.

Beside Kollafjörður there is the **Galtará** stone, turf and timber house, after which it is slightly surprising to come across a cooperative store and petrol station virtually on the road at **Skálanes.** It was formerly the landing place, and thus a trading center, for the farmers bringing their stock from the multitude of islands in Breiðafjörður. It is welcome, nevertheless, after the trek from Patreksfjörður.

After **Gufufjörður,** there is a short, steep winding descent in **Djúpifjörður** where hot springs and water gush out from the hillside. It is then a short haul over **Hjallaháls** to rejoin the metalled surface around **Thórskafjörður** where a statue commemorates local meetings that were held in the days when Jón Sigurðsson, and Icelanders in general, were agitating for independence from Danish rule. With Route 608 linking northwards to Ísafjörður, this is an important focal point. Ruins of the meeting booths can still be seen.

A little further south, at **Bjarkalundur,** there is a summer hotel and petrol station with camping adjacent. This is a good spot from which to explore the surrounding mountains. The road round to **Reykhólar** (Fig. 2.26; Population: 225) is well wooded, but the settlement has little for the visitor.

It is related principally to the kelp factory on the end of the peninsula, and to the rich natural yield of fish, molluscs, puffins and so on; the sort of fare that would have made Reykhólar one of the most prosperous estates. It is recorded in some detail that in 1119 a sumptuous wedding feast was held here, lasting seven days and seven nights.

The main Route 60 passes the farmhouse accommodation at **Baeir,** which because of its petrol station, does not look much from the road but it is in a pleasant location, adjacent to a coastline of headlands and small islands. **Króksfjardarnes** is really too small to be considered for a sketch map but it has petrol, and a large cooperative shop with facilities for refreshments, and a post office and bank incorporated within the building. Shortly after Króksfjardarnes there is the farm, **Kambur,** where Ebenezer Henderson spent a night in the winter of 1815:

I was shown into an out-house, while the mistress of the farm made up a bed for me in the sleeping apartment, to which I soon repaired, through a dark passage, from which a few steps led me into my chamber. The most of the family being still in bed, raised themselves nearly erect, naked as they were, to behold the early and strange visitor. Though almost suffocated for want of air, I should soon have fallen asleep, had it not been for an universal scratching that took place in all the beds in the room, which greatly excited my fears, not withstanding the new and cleanly apperance of the wadmel on which I lay. At one period of the operation, the noise was, seriously speaking, paramount to that made by a groom in combing down his horses. Ultimately, however, every disagreeable emotion was stilled by the balmy power of sleep, and I enjoyed, for five hours, the soundest repose I ever had in my life.

The farm **Skriduland,** on the south side of **Gilsfjördur,** also has petrol and a shop. Finally the road descends Svinadalur and we turn off to **Laugar** (Fig. 2.26), and where we pick up the story of the Laxdaela Saga.

ICE

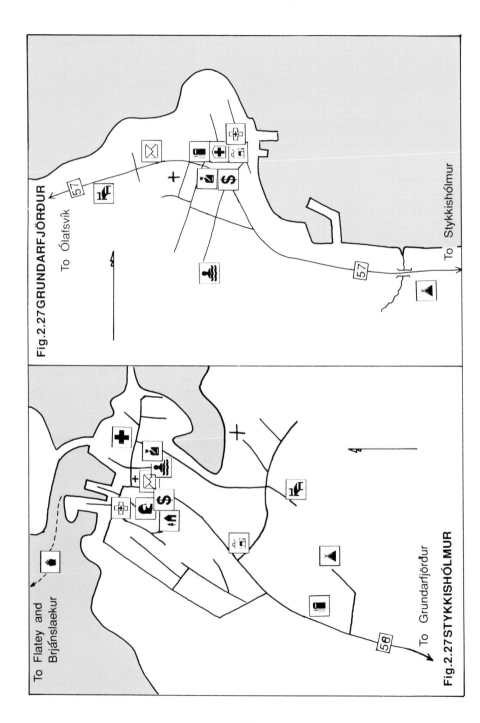

Fig.2.27 GRUNDARFJÖRÐUR

To Ólafsvík

To Stykkishólmur

Fig.2.27 STYKKISHÓLMUR

To Flatey and Brjánslaekur

To Grundarfjörður

2.4 WESTERN ICELAND

As mentioned at the end of the previous section this is Laxdaela Saga country. It is also the home of Eyrbyggja Saga and the worship of Thor. The first part of our visit takes a look at the setting for the romantic Laxdaela Saga written around 1245. You may wish to read the whole of this first section before setting out.

2.4(a) Laugar to Bilduhólskáli (20 miles/32 Km)

Petrol: Budardalur, Bilduhólskáli.
Road Conditions: Good.
Approx. Driving Time: 45 mins.

You should first drive to the farm **Hvammur** in Skeggjadalur down valley at the head of Hvammsfjördur where, looking out to sea, you must imagine a proud viking ship heading towards the shore bearing the redoubtable Audur the Deep Minded and her family. Following the pillars off her high seat she beaches near the mouth of Skeggjadalur to establish her farmstead. Opinions vary as to whether she was a pagan or a christian. If a pagan then at her death her body would have seen a longboat cremation on the foreshore. If a christian then the nearby rocky hill known as Krosshólar may bear witness to the fact. A memorial stone at Hvammur commemorates the birthplace of the Viking-poet Egill Skallagrímsson who later moved to Borg in Borgarfjördur (Section 2.4(d)).

The story moves south to **Budardalur** (Fig. 2.26; Population: 425) where there is both a camp site and the guest house Ás. The town is just north of the mouth of Laxárdalur which was given as an estate to Kollur (Dala-Kollur) when he married Audur's grand-daughter Thorgerdur. Their son, Höskuldur Dala-Kollur, built some ships at this site and because of the associated temporary dwellings *(budir)* the location received its name Budardalur. If you cross the Laxa and turn up Route 59 you will come to the farm **Höskulsstadir** home of Höskuldur and his wife Jórunn. They had a daughter, Hallgerdur Longlegs, who married Gunnar of Hlidarendi of Njáls Saga fame (see Section 2.6(f)). At this point the saga becomes a little complicated for not only did Gunnar have a son, Thorleikur, by Hallgerdur but also a son, Ólafur, by a deaf and dumb Irish slave girl whom he had brought back from Norway. It later transpired, after many years that the Irish girl could not only speak but that she had a name, Melkorka, and was of royal descent. This threw a whole new light on her position in the household, increased Ólafur's standing, and caused considerable coolness between Gunnar and Hallgerdur. Thorleikur had a son, Bolli.

Ólafur, known as Pái (The Peacock), married Thorgerdur, daughter of Egill Skallagrímsson (see Section 2.4(d)), and lived at **Hjárdarholt** which you can see on the opposite side of the river. By all accounts it was a very fine turf manor house with many wooden carvings within. In Snorri Sturlason's

Prose Edda (see Section 2.4(f)) there is an account of a sumptuous wedding feast there that almost equalled that of the one held at Hof in Hjaltardalur (Section 2.2(f)). Ólafur and Thorgerður had a son Kjartan and, when Gunnar went abroad, they fostered Bolli.

Kjartan and Bolli became very close and from time to time they would go to the hot springs at **Laugar** (Fig. 2.26), the home of Ósvifur Helgason, who had a very beautiful daughter Guðrun. You can almost imagine the two sitting in the steamy waters hoping for a glimpse of this beauty. That pool no longer remains but the remains of an ancient conduit have been found by archaeologists.

Both of these young men fell in love with this fateful lady and it was generally felt that Kjartan would be the one to win her hand. However the two brothers went to Norway for three years where Kjartan won the favour of King Olaf Tryggvason whereas Bolli did not. His inherited resentment of Kjartan and his line began to emerge, especially when Kjartan began to spend time with the Princess Ingibjorg. After three years Bolli came home alone and revealed the news of Kjartan to Guðrún. He proposed to her himself and, bowing to family pressure, she reluctantly accepted. They married and Bolli went to live in Saelingsdalur.

Kjartan returned a year later and, without revealing his feelings about the marriage, married Hrefna almost as if to spite Guðrún. That he insisted upon Hrefna being given a higher place in the pecking order than Guðrún led to considerable ill-feeling, petty jealousies, and a strained atmosphere between the four of them. Finally Guðrún could take the indignities no longer and commanded Bolli to kill his foster-brother or never share her bed again. This put Bolli in a very difficult situation but with the support of Guðrún's two brothers he lay in wait for Kjartan in **Svínadalur.** He tried to warn Kjartan but too late, the Ósvifurssons spotted him and forced him to deal the fatal blow.

Ólafur Peacock tried to calm the feud but as soon as he died his wife Thorgerður, mother of Kjartan, took her two other sons to Saelingsdal and taunted them into killing Bolli. Together with Helgi Harðbeinsson they all went up into the summer pastures higher up Saelingsdalur where Bolli and Guðrún were tending the flocks. Helgi pinned Bolli to a wall while the reluctant Olafssons beheaded him. It has always been said that the so-called Bollatottir mounds and ruins close to the stream are those of the house in which he met his death. After this Guðrún could not face living in Saelingsdal and swapped homes with Snorri the Priest of Helgafell (Section 2.4(b)). Her son, unborn at Bolli's death, took his father's name and when he came of age he slew Helgi Harðbeinsson for the killing of his father.

Guðrún married for a fourth time (after she had been married twice before Bolli) to Thorkell Eyjólfsson who was later drowned at sea. They had a son Gellir who was to become the grandfather of Ári the Learned (see later in this chapter). The distraught Guðrún turned to religion and went into retreat at Helgafell. Late in her life, Bolli, curious to learn about life at Laugar, asked her which man she loved the most. He never achieved a satisfactory answer, for by deliberately hiding behind the fact that man and husband are one and the same word in the Icelandic language, she replied by saying 'I was worst to the one I loved the most'.

The road to Stykkishólmur and Helgafell (Route 57) turns right across the Miða beyond which is the church of Snóksdalur where Ebenezer Henderson attended worship on 4th June, 1815.

The prayers and discourse of the chaplain savored of a deeper sense of religion than any I had yet heard on the island. Instead of a few general petitions, pronounced in a cold and uninteresting manner, he offered up a prayer, in which a full and explicit confession was made of sin; its forgiveness implored, in virtue of the atonement of the Mediator; and a full supply of those blessings supplicated, of which himself and his hearers stood in need. I almost fancied myself in some Christian church of the fourth or fifth century; or in one of the Syrian churches in India.

2.4(b) Bilduhólskáli to Ólafsvík (90 miles/144 Km)

Petrol: Bilduhólskáli, Stykkishólmur, Grundarfjörður, Ólafsvík.
Road Conditions: Good.
Approx. Driving Time: 5 hours.

When you have absorbed the atmosphere of Laxdaela Saga it is time to visit Snaefellsnes. As you approach the turning off Route 60 (where there is petrol and snacks available at **Bildholsskáli)** you will first cross the Haukadalsá at the mouth of **Haukadalur** where Eirik the Red and his wife Thjóðhild lived at **Eiríksstaðir.** His son Leif Eiriksson, discoverer of America, was born here. The remains of the buildings have been excavated and are protected. Greenland might never have been discovered if Eirik had not fallen foul of his neighbours when a landslide accidentally destroyed their home. As you drive west along Route 57 the bay seems to be wide open with a mass of little islands and it was here that Eirik was first banished. Again he got himself into a bloody feud, this time with the farmers at **Drangur.** In 981 he was banished for three years, discovered good land in Tunugdliarfik in Greenland, and returned to gather a full settlement party. He spent that winter at the now ruined farm **Hólmlátur** close to the farm Emmuberg.

As you approach Álftafjörður the scenery becomes more mountainous with glaciated hollows and knife-edge ridges. At first you could believe that the mountains are still occupied by ice but a close look at the valley after the farm **Hrísar** reveals that the contents are not in fact a moraine-covered, stagnating glacier but a lava flow named Svelgsárhraun that descends from the mountains Jötunsfell and Rauðakúla. Standing watch over the turning to Stykkishólmur is the colourful mountain Drápuhlíðarfjall whose north-facing slope has collapsed in an enormous landslide best seen in the low-angled light of an evening glow.

Stykkishólmur (Fig. 2.27; Population: 1300) has a very pleasant feel about it. The terrain is relatively flat, the sky open, and views across the island-studded bay to the mountains of the Vestfirðir can be quite stunning. The sheltered harbour is the home of the ferry boat m.s. Baldur which plies the bay to Flatey and Brjánslaekur (Section 2.3(c)). You can also arrange trips among the islands with the company Eyjaferðir. The town has been an

Fig.2.27(a) WEST ICELAND

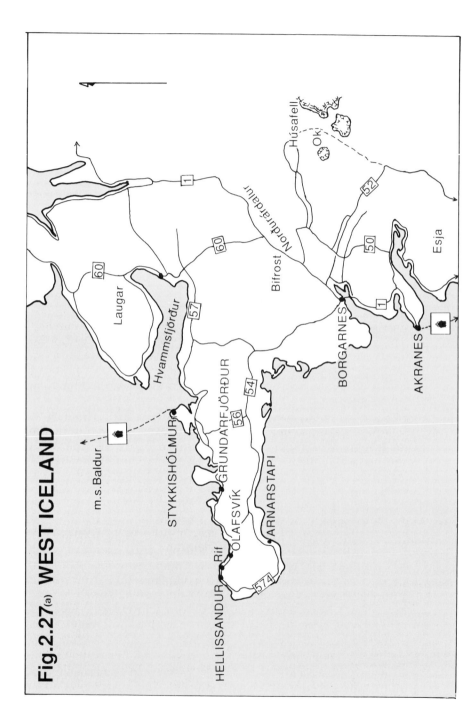

important trading post since the 17th Century when the Danish monopoly system operated. One of the oldest houses is the timber Norwegian House (*Norska húsið*) built in 1829 for Arni Thorlacius who was the first man in Iceland to make regular weather observations and forecasts. The building houses a museum. Today, other than fishing, the main employer is the catholic convent of Dutch nuns, established some 50 years ago, and which manages a hospital, a kindergarten and printing works. Stykkishólmur is also a focal point in Icelandic history and folklore for it was here at adjacent **Helgafell** that Snorri Sturluson lived and subtly moulded the stories of the ancient Viking gods into a form more acceptable to his adopted Christian religion. Sea, Sky and Mountain, Water, Air and Fire are very much a part of the landscape and lives of the people of Helgafellssveit (Helgafells District).

To the right of the road leading into the town is the church at **Helgafell** where there is a 3m-long, raised grave mound aligned north-south with a modern headstone commemorating Guðrún of the Laxdaela Saga. The grave was excavated in 1897 but clearly had been plundered at an earlier date so that nothing remained to show a direct link. As you leave the grave you should make three wishes, climb to the top of Helgafell, and, facing east, contemplate your thoughts — but tell no-one. This is indeed the Holy Mountain, a commanding place from which to pick out elements of Eyrbyggja Saga whence many of the stories of Snaefellsnes emanate. The remains on the summit may well have been a small chapel — perhaps that built by Snorri the Priest who came to live here when his mother, Thórdis, wife of the murdered Thorgrimur (Section 2.3(b)), married Börkur the Stout and moved back to Helgafell from Saeból. Eventually, by cunning and at the tender age of sixteen, Snorri was to buy out Börkur's share of Helgafell, his rightful inheritance.

If you look south west you make out the farm **Hofstaðir** on Thorsnes (now called Haugsnes — *barrow headland* — after Thorólfur's mound) by the inlet Hofstaðavogur. You may recall that in Section 2.2(a) we referred to this farm as the home of Thorólfur Mostrarskeggi who, like the first settler Ingolfur Arnórsson faithfully followed the pillar of his high seat to its resting place here in Breiðafjörður (Broad Fjord) in the year 884. The 'hof' suggests that it was a temple to Thor but no remnants have been found and some confusion still exists as to which Hofstaðir is which. It is said that the first Icelandic district parliament of '*þing*' was held here until moved to the farm **Þingvellir** which lies to the north-east of Helgafell.

Many years ago two vikings sat at this very spot, deep in discussion, surveying the scene to the south-west and the rugged lava flow now known as the **Berserkjahraun.** One was the turbulent *goði* Snorri (son of Thorgrimur (Section 2.3(b)) and who later exchanged houses with Guðrún, the other, his arch rival in Helgafellssveit, Viga-Styrr whose brother, Vermundur, lived across the far side of the rugged, impenetrable lava flow that lies between Stykkishólmur and Bjarnarhöfn. Visiting one another meant a lengthy detour around this maze of jagged fingers and loose lava blocks. While in Norway Vermundur had been presented with two tough, fiery, short-tempered personal servants, Halli and Leiknir, prized for their

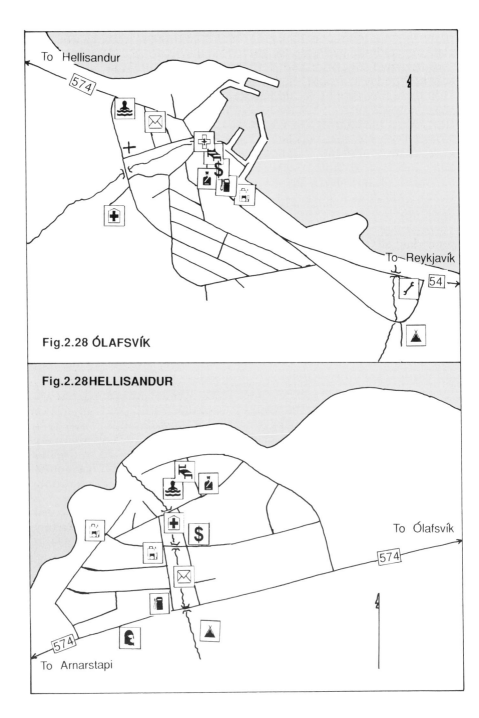

Fig.2.28 ÓLAFSVÍK

Fig.2.28 HELLISANDUR

mindless prowess in battle. These two 'bear-shirted' individuals *(berserkr)* so terrified Vermundur that he gave them to his brother. All went well until Halli demanded Viga-Styrr's daughter's hand in marriage. Not unnaturally this disturbed Viga-Styrr and doubtless his daughter Ásdís as well. He sought the advice of Snorri on the top of Helgafell. The outcome was that as Halli had no money he would have to earn Ásdís' hand by performing a great feat — to carve a path across the lava flow from his farm, Hraun, to his brother's at Bjarnarhöfn. While the berserks laid waste through the lava Viga-Styrr constructed a sunken sauna bath with a special skylight to allow water to be poured onto the hot stones from outside. When the berserks had finished he invited them to relax in the sauna, poured in water to raise the steam to an unbearable temperature and closed the skylight. Halli escaped but slipped and was slain. Leiknir was speared as he attempted to climb out.

To experience the chaos of the Berserkjahraun watch out for a small unmarked left turn shortly after the Route 56 turning and close to the ashy red cinder cone of Rauðakula. It is worth a trip but take it slowly because the craggy moss-covered shapes hide sharp, jagged projections. Follow the 6km track as it winds its way to a small oasis popular among Icelanders as a weekend camping place with its small stream and WC's. Turning right after 150m the track eventually returns to the main road close to the salmon hatchery in **Mjósund.**

The route ahead is dominated by the huge rhyolite and basalt Setberg peninsula remnants of a volcano active some 2.5 million years ago. The eastern tip of Kolgrafafjörður is one of the few places in Iceland where gabbro outcrops. It is extraordinary how varied the geology of the Snaefellsnes peninsula is. The whole is underlain with Tertiary basalts that dominate the country in the eastern part. This was rent and covered by young volcanics, recent cones and flows, that form the backbone of the peninsula. The result is a landscape of great variety, colour and intricate details etched by waves, glaciers and the elements (Fig. 2.29). **Grundarfjörður** (Fig. 2.27; Population: 800) nestles at the head of its bay dominated by the impressive 'sugarloaf' mountain Kirkjufell. The mountains, some sharply eroded by ice, surround the embayment and there is a fine waterfall in the south-east not far from the camp site which also has cabins, caravans with horse riding and fishing close by.

The road west of Grundarfjörður is impressive where the mountains approach the sea at Bulandshöfði where Pleistocene deposits and fossil remains have been found. In the past this must have been a fearsome pass:

The road itself we found in some places invisible; recent depositions of gravel from the impending rocks having obliterated it, and every step the horses took threatened us with inevitable destruction, as they had no secure footing, and there was no manner of barrier to prevent us from rolling into the abyss. On proceeding along this dangerous route, most of the Icelanders walk behind their horses, holding them by the tails, and taking care not to look down into the sea.

Ólafsvík (Fig. 2.28; Population: 1200) can be seen across the bay, its white church raised prominently in the centre with a waterfall behind. It is a thriving and pleasant town complete with sandy beach and all facilities for the visitor. This is the place to base yourself for an ascent of Snaefellsjökull, source of Jules Verne's "A Journey to the Centre of the Earth". The local rescue team, though primarily for marine rescue is also well used to the mountain and trips can be arranged by calling at the Hotel. It is along a track beside the Fossá (Waterfall River) that access to the mountain is gained.

2.4(c) Ólafsvík to Búðir (46 miles/60 Km)

Petrol: Ólafsvík, Hellissandur, Arnarstapi, Litli-Kambur.
Road Conditions: Generally good but care needed through lava at west end of peninsula.
Approx. Driving Time: 90 min.

For the next 60 km you will in effect be circumnavigating the base of the giant Snaefells volcano and the streams of lava that have poured from its vents since the Ice Age. Initially, as you leave Ólafsvík, the cliffs are decidedly palagonitic. That is to say they are the result of subglacial and subaquatic origin, the lava having cooled very quickly into a sort of sandy glass.

We reached the base of a huge mountain called Ennit, when we were obliged to alight, and suffer our horses to find the road as well as they could, across the large stones that have been dislodged on the beach. The pass at this place is justly considered to be one of the most dangerous in Iceland. Numbers have actually lost their lives here; and many of the natives prefer a long circuitous route along the south side of the peninsula to this short but difficult pass. It was not without impressions of terror that I ventured below the beetling cliffs, many of which appeared to be almost entirely disengaged from the mountain; and my anxiety was greatly increased on witnessing the stones that had tumbled down during the ebb. However, as the ladies proceeded without intimidation, it would have argued a great want of fortitude not to have followed.

As the cliffs pull back the ground flattens out onto sand flats and the giant volcano may be glimpsed to the left. The view back along the coast and across towards the Vestfirðir from near Rif is impressive. There is a sign here (in Icelandic) warning you of birds on the road. In the hatching season there are scores of young arctic tern all over the road and at times quite hard to see. **Rif** (Population: 100) is the port for **Hellisandur** or **Sandur** (Fig. 2.28; Population: 500) and has no facilities. Englishmen should probably not enter here for in 1467 English pirates killed the then governor, Björn Thorleifsson, whose death is commemorated by a stone. Hellisandur has most things including a small maritime museum housed in an old turf building adjacent to the main road. Visit the old harbour with its wooden buildings and boat keel scored rocks. Just beyond the town is the U.S. Coastguard Loran Station Sandur whose antenna reaches 1350ft. into the air. A signboard advertises its radiated power of 1.5Mw. It is run by the Icelandic Post and Telegraphic Service.

The road now crosses a geologically young lava flow whose craters are still clearly visible. It is perfectly drivable but of soft material with potholes that occasionally take you by surprise. You are approaching the Neshraun which effectively covers the end of the peninsular and the most westerly point, **Öndverdarnes** where there is a lighthouse warning vessels of the dangerous Svartuloft rocks and cliffs. The country is very open and flat surmounted by large boulders lying in the middle of the plain. This is not an ideal place to bring a camping expedition; the lava is craggy, mossy and waterless. At one time the settlements here were thriving but the coast line is largely given over now to the wind and the waves. The lava is difficult to negotiate, full of holes, jagged surfaces, and the entrances to lava tubes, few of which have been explored. Where the lavas abut the coastline their irregular nature has led to fascinating details of rocks, stacks and caves. This is the home of the friendly troll Bardur who rowed out to help the fishermen in his unsinkable stone boat smeared with shark grease — perhaps the Bardarskip rock at **Dritvík.** Bardur's name crops up in many places. His treasure is supposed to be hidden in **Bardarkista** and his bath tub was the crater of **Bardarlaug** near Arnarstapi where his effigy overlooks the bay. On the beach at **Djúpalón,** near Dritvík, are four lifting stones, Fullsterkur (155kg), Halfsterkur (140kg), Halfdraettingur (49kg), and Amlódi (23kg) used by fishermen to try their strength. Bardarlaug is the prominent crater to the right of the road. Opposite is the hill **Laugarholt** where Axlar-Björn's burial mound can be found (see below). **Arnarstapi** (Population: 80) is a small fishing village with intricate and impressive cliffs of columnar basalt around the harbour. Seabirds abound. This whole cliffline is worthy of exploration if you decide to spend a day or two based at the camp site or the accommodation at the turfhouse style restaurant Arnafell at Arnarstapi. There is also a small guesthouse at Hellnar. Of particular interest is the bell cave near Hellnar and the Singing Cave **(Sönghellir)** behind the mountain Stapafell and reached by a track from just east of the Hellnar turning.

I took a walk to view the beautiful pillars and stacks of basaltic rock, with which the cliffs are adorned a little to the south of the harbor. Some of the present grottoes, scarcely inferior to that of Fingal in the Western Isles of Scotland.

Just out of Arnarstapi you cross the **Grísafossá** beside which there is a track leading upstream towards a popular camping place and an access route, via **Kýrskard,** to the pass (Jökulháls) between Snaefellsjökull and Sandkúla.

On awakening the following morning (25th May, 1815), I obtained a noble view of that magnificent work of God, the stupendous Snaefell-Yokul. Every surrounding object seemed swallowed up by its immensity; and as the atmosphere was pure and serene, I felt the resolution powerfully confirmed, which I had formed the preceding evening, of ascending the Yokul from this place. When our design was made known to the people about the place, they shook their heads, and maintained that it was impossible to gain the summit; while some of them seemed to look upon the attempt as an act of presumptious temerity. (It took Ebenezer and his team seven hours to ascend to the summit and just three hours to retrace their steps).

After the petrol pump at Litli-Kambur you catch a first glimpse of the black lava spread of **Budahraun** in sharp contrast to the golden shell sand spit of Hraunlandarif. The road swings around and up towards a radio mast and the prominent bump of the Búdaklettur crater. Just the other side is the farm **Öxl,** home of Axlar-Björn who was beheaded in 1596 for the 18 murders that he committed. Fate undoubtedly determined this man's future for his mother apparently had a taste for human blood. At an early

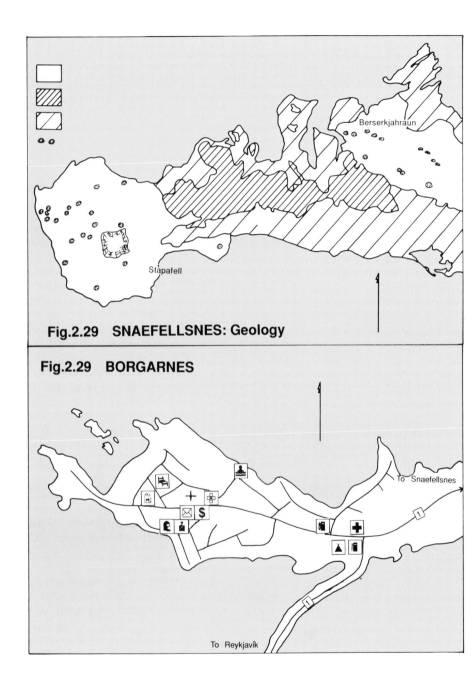

Fig.2.29   SNAEFELLSNES: Geology

Berserkjahraun

Stapafell

Fig.2.29   BORGARNES

To Snaefellsnes

To Reykjavík

age he was fostered by one Orm Thorleifsson of **Knörr,** a little way back down the road. The hill between the two is Axlarhyrna (Axe horn) and it was here that Björn was sent in a dream during which he ate 18 morsels of meat but was sick on the 19th. On top of the Hyrna he found an axe beneath a stone and was taken with the urge to kill. The road descends to the Búdir turn where there is a hotel and camp site. It is worth a visit to see the golden shore but be aware that this is a site of scientific interest and as such is protected for its flora.

2.4(d) Búdir to Borgarnes (72 miles/115 Km)

Petrol: Vegamót, Gröf (NLF), Borgarnes.
Road Conditions: Good, especially after Vegamót.
Approx. Driving Time: 2 hours.

You now rejoin the Route 54 that you left near Ólafsvík and drive through the lake-strewn district of Stadarsveit. This district is known for its *ölkeldar* (beer springs) so named because of the fizzy, carbonated water that whells from underground. **Lýsuhóll** has these springs, a swimming pool, accommodation and camping facilities. You can also camp at the farm **Gardar.** A little further on is the church and farm of **Stadastadur** where Ari the Learned is thought to have lived after his days in the south in Haukadalur near Geysir. In the 1120's Ari wrote the famous *Íslendingabók* (Book of the Icelanders) which was the first history of Iceland to be written in the Icelandic language rather than Latin. It briefly outlined the settlement of Iceland, the origin of the Althing (Parliament) and the conversion to christianity. It is also thought that he was largely responsible for the *Landnámabók* (Book of Settlements), the Icelandic equivalent of the Doomsday Book, although it was compiled two centuries after the actual settlement itself. There is no proof of his residence here at Stadastadur but there is a recent memorial stone that quotes from Ari's own introduction to the book: "But if anything is mistaken in this book, one should prefer whatever proves to be more accurate."

The mountains north of the road, Tröllatindar and Ellidartindur, surely house the dwellings of trolls. Indeed there are said to be caves and tunnels through from south to north. The sheer cliff is **Ellidahamar.** At the road junction with Route 56 there is Vegamót with vehicle services and refreshments. Looking ahead across the coastal plain it is apparent that you are again approaching a volcanic zone. Craters and lava flows begin to appear and at several places there are warm mineral springs: **Raudamela, Kolvidarnes,** and **Höfdi.** At **Laugarderdskóli** there is a swimming pool fed by mineral springs. The last two lie in the district adjacent to the Gullborgarhraun lava flow, a sea of eerie, mossy fingers. It is worth a detour up Route 55 as far as **Hlídarvatn** where, given the right light conditions the effect of water, rock and light on the drowned sections of the flow can be quite dramatic. This lava contains many caves, notably the Gullborgarhellir which can only be visited with the permission of the farmer at Heggstadir. It is a protected site. Back on our main Route 54 the prominent feature to the right is the perfectly circular **Eldborg** crater which erupted in the year 900. You will recall that we left Sel-Thórir of the sealskin bag wintering in Breidafjördur (Section 2.3(c)). The next spring they crossed into Borgarfjördur where the horse Skálm lay down for the first time beside the red-coloured crater Raudamelur-Ytri. Many years later Sel-Thórir was out walking beside the lagoon Kaldarós when he saw a man rowing an iron boat to the shore. The man began to dig at the door of a sheep shed and that same night there was the volcanic eruption that created Eldborg and buried the farm called Hrip. Apparently the traditional account is in error and petrographically the eruption could not have been Eldborg but rather that of Raudháls beside Route 55. The turning to Eldborg is almost opposite the airstrip that is to the left of the road, shortly after crossing the Kaldá. This is a protected site so please keep to the waymarked footpath to the crater. The lava here is well clad with birch scrub and parts have been heavily eroded exposing a reddish soil.

Having got the baggage taken off our horses, we set out on foot across the lava, in order to inspect more closely this curious production of nature. The walk proved very rough, and sometimes dangerous, owing to the sharp and cavernous nature of the lava. Several of the largest caves are used for sheep-pens, it being a fact, that, when left to follow their own inclination, the sheep repair to them in preference to those constructed by man. On our arrival at the base of the volcano, we could not sufficiently admire the regularity with which it rose by a gradual acclivity till within about eighty feet of the summit, when the heath and every vestige of vegetation ceased, and a wall of dark vitrified lava rose at once in nearly a perpendicular direction, and terminated in a rough and irregular top.

On May 21st 1815 Ebenezer Henderson managed to ride his horses from Eldborg along the coastline, dodging waves and lava projections, to the parsonage of Stadastadir that we passed earlier. They started out at 8pm reaching the farm at 5am the next morning. Given the hazardous nature of the various lava flows this was probably the easiest route.

Continuing south the mountains descend towards the lava with big, sweeping screes with glimpses of lava flows, **(Barnaborgarhraun, Álftarhraun)** lapping against their flanks. The country of the Mýrar is flatter now, once drowned by the post-glacial rise in sea level. The mountains sweep back into Nordurárdalur dominated by the prominent peak **Baula.** Close by the junction with Route 1 is the farm of Borg where tradition has always said that Kjartan of Laxdaela Saga is buried at his grandfather's home, where there is a grave aligned north-south. Is it the grave of Kjartan? Modern scholarship has translated the runic inscription as 'Here rests Hallur Hranson' but traditions and beliefs die hard. Borg is the focal point of Egils Saga and the sculpture by Ásmundur Sveinsson commemorates the Settlement home of Skallagrímur Kveld-Úlfsson whose land the Mýrar was. Snorri Sturlason, formerly of Helgafell and Saelingsdal, owned Borg in the thirteenth century and it was probably he who set down the saga of Skallagrímur's son, Egill, in Egils Saga.

Egill, built like a rugby prop forward, was a man of many moods, skills and emotions. He was a fearless warrior who made himself so unpopular with the Norwegian crown that he lived as an outlaw in Iceland. His daughter Thorgerdur married Ólafur Peacock (see above). His eldest son Bodvar was tragically lost in a storm in Borgarfjörður and his body washed ashore. A memorial plaque in the park (Skallgrímsgarður) in Borganes shows Egill conveying his son's body on horseback to its resting place in the nearby mound alongside his grandfather Skallagrímur. Egill was so affected by the tragedy that he retreated to his room and would see no-one but his daughter Thorgerður, who by then was living at Hjarðarholt. The Saga tells how she skilfully withdrew him from his deep depression and gave him the will to continue living.

Borgarnes (Fig. 2.29; Population: 1700) is strung out along a rocky promontory. Until the bridge was opened in 1980 the town was a little out on a limb but it is now becoming important as both a trading and tourist centre. The town is heated by geothermal water from a prolific spring, Deildartunghver at the mouth of Reykholtsdalur to the east of the town. Borganes is a good spot from which to make excursions in various directions:

2.4(e) Norðurárdalur (23 miles/27 Km)

Petrol: Borgarnes, Bifröst, Dalsmynni.
Road Conditions: Good.
Approx. Driving Time: 1 hour.

By following Route 1 up the beautiful Norðurárdalur, beaded with waterfalls, you can drive to the **Grábrók** craters, perhaps stopping for refreshment at **Bifröst,** a business school which serves as a summer hotel. The hotel is situated amid the **Grábrókahraun** lava which erupted some 3000 years ago at a locality where the NE-SW trending rift, followed by the Norðurá, is crossed by SE-NW fractures. These are now followed by the valleys visible on the far side of the main valley to the south-east, Reykholtsdalur, Lundareykjadalur and Skorradalur. The former represent the general tectonic trend in Iceland, the latter an older set of transverse faults relating to the period when the Snaefellsnes peninsula shifted westward to its present position. The flow blocked and diverted both the river Brekkuá and the Norðurá. The flat Desey plain just to the north of Grábrók represents the floor of the lake that was created and subsequently filled with sediment.

It was impossible for me to survey the scene that presented itself from the summit of this cone, without, in some measure, realizing in my imagination the awful period of its activity:- the convulsive throes of the ground; the belching of flames; the thunders of the eruption; the splashing of liquid fire; and the broad streams of devouring lava spreading themselves across the valley. As I resolved these things in my mind, I felt powerfully convinced, that in the following sublime specimen of prophetic poetry, the sacred writer has borrowed his imagery from the tremendous phenomena of a volcanic eruption: "For, behold the Lord cometh forth out of his place, and will come down, and tread upon the high places of the earth. And the mountains shall be molden under him, and the vallies shall be cleft, as wax before the fire, and as the waters that are poured down a steep place" (Micah i.3,4).

The mountain **Baula** is much older, being formed of viscous rhyolite some 3.5 million years ago. At 2800ft (848m) it is an impressive and dominating feature which can be climbed from the northwest, after driving up Bjarnardalur on Route 60.

From Bifröst you can walk down to the waterfall **Glanni** on the Norðurá where you can see salmon in the pools and, if you are lucky, leaping the fall. Downstream is the area known as **Paradís** where streams emerge from beneath the lava to feed the Norðurá. About an hour's walk further south is **Laxfoss** and a route back towards Bifröst along the banks of the Hrauná. Above Bifröst is the lake **Hreðavatn** attractive in itself but also the starting point for treks into the hills from which the views extend as far as the icecaps (Eiríksjökull, Langjökull) and the shield volcanoes of central Iceland (Ok, Skjaldbreiður). At one time there was an operational lignite mine to the north of the lake. If you are interested in landslides then make a short trip to the farm Hraunsnef where the side of the mountain Hraunsnefsöxl has collapsed leaving a 100m high cliff and debris below.

2.4(f) Reykholtsdalur and Húsafell (44 miles/70 Km)

Petrol: Borgarnes, Haugar, Varmaland, Reykholt, Húsafell.
Road Conditions: Good.
Approx. Driving Time: 2 hours.

This is a journey to visit Snorri Sturlason's pool at Reykholt and to view the extraordinarily beautiful waterfalls of Barnarfoss and the Hraunfossar. It is best to drive straight to Reykholt by following Route 1 as far as Haugar and the Route 50 until its junction with Route 518. There are hot houses, a store and a summer hotel at **Varmaland** and at **Deildartunga** the prolific hot spring that supplies Borgarnes and Akranes with their water supply. This is also the home of the rare Hard Fern *(Blechnum fallax)* which is a protected specie in Iceland. The first spring ever to be harnessed for domestic heating is at **Sturlureykir.**

Amid the steam at **Reykholt** is a farm and school that continues, in a way, the desire for learning that has existed here since the twelfth century. In the summer it is an Edda Hotel. Behind the school is a stone-lined pool **(Snorralaug)** fed by hot water from the spring called **Skrifla.** An underground passage leads from the farm to the pool which was probably roofed over at one time. It said that the pool was built by Snorri himself and would surely have served to ease away any troubles of the day.

I had my tent pitched on the summit of the virki, a circular mound of earth, forming the most eminent remains of the fortification, which, in former times, surrounded the farm. On his removing to this place, Snorro Sturluson not only repaired and enlarged the buildings, but inclosed the whole with a high and strong wall as a defence against the attacks of his enemies: for, in spite of the excellent regulations which existed during the Icelandic republic for securing individual safety, the intestine broils of the different chieftains, in which Snorro, in his time, had an eminent share, exposed the leading men to the rage and wantonness of the contending parties. The extent of the wall may yet be traced, but it is nowhere so conspicuous as here, where a watch-tower seems to have stood, and through which a subterraneous passage has communicated with the Snorra-laug, situated.

Snorri Sturluson was born in 1179 at Hvammur in Skeggjadalur, former home of Auður the Deep-Minded, and was related to the Viking poet Egill Skallagrímsson on his mother's side and to Snorri *goði* of Helgafell on his father's side. He was a Sturlung — a line of Icelanders noted for their lawlessness and the general decline of Althíng. With such a background it is scarcely surprising that, although born two hundred years after the great Saga Age he almost seemed born straight into it. He was fostered at the age of two to the well-connected Jón Loftsson of Oddi (Rang, S. Iceland) where he came into contact with the historical records held there. For a brief period he lived at Borg before moving to Reykholt where he spent the rest of his life maintaining a series of concubines, writing his *Heimskringla* (a history of Norway), his *Prose Edda* in which he outlines the background to Norse mythology and its relation to the court poetry of the period, and *Egils Saga*. His wealth and power grew and in 1225 he became Law-Speaker at the Althing. Unfortunately in the pursuit of power he fell out with the Norwegian crown and his son-in-law Gissur Thorvaldson who also had ambitions to rule Iceland. Finally Snorri was hacked to death in the cellar of his own home at Reykholt.

Continuing along Route 518 you will come to the **Hraunfossar** on your left. This is a most extraordinary sight. Ice-cold, blue water gushes from the end of the Gráhraun lava in a long line of torrents that tumble between rocky fingers and the branches of trees. The higher waterfall, **Barnafoss,** takes its name from two children supposed to have fallen into the water there.

At **Húsafell** you are at the fringe of coastland and central desert. The farm area is well wooded and a popular camping place. It is well provided with facilities including chalets, store, restaurant and geothermally heated swimming pool. It is an ideal spot for walkers wishing to climb Strutur, or explore the lava caves **Surtshellir** and **Stefánshellir** in the Hallmundarhraun lavafield. Henderson wrote a very detailed and fascinating account of Surtshellir on his journey of 1815, snippets of which are given below:

One of our party, more adventurous than the rest, succeeded in getting down, and was followed by all of us except the clergyman, who, being rather corpulent, durst not make the attempt. However, as he was equally desirious of seeing the curiosities of the cavern . . . We entered . . . the cave from the inner end, and unfortunately discovered a crust of lava running longitudinally along the right-hand side, which was just broad enough for our friend to walk upon, while he suspended himself in a great measure, by the knobby and stalactitic lavas above. One of our servants could not on any account be prevailed upon to accompany us into the cavern. His mind was evidently tinctured with the same superstition . . . that at the close of the present system of things, Surtur, the black prince of the regions of fire, should proceed from the south, and set the world on flames; and the original inhabitants of Iceland having fallen in with this cavern, and contemplated the awful marks of conflagration with which it is surrounded, have conceived the idea that a more proper abode could not be assigned to the genius of fire. Nor were we without apprehensions lest fresh masses should have dislodged themselves from the roof, and crushed us to atoms. We . . . instantly recognised . . . the asylum to which numerous banditti resorted in former times.

It was not long before we reached a spot, the grandeur of which amply rewarded all our toil; and would have done so, though we had travelled an hundred times the distance to see it. The roof and sides of the cave were decorated with the most superb icicles, crystallised in every possible form, many of which rivalled in minuteness the finest zeolites; while from the icy floor, rose pillars of the same substance, assuming all the curious and fantastic shapes imaginable, mocking the proudest specimens of art, and counterfeiting many well known objects of animated nature.

The caves are protected by law as national monuments and every care should be taken not to damage the environs in any way. The track leads from the farm **Kalmannstunga.** There is a third cave, **Vidgelmir,** on the west

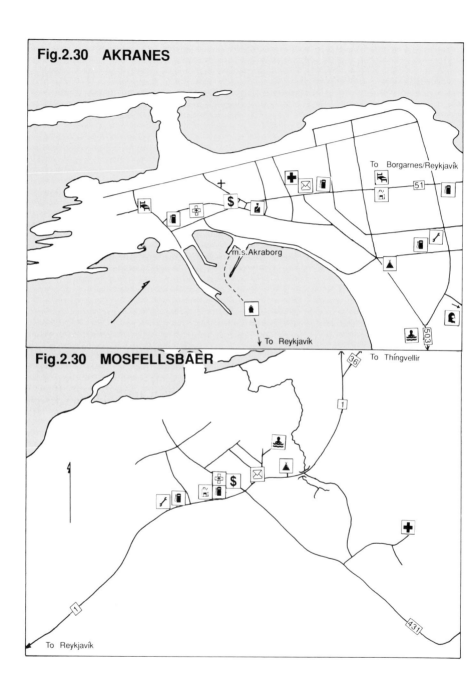

Fig.2.30 AKRANES

To Borgarnes/Reykjavík

51

m.s.Akraborg

To Reykjavík

Fig.2.30 MOSFELLSBÆR

To Thíngvellir

1

To Reykjavík

side of Norðlingafljót approached from **Fljótstunga.** Just beyond Húsafell is the start of Mountain Track F35 which leads through Kaldidalur to Thingvellir. In good conditions this can be managed by small cars but not under very wet conditions. Hired cars are not covered by insurance on this route.

From here you can return by retracing your steps to Borgarnes or by taking the north side of the Hvítá (Route 523) and then Route 50 again.

To get from Borgarnes to Reykjavík you have three possible routes as outlined below:

2.4(g) Borgarnes to Reykjavík 1. (24 miles/38 Km)

Petrol: Borgarnes, Akranes, Reykjavík.
Road Conditions: Metalled surface all the way.
Approx. Driving Time: 30 mins + 1 hour on ferry.

Before the construction of the bridge in 1980 the crossing of the Hvítá involved a detour of 31km. Before bridges were built at all the crossing of the Hvítá was always hazardous:

The horse of one of the peasants taking fright, when about the deepest part of the river, his rider was thrown into the water, and as he was at a great distance from either bank, and being, besides, ignorant of the art of swimming, the spectators gave him up for lost. Happening, however, to get on his back, and extending his hands and feet, he kept his head above water, and was carried gently down by the stream: his companions riding along the banks, and talking with him all the while, till after having floated near a mile, he was cast on a small sand-bank, from which with little difficulty, he reached the shore.

Today you can take the modern bridge over the fjord on Route 1 and follow it around to its junction with Route 51 (an alternative route over Draghals is described in the next section below). The road passes beneath the Hafnarfjall massif and past the farm **Beitistaðir** where, in 1815, the only printing press on the island was being re-established. It was being moved from the farm **Leirargardar:**

. . . which is at present without employment, owing chiefly to prejudices conceived by the Icelanders against the publications which issued from it some years ago. Nor were these prejudices entirely without foundation; for many of the writings in question had but too glaring a tendency to introduce illumination of the German school, and the attacks made on certain classes of the inhabitants were too pointed and violent not to excite indignation.

In 1819 the press moved to the island of Viðey beside Reykjavík.

The road to Akranes is flanked by the mountain Akrafell the location for one of those wonderful stories that the author thought peculiar to the flanks of Snowdon in Wales. Apparently an eighteenth century outlaw escaped capture there by infiltrating and joining the very search party that was out for his blood. **Akranes** (Fig. 2.30; Population: 5400), noted for "pretty girls and good potatoes", sits on a low promontory and is somewhat industrial in flavour largely on account of the large state cement works, Icelandic Alloys, fish processing, and two ship-building firms. There is also a knitting factory which can be visited. Perhaps one of the more fascinating attributes is the folk museum at Gardar which contains an extraordinary collection of items, including a set of clippers used in the so-called 'Cod

Wars', a gun from one of the gunboats and, unusually, a pillory for parents who failed to instil proper manners into their children! One warning: if you plan to camp in Akranes the camp site, at the time of writing, is functional rather than inviting, being surrounded by high-rise flats. In the summer the ferry, m.s. Akraborg, departs every three hours from 8am until 5pm with an extra trip on Fridays and Sundays. The boat carries over 400 passengers and 68 cars and takes 55 minutes to ply the bay to Reykjavík where it docks close to the city centre.

2.4(h) Borgarnes to Rekjavík 2. (69 miles/110 Km)

Petrol: Borgarnes, Ferstikla, Thyrill (NLF), Botnskáli, Mosfellssveit, Reykjavík.
Road Conditions: Excellent. Metalled road most of the way.
Approx. Driving Time: 90 mins.

The alternative coastal rout either follows Route 1 all the way to Reykjavík or, on crossing the bridge, turn left onto Route 53, 507 and then Route 50 which goes over **Dragi,** the pass between the wooded **Skorradalur,** and **Svínadalur** on the south side of the mountain. In recent years this valley has been the focus of a revival of old pagan customs. The High Priest of the cult, Sveinbjörn Beinteinsson, a druid-like figure, lives at the farm **Draghals.** He has become something of a legend in his own right. The sect, known as the *Ásatru,* (literally, 'belief in the AEsir', or Norse gods) is legally empowered to conduct baptisms, confirmations, weddings and funerals. Ceremonies are held in the open, close to the Nature that they worship.

The road then descends beside the lakes to Route 1 at **Ferstikla** where there is petrol and refreshments. From here on it is a case of following Route 1. You are now in **Hvalfjördur** (Whale Fjord) so named because of the whaling station that grew up near **Midsandur.** Whaling has always been important to the Icelandic society and economy but in recent years it has succumbed to the pressures of conservation movements. For a period scientific whaling was carried out for research purposes but this ceased in 1989. However this may well be a temporary measure while the situation is evaluated. Midsandur was a British naval base during the Second World War where convoys used to gather to cross between Norway and North America. The personnel were quartered at **Hvítarnes** on the south side of the fjord. This was the fjord into which the plague was brought to Iceland in 1402 when the population of Iceland was felled from 120,000 to 40,000 people in two years. Inevitably the economic and social structure of the island was decimated and had it not been for the activities of English traders seeking Icelandic fish the economy might have taken even longer to recover than it did. In fact the population never again reached a comparable level until 1940.

From Midsandur you seem to be reaching the very end of the fjord but a gap containing the farm Thyrill leads unto a further extension, **Botnsvogur,** where **Botnskáli** provides petrol and refreshment. On the next leg of the fjord you pass two distinctive rocks to the left of the road, **Einbui** (The

Hermit) and **Karlinn í Skeidshóli** a chalice-shaped rock sometimes known as the Prestasteinn.

The road now sweeps below mount **Esja** the proud and dominating mountain that commands Kollafjordur and the bay across to Reykjavík whose growing skyline stretches ahead of you. **Mosfellsbaer** (Fig. 2.30; Population: 2700) is now a part of the inexorably expanding Reykjavík and **Álafoss** is no longer the home of the woollen company; it has moved to Akureyri. The city is also expanding into the fields to the right of the road near **Keldur,** where there is a medical research centre. There are also agricultural, building and industrial research facilities at **Keldnaholt** and on the **Gefunes** peninsula is Iceland's telecommunications centre. The huge farm building, before Keldur, is Korpúlfsstaðir. In 1922 it was the most advanced dairy farm in Iceland, but it has been in the hands of the Municipality of Reykjavík since 1942. It has been a warehouse, a studio for various artists, and shortly is to become the home for the paintings of the Icelandic artist Erro. To the left of the road the hotwater pipeline from Mosfellssveit follows you into town.

You will enter Reykjavík along Vesturlandsvegur which sweeps down hill to cross the Ellidaá. Just stay on this road to reach the centre of town but, if looking for the camp site, the easiest route is to turn right at the first set of traffic lights, after the river crossing (Grensásvegur), and follow it right down, to its junction with Suðurlandsbraut, where you turn left and then third right (Reykjavegur), where you will see the camp site, swimming pool, and sports facilities to your right. Turn right at the bottom of Reykjavegur. If you miss the Grensásvegur turning there is a camp site sign at the second lights after that (Kringlumýrarbraut) which leads you off to the right.

2.4(i) Borgarnes to Reykjavík 3. (94 miles/148 Km)

Petrol: Borgarnes, Hvítarvellir, Thingvellir, Mosfellssveit, Reykjavík.
Road Conditions: Generally good as far as Uxahryggir then variable, sometimes stoney or sandy.
Approx. Driving Time: 3 hours.

This route will take you onto the very fringes of the central desert at **Uxahryggir.** It is an interesting route which begins by taking Route 1 north out of Borgarnes to its junction with Route 53. Having crossed the Hvítá you turn left almost immediately onto Route 52 at **Hvítárvellir,** formerly a seafaring trading post and market centre. **Lundarreykjadalur** is a wide, strongly glaciated valley occupied by the river **Grímsá** which tumbles over many falls and rapids on its way to join the **Hvítá.** Above **Brautartunga** the road takes the western fork, occupied by the **Tunguá,** and climbs towards the last farm **Gilstreymi.** You are now on the edge of the wilderness. Shortly after **Uxavatn** you come to the junction with Mountain Track 35 from Kaldidalur where the road turns sharply south by the numerous wayside cairns *(vörður).* There is an emergency shelter a short way along Track 35 and readily accessible by an ordinary car. It was while journeying along here in 1720 that Bishop Jón Vidalin of Skálholt died. He was an influential preacher and a kindly man with the 'common touch'. He was also an intellectual and wrote a very popular "Book of Family Sermons" (Postilla) which appeared in fourteen editions. The view to the north of here is dominated by the shield volcano **Ok** whose crater is filled with permanent ice and snow. To the north-east is the bastion of the **Thórisjökull** icecap which marks the south-western end of the **Langjökull** icecap. This is truly a scene of desolation, yet one which has a natural beauty that needs to be seen to be appreciated. You can imagine the early Icelanders trekking across this pass to get to the Althing and Thingvellir.

The road rises and drops into **Vidiker,** a grassy depression, before rising steeply to the top of the appropriately named **Tröllháls** (troll's neck). It is worth stopping here, switching off the engine, listening to the silence, and taking in the magnificent panorama. It is the shield volcano **Skjaldbreidur** (broad shield) that hogs the stage now; a mammoth almost circular volcano whose sides slope gently to the crater to provide the classic shield shape of a pile formed by fast-flowing basaltic lava. All around you is a sea of frost-shattered lava blocks with an ocean of lava below, yet within the nooks, crannies, and polygonal patterned shapes a ground-hugging vegetation survives.

The descent from Tröllhals is steep but the run out is relatively flat and sandy. Sharp winds, created by the air pressure difference between icecap and bare ground, have whipped up the finely eroded and frost-shattered particles to blow them into hollows. Here the sand has drifted into the embayment occupied by **Sandkluftavatn.** Here and there marram grass has taken root to bind the sand but if the wind is at all strong it can sometimes be difficult to see your way for mobile drifts. At last the track climbs to rocky pass before descending to the prominent plain **Hofmannaflói.** The track leads around **Armannsfell,** past the horse racing track at **Balabas,** and into the **Thingvellir** plain. Thíngvellir, and the remainder of the route to Reykjavík, is described in Section 2.6(a).

On entering Reykjavík refer to the last paragraph of the previous section.

Left:
The lake in
central
Reykjavík

Below:
Sunset on
Reykjavík

Conference City on Top of the World

It's not just the hotels,
the cultural events and the
museums, the restaurants and
nightclubs, the unpolluted air,
pure water and outdoor
swimming pools; it's not just the
midnight sun and the natural
beauty, that make a conference in
Reykjavík such a special
experience.

When you hold a conference
in Reykjavík you grab people's
attention by doing something
completely different.
And the conference will be
an unforgettable experience to all
involved.

Don't we all want to make it
to the top?

On Top
of the World

THE CITY OF
REYKJAVÍK

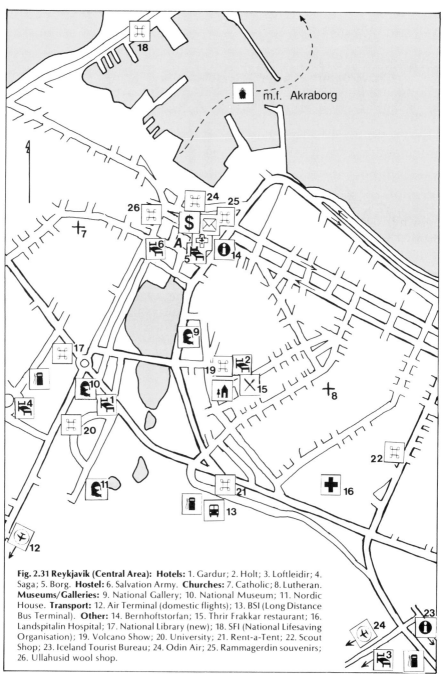

Fig. 2.31 Reykjavik (Central Area): Hotels: 1. Gardur; 2. Holt; 3. Loftleidir; 4. Saga; 5. Borg. **Hostel:** 6. Salvation Army. **Churches:** 7. Catholic; 8. Lutheran. **Museums/Galleries:** 9. National Gallery; 10. National Museum; 11. Nordic House. **Transport:** 12. Air Terminal (domestic flights); 13. BSI (Long Distance Bus Terminal). **Other:** 14. Bernhoftstorfan; 15. Thrir Frakkar restaurant; 16. Landspitalin Hospital; 17. National Library (new); 18. SFI (National Lifesaving Organisation); 19. Volcano Show; 20. University; 21. Rent-a-Tent; 22. Scout Shop; 23. Iceland Tourist Bureau; 24. Odin Air; 25. Rammagerdin souvenirs; 26. Ullahusid wool shop.

Fig.2.31 REYKJAVIK (Central Area)

132

Reykjavík, the 'Smokey Bay' of Ingólfur Arnarson, has exploded in the last few years, and on first acquaintance will astonish the visitor to 'remote' Iceland. Those coming in by air will find that the urban sprawl begins some ten kilometers out in Hafnafjördur. In a northerly direction the city has spread to Mosfellsbaer and is now beginning to infill the spaces left between the main road and the sea. In some ways the thing that makes Reykjavík different from other cities, is that the centre of town is essentially low rise, for the recent growth, both outwards and upwards, has been on the fringes. The hills of **Breidholt** saw a new satellite development in the late 70's and 1980's, its lights gleaming like Hong Kong island. This development is now contiguous with the rest of the city and the new growth has come down to the shore by **Gufunes.** The city centre, though slowly modernising, has remained much as it always has been. The only major central developments being the construction of the new city hall on land reclaimed from the central lake, **Tjörnin;** perhaps the most significant recent topographic change in the centre's morphology. Citizens may well protest at this intrusion into the peaceful, watery heart of Reykjavík, for it is not the first time that a section of the lake has yielded to building development. The fine old **Idno** (Idnadarmannahúsid — 'Artisan's House') was built in the north-east corner in 1890. It is perhaps significant that the Reykjavík Theatre Company has now moved out of this little theatre to a brand new, purpose built theatre to the east of the centre beside the large, new shopping mall, **Kringlan;** a move in keeping with the general eastward expansion of Reykjavík. The centre skyline is currently being modified, also, by the construction of a revolving restaurant above the hot water tanks on **Öskjuhlíd.**

When the population figures are looked at, it is easy to see why Reykjavík has expanded. Iceland's population of 250,000 has doubled since 1943 and quadrupled since 1854. Most of this growth has taken place within the metropolitan area, and whereas in 1978-83 the growth in areas outside Reykjavík accounted for 38% of the increase, in 1983-88 this had fallen to about 2%. Interestingly the drift to Reykjavík has recently halted and in 1989 there was greater migration from Reykjavík to rural areas than the usual reverse. Perhaps this is caused by the later development of other towns around the country, a desire to attract people back to those areas which had suffered from depopulation, the cost of living in the city, and perhaps also by the Icelanders desire for a rural *'des res'*. At the same time Iceland's birth rate has dropped from 130 per 1000 women (1965) to 70 per 1000 in 1986.

To get the most out of a visit to Reykjavík the daily **City Sightseeing** tour from Hotel Loftleidir (which also picks up at hotels etc. by request) is recommended as a starting point. If you do not like guided tours then, with

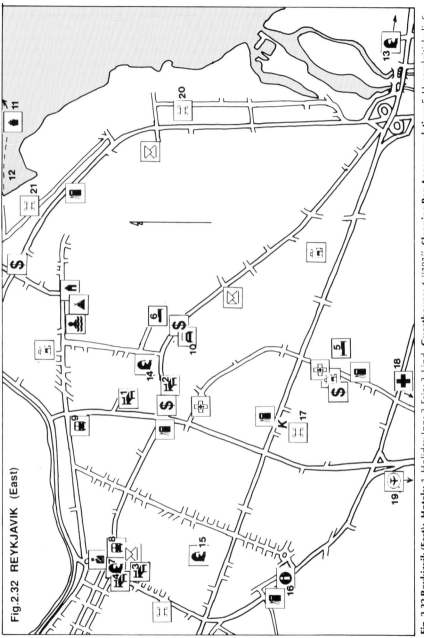

Fig.2.32 REYKJAVIK (East)

Fig. 2.32 Reykjavik (East): Hotels: 1. Holiday Inn; 2. Esja; 3. Lind. **Guesthouse:** 4. "101". **Sleeping Bag Accommodation:** 5. Hvassaleitiskoli; 6. Laugadalsholl. **Transport:** 8. Hlemmur bus terminus; 9. Gudmundur Jonasson coaches; 10. Geysir Car Rental; 11. Videy ferry; 12. Sundahofn container terminal. **Museums/Galleries:** 7. Natural History; 13. Arbaer; 14. Asmundur Sveinsson Studio; 15. Kjarvalsstadir. **Other:** 16. Iceland Tourist Bureau; 17. Reykjavik Theatre; 18. Borgarspitalin Hospital; 19. Keflavik Airport; 20. Landflutningar long distance lorry transport; 21. Saga Film. K = Kringlan Shopping Mall (chemist, bank, supermarket, souvenirs, Hard Rock Cafe etc.).

the aid of the book 'Reykjavík within your Reach' by Vigdís Finnbogadóttir (President of Iceland), you can guide yourself around the central area.

The square **(Austurvollur),** in front of the parliament building **(Althingishúsid),** is the true heart of old Reykjavík and where, in the south-west corner, Ingólfur had his farmstead. The track to the sea, now **Adalstraeti** (Main Street), ran unhindered to the bay where the pillars from his ship had floated ashore. This beach was traditionally the landing place and harbour for fishing and trade, and many of the streets, west of Adalstraeti, have names associated with the sea (eg Aegisgata, Öldugata, Ocean and Billow street respectively). Visiting ships brought seamen from all over the world and those of the Roman Catholic faith soon had their own support in a hospital **(Landakot),** nunnery, and a church **(Kristskirkja)** in this part of the town.

Reykjavik, which, about forty years ago consisted merely of a few houses, has lately risen into some notice, having become the residence of the governor, the Episcopal see, the seat of the Supreme Court of Judicature, and the principal mecantile station on the island. It consists of two streets, the longer of which, built only on the one side, stretches along the shore, and is entirely occupied by the merchants: the other, which strikes off at the west end of the town, and runs almost in a direct line back to the margin of a small lake, contains the houses of the Bishop, Lanfoged, and other's not immediately engaged in trade. The church, stands by itself, on a gentle rise of the green, occupying the space between the town and the lake. It is a heavy building of stone, and might make a commodious place of worship, were it not that the roof, which is covered with red tiles, is sadly out of repair, and it is not without danger that the congregation assemble in it in stormy weather.

South of Ingólfur's farm, the lake **(Tjörnin)** emptied through a small stream that is now beneath **Laekjagata** (Brook Street) and for many years was the eastern boundary of the town. It is around Laekjargata that many of the town's oldest buildings are clustered, notably the **Bernhoftstorfan,** now housing the restaurants Torfan and Punktur og Pasta, gift and travel shops. This district became the commercial area around which the banks eventually collected. The 18th Century town gaol is perhaps the most imposing building here. It is known as Government House **(Stornarrádid)** and today houses the offices of the President. In the open space **(Arnarhóll),** behind the building, is a statue of Ingólfur looking out over his lands and the shore which so decisively influenced the future of Iceland. The road leading east from Laekjargata begins as Bankastraeti, but quickly changes to **Laugavegur,** or 'Hot Spring' road, used by the settlers over the centuries when trekking to the geothermal pools in Laugadalur (see below). This well-trodden path became the natural place for market trading and is now Reykjavík's principal shopping street. The hot water has even been piped beneath the carriageway and pedestrianised area to melt the winter's snows.

The finest collection of buildings through the ages is to be found at the folk museum **Árbaersafnid,** on the eastern outskirts of the city, but Iceland's oldest building is to be found on the island **Videy,** one kilometer north of the Sundahöfn harbour. The Videyarstofa, built between 1751 and 1755, was the first stone building in Iceland, and was given to the Royal Treasurer, Skúli Magnússon who had been responsible for manufacturing

developments along Aðalstraeti. After Hólar, the church on Viðey is the second oldest in Iceland, having been constructed in 1774. However, its interior furnishings are the oldest. The island has seen many owners, and is currently in the hands of the Municipality of Reykjavík. At one time there were 100 people living and working on the island, mainly as fishermen at Sundabakki, at the south end. The Viðeyarstofa has been renovated and contains a restaurant open between 1400 and 1700 (Monday to Wednesday) and 1900 - 2330 (Thursday to Sunday). The ferry to the island departs from the Sundahöfn harbour and takes but a few minutes. Camping is allowed, and there are basic facilities.

It is always pleasant to stroll around the Tjörnin, listening to the plaintive shriek of the arctic tern, which nest here in the middle of town. The lake played an important role in days gone by; its winter ice carved up and stored in two ice houses ready to preserve fresh fish. The two buildings are still visible; on the west side, **Tjarnarbío,** used in the summer months for the splendid theatrical presentation called 'Night Lights', and on the east the imposing solidity of the **National Art Gallery,** which, until 1987, had lain derelict following a fire in what was then the Glaumbaer dancehall. At a glance you will understand why the building gained the name Herdubreið (Broad shoulders), a name also given to the most majestic of Icelandic mountains. There are two more striking houses around the lake: Fríkirkjuvegur 11, whose marbled walls are actually handpainted, and Tjarnargata 32, the so-called **Raðherrabustaðurinn** (Minister's House) which began life in the Western Fjords (see Section 2.3(b)). It was bought by the first Icelandic minister, Hannes Hafsteinn, and used as the Prime Minister's residence. Today it is the guest residence for visiting foreign dignitaries. It is a peaceful walk from here through the gardens, and beside the fountains towards the **National Museum** on Hringbraut. The museum houses a fine collection of items from the Viking age onwards, and has a display of artefacts of industrial archaeological interest. If travelling to the East, you should look for the beautiful, 13th Century Valþjófsstaða door which is referred to in Section 2.1(b).

The area south of the lake is very open, largely because of the domestic airport and the campus of the University of Iceland. The land here is stony and infertile, and thus at first ignored by the early settlers, almost as much as today. Behind the museum, the **University** building, founded in 1911, stands imposingly overlooking the plain and the statue of Saemundur Fróði (The Learned). The subject of the statue is derived from an old saga, and depicts him stunning the Devil (disguised as a seal) with a book, thus substantiating the University motto that 'Knowledge is the basis of all achievement' (Vísindin efla alla dáð). Today one of the buildings is the **Norraena húsið** (Nordic House), erected jointly by the five Scandinavian countries, as a focus for exhibitions and lectures. It is pleasant simply to visit and take a cup of coffee. Not far away is the building **Arnagardur,** housing Iceland's priceless collection of ancient velum manuscripts once held by the Árni Magnússon Institute in Copenhagen. In the summer the

THE VOLCANO SHOW

This 2 hour long program of prizewinning volcano and nature films about Iceland by Vilhjálmur and Osvaldur Knudsen is very popular among visitors.

In the last few years we have had an unusual number of volcanic eruptions in Iceland which you will witness in our summer show as well as any new developments.

Some of nature's fiercest dramatic events occur in Iceland which is still undergoing geological growing pains. Our company was founded in 1947 by Osvaldur Knudsen, veteran filmmaker of Iceland's natural wonders, who has ever since covered all volcanic activity in Iceland together with his son Vilhjálmur Knudsen.

In films like: *FIRE ON HEIMAEY, BIRTH OF AN ISLAND* and our *LAKE MYVATN, MOUNT HEKLA* and *VATNAJÖKULL GLACIER VOLCANO* eruption coverage you will witness some of the most spectacular volcanoshots ever filmed, which have earned this company international recognition.

During summer, June — August, The Volcano Show is every day at 3 in the afternoon and 8 o'clock in the evening. Sept. — May, the shows are Tuesdays, Thursdays and Saturdays at 8 o'clock in the evening. The shows are in English. Ticket office opens an hour earlier. Please book in advance when possible as we get very crowded.

We do extra shows for groups at other times in English, French or German by prior arrangement. Other languages on request. We have for sale 16 mm, Super 8 mm and videocassette copies of our films. Our most popular videocassettes **Iceland Video 1 and 2,** 60 minutes are available in all international television standards, in English, French and German.

THE VOLCANO SHOW
HELLUSUNDI 6A, REYKJAVíK, ICELAND   **Tel. (91) 13230**

ULLARHÚSIÐ
THE WOOLHOUSE

KEEP WARM while on your expedition with one of our magnificent hand-knitted Icelandic sweaters.

SEE our fabulous collection of woollen goods at our store in the centre of Reykjavík.

For special GROUP VISITS telephone 8-13-38 or 2-69-70.

ULLARHÚSIÐ, AÐALSTRÆTI 4, REYKJAVíK

138

exhibition is open three afternoons a week. Details of this and other exhibitions are given below.

No visit to Reykjavík is complete without a trip to one of the **swimming pools.** The largest, and best known, is that in **Laugardalur,** adjacent to the camp site and the new Youth Hostel. Its 'hot pots' are famous, and especially enjoyable in the winter months when there is snow on the ground, a frost in the air, and snow flakes refreshingly landing on your face! It was the hot springs of Laugadalur that gave their name to Reykjavík, and it was to these natural effusions that the people came to wash their clothing and even themselves. Not only did they give their name to the track leading to them (Laugavegur) but also to the sixth day in the week — Laugadagur, Saturday, or Bath Day. The valley remains open, with a botanical garden, and a place where Reykjavík's principal sporting activities take place.

There is plenty to see and do both in and around Reykjavík. Stroll out onto the Seltjarnarnes peninsula where the city meets the ocean, and arctic tern swoop interminably above the golfers at the Nes Golf Club; the only club in the world to have its own special rule allowing golfers to assist their opponents by waiving their club aloft to fend off the attacking terns. Out here you are suddenly in another world where sea, sky and mountainous horizon meet. If you enjoy golf there are several courses in or near Reykjavík and 33 in Iceland as a whole (see Appendix D).

In the evenings there are cinemas but, in summer, few theatrical events or concerts. Icelanders are out and about, leaving the cultural events to winter and early summer, when, in June, the Reykjavík Arts Festival is held. There is however the nightly **Light Nights** in Tjarnargata, beside the lake, where a fascinating and thoroughly enjoyable home brew presentation in English is well worth seeing. The actors tell traditional Icelandic stories, legends, and sagas every evening from Monday to Saturday. The **Volcano Show** in Hellusundi, close to Hotel Holt, is a 'must' for all (see advertisement). Old and recent films of volcanic activity in Iceland, together with some interesting material on, for example, Skaftafell before the road was opened. The auditorium is small, and advance booking is recommended. Take a cushion and spare oxygen cylinders; it is hot and stuffy, but you'll enjoy it. For other activities there are good restaurants, notably **Þrír Frakkar** in Baldursgata, where Úlfar Eysteinsson and his staff prepare the most excellent fish dishes. If you want it, there are night clubs, and weekend evenings will always see discos in progress. Now that prohibition has ended, Iceland has its own versions of the pub, and alcoholic beverages can be obtained. The **Kringlan** Shopping Mall, which also houses Reykjavík's 'Hard Rock Cafe', is open until 1900 hrs during the summer. It has a large food store, Hagkaup, which is very similar to Sainsbury's in Britain.

At Keilusalarinn on Öskjuhlíd, below the hot water tanks, and approached from Flugvallavegur, there is **Ten-Pin Bowling.** However, if you have come to run in the annual **Reykjavík Marathon,** then there are plenty of places to train while enjoying the peace and fresh air.

ÞRÍR FRAKKAR hjá ÚLFRAI
Café-Restaurant

Specialities: Fresh seafood and Whale meat

A meat dish is always available

Expeditions welcome

Open 11.00 — 23.30 daily

Baldursgata 14 **(91) 23939**

Getting about in Reykjavík is quite simple once you have mastered the **bus** system. **Taxis** are plentiful and easy to order (for both see Chapter 6). An alternative way of getting around is to hire a **bicycle** (see below). Why not take a **ferry** trip across the bay to Akranes (Section 2.4(g)). The m.f. Akraborg leaves from the harbour, close to the centre of town.

Winter visitors may want to try **skiing** in Bláfjöll (see Section 2.6(c) and later in this Chapter) which is only half an hour from the city. There are daily buses from the Long Distance Bus Station when the ski area is open, and you can hire equipment either at the slopes, or at the ski rental shop beside the Bus Station.

For general up-to-date information about what's on anywhere in Iceland you should call in to the **Information Centre** in Bernhoftstorfan.

USEFUL INFORMATION

Hotels in Reykjavík:		Telephone:
Hotel Borg	Pósthusstraeti 11	11440
Hotel City	Ránargata 4a	18650
Hotel Esja	Suðurlandsbraut 2	82200
Hotel Holt	Bergstaðastraeti 37	25700
Holiday Inn	Sígtún 38	689000
Holiday Garður	Hringabraut (summer)	15656
Hotel Geysir	Skipholt 27	26210
Hotel Lind	Rauðarárstigur	623350
Hotel Loftleiðir	Reykjavík airport	22322
Hotel Óðinsvé	Óðinstorg	25224
Hotel Saga	Hagatorg	29900
Guesthouses:		
Berg	Baejarhraun, Hafnafj	652220
Family Guesthouse	Flókagata 5	19828
Guesthouse	Báragata 11	612294
Guesthouse	Flókagata 1	21155
Guesthouse	Eskihlíð 3	24030
Guesthouse #101	Laugavegur 101	626101★
Hotel Jorð	Skólavördustigur 13a	621739
Salvation Army	Kirkjustraeti 2	613203★
Snorri's	Snorrabraut 61	20598
Svanurinn	Lókastigur 24a	25318
Townstar	Ránargata 10	621804
Viking	Ránargata 12	621290

★ see advertisement

Accommodation in Private Homes: For details you will need to contact Tour Operators, or the Information Centre in Bernhoftstorfan.

Transport within Reykjavík: This is dealt with in Chapter 6.

Have you ever tried swimming in water from the thermal springs?

This is what you are invited to
– hot spring water mixed with crystl-clear drinking water –
the finest possible swimming facilities in excellent pools.

Closing means that admissions cease, but patrons can ramain in the pool for another 30 minutes. All pools have saunas except Sundhöll.

Laugardalslaug

outdoor (near Hotel Esja), tel. 34039:
Monday through Friday
7:00 to 20:30.
Saturday 7:30 to 17:30
Sunday 8:00 to 17:30

Vesturbæjarlaug

outdoor (at Hofsvallagata
in the western sector), tel. 15004:
Monday through Friday
7:00 to 20:30.
Saturday 7:30 to 17:30.
Sunday 8:00 to 17:30.

Sundhöll Reykjavíkur

indoor pool (at Barónsstígur
near Hlemmur), tel. 14059:
Monday through Friday
7:00 to 20:30.
Saturday 7:30 to 17:30.
Sunday 8:00 to 15:00.

Sundlaug Fjölbrautarskólans

in Breidholt, outdoor, tel. 75547:
Monday, through Friday
7:20 to 20:30.
Saturday 7:30 to 17:30.
Sunday 8:00 to 17:30.

ÍÞRÓTTA– OG
TÓMSTUNDARÁÐ
REYKJAVÍKUR

Swimming Pools: Details of these excellent pools are given in the Reykjavík Swimming Pools advertisement. Pre-swim hot showers are compulsory, but welcome anyway (especially after a few days in the backcountry!). Hairwashing is allowed, but do not use glass bottles in the shower room. Lockers with keys are available but at Sundhöll the attendant keeps the key and you have a numbered disk.

Museums: (figures refer to days of the week)

Arnargarður	Suðurgata	2, 4, 6	1400-1600
Árbaer Open Air	E. of R. Ellidaá	2-7	1000-1800
Ásgrimur Jónsson	Bergstaðastr. 74	2-7	1330-1600
Einar Jónsson	Skólavörðuholt	2-7	1330-1600
National	Hringbraut	2-7	1100-1600
Natural History	Hverfisgata 116	2, 4, 6, 7	1330-1600
Oddi (Art)	Suðurgata	1-7	1330-1800

Galleries: (figures refer to days of the week)

Ásmundur Sveinsson	Sígtún	1-7	1000-1600
Kjarvalsstaðir	Miklatún	1-7	1100-1800
National	Fríkirkjuvegur	2-7	1200-1800
Nordic House	Hringbraut	1-7	1400-1900
Photography	Borgartún 1	1-7	1100-1900

Small galleries seem to come and go. Details can be obtained from the Information Centre in Bernhoftstorfan.

Libraries: (figures refer to days of the week)

University	University Building	1-5	0900-1900
National	Hverfisgata	1-6	0900-1900
Nordic House	Hringbraut	1-7	1300-1900
Alliance Francaise	Vesturgata 2	1-7	1700-1900
Goethe Institute	Tryggvagata 26	1-4	1400-1800
U.S. Info. Centre	Neshagi 16	1-5	1130-1700

There are also a number of municipal libraries. Details from the Information Centre in Bernhoftstorfan, or look up *Bokasöfn* in the yellow pages of the telephone directory.

Cinemas:

Bíoborgin	Snorrabraut 37	11384
Bíohollin	Álfabakki 8	78900
Háskólabío	Hagatorg	22140
Laugarásbío	Laugarás	32075
Regnboginn	Hverfisgata 54	19000
Stjornubío	Laugavegur 94	18936

Theatres/Shows:

National Theatre	Hverfisgata	11200
Reykjavík Theatre	Kringlan	680680
Light Nights	Tjarnargata 10e	19118
Icelandic Opera	Ingólfstraeti	11475
Volcano Show	Hellusundi 3	13230

Restaurants: Some restaurants offer a special Tourist Menu during the summer with an emphasis on good food at low prices. Children aged 0-5 go free, and those aged 6-12 have a 50% discount. These restaurants are marked with an asterisk.

Arnarhóll	Hverisgata 8-10	18833
Askur★	Suðurlandsbraut 4	38550
Askur★	Suðurlandsbraut 14	681344
Cafe Opera	Laekjargata 6	29499
Eldvagninn	Laugavegur 73	622631
Fogetinn★	Aðalstraeti 10	18082
Gaukur á Stöng★	Tryggvagata 22	11556
Grillid	Hotel Saga, Hagatorg	29900
Holiday Inn★	Sígtún	689000
Hotel Lind★	Rauðarárstigur 18	623350
Hotel Loftleidir	Reykjavík Airport	22322
Hotel Ódinsvé★	Ódinstorg	25640
Jonatan Livingston Mávur	Tryggvagata 4-6	15520
Lauga-ás★	Laugarasvegur 1	31620
Laekjarbrekka	Bankastraeti 2	14430
Italia	Laugavegur 11	24630
Madonna	Rauðarárstigur 27	621988
Naust	Vesturgötu 6	17759
One Woman Vegetarian	Laugavegur 20b	28410

Potturinn og Pannan★	Brautarholt 22	11690
Þrír Frakkar	Baldursgata 14	23939†
Punktur og Pasta	Torfan	13303
Taj Mahal Tandoori	Laugavegur 34a	13088
Thórs Cafe	Brautarholti 20	23333
Við Tjörnina	Templarasund 3	18666

† see advertisement

Cafes:

Cafe Torg	Hafnarstraeti 20	11021
Eldsmiðjan	Bragagata 38a/Freyjugata 15	14248
Hard Rock	Kringlan Shopping Mall	689888
Mulakaffi	Hallarmuli	37737
Pitan	Skipholti 50c	688150
Pizzahúsið	Grensásvegur 10	38833
Pizza Hut	Hotel Esja, Suðurlandsbr.	680809

Pubs:

Djúpid	Hafnarstraeti 15
Duus-Hús	Fischersund, Aðalsstraeti 4
Fogetinn	Aðalstraeti 10
Gaukur á Stöng	Tryggvagata 22
Geirsbúd	Vesturgata 6
Glaumbaer	Hard Rock Cafe, Kringlan Shopping Mall
Hresso	Austurstraeti 18
Kaffi Straeto	Laekjargata 2
Kringlukrain	Kringlan 4
The Red Lion	Eiðistorg, Seltjarnarnes
Ölkjallarinn	Pósthússtraeti 17
22	Laugavegur 22

State Wines and Spirits outlets (A.T.V.R.):

Kringlan Shopping Mall	1-5	0900-1200/1300-1800
Álfabakki 14	1-5	0900-1200/1300-1800
Lindargata 46	1-5	0900-1200/1300-1800
Snorrabraut 56	1-5	0900-1200/1300-1800

Chemists: They are all open daily from 0900-1800 but, as in Britain, 24-hour dispensaries open on a rota system. Details are published in daily newspapers.

Clubs:

Free Masons	Borgatún 4	10737
Kiwanis International	Brautarholt 26	14460
Lions International	Sígtún 9	33122
IOOF-Oddfellows	Vónarstraeti 10	14420
Rotary International	Skólavörðustigur 21	26433
Round Table		54578

Embassies: See Appendix H.

Hairdressers: There are numerous hairdressers in town. Look up *Hárgreiðslustofa* in the telephone book. There are several in the centre of town on Laugavegur, Pósthússtraeti, and in Veltusund. Hotels Esja, Loftleiðir and Saga have hairdressers within the building.

Aerial Sightseeing: See Chapter 6.

Bicycle Hire: See Chapter 8.

Car Rental: See Chapter 6 and Appendix H.

Taxis: See Chapter 6 and Appendix H.

Short Tours: There are a number of tours that can be booked through Tour Operators (advisable) or on the spot in Iceland. Contact Kynnisferðir (Reykjavík Excursions) at Hotel Loftleiðir (688922). Short tours include:

City Sightseeing; Krísuvík Hot Springs and Grindavík fishing village; Hvalfjörður whaling station; Hveragerði greenhouses; Pony trekking.

Longer Tours: Several agencies operate tours:
Ferðafélag Íslands (Iceland Touring Club)	19533
Ferðaskrifstofa Farfugla (Youth Hostels Travel)	24950
Kynnisferðir (Reykjavík Excursions)	688922
Útivist	14606

Destinations include:
Westmann Islands (1973 eruption centre)
Golden Circle Tour (Skálholt, Gullfoss, Geysir, Thingvellir)
South Coast (Vík, Dýrholaey, Skógar, Sólheimajökull)
Thórsmörk (glaciers, hot springs)
Thjorsárdalur (Hekla ash, Viking farm)
Kaldidalur (cold desert, volcanoes, glaciers, Hraunfossar)

News: The news is broadcast in English every day at 0730 through the summer on Radio Reykjavík, FM 93.5 MHz, LW 209 KC-Hz, MW 1435. A recording of the latest bulletin can be obtained by dialling (91) 693690.

Explore Iceland
Icelandic-Style

If you are serious about your Tour Program, we are too. We at Arena Travel — the only technical travel operation specializing exclusively in highland explorations — have since 1970 been leading expeditions into the magnificent, untamed interior region of Iceland. Share our experience and challenge the forces of nature with the thrill of Iceland Explorer. Feel the excitement that the Viking explorers felt when they first set eyes on the unbelievable landscapes of Iceland's open spaces.

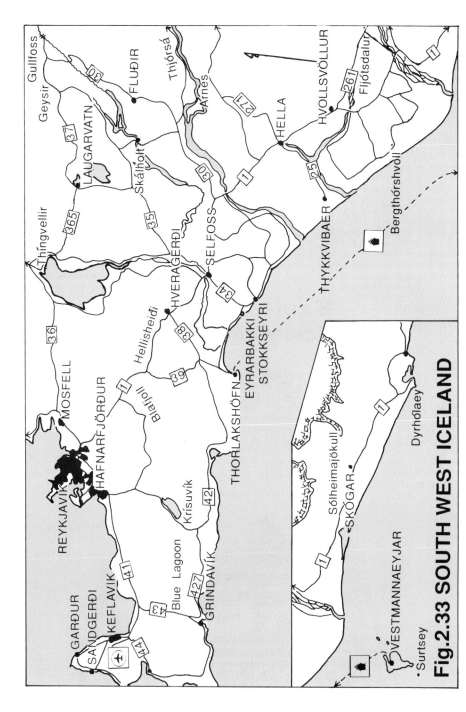

Fig.2.33 SOUTH WEST ICELAND

148

2.6 SOUTH WEST ICELAND

This chapter deals mainly with routes out from Reykjavík. Many of which can be accomplished in a single day. Of particular use is the 1:100,000 map of South West Iceland, which has a superb amount of detail. The map takes you as far east as Thingvellir and so you will also need the 1:250,000 map No. 6, unless you are relying on one of the touring maps.

2.6(a) Reykjavík to Gullfoss via Thingvellir (65 miles/104 Km)

Petrol: Reykjavík, Mosfellssveit, Thingvellir, Laugavatn, Geysir.
Road Conditions: Excellent to Thíngvellir; fair to Laugarvatn.
Approx. Driving Time: 2-3 hours.

Before visiting Thingvellir it is strongly recommended that you obtain a copy of Björn Thorsteinsson's "Thingvellir: Iceland's National Shrine". It may seem expensive for a slim volume but it is packed with very well researched, well organised, and well presented, cross-referenced, information. It will also serve as an excellent memento of what is one of the classic sites historically, culturally, and geologically. Given good weather and a desire to explore the Thíngvellir plain you could make this into a whole day's trip returning to Reykjavík, perhaps via Selfoss, instead of proceeding to Gullfoss and Geysir.

Take Route 1 along Vesturlandsvegur and shortly after Mosfellssveit turn right onto Route 36. The road ascends **Mosfellsdalur** and past the greenhouses at **Reykjahlíð** whence Reykjavík's hot water is piped. Opposite is the farm of **Mosfell** where Egill Skallagrímsson (Section 2.4(d)) spent his last days. Many years before he had been given two chests of silver coins by King Æthelstan of England. In his dotage he had a wicked plan to take the chests to the Althing, stand by the Law Rock, and spill the coins down the slope just so that he could watch the hoards scrabbling to get them. Naturally his daughter tried to dissuade him but Egill secretly stole away with the chests in the night and hid them. They have never been seen since, but are presumably somewhere in the locality. A little further along, and as the valley rises, you will pass the farm **Laxness** on your left. It was here that Iceland's Nobel-prize winning author Halldór Laxness was brought up. Today it is a horse farm offering riding to visitors while Halldór lives at **Gljúfrasteinn** on the other side of the road. If you have the chance to try even a short ride it is interesting to experience the gait and tolt of the Icelandic horse and to trek even the short distance to **Tröllafoss** on the Leirvogsá. The mountains and peaks to the left of the road can often be most attractive when the yellow and orange rhyolites catch the light. The highest peak, **Skálafell** (771m), is well known to skiers and walkers.

The moorland now opens up as you climb the gentle slopes of the ancient shield volcano that forms **Mosfellsheiði.** Its summit can be seen to the south, and when you reach the highest point of the pass you can also look

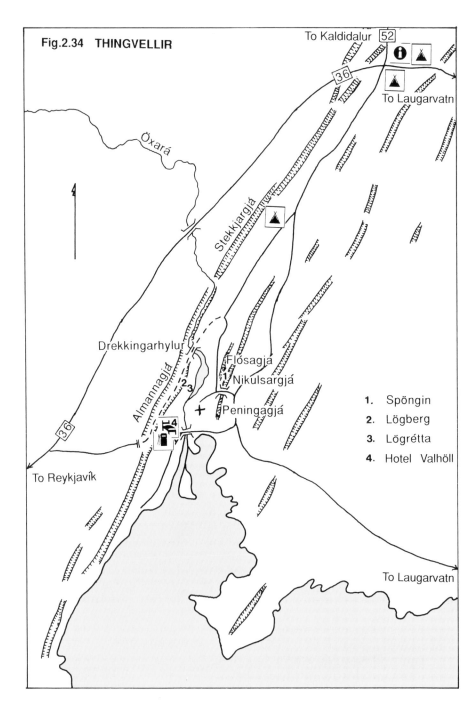

Fig.2.34 THINGVELLIR

1. Spöngin
2. Lögberg
3. Lögrétta
4. Hotel Valhöll

across Thingvallavatn to the **Lýngdal** shield volcano. The road crosses a much more open stretch of moorland (the old course of the Öxará river, in part — see below) and approaches close to the cliff overlooking the lake. It is worth stopping at the viewpoint on the right. The old road used to descend, at this point, down the **Almannagjá** (Fig. 2.34) a natural rift caused by the subsidence of Thingvallasveit. If you stand looking north-east, with the settlement below you, you will see that the plain is broken by a series of north-east to south-west fissures and that the Almannagjá forms the western edge of a section of the Earth's crust that has literally dropped like a keystone. Across to the far side you can make out the equivalent rifts marking the eastern margin. It may seem strange, at first, to realise that the subsidence has been caused by regional uplift of the crust but of course the uplift has so stretched the rocks that something had to give way along the crest of the bulge. The lake is thus formed because the land surface has literally dropped below the water table level and this becomes more obvious when you examine the finger-like projections of rifted lava that project into the lake. Away to the north are two prominent mountains: **Hrafnaborg,** whose steep sides and rampart summit show that it was formed by subglacial eruptions, and **Skjaldbreidur,** whose shallow, conical base shows it to be formed of fast-flowing post-glacial lava. Looking south the spread of Iceland's largest lake is flanked to the west by the stepped and fissured slopes of Hengill whose steam emissions give away the geothermal drilling programme at Nesjavellir.

You now have a choice of either parking your car here while exploring the site, or driving around and down to Hotel Valhóll, perhaps stopping occasionally on the way.

If you walk down the **Almannagjá** you will appreciate the scale of the lava effusions that must have been emitted here and the enormity of the crustal tensions that caused the right flank of the fissure *(gjá)* to drop away. It was this naturally sloping feature that provided the Law Rock *(Lögberg)* that was the central point of the Viking Althing or Assembly. It was here that all the major speeches, declarations and announcements were made to the assembled gatherings below and it was here that Iceland declared its independence from Denmark on 17th June, 1944, although the regular Althing had moved to Reykjavík by 1799. In addition to the Assembly there was also a Law Council *(Lögretta)* made up of chieftains *(góðar),* bishops, and the Law Speaker *(Lögsögumaður).* This body met on the lower plain somewhere near, and to the right of the road junction beyond the bridge over Öxará, to your left. It is quite extraordinary that the early Icelanders, so often thought of as burners, pillagers and rapists, should have evolved here, at Thingvellir, an intricate process of law that has been handed down to us.

Stand here and cast your eye over the plain below (the river took a wider sweep away from the rock in those days). Imagine a hive of activity: tents, horses, hearths, soup kitchens, and smithies; gatherings, discussions, arguments, proposals of marriage, and courts in session. Then, as the crowd gathers around below, you stand up and address the assembled throng. It must have been an impressive sight and one as daunting to the first-time as a parliamentarian making his first address in the House of Commons. This is the place to read that part of Njáls Saga which describes in detail how Mord Valgardsson, from this very spot, set out the prosecution against the Burners of Bergthórshvoll; how the process of law saw two members of the jury disqualified, and how finally, after intricate shuntings between various courts Flósi and his band were proven guilty. However, because of an irregularity in the procedures the verdict was declared null and void. The result was an unseemly pitched battle on the plains.

Proceeding down to the bridge you can cross the Öxará where, to your left, is the 'drowning pool' *(Drekkingarhylur)*. Whereas men were beheaded, women were tied in sacks and thrown into the pool, a custom that dated only from 1590 and which was last used in 1749. It is a pleasant walk along the Almannagjá, from the bridge to the waterfall, but realise that **Öxará** (Axe River) has not always taken this course. At one time it flowed entirely to the west of the Almannagjá, later diverted (perhaps to provide a water supply to the Assembly) over a fall just to the north (Stekkjargjá) of its present position thence to the plain and the lake.

If you now walk along the road towards the church keep your eyes peeled for any small circular mounds, on the far side of the river below the *Lögberg* that may be the relics of huts (booths) used by assembled Icelanders. Make a brief visit to the **Peningagjá** (coin fissure). Look into the chasm, ask it a question, and then cast in a coin. If your eyes can follow it all the way to the bottom then the answer is 'yes'! Standing on the bridge, look north, and the isthmus of land between this cleft (Nikulsargjá) and the one to the left (Flósagjá) is known as *Spöngin*. It has been suggested that the original *Löberg* was here, but that when the Öxará was diverted through Stekkjargjá the *Lögberg* and the Lögretta became separated. At this point the *Lögberg* may have moved to its position by the flagpole. However, when the river was later diverted over its present waterfall the two sites were again separated and the pagan *Lögberg* removed to *Spöngin* again. The present flagpole marks what is sometimes referred to as the 'Christian *Lögberg*'. Assemblies at Thíngvellir ceased in 1798.

The original church was the first to be formally consecreted in Iceland but it was not the first church. That honour must go to the church at Nedri-Ás (Section 2.2(f)). The present church dates from 1859 but has relics of various ages. One of the bells dates from 1698, and the pulpit from 1683. The altarpiece on the wall to the right of the altar is a much travelled work of art. In 1899 it was bought by the artist and traveller, Mrs. Mary Disney Leith, as a memento of her eighteen visits to Iceland. It was eventually hung in the church at Shorwell in the Isle of Wight, until rescued and returned to Iceland in 1974, in the company of BBC broadcaster Magnús Magnússon. The adjacent, circular, national graveyard contains but two graves: Jónas Hallgrímsson (1807-45) the lyrical poet born at Hraun in Öxnadalur (Section 2.2(e)) and the poet Einar Benediktsson (1864-1940). Both, in their way, visionaries of new ages in Icelandic history: the one nationalistic, the other technological. As yet no-one has had the temerity to accept the offer of a place alongside these two literary giants.

Having taken refreshment at **Hotel Valhóll** (Valhóll was the home of Odin) you will be ready to climb back up to your car. You can walk northwards along the west bank of the Öxará, through the remnants of the many booths, until you reach the gap (Hamraskarð) through into Almennagjá just before the *Lögberg* flagpole. It was here, in Njáls Saga, that Snorri the Priest parked his armed followers to prevent Flósi and the Burners from gaining the stronghold and protection of Almannagjá.

Thingvellir is now a National Park but unusual in that it is not, like the other two, overseen by Iceland's Nature Conservation Council. It was established separately by the Althing in 1928. If wishing to camp, there is a National Park site, with full facilities, on Route 36 to the north of the lake. Unless returning to Reykjavík by the way that you have just come, you have several choices of route from here:

1. Drive north towards Kaldidalur (Section 2.9).

2. Drive south, around the lake, to Selfoss. This route will take you past the geothermal drilling field at **Nesjavellir** and, at the southern end of the lake, the National Scout camp site at Úlfljótsvatn. Úlfljótur was sent, in the tenth century, to study the law of Norway with a view to selecting the law most appropriate to Icelanders. The emergent river, the Sög, has been harnessed for hydro-electric power.

3. Drive east to Laugavatn, Geysir and Gullfoss. Follow Route 36 across the plain looking out for the fissures that mark the eastern edge of the rift valley. The road turns south, around the **Hrafnagjá,** and begins to climb before reaching the left turn onto Route 365. At first the landscape is open but as the ridge closes in on the left there is an area once quarried for its volcanic ashes. Within this area there is the remains of a small volcanic vent, called **Tintron,** which exhibits rather fine solidified ejectamenta and miniature lava tubes radiating from the orifice. The vent itself is rather deep and care should be taken.

The road passes through the narrow defile, known as **Barmaskard,** where countless Vikings must have passed on their way from Biskupstungur to the Althing. This would have been an excellent place to lie in wait for your enemies, perhaps making use of the caves on the north flank of Reyðarbarmur. One of them, **Laugarvatnshellir,** was apparently lived in until 1922. The road descends to its junction with Route 37 and to **Laugavatn** (Fig. 2.35; Population: 255). The warm springs here have provided the site for several schools, sports facilities, and greenhouses. In the summer two of the schools become Edda hotels and there are good facilities for camping. East of Laugavatn the road crosses the Úthlíðarhraun lava before joining Route 35 where you turn left. For some time now you may have noticed the periodic bursts of water and steam erupting from the vicinity of **Geysir,** urging you forward to investigate.

Although the Icelandic word 'geysir' (gusher) has lent its name to similar phenomena the world over the Great Geysir no longer erupts very often

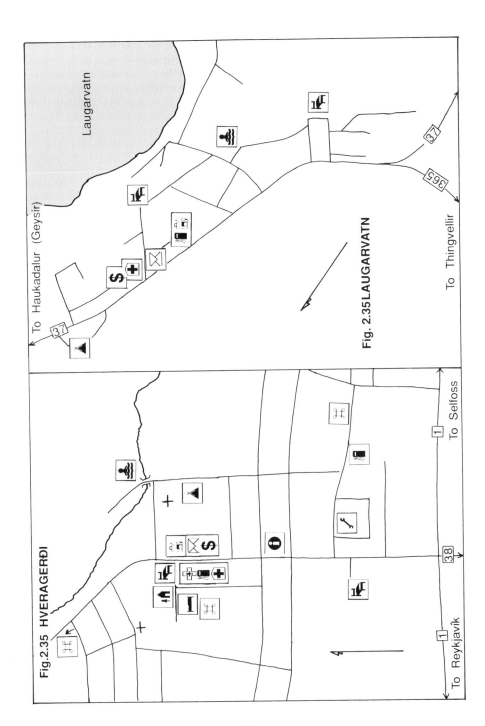

Fig. 2.35 LAUGARVATN

Fig.2.35 HVERAGERÐI

To Haukadalur (Geysir)

Laugarvatn

To Thingvellir

To Selfoss

To Reykjavik

unless fed with soap — and even then not very reliably. The heat source seems to have dwindled perhaps because of changes in subterranean water flows. It used to be possible to trigger it of by lowering the water in the vent and thus lowering the weight of water to be erupted. The soap was used to convert the heavy column of water into lighter bubbles which could then spout almost to order. This used to be a regular activity for visitors when Sigurður Greipsson was in residence. His memorial is in the churchyard of the little church further up the valley. Today, however, even the advertised eruptions cannot be guaranteed to produce the goods. In fact the ferocity of the eruptions has fluctuated since the Settlement and indeed Geysir itself may not even have been in existence prior to the earthquakes of 1294.

Happily, for the visitor, the Great Geysir's neighbour, Strokkur (The Churn), is much more obliging, erupting every few minutes with a spellbinding display of power, sound and light. How many people have stood by waiting for that yet more perfect photograph to take home? Not to be missed, but do take care. The notices mean what they say: it **is** dangerous to walk off the main path. Quite apart from the risk to yourself there is also the risk to the conservation of the delicate siliceous forms created by the bubbling and splashing waters. There is plenty for the photographer here.

South west of the flagpole is the pool Operrishóla (rainy weather pit) so called because it often becomes active when atmospheric pressure falls prior to rain. The pool highest up the slope takes its name, Kongshver (King's spring), from the visit of King Christian IX of Denmark in 1874. There is a boulder bearing his monogram on the slope above the pool; also boulders (Kongssteinar) leaned upon by Kings Frederick VIII (1907) and Christian X (1922) while waiting for an eruption.

This valley, **Haukadalur,** was an important seat of learning in the 11th and 12th centuries. It was here that Ari Thorgilsson (The Learned), whom we met at Staðastaður, in Section 2.4(d), came to be educated in 1075. Sadly the farm and school have long since gone and the church, originally built in 1842 was rebuilt in 1939. It would seem that the vicious winds born of Iceland's ice and fire have laid waste to the farmland. Cold, biting winds have descended from the Langjökull icecap, whipped across the barren interior, picking up fine dust and sand only to erode the landscape still further. Grazing by sheep, doubtless, aided and abetted this process of soil destruction. The land was bought by a Dane, Kristian Kirk, in 1938 and given to the Icelandic Forestry service when he died. An extensive programme of reafforestation aims to redress the balance of nature. The church contains a fine altarpiece by the sculptor Ásmundur Sveinsson.

Six kilometers further on are the **Gullfoss** waterfalls where the white-coloured, glacial water of the mighty Hvítá tumbles 32m into a 2.5km chasm. Amid the spray and turbulence the walls of basalt, some of them columnar, reach up to what must have been earlier channels of the river. Given the right light the rainbow effects can be stunning. It is said that these waters have been waded but once, in the 17th Century. A young man named Thorður Guðbrandsson, who lived on the north shore, fell in love with a maiden on the opposite shore. When he shouted his proposal of marriage she replied that she would only marry a man with the nerve to wade the river and claim her hand in person. He did. It is possible today to take trips on rubber rafts down the Hvitá from below the falls to Selfoss; a trip through impressive canyons and turbulent water. Gullfoss is now state owned but was previously a part of the farm Brattholt. The farmer, Tómas Tómasson, and his daughter, Sigriður, fought to save the falls from being sold to foreign buyers for development. The memorial above the falls is to Sigriður. May the result of their efforts be sustained, and may no modern intrusion ever be brought to bear on this, one of nature's wonders.

If not proceeding elsewhere, the next route could be used to take you back to Reykjavík.

2.6(b) Reykjavík to Gullfoss via Hveragerði (74 miles/118 km)

Petrol: Reykjavík, Sandskeið (NLF), Thrastarlundur, Hveragerði, Stóraborg (NLF), Brautarhóll (NLF), Geysir.
Road Conditions: Excellent metalled road most of the way.
Approx. Driving Time: 2-3 hours.

Leave Reykjavík by the main road (Miklabraut). Having crossed the river Ellidaá, the road rises steeply to the traffic lights, where a tall building on the left proclaims Landsbanki Íslands. Turn right, and then first left, onto Baejarháls/Suðurlandsvegur. You could, at this point, visit the Árbaer museum which is described in the chapter on Reykjavík. The Route 1 speeds you quickly out of town past numerous ash cones, lava flows and hollows, summer house plots and small patches of woodland. When returning to Reykjavík in the evening light this can be quite an impressive sight with the silhouette of Reykjavík's modern skyline against the rays of the setting sun.

Past the Bláfjöll turn (Section 2.6(c)), and before the road begins to ascend, there is a turning right onto Route 39 (Threngslivegur). This has some of the volcanic attributes of the the previous side diversion but leads you through to the south coast past the cave known as **Raufarhólshellir** (Section 2.6(d)). There is also a ski lodge **(Skíðaskálinn)** at the base of Reykjafell as the road climbs up towards **Hellisheidi** where you will not be surprised to find an emergency shelter. This open, jumbled, post-glacial lava chaos **(Kristnitokuhraun)** is very impressive. It is said that the lava erupted in the year 1000 while the Icelanders were discussing the conversion to Christianity at the Althing at Thingvellir — hence the name. To the north is the central volcano complex of the mountain **Hengill** which is linked to the same fissure system that runs through Almannagjá at Thingvellir (Section 2.6(a)), and whose geothermal potential is being tapped at Nesjavellir on the north-east side. To the south of the road, the prominent mountain, **Skálafell,** is a subglacial volcano surrounded by later lavas that erupted from the shield volcano whose crater lies just west of the summit pile. The energetic may be rewarded with a fine view from the top. If, from the road, you can cast an eye back whence you have driven, Vífilsfell and the Bláfjöll range make a splendid shot projecting from the masses of moss-covered lava.

Some idea of this view will be gained as the road begins to wind down towards Hveragerði, where there is a pull in and viewpoint. The whole plain of southern Iceland is spread before you revealing a striking contrast between the old sea cliff-line, to the left, below which is the flat, cultivated, fluvial outwash to the right. Alluvial and glacial infill, separated by post-glacial lava flows stretch as far as the eye can see. To the left steam rises from boreholes and yellow sulphurous patches clothe the hillsides, providing considerable contrast in colour, shape and pattern, especially in evening light. Given clear weather you can see the Vestmannaeyar (Westmann Islands), the volcanic island Surtsey, and the helmet-shaped Eyjafjallajökull icecap. Below is **Hveragerði** (Fig. 2.35; Population: 1500) whose economy is centred around geothermal activity. There are many greenhouses and even a bubbling solfatara area in the middle of the town. Iceland's horticultural school is here and also a centre for rheumatic rehabilitation using the hot muds. Two of the greenhouses, Blómaborg and Eden are open to visitors and there are hotels, a hostel and camp site. The best known hot spring is Gryla, the terrifying she-Troll who attacks children, which is beside the road that leads out on the north side of th town. Just east of the town is the farm **Hjardaból** which is well equipped for individuals or small groups to stay and do their own thing. Just east of the farm the steeply inclined silvery, palagonitic, rock is aptly named **Silfurberg.**

Our road almost reaches Selfoss (Section 2.6(d)) before turning north onto Route 35 below the mountain Ingólfsjall where legend has it that Ingólfur Arnórsson, the first settler, is buried. Across the river Sög the area is clothed in birch woodland and many small summerhouses nestling in the lava hollows. There is a pleasant small restaurant and petrol station at the bridge. Ahead of you, a line of low volcanic hills, **Tjarnarhólar,** comes into view and within them the explosion crater of **Kerid,** blasted out by an eruption over 3000 years ago. In 1988 a concert was held within the crater, using a floating platform as a stage on the lake, while fans disported themselves on the steep slopes of the amphitheatre. We are here following the general south-west to north-east trend of the country that reflects this terrestrial extension of the mid-Atlantic ridge. The lavas around you have come, postglacially, from these vents and from the larger **Seydishólar** beyond. Away to the left is the Lyngdals shield volcano that we saw from the Laugavatn road (Section 2.6(a)). Steam emerges from numerous fissures along this stretch of country and has been universally harnessed for horticultural purposes.

5Km after the petrol station at **Stóraborg** there is a left turn onto Route 37 which you can take to join the route described in Section 2.6(a). Alternatively continue along Route 35, cross the Bruará, and turn right to visit **Skálholt.** The first church here was established just after the year 1000 AD when Iceland accepted Christianity as the national religion. One of its main claims to fame is that the structure has been burnt down twice (1309 and 1526) yet in the 1874 earthquake it was the only structure at Skálholt to remain standing. Skálholt was the spiritual and cultural centre of Iceland for seven centuries before the episcopate was moved to Reykjavík in 1798 and the estate sold. The church became a parish church which in 1907 was almost erradicated when parishes were reorganised. The local farmers objected, and insisted that a new church be built. The corner stone of the present church was laid in 1956 and the building was consecrated in 1963. There is a subterranean walk, between the church and the adjacent school, and has been since the 12th Century. The present church may be modern but its commanding position cannot help but evoke a sense of place in southern Iceland. The tranquility within, especially if a storm rages outside, is further enhanced by the play of coloured light reflected from the stained glass windows designed by Gerður Helgadóttir. The altarpiece is also a striking work of art, by Nina Tryggvadóttir.

From Skálholt you can either proceed to Laugarás and Fluðir (Section 2.6(f)), or return to Route 35 and our intended destination at Gullfoss. It is perhaps worth a brief trip down the road to **Laugarás** where there is a profusion of trees, plants and greenhouses amid the steam. There is a camp site here, and a small shop at the petrol station; also a medical centre close to the bridge across the Hvítá. Back-tracking through Skálholt to Route 35 the road passes through Reykholt where there are greenhouses, campsite, a shop and swimming pool. The hot spring Reykjahver erupts every 10 minutes or so. From here it is a short journey to Geysir and Gullfoss which are described in the previous section.

2.6(c) Reykjavík to Krísuvík and the Blue Lagoon (84 miles/134 Km)

Petrol: Reykjavík, Sandskeið, Grindavík, Hafnarfjörður.
Road Conditions: Excellent for the most part but parts of the road between Krísuvík and Grindavík are very rough, as is the road past Bláfjöll.
Approx. Driving Time: 2-3 hours.

This route is an all day trip but you could easily select small sections of it; eg: Reykjavík to Krisuvík or the Blue Lagoon, or simply a trip out to Bláfjöll to walk in the Reykjanes Country Park *(Fólkvangur)* which covers 30,000ha from Bláfjöll in the north to the Krísuvíkurberg coastline in the south. For much of the route we shall be within its boundaries. Do not forget to take your swimming things.

Leave Reykjavík by the main road (Miklabraut). Having crossed the river Ellidaá the road rises steeply to the traffic lights where a tall building on the left proclaims Landsbanki Íslands. Turn right and then first left onto Baejarháls/Suðurlandsvegur. This part of the Route 1 has been described in the previous Section.

As you approach the northern end of the Bláfjöll range on your right the scene becomes one of increasing desolation yet somehow it has a startling quality, especially in winter. Take the turning south, just before the range, which leads to the **Bláfjöll** ski area where there are nine ski lifts and a whole range of skiing opportunities including some excellent cross country skiing

— in winter only of course. There are refreshment facilities at the ski area, which is set in the natural amphitheatre commanded by **Drottning** (The Queen) and **Eldborg** (a protected natural site) whence all the lava (Húsfellsbruni) spewed out and to the west. The whole route, down to the Krísuvíkurvegur (Route 42), is fascinatingly lunar with its craters, lavas, lava caves (in the **Dauðadalir** hollows), and impressive fissures **(Gullkistugjá).**

The road finally intersects with Route 42 to Krísuvík. You turn left, climb to Vatnskarð, descend the switchback, and swing right towards **Kleifarvatn.** Suddenly you are in another world, a world of desolation, where it would not surprise you if no bird was to fly over the lake. The slopes of **Sveifluháls,** to your right, are slaggy and unstable, the product of subglacial volcanic eruptions; the rising magma having cooled rapidly to a glassy material, called palagonite. Years of snow, volcanic ash depositions, rain, and sheep grazing have gradually decimated the soils and vegetation around the lake to create a landscape so wild that you could be miles from anywhere. The road winds in and out along the shore before climbing towards the hot springs at Krísuvík. The mountainside steams and boils and just east of the road mud pots splutter and slurp. The degree of activity does depend to some extent on the ground water levels. Duckboards have been provided to protect both you, and the landscape, from destruction. Please take care of both. A little further along the road you will find lake **Graenavatn** to the left; a huge explosion crater, 44m deep, whose catastrophic birth scarcely

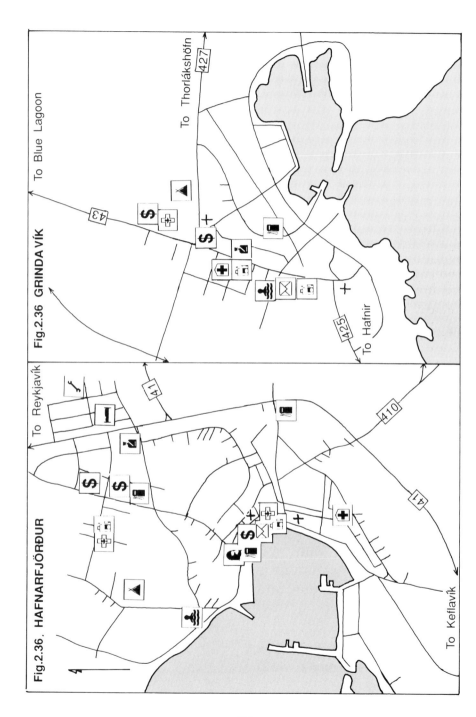

Fig.2.36 GRINDAVÍK

To Blue Lagoon

To Thorlákshöfn

To Hafnir

Fig.2.36. HAFNARFJÖRÐUR

To Reykjavík

To Keflavík

160

bears thinking about. This district has been the epicentre of several earthquakes felt in Reykjavík, the last on 20th March, 1990 (4.8 on the Richter scale).

Shortly after the farm, we turn right onto Route 427. The continuation of the present road is described in the next section. Our route crosses the **Ogmundarhraun** which flowed from a fissure in Mohalsadalur to the north in 1362, overrunning the farm below. The flow is now a mass of moss-coated, heavily weathered lava. The old farm of Krísuvík is now abandoned but the church still stands, having been rebuilt and reconsecrated in 1964. There is a footpath from shortly beyond the church signposted to Selalda (3km) and to the **Krísuvíkurberg** (4.6km) — a rocky coastline noted for its puffins and other seabird life. We are, here, at the southern end of the Reykjanes Country Park which stretches north as far as the Bláfjöll ski area. The road follows beneath the old cliff line of south Iceland and at Festarfjall, just after the farming and fishing homestead of Ísolfskálaá, it sneaks through a narrow defile before descending to **Grindavík** (Fig. 2.36: Population: 2000) a fishing settlement whence the small trawlers have a short haul to the fishing banks off south Iceland. The crater **Eldvorp,** to the north-west of the town, has steam emissions.

Grindavík has assumed a greater prominence since the discovery of a high temperature geothermal area north of the town, at Svartsengi in 1971. The plant, which has three turbines (8Mw), is part state owned, but principally owned by the seven communities of Reykjanes. The hot water leaves the power plant at 105-120°C and reaches homes at around 80°C. The brine that comes from the heat source is ejected from the plant into an adjacent lagoon **(The Blue Lagoon)** where the properties of the water have been shown to have healing effects on psoriasis, rheumatism, sciatica, and eczema. The lagoon is open for bathing every day of the week and it is a unique experience to slide into the azure blue waters and to swim, leisurely, to a rock outcrop for a relaxing soak. There is also a small hotel (see advertisement).

It is a good, fast road back to Route 41, the Reykjavík-Keflavík road, where you turn right and back to the city.

2.6(d) The Reykjanes Peninsula (144 miles/230 km)

Petrol: Reykjavík, Hafnarfjördur, Keflavík, Gardur, Sandgerdi, Grindavík, Thorlakshöfn, Eyrarbakki, Stokkseyri, Selfoss, Sandskeid.
Road Conditions: Excellent to Grindavík but the road east of there is very rough and tiring to drive until the Thorlakshofn junction is reached. There is now a road across the Ölfusá to Eyrarbakki.
Approx. Driving Time: 10 hours.

This trip takes in the Reykjanes peninsula upon which the Keflavík airbase is built. The route also takes us slightly east of the Ölfusá to the fishing villages of Eyrarbakki and Stokkseyri. In reality, because of a certain amount of doubling back, you can pick and choose what you see.

The road south out of Reykjavík is best gained by driving east along the main highway, Miklabraut, and turning right onto Kringlumýrarbraut which is signposted to Keflavík airport. The dual carriageway will lead you through the built-up areas of Kópavogur and Garðabaer and then, when the airport is signposted to the left, you go straight ahead in **Hafnarfjördur** (Fig 2.36; Population: 1400). This is a very pleasant, friendly little town nestling in a rocky embayment. The town is effectively carved out of the lava fields and thus has little surface water to its name, but interesting 'coves' and rocky corners. The town is obviously expanding rapidly but for all that it has maintained a character of its own within the centre, where there is now a pedestrian precinct and, close to the harbour, the Maritime Museum. The museum focuses on two explorers, Christopher Columbus and Leifur Eriksson. It displays the equipment they used, the routes they took, and examines the question of the discovery and settlement of North America.

Hafnafjordur experienced the fortunes of both English, Hanseatic and Danish merchants before achieving its own status as the second most important Icelandic trading port. Hafnarfjordur accounts for 15-20% of the country's exports. A 4000 square metre fish market has recently been built near the south harbour.

Just before coming to the harbour, as we were scrambling over the sharp crusts of lava, some of which were upwards of fifteen feet in height, I received peculiar gratification from the sight of a small hamlet neatly built of lava, and a garden in full verdure, which lay in the heart of one of these. This spot is completely sheltered from wintry blasts by the lofty walls formed by the surrounding crust, and has a fine southern exposure. The scenery was strikingly grotesque; and the contrast between the verdure and regularity observable in the garden, and the blackness and distorted forms of the lava, was inimitably grand. Hafnafjord consists only of two mercantile houses, with their store-houses, and a few cottages inhabited by the working people. It is, however, remarkable, on account of the dry dock, which is the only thing of the kind on the island. The road, which in most places did not exceed the breadth of an ordinary foot-path, was so filled with sharp-pointed pieces of lava, that our poor horses could only proceed by cautiously stepping over one stone after another; and every now and then we were annoyed by large masses jutting out from the sides, which threatened to lacerate our feet, or, if we were off our guard, to precipitate us from our horses. Besides melted masses, we encountered large and dangerous chasms, between which, at times, there was scarcely sufficient space left for our horses to pass.

Shortly after leaving Hafnarfjordur you will see the **Straumsvík** aluminium processing plant ahead and to the right. The road crosses the lava chaos of the **Kapelluhraun,** named after a ruined, pre-Reformation Catholic chapel that lies close to the lefthand side of the road, near the turn to Krísuvík. The aluminium plant uses imported bauxite from Australia, and the abundant hydro-electric power from the Burfell plant that is buried in the mountains east of Selfoss, and close to Mount Hekla. There are plans to extend the aluminium plant. The road passes through seemingly endless lava fields that have erupted from the fissures away to the left, and towards Kleifarvatn.

Vogar is a small settlement (Population: 500) with no more facilities than a post office, general store, and a full-sized petrol station. Farming activities are more varied, however, with salmon, mink, fox, pig and chicken farms.

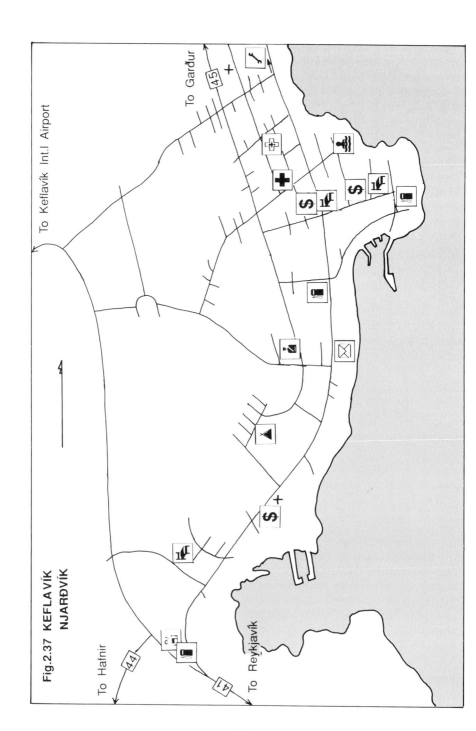

Fig.2.37 KEFLAVÍK
NJARÐVÍK

To Garður

To Keflavík Int.l Airport

To Hafnir

To Reykjavík

Njarðvík (Fig. 2.37; Population: 2349) and **Keflavík** (Fig. 2.37; Population: 7200) are two separate towns that are contiguous yet independent. Njarðvík was independent until 1908 when it joined with Keflavík but they split again in 1942. Since then Njarðvík's population has increased tenfold, in large part because of work in the neighbouring NATO airbase. Keflavík is a large fishing port with all the facilities for visitors, including several modern hotels. The town has been a trading port for many years and there are records of a merchant from Ipswich trading there from 1513 to 1540. There is a local museum near to the harbour that has some interesting photographs of the Keflavík of old. There is a large Hagkaup supermarket at the junction of Routes 41 and 46 as you enter Njarðvík.

The road from Keflavík to **Garður** (Fig. 2.38; Population: 1200) is very flat with the occasional rock sticking through, ideal for the Suðurnesja Golf Club but otherwise rather bleak. Both Garður and **Sandgerdi** (Fig. 2.38; Population: 1300) are fishing ports along what is a treacherously windy coastline. There used to be another fishing settlement at Basar but it was destroyed by a storm surge in 1798. You can walk to there from Stafsnes. The Hallgrímskirkja cathedral in Reykjavík is named after Hallgrímur Pétrusson who was the priest at Stafnes during the 17th Century. The only way to continue south is to backtrack to Sandgerði and to take Route 41 back to the beginning of Njarðvík. Route 44 then takes you to **Hafnir** which has no facilities. However, the coastline here is interesting for its birdlife, particularly if you wander along the old road closer to the **Hafnaberg** cliffs. As you progress south you are again crossing south-west to north-east trending rifts and a whole series of post-glacial lavas. There is a lot of geothermal activity at **Reykjanes,** notably the hot spring **Gunnahver,** which has been used by a local chemical plant to extract salt, and by a fish-meal plant. It is worth a walk down to the tall lighthouse, the first to be built in Iceland (1878), to view the nesting colonies on **Valahnjúkur.** Out to sea you should be able to see the massif stack, **Eldey,** which supports the world's largest gannet colony. If you have the opportunity to fly around it you will find it a quite remarkable sight. You can arrange sightseeing flights from either Keflavík or Reykjavík airports.

The next section of the journey, through **Grindavík** to the Krísuvík road junction, is described in Section 2.6(c). At that junction with Route 42 we turn right and along the coast passing between the **Geitahlíd** and **Eldborg** craters. This road needs to be driven with care. There is so much detail to look at that at times it is difficult to focus on both road and landscape. There are many potholes and the road is not that wide. The track does improve as you enter the Heiðisarvík reserve which is used for research by the University of Iceland. The most striking features are the ancient 'lava falls' that tumble over the old cliff line and which presumably smother the original shoreline, and extended Iceland's coastline. After **Hlídarvatn** the road pulls away from the cliff and turns towards the **Strandakirkja** which you can see away to your right. This church was once the focus of a sizeable community which has largely disappeared owing to the ravages of wind and sea, and erosion of the soil. The church was badly damaged in the

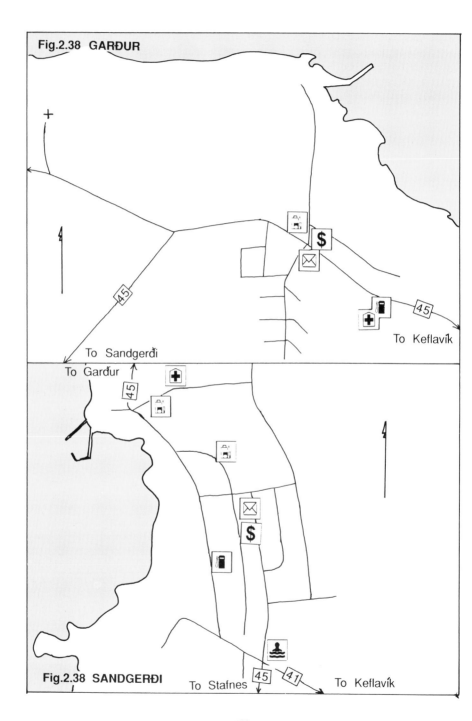

Fig.2.38 GARÐUR

To Sandgerði

To Keflavík

To Garður

Fig.2.38 SANDGERÐI   To Stafnes   To Keflavík

166

December gales of 1977 and was repaired with assistance from some members of the British Trust for Conservation Volunteers. The church may not have many parishioners within earshot, but its windswept and isolated location has a primitive appeal that attracts many Icelanders.

Shortly before the main Thorlakshöfn turn (Route 38) there is a geothermally heated swimming pool and summer hotel at **Vindheimar,** owned by the Seventh Day Adventists. If you turn left and up the sweep of the incline you will realise that you are climbing one of the lava flows that previously tumbled over the old sea cliff. Once out at the top drive a few hundred meters and watch out for the entrance to a cave on the righthand side. This is **Raufarhólshellir,** a lava tube 1.35Km in length. When surveyed, in 1970, it was shown that the cave passed beneath the road which was separated from the abyss by only a thin skin of lava. The alignment of the new road had to take this into account. Great care should be taken, if entering the cave, not to damage any of the natural features. The floor of the cave is frequently ice-covered with stumpy ice stalagtites. The cave is a protected monument.

Returning back down to **Thorlakshöfn** (Fig. 2.39; Population: 1100), there are sand dunes either side of the road with slacks and occasional rocky mounds projecting through. The marram grass has been aerially seeded by the State Soil Conservation Service *(Landgreiðsla Ríkisins).* This is where the **m.s. Hérjólfur** sails to the Vestmannaeyar (Westman Islands). The journey takes 3 hours 15 minutes and the ship can carry up to 50 cars, and 360 passengers. Based in the islands, the ship is an important link with the mainland. You can get to Thorlakshöfn by bus from the Long Distance Bus Terminal, leaving one and a half hours before ferry departure. There are normally two sailings a day with an extra on Fridays and Saturdays. Details can be obtained by telephoning Reykjavík 686464, or by calling at the Duggan restaurant by Thorlakshöfn harbour.

In spite of what many maps say, there is now a good, new (1988), road bridge (Route 34) linking Thorlakshöfn with **Eyrarbakki** (Fig. 2.39; Population: 550). The landscape is one of rolling blisters of lava, with a modicum of grass in between, and some evidence of wind erosion. The sand dunes and marram grass increase in density towards the mouth of the lagoon, where there is a striking black basalt sand beach, pounded by Atlantic rollers. The river outlet, the Ölfusá, is the combined waters of the Hvítá, from central Iceland, and the Sög which emerges from Thingvallavatn. This quiet village has a small harbour and is laid out on a simple, long, rectangle. This district was always known as Eyrar (the islands) and those parts that projected above the plain were termed Eyrarbakki. Today's fishermen no longer land their catches here, but at the larger harbour of neighbouring Thorlakshöfn. The main street is, even today, so similar to photographs and engravings of 18th and 19th Century fishing villages. The oldest house, a Danish merchant's dwelling, dates from 1765 and next to it is the building once used by the merchant's clerks. The sea wall around the main house was erected after the great *'Basendar'* flood of 1799 (see earlier). Even the present day store has an early feel about it. There is a maritime museum at Eyrarbakki which

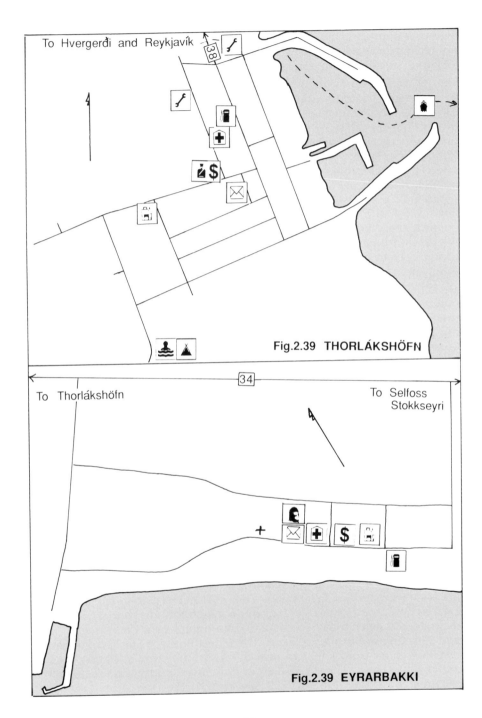

To Hvergerði and Reykjavík

Fig.2.39 **THORLÁKSHÖFN**

34

To Thorlákshöfn

To Selfoss
Stokkseyri

Fig.2.39 **EYRARBAKKI**

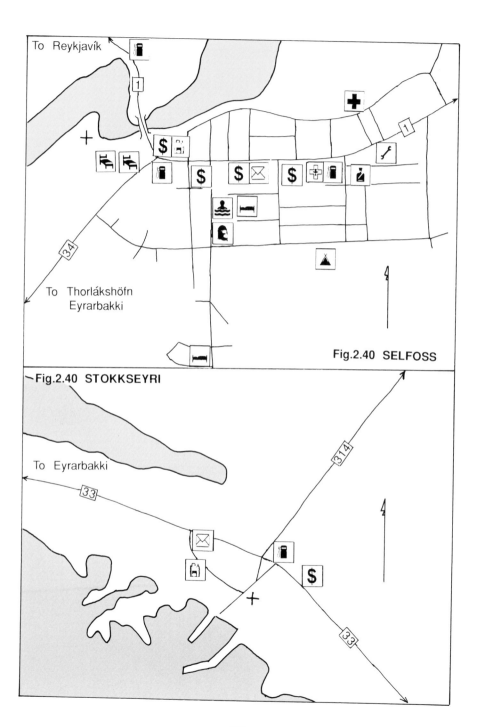

To Reykjavík

To Thorlákshöfn
Eyrarbakki

Fig.2.40 SELFOSS

Fig.2.40 STOKKSEYRI

To Eyrarbakki

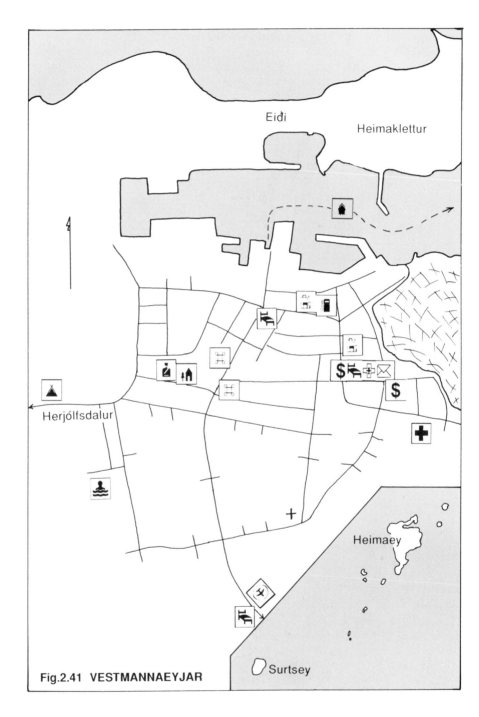

Eiði

Heimaklettur

Herjólfsdalur

Heimaey

Surtsey

Fig.2.41 VESTMANNAEYJAR

170

contains the open rowing boat *'Farsaell'*, the only type of craft suitable for landing on these open, sandy shores.

After passing the extraordinary sculpture *(Krían* — The Tern) you can continue along the coast road to **Stokkseyri** (Fig. 2.40; Population: 520) which is also a pleasant, quiet backwater but of quite a different layout to Eyrarbakki. It is not surprising that the sea wall extends right along the ends of the gardens of those houses that are right on the coast. This coast received a considerable hammering in January 1990, when an intense depression (730 mb) brought hurricane force winds and waves. The old warehouses give a sense of time and one of the fishermen's shelters, **Thuriðarbúd,** is now a museum where you can see relics of earlier fishing days. Thuriður Einarsdóttir was skipper of an open boat. Also a museum is the old dairy east of the town at **Baugsstaðir.** The flat, open, windswept nature of this southern landscape has in many ways, until recently, isolated it from the general life of the island. There used to be a leprosy hospital at Kalaðarnes in the 18th Century, and during the last war the British 'invasion' force had a large base and airfield there. Eyrarbakki had another hospital *(Litli-Hraun)* which today is a state prison.

All roads from here lead to **Selfoss** (Fig. 2.40; Population: 4000), which commands the crossing of the Ölfusá. The principal activity in the town revolves around the huge dairy. Rather like a Western town, Selfoss hangs about a wide main street, and while it has all the facilities that a visitor might want, it does not have the older buildings. It does have a museum. The town is an excellent base from which to explore the south-west.

2.6(e) Vestmannaeyjar (Fig. 2.41; Population: 5000)

The Westman Islands may be reached by air or by sea. The ferry, **m.s. Hérjólfur,** sails from Thorlakshöfn (Section 2.6(d)), takes 3 hours 15 minutes, and can carry up to 50 cars, and 360 passengers. The journey may seem long, to reach an island that is only 11km offshore, but this low, featureless coastline has so few good harbours that a 70km journey is necessary. You can get to Thorlakshöfn by bus from the Long Distance Bus Terminal in Reykjavík, leaving one and half hours before ferry departure. There are normally two sailings a day with an extra on Fridays and Sundays. Details can be obtained by telephoning Reykjavík 686464, or by calling at the Duggan restaurant, by Thorlakshöfn harbour. **Icelandair** usually has three half-hour flights a day from Reykjavík airport. You can either go for the day, on a tour or self-guided, or you can stop over at one of the hotels, youth hostel, or camp site. Be warned that this can be the windiest part of Iceland and flights can get delayed.

The islands form part of a chain of some 50-60 old volcanic plugs, stretching south-west away from the mainland, of which only 13 are above sea level. The craters of the home island **(Heimaey)** were thought to be extinct until February 1973, when it was split by a 1Km-long rift that eventually consolidated into one crater, **Eldfell.** The last eruption **(Helgafell),** which had welded together two islands, had occurred 5-6,000

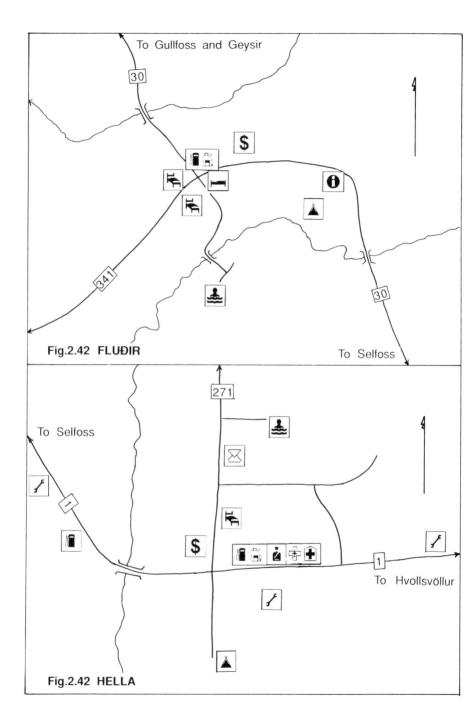

To Gullfoss and Geysir

Fig.2.42 **FLUÐIR**

To Selfoss

To Selfoss

To Hvollsvöllur

Fig.2.42 **HELLA**

years ago. The 1973 event focused world attention on the island, which previously had been known for little more than its fishing industry (12% of Icelandic fish exports), its annual festival in **Hérjólfsdalur,** and the daring puffin egg collectors who swing precariously from the cliff tops.

Ten years before, like an early warning system, the island of **Surtsey** (153m) had appeared from beneath 130m of ocean. It fought the forces of waves and tides, eventually overcoming them in April 1964, when lava emerged to seal the pile of volcanic ash. The vast columns of ash, the powerful lightening strikes, and the lava glows had been observed from Heimaey. Many decided to take out insurance in the event of a closer explosion, but as the years went by their premiums lapsed until a mere handful were covered in 1973.

The islands may have been settled earlier than the mainlands; the remains of a farm have been found in Hérjólfsdalur which perhaps was that of the first settler Hérjólfur Bardarsson. There is little surface water on the islands and rainwater catchment is important. Ashes from the island Surtsey somewhat polluted this supply during the eruption of 1963-67 and as a result the resourceful islanders had a reservoir constructed on the mainland from which they pipe freshwater to the island.

The 1973 eruption was even more disruptive. The 5000 inhabitants were rapidly evacuated while the lava and ash relentlessly overran 400 buildings. Today, you would scarcely believe that an eruption had taken place or that much of the town had been buried under several metres of ash. At the height of the eruption it was feared that the harbour might have been sealed off by the lava tongue and the inhabitants considered breaking through the narrow beach, **Eidi,** to gain access. However, by skilfully pumping seawater onto the flow they managed to slow down and stop the lava, which now forms a perfect natural breakwater — even better than the original.

The Westman Islands derive their name from Irish slaves (Westmen) who killed their master, Hjörleifur Hrödmarsson, the brother of the first settler of Iceland, Ingólfur Arnarson. To escape their deed they rowed to the islands only to be pursued and slain by Ingólfur himself. Others prefer to think that the first permanent settler, Hérjólfur, was himself a Westman.

Heimaey is used to catastrophies. In 1614 English pirates raided and looted the islands. To add insult to injury, in 1627, a band of pirates from North Africa killed 40 of the 500 inhabitants and took away another 250 as slaves. It is scarcely surprising that the islanders have a sense of independence and 'national consciousness'. The visible expression of this is the three-day Independence Festival, held in August, when Hérjólfsdalur is filled with tents, rather as the *buds* at the Althing might have been at Thingvellir (Section 2.6(a)). On so many occasions the islanders have had to turn to their own skills and pockets to provide for their daily lives; their diesel power supply (1916), their telephone cablelink to the mainland (1911), educational facilities (1745), their own coastguard vessel (1926).

Heimaey is noted for its birdlife and particularly for its puffin, which are also a local delicacy. Razorbill, guillemot, fulmar and kittywake all cling to the cliffs in large numbers. There are plenty of opportunities for walking along the coastline, or climbing either Eldfell (221m) or its older relation Helgafell (226m).

Things to do on Heimaey:

The Aquarium and Natural History Museum: established in 1964 to show the principal fish of Icelandic waters. The museum has a collection of Icelandic birds.

The Folk Museum: has a large collection of local items from days of old, as well as some material of natural history interest (bivalves, sea snails, birds eggs). It has 34 paintings by the celebrated Icelandic artist Kjarval.

Eating Out: There are several restaurants.

Swimming: There is a swimming pool with hot pots, jacuzzi, and sauna.

Volcanic Film Show: Films of the 1973 eruption are shown twice daily.

Sightseeing: Bus and boat tours can be arranged. The boat trips explore the caves around the rocky coast and sail close to the impressive bird cliffs.

Map: The Icelandic Special Map at 1:50,000 shows all the islands, including Surtsey. It also has an air photograph of the town with all the streets named on it.

2.6(f) Selfoss to Thjórsádalur (122 miles/195 Km)

Petrol: Selfoss, Bitra, Brautarholt (NLF), Fluðir, Árnes (NLF), Stórinúpur, Burfellsvirkjan, Vegamót, Thykkvibaer, Hella.

Road Conditions: Excellent most of the way.

Approx. Driving Time: 6 hours.

The main Route 1 leads east out of **Selfoss** (Section 2.6(d)) and past the church of Laugardaelir off to the left. Next to the church is **Thorleifskot** whence comes the town's hot water supply. This flat district has many ditches (some for drainage, some for irrigation) the largest of which, **Flóaáveita,** you will cross by the farm Skeggjastaðir. The whole district is underlain by a prodigious lava flow (Thjórsárhraun) that poured out from near Veiðivötn in central Iceland and which absorbs much of the surface runoff. Covering 800km^2, this is one of the largest known lava flows in the world. Just past the petrol station at Bitra you turn left onto Route 30 which leads along the 'Mesopotamia' separating the river Hvítá from the Thjórsá. The farms here have a prosperous feel about them and most have grazing horses. This is open country with plenty of grass and a backdrop of mountains, from the peaked summits beside the Kjölur interior route, to the snow-helmeted summit of Hekla with its plume of drifting cloud. The white, icy summit of Eyjafjallajökull completes the panorama, with the Mýrdalsjökull icecap behind. The farm, **Brautarholt,** has very pleasant facilities for the camper, complete with a swimming pool adjacent.

As the road progresses you will find that sections of the farmland have, in the past, been heavily eroded by flood, overgrazing, and the wind. Some of these areas have been fenced off and reclaimed for agriculture. Triangular chalets, popular among Icelanders as summerhouses, dot the landscape, some with the national flag flying from the pole. Many of the farms have sought dry sites on rocky knolls above the general flood plain level. Farming must have been difficult before the vast ditching and draining schemes were possible. The road becomes raised above the general field level, quite an advantage in snow conditions when the drifts blow clear of the carriageway.

The road passes between the two hills Galtafell and Miðfellsfjall, and winds between fields, rocky outcrops, and trees to **Fludir** (Fig. 2.42; Population: 530). This has become a very popular camping spot and is well provided for. There is both a hotel and a motel, the Fluðir Lodge, which is well known for the individual hotpots beside each cabin. This is a good spot from which to explore Thjórsárdalur and Biskupstungur (the area between the Brúará and the Hvítá).

We are using Fluðir to take off for Thjórsárdalur, buried beneath Hekla's volcanic ash in 1104. We must retrace our steps along Route 30 as far as the Route 32 turn. The road passes along the north bank of the **Thjórsá** with the large island, **Árnes,** in mid-stream. From the air it can be seen that the glacial Thjórsá, Iceland's longest, originating from Hofsjökull in central Iceland, has frequently changed its course in times of flood. Large volumes of sediment have repeatedly blocked its course and shifted it one way or the other, leaving a braided channel. At one time Árnes was a part of the north bank.

It was in large part thanks to the farmer, Hjalti Skeggjason, of **Stórinúpur** that Christianity became established in Iceland. Several attempts had been made, the last by Bishop Thrangbrand in 997. Though a christian, Thrangbrand was also a man of the sword, and this curious mixture did not go down well with the Icelanders. He had some success in that, among others, he baptised both Njál Thorgeirsson and Flósi Thórdarsson whom we shall meet shortly in Rang. King Olaf of Norway was so angry at the poor reception given to Thrangbrand by the Icelanders that he threw all Icelanders in Norway into prison. Hjalti, who had been outlawed from Iceland for blaspheming against the pagan gods, offered himself as surety to save his fellow countrymen from execution. He later returned to Iceland, in spite of his outlawry, and spoke at the Althing in the critical debate at which Thorgeir had proclaimed that Icelanders should pursue but one religion — Christianity.

As the road becomes sandwiched between the mountain **Hagafjall** and the river, there is a point known as **Gaukshöfdi.** It is thought that Gaukur Trandilsson, who lived at Stöng (see below) was killed here by his own foster-brother, Asgrimur Ellida-Grímsson. Apparently some bones and a spearhead were found at this spot but Gaukur's axe reappeared (by reference, at least), not in Iceland, but in some Viking graffiti carved into the rock of a plundered grave in the Orkneys!

The landscape becomes increasingly ashy as we progress further into the valley. It is perhaps not as desolate as it once was, in that woodland and recent seeding of grass and arctic lupin have helped to bond the once

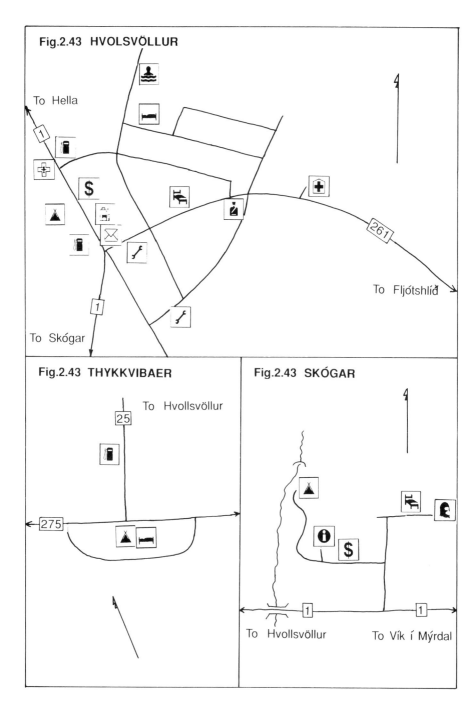

Fig.2.43 HVOLSVÖLLUR

To Hella

To Fljótshlíð

To Skógar

Fig.2.43 THYKKVIBAER

To Hvollsvöllur

Fig.2.43 SKÓGAR

To Hvollsvöllur

To Vík í Mýrdal

stifling fall of ash that likened the Thjórsárdalur settlement to that of Pompeii. It is worth taking the side road, signed to **Hjálpafoss,** to see the magnificent waterfalls that tumble over a mass of twisted basalt lava columns. On returning to Route 30, a little further up the valley, take the next turning left to the excavated Viking farm of **Stöng** and its reconstruction.

Stöng was originally built by Gaukur Trandilsson and commanded a fine position, although in a marginal location, on the fringe of the central desert of Iceland. Unfortunately, little is known of Gaukur as his *Saga,* though referred to, has never been found. Life must have been severe in this place and his house built to weather the elements; all except one, that is — a volcanic eruption. Gaukur lived in the 10th Century, but his farm was buried by Hekla ash, along with at least 20 others, in 1104 and remained entombed until excavated in 1939. From an archaeological point of view Stöng encapsulated the essential characteristics of a 12th Century farm; a farm that showed an evolution from the simple longhouse type that is found in both Iceland and Norway. Stöng consisted of two long houses end to end with two smaller houses at rightangles to the principal structures.

At first you will come to the reconstructed farmhouse, the **Thjóðveldisbaer,** which was modelled on Stöng, by architect Hörður Águstsson, for the 1100 anniversary of the Settlement of Iceland, in 1974. Where information was lacking, Hörður made use of data from other excavations, and from descriptions of farms such as that of Bergthórshvoll in Njal's Saga. There is just one door, leading into an entrance lobby and thence to the *skáli* or main hall in which a raised wooden platform surrounds the edge, and a long fireplace *(langeldar)* occupies the centre. This was the main room where some 20 people ate and slept. It is divided into two sections, one for men and one for women with a small, lockable room *(lokrekkja)* in the middle for the head of the family and his wife. Off the main hall is the wainscoted living room *(stofa)* where the women did their weaving and where formal banquets were held. The two back rooms were a dairy (búr) and a lavatory and bathhouse.

When you have visited the reconstruction drive further up the valley to view the protected remains of the original Stöng. Glancing across to Hekla on the left, it is awesome to think of the inhabitants' first glimpse of the pall of volcanic ash, so similar to the explosion that occurred on Heimaey in 1973. If you have the time it is pleasant to walk past the farm and up the Fossá valley to **Hjáifoss,** Iceland's second highest waterfall (122m). The walk takes about two hours.

Back down by the Thjóðveldisbaer, the side road leads to the Burfell hydro-electric power station. To avoid retracing your steps you can continue on Route 32 to its junction with Route 26, the wide open, desolate, straight Sigalda road. Not far from here is the **Landmannaleid,** the road that leads into Landmannalaugar (Section 2.9) and to the starting point for an ascent of Hekla.

You can follow this all the way down to the main road just west of **Hella** (Fig. 2.42; Population: 600). Most of the way you follow the Thjörsárhraun lava in which some of the farms have made use of the lava blisters and caves as barns. At the Route 1 junction there is petrol and a store but it is only 7km to Hella.

If you want an evening outing it is pleasant to drive south to **Thykkvibaer** (Fig. 2.43; Population: 240). The road is good and metalled. The landscape and horizon is so flat, and reminiscent of the English Fens. The silhouettes of farms, sited on their protective hillocks, project eerily in the evening light and the mountains to the north form an impressive backdrop. Thykkvibaer, the oldest village in Iceland, has little other than a petrol station and a community centre, beside which you may camp. However, the site offers little protection and can be windy. At one time the whole of this district, Safamýri, being so close to sea level, was liable to flooding but protective walls have reduced the dangers and dried out the marshes.

2.6(g) **Hella to Vík** (62 miles/99 Km)

Petrol: Hella, Hvolsvöllur, Steinar (NLF) Skardshlíd (NLF), Vík.
Road Conditions: Excellent along Route 1. The road to Fljótshlíd is very tough.
Approx. Driving Time: 3 hours.

From Hella you enter the country of Njál's Saga, the principal locations being the farms Hlidarendi and Bergthórshvoll, about 18km east and due south, respectively, of Hvollsvöllur. The Saga is split into three sections of which the first part has direct connections with the Laxdaela Saga (Section 2.4(a)) in that Gunnar Hámundarson of Hlídarendi married the attractive, but troublesome, Hallgerdur Long-Legs of Höskuldsstadir. This area is also a seat of learning in that the church and parsonage at **Oddi** (Route 266, east of Hella) was the home of many learned Icelanders. Saemundur the Learned (1056-1133) wrote the first historical writing in Iceland, although none of his work survives other than by reputation. The wealthy Jón Loftsson (-1197) lived here as the 'uncrowned king of Iceland' — a reflection of his wealth and ancestry rather than appointment. Snorri Sturluson (1192-1241) studied here and wrote his *Heimskringla* (Orb of the World) and *Prose Edda*, a work that may have taken its name from Oddi itself.

It would be chronologically correct to drive first to Hlídarendi by way of **Hvolsvöllur** (Fig. 2.43; Population: 650). The settlement has the air of an outback staging post and indeed it is a good place to be based for tours of the south, for it has all the necessary requirements for the visitor. On the approach to the town it is rather unusual to see hedgerows planted around fields. The small factory on the right makes cattlecake from compressed grass. To reach **Hlídarendi** you must turn left onto route 261 that takes you along the slope known as Fljótshlíd. This south-facing slope has always provided warm farmland and it was the beauty of it that fatally attracted Gunnar to return to his home (see below). Since the 1920's the farm **Samsstadir** has been used to experiment with grain crops. You will pass the turning to **Vollur** (Route 262) which was the home of Mordur Valgardsson, who had been brought up to despise Gunnar, and whose hatred and treachery eventually lead to the tragedies exacted in Rang. Shortly before Hlíðarendi you will pass **Grjóta,** the home of Thráinn Sigfússon, a kinsman of Gunnar, who had been present at the killing of the foster-father of Njal's three sons. It was this event that precipitated events in the Saga. He was eventually killed by Njál's eldest son, Skarp-Héðinn, in the Rang-River battle of 995.

Hlidarendi, like the other farms, is a dry site above the Rangá plains, blessed with sunshine and a spread of both mountain grazing and lowland farmland. Gunnar's wife, Hallgerður, and Njáll Thorgeirsson's wife, Bergthóra, did not see eye to eye, and their perpetual feuding brought considerable anguish to the friendship between Gunnar and Njáll. Ultimately Gunnar was forced into a situation whereby he killed one Otkell who, poor fellow, had only refused to sell some provisions. The long and short of it was that Gunnar was sentenced to three years outlawry but, when all was ready to set sail, he made the mistake of casting his eyes back across the plains to the 'golden cornfields and new-mown hay', and resolved there and then to stay. He was then fully outlawed yet boldly went about his daily life as if nothing had happened. It was Morður who, with Gissur the White, finally took it upon himself to surround the house and kill Gunnar; but not without a fight and a final act of treachery from Hallgerður. You should read the description for yourself while here at Hlíðarendi (Chapters 75-78 in Njál's Saga).

Looking due south across the plains you should be able to make out the prominent hill known as **Stóra-Dimon.** In Njál's Saga it was called Rauðaskríður (Red Screes), and it was here that Njál's sons Skarp-Héðinn, and Högni, together with their brother-in-law, Kári Sólmundarson, laid in wait for Thráin Sigfússon. The ambush might not have succeeded had it not been for the ice and a tremendous slide that took Skarp-Héðinn rushing into battle, and just as quickly out of it! To heal the rift Njáll took Thráin's son Höskuldur as his foster-son, treated him as one of the family, and eventually saw him married to the Flósi Thorðarsson from Svínafell near Skaftafell (Section 2.7(b)).

The track to Stóra-Dimon (Route 250) comes shortly after Hlíðarendi, and indeed the continuation of Njál's Saga now turns to Bergthórshvóll. If, however, you are planning to stay overnight in **Fljótsdalur,** at Dick Phillip's hostel, you should continue along Route 261 to its terminus. The hostel, in a renovated turf house, commands a superior view across the Markarfljót to Eyjafjallajökull and its outlet glaciers. The site conjures up visions of Viking settlement, harsh living at the fringe of the known world, and the importance of a weatherproof haven.

On leaving the hostel be careful not to turn too early onto what is simply a servicing track for the immense earthworks bulldozed to try to keep the hazardous Markarfljót in check. You will end up in the middle of nowhere surrounded by irritated skuas! Route 250 will bring you back to Route 1, passing Stóra-Dímon. If you wish to pursue the next stage of Njál's Saga you must turn right and then left onto Routes 252 and 253. About 1km west of

Vodmulastaðir are the ruins of the farm **Ossabaer** where Njál's foster-son, Höskuldur, lived with his wife Hildigrunnur from Svínafell. Njál's own sons, so embittered by the love shown to Höskuldur by their father, slew him as he sowed corn. Once again it was Morður who had fuelled this hatred, as a ploy to bring harm to the Njálssons. Flósi was forced, by his daughter, to take action against his old friend Njáll, a settlement was agreed at the Althing, but in the event, scorned by Flósi who would settle for only a blood feud.

You must now follow Route 252 to **Bergthórshvoll,** and the climax of this tragedy. Standing, as they do, on islands of turf-covered sand amid a sea of alluvium, the farms occupy the area known as **Landey** (Land Isles). In the summer of 1011, under the leadership of Flósi, a band of men approached the farm from across these alluvial plains. As so often in the sagas, events are foretold with great clarity, and on this night Bergthóra invited all the family to choose their favourite food for their evening meal because 'this is the last time I shall be serving a meal for my household'. To appreciate the scene you really need to stand by the farm on its three hillocks, look north towards the advancing throng, and read Chapters 127 to 130 in Njál's Saga. The light of the fire must have told its own story. Can you see the hollow where Kári Sólmundarsson, his hair and clothes alight, dowsed himself as he escaped from the blazing building?

Numerous excavations have been carried out at Bergthórshvoll but none have determined with certainty that Njál's farm was here. It is likely that so many subsequent farmsteads have been built on site that the earliest one has long since disappeared. There is certainly evidence of a burning during the Saga Period but this is confined to the excavations of two barns on the fringe of the farm. It is possible that they burned in 1011 but that, as buildings of lesser importance, they were simply left to rot while new barns were erected elsewhere on the hillocks.

Now it is time to retreat north again: Flósi and his band to the Thríhyrningur peaks north of Fljótshlíd, ourselves to Route 1 and the journey east to Vík. The third and final act of the Njál trilogy is enacted at Thingvellir (see Section 2.6(a)). Returning to the bridge over the Markarfljót you may decide to drive into **Thórsmörk** but **only** if you have four-wheel drive and, especially if inexperienced, another vehicle in attendance, for the river Krossá can be very fiercesome indeed. Ordinary, rented, vehicles will not be covered by insurance on this road.

Playing safe we continue east across the river to **Stóridalur,** the home of Runólfur Úlfsson who was always on the 'other side' in matters concerning Njáll. At the Althing he was one of the chief opponents of Christianity. Just past the farm the rocky promontory, **Kattarnef,** once provided a serious obstacle to those trying to cross the Markarfljót but now, having rounded it you pass the magnificent pencil-shaped waterfall of **Seljalandsfoss.** It is said that the fishermen used to use the falls as an indicator of weather conditions out to sea and towards the Vestmannaeyjar. If the falls reached unbroken to the very base of the cliff then only light winds were sweeping along the coast. If the fall was borne up, and dispersed by an updraught, then the beach was inaccessible. To the right of the road the landscape is very flat, while to the left the former cliffline is rocky with the occasional 'islet' and cave still used as nesting places by seabirds, as if by tradition. In some cases the caves have been utilised as cow sheds and, in the past, as meeting places. You can almost imagine the sea crashing against the cliff foot. Now the lower slopes are fans of scree and grass coated with fingers of waterlain debris. Sheep and cattle pick their way in and out of the large blocks of black and rusty palagonite which have tumbled from the precipices above. Some of the farms are in very precarious positions in the event of flood. In the summer many of the channels are dry but with the spring melt they can swell ferociously.

At the junction with Route 242, which takes in a former embayment in the coastline, it is worth taking a break to swim at **Seljavellir.** The old swimming pool, set against the rocks within the gorge, was always a pleasant and 'different' place to bathe but there is now a new pool and camping facilities. This is also one of the starting points for access to Eyjafjallajökull. On the far side of the embayment at the foot of the rocky headland is **Drangshlíd** where the caves were used in the filming of the Icelandic saga story 'Hrafnin Flygur' (The Raven Flies). An Irish youth tracks down, and kills, his sister's Viking abductor only to find that she has adopted Iceland as her home. Good, blood-thirsty stuff, best seen in its Icelandic original rather than the dubbed English version 'The Revenge of the Barbarian'!

One of these (caves) I entered on passing, and found it nearly full of hay, together with harness and other implements of husbandry, which were hanging around the walls; but am sorry that the hay prevented me from discovering the entrance to what, I have since been apprised, forms the most remarkable thing about the cave – a vast apartment, measuring seventy-two feet in length, by twenty-four in breadth, and twelve feet in height, within which is a smaller room, serving for a bed-chamber, which is fifteen feet long, and nine in breadth. Both places are said to have been cut out by people in former times; and, according to a tradition current in the neighbourhood, it was inhabited by a champion named Hrutur; who, retiring into this strong hold, set his enemies in defiance, till at last they dug through the roof of this cave and killed him.

You turn off the road to get to **Skógar** (Fig. 2.43) which is principally a secondary school but also a summer hotel. There are two attractions: the 60m high **Skógarfoss** waterfall and the **Folk Museum** that has been so carefully collected by the curator Thórður Tómasson. Over many years Thórður has brought together and rebuilt a number of houses representative of building styles in Iceland. He has so restored them that you can almost imagine living there, especially when he demonstrates the old spinning and weaving methods, or gathers his visitors around to sing while he plays the organ. An opportunity not to be missed. Skógar is also a place from which to ascend to the **Fimmvördurháls,** the pass between the Eyjafjallajökull and Mýrdalsjökull.

From Skógar, the road crosses **Skógarsandur** and then the **Jökulsá,** the meltwater stream that emerges from the **Sólheimajökull** glacier. There are times when the sulphurous smell emitted by this river is so strong that it has rightly earned its name **Fulilaekur** (Foul River). The river comes from the flanks of the volcano **Katla** (the Kettle) buried beneath the ice of Mýrdalsjökull. Katla last erupted in 1918 causing floods and devastation on

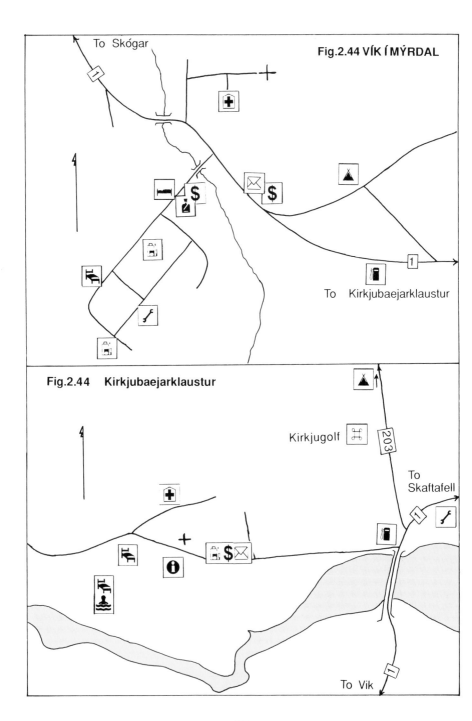

Fig.2.44 VÍK Í MÝRDAL

To Skógar

To Kirkjubaejarklaustur

Fig.2.44 Kirkjubaejarklaustur

Kirkjugolf

To Skaftafell

To Vik

182

the plains below. Numerous earthquakes have been recorded since and further eruptions could certainly occur. Just across the bridge is a small track off to the left leading to the Sólheima glacier. Strictly this is for 4-wheel drive vehicles but occasionally passable by smaller cars. The initial drop of the terrace is quite steep and there is a stream to cross. The glacier margin is interesting in that it demonstrates so many pro-glacial features. The snout itself is so well covered with moraine and volcanic ash that lines of ice-cored dirt cones are common. Classic morainic features, and evidence of various stages of the diversion of lateral meltwater streams make this a textbook illustration. The snout is steep, however, and should not be climbed by other than experienced parties. In 1962 a group of students from Sheffield University were encamped beside the glacier carrying out research which they eagerly wished to extend to the other side of the valley. They tried in vain to find a route across the very heavily crevassed glacier. One day a flock of sheep appeared, took to the glacier, and made their way to the home farm on the far side, and from then on the students had a perfectly waymarked footpath!

The sandur either side of Route 1 is impressive for its flatness and the huge palagonite boulders perched upon it, presumably carried down by vast floodwaters whose dry channels can be seen criss-crossing the wilderness. Ahead now is the isolated 'island', **Pétursey,** once a true island in the sea, but now cut off by deposits left by glacial meltwater. Beyond it you can see the enormous cliff and the arch of **Dýrhólaey** (Portland), topped by a lighthouse, and with stacks to the right of it. The slopes to the left of the road are heavily dissected by water and careful examination will reveal glimpses of ice margins in between. Some of the canyons are quite lovely, their floors clad in green. Dýrhólaey is reached by the Route 218. Kári Sólmundarsson, who escaped from the burning Bergthórshvoll, lived at the farm Dýrhólar. If you park at the base of the cliff it is fun to watch the puffins, or to walk down to the beach to see the Atlantic waves crashing down onto the black, sandy beach. It is also possible to drive up to the top of the cliff where you have a stupendous view along the straight sandur coastline and across to the Vestmannaeyjar. This is a nature reserve and protected area.

Back on Route 1 the road climbs out of Mýrdalur and across the pass behind Reynisfjall to descend into **Vík í Mýrdal** (Fig. 2.44; Population: 400), a small settlement tucked beneath the mountain and protected from the south-westerlies. It is worth a walk from behind the petrol station and down to the shore where the breakers crash into the beach and hundreds of arctic tern swoop and shriek overhead. There is a large colony here and in the early summer the air is filled with flapping wings, while fluffy youngsters scurry around the dunes. From time to time the amphibious 'Farsaell' takes visitors across the sands and around the **Reynisdrangur,** the prominent rock needles off the headland. The old cliff line here is intricately detailed and much used by nesting seabirds. The village camp site is tucked beneath these cliffs in a pleasant location. Close by, a roadsign reads: 'Akureyri: 800Km'!

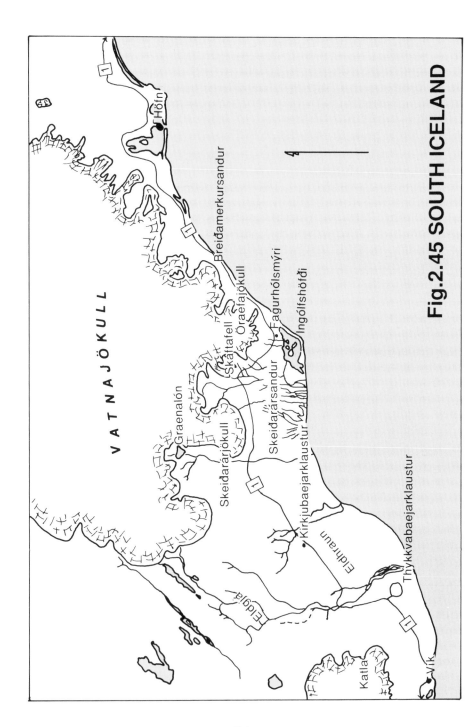

Fig.2.45 SOUTH ICELAND

2.7 SOUTH ICELAND

2.7(a) Vík to Skaftafell (94 miles/150 Km)

Petrol: Vík, Hérjólfsstaðir, Hólmsá, Kirkjubaejarklaustur, Skaftafell (NLF).
Road Conditions: Excellent along Route 1.
Approx. Driving Time: 5 hours.

Initially the road out of Vík is metalled, but on approaching the bridges across Mýrdalssandur parts are quite rough. Just across the Kerlingardalsá, Route 214 leads into a beautiful little valley, **Kerlingardalur.** If the weather is fine this is well worth a trip. The river has lovely, smooth, grassy banks. Initially the valley is narrow with mossy, dripping overhangs and delightful roadside pools, but it opens up as the farm is reached. At one time there was a farm, Bolstaður, on the west bank but all that remains are turf outlines and one or two sheds. In good weather this embayment is a sun trap. There is a youth hostel at Reynisbrekka at the top of the steep incline above the farm. This track can be difficult and sometimes heavily eroded towards the top after spring melt. The track leads across the *heiði* and down towards the Höfðabrekkujökull. At the mouth of the valley, beside Route 1, the farm **Höfðabrekka** offers self-catering accommodation.

Continuing east the road passes an airstrip on the right. It is worth pulling up to the edge of it to look at the view both east and west. To the west the mighty sea cliffs terminating in the pointed Reynisdrangar stacks; to the east the former island of **Hjörleifshöfði** now cut off by vast glacial outwash deposits that have poured from the margins of the Mýrdalsjökull icecap. It is said that Hjörleifur, Ingólfur Arnarsons's foster-brother, landed here in 874 but the promontory is now about 4km from the ocean. It was here that he built his farm, and it was here that he was lured to his death by his Irish slaves. Having killed Hjörleifur, they took the women and sailed for what are now called the Westmann Islands. When Ingólfur learned of the murder he pursued the killers and slew them.

As you continue east you could experience both mirages and sand storms. The **Mýrdalssandur** plain (700 km²) is so flat and unvegetated that it absorbs and radiates heat. So great is the temperature difference between the icecap and the plain that cold air rushes down to replace the rising air. Threatening sand storms have been known to strip paintwork and often bring traffic to a standstill. At other times the mirage effect causes small hillocks and boulders, standing proud of the plain, to 'float' mysteriously on the horizon. Approaching vehicles may be seen well in advance, their roofs shimmering, as they approach like hovercraft.

Once past Hjörleifshöfði, you can really feel the wildness of this place. A vast open expanse with a sky to match. To the north the former island of **Hafursey** (582m), nesting place for fulmars, gives some idea of scale. On a clear day the view up the Höfðabrekkujökull makes the subglacial volcano, **Katla,** seem tantalisingly near. Katla has erupted 16 or 17 times since the

Settlement of Iceland. She last erupted in 1918 and can therefore be expected to erupt sometime between now and the turn of the Century. The resultant meltwater has destroyed many farms over the centuries, and drowned many people. In the 1310 eruption one farmer, Sturla, apparently escaped drowning by clinging to an iceberg. He and a small child survived when the berg drifted to the shore thus giving the flood the name *Sturlulaup*. The colossal blast of 1755-56 caused inhabitants to seek refuge on the 'islands' of Hjörleifshöfði and Hafursey. Two people were killed, not by lava, but by the ensuing lightening that often accompanies rapid updraughts of volcanic gasses.

'One of the persons killed was a farmer, whom it struck dead as he left the door of his house. What is remarkable, his upper clothes, which were of wool, wore no marks of fire, but the linen he had under them was burnt; and, when he was undressed, it was found that the skin and flesh of his right side were consumed to the very bone.'

Just east and south of here the ground rises where there are some pseudocraters (craters formed by a reaction between hot lava and water) and lava flows. The protection from the glacier bursts, afforded by these hillocks, has led to a more fertile region around **Thykkvabaejarklaustur,** the latter part of whose name implies the former presence of a monastery (12th-16th Century).

Having crossed the **Hólmsá** at **Hrífunes** the road climbs onto a palagonite ridge from which the view across the **Tungjufljót** is most attractive. Immediately below, as you descend towards the river crossing point, the wooded slopes conceal a small, pleasant camp site. Just across the river Route 208 leads towards the mountain track (F22) to Eldgjá and Landmannalaugar, but this is not suitable for small cars.

In 1783 Iceland experienced its most savage volcanic eruption along a 25km fissure, 60km to the north of our present position. The craters, **Lakagígar,** spewed forth 565 Km³ of lava, the largest effusion anywhere in the world in historical times. In four days the lava travelled the length of the river Skaftá and on to inhabited country, extinguishing 20 farms. Over 400 people were instantly deprived of homes and livestock resorted to eating whatever they could find, be it their own wool, pieces of timber or *'excrementitious substances'*. The eruption continued for eight months and proved to be Iceland's most catastrophic disaster. The erupted gases lay in a thick blanket over the island, killing 50% of the cattle, 76% of the ponies, and 77% of the sheep. The resultant famine *(Móðuharðingi — '*Haze Famine') killed one fifth of the human population (9-10,000 people), and it was even debated that Iceland should be evacuated. The buildings at the bishopric of Skálholt (see Section 2.6(b)) were layed waste by the initial earthquake and the bishopric ultimately moved to Reykjavík where it remains to this day. One month before this cataclysm there had also been an eruption seventy miles south-west of the Reykjanes peninsula which had resulted in so much pumice, that the sea surface was covered to a distance of 150 miles, and *'the spring ships considerably impeded in their course'*.

For several days prior to the eruption the earth shaking had so unsettled the inhabitants of Vesturskaftafellsýsla, that they took to pitching tents in the open fields, deserted their houses, and awaited the worst. On June 8th a colossal explosion released vast clouds of smoke that darkened the atmosphere such that *'it was scarcely possible, at noon day, to distinguish a white sheet of paper, held up at the window, from the blackness of the wall on either side.'* A south-west wind kept the farmsteads clear of ash but the mountains to the north were blanketed in pumice.

The eruption had now actually commenced; and the raging fire, as if sublimated into greater fury by the vent it had obtained, occasioned more dreadful tremefactions, accompanied by loud subterranean reports, while the sulphureous substances that filled the air, breaking forth into flames, produced, as it were, one continued flash of lightening, with the most tremendous peals of thunder that ever were heard. The inhabitants were stunned by the tremendous roar of the volcano, which resembled that of a large cauldron in the most violent state of ebullition, or the noise of a number of massy bellows, blowing with full power into the same furnace.

Huge quantities of ice were melted, causing the rivers to swell and burst. Lava tongues, on meeting the mighty Skaftá river, exploded with great force sending columns of steam high into the air. The river lost this battle of the elements and was temporarily dessicated. The lava filled its course and for a while was halted while a major canyon was topped up by the flow. Once filled, it burst out over the coastal plain, penetrating every nook and cranny, and exploding wherever the pressure became too great.

Route 1 descends to the **Eldvatn,** a branch of the Skaftá, periodically seen in spate when volcanic heats so melts its glacier source that a rush of glacial water *(jökulhlaup)* hurtles seawards. The swirling, grey waters can be an impressive sight. Once across the river you are onto the **Eldhraun,** lava from the Skaftáeldar eruptions of 1783-4. The road slices as straight as a die through this moss-covered lava chaos. After a short distance there is a pull-in on the right where you can examine the photogenic details of this extraordinary flow. Away to the north of this plain the path taken by the lava-diverted Skaftá can be seen at the base of the old cliff-line. It is said that at the height of the Skaftá eruption of 1783 the Reverend Jón Steingrímsson delivered a powerful sermon *(eldmessa* — 'Fire Sermon') that stopped the mighty lava flow short of Kirkjubaejarklaustur.

On approaching **Kirkjubaejarklaustur** (Fig. 2.44; Population: 300) a mass of pseudocraters dot the skyline and you can almost imagine the monks from Thykkvabaejaklaustur, having trekked across the plains, striking up in song as they looked down upon the Benedictine sisters in the convent at Kirkjubaejarklaustur (founded 1186). Hence the name **Sönghóll.** The convent may not remain today but local names persist: **Sýstravatn, Sýstrastapi, Sýstrafoss.** The settlement has always been christian; Irish monks settled there before the Vikings, and the first Viking, Ketill, was himself a Christian. Being, at the time, something of a rarity, he earned the name *fiflski* ('Foolish'). It is said that no pagan can live there and that those attempting it risk fatal results. On the top of Sýstrastapi, which is easily climbable, there is supposedly the burial place of two nuns who were burnt at the stake. One had given herself to the devil, and the other spoke evil of the pope. When Iceland became Lutheran the latter was forgiven and flowers grew over her grave, but not the other.

Nestling like a green oasis blending with the rocky outrcrops, the settlement is one of the nicest in Iceland. Its hotel and camp site provide a good base from which to explore **Eldgjá** (Fiery fissure), **Lakagígar** (Laki craters), **Fljótshverfi,** or the woodland at **Núpstaður.** These do require 4-wheel drive however. Locally you must visit the extraordinary symmetry of **Kirkjugólf** (Church floor) a short way down Route 203, a natural basalt formation. The cliff behind bears a lone rock known as **Hildishaugur** where the pagan, Hildr Eysteinsson is said to have died as he approached the homefields at 'Klaustur. The camp site is a little further down the same road close to a small but spectacular waterfall.

The cliffline east of Kirkjubaejarklaustur is beautifully weathered ferruginous basalts. The rock looks almost like sandstone but with no apparent bedding structure. One of the first farms, **Hörgsland,** looks innocuous enough now, but in 1652 it was one of four crown farms appropriated as leprosy hospitals to serve the four quarters of the island. They were funded by payments derived from certain fines and taxes and continued in existence at least until 1814 when Henderson reports that:

Two females were at this time in the hospital, the one about thirty, and the other upwards of fifty years of age. The latter of these objects exhibited the most miserable spectacle I ever beheld. The leprosy prevails most in the south and west quarters of Iceland, which is to be ascribed to the inhabitants of these parts being mostly employed in fishing, the rancidity of their food, their wet woollen clothes, an insalubrious air, and their not paying due attention to habits of cleanliness.

A pencil-like waterfall gives away the location of the farm **Foss,** now almost a village. Just past the farm, on the right, are the **Dverghamrar** rocks supported by some fine basalt columns, one of which leans away like a pencil in a pot. Ahead is yet another lava stream spewed out in 1783 from the Lakagígar, the so-called **Brúnahraun** that surrounded the low hill named **Örustuhóll** that at one time was doubtless an island amid a sea of glacial outwash. At one time the road followed around the margin of the flow, in part to avoid the lava, in part to link with the 'oases' that developed where springs emerge from the lava. Ahead of us the gigantic cliff, **Lómagnúpur** (767m), stands sentry over the 17th Century church at **Núpsstaður** and the vast **Skeiðarársandur** plain.

The first bridge crosses the **Njúpsvötn,** a glacial torrent whose source lies in the ice-margin lake **Graenalón.** Periodically the lake lifts its glacier dam and floods the plain below. The enormous barriers have been constructed to concentrate the water beneath the bridge. It was this sort of event that made the Skeiðarársandur impassable, except to the knowledgeable inhabitants of Núpsstaður, until the bridges were finally built in 1974. Most of these glacier bursts (jökulhlaup) originate in the **Grímsvötn** crater beneath the Vatnajökull icecap. Grímsvötn is the most active Icelandic volcano and, although its eruptions are generally brief, they can also be devastating on account of the floodwaters which are 1000 times greater than the Thames at low water. At this time the 1000km^2 sandur is totally submerged, and giant vauclusian springs (up to 5m) emerge from the ice margin. The 1km bridge over the Skeiðará is the longest in Iceland.

Skeiðarárjökull looms large and dirty to the left of the road; dirty because of the vast amounts of englacial volcanic material that has melted out towards the snout. Ahead the glaciers of Skaftafell stand out majestically. Left to right you have Morsárjökull, Skaftafellsjökull, Svínafellsjökull, and the twin glacier of Virkisjökull and Falljökull. You can see your destination for quite some while, but the journey takes longer than anticipated. When, at last, you focus on the National Park buildings, they seem miniscule compared to the grandeur of the **Öraefajökull** massif capped by **Hvannadalshnúkur** (2119m). The peak is, of course, part of the rim of a volcanic crater, now filled with ice that spills over and down to feed its outlet glaciers, all of which have 1000m icefalls — higher than the Kumbu glacier icefall on the approach to Everest. The volcano has erupted twice in historic times (1362 and 1727) causing the glaciers to slip from their moorings, push debris over the farmlands, and flood the plains.

It is worth spending several days based at **Skaftafell** (Fig. 2.46). There is the National Park camp site below the Skaftafellsjökull, or accommodation at Freysnes near Svínafell, and Hof. The camp site may be crowded but it is well provided for, and infinitely preferable to casual camping within the visually and environmentally sensitive park landscape. The park authorities have mapped out several walks of varying length, the simplest of which is a stroll to the snout of the **Skaftafellsjökull** which is interesting for its display of old meltwater channels, marginal crevasse systems, supra-glacial dirt cones, and many other ice margin features. A little more ambitious is the circular walk that takes you through the birch scrub and up to a superb overlook that takes in the whole glacier and the surrounding peaks. A striking feature is the glacier banding (ogives), indicative of ice reforming after its precipitous journey down the 1,000m icefall. You can then return via the **Svartifoss** waterfall noted for its basalt columns. Taken casually, and observing the views, this walk can give you the best of Skaftafell. The more determined will explore further and descend to **Morsárdalur** where, until 1984, there was a bridge across the glacial river. The fact that it was washed away is an indication in itself that this river is not to be trifled with and the hesitant should not attempt to cross. The more intrepid may want to cross to visit the old woodland of **Baejarstaðarskógur** and the small hot springs south-west of it. The walk along the west side of Morsárdalur can be difficult on the stony terrain, or where the banks have been ripped away by meltwater, but once around the corner into **Kjós,** the reward is a splendidly coloured, rholite, canyon landscape. The features around the ice-margin lake of **Morsárjökull** are interesting too but, again, the river has to be crossed to regain the south flank of the valley. Morsárjökull, detached now from its source on Öraefajökull, is not a feasible proposition as a return route. A good map and guide to the park can be obtained from the park headquarters.

The weather here can be quite changeable but generally milder than south and east of the National Park. At times the warm, easterly, fohn wind can be felt descending off Hvannadalshnúkur. The average rainfall at Fagurhólsmýri is 1761mm yet at Kvísker, only 16km to the east, it is 6000mm!

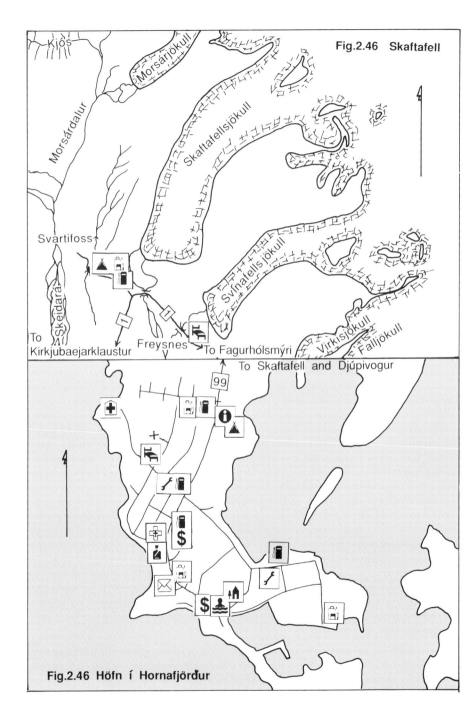

Fig.2.46   Skaftafell

Kjós

Morsárjökull

Morsárdalur

Skaftafellsjökull

Svartifoss

Svínafellsjökull

To
Kirkjubaejarklaustur

Freysnes

To Fagurhólsmýri

Virkisjökull

Falljökull

Skeidará

To Skaftafell and Djúpivogur

99

Fig.2.46 Höfn í Hornafjördur

The area may have looked forbidding to Ingólfur Arnarson in 974 AD but its farmsteads have some of the best grass. The people have lived very close to mountain, plain and sea in the district once known as *Hérað milli sanda* (the District between the sands — a title given to a delightful film by Osvaldur Knudsen at the Volcano Show in Reykjavík). When the Öraefajökull erupted in 1362, covering Skaftafell in 30 centimeters of pumice, the district was given the name **Öraefi** (Wilderness) and, until the ring road was completed in 1974, it remained effectively cut off from the rest of Iceland. The history of this beautiful area, and the region to the south and east of Skaftafell (Austur-Skaftafellssýsla), is given in Sigurður Thórarinsson's, now classic, published lectures entitled 'The Thousand Years Struggle Against Ice and Fire' (1956), where he makes the point that it is not man that rules, but Vatnajökull; a region so isolated that 'neither rat nor mouse has ever got there, and we are told that cats have never thriven there, boredom causing them to waste away'. Actually the Icelandic mouse is to be found in Baejarstaðarskógur.

2.7(b) Skaftafell to Höfn í Hornafjörður (81 miles/130 Km)

Petrol: Skaftafell (NLF), Fagurhólsmýri, Hestgerði (NLF), Tjörn (NLF), Höfn.
Road Conditions: Excellent along Route 1.
Approx. Driving Time: 3 hours.

The road south traverses the narrow zone between the volcanic and glacial upland and the vast glacial outwash sands; a zone that has been buried repeatedly beneath volcanic ash, glacial advances, and glacial surges. The first farm, **Svínafell,** was the home of Flósi Thorðarson of Njál's Saga fame and it is said that he hid in a cave in the ridge called **Rauðikambur** that separates the twin glaciers Falljökull and Virkisjökull. In Settlement times the scene must have been very different. The glaciers were probably further back and the huge piles of glacial debris, now abutting the outer fields, would have been nowhere in sight. Just south-east of the farm there is a huge crater-like depression (kettlehole), **Háalda,** formed by the melting out of a large iceberg left there after the volcanic eruption and glacial surge of 1727. There is a fine, though somewhat incongruous-looking, new guesthouse, **Freysnes,** close to the boundaries of the National Park and the farm.

As the road passes the next glacier **(Falljökull/Virkisjökull)** the surface can sometimes be very broken because of spring meltwaters. Here you can imagine the wilderness as it might have seemed to the first settlers. It is to the right of this glacier that one of the routes up the Öraefajokull begins (Chapter 14), but it is not waymarked and it is not for the inexperienced or fainthearted. This glacier became completely detached from its source in the 1727 eruption of Öraefajökull and huge piles of pushed moraine hide the view of the snout from the road. The piles of moraine west of the road, just a little further south, are still referred to as *Svartijökull* (Black Glacier), a reflection of their ice-cored nature following the eruption and glacier slide of 1362. The surface of the glacier gives every sign of stagnation although the snout did steepen for a period in the early 1970's, suggesting readvance. The crevasses and seracs have markedly rounded edges and the ice supports numerous rivulets that have carved miniature valleys for themselves. Few actually drain off the glacier; in general they disappear into potholes, or drain into ice-cored moraine to reappear beyond the snout as impressive vauclusian springs. The power of these spouts and of the streams in flood, is readily appreciated when you hear the boulders grinding along the bed.

Shortly after Falljökull is the deserted church and farmstead of Sandfell where, during the sermon on 7th August, 1727, the congregation felt 'a *gentle concussion'* under their feet, as a prelude to the eruption of Öraefajökull. The buildings were so close to the hillslope that they could not discern whence the activity came, yet the whole mountain seemed to rise and fall, and the air was filled with violent shocks. Next day, at 9pm there were three loud reports and, with a sudden rush of water, the whole glacier surged forward obliterating the familiar mountain, Lómagnúpur, from view. The mountain then exploded, blasting lumps of ice over the plain. The sky was so dark that it was impossible to distinguish day from night. For three days the parishioners were pelted with pumice, red hot ash and stones. Those who ventured out did so with buckets over their heads for protection! The eruption continued until the following April.

The next inhabited group of farms, **Hof,** is worth a visit to see the beautiful turf-roofed church originally built in the 14th Century but reconstructed in the 1800's. There is also farmhouse accommodation. It seems quite astonishing to consider that Ingólfur Arnarson almost made this southerly corner of Iceland his home. Obviously, on the day that he arrived, the weather conditions must have been somewhat off-putting; perhaps a typically low ceiling of cloud, slaggy slopes, and a flat, waterlogged plain between his ship and the better ground. His promontory, **Ingólfshöfdi,** stands solidly on the horizon to the south, obviously a former island. At **Fagurhólsmýri,** if you turn right into the scattered settlement, it is possible to descend to the edge of the outwash plain (sandur). To get there you descend from the old shoreline, over the now abandoned, but seagull inhabited cliffs, to the thin band of well-drained land that separates cliff from sandur. Until the road across the Skeidarársandur was opened the airstrip here saw regular domestic flights and was the only link westwards to Reykjavík.

It is not advisable to walk or drive to Ingólfshöfdi without guidance, and in any case the land belongs to the farmers of Fagurhólsmýri, and the island is a nature reserve. You should seek advice at the service station on the main road. The island is noted for its bird life (over 25,000 individuals nest there, including storm and leach's petrel) and for the stupendous, smooth, black sand dunes that incline to the summit. The movement of the sand over the years has polished and shaped the rocks. The wood mouse is a resident and often grey and common seals haul themselves out onto the sands. Whales have been sighted offshore.

The journey east of Fagurhólsmýri is wonderful. **Hnappavellir** (the name refers to a 'button' of black rock in the glacier above the farm) has a fine collection of old buildings, and **Kvísker** is the home of three brothers who by their interest in the surroundings in which they live, have become self-taught natural historians of some note. Before the relatively recent improvements in communication the inhabitants of Öraefi used to produce a form of handwritten newspaper reporting events on the various farms, and thus many records have been preserved. The rock, **Baejarsker,** adjacent to the farm, has been beneath ice for three centuries within historical time. Just before Kvísker, the **Kvíárjökull** descends to road level, surrounded by immense ramparts of moraine. Watch out for dive-bombing great skuas (bonxies) who will fearlessly attack anyone going near to their young. You will see them as silhouettes on the top of hillocks or as dark, swooping shapes. By the roadside near Kvísker the pools are often used by Great northern divers. The setting is very attractive, the mountains and ice being reflected in the water.

The road approaches another mighty glacier, **Fjallsjökull,** whose pro-glacial, iceberg lake can be approached by a track. This is a good spot to stop and take photographs. Once across the bridge and over the moraine the road crosses the immense **Breiðamerkursandur,** a mass of seemingly chaotic glacial deposits. From the air, however, there is some order to these random piles; terminal moraines, eskers, kames, and kettle holes abound. The Iceland Glaciological Society has a small hut here from which they carry out research. It is possible that when you traverse this section the ice margin may be obliterated by cloud. Often this is no more than a thin veil. The moist ocean breezes meet with the subsiding and chilled glacial air only to be cooled to a mist which disperses later in the day as the ground heats up. This is one of the largest breeding grounds of the bonxie in the North Atlantic region. It is also an area that was once farmed until over-ridden by advancing ice in the 18th Century.

Ahead loom the supports of the suspension bridge (1967) that spans the **Jökulsá** river, Iceland's shortest, that emerges from the **Jökulsárlón.** It is not until you arrive there that the splendour of this iceberg lake is revealed. The pull-in on the west side provides a balcony view; across the bridge you can drive beside the lake and to the boat station that offers trips among the icebergs. The lake achieved some notoriety as the location for the opening sequence of the James Bond film "A View to a Kill". It was also seen in an exciting Channel 4 film "Iceland Breakthrough", where the team members flew their microlite aircraft among the bergs. The lake is 110m deep and thus the snout of the glacier is well below sea level. The icebergs are retained within the lake because the outlet is too shallow to accommodated them. The lake did not exist in 1814 when Ebenezer Henderson crossed the Breiðamerkursandur, indeed the river Jökulsá, though fearsome, was not occupying the channel that it had occupied only a few days before. Sections of the track that he followed had even been swallowed by the advance of the glacier. He described the ice front and pondered upon its behaviour:

The whole of the space it occupies has originally been a beautiful and fertile plain, which continued to be inhabited for several centuries after the occupation of the island; but was desolated in the dire catastrophe that happened in the fourteenth century, when not fewer than six volcanoes were in action at the same time, and poured inconceivable destruction to the distance of near a hundred miles along the coast. While the snow-mountains, in the interior, have been discharging their waters through this level tract, vast masses of ice must have been carried down by the floods, some of which, being arrested in their progress, have settled on the plain, and obstructing the pieces which followed, they have gradually accumulated, till, at last, the fresh masses that were carried to either side by the current, have reached the adjacent mountains, and the water, not having any other passage, has forced its way through the chasms in the ice, and formed channels, which, with more of less variation, it may have filled to the present period.

Now desolate, this location must once have been much greener than it is today. In 1020 AD this was the home of Kári Sólmundarson but today his farm, Breiðá, lies beneath the ice sheet. There was a church at Breiðá for many centuries but following the 1362 eruption and the advance of the ice, the farm was abandoned in 1698, although the ruins were still visible in 1712. Since then the ice has both advanced and retreated about 1 km.

As the road leaves the outwash sands, the land again becomes inhabited; if only marginally. In 1869 the farm, Fell, was washed away by the swollen Veðurá so that today **Reynivellir** is the first farm east of the sands. Just beyond is **Hröllaugsstaðir,** home of Hröllaug the son of an eminent 9th Century Norwegian chieftain. His brothers settled in the Orkneys but Hröllaug, following his father's predictions, settled in Iceland where his high-seat pillars had washed ashore. There is a guest house here. **Kálfafellsstaðir** has the first church in an attractive setting at the mouth of the valley of the same name. At the head lies the steep snout of the **Brókarjökull** and, for the adventurous, an interesting assembly of glacial features. In the 15th and 16th centuries fishermen from the north of Iceland would cross Vatnajökull to fish in the shallow waters off the coast east of Kálfafellsstaðir. This subsiding coastline has never been blessed with good harbours but a fishing station existed at Kambstún and **Hálsar** on the coastal spit until 1573 when 53 men were drowned, leaving 15 widows who 'had no refuge and no support except in God alone'. It is likely that, prior to the disaster, a natural harbour existed, protected by offshore rock barriers. Natural land subsidence together with the erosion of the skerries was probably the cause, both of the accident and the abandonment of the fishery.

The valleys east of Kálfafellsstaðir are very lovely. The rocky outcrops, smoothed by ice on their upstream sides, project from lush meadows and pools. There seems to be a plethora of farms after the desolation of the Breiðamerkursandur. Watch out for the turning (left) for the **Jökulferðir** glacier trips — journeys onto the icecap by snowcat (contact Hotel Höfn for details). The trips start from very high up to be sure of snow, and the track, though passable by small cars for 5km, cannot be taken all the way except with 4-wheel drive. If taking your own car part way, you should not be too proud of your tyres. From the end of the ordinary track the terrain continues across rock and ponds to alpine peaks and walls of glacier ice. A great place for peace and quiet, and the view east across the **Mýrar** from 400m up is tremendous: spits of black sand, lagoons and grazings.

The journey across the Mýrar can be very impressive with its lagoons, cotton grass, streams and bird life. To the left the huge glaciers descend to the plain. **Fláajökull** seems enormous as it divides around its rocky 'island', **Jökulfell,** and to the right the flat expanse of green merges with the sea and the horizon. It is worth a short detour along Route 986 towards **Raudaberg.** The road turns right among the moraine and at this point offers an excellent view across the meadows and glacial outwash towards Fláajökull.

Be warned that the bridge across the Hornafjarðarfljót should not be taken too fast. It has been built in sections, each with its own slight arch, so that your car develops an ever-increasing harmonic bounce! The sandur crossed by this bridge has been swept by the rhythmic oscillations of the river which have built up the stream beds, and endangered farmsteads. Because of this the vegetation is rarely of great age. *Jökulhlaup* (glacier bursts) are frequent occurrences here, and especially below **Heinabergsjökull** where an ice margin lake, in Vatnsdalur periodically empties.

You must turn off Route 1 onto Route 99 to reach **Höfn i Hornafjördur** (Fig. 2.46; Population: 1600). At this point there is an Esso petrol station and an Edda Hotel. The road winds in and out of conical piles of grassy moraine, passes the airfield, and emerges into the town close to the camp site. Höfn has always been a fishing town and has been important as the only settlement of any importance in this south-east corner. Tourism is a rapidly growing addition to its commercial functions. The views of the surrounding mountains and glaciers are unforgettable, especially in the evening light, or when the slopes are flanked by a thin wreath of cloud. On still days, the reflections in the water, are magical.

195

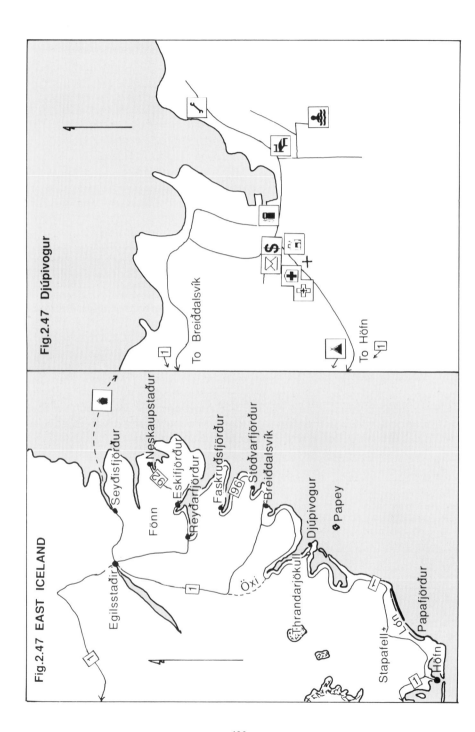

Fig.2.47 **Djúpivogur**

To Breiddalsvík

To Höfn

Fig.2.47 **EAST ICELAND**

Egilsstaðir

Seyðisfjörður

Fönn

Neskaupstaður

Eskifjörður

Reyðarfjörður

Faskrúðsfjörður

Stöðvarfjörður

Breiðdalsvík

Djúpivogur

Papey

Öxi

Þrandarjökull

Stapafell

Lón

Papafjörður

Höfn

2.8 EAST ICELAND

2.8(a) Höfn to Breiddalsvík (112 miles/179 Km)

Petrol: Höfn, Starmýri (NLF), Djúpivogur, Berunes (NLF), Staðarborg (NLF), Breiddalsvík.
Road Conditions: Excellent along Route 1.
Approx. Driving Time: 4 hours.

Retracing our steps back to Route 1, the scene is encouraging; mighty mountains, and pointed peaks.

On reaching the extremity (of the pass) a prospect burst upon my view, the most novel, magnificent, and unbounded that I ever beheld. At my feet lay a stupendous precipice, whose base is washed by the sea, and which is certainly not less than nine hundred feet of nearly perpendicular height. The ocean, bounded only by the distant horizon, expanded towards the left. The Hornafljot appeared on the right; the eastern margin of which is beautifully ornamented with farms; beyond which, as far as the eye could sweep, nothing was seen but one vast chain of Yokuls, or ice-mountains, stretching back into the deserts in the interior, and terminating towards the west in the majestic Oraefa-Yokul, the highest mountain on the island. The sparkling rays of the meridian sun, reflected from the marble snow with which the upper regions of the Yokuls are covered, the vivid green crust which forms their base, and the blue waves of the ocean, had a most exhilarating effect; and the whole of the scenery was calculated to produce in the mind the noblest and most sublime emotions.

An escape from Hornafjörður seems impossible, until the metalled surface ends and the road swings northwards and upwards, the scree running right to the edge of the highway, whence it must be cleared every spring. This pass, from which Ebenezer Henderson was descending in September 1814, is the saddle between the main mountain mass and the gabbro peninsula of the **Vesturhorn.** The descent to **Papafjörður** is gravelly until we pick up the tarmac again on the flat sweep of **Lón.** This remote corner was once inhabited by Irish monks (hence *papar* — 'little fathers') and in the late 19th Century was a thriving trading place based on **Syðri-Fjörður,** south of which are some early ruins. Other than place names, however, there is no solid evidence to confirm the existence of christian monks prior to the Viking Settlement. The first valley to the left, **Endalausidalur,** runs right through to **Laxardalur** slicing through a granitic intrusion. It is not surprising to find that the shingle in **Lónsfjörður** is now a striking pink. Half way around the watery embayment, just across the glacial **Jökulsá á Lóni** stands **Stafafell** church, farm and Youth Hostel, perched on a rocky platform above the outwash. The camp site is 1km along the road on the left before the bridge and by the farm, **Thórisdalur.** This is the best access to the eastern edge of Vatnajökull. The track ascends the south side of the valley, fords the **Skyndidalsá,** that comes from Lambatungujökull, before ascending **Kjarrdalsheidi.** This whole district is known as **Lónsöraefi** (Lagoon wilderness), and is a very striking, though remote, area for exploration on foot. In some respects this is also a pilgrimage for the mountain lover for Thórisdalur was the home of Iceland's first glaciologist, Thórður Thorkelsson Vidalin, whose treatise on glaciers was published in 1754.

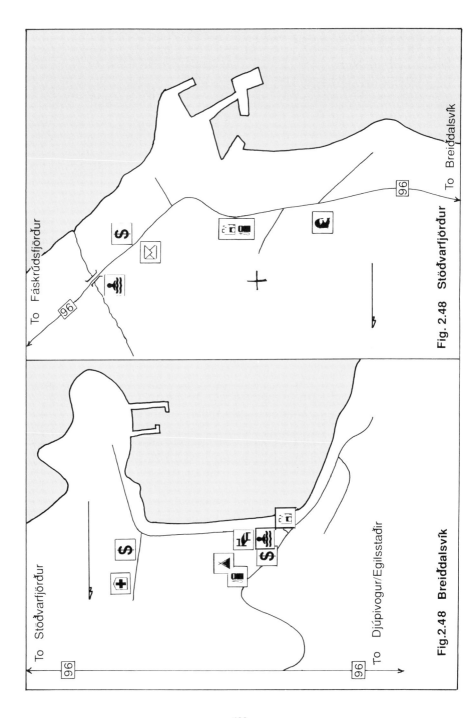

Fig. 2.48 Stöðvarfjörður

Fig.2.48 Breiðdalsvík

198

The wooded valley of the **Karlsá** is particularly attractive with its clear water, light coloured shoals, and glacially scoured rocks protruding through the outwash. It was on these plains that the Viking, Úlfljótur, lived. He was despatched to Norway to acquaint himself with the law prior to the establishment of the Althing at Thingvellir, and his appointment as Iceland's first Law-Speaker *(Lögsögumaður)*. Just before the farm **Reyðará,** there is a curious monument and view point on a flat rock. The landscape has been very heavily scoured by ice and there are some prominent moraines to the left, at the edge of the sandur. The huge, sweeping scree slopes are a reddish colour, being weathered from the intrusive, acid, igneous rocks. This is a very impressive location as the road hugs the base of the mountain slope perched on a man-made platform above the lagoon. At first the shore is protected by the spit, but where it ends, at **Hvalnes,** the sea comes crashing onto the rocks once again. The valley around the corner, **Hvaldalur,** is like a Scottish glen leading down to the sea, where Atlantic rollers break onto the shore.

The old road used to go straight up, high over Lónsheiði, (400m) and down to Starmýri but today the road beneath **Krossanesfjall** clings precariously to the screes and you must watch out for fallen stones. There is a wonderfully wild feel about this stretch of coastline, especially in bad weather. Fulmars glide and skim. Half way along there is an emergency shelter.

The road emerges in Álftafjörður (Swan fjord) where, offshore, is the squat island of **Papey** that becomes ever nearer as you progress around towards Djúpivogur. It was once inhabited but is now a nature reserve, visitable by boat from Djúpivogur. We are now back to black sand; seemingly very black after the light colours of the previous stretch of coast. This valley was the home of Hallur Thorsteinsson (Siðu-Hallur) of the Siða district around Kirkjubaejarklaustur, who had lived at the first farm, **Thvotta** (Wash River — perhaps because Hallur was baptised in it by Bishop Thrangbrand). The spot where Thrangbrand encamped, and where Hallur accepted Christianity, is now a protected site. The chain of links goes far and wide from this solitary farm because not only was Hallur a descendant of the settler Hröllaugur, but also Flósi Thorðarson's father-in-law (see Section 2.7(b)). Hallur also lived at **Hof** which lies on up Hofsdalur, which leads towards the small remnant icecap of the same derivation. The next valley, the beautiful **Geithellnadalur,** is the best access to the country around the **Thrandárjökull** icecap. Walkers may encounter reindeer. Ingolfur Arnarson is said to have wintered at Geithellur when he first came to Iceland.

This lowland has distinctive basalt layering, dipping steeply inland, forming bold escarpments. There are many rocky coves, especially in **Hamarsfjörður** where the screes are very red, presumably from the basalt tuffs. The geology plays a significant part in the coastline at **Djúpivogur** (Fig. 2.47; Population: 400) where basalt dykes project into the fjord and provide for a good natural harbour. There is a camp site right alongside the Djúpivogur turning, and another further up Berufjörður, at Eyjólfsstaðir,

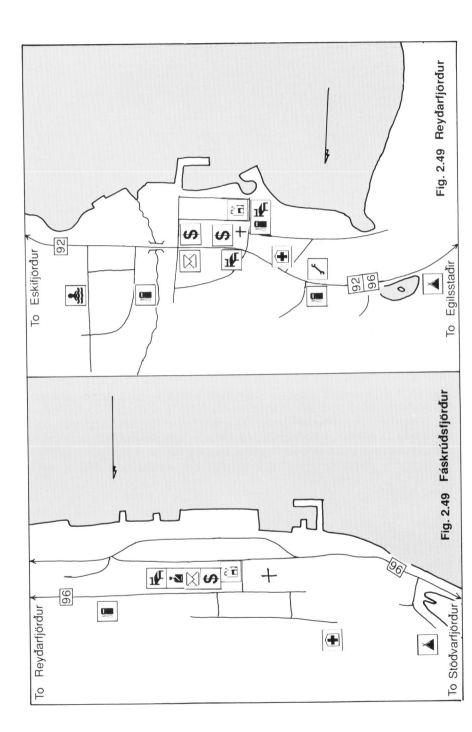

To Eskifjörður

92

Fig. 2.49 Reyðarfjörður

To Egilsstaðir

92
96

To Reyðarfjörður

96

Fig. 2.49 Fáskrúðsfjörður

96

To Stöðvarfjörður

200

where there is also sleeping bag accommodation. There is also a Youth Hostel, camp site and petrol station at **Berunes.**

The road after Djúpivogur is much rougher and you should think twice before considering the 4-wheel drive **Öxi** route (Axarvegur) that saves driving the north side of the fjord. Nevertheless it is worth sticking to the coastline anyhow to spend the night at **Breiddalsvík** (Fig. 2.48); Population: 260) where the Hotel Bláfell has a reputation for its cooking. There is a camp site behind the hotel. This is the point at which you decide whether to stay on Route 1 and proceed direct to Egilsstaðir, or continue around the coast to visit the other settlements and fjords.

2.8(b) Breiddalsvík to Egilsstaðir (111 miles/178 Km)

Petrol: Breiddalsvík, Stöðvarfjörður, Fáskruðsfjörður, Reyðarfjörður (NLF), Eskifjörður, Neskaupstaður, Egilsstaðir.
Road Conditions: Excellent along Route 1.
Approx. Driving Time: 7 hours.

In this description we stick to Route 96 which leads around Kambanes to **Stöðvarfjörður** (Fig. 2.48; Population: 350), sometimes called Kirkjuból. Like several of the fishing villages Stöðvarfjörður is of no great age, being established at the beginning of this Century. Indeed, it is interesting to note that when Ebenezer Henderson traversed the coast, from Eskifjörður to Höfn í Hornafjörður in 1814, he mentions no settlements whatsoever. The town has no camp site but people do camp at the head of the fjord and beyond the town at **Lönd.** Stöðvarfjörður is well-known for the extraordinary rock and mineral collection (Steinasafn Petru) gathered by Petra Sveinsdóttir. There are some old turf houses along the road past Lönd and the remains of a settlement, and former hospital for French fishermen, at **Hafnarnes.** The road here is being improved.

Fáskruðsfjörður (Fig. 2.49; Population: 800), formerly called Buðir, is built at several levels up the fjord side and, when you first drive in, the main street is not obvious. At the first fork you keep straight on and then turn left and up, once past the church. Light refreshment can be taken at the small, but friendly, Hotel Snekkjan. The town has a 'backwoods' atmosphere to it and is quite unlike other fjord settlements. Heading east again you will have a good view of the two prominent islands, **Andey** and **Skrudur,** and the flat skerries that protect the fjord. There can be some wonderful light effects when clouds are skudding across a blue sky: the sunlit areas, sparkling water, and deep, blue colours, contrast with the cloud shadows, and dark, almost black, sea; small boats fish in the outer fjord or make their bolt for home. It is a steep pull up and out of the town and, once past the lighthouse at **Vatternes,** it is an attractive vista across the rocky promontories, and small islands of Reyðarfjörður. The fjord is in many ways like Eyjafjörður in north central Iceland but seems wider inland. The piles of Tertiary basalt lavas dip steeply inland, presumably the remnants of huge shield volcanoes whose vents once lay offshore.

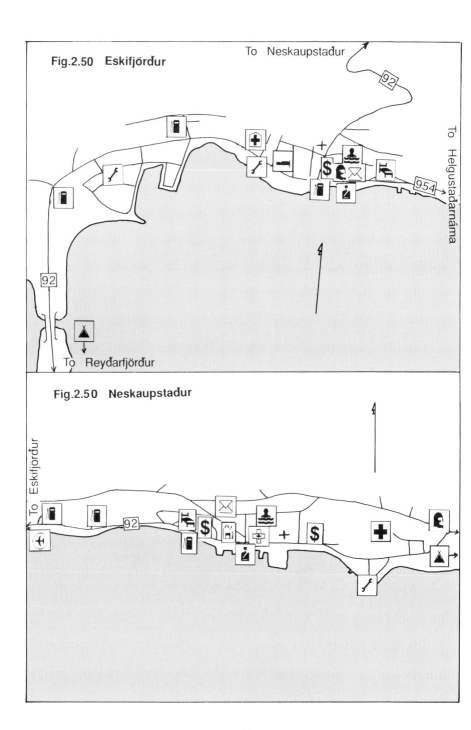

Fig.2.50 Eskifjörður

To Neskaupstaður

Fig.2.50 Neskaupstaður

Reydarfjördur (Fig. 2.49; Population: 700), also known as Budareyri, is in a sort of 'inner sanctum'. You do not realise that it is there until you round the corner and its fuel tanks hove into sight. The camp site is out of town at **Slétta,** where there are also hot pools. The town is pleasant and well treed, not unlike Akureyri, but here the mountains are closer to the town. It was in this fjord that the first recorded visit to Iceland was made by one Naddoddur, around the year 850. He gave the island its first name, Snaeland, but he did not settle. During the war this was one of the principal Allied bases. Beyond the town, the **Hólmanes** headland is a nature reserve for its birdlife. Puffin and eider inhabit the grassy slopes and rocky islets linked by a tombolo. There is no place to stop on the headland itself until you get to the radio mast, overlooking **Eskifjördur** (Fig. 2.50; Population: 1100), where the view is gorgeous. The town is fed by several waterfalls that cascade through the settlement. It is a lovely drive in, along the fjord, where seabirds sweep in and out of the jetties, small boats, and nets hung up to dry. A popular spot on a sunny day is the hillside beside **Helgustadarnáma,** the remains of a now heavily plundered calcite mine. Before rushing off there, do realise that it is very small, heavily eroded, and a protected site. However, it is a pleasant spot to stroll above the fjord, admire the vegetation, and feel the sun and wind on your face.

There is a new road under construction between Eskifjördur and **Neskaupstadur** (Fig. 2.50; Population: 1700) which will replace the present, rough, zig-zag route. It is an impressive climb to the ski hut and ski tow on **Oddskard** (623m) before entering the 625m tunnel. Drive with care, the tunnel rises and fall so that you cannot see one end from the other; there is then a rapid descent into the town. Neskaupstadur is clustered at the base of the north slope of a great sweep of a valley, that is green and well farmed. Farming and fishing are the principal activities. At the head of the **Nordfjardarádalur** is the **Fönn** snow and icefield and some remarkable rock pinnacles.

To get to **Egilsstadir** you will have to retrace your steps through Reydarfjördur, and follow Route 92 through Fagridalur. It is a very good fast road that penetrates the heart of the mountains, and you may well wonder just where it's going to lead. If you have time to explore Route 953, you will enter the remote world of **Mjóifjördur,** open from June to September. With no fish processing, the activity and population dwindled from about 400 in 1900 to a mere 35 people today. The inhabitants of **Brekka** probably use the ferry more than the road; it takes one hour to travel around the headland to Neskaupstadur. The intrepid, with 4-wheel drive, or backpacks, might venture to the lighthouse at Dalatangi where the land is still farmed and the present incumbents grow an extraordinary range of plants, both outside and in greenhouses. The lighthouse, built in 1899, has been restored and is something of an antiquity.

If you are returning to Seydisfjördur remember that it can be crowded the night before sailings and you could be advised to camp or rest at Egilsstadir or Fellabaer.

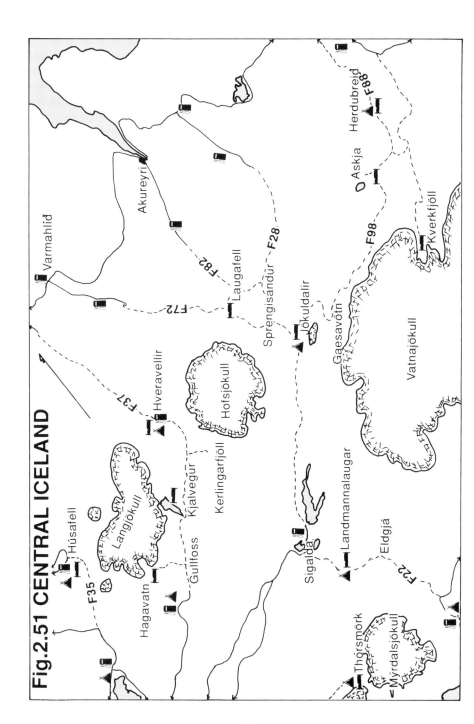

Fig.2.51 CENTRAL ICELAND

Varmahlíð

Akureyri

Husafell

Langjökull

Hagavatn

Gullfoss

Kjalvegur

Hveravellir

Kerlingarfjöll

Hofsjökull

Laugafell

Sprengisandur

Jökuldalir

Gaesavötn

Landmannalaugar

Sigalda

Eldgjá

Thórsmörk

Myrdalsjökull

Vatnajökull

Kverkfjöll

Askja

Herdubreid

F35

F37

F72

F82

F28

F98

F88

F72

204

2.9 CENTRAL ICELAND

The heart of Iceland (Fig. 2.51) is a true wilderness. Vast, open spaces, punctuated with volcanic cones, peaks, and icecaps. This is real tundra, whose winters are long and severe, and whose brief summer allows the forces of wind and water to flay the fragile surface. Man's excursions into this desert can easily upset the natural balance, scarring the landscape for many years. Yet, ignoring his better judgement, he is mysteriously drawn into one of Europe's strangest and most desolate places.

If you do venture into these regions with your vehicle, please do respect the landscape. Never drive off the track, even if others have before you; wheel scars remain for many years. The soil and vegetation are very fragile indeed.

You do not need to drive the routes yourself because there are organised tours in the summer into many of the areas mentioned below:

Askja:	Regular tours operated by Eldá, Mývatn.
Fjallabak Nyrðri	Daily to Skaftafell.★
Kaldidalur	Tuesdays and Saturdays.★
Kjölur	Wednesdays and Saturdays from Akureyri.
Laki	Daily from Kirkjubaejarklaustur.
Sprengisandur	Mondays and Thursdays.★
Thórsmörk	Daily.★

★ From Reykjavík Long Distance Bus Station.

The central desert is a battleground for the natural forces that have shaped the island. It is being rent in two by the upheavals along the Mid-Atlantic Ridge, cleaving the ground, and spewing out lava and ash. Glacier tongues have advanced and retreated, scouring the unconsolidated volcanic ejectamenta, and redistributing it over extensive outwash plains. Exploiting the lack of vegetation, the fierce winds, blowing off the icecaps, whip up the sand and dust, blowing it around so that plants scarcely have a chance to take hold. No wonder this is a mecca for scientists seeking active evidence of processes now dormant in other parts of the world.

It so often happens that the scale and hidden dangers of central Iceland are underestimated by prospective visitors. From the map, it seems but a short trek from Reykjavík to Akureyri across the middle. In good weather it can be a long enough day's journey in a vehicle, but in poor conditions, it can be interminable. Add to that the short season during which the road is open and you can appreciate that this chapter does not set out to encourage overuse of the interior trails. Chapter 10 looks at movement in these environments.

By virtue of the small print on the back of the rental agreement, ordinary hired cars are not permitted away from the main roads and so cannot penetrate the interior. In any case a driver should think twice before embarking on one of these routes. Apart from the **Kaldidalur** route, four-wheel drive is essential. In general the route between Reykjavík and Akureyri **(Kjalvegur/Kjölur)** is closed until the beginning of July but in 1989 this, and most other interior roads, were closed by snow until early August. It is not necessarily snow that is the problem: the tracks remain soft and muddy for a while after the thaw, and the rivers are much higher than usual. In many areas the spring thaw may wash away sections of road, or scatter the surface with stones, boulders, or even landslides. The southern part of the Kjalvegur may be open in late June, making Hveravellir and Kerlingarfjöll accessible; but the northern part is more muddy, and opens later. The opening dates for the **Sprengisandur** route are very similar, but the **Gaesavatnaleid,** across the north side of Vatnajökull, always opens two to three weeks later, on account of its altitude, and proximity to the icecap.

Rivers are a hazard at any time of year (see Chapter 10) because they carry so much water and sediment, and respond rapidly to precipitation or snowmelt. Even experienced drivers can get caught out. In 1989 a family of four were drowned. The drivers were experienced, and the vehicles generally suitable, but they had not reckoned on the buoyancy of their large inflated tyres. The river Krossá, for example, on the approach to **Thórsmörk,** is ferocious at any time of year, and there have been numerous casualties there.

The principal interior routes are as follows:

F22: Fjallabaksleid Nyrðri

There are two routes to the north of the Mýrdalsjökull icecap, Syðri and Nyrði. The southern one is a serious 4-wheel drive route that runs close to the icecap between Fljótsdalur and Gröf. It is often closed, by snow patches or quicksand, until late July and is not recommended.

The northern one is a very fine route that, strictly begins along the Landmannaleið which turns east of Route 26 near the **Burfell** hydro-electric station. It can also be approached from the north, off Route 26, near the **Sigalda** dam. The first part of the route is covered by the excellent 1:100,000 special map of Landmannalaugar-Thórsmörk. There is also a special map published by the Nature Conservation Council and available from the wardens at their huts (eg. at Landmannalaugar). The two routes converge near lake **Frostastaðavatn.**

You come, first, to the wonderfully strange volcanic area of **Landmannalaugar,** which offers explosion craters, superb views of the mid-ocean rifting, chaotic, acidic flows, and strange lava formations. The variagated colours of the rhyolite hills are stunning, and the moss carpets scarcely real. This is the place where you can soak in a naturally-heated stream, surrounded by lava, snow patches, and beautiful scenery. There is a hut at Landmannalaugar, and camping facilities which provide a base from which to explore the trails. Camping elsewhere within the reserve is not permitted.

From Landmannalaugar the track winds through lunar scenery and, at one point, actually follows the bed of a stream on its way to the fiery fissure, **Eldgjá,** 40km in length. It was formed during an eruption in 934 but, in all probability, the various sections of the fissure were formed at different times. It is worth a walk along the northern arm to visit the waterfall, **Ófaerufoss,** which falls in two stages beneath a natural basalt arch.

The track continues south, following the mighty **Skaftá** river, along whose course there is increasing evidence of the Laki eruption of 1783-4 which produced the Skaftáreldar (Skafta Fires), that devastated southern Iceland (see Chapter 2.7). Route 1 is rejoined where it crosses the Kuðarfljót.

F28: Sprengisandsleid
Starting at the same place as the previous Fjallabaksleið, the Sprengisandur route takes you straight through the middle via Tómasarhagi. It is usually open at the beginning of July and is used by lorries operating between Reykjavík and Akureyri. Much of the route is open and bleak, but offers good views of **Hofsjökull,** its outlet glaciers, and the nesting grounds of the greylag goose. At the highest point, virtually on the watershed there are two huts at the entrance to **Jökuldalir** (also called Nýidalur). They lie beneath the southern end of the **Tungnafellsjökull** glacier, and can be a welcome sight. The camp ground is not ideal for small tents, being of shallow soil, and rather exposed from all quarters. The mountain track F98 (Gaesvatnaleið) begins just north of here at **Tómasarhagi** (see below).

To escape the Tómasarhagi oasis you must cross several shallow streams to enter Sprengisandur proper. Look carefully at the ground here; the intense winter frosts have cracked the ground into enormous polygonal shapes whose margins are picked out by mosses. This used to be a regular route for early Icelanders between the south-west and the eastern part of the country, and would traditionally have been crossed on the sturdy, short-legged Icelandic horse. The popular Icelandic song *Á Sprengisandi* evokes this journey:

> Riðum, riðum, rekum yfir sandinn
> Rökkrið er að siga á Herdubreið.
> Álfadrottning er að beisla gandinn
> Ekki er gott að verða á hennar leið.
> Vaensta klárinn vilda ég gefa til
> Að vera kominn ófan í Kiðagil.

The **Kiðagilsá** flows north, and down to Skjálfandafljót, through a six kilometer canyon. Mount **Herdubreid,** the queen of Icelandic mountains can be seen to the east on a clear day, with the symmetric shield volcano, **Kollottadyngja,** to the north of it; two very contrasted volcanic shapes, the one subglacial, the other subaerial in origin.

This section is also the focus for two other routes across the interior: the **Skagafjardarleid (F72)** which goes, via the steamy Laugafell, where there is a hut, towards Varmahlið and Sauðárkrókur; and the **Eyjafjardarleid (F82)** which leads down towards Akureyri.

Before reaching Barðardalur, Iceland's longest inhabited valley, pull off to the right to view the stupendous **Aldeyarfoss** which tumbles over a magnificent natural arrangement of polygonal basalt columns.

F35: Kaldadalsvegur

This is about the only mountain track that is just about suitable for ordinary cars. It leaves Route 52 at **Brennar,** and climbs towards the shield volcano **Ok.** This is a very spectacular valley where, at times, you can almost imagine being in the East African Rift Valley. Towards the top of the pass the landscape is very stony and covered in soil features produced by frost action. The Thórisjokull seems very close. Just before the descent to Kalmannstunga and Húsafell, stop, to savour the view towards the interior, across the **Hallmundarhraun** lava flow, and towards **Flósaskarð** and **Eiriksjökull.**

Stórisandur and Arnarvatnsheiði

There are routes to the north of Langjökull from **Kalmannstungur** to the Kjalvegur route or to the valleys of Víðidalsá and Vatnsdalsá, both of which lead into **Húnaflói.** The routes are not greatly used, and initially follow the **Norðlingarfljót** river which is generally harmless, except in very wet weather, when it should be treated with respect. The tracks are not always well marked and travellers should be forewarned of the dangers of getting lost in so remote and unfrequented part of the interior.

We had not advanced far, when we almost began to repent of our having taken this route, as nothing appeared, as far as the eye could reach, but a desert of sand and stones, or Alpine mountains of ever-during snow. We literally entered "a land of deserts and pits, a land of drought, and of the shadow of death; a land that no man passed through, and where no man dwelt." (Jer. ii.6) Our men, who had all along been averse to the expedition, now began to be loud in their complaints, and depicted to us, in very pathetic language, the inevitable starvation of our horses, and the risk we should run of losing our lives by the hands of robbers, with whom they apprehended some part of this remote desert might be infested. About seven o'clock in the evening, we descried some beautiful green plains at the base of the ice mountains. However, the discovery created as much alarm in the minds of our servants as it afforded joy to us; for they were now sure that we would fall in with robbers, and it was not long ere they pointed out to us a number of horses feeding close to the Yokull, which at first rather shook our confidence, and inclined us to listen with some degree of attention to the proposed method of defence; but a single glance through a spy-glass converted the horses into large stones, that had been thrown down from some neighbouring volcano.

F37: Kjalvegur

With Sprengisandsleið this is the other main route across the interior. It begins beside **Gullfoss** and fords the **Sandá** river, which can at times be too high to traverse safely. The east bank of the river can be followed northwards for a 15 kilometer detour to the **Hagavatn** hut whence you can walk up to the lake which has some interesting glacial overflow channels. The main route, however, continues north to cross the mouth of the glacial lake **Hvítárvatn,** the source of the mighty Hvítá which falls over Gullfoss. The river is crossed by a bridge, and there is a hut beside the lake. Icebergs can sometimes be seen to carve from the glacier tongue. To the south lie the rhyolitic **Kerlingarfjöll** mountains, capped with snow, where there is a summer ski school at **Ásgarður.** Details can be obtained from the travel agency Útsyn/Urval, Álfabakki 16, Reykjavík (Tel: 603060). It is a fascinating area for walking and mountaineering because there are so many peaks, a wide variety of terrain, and the curious attraction of hot springs adjacent to snow and ice (see Chapter 13).

At the heart of the route are the **Hveravellir** hot springs where you can take a bath surrounded by glacial peaks and icecaps. There is a hut there, and also at **Thjófadalir** towards the east end of Langjökull. The route continues down Blöndudalur where there are extensive works to harness the river for hydro-electric power.

F88: Öskjuleid

This is the route that leads to the volcano Askja, at the heart of Iceland's neo-volcanic belt. The journey is lengthy, and tiring, but enormously rewarding. It begins east of Mývatn, off Route 1, by the volcano **Hrossaborg** (Chapter 2.1), and effectively follows the course of the River Jökulsá á Fjöllum as far as **Herdubreidarlindir,** beneath the imposing, subglacially erupted volcano, **Herdubreid.** At Herdubreidarlindir there is a camp site, small hut, and resident Nature Conservation Council wardens. It is a delightful oasis in a sea of arid lava, but has a fragile existence of which the visitor should be aware. This is the starting point for ascents of Herdubreid, but it is not easy, and involves a 17 hour climb from around the west side. South of the oasis the ground becomes even rougher than hitherto and is often lost in sand drifts. Gradually the amount of yellow pumice increases and the mass of the Dyngjufjöll massif comes into view. At its base, at the mouth of the **Drekagil** canyon, is the small **Dreki** hut. This is the end point of the old Gaesavatnaleid, before it was able to proceed further east across the bridge by the Upptyppingar.

The Dyngjufjöll erupted prehistorically in an immense explosion that lifted the roof off the mountain. The debris was, in part blown over the surrounding desert, and in part subsided into the void left by the ejected magma. This collapsed, saucepan-shaped mountain, is **Askja** (The Box). The pumice that litters the volcano and its fringes today was ejected in the 1875 eruption when the Askja erupted violently from a single explosion crater, Viti. Then, in 1876, the crust could clearly remain supported no longer, and collapsed to form the present day lake, the **Öskjuvatn,** or Knebel caldera, named after a german geologist who had the misfortune to drown in the lake.

The route into the Askja crater leads up a rifted valley, known as the **Öskuop,** and alongside the lava that erupted from a 700m fissure in November 1961. You cannot drive all the way; there is a small parking space hewn from the lava and ash whence you must walk the rest of the way to the 1961 eruption centre **(Vikraborgir),** and across the crater floor to the **Viti,** where the water is still sulphorous and steamy. Once at Viti you can see where several eruptions took place in the 1920's and 1930's, and you have the feeling that you are at a critical point in the volcanic structure of the island.

F98: Gaesavatnaleid

This is probably the toughest route across the interior and most certainly is not to be taken lightly, partly on account of the terrain, and partly on account of the weather conditions. Snow patches can lie all summer up here, close to the Vatnajökull icecap, and no vehicle should travel unaccompanied. This is the route described in Desmond Bagley's thriller "Running Blind". It takes about 15 hours driving from Tómasarhagi to Askja. A more detailed description can be obtained from the Iceland Information Centre.

At its southern end it begins at **Tómasarhagi** on the Sprengisandsleid. At first the route is relatively straight forward but through the switchbacks of lava the need for 4-wheel drive becomes very apparent. Where snow patches intervene, you could well wish that you had a winch on the front for self-recovery. The driver needs to concentrate hard all the time. Along the first section of the route there are nine river crossings, and as all of them are meltwater streams from the Vatnajökull, they tend to be swift and flashy, and are best crossed when low in the early morning. After the last river you come to an oasis, **Gaesavötn,** after which the scenery changes to rugged, lava outcrops, and the track's surface varies from hard rock to thick sand in hollows and on some slopes. The track seems to climb for hours over this mountain mass until the highest point is reached at **Trölladyngjuháls.** From the edge of the icecap the road turns northwards, briefly, and the first snow patch may be encountered. This, and others, are best crossed at night when the surface is hard. Once across the first patch you could be beyond the point of no return because, if you cannot manage the second patch, you run the risk of being isolated between the two. From the huge crater at **Urduháls** the track descends to the outwash plain which can be treacherous if taken at the wrong time. Generally it is best crossed at about 3am when it is likely to be dry, and the surface hard. At other times it can be either too wet, and thus boggy, or too dry, and thus sandy.

Progress across the sandur can be rapid; about two hours to the **Dreki** hut at Askja. This used to be the end of the route but it is now possible to continue east from Dreki and cross the Jökulsá á Fjöllum by the new bridge (1986) beside the two triangular **Uppytyppingar** peaks. Once across the river you may well wish to turn south to **Kverkfjöll** where ice and fire vie for supremacy. From time to time there are ice caves beneath the margin of the Dyngjufjöll, carved by geothermal waters. Travelling north, the route crosses the **Kreppá** and the desert of **Grjót** (rock), and rejoins Route 1 in **Mödrudalur.**

Thórsmerkurvegur

The road into Thórsmörk begins as Route 249 off the main ring road, but for all that it is not a good road for small cars as the surface is very rough, and the road periodically swept by streams coming down off the Eyjafjallajökull. There is no settlement after the farm Stóra-Mörk. Whatever you do, do not think of taking a small car down this road in the hope of getting through to Thórsmörk. The glacial rivers are highly dangerous and will prevent you. It is worthwhile making the trip as far as the **Gígjökull** glacier which tumbles steeply from the Eyjafjallajökull into a proglacial lake held back by a prodigious, encircling terminal moraine. Small four-wheel drive vehicles, especially in the hands of inexperienced river drivers, would be advised to cross the next meltwater river in convoy. The last river before the huts at

Thórsmörk, the **Krossá,** is notoriously unsafe. The sights en route are worth seeing: **Steinholtsjökull,** again with a proglacial lake; **Stakkholtsgjá,** a magnificent canyon; and **Thórsmörk** itself where there are three huts.

Explore Iceland
Icelandic-Style

If you are serious about your Tour Program, we are too. We at Arena Travel — the only technical travel operation specializing exclusively in highland explorations — have since 1970 been leading expeditions into the magnificent, untamed interior region of Iceland. Share our experience and challenge the forces of nature with the thrill of Iceland Explorer. Feel the excitement that the Viking explorers felt when they first set eyes on the unbelievable landscapes of Iceland's open spaces.

3 DEVELOPING THE IDEA

Finding out about Iceland can be difficult but there are several lines of enquiry:

WHEN TO GO

To some extent this will depend upon your purpose but in general the tourist season extends from June to September. Inevitably any remarks made here must be generalisations because the seasons can be so variable. As you will discover, by reading further, most of the interior tracks are not open until July; camping is not recommended before the end of June; the bird life is at its best between the end of May and early August; plant life does not come its best until June, July. Having said that, the author has a distinct preference for the winter: it is quieter, people have more time, the landscape has an untouched quality, and every footstep in the snow (if there is any) is treading new ground. School groups should seriously consider travelling at Easter; after all, it is cheaper to travel then, and there is space in cheap accommodation for field studies. In brief, Iceland is enjoyable and visitable, for different reasons, all the year around.

SOURCES OF GENERAL INFORMATION

Guide Books: There are now a number of books available in English to get you going and, wherever possible, these have been indicated in the text or are listed in the Bibliography in Chapter 19. Most of the important books are available by mail order from one of the following: The Iceland Travel Club, Arctic Experience, Dick Phillips. Their addresses are given in Appendix F or G. We recommend the following as basic texts:

History and Sagas: "Iceland Saga" by Magnús Magnússon (Bodley Head). There is also a very small, but well written and illustrated booklet "Iceland: Country and People" by Sigurður A. Magnússon (Iceland Review).

Natural History: "Iceland: Nature's Meeting Place" by Mark Carwardine (Iceland Review).

Geology: "Guide to the Geology of Iceland" by Ári Trausti Guðmundsson and Halldór Kjartansson (Örn og Örlygur). There is also a useful small booklet entitled "Iceland: A Geological Field Guidebook" by John W. Perkins.

Expeditions: "Iceland: A Handbook for Expeditions" by Tony Escritt (Iceland Information Centre) is almost out of print now but, so long as stocks last, it does contain additional material not included in this Traveller's Guide.

Tour Operators' Brochures: These often have useful additional information and ideas. Their individual addresses are given in Appendix F.

214

but in Britain there is also an Iceland Brochure Mailing Service at 5 Maple Close, Tunbridge Wells, Kent TN2 5LB. Please note that this service does not answer enquiries.

Icelandair Publications: Icelandair has, in the past produced a series of very useful pamphlets on geology, geography, weather, bird life, and flora. Unfortunately some of these are out of print now; perhaps a spate of enquiries might see them reprinted?

Iceland Travel Club: The Travel Club, whose patron is Magnús Magnússon, will help members with enquiries of a specific nature. For expeditions the Club also has a service which provides detailed area or topic profiles especially for your own needs. There is also a set of "Icesheets" giving basic information, and some approximate costings, for planning for Iceland. Of particular value are the various meetings where you can chat to others who have gone before.

Bus Timetables (Leiðabók): This is the bus timetable for Iceland which may be purchased from the Iceland Information Centre or Dick Phillips or, when in Iceland, from the Long-Distance Bus Station (Umferðamiðstöd). Its currency is May to May, and the issue covering the summer is never available until after it comes into operation. One therefore has to plan on the basis of the last year's edition. In practice the details change very little from year to year.

Telephone Book (Símaskrá): The Icelandic telephone directory: Very useful for locating names and addresses. The Iceland Information Centre always holds a current edition.

TRAVEL ENQUIRIES:

The Iceland Information Centre:

The Iceland Information Centre came in to existence to provide the funding for the Iceland Unit of the Young Explorers' Trust. As the demands on its services grew, the function of the Centre expanded to provide information for anyone interested in Iceland, and it now has a considerable body of information and contacts upon which to draw. A part of this service is the Iceland Travel Club which exists to provide a forum for those many people who have an interest in Iceland. It is run by Tony Escritt and is located wherever he is based. Currently, while teaching at Harrow School, his address is: P.O. Box No: 434, Harrow, Middlesex HA1 3HY (01-422 2825). However, his address may always be obtained from the Expedition Advisory Centre at the Royal Geographical Society, 1 Kensington Gore, London SW7 2AR (01-581 2057).

Icelandair:

Icelandair is the only airline with regular scheduled services to Iceland's Keflavík airport. They are able to supply general information leaflets about Iceland and can provide the regular tickets to Iceland, but the special group tickets for expeditions must be obtained through the specialist Travel

Operators (see below). Details of air fares are given in Chapter 4. Icelandair operates out of Heathrow (Terminal 1) and Glasgow.

Tour Operators:

By and large your High Street travel agent knows little about Iceland, especially when it comes to detailed ground arrangements, and the needs of expeditions. However several companies specialise in Iceland or have Icelandic departments. These are listed in Appendix E, and we recommend that you contact them. Expeditions are advised to draw up a prospectus based on the ideas later in this chapter and in Table 3.1.

Shipping Companies:

Expeditions will want to send freight by sea. When your plans are further advanced and you have decided to send freight or a vehicle by sea, you should contact the agents of the Iceland Steamship Company (Eimskip) whose regular sailings come closest to you (see Appendix G). They are able to offer special educational discounts to 'bona fide' educational expeditions. See also Chapter 4. Eimskip also operate a number of passenger cabins with excellent facilities. Details from Tour Operators.

Smyrill Line:

This Faeroese car ferry line operates between Europe, Britain, the Faeroes and Iceland (Seyđisfjörđur). Their m.s. Nörrona travels between Denmark (Hansholm), Norway (Bergen), Shetland Islands (Lerwick, Faeroes (Torshavn) and Iceland. This is covered in more detail in Chapter 4. Rather confusingly the ferry boat m.s. Smyril, operated by the Faeroese company Strandfaraskip Landsins, also sails from Britain (Scrabster) to Törshavn and can make the journey back from Iceland rather shorter. However, at the time of writing, their schedules are uncertain. Details of both lines can be obtained from Tour Operators, or from P and O Lines in Aberdeen. Further details are given in Chapter 4 and Chapter 7.

Iceland Tourist Bureau (Ferđaskrifstofa Íslands):

The Tourist Bureau exists to promote tourist traffic to Iceland and, specifically, to run its own tours. They operate the chain of inexpensive Edda Hotels (see Chapter 5). In Britain, Icelandair distribute their literature.

The Icelandic Embassy:

The Embassy can offer little help to tourists and expeditions, and in most cases will refer enquiries direct to the Iceland Information Centre. They do however have a stock of films which may be useful for promotional exercises.

MAPS:

At an early stage you should acquire either the 1:500,000 Touring Map or the 1:750,000 Tourist Map of Iceland as a starting point for forward planning. Individual group members may prefer to purchase the smaller Little Touring Map at 1:1,000,000. For more detailed planning you will need some of the following:

1:250,000: (c.3.95 miles: 1 inch) in 9 sheets. These are good quality touring maps with considerable detail and available as single or double-sided sheets. The reference numbers are shown in Figure 3.1. The double-sided combinations are 1-2, 3-6, 4-7, 8-9.

1:100,000: (c.1.6 miles: 1 inch) These were originally made by the Danish Geodetic Survey but have been extensively updated by the Icelandic Survey. See Figure 3.1. Special maps have been produced at this scale: Hornstrandir (N.W. Fjords), Skaftafell National Park (includes a map at 1:25,000), Húsavík-Mývatn-Jökulsárgljúfur, South West Iceland, and Thórsmörk-Landmannalaugar.

1:50,000 (Icelandic): (c.0.8 miles: 1 inch) Originally mapped between 1902 and 1914 these represent(ed) one quarter (NW, NE, SW, SE) of every 1:100,00 map. Most are now unavailable except for the west and south coast areas and are being phased out to be replaced by a completely new series of which only the extreme south-west area has been covered. (See Figure 12). However there are several special maps at this scale: Hekla, Mývatn, and Vestmannaeyjar.

1:50,000 (American): The U.S. Army mapped the island from air photography in 1949. These maps provide a very useful tool for fieldwork as in many respects the topographic detail is more accurate. Some are still available from the Iceland Geodetic Survey.

1:25,000: Two special maps have been produced at this scale: Thingvellir and the map of Skaftafell that is published jointly with the special map at 1:100,000.

Geological Maps: These cover the same areas as the 1:250,000 maps except that map 4 has not yet appeared. There is also a new (1990) geological map of the whole island at 1:500,000.

Vegetation Maps: These cover a belt of country from Reykjavík east and north towards Mývatn (see Figure 3.3). Not surprisingly many of them do not have a vast amount of information but they are quite useful for early planning and selection of likely field sites.

To obtain all these maps the best sources are the Iceland Information Centre, Arctic Experience, or Dick Phillips (see Appendix E) who offer an all-year-round service. Because they do not have to charge the tax normally levied on sales in Iceland they can supply almost all current maps, at or around Reykjavík shop prices.

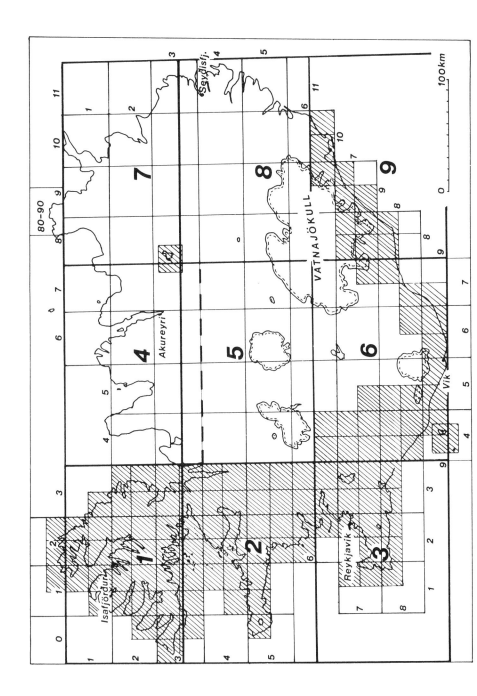

CAN YOU FIND YOUR
WAY?

A good map will help you find your way with ease. The Icelandic Geodetic Survey supplies a wide range of maps of Iceland, touring maps, general, geological and specialist maps.

Travel with a map, and make the going easy.

ICELAND GEODETIC SURVEY
LAUGAVEGI 178 - 105 REYKJAVÍK
PHONE (91)-681611
TELEFAX 1-680614

LANDMÆLINGAR ÍSLANDS

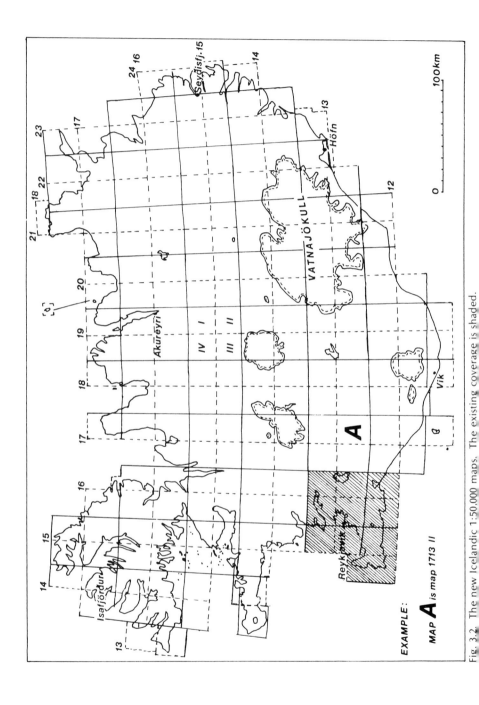

Fig. 3.2. The new Icelandic 1:50,000 maps. The existing coverage is shaded.

220

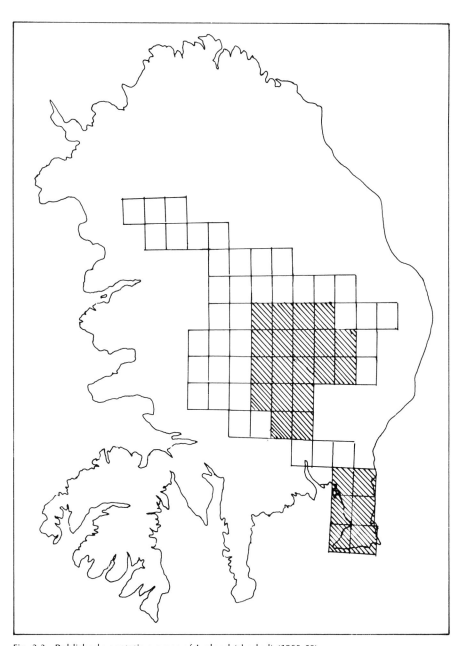

Fig. 3.3. Published vegetation maps of Iceland (shaded) (1966-68).

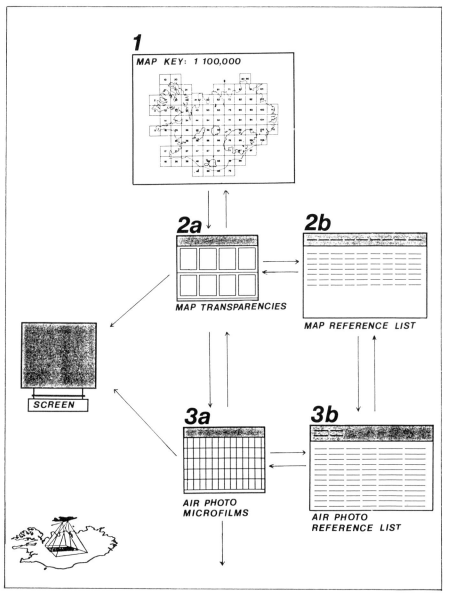

Fig. 3.4. The aerial photograph microfilm system developed by Thorvaldur Bragason at the Iceland Geodetic Survey.

AIR PHOTOGRAPHS:

Iceland has been photographed at various times since 1937. The U.S. Army did a major revision in August 1960 and the Icelanders have updated many special areas since then. Expeditions may obtain stereo cover but this is not normally approved without a National Research Council research permit or "Announcement' (Chapter 10). The office of the Iceland Geodetic Survey (Landmaelingar Islands) is at Laugavegi 178, Reykjavik (Tel: 8-16-11). The quickest, cheapest, and most efficient means of obtaining photographs is to call in and use their microfilm library. Photos can be produced quite quickly but not so quickly that you could arrive in Iceland, select, and then take them into the field with you. There are two options:

1. Call in during the winter while on a reconnaissance visit using one of Icelandair's special winter "Breakaways".

2. Send a photocopy of the area for which you require coverage indicating precisely the area and whether or not you want stereo coverage. Land-maelingar will normally send photographs cash on delivery with an official order. Sales Tax is not imposed on orders paid in foreign currency.

It is possible to obtain prints of the mosaics flown for particular areas that were flown by the original U.S. flights. The Tröllaskagi peninsula, for example, is covered by four such index sheets.

Using the microfilm library: The microfilm and scanner are located in the reception in the office at Laugavegur 178. It is very simple to use by following the procedures below (Fig. 3.4).

(i) Study the reference map which depicts Iceland divided into 115 squares which correspond to the 1:100,000 maps.

(ii) The maps corresponding to these squares have been placed onto 35mm transparencies which may be viewed on the scanner and flight paths and flight numbers determined. These maps are also listed on the adjacent map list.

(iii) Use the flight paths to find the reference numbers for the appropriate air photographs. At the moment the references refer to the actual air photograph library but it is intended eventually that all the air photographs will also appear on microfilm.

NOTES FOR EXPEDITIONS AND BACKPACKERS

Iceland is such an exciting country that it is tempting to want to see it all at once. However, scale and distance are hard to assess and you soon discover that costs are becoming prohibitive. Don't give up, it will all happen but in the event your final choice of venue and itinerary will be constrained by several factors other than cost:

The Type of Programme:

Your flexibility increases as you move from a pure research expedition, to an educational fieldwork expedition, to a purely recreational or social expedition. We assume that research demands the pursuit of a very explicit scientific objective which in itself will pinpoint the venue; the relative sophistication of your equipment will influence the choice of transport. Research expeditions usually start with the question 'where should I go to find the ideal situation for this type of investigation?' That question is relatively easy to answer. Less easy, and more frequent, is the sort of question which says "we want to do something in the field of glaciology, what do you advise?" At this point we must ask questions about the following:

Numbers:

At the bottom end of the scale you may find that you must have at least ten people to enable you to qualify for a cheap group ticket; 20 people may bring further reductions on internal transport costs. This may however be too many people to satisfy either the leader:member ratio, or the demands of the field programme. People with nothing to do can ruin an expedition. If hiring self-drive vehicles then a seating constraint comes in to it. A microbus, for example, only has 9 seats.

Type of Area:

The specific fieldwork areas of Iceland are discussed in Chapter 15. but it is worth asking what the expedition members would like to get out of the visit whether it be for research, fieldwork or recreation or a combination. Is it necessary for example, to travel into the interior which would require a 4-wheel drive vehicle? A 10 seater Land Rover, for example, is very expensive and in reality on rough tracks does not seat 10 people as well as their food and equipment. If you plan to bring a non-4-wheel drive vehicle from home or to hire on in Iceland you are automatically debarred from using the interior tracks. To do so would be foolhardy and costly. How necessary is it to set foot onto a glacier? If the outwash area will suffice it will save on insurance and equipment costs. In any case most Icelandic glaciers are so covered in volcanic debris that they look better from a distance!

Age and Experience:

For many groups this may be the first overseas visit and their first experience of an extended camp anywhere, let alone in a wild, often inhospitable area. This must affect the itinerary and locations. In most cases the use of young members to suit the ambitions of the leader does not work very well.

Period in the Field:

When do you wish to travel? Departure dates affect air fares; they also affect access to the interior. The road across the centre of Iceland (Springisandur) is rarely open before mid-July; on the other hand you may be able to achieve your objectives at Christmas or Easter time when costs are considerably lower. Several cultural and recreational expeditions have chosen that time of year. Fieldwork may also be influenced by departure dates; a late spring may seriously affect glaciological or botanical work. Ornithology and glaciology are generally incompatible; the one requires an early season location, the other a late season when all snow has melted. Furthermore the length of time that you can spend in the field will affect the amount and type of fieldwork that you can achieve. The question 'is there any useful research work we could do for anyone?' is unrealistic for anything less than a month in the field and as soon as you plan to stay longer than one month the air fare soars to the full annual figure.

Equipment:

If you do not already own sufficient equipment you will need to budget for acquisition or renting in Iceland. (See Chapter 9).

Insurance:

See Chapter 10.

JOINING ANOTHER EXPEDITION

If after all these considerations you are beginning to think that you have no hope of getting together an expedition why not join another expedition or expeditionary tour? Iceland is a safe enough place for two people to do their own thing provided that they are sensible and do not go too far off the beaten track. Tour operators offer sensibly priced fly-drive packages or campers' do-it-yourself package. In Chapter 5 details of tent and equipment hire in Iceland are referred to. In Iceland there are a number of expedition-type trips either on horseback or on snocats across the Vatnajökull. Bus companies run camping tours throughout the season and Ferðafélag Íslands (The Touring Club of Iceland) offer a wide range of low-priced tours that you may join in Reykjavík. Details of these are usually posted in the youth hostel. As a last resort you could try asking the Iceland Travel Club to publish your existence in the Newsletter but do give bibliographic details as well and don't be too hopeful.

FIELDWORK ENQUIRIES:

Enquiries can be made to the Iceland Information Centre who can provide detailed information and recommendations.

YOUNG EXPLORERS' TRUST (YET):

The YET operates an Iceland Unit which is managed by the Iceland Information Centre. It enables leaders of similar interest to be put in touch with one another. It also operates an annual meeting (Þing) at the beginning of February every year. This is always well attended by newcomers and old hands alike.

ICELANDIC SCIENTISTS:

In the past many expeditions have written to Icelandic scientists and to Ferðamálaráð (The Iceland Tourist Board) but with little success. The former are too busy to cope with an annual flood of requests and would prefer enquiries to be directed to the Iceland Information Centre first (unless you already have a contact in Iceland of course, and the enquiry is of a specifically precise nature). The latter do not specialise in this type of enquiry and would refer you to the former, or to the Iceland Information Centre.

ICELAND GLACIOLOGICAL SOCIETY:

Expeditions planning glaciological research should be in touch with the Society. Those planning to cross icecaps would do well to seek their advice as well as that of the Iceland National Lifesaving Society (Slysarvarnafélag Islands). See Appendix G. for addresses.

PREPARING A PROSPECTUS

Before approaching advisors or tour operators it is worthwhile preparing a preliminary prospectus that is brief and to the point, and which answers all the questions that are likely to be asked of you (see Table 1). Armed with this information the quality of all the advice that you receive will be greatly enhanced.

At this stage you may not have all the information to hand in which case the following chapters should assist you. Undoubtedly your initial concern will be to obtain a costing to enable you to sell the idea to potential members, parents, or sponsors. When seeking quotations bear the following in mind:

1. Group fares apply to groups of 10 or more people and cheap fares are for a maximum of one month. Beyond that you pay a full annual fare or a cheaper Apex fare. See Chapter 4 for more details.

2. All air fares are subject to a Departure Tax payable in advance.

3. As Keflavík airport is 40 km south of Reykjavík you will need to cost in an airport transfer.

4. It is worth spending your first and last nights in sleeping bag accommodation in Reykjavík. See Chapter 5.

TABLE 3.1: TYPES OF INFORMATION NEEDED TO HELP YOU GET STARTED

Type of information:	Advisors:	Needed for: Tour Operators:
1. Type of Group (school/univ./scout)	★	
2. Type of Activity (research/Fwk/rec.)	★	
3. Age (of main group)	★	
4. Numbers (how many leaders/members)	★	★
5. Approx. dates	★	★
6. Length of Stay	★	★
7. Departure (midweek/weekend)		★
8. Equipment (taking or renting)	★	★
9. Transport: (i) To Iceland — boat/air	★	★
(ii) In Iceland — air/bus etc.	★	★
10. Insurance (ordinary/mtneering/rescue)		★
11. Type of Area: (i) interior/coastal	★	★
(ii) glacial/desert/volc.	★	
12. Field Interests (glaciol/geomorph/botany etc)	★	
13. Experience: (i) Leaders	★	
(ii) Members	★	

A FEW TIPS FOR ADVANCE PLANNING:
PRELIMINARY

Air Fares: Do thoroughly investigate the various air fares referred to in Chapter 4. It could save you a lot of money.

Travel within Iceland: Remember that every time that you move it will cost you something, so weigh up the options very carefully and, if necessary, ask for comparative quotations from the Tour Operators. See the earlier section in this chapter.

Insurance: The lack of a reciprocal agreement with the British National Health Service means that hospital treatment is expensive. Do be adequately insured. This topic is dealt with in Chapter 10.

Food and Fuel Costs: Remember that food costs will be expensive and that careful logistical calculations will be necessary. See the discussion in Chapter 9.

Letters to Iceland: Icelanders will openly admit that letter writing is not one of their strongest points! It is therefore important that you make letters very specific. Be prepared for your Research or Educational Permit application to take a while to be processed — it may have to be passed around to numerous individuals before being sanctioned. If you are sponsored by your local Rotary or Lions Club you may wish to contact them (see Appendix G).

MORE ADVANCED:

Itinerary: Be sure not to plan any major refuelling or revitalling on the first Monday in August which is a Bank Holiday. Distances and movement are hard to assess from an armchair at home. Be conservative in your estimates. See Chapters 6 and 12.

Accommodation: We recommend that you spend your first and last nights in sleeping bag accommodation in Reykjavík. See Chapter 15 for a discussion of this.

Equipment: Wet and low nightime temperatures will be your principal enemies. See Chapter 12.

Radios: Are radios necessary? Generally the answer is 'no' but read Chapter 11.

Passports and Currency: See Chapter 10.

Involving Young Icelanders: While fully supported as an excellent principle it is not easy to guarantee this because young Icelanders have a sixteen week Summer holiday during which most of them obtain jobs to boost their pocket money and to help pay for their education. Periodically groups such as The Brathay Exploration Group have successfully involved one or two young people but all too often this has been a last minute arrangement because the Icelanders could not commit themselves. Any projects, involving questionnaires in human geography really do need Icelanders and this has usually been arranged 'on-the-spot'. This is not very helpful to the leader who wishes to have a watertight programme. As summer jobs become more difficult to obtain it is possible that Icelanders may be more receptive to the idea of an expedition.

PRE-DEPARTURE:

For young parties especially we would recommend a series of informal sessions supported by film, video and slides designed to encourage good expedition organisation and a better understanding of the host country. Topics might include:

1. **Safety:** (see Chapter 12)

Homesickness: some people can become physically ill on their first trip away from home, even to the point of repatriation.

Perception of Scale and Distance: distance from assistance lowers the margin of safety.

Navigation: palaeomagnetism within the basalt rocks can affect compass bearings. Beware map inaccuracies (binoculars sometimes of more use than a compass). Naismith's Rule (3 miles per hour plus 1 hour for every 1500 ft. of ascent) is not applicable.

Clothing: emphasis on cold and wet.

First Aid: stress the dangers of hot springs and treatment for cuts, burns, and dust in the eyes (Chapter 12).

Ropework: for glaciers **and** rivers.

2. Physical Background:

    (a) Geology
    (b) Soils and Vegetation
    (c) Climate

See Chapter 18 for recommended reading.

3. Cultural Background:

    (a) History
    (b) Political situation
    (c) Religion

See Chapter 19 for recommended reading.

4. The Need for Conservation: (see Chapter 1)

5. Fieldwork Preparation:

    (a) Background
    (b) Equipment preparation and operation
    (c) Techniques practicals

A FINAL SUGGESTION:

Be flexible: the pace of life and the social structure in Iceland will not easily accommodate the rigidly arranged expedition. Buses **will** be late; aircraft may not fly; your booking may not appear on the records; freight will be lost; it will rain! Anticipate that everything will go wrong. Happily Iceland is a delightful place where everything turns out alright on the day and it is usually better than you originally planned!

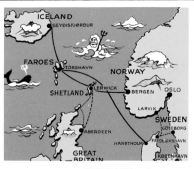

4 GETTING TO ICELAND

INTERNATIONAL AIR TRAVEL

Types of Fare

Your first question is going to be "What is the cheapest fare available to me?" The answer is that the fare structures change from year to year and you will need to seek advice from Icelandair and the Tour Operators (see Appendix E). However the following list of fares may help.

Pex	A Pex fare may be the cheapest available (see Group Fares) but they have to be paid in full at the time of booking. Winter Pex fares are cheaper than summer Pex fares. It is worth asking Tour Operators for comparative costs.
Group Fare	Group fares are generally slightly more expensive than Pex fares but, in certain circumstances they may be cheaper fares if you enquire around the Tour Operators. Generally the restrictions are: Minimum group of ten people; minimum stay 5 days; maximum one month. Fares normally paid 8 weeks in advance.
Youth Fare	Applicable to anyone who is **less than 23 years of age.**
Annual Fare	Vastly more expensive and generally not applicable to most visitors unless staying for more than one month.
"Breakaways"	These are low priced, off-season breaks with accommodation and excusions attached. For expeditions these "Breakaways" provide the opportunity for a small reconnaissance in the winter to enable you to meet and talk to Icelandic scientists and other contacts. Such a visit saves months of correspondence and serves to clarify your expedition aims and objectives. It may even save you money in the long run.
Saga Class	First class travel on Icelandair is termed Saga Class.
Standby	Standby youth fares are available.

NOTE:

1. All fares, both international and domestic, are currently subject to an Icelandic Departure Tax. This is payable in advance when you purchase your tickets. It is not incorporated within the cost of the ticket so check that it has been quoted.

2. On some flights there are restrictions on the number of seats available in any one of the categories listed above. However, nearer to departure, some of the categories may be enlarged.

3. Fares are based upon your date of departure from your own country.

4. All international flights go to Keflavík airport which is 40 Km out of Reykjavík. A transfer coach (Flybus) is laid on at additional cost.

Excess Baggage:

On all flights the personal baggage allowance is 20 kg per person (we presume that you will not be travelling Saga Class!). As a group you can usually check in together and spread the load between you. We reckon that by careful planning a group can take enough food and equipment for two weeks without incurring freight charges (see Chapter 10). However, should you exceed the 20kg per person the excess per kilo is approximately 1% of the annual return fare.

You may take bicycles (see Chapter 8) by air to Iceland if you remove the front wheel, protect the sharp corners and turn the handlebars through 90°.

Routes:

Icelandair maintains regular jet services to Iceland from London, Glasgow, Copenhagen, Stockholm, Gothenburg, Oslo, Amsterdam, Frankfurt, Dusseldorf, Luxembourg, Paris, New York and Chicago. **Scandinavian Airlines System (SAS)** operates flights from Copenhagen to Narssarssuaq (Greenland) via Keflavík. **Lufthansa** operates from Dusseldorf.

TRAVEL BY SEA:

There used to be regular sailings to Iceland from Leith (Scotland) on the dearly loved m.s. Gullfoss but they ceased some years ago to be replaced by a Faroese service from Scrabster (Caithness, Scotland) to Seydisfjörður. This ship, the m.s. Smyrill, operated successfully until 1982 when a new line, m.s. Edda, opened between Newcastle (England) and Reykjavík. The advantages were obvious but the line lasted only one season. In the meantime, however, the Smyrill Line had moved its port of call from Scrabster to Lerwick in the Shetlands. A different line, Strandfaraskip Landsins, now operates its own ferry (m.s. Smyril, just to confuse you) from Scrabster to the Faroes where you can link with the m.s. Norröna. However, this is an older vessel, and its service is not fully known at the time of writing. Enquiries can be made through P & O, Aberdeen, or Tour Operators. It could be that its dates are more suitable for you.

If you are prepared to go to Aberdeen the trip is very attractive if you enjoy sailing. The new ship, the m.s. Nörrona, (8000 tons) is a fully stabilised car/passenger ferry with capacity for 250 cars and over 1,000 passengers. It has a first class restaurant as well as a cafeteria, and a night club with light music and disco dancing. The journey from Lerwick to Iceland takes a day and a half via Torshavn. The return takes over four days because the vessel goes from Torshavn to Hantsholm and back again before proceeding to Lerwick. However you may stop off in the Faroes for a fascinating two days until the ship returns from Denmark. You may camp or use the youth hostels on Stremoy, Eysturoy or Nordoyar. In Lerwick there is a youth hostel and anyone considering a stopover in the Shetlands is invited to contact the Information Officer, Shetland Tourist Organisation, Information Centre, Lerwick, Shetland ZE1 0LU (Tel: 0595 3434).

To get to Lerwick you can either fly from Aberdeen, Inverness or Edinburgh or take the P & O Ferry m.v. St. Claire from Aberdeen. The sea journey takes about 14 hours. For more details see Chapter 7.

For a more luxurious journey, you can use the passenger accommodation on an Eimskip freighter from Immingham. It is more expensive, but the facilities are excellent. Details from Tour Operators.

Bookings: All bookings can be made through Tour Operators (Appendix E)

SENDING FREIGHT BY SEA:

Travel Operators cannot do this for you and you must make arrangements for yourself. Expeditions can do this by taking their freight to the agents of the Iceland Steamship Company (Eimskip) at least three weeks before the departure of the main expedition. The freight will not take three weeks to get there but you must allow for strikes and hold-ups along the line. 'Bona fide' expeditions will be permitted an educational rate. Goods may be shipped to Reykjavík or to several other destinations around Iceland for no extra cost (eg. Akureyri, Isafjördur, Höfn). This can save you a lot of time and paperwork because the settlements are so much smaller than Reykjavík. If for any reason, the freight is delayed while being transhipped in Reykjavík, the company will forward the goods overland in their own vehicles. You will need to contact the agents direct for sailing dates and current rates. Rates are quoted for the cost per 1000 Kg or cost per cubic metre whichever yields the greatest revenue. Remember also : allow for warehouse dues, handling charges, customs charges etc. It all mounts up, especially at the British end.

Icelandic warehouse charges are not excessive but as in any port anywhere in the world you must guard against pilferage. This means that your packages should be too large to tuck under the arm, robust enough to withstand rough handling, and give no external indication of their contents. Expeditions of the past who have listed the contents on the outside went hungry! It is worthwhile approaching a local firm to have your boxes steel or plastic banded. In this way two to four cartons can be banded together for freighting and readily separated at the other end for transport within Iceland.

When considering suitable containers you should also consider transport within Iceland. How many expeditions have had to sit on the quayside and repack their freight to suit the vehicle? Tea chests are not suitable for coach transport; they are too big for the luggage compartment and would damage the seats if taken inside the bus. The best sort of box is the army 'compo' ration type made of a weatherproof board with the box contained within a slieve.

When you deliver your freight to the dock do get there early. Late arrivals are not easily tolerated, especially on a Friday. If you can load all the gear yourself onto one pallet or into a container it will save you searching time in Iceland.

FREIGHTING VEHICLES:

The Iceland Steamship Company will take vehicles but note that the term 'unpacked vehicle' refers not to contents but to whether or not the vehicle has been crated for shipment. You will need to know the vehicle height and weight and it is advisable to arrange insurance cover while in transit. The agents at Felixstowe charge 1% of the value each way. When you go to the dock it is worth doing two additional things:

1. Obtain a Customs form ready for you to complete in advance of the return of the vehicle from Iceland.

2. Visit the import department at the agents office **before** departure so as to make a start on the paperwork.

For more information on taking vehicles to Iceland see Chapter 7.

FREIGHTING CANOES:

If sending canoes to Iceland, encase them in polythene to prevent people sitting in them and to stop people lifting them by the deck lines. Put plenty of ropes around them to help lifting and to spread the load. Uncrated they are relatively cheap to ship as they have a small volume and are light. Take paddles by air as part of your normal baggage allowance. If travelling on the m.s. Nörrona (Smyrill Line) the canoes may be carried free as 'hand luggage'.

5 ACCOMMODATION

You can obtain accommodation in Iceland at more or less whatever level you wish whether it be a luxurious suite in Hotel Saga or sleeping bag space on a school floor. Accommodation is easy to arrange although, in the summer, there may be some pressure on bed spaces at the height of the limited season. Inevitably accommodation is relatively expensive, but if taken with a package of arrangements through Tour Operators this can be reduced. The location of most types of accommodation are marked on the regional and town maps in Chapter 2. The following types of accommodtion are available:

HOTELS

Reykjavík has a number of good hotels which are listed in Chapter 2.5. There are also a number of good hotels close to Reykjavík, which you might prefer if being in the capital is not important to you, eg. Keflavík or Hveragerði. **Akureyri,** capital of the north, also has several good hotels. In the summer a number of school boarding houses become Edda Hotels, with good, reasonably priced accommodation. Many of these are outside the main towns. Though not in a town, Hotel Reynihlíð, at **Lake Mývatn,** is a first class hotel (see advertisement).

The following principal towns have hotels (clockwise from Reykjavík):

Town	Hotel	Telephone	
Akranes	Ósk	(93-13314)	
Borgarnes	Borgarnes	(93-71119)	
Ólafsvík	Snaefell	(93-61300)	
Stykkishólmur	Stykkishólmur	(93-81330)	
Ísafjörður	Ísafjörður	(94-4111)	
Hólmavík	Djúpavík	(94-14037)	
Blönduós	Blönduós	(95-24126)	
Sauðárkrókur	Áning	(95-36717)	
Siglufjörður	Höfn	(96-71514)	
Ólafsfjörður	Ólafsfjörður	(96-62400)	
Dalvík	Summer Hotel	(96-61661)	
Akureyri	KEA	(96-22200)	
	Norðurland	(96-22600)	
	Stefanía	(96-26366)	(see advert)
	Edda	(96-24055)	
Raufarhöfn	Norðurljós	(96-51233)	
Vopnafjörður	Tangi	(96-31224)	(see advert)
Egilsstaðir	Valaskjálf	(97-11500)	
Seyðisfjörður	Snaefell	(97-21460)	
Fáskrúdsfjörður	Snekkjan	(97-51298)	
Breiðdalsvík	Bláfell	(97-56770)	

Town	Hotel	Telephone
Djúpivogur	Framtið	(97-88887)
Höfn	Höfn	(97-81240)
	Edda	(97-81470)
Kirkjubaejarklaustur	Edda	(98-74799)
Vík	Vík	(98-71193)
Hvolsvöllur	Hvolsvöllur	(98-78187)
Selfoss	Selfoss	(98-22500)
Hveragerði	Ork	(98-34700)
Westman Isl.	Þórshamar	(98-12900)
Keflavík	Flúghótelið	(92-15222)
	Hótel Keflavík	(92-14377)

Several other locations with hotels are recommended (the figures refer to the chapter in which they are mentioned):

Location	Attraction	See Section
Reykholt	Snorri Sturluson's pool	2.4(f)
Buðir	Coastal reserves	2.4(c)
Laugar (Edda)	Laxdaela Saga	2.4(a)
Breiðavík	Látrabjarg cliffs and coast	2.3(c)
Reykjanes	Hot springs, old buildings	2.3(a)
Reykir (Edda)	Museum. Good for Mid-North	2.2(g)
Húnavellir (Edda)	Skagi peninsula	
Þelamörk	Ideal for Eyjafjörður.	2.2(d)
Hrafnagil	Eyjafjardarádalur	2.2(c)
Stóru Tjarnir (Edda)	Goðafoss	2.2(a)
Reykjahlíð	Lake Mývatn (see advert)	2.1(g)
Eiðar (Edda)	Mountains of the north-east	2.1(c)
Hallormsstaður (Edda)	Lögurinn	2.1(b)
Freysnes	Skaftafell National Park	2.7(b)
Skógar (Edda)	Skógafoss and Folk Museum	2.7(a)
Skálholt	Former cathedral	2.6(b)
Fluðir	Good for south central area	2.6(f)
Laugavatn (Edda)	Gullfoss, Geysir, Thingvellir	2.6(a)
Blaálónið	Blue Lagoon (see advert)	2.6(c)

GUESTHOUSES

It is sometimes difficult to distinguish between hotels and guesthouses in terms of comfort and facilities. Many guesthouses are very well appointed. There are many all around Iceland and details can be obtained from Tour Operators or, when in Reykjavík, from the Information Centre in Bernhoftstorfan.

PRIVATE HOUSES

Accommodation is available in a number of private houses in Reykjavík.

FARM ACCOMMODATION

There is now a system of farm accommodation around the country organised by the Farm Holiday Association. Some of the farms have a considerable number of bed spaces, and some have adjacent huts or cottages for rent. This can be very rewarding, and relatively inexpensive way to see Iceland, and to meet Icelanders on their home ground. Many farms also offer horse riding, pony trekking, and fishing. Some of the farms have recently improved accommodation and the most delightful situations. One such is Pétursborg, near Akureyri, the home of Nonni Travel (see advertisement). Another, Hjardarból, near Hvergerdi, has accommodation ideal for field study parties. Few of the farms are listed in the book or marked on the maps, because the availability is increasing and changing all the time. Details can be obtained from Tour Operators, or from the Farm Holiday Scheme (see Appendix H).

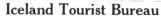

SLEEPING BAG ACCOMMODATION
Schools

In Reykjavík the Hvassaleiti Grammar School is given over to sleeping bag accommodation and is recommended for groups. It is modern, spacious and pleasant, and groups may leave food and equipment there under lock and key while they are away in the interior. Whole classrooms with their own attached WC facilities can be allocated to individual groups. Cooking facilities are provided but it is always advisable to take a few extra pots. Although the school is situated to the east of the City Centre it is conveniently close to the No:3 bus route. Tour Operators' coaches will deliver you there on your first day and collect you for the return to Keflavík airport.

In Britain the Iceland Information Centre acts as general sales agent for the school which can be booked through your Tour Operator.

In other parts of Iceland some school boarding houses become hostels or Edda Hotels (see Table 2). Other schools can sometimes be made available to educational groups but only by special arrangement. The Iceland Information Centre can advise.

Youth Hostels (Fig. 5.1)

Icelandic Youth Hostels are not placed so that you can easily walk between them. In most cases you will need to hitch, drive or use public transport and for this reason the hosteller in Iceland needs to be very self-sufficient with regard to carrying his own tent, sleeping bag, and cooker. The standard of hostels varies greatly but they are extremely friendly, though often crowded. A leaflet entitled 'Hostelling in Iceland' can be obtained from Icelandair or Tour Operators, and the Iceland Information Centre can supply details.

It is advisable to book in advance by writing to each hostel, enclosing an International Reply Coupon although in most cases you can book through your Tour Operator and pay in advance.

Youth Hostels are open to anyone although members of the International Youth Hostels Association are entitled to a preferential rate. If you are travelling as a groups only the leader needs to be a member. In Reykjavík the existing hostel on the corner of Laufásvegur and Baldursgata is really too small for groups but a new one has been built adjacent to the camp site and swimming pool on Sundlaugsvegur. The Akureyri hostel is a good jump-off point for expeditions to the north especially if they have freighted their goods direct to Akureyri. The hostel is in a pleasant locality close to the town centre.

Figure 5.1 shows the location of the principal hostels.

Farmhouses: A number of farms now offer sleeping bag accommodation either within the farmhouses or, as at Húsafell, in chalets adjacent. By and

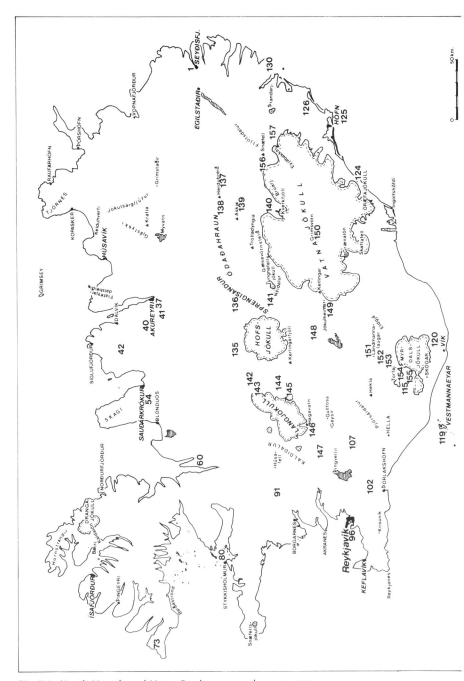

Fig. 5.1. Youth Hostels and Huts. For key to numbers see text.

240

large these are unsuitable for large expeditions but could perhaps serve for small field study groups.

Abandoned Farmhouses: Although farmhouses may seem abandoned the buildings are usually owned by someone and may even be used by them from time to time in the summer months. Make all possible enquiries. You have no right of entry.

Scout Accommodation

Iceland has had a Scout movement since 1912 and since 1932 has fostered rescue services throughout the country. Scout groups from other countries may be able to obtain accommodation by linking with the Icelandic Scout Association. In any case Scouts who are planning overseas ventures should be in communication with their own national headquarters. The principal camping and outdoor shop in Reykjavík is the Scout shop, Skátabúdin. The Scouts also have a training centre and camp site at Úlfljótsvatn, south of Thingvallavatn.

Huts (Figure 5.1)

There are various kinds of hut in Iceland. Most belong to a society or a parish for their own specific function but may be used by travellers in an emergency. They are not designed for large group use and by and large are not bookable. The various types of hut are listed below:

Ferdafélag Íslands: There are now 12 huts owned by the Travel Association of Iceland. These huts are for the use of members but are open to others on payment of a modest fee. There is no advance booking but visitors should note that members of the Travel Association have priority. Please leave the hut as you found it and, where there is no warden, place the cash in the box provided. The huts are marked on the 1:750,000 and 1:500,000 Map.

District Travel Associations: Several district associations (eg. Ferdafélag Akureyrar) have their own huts run on a similar basis to those of Ferdafélag Íslands.

Slysavarnafélag Íslands: The Lifesaving Association is primarily concerned with the preservation of life at sea. The majority of its huts are therefore in coastal situations and are readily discernable by their orange colour and the red cross of the Icelandic flag and the lifeboat symbol of the Association. Some however are situated inland close to the tops of passes for the use of stranded travellers. The huts are for **emergencies only** and any misuse of the huts or their contents is punishable by law. The instructions within read as follows:

(a) This shelter is intended for the exclusive use of shipwrecked mariners and others who have to seek shelter and refuge in bad weather or distress.

(b) The surroundings are remote and difficult to pass for strangers and very misleading. Therefore, if possible, remain where you are until assistance

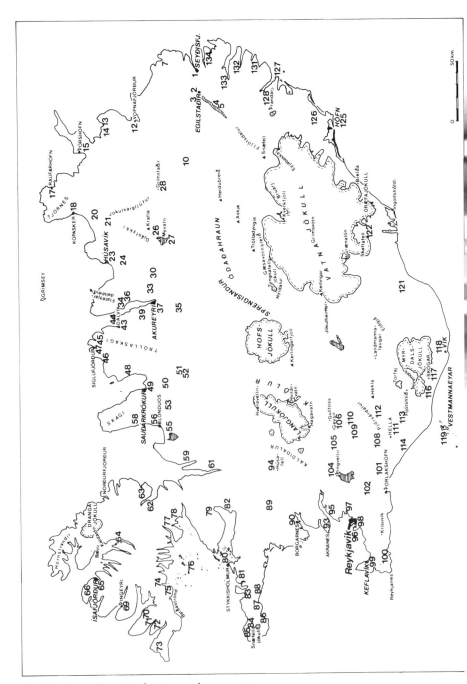

Fig. 5.2. Camp Sites. For key to numbers see text.

242

arrives, for you will not have to wait long. Attract attention to your presence by rockets and any kind of light signals by night and smoke signals by daytime. If you must seek inhabited parts, follow the guide posts as best you can. Make a careful study of the map on the spot.

(c) The National Lifesaving Society of Iceland bids welcome all those who stand in need of help and care, and authorise them to make use of the provisions stored in the shelter, as well as such equipment as may be needed. Study the inventory list and instructions for use.

(d) Those requiring comforts are asked to kindly mention this in the guestbook, state all circumstances and say what stores have been used.

(e) The misuse and unnecessary expenditure of the stores belonging to the Association is forbidden, as this may lead to dangerous consequences.

(f) All who come here must treat every piece of inventory stores with care and cleanliness, and not handle anything unnecessarily.

Vegamálaskrifstofan: The Directorate of Roads has several emergency shelters on passes and exposed moors. The conditions applying to these are the same as for those of the Lifesaving Society.

Saeluhús hreppsins: Huts owned by parishes or districts may be used by farmers for sheep round-ups (for themselves, not the sheep!). They may also be used by travellers with permission from the hreppstjóri (sherrif) or by paying the appropriate fee into the honesty box. These huts should not be used for long periods. They are intended for overnight or emergency use. Should you decide to camp in the vicinity of one of these huts do not camp too near.

CAMPING

Camp Sites (Fig. 5.2)

Camping has been a national pastime ever since Vikings rode to the parliament at Thingvellir. Most settlements now have an official site and many of them are well appointed. In addition there are sites at most of the important visitor sites and National Parks. Some farms allow camping and this information can be derived from the Farm Holidays booklet available from Tour Operators, or on arrival in Reykjavík. In general one should not just camp anywhere; even the remotest of locations cab be in private ownership.

Rent-a-Tent

If you do not want to take your own tents to Iceland, perhaps to keep down excess baggage, you can rent a tent from Tjaldaleigan (Appendix G). They have tents of various sizes with built-in groundsheets, also sleeping bags, gas stoves, pots and pans etc. They also do a special hitch hikers package. These can be booked through Tour Operators.

Camping in the Interior

Never assume that you have the right to camp anywhere you wish even in the wilderness. The land may be grazing land or a nature reserve (see Chapter 1) and it could be as well to check with the Iceland Information Unit. This applies especially to large groups.

TABLE 2. CAMP SITES, YOUTH HOSTELS and HUTS IN ICELAND

This list is a guide to the principal locations and was accurate at the time of going to press. The list is by no means exhaustive as it does not include the parish huts or those of the National Lifesaving Society for example, and it omits many of the farms that offer sleeping bag accommodation. Where known, the number of spaces is given in brackets.

	YOUTH HOSTELS	CAMP SITE	SLEEPING BAG	EDDA HOTEL	MOUNTAIN HUT	BEDS (HUTS YH)	
1. Seyðisfjörður		C	S			9	Thórsmörk
1. Seyðisfjörður	Y					32	
2. Egilsstaðir		C	S				GH Egilstöðum
3. Skipalaekur		C	S			41	Farm
4. Hallormstaðir		C	S	E			
5. Atlavík		C					
6. Eiðar				E			
7. Bakkagerði		C	S			8	Stapi
8. Hjaltarlundir			S				Farm
9. Húsey			S				
10. Möðruvellir		C					
11. Syðri-Vík			S			22	Farm
12. Vopnafjörður		C					
13. Bakkafjörður		C					
14. Skeggjastaðir		C					
15. Thórshöfn		C	S				Hótel Jorvík
16. Barnaskóli			S				Svalbards
17. Raufarhöfn		C					
18. Kópasker		C					
19. Lundarskóli			S			24	School
20. Ásbyrgi		C					
21. Vesturdalur		C					
22. Skúlargarður			S				Farm
23. Húsavík		C	S				Hótel Husavík
24. Jónasvellir		C					
25. Bláhvammur			S			8	Farm
26. Reykjahlíd		C	S			56	Hraunbrún
27. Skútustaðir		C					
28. Grímsstaðir		C					
29. Laugar			S	E			

	YOUTH HOSTELS	CAMP SITE	SLEEPING BAG	EDDA HOTEL	MOUNTAIN HUT	BEDS (HUTS YH)	
30. Fosshóll		C	S			16	Farm
31. Kiðagil			S				
32. Stóru-Tjarnir				E			
33. Vaglaskógr		C					
34. Grenivík		C					
35. Steinhólaskóli		C	S				School
36. Gryttubakki II		C	S			6	Farm
37. Akureyri	Y	C	S	E		50	YH
38. Pétursborg			S			10	Farm
39. Þelamörk		C	S			40	School
40. Baugasel					H		FFA
41. Lambi					H	6	FFA
42. Tungnahryggskáli					H	12	FFA
43. Dalvík		C					
44. Hrísey		C	S				Brekka
45. Ólafsfjörður		C					
46. Hraun		C					
47. Siglufjörður		C					
48. Hofsós		C					
49. Sauðárkrókur		C					
50. Varmahlíð		C					
51. Steinstaðaskóli		C	S			25	School
52. Bakkafljót		C	S			15	Farm
53. Húnaver		C					
54. Trölli					H	18	FFS
55. Stóra-Giljá		C	S			7	Farm
56. Blönduós		C					
57. Veiðileiði			S				Petrol Station
58. Skagaströnd		C					
59. Hvammstangi		C	S				Vertshúsið
60. Reykir	Y		S	E		20	YH Saeberg
61. Staðarskáli		C					
62. Hólmavík		C					
63. Laugarhóll		C	S				Summer hotel
64. Reykjanes		C	S				Summer hotel

	YOUTH HOSTELS	CAMP SITE	SLEEPING BAG	EDDA HOTEL	MOUNTAIN HUT	BEDS (HUTS YH)	
65. Ísafjördur		C	S				Austurvegi 7
66. Bolungarvík		C					
67. Alvidra III			S			21	Farm
68. Flateyri			S				Vagninn
69. Thingeyri		C					
70. Bildudalur		C					
71. Tálknafjördur		C					
72. Patreksfjördur		C	S				GH Erlu
73. Breidavík	Y	C	S			40	YH
74. Vatnsdalur		C					
75. Brjánslaekur		C					
76. Flatey		C					
77. Bjarkalundur		C					
78. Baeir		C	S			32	Farm
79. Laugar		C	S	E			
80. Stykkishólmur	Y	C				20	YH
81. Berserkahraun		C					
82. Budardalur		C					
83. Grundafjördur		C					
84. Ólafsvík		C	S				Hótel Snaefell
85. Hellisandur		C	S				
86. Arnarstapi		C					
87. Budir		C					
88. Gardar		C	S			40	Farm
89. Hreidavatn		C	S			32	Farm
90. Borgarnes		C					
91. Varmaland	Y					82	YH
92. Reykholt			S	E			
93. Akranes		C					
94. Húsafell		C	S			15	Farm
95. Kidafell		C	S			13	Farm
96. Reykjavík	Y	C	S			113	YH
97. Mosfellsbaer		C					
98. Hafnafjördur		C	S				GH Berg
99. Keflavík		C					

	Youth Hostels	Camp Site	Sleeping Bag	Edda Hotel	Mountain Hut	Beds	(Huts, YH)
100. Grindavík		C					
101. Selfoss		C	S				Eyvík farm
102. Hveragerði		C	S				GH Sólbakki
102. Hveragerði	Y					20	YH
103. Hjarðarból			S			25	Farm
104. Thingvellir		C					
105. Laugavatn		C	S	E			
106. Geysir		C					
107. Reykholt	Y					35	YH
108. Brautarholt		C					
109. Laugarás		C					
110. Fluðir		C					
111. Hella		C	S				GH Mosfell
112. Leirubakki		C	S			22	Farm
113. Hvollsvöllur		C					
114. Thykkvibaer		C					
115. Fljótshlíð	Y					15	YH
116. Seljavellir		C					
117. Skógar		C	S	E			
118. Vík		C	S				Leikskála
119. Vestmannaeyjar		C	S				GH Sunnuhóll
119. Vestmannaeyjar	Y					35	YH
120. Reynisbrekka	Y					20	YH
121. Kirkjubaejarkl. or austur		C	S	E			
122. Skaftafell		C	S				GH Freysnes
123. Hof			S			38	Farm
124. Breiðá					H		JI only
125. Höfn	Y	C		E		30	YH
126. Stafafell	Y	C				35	YH
127. Djúpivogur		C	S				Hótel Framtið
128. Eyjólfsstaðir		C	S			25	Farm
129. Fell			S			10	Farm
130. Berunes	Y					25	YH
131. Breiðdalsvík		C	S				Hótel Bláfell
132. Fáskrúðsfjörður		C	S				Hótel Snekkjan

	YOUTH HOSTELS	CAMP SITE	SLEEPING BAG	EDDA HOTEL	MOUNTAIN HUT	BEDS (HUTS YH)	
133. Reydarfjördur	C	S					GH KHB
134. Neskaupsstadur	C						
135. Ingólfskáli					H	70	FFS
136. Laugafell					H	15	FFA
137. Thorsteinsskáli					H	40	FFA
138. Braedrafell					H	16	FFA
139. Dreki					H	20	FFA
140. Sigurdurskáli					H	70	FFV
141. Nýidalur					H	160	FI
142. Hveravellir					H	60	FI
143. Thjófadalir					H	12	FI
144. Thverbrekknamuli					H	20	FI
145. Hvítarnes					H	30	FI
146. Hagavatn					H	12	FI
147. Hlöduvellir					H	15	FI
148. Versalir					H	20	Farm owned
149. Jökulheimar					H		JI only
150. Grímsvötn					H		JI only
151. Landmannalaugar					H	80	FI
152. Hraftinnusker					H	20	FI
153. Álftavatn					H	38	FI
154. Emstrur					H	20	FI
155. Thórsmörk					H	80	FI
156. Snaefell					H	60	FFF
157. Geldingafell					H	12	FFF

FI   Hut belonging to Ferdafélag Íslands
FFA Hut belong to Ferdafélag Akureyrar
FFV Hut belonging to Ferdafélag Vopnafjördur
FFF Hut belonging to Ferdafélag Fljótsdalshérads
FFS Hut belonging to Ferdafélag Skagfirdinga
JI   Hut belonging to Iceland Glaciological Society
GH: Guesthouse
YH: Youth Hostel

6 TRANSPORT WITHIN ICELAND

TRANSPORT WITHIN REYKJAVÍK

Buses

The cheapest and most efficient form of transport is the city bus service (SVR). Charges are the same however far you travel. Different types of ticket are available:

Midi (single ticket)   Simply place the appropriate amount of cash into the receptacle. Drivers do not give change.

Midal (bulk discount)   Nine tickets on a perforated card. Each time you travel, place a ticket in the receptacle.

Skiftamidan   Put cash or a single ticket into the receptacle and ask for one of these. It enables you to use any two buses within 45 mins of issue.

It is also possible to obtain a tourist ticket valid for one week from the day of issue. This allows unlimited use of the bus system inside the city. For most expedition use it is probably cheaper to obtain 'midal'. These tickets are obtainable at the SVR terminals at Laekjatorg or Hlemmur. (Fig. 21)

Buses operate from 0700 hrs (Sundays and holidays from 1000 hrs) to midnight daily. Tickets on SVR buses will not serve on buses to Kópavógur, Garðahreppur and Hafnafjörður, which are run by separate companies. These companies do give change. They run from the east side of Laekjagata almost opposite the Íslandsbanki.

Routes are marked on the 1:15,000 map of Reykjavík. A small route map is also obtainable from the kiosks referred to above. Buses will only stop at those stops bearing their number and timetable. If you wish to stop at the next stop, press the button; a bell will ring and a red light reading "STANZAR" will appear above the driver. Route No.5 is in many ways the most useful for expeditions because it runs between the camp site, the centre of town and the domestic airport. It also runs close to the youth hostel in Laufásvegur (see Chapter 8).

Taxis

There are several taxi companies in Reykjavík that run a 24-hour service. There are direct lines to these, at no charge, from the foyer at Hotel Loftleiðir (the terminus for your bus from Keflavík) and at Reykjavík airport. Just pick up the receiver, request a taxi and give your name. At other times their telephone numbers may be found in the yellow pages of the Iceland telephone directory under Bifreiðastöðvar.

Vehicle Hire

Expensive. But it might be worthwhile for a group of four or five wanting a visit to eg. Krísuvík or Thingvellir under their own steam, or to use to save time while trying to sort out the freight. Drivers must be over 22 years of age. Don't forget your licence. See also "Self-Drive Hire' below.

Van Hire (with driver)

Vans to move heavy equipment such as your freight from the docks to the airport or the overland lorry terminal, can be arranged by dialling 2-50-50, or look up "Sendibilastöd" in the telephone directory. These vehicles operate just like taxis.

Bicycles

One enterprising expedition shipped out a bicycle to help them get around in Reykjavík while clearing goods through customs. They later used it in the field (see below). For a modest daily rate you can hire bicycles in Reykjavík. For details see Chapter 8.

TRANSPORT OUTSIDE OF REYKJAVÍK

Do not cling to the false assumption that plans laid well in advance are plans well made. Coaches etc. may not materialise when expected. Do go out to Iceland knowing what to do should anything like this occur. Make sure that you know which bus company or car hire firm you have reserved a vehicle with. It is advisable to check and double-check on everything. As a matter of normal practice Icelanders will always check with Icelandair that their plane departure is on time before they go out to the airport.

Coach Hire

For most expeditions this is probably the cheapest form of transport because you can arrange for yourselves and your goods to be transported almost anywhere in Iceland. A coach can drop you off and then return to pick you up, say, three weeks later at the same or another pre-arranged spot. If you plan your outward route to be different from the return you can extend your view of Iceland. You pay for the time and distance involved and so it would be expensive to have a bus with you for any length of time especially if the vehicle is to be idle for any lengthy periods of time, and you have to provide for the driver. The three companies — Arena Tours, Guðmundur Jónasson, and Úlfar Jakobsen — offer excellent facilities for camping tours with kitchen wagons. Coaches can be hired in advance through Tour Operators.

Bus Services

Public bus services (Figure 6.1) cover most of the main roads of the island although they are not necessarily timed to link with each other. Full details are published in the Leiðabók (see Chapter 3).

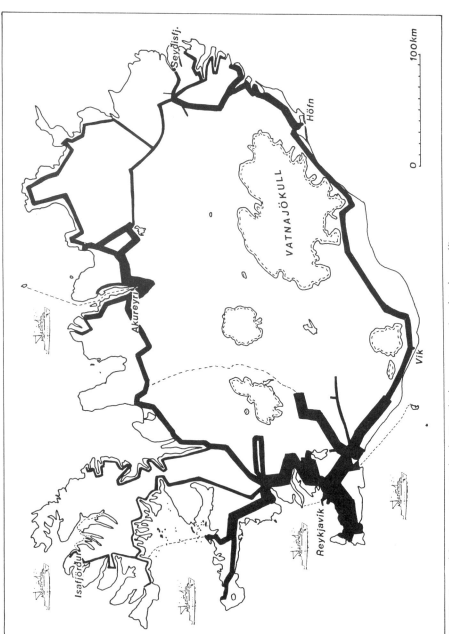

Fig. 6.1. Bus and ferry routes in Iceland. Line thickness proportional to bus traffic.

Buses depart from the long-distance bus station (Umferðamiðstöð) on Hringabraut near to Reykjavík airport. As with everything else do check and double-check the times. Buses have been known to depart early!

Buses can carry quite a lot of luggage. Personal rucsacs and, say, a box of food/equipment each should be manageable. Large expeditions should not however expect to find places 'on spec'. Reykjavík-Akureyri and Reykjavík-Skaftafell-Höfn are two much used routes and groups could be disappointed. There are also two scheduled services through the centre of Iceland. Groups working in the north may like to consider travelling one way by air or by the coastal route and the return through the middle. These journeys are bookable through Tour Operators.

There are two special bus passes available through Tour Operators, or at the Long Distance Bus Station: The **Circle Bus Pass,** allowing travel around the ring road, and the **Omnibus Pass,** which allows unlimited travel, for a specified period, on most scheduled bus services. The pass can be obtained for periods of one to four weeks. For the Circle Pass you must travel either clockwise or anticlockwise; in other words you cannot repeat a leg of your journey. In addition to the regular bus services there are several routes operated only in the summer. These go through the centre of Iceland, through Kjalvegur (between Hofsjökull and Langjökull), Sprengisandur (between Hofsjökull and Vatnajökull), and across Fjallabak (via Landmannalaugar).

See Iceland with
Guðmundur Jónasson Travel

Driving your own vehicle
This is described in Chapter 7.

Self-Drive Hire

There are plenty of companies now who offer self-drive hire and this can be an excellent way to see Iceland at your own pace. Car hire is expensive but you can obtain reasonable **Fly-Drive** packages through your Tour Operator. If you stop to consider the realities of driving in Iceland, the prices really are not so high; maintaining a vehicle in Iceland is extremely expensive.

Because of the nature of the interior of Iceland, ordinary cars are not permitted by the rental companies, and this is clearly spelled out in the small print. If you want to explore the interior, then it has to be a 4-wheel drive vehicle. Do be sure to read the small print, and remember that if you reserve a car from abroad, and it fails, the fault does not lie with your Tour Operator. You will have signed the documents on a contract between yourself and the Icelandic car hire firm.

Icelandic roads are a real test for any vehicle and it is not surprising to find that hire rates are high and that cars other than 4-wheel drive are not permitted off the principal road network. Costs are high and as a general guidance we suggest that self-drive be a last resort when you have calculated the cost of other methods. Of course a Land Rover, for example, may be the only way to achieve your objectives. In our view, vehicles do not give as much flexibility to movement as might be expected. Vehicles are always a liability, especially if they are not your own, and the penalties for damage are high. Do be sure to read the small print to see what you are signing for. Do remember that if you reserve a car from abroad, and it fails, the fault does not lie with your agent. You will have signed the documents on a contract between yourself and the Icelandic car hire firm.

In most cases, hired vehicles must be returned to their starting point. Both 7-seater and 12-seater Land Rovers can be hired but on Icelandic roads we would suggest that a loaded vehicle should take no more than 5 or 8 people respectively. It is also recommended that two 7-seater Land Rovers are a safer car hire than one 12-seater if you will be travelling in any of the remote and difficult areas such as the Gaesavatnaleid, 4-wheel drive Bronco and Mitsubishi are also available.

9-seater microbuses are available but they are not suitable for roads in the interior on account of their low clearance, especially through rivers. A minibus **may** get through the Sprengisandur route; it probably would not get through the Kjalvegur (between the Langjökull and Hofsjökull), and definitely would not get through the Gaesavatnaleid, north of Vatnajökull.

Drivers must be 20 years of age or more, and carry their current driver's licence. There are a number of car hire companies but few stock four-wheel drive vehicles. If in the height of the season you have difficulty in hiring a vehicle try some of the smaller companies listed in the Yellow Pages

under 'Bílaleigur'. Tour operators offer attractive fly-drive schemes which may be worth investigating.

Aircraft (Icelandair)

The domestic service is very efficient and an ideal way to get from place to place in a country where driving long distances can be tiring. As with buses there are special **Fly-As-You-Please** passes between any four destinations, and **Air Rover** tickets that operate a circular route between the principal towns of Iceland: Reykjavík-Ísafjördur-Akureyri-Egilsstadir-Höfn-Reykjavík. You can also obtain combination **Air/Bus Rover** tickets.

Domestic flights are worth considering by expeditions in spite of slightly higher costs. With the Group Inclusive Tour reduction the costs of air and land travel compare very favourably. Time is the main factor. Reykjavík-Akureyri, for example, takes 8 hours by bus and 55 minutes by air. There are regular services from Reykjavík to Akureyri, Egilsstadir, Höfn í Hornafjördur, Húsavík, Ísafjördur, Nordfjördur, Patreksfjördur, Saudárkrókur, Vestmannaeyjar, Þingeyri. All departures are subject to a domestic departure tax.

In addition to the scheduled Icelandair flights Flugfélag Nordurlands flies regularly from Akureyri to Egilsstadir, Grímsey, Húsavík, Ísafjördur, Kópasker, Ólafsjördur, Raufarhöfn, Siglufjördur, Vopnafjördur, Þórshöfn and Reykjavík. Flugfélag Austurlands flies from Egilsstadir to Bakkafjördur, Borgarfördur, Breiddalsvík, Höfn í Hornafjördur and Reykjavík.

Private Aircraft

There are now a number of private companies operating charter services. At Reykjavík airport these include Sverrir Thoroddsen and Odin Air. These companies are based at the old control tower alongside Hótel Loftleidir. Odin Air flies a weekly service to Kulusuk, in Greenland, (daily in the summer) where they operate two self-catering guesthouses for up to 23 people which avoids the need for additional helicopter transport to the mainland. They also have skidoos, boats, and guides to extend your visit to Greenland. Odin Air, who operate three 18 passenger Jetstream prop-jets, offer sightseeing trips over Iceland, and have a flying school for solo pilots. In Akureyri Flugfélag Nordurlands operate similar services. Expeditions have made use of small aircraft for reconnaissance purposes, aerial photography, and even for sightseeing. Odin Air and Flugfélag Nordurlands also fly expeditions to Greenland. Flugfélag Nordurlands have aircraft based in Greenland during the summer for the Danish government and have regular traffic between Akureyri and Mesters Vig.

Lorries

Expeditions with large freight loads may need to send their freight ahead by lorry. There are two main depots in Reykjavík that serve the principal towns in Iceland and the rates are quite reasonable. These are Vörflutningamidstödin h.f., Borgartúni 21, Reykjavík Tel: 1-04-40) and Landflutningar, Skútuvógi 8, Reykjavík (Tel: 8-46-00).

Horses

Icelandic horses are a sturdy and distinctive breed, and popular for recreation. They are used as working horses when rounding up sheep, are shown and raced, and are used for pony trekking. The number of establishments offering this facility is increasing. Near Reykjavík, for example, is Ís-Hestar (see advertisement). Most riding establishments will arrange to collect you from your hotel or wherever you are staying. To find out where they are, look out for leaflets in Iceland, or examine the Farm Holidays booklet, or ask your Tour Operator.

Horses are not recommended for general expedition use. They are expensive to hire and difficult to feed in the interior. Unlike a vehicle they cannot be relied upon to stay in one place while you climb a mountain! An Icelandic guide would probably be needed to look after the animals. In short, they are probably more trouble than they are worth.

River Rafts

Since the Iceland Breakthrough expedition pioneered the use of rafts in Iceland a company offering rafting trips has opened in Reykjavík. Icelandic glacial rivers provide exciting possibilities for those with experience.

Ferries (Figure 6.1)

Pamphlets about individual ferries can be picked up at the tourist bureau or travel agencies in Reykjavík. The principal ones are:

m.s. Fagranes   Ísafjörður-Vigur-Hvítanes-Ögur-Ædey-Baer
                    -Melgraseyri-Vatnsfjörður-Reykjanes
                    -Arngerðareyri-Eyri.

m.s. Akraborg   Reykjavík-Akranes (1 hour).

m.s. Saevar   Árskógssandur-Hrísey (15 minutes).

m.s. Baldur   Stykkishólmur-Flatey-Brjánslaekjar ($2\frac{1}{2}$ hours).

m.s. Hérjólfur   Thórlakshöfn-Vestmannaeyjar (Heimaey) (3 hours).

Cycling

This is covered in Chapter 8.

Snowmobiles

The growth of interest in this form of travel does increase the possibility of their use by expeditions. Snowmobiles are used by many people in Iceland now and there are many clubs around the country. In the summer there is little use for them, except high on the glaciers where there is permanent snow. The company, Jökulferðir, operates snowmobile and snowcat journeys out of Höfn í Hornafjörður (see Chapter 2.8). Elsewhere, in winter, you can obtain snowmobile hire by asking at local hotels or travel agencies.

WATER

LIGHT

CREATION

7. TAKING YOUR OWN VEHICLE

Don't Believe the Rumours

At present, very few people bring their cars from Britain perhaps because they are afraid of what the Icelandic roads might do to their vehicle. This might have been a genuine concern ten years ago but the roads, and certainly the principal roads, have vastly improved in recent years. Much of the ring road is now metalled, and those sections which are not are generally in good condition. In 1989 the author took a 1985 Vauxhall Nova to Iceland and drove 3,000 miles (4800 km) around the island — often in places that no sane driver would take a small car. Before departure he had the whole car thoroughly checked, and new tyres put on. After the journey (6,000 miles in all) he had the vehicle thoroughly checked again, especially underneath. It was given a clean bill of health.

Others may be put off by the distance that they have to drive to reach the ferry at Aberdeen or Scrabster, and by the time spent at sea that is taken out of your holiday. If you have the time, take your own car and go by sea. It is a wonderful experience. Back in the 1960's and early 1970's most people went by sea, on the m.s. Gullfoss from Leith. It was wonderful to meet people, and to progress slowly to Iceland, 'discovering' it for yourself as the island loomed on the horizon. Those travelling by air are deprived of this experience and also of the opportunity to visit Shetland and the Faroes. For this reason a brief section is included on each group of islands.

Shetland

Whatever you do, do not underestimate the Shetland Islands. They are well worth a visit. Standards generally are high; accommodation is well appointed; tourist facilities are well organised by a lively Tourist Board; there is plenty of natural and historical monuments and, not least, some spectacular landscapes.

At first, after a 14-hour voyage from Aberdeen, it seems strange to find that you are still in the United Kingdom. There is undoubtedly a 'Scandinavian air' about the place but they drive on the left, exchange Scottish pound notes, and speak in a delectable, soft, friendly Shetland tongue. First impressions are welcoming and encouraging. If you have opted only to stay 18 hours while awaiting the m.s. Norröna to Iceland do think again and extend your visit to **at least** a weekend. You really need one day to just look around and a minimum of four days to visit specific sights and perhaps some of the other islands — perhaps, even, our remotest island, Foula.

The pleasant and well-appointed camping and caravaning site is not far from the dock. Turn left off the ship towards the centre of Lerwick. The road bends right and then sharp left by a Shell garage. Take the first road (North Lochside) to the site beside a small loch and sports centre.

Visit Jarlshof.
Eat Reestit Tees.
Watch Tammie Nories.

Get away to Shetland, a land of over a hundred islands.

Islands with a history, culture and lifestyle which is unique.

Islands of spectacular coastlines, breathtaking landscapes and abundant wildlife.

Islands for people with a sense of adventure, a sense of discovery.

If you are longing for a holiday that provides lots to do and lots to explore that takes you home relaxed and refreshed, get away to Shetland.

Jarlshof — a remarkable archaeological settlement.
Reestit Tea — a popular Shetland dish: salted mutton smoked above a peat fire.
Tammie Norie — the puffin: a common Shetland resident.

Shetland
The **Natural** Choice

If you are not staying that long but wish to find your landlegs and make a quick exploration of Lerwick continue past the Shell garage to the town centre where there is a (pay) car park on the quayside. All the shops and the Tourist Information Centre are close by in a quaint, pedestrian-free shopping area. On the other hand why not make a complete getaway and drive to Walls where you can have a cooked breakfast in the little cafe close to 'the pier that once served the regular boat to Foula.

Over breakfast you can review the map in the light of your brief experience of Shetland roads and perhaps retrace your steps a little to travel through Brae and Hillswick, crossing the Mavis Grind (the narrowest isthmus on Shetland), to the Eshaness peninsula which has all the ingredients of Shetland: spectacular cliffs with impressive arches, stacks and steep, rocky inlets or geos. Drive to Stenness and then to the Eshaness lighthouse where you can leave the car and walk north along the cliff tops to the extraordinary holes of Scraada where the sea has eroded a subterranean passage.

If it is a sandy beach that you are looking for then drive south by Scalloway and across the east side of the southern peninsula, and down to Bigton where the islet bearing the remains of 12th Century St. Ninians church is linked by a tombolo. In the extreme south there is a sandy beach at the head of West Voe and a variety of places of interest.

Shetland has something for everyone. The walker, the scuba diver, the sailor, the historian, the natural historian. There are castles, burial chambers, watermills, aerogenerators, otters, seabird colonies, museums, and, above all, a very friendly people.

Perhaps the best touring map of Shetland is the Leisure Map at 1:128,000 of Shetland and Orkney Islands, published by Estate Publications, Bridewell House, Tenterden, Kent.

Faroe Islands

From the ferry the capital, Törshavn (Population: 14,000), looks inviting. The harbour is its focus and from it radiate the key streets. You could easily spend a day wandering around the town but time may not permit. On the return journey from Iceland, all cars disembark, except those travelling to Norway, and so you have ready-made transport to get out and see something of the country. If you are staying longer than a day, then there are hotels, guesthouses and a camp site in Törshavn. The currency is the krona which has the same exchange rate value as the Danish krona. Danish coins are used, but the paper notes are Faroese. Nevertheless Danish notes are acceptable. Remember to change some money on the ferry. Banks are open from 09.30-1600 (Monday to Friday).

Faroese roads are extremely good, and the views often spectacular. There is something fresh about the outline of both land and buildings, and the low density of the population (47,000) means a less than hurried approach to life. In many ways the landscape is similar to large parts of Iceland and the weather can be as variable, if not more so.

If you want a recommended drive for a single day follow Route 10 out of Tórshavn. It will lead you along a high route and eventually down into Kollafjörður and the strait, Sundini, separating Streymoy from Eysturoy. The strait is bridged at Norðskáli where there is a petrol station and shop. Still on Route 10, the road climbs and passes through the 2.4 Km tunnel, after which you can turn left onto Route 634/662 and into Funningsfjörður. The road is open through to the tiny fishing hamlet of Funningur, from which there is a spectacular, zig-zag ascent to join the 632. Turn right and into the fascinating village of Gjóv whose houses are tightly grouped around the stream, and whose inhabitants make use of a natural ravine as a harbour. There is a large, wooden hostel here. Returning from Gjóv take Route 662 west. The road passes a spectacular cliffline where a giant and an old hag (Risin og Kellingin) stand turned to stone as they attempted to tow the Faroes away to Iceland. The road descends towards picturesque Eiði, whence you can retrace your steps by returning to the bridge at Norðskáli.

As with Shetland, you need time to visit and savour the Faroe Islands and, if you can afford the time, a longer stay is recommended.

BASIC CONSIDERATIONS

It is beyond the scope of this book to discuss the acquisition of vehicles which we regard as a general tourist or expedition problem. As we see it the problem breaks down under three headings as follows:

1. **Four-wheel drive or Two-wheel drive?** The answer is simple. If you wish to go into the interior then it has to be 4-wheel drive. If you plan to tackle a route such as the Gaesavatnaleið, north of Vatnajökull, then two vehicles will be safer than one because you could well get stuck in quicksand or a river, or quite simply break down.

A Ford Transit, or similar, is wholly unsuitable to fording rivers or negotiating the potholes and boulders of the interior. Transits do not seem to like the low grade Icelandic petrol although they cope well enough with the principal roads.

The question of the suitability of private cars is referred to in the opening remarks of this chapter. Further comments appear in the following sections.

2. **Petrol or Diesel** Diesel fuel in Iceland is cheaper than in Britain while petrol is more expensive. You gain more miles per gallon from diesel, in fact the consumption on the Icelandic interior tracks is better than for petrol on roads in the United Kingdom. Fuel prices, unlike in Britain, are standard all over Iceland, even in the interior. However there is a tax on imported diesel vehicles. The tax is not exorbitant and is based on vehicle weight and the proposed length of stay. Lead Free petrol (blýlaust) is available in Iceland.

3. **Ferry or advance freight?** The ferry services have been dealt with in Chapter 4. Time is the principal factor here on both counts and a logistics exercise based on current fare rates, mileages and petrol costs will need to

be carried out. For British groups to get to the ferry they must drive all the way to Aberdeen and transit to the Shetlands. The ferry then docks on the east coast at Seyðisfjörður whereas airborne parties will arrive at Keflavík on the west coast.

To ship your vehicle out in advance will mean that it must be delivered to the port three weeks prior to your arrival in Iceland and you may not be able to spare it for so long. The same must be borne in mind for the return journey.

CALCULATING COSTS: British travellers trying to calculate the relative cost will need to know the following:

FERRY

Fare:	Aberdeen-Lerwick (Return) Vehicle and Passengers
	Lerwick-Seyðisfjörður (Return) Vehicle and Passengers
Accommodation:	Two nights in Törshavn.
Fuel:	Home base — Aberdeen (Return)
	Seyðisfjörður — Reykjavík (Return) (744 Km)
Food Costs:	en route — esp. Faroes stop-over.
Insurance:	
Green Card:	

FREIGHT

Fare:	Runcorn/Felixstowe — Reykjavík (R)
Warehouse:	Dues in Iceland and UK.
Customs:	Charges in Iceland and UK.
Fuel:	Home base — port (Return).
Insurance:	For the longer period away from home.
Green Card:	

LEGALITIES

Insurance: The Green Card applies to Iceland and so there is no longer the requirement that visitors should obtain Third Party cover with an Icelandic Insurance Company. However should you wish to insure your vehicle in Iceland you can do so with Almennar Tryggingar, Posthússtraeti 9, Reykjavík. Rates are reasonable. You will need to shop around at home to obtain reasonable cover but try The Guardian Royal (via A.A.?), and the Commercial Union. The A.A. Five Star Scheme includes Iceland.

International Driving Licence: The red print states that this is required for Iceland although we are unaware of any request for it to be shown. In any case you must take your own Driving Licence which must, of course, be current and unblemished. In the United Kingdom International Driving Licences are available from AA and RAC offices.

Drivers' Age: Drivers must be 20 years of age or more.

PRE-VISIT CHECKS

Icelandic terrain is rigorous and you will want to know that your vehicles are in good shape. A thorough technical check-over is essential, especially of brakes, hoses, and any mechanical parts exposed to grit and dust from the road surface. Tyres should be in good condition, and all nuts and bolts should be checked. Recommendations for Land Rover drivers are given later in this chapter. Do allow plenty of time for this, say two months' prior to departure, just in case there are any major jobs to be carried out on the vehicle. If any of your colleagues are attending Car Mechanics courses this could be useful to you both at home and in Iceland.

ROUTE PLANNING

Note should be taken of the approximate travel speeds suggested in the next section and ample allowance made for stops to eat, sightsee, change wheels etc. Allowance for a spare day on long sections of your route prove valuable should your vehicle suffer a breakdown.

It is very tiring to drive on Icelandic roads and very uncomfortable at times for the passengers in a loaded vehicle. Try not to be too ambitious in your programme. You will probably enjoy a shorter route with ample time to stop, walk, and get to know the country at first hand, far more than a long route where you have to drive for most of the time. Several groups who have used Land Rovers extensively, felt that their dependence on the vehicle to some extent deprived them of that personal contact with the country that is an essential part of any expedition. In other words they drove when really they should have been walking.

Road Conditions

Details of road conditions can be gained from the Icelandic equivalent of the British A.A., Félag Íslenzkra Bífreiðaeigenda (F.Í.B.) whose office is at Nóatúni 17, Reykjavík (Tel: 2-99-99)

In the event of snow conditions it may be possible to obtain a road report from the long-distance bus station on Hringabraut (Tel: 2-23-00).

The 1:750,000 Tourist map is quite good for general motoring but is not very accurate in detail. Several road categories are given on this map: (the speeds are guides only).

Principal Roads: These are generally very good and increasingly metalled. Currently about 20% of the ring road (300 Km/187 miles) is metalled. The rest is in quite good condition, although you should always be on the look out for potholes (see Tips for Motorists). (30-50mph).

Roads — some rugged and only passable in summer: We would call these 'tracks'. They are often pitted with potholes but small streams are usually bridged. You need to develop the Icelanders' panache about road blemishs: "Road? Of course it's a road!" (20 mph).

Mountain Track — normally passable for all vehicles during the summer:
The Kjalvegur (Kjölur), between Langjökull and Hofsjökull, falls into this category and is not always passable by all vehicles. The levels of the rivers can vary enormously within a short space of time. The Sandá river, just after Gullfoss has been observed to fluctuate between 0.4m. and 1.5m. within 24 hours. Mud and drifting sand can be other problems. (12 mph or less)

Mountain Track — with unbridged rivers normally only passable for four-wheel drive vehicles during the summer: Four-wheel drive, or split-axle coaches can tackle most of these but some are too narrow or deep in mud or sand. The Sprengisandur route is now quite good but tracks like the Gæsavatnaleið are quite a different proposition. Many of these tracks are difficult to follow owing to the lack of waymarks and the confusion of vehicle tracks that occur in some places. Usual marks are yellow painted stones or posts. Vehicles should travel in groups of two or more, especially if no two-way radio is available. (8 mph or less).

Bridle Path or mountain track: Generally not suitable for any vehicle.

In addition there are many tracks in the interior that are not marked on the maps but which may be used by four-wheel drive vehicles. Lack of traffic here could mean lengthy delays before rescue and travellers in the interior should not consider rescue to be a right. It is troublesome and costly, and the cost will be yours.

Under no circumstances should you at any time use your vehicle to drive off the existing track. The Nature Conservation Act is quite explicit on this. The proliferation of vehicle tracks in the interior has done untold damage to the vegetation and landscape.

USEFUL TIPS FOR MOTORISTS

Which side of the road?

Icelanders drive on the right. In fact, in Iceland this is not so much of a disadvantage to righthand-drive motorists because there is not so much traffic. More importantly perhaps is the fact that, on roads that are raised up, you can more easily see how far away you are from the edge. If driving a lefthand-drive vehicle just remember that, as you drive along, you, the driver, should be situated in the centre of the road.

Driving Speeds

The speed limits are 50kph/31mph in urban areas and 80kph/50mph on rough rural roads, and 90kph (56mph) on rural metalled roads.

Seat Belts

Seat belts are required to be worn by law.

Headlights

Headlights must be employed at all times. When on the open road you will appreciate the need for this. If your car does not automatically switch off its headlights, take care to switch off when you stop.

Right of way

At junctions that have no give-way signs, you should give way to vehicles coming from the right.

Petrol

Lead Free petrol *(blýlaust* – 92 oktane) is available at most, but not all petrol stations. It is unlikely to be found at those pumps served by farms. The latter are generally unattended and you need to call at the farm. However, there are enough principal service stations. The letters 'NLF' at the beginning of each section in Chapter 2 indicates those which do not have lead free petrol. Diesel and petrol (98 oktane) are universal. Petrol stations are normally open from 0730-2200 (Sundays 1000-2000), or 2330 when they are operated along with a fast food kiosk which is allowed to stay open later. Petrol stations are marked on the 1:500,000 Touring map, and on the reverse of the 1:750,000 Tourist map. The current edition of the latter is rather out of date in this respect. Petrol stations are marked on the maps in Chapter 2.

Overtaking

You need a lot of room for overtaking on Icelandic roads, especially grit surfaces. It is often difficult to judge distances because of the lack of objects beside the roads, and because of the absence of a white line down the centre. Always indicate well in advance that you plan to overtake. Pull out well in advance so as to adjust your position on the road, and also to avoid any stones kicked up by the car in front. Having passed the car, get well ahead before coming back in again so that you do not throw stones and him.

If you are being overtaken, slow and pull over to the right.

Passing

On grit roads, when passing another car coming from the opposite direction, slow and pull in to the right. Some cars drive faster than they should, and show bravado by staying in the centre of the road until the last minute.

Road Signs

Do read traffic signs. They are usually right. A right-hand bend, followed by 'road narrows' and 'bridge', could be disastrous if you are travelling too fast — especially on a grit surface! Iceland uses the internationally recognised roadsigns but has several common terms that you should know about:

Blindhaed	(plural: 'Blindhaeðir'): a blind brow, where you cannot see what is coming over the other side. Keep well to the right.
Brú	Bridge. Few bridges are wide enough for more than one car. Approach with caution; there are usually potholes at each end.
Hradahindrun	Sleeping policemen. These are often used in settlements to slow down traffic.
Jeppavegur	Jeep track. A road for 4-wheel drive only.
Lokad	Closed. This might apply to the access points to tracks not yet open because of snowmelt.
Spennum Beltin	Fasten safety belts.
Þvottabretta	Literally 'washboard'; symmetric corrugations in the road caused by soft roads conditions during spring thaw, followed by traffic over the top. These can knock hell out of your suspension if you fail to adjust to the critical speed.
Vetrarvegur	Winter road. A track used when the main road is blocked by snowdrifts.

Road Directions

You will come across several words that are often posted by the road side:

Gisting	Accommodation; generally of the bed and breakfast type.
Saeluhús	Emergency shelter.
Sjúkrahús	Hospital (often with red cross).
Tjaldstaedi	Camp site.
Matsala	Food.

Grit surfaces

1. Always slow down on grit surfaces. Your braking distance is considerably reduced.
2. Take care on right hand bends lest your rear swings around to try to overtake you.
3. Do not drive too close to vehicles in front of you. Dust will obscure your view, and grit may break your windscreen.
4. Dust has a habit of getting in everywhere, including your nose and throat. Throat lozenges provide useful relief. There are times when a shower of rain can be a relief by damping down the road surface.
5. Beware of sheep. They do not always move, even when you apply the usual Icelandic technique of a loud blast on the horn! In Iceland you are liable for damages to livestock that you hit.
6. Some recommend lowering your tyre pressures by 2psi for a softer ride.

7. Take great care on the access and egress points of bridges. There are often large potholes.
8. If you are going to get a puncture, it is generally not the obvious that will cause it. Your tyres will actually take a lot of bashing.
9. Periodically check any moving parts beneath the vehicle, eg. if your brake cables are external, or move within an open sheath, it is possible that grit will get caked within it. A bash with a hammer, or a poke with a stick will generally clear it. It is a simple problem with a simple solution but when it first happens you may be thrown by it. It could mean temporary brake failure if the cables cannot move when you depress the pedal.

Car Washing

Most garages have special areas for washing down your car with a hosepipe attached to a long-handled brush. Simply drive in and avail yourself of this free facility. You will discover that this service is of inestimable value.

Garages

These are sometimes attached to service stations (**Smurstöd**) and sometimes they are quite separate and often on farms: **Velsmidja, Bilaverkstaedi.** With punctures a common phenomenon some specialise in repairing tyres: **Hjólbarðapjónusta.** Any word with the suffix **-þjónusta** offers a service for whatever item is referred to. Where these are found in settlements, they have been marked on the maps in chapter 2.

Drinking and Driving

Don't! If a blood test shows alcohol content to be more than 0.5pm you will lose your licence and have to pay a heavy fine.

Accidents

Should you become involved in an accident. Do not move the vehicle until the police have inspected the situation. Police can be called from nearby farms, or from two-way radio on buses or even private vehicles. Remember that your insurance company will need a police report to substantiate your claim.

Emergency Telephone Numbers

These are given in Chapter 18 (Practical Information). Dial 02 for the operator.

Road Conditions

You can find out about road conditions by telephoning the highway authority on 21000.

LAND ROVER CHECKS

The following points may be helpful to owners of Land Rovers or similar 4-wheel drive vehicles.

(i) Continuous dust and water will attack the stub axle inner bearing oil seals. They will certainly need renewal on return and should therefore be in good shape.

(ii) Land Rovers with replacement radiators frequently stall when crossing rivers. This is because the garage has failed to replace both of the cowls situated on the engine side of the radiator, because there is no apparent reason for the existence of the second radiator cowl under normal circumstances. It is designed to stop the fan spraying water over the engine and ignition when fording, and is **essential** in Iceland.

(iii) Heavy duty tyres are essential if you plan to leave the main roads.

(iv) Land Rovers with free-wheel hubs already fixed may expect trouble from them. They seem to cause excessive stress on the axle resulting in periodic 'clunks' and, finally, a broken half-shaft.

(v) A bonnet-mounted spare wheel is a disadvantage when you need to be able to see as much of the track in front of you as possible.

(vi) Under-bonnet sound-damping can be a menace in watery terrains — it holds water thrown up underneath the bonnet, which soaks to the rear end and drips incessantly onto the coil and distributor leads.

(vii) T.A.C. ignition coils are very susceptible to damp, and frequently misfiring takes place in wet areas. A normal 12-volt coil is recommended.

(viii) Removal of side steps reduces the risk of fouling underwater obstacles, or other vehicles, on mountain roads.

(ix) If you have fitted spotlights low down on the vehicle (eg. on the bumper) note that they will quickly fill with water during any protracted river crossings.

(x) Throttle linkages may tend to stick after about two weeks. Liberal coatings of grease on all moving parts is suggested.

(xii) Liberal greasing is also advisable on the swivel-linkage at the bottom of the transfer lever as this can also gradually lose its free movement and can cause an inadequate engagement of high-gear ratio. Symptoms are bad engagement of high-gear, and jumping out of that gear ratio.

(xiii) When leaving the vehicle in the hands of the shipping company, remove the fuses from the radio, tape-player etc. Otherwise you may find that your battery is flat after use by warehousemen.

LAND ROVER SPARES

Your attention is drawn to the Rover Company's 'Guide to Land Rover Expeditions'. The following list has been compiled from the experiences of several expeditions to Iceland.

1 Distributor cap
1 set HD leads with plug caps
1 condenser
4 spark plug
1 set distributor points
1 rotor arm
1 coil and coil cap — if screw-in type make sure that it has its brass washer; if a push-fit type it needs a bent retaining pin (easily made from safety pin).

Shock absorber bushes — 6 tapering and 4 flat type. 2 self-locking nuts for bottom of rear shock absorbers.
2 hub oil seals
2 hub oil seals felt washers
2 hub split pins
1 water pump gasket
1 each of all radiator (3) and heater (3) hoses.
1 wiper blade of each type in use
1 brake hose — rear
1 thermostat
2 Half shafts (1 long and 1 short)
1 metre thin fence wire
6 hub oil seals paper gaskets
2 hub locking plate washers
1 water pump
2 fan belts

2 brake hoses — front
1 clutch hose
2 thermostat gaskets
2 differential gaskets

2 front springs — if existing ones look weak and if a large roof rack is being used (the extra weight is taken by front springs on rough ground)
1 each of overhaul kits for: clutch slave cylinder
clutch master cylinder
brake master
brake wheel cylinders — 2 front
— 2 rear

petrol pump
carburettor (incl. float)

Exhaust Parts: silencer
exhaust middle pipe
exhaust downpipe
silencer gasket
exhaust mounting rubbers (2)
exhaust manifold down studs (3)
Gungum and firegum
flexible exhaust pipe and jubilee clips

Gaskets in addition to the above: rocker cover
cylinder head
exhaust manifold
carburettor

1 Four-wheel-drive pivot bolt
1 spare inner tube
1 puncture repair kit
1 clutch housing drain plug
1 spare outer tube
3 tyre levers

2 high-lift jacks — preferably hydraulic and including one bumper jack and a spare for the hydraulic jacks
1 inflatable exhaust jack
4 rubber link mats
1 pick
1 sledgehammer
1 pliers

1 wood saw	1 hacksaw
1 hammer and assorted nails	2 Radweld or Certseal
1 hand drill and assorted bits	1 blowlamp
2 shovels — one standard, one long	1 inspection light

5 litres EP90 with at least one filler bottle
Double the estimated requirement of 20/50 oil
spanners and assorted nuts and bolts
assorted screwdrivers and screws
files and sandpaper
soldering iron and solder (fluxed and ordinary)

gasket cement	Swarfega
brake fluid (2 small tins)	brake bleeding kit
wire	string
evostik	plastic metal
insulating tape	WD40
spare ignition keys	
Parts list	Workshop manual
Spare cash for repairs	

WHAT CAN GO WRONG?

The following examples experienced by one expedition may serve to illustrate the sorts of problem that you are likely to encounter. They are derived from their expedition report and are examples of the type of useful information that could be included in your own expedition report. They had both an old petrol and an old diesel Land Rover.

(a) DIESEL Bolts in front offside steering arm sheared off, on the way to Mývatn. A farmer miraculously found two replacement bolts for us and charged us a nominal sum for two hours work. In Akureyri we replaced the bolts for the correct ones, including plates to prevent further loosening.

(b) PETROL Just as we reached the end of our interior crossing, we noticed a "list" developing in the vehicle, and an increasing tendency to "bottom" on the suspension. The bracket to which the rear offside leaf spring was attached has torn away from the chassis. As we were still 40 miles from Reykjavík, we decided to make two trips in the diesel vehicle so that we could bring the petrol vehicle in empty. A phone call to F.í.B. (The Icelandic A.A.) put us in touch with a workshop in Kópavogur where the repair and welding was done in three days.

(c) (DIESEL) On the way to Reykjavík, whilst being overtaken by a coach, we had been forced to the side of the road, and the exhaust had caught on a rock, fracturing it at the only part we had not replaced in England. An excellent repair was effected with an oil-can and two exhaust bandages. The vehicle was also suffering from steering problems, and a frightening "shaking" of the steering. Three knuckle joints had to be replaced.

(d) (PETROL) On the way east from Vík we developed a "clunk" while travelling in gear. It happened in the middle of a storm, and this meant getting under the vehicle which was anything but pleasant. The tow rope was put on, and we chugged the 10-15 miles to Kirkjubaejarklaustur. Here the garage stayed open an extra hour for us and eventually eliminated that it was a broken half-shaft, unfortunately. The next morning (Saturday and one week from our sailing date) he was able to show us the fault. The crown-wheel and pinion in our rear differential were shattered. Telephone calls to Reykjavik established that we could obtain a reconditioned replacement differential at some cost. It arrived on the Tuesday. Our problem was paying . . .

(e) (DIESEL) Our last problem was saved for the motorway on our way home. At first we thought it was a return of our steering problem but it turned out to be the front nearside tyre which was losing its tread (stripping off). Luckily the bubble, which had spread round one-third of the tyre was spotted in time, and the spare put on. It had been nearly new when we left.

WHEN IN ICELAND . . .:

(a) Tighten everything regularly.

(b) Try to avoid having three people in front. It is far more comfortable for the driver when he can immediately locate all gears without having to disentangle himself from a sleeping passenger. Driving in Iceland is very tiring.

(c) Inexperienced drivers should note that a loaded Land Rover has a tendency to 'wander' on gravel roads and can be dangerous on extreme banks at bends.

(d) Use your gears. Sharp breaking can be dangerous on the frequent loose gravel.

(e) If you get bogged down the Icelandic method is to dig a hole under the bumper into which stones are put and then a length of planking. With jacks on this firm base, the vehicle is raised as high as possible. With a number of jacks the vehicle can be lifted clear of the mud fairly quickly. Mud around the axles is removed with the long-handled shovel and the rubber mats are put under the wheels. The vehicle can now be jumped on to firm ground (low gear, full revs and let the clutch out suddenly).

IF TRAVELLING BY SMYRILL LINE:

There are plenty of seats for deck passengers but keep away from the deck chairs in rough weather; you may be thrown against the bulkhead. Keep your sleeping bags handy. If you have bad weather you will probably not need to feed but for fair weather crossings we suggest you have a large cooked meal before departure and take sandwiches. All the journeys are short. If you have a trailer have someone manhandle it round. To save a long wait when coming off the ferry, be the last vehicle on — like everyone else reading this book!

When disembarking at Torshavn report to the car deck with your green card ready. **ALL** vehicles must be driven off. If stopping-over in Torshavn it is better to camp outside the town at the roadside, **but ask permission first.**

Before disembarking at Seyðisfjörður fill in a customs declaration form in duplicate and send it with the insurance certificate to the smaller of the two yellow huts as soon as someone can get ashore on foot. Then drive ashore for the customs check when possible; your papers will probably have been cleared by then and you can then drive off. The whole procedure can take less than an hour.

If carrying spare fuel cans they must be empty on arrival in Iceland but at Seyðisfjörður the petrol station is 200m. from the dock. There is a campsite but there are also many good spots at the roadside between Seyðisfjörður and Egilsstaðir. Seyðisfjörður to Mývatn is 135 miles and takes 4½ hours by laden Land Rover.

SAMPLE MILEAGES: (Figure 6.3)

Reykjavík-Krísuvík (R)	50 miles	203 litres*
Reykjavík-Geysir	180 miles	65 litres
Geysir-Gullfoss-Burfell-Jökulheimar-		
Reykjavík	277 miles	118 litres*
Reykjavík-Jökulheimar-Tungnaá	186 miles	75 litres
Tungnaá-Gaesavötnsnleið-Askja-		
Dettifoss-Mývatn-Akureyri	400 miles	99 litres
Akureyri-Brettingsstaðir-Akureyri	136 miles	63 litres
Akureyri-Skiðadalur-Siglufjörður	213 miles	77 litres
Siglufjörður-Skiðadalur-Akureyri-		
Reykjavík	388 miles	95 litres

* includes the filling of 8 five-gallon petrol cans. In practice there was no need to have more than 10 gallons in reserve. The figures above are based on refuelling points and are therefore not true consumption figures. The following times may be of interest:

Reykjavík-Jökulheimar	13 hours
Tungnaáfoss-Tungnafell hut	6 hours
Tungnafell-Askja	14 hours
Askja-Dettifoss	5 hours

Miles per Gallon:

The following estimates for Land Rovers may be helpful:

	Petrol:	**Diesel:**
British Roads	18.50 m.p.g.	29.00 m.p.g.
Icelandic Coast	15.00 m.p.g.	23.00 m.p.g.
Icelandic interior	14.00 m.p.g.	21.50 m.p.g.

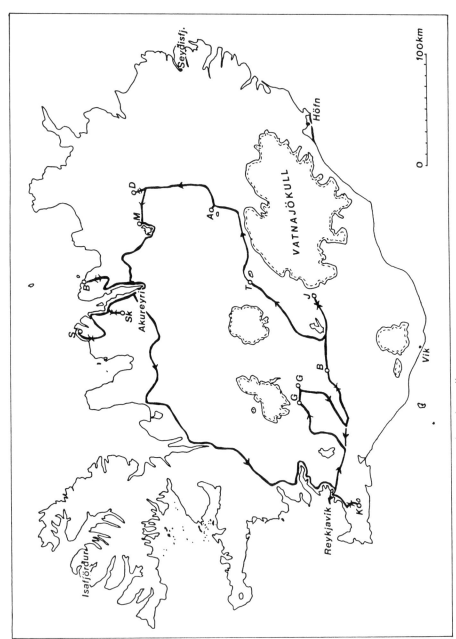

Fig. 6.3. The route referred to in "Sample Mileages".

8 CYCLING IN ICELAND

Cyclists have visited Iceland for many years but, with the advent of the tougher mountain bikes, their numbers are increasing rapidly. In the past the cyclist was treated as something of a rarity and little short of lunatic, especially those who were on a round-the-world pedal. Quite how any of those people, even the toughest of 'roughstuffers', could sustain the knocks, bumps and judders inflicted on the crutch by Icelandic terrain, is unimaginable. Today it seems rather different and many a mountain biker is to be seen swapping experiences on Reykjavík camp site.

The ring road is tempting for any cyclist but, from the experiences of those who have both succeeded and failed, it remains questionable as to whether it is the most rewarding goal. To cycle a smaller area, stay at camp sites and farms, meet the people and get to know the locality can be a longer-lasting experience. Weather conditions do change, rather rapidly, and a longer goal can become an endurance test. The author well recalls the sight of a cyclist zigzagging his way up out of Ísafjörður. To get to the top, without dismounting, was clearly his objective and nothing would deter him. Little did this poor man realise that, on reaching the very crest of the pass, the wind was blowing a head-on gale. It brought his forward speed to an instant zero, as he stood up on his pedals getting nowhere whatsoever. Wind, dust, rain, and rough roads are all perils for the Icelandic cyclist.

With a good, 15 speed bicycle, it would be rare to have to dismount on the ring road, but the road conditions can be very tough, especially in the east and south-east. Early season bikers may well experience soft road conditions, owing to recently thawed out surfaces, and in some places landslippages may have upset the route.

Of course if you want to explore off the beaten track, along some of the smaller roads marked on the maps, then it is easy to do so, but be prepared for wilder conditions and do check that a road does actually go right through to where you think that it does. Some have been fooled by the fact that a place-name hid the fact that a road actually did not continue!

Getting to Iceland is easy enough by air or sea. The airline will require the handlebars to be turned through 90° and, possibly the pedals to be removed. Loose equipment will have to be checked-in separately.

Type of Bicycle

Ordinary touring bicycles have managed to get around Iceland; some have been jettisoned en route! Generally speaking a mountain bike (All Terrain Bike) is recommended. Conventional swept frame forks minimise vibration. Make sure that there are adequate braze-ons for your racks. The long periods of vibration demand that racks be fastened with self-locking screws, and checked regularly.

Parts are available in Reykjavík, but are not so easy to come by in other areas. Basic repair equipment and a degree of initiative are required to stay on the road.

Some Problems

1. The road system essentially 'hangs' around the ring-road and thus, in most parts of the island, the biker has to share it with all other traffic.
2. On the open road Icelandic drivers rarely give way for one another, let alone a cyclist.
3. Dust and grit. Dust kicked up by passing vehicles, or blown by wind can get into the lungs and into the gears. It is useful to have some throat lozenges (for the gears of course!). Clean the chainset regularly.
4. Sealed bearing units. Go for the simplicity of conventional cone hubs which can be adjusted easily with a spanner.
5. Knobbly tyres. As there are increasingly lengthy stretches of metalled road in Iceland it is advisable to use tyres that combine a good road ridge with good off-road grip.
6. Shaking hands caused by excessive vibration. It is best to use flat, well padded, handlebars.
7. Mud up the back. Mudguards are not usually fitted to mountain bikes but are very necessary on wet Icelandic roads, especially after a period of time.
8. Uneven loads. Keep all weight low and as close to the wheel axles as possible. It is inadvisable to carry a rucksack. Put all equipment into panniers. Small regularly used items can be placed in a waist or handlebar bag.

Equipment

In addition to the usual personal equipment the following are worthy of mention for the cyclist. Obviously weight is at a premium:
Waterproofs
Lightweight, but storm proof tent with large porch
Lightweight down sleeping bag
Sleeping mat
Petrol stove (cheapest, readily available fuel)

Pump and adaptors   Freewheel remover
Spanners   Tyre levers
Plastic spoke key   Screwdrivers
Rolls of plastic tape   Pliers with wirecutter
Chain link extractor   Puncture repair kit
Cycle oil   Tube of Grease
Allen keys

Spares

bearing unit (bearings should normally last 5-10,000 miles)
assorted spokes (tape them to the seat column)

brake blocks	jockey wheels
tyres and inner tubes	chain
gear, brake and outer cables	assorted ball bearings
pannier clips	adjustable nylon straps
nylon cord	wheel nuts
dust caps	self-locking nuts
cable clamp bolts	valve tops

NB: All equipment will need packing in double polythene bags to combat penetrating dust and rain.

Renting Bicycles

Bicycles and mountain bicycles can be rented from:
BSÍ TRAVEL, Long Distance Bus Station, Reykjavík. Tel. 22300.
BORGARHJÓL, Hverfisgata 50, Reykjavík. Tel. 15653.
MELSTAÐUR, Miðfjörður. Tel. (5)-15653.
BREKKA, Hrísey island, Eyjafjörður. Tel. (6)-61751.
HÓTEL REYNIHLÍÐ, Reykjahlíð, Mývatn. Tel. (6)-44170.
HÓTEL EDDA, Húnavellir. Tel. (5)-24370.
HÓTEL EDDA, Hallormsstaður. Tel. (7)-11705.

Bicycle Shops

FÁLKINN, Suðurlandsbraut 8, Reykjavík. Tel. 84670.
MARKIÐ, Armuli 40, Reykjavík. Tel. 35320.

Bicycle Repairs

GAMLA VERKSTAEÐIÐ, Suðurlandsbraut 8, Reykjavík. Tel. 685642.
REIÐHJÓLAVERKSTAEÐIÐ, Borgarhjól, Hverfisgata 50, Reykjavík. Tel. 15653.
Many workshops around the country will usually be able to assist or to point you in the right direction.

280

9 PROVISIONS AND EQUIPMENT

PROVISIONS (General)

This chapter is aimed mainly at expeditions and backpackers. The individual visitor will have little difficulty in organising food supplies from the many food stores around the country. In addition to co-operative stores, there are also many stores associated with large petrol stations. There are already a number of large superstores operated by Hagkaup, similar to Sainsburys in the UK. The principal ones being in Reykjavík (Kringlan Shopping Mall), Akureyri (near the harbour), and Njarðvík (at the junction with Route 44). There is also a store (Vörumál) on the outskirts of Ísafjörður. You can either use the regular products with which you are familiar at home, or try some of the strictly Icelandic specialities (see Icelandic Foods).

When returning from Iceland you can bring with you some foods from the Duty Free Store at Keflavík. Smoked lamb (hangikjöt) and salmon, cheeses, lump fish caviar, skýr, and tinned fish products are all available. For Icelandic cheeses, it is well worth a visit to Osta- og Smjörsalan (see advertisement).

Icelandic restaurants may seem to be expensive at first but the service and food is good, and the portions are generous. We particularly recommend that you try Icelandic fresh fish dishes as they are cooked as you would not expect at home. The chef at Thrír Frakkar (see advertisement) is noted for his fish dishes. If you cannot make up your mind what to have ask for a selection.

You may have heard that beer is not generally available in Iceland but this ceased to be the case in 1989, and there is a growing number of pubs and wine bars (see Reykjavík Chapter 2.5).

EXPEDITION PROVISIONS

Whatever supplies you bring to Iceland must be viewed within the context of your expedition aims. To say that you intend to bring your own food because it is two to three times more expensive in Iceland is an insufficient reason. We should be viewing our arrangements from the point of view that wherever possible we put something back in to the economy of the host country.

In recent years the increase of continental traffic via the Faroese ferry to Seyðisfjörður has caused some concern in Iceland. These entirely self-sufficient groups tour the back country, contribute to the soil erosion of the delicate landscape but put nothing back into the exchequer to compensate. The result in 1983 was a food tax to be levied on entry (Chapter 10). To many this was crippling and especially to young educational groups. Those groups who can prove themselves to be 'bona 'fide' research or educational expeditions may be exempted from the tax on production of an 'Announcement' from the National Research Council (Chapter 10).

There are of course constraints on expeditions that require the import of supplies:

1. The need to pack all food into man/day units for more efficient use in the field.

2. The need to purchase in bulk lightweight A.F.D. foods that are generally not available in Iceland.

In any case bread, butter, cheese, and milk are very competitively priced and readily available both in Reykjavík and roadside stores out of town. You are not permitted to bring in butter, eggs, or uncooked meat.

The first few hours in another country can always be difficult from a catering point of view either because you have arrived at an ungodly hour, or because the expedition members want to explore the town, or because the hostel is too crowded to cater successfully as a group (Chapter 18). There are several solutions. You can instruct your members to bring with them enough sandwiches etc. to see them through to their first main meal, say on Day 2. You could provide a 'Reykjavík-only' box containing simple cold foods, soups etc. You could give every member a cash allowance and instruct them to eat where and when they wish and we suggest a few suitable expedition-pocket eating houses in the next paragraph and Appendix G.

The same problem may apply on the return to Reykjavík although by then you should have all sorts of odds and ends to finish up. However, expedition members may have had more than their fill of convenience foods by that time and an end-of-expedition 'binge' is called for. For this you could negotiate a special group price at one of the Reykjavik eating houses such as Hressingaskálinn (Central), Mula Kaffi (near the camp site on Hallamúli) or Kaffi Vagninn which is on the harbour front. During the summer the University Students Hostel becomes Hotel Garður. It is on Hringbraut and easily visible from the south end of the lake as you walk from the centre of town or descend from a No. 5 bus. If you book in advance you can get reasonably priced meals. The restaurant Thrír Frakkar will provide a special meal if you arrange it in advance. They will ask you to have it a little earlier than they normally open for regular customers. Excellent fish dishes.

Don't be too put off by the face value of prices. Even an omelette is well prepared, nourishing and supported with salad and chips. 'Coffee' refers to as many cups as you can drink. At some places the price includes both soup and coffee.

An alternative is to visit one of the Smurbrauðstofa where you can order, in advance, open sandwiches of various kinds. These may be whole slices (heilar sneiðar), half slices (hálfar snittur) or the smaller 'snittur'. Loads of 'snittur' with roast beef, smoked lamb (hangikjöt), ham (skinka), salmon (lax), shrimps (raekjur), egg, tongue etc. supported by the bottles of wine and cans of beer imported by those of an age to do so (1 litre plus 12 cans per person) can round off an excellent trip and probably extend to a few guests. Doubtless your expedition culinary wizards can add the finishing touches!

ICELANDIC FOODS:
Of Icelandic foods the following are probably suitable for expeditions:

Milk Products:

Nýmjölk	Fresh milk
Surmjölk	Soured milk — good with raisins and sugar.
Rjómi	Cream.
Skýr	Similar to yogurt but thicker; add milk, sugar and, if possible, fresh bilberries — otherwise use jam.
Ostur	Cheese — many varieties, including excellent processed.
Smurostur	Processed cheese — often with shrimps, mushrooms etc.

Fish Products:

Síld	Herring. Comes in a variety of sauces in handy plastic resealable pots.
Þurr saltfisk	Dried saltfish. Soak all day then boil. Keeps.
Steinbitur	Dried dogfish. Good to chew. Cheap.
Hardfisk	Dried cod. Ditto.
Reykturfisk	Smoked fish. If not too hot will last 4-5 days.
Hvalkjöt	Whale meat. Should be fried not boiled.
Hrefnukjöt	Small whale. Especially Eyjafjörður or Ísafjörður.
Fiskibollur	Fish balls. Tinned.
Sardines	Tinned.

Meat Products:

Hangikjöt	Literally 'hung meat'. Smoked lamb. Expensive but keeps.
Bjúgu	Minced meat in tubular form. Called 'sperðlar' in the North and 'grjúpan' in the south and east. Will last a week in moderate weather.
Slátur	Ready cooked. Two types: 1. 'Bloð' (blood, rye, fat) like salami. 2. 'Lífer' (liver, rye, fat) like black pudding. Keeps four days in stomach lining bag.
Saltkjöt	Salted meat. 1Kg/4 men. Lasts months if lid kept closed. Meat submerged in brine, Add salt from time to time. Bought in barrels from Reykjavik and Akureyri slaughter houses and certain Reykjavik shops.

SHOPS

You will have no difficulty obtaining food around the periphery of Iceland and many petrol stations have food stores attached. Some of the fish and meat items referred to in the previous section will not however be generally available in the self-service type store. The smaller provision shops in Reykjavík will be better.

Farms **may** sell you milk, eggs, butter, cheese or skýr but don't rely on it. Farms are required to buy back a portion of their produce from the cooperative and they will sometimes have spare quantities

TYPES OF FOOD

Food is such an important element in the expedition planning that we must stray briefly into general expedition food planning. However for more detail you should obtain a copy of 'A Handbook for Expeditions' by Tony Land (Butterworths). There is also a very useful article by Ian Milne in 'Polar Expeditions' (Renner). The following is a summary of some key points:

1. **Weight and Bulk:** Tinned foods are utterly impractical except for items such as jam. Use dried foods. As the food must be backpacked or stowed in vehicles it must have low bulk. See Chapter 4 for details of freight. Tea chests are too big for most buses. You could buy some 2-litre cartons of fresh milk in Reykjavík. It will keep for several days.

2. **Nutritional value:** The article by Ian Milne (op cit) is particularly good on this topic. Hard days in the field coupled with poor weather conditions demand a balanced, warming, and appetising diet. Take a supply of apples, cheese, margarine, biscuits, jam, marmalade and even flour. Consider a daily dose of multi-vitamin tablets.

3. **Variety and Palatability:** To keep costs down you will need to buy in bulk and so the menus cannot be too varied. If you develop a 7-day menu this should work quite well. Morale can be uplifted by the occasional appearance of a 'goodies' box containing chocolate, tinned fruit etc.

4. **Packing:** Pack according to the cooking units. Two two-man tents with two primuses makes a convenient unit. Each one can then be issued with the appropriate food pack for each day. To conserve the food and provide for convenient handling and distribution decant as much as possible into polythene bags. Where necessary preserve the cooking instructions as well! Bags may be heat sealed or knotted. Powdered items will need two bags. Involve the whole expedition in the mammoth task of sorting and packing. The concept is akin to packing your own parachute!

FOOD FOR DIABETIC VISITORS

There are approximately 2,500 diabetics in Iceland (approximately 1% of the population). Up to one thousand use insulin; a rather higher figure than for the UK. For some reason diabetes is more common in the Eyjafjörður district of North Iceland; that is to say around Akureyri. It has been reported that this may have something to do with the popular consumption of the speciality called 'hangikjöt' (literally: 'hung meat') which is lamb traditionally hung and smoked, over peat, in a small turf hut. It is suggested that some of the chemicals in the smoked mutton may damage the pancreatic insulin cells.

Useful Icelandic words

sýkursyki	= diabetes
Ég er sýkursjúkur	= I am diabetic
Ég nota (tek) insulin-sprautur	= I use (take) insulin injections
Sýkur	= sugar
Sýkurlaust	= ósaett = without sugar/sugar free
sýkurskert	= no added sugar (eg. as in fruit jam)

Food for diabetics

Diabetics have no great selection of foods in Iceland although there are certain jams, chocolates and sweets that are mainly imported from Denmark, Norway and Britain. As a rule sugar is not a constituent of the staple bread (matarbrauð) and some breads are even marked 'sýkurlaust'.

Food in Iceland is expensive; diabetic foods are even more expensive but Icelandic diabetics say that they get used to it and they adjust quite easily.

If travelling around the island be aware of the fact that the number of revictualling points are fewer and further apart in the eastern and north-western fjords.

Diabetic Association

The first diabetic association was founded in Akureyri in 1969, followed a year later by one in Reykjavík. The association is known as Samtök Sýkursjúkra Reykjavíkur and its address is:

> Hverfisgötu 76
> 101 Reykjavík
> Tel: 2-37-70

The office is open on Mondays between 1700 and 1900 hours.

WATER SUPPLIES

One of the most important decisions facing an expedition on arrival into its study area is the choice of its base camp site. Many factors affect the choice, such as proximity to the study area, accessibility, flatness, shelter, and size. Somewhere near the top of the list of criteria, however, will appear 'water supply: quality and quantity'. The use of A.F.D. food has lead to an increase in the amount of water needed by an expedition, and the water criterion may over-ride others in some circumstances.

Iceland is noted for its water, either liquid or solid, and you will find little shortage. However, it may not be in a palatable form. We do not suggest that you make a big thing of it but there are three possible problems:

Desert Areas: In the deserts north of the Vatnajökull the icecap produces a rain shadow and the porosity of the lava, lava sand and pumice means that there is very little surface water. You would have to rely on glacial streams, ice or snow patches (see below), springs, or your own water carriers.

Snowy Areas: If you expect to rely on melted snow or ice for your water supply do budget for enough fuel. Twice as much is needed to melt the snow before bringing it up to the boil.

Glacial Outwash: Parties working near glaciers or ice-caps may find that clear water is not available. Thus, any development which enables a party to use water charged with glacial rock flour also allows a leader more freedom in the choice of his camp site; the water criterion becomes less important.

Water charged with rock flour is typically opaque cream or green in colour. It tastes gritty. It is also one of the finest laxatives known to man! The flour is composed of rock particles too small to see, and is in suspension in the water. When faced with the necessity of drinking such water, you are faced with several alternatives:

(a) Storing the water and allowing the suspension to settle out.
(b) Using a flocculation agent to speed up the settling of the water.
(c) Using a centrifuge to spin out the solid matter in the water.
(d) Filtering the water.
(e) Drinking it anyway, and using drugs to cope with the results.

(a) **Storing the water:** This has been tried with some success, although the settling time may be as long as three days. The hurly-burly of base camp life may mean that the settling tanks are upset, or that they are allowed to run dry. The method also implies the ability to store three days' supply of water or even more. Polythene bivvy sacs inside crates or drystone walls may prove suitable rain traps and tanks. Alternatively dig a hole close to an outwash stream and allow the water to filter through by natural seepage. This is one of the most effective natural filters.

(b) **Flocculating agents:** Agents such as Bentonite may prove suitable for inducing flour particles to clump together and settle. However, the operation still takes time, no water is available until the process is complete, and another item is added to the supplies list.

(c) **Centrifuge:** To our knowledge this has never been tried (in the field or anywhere else). Use of a centrifuge implies a power source (ie. a generator) and thus two extra pieces of equipment, and fuel.

(d) **Filtration:** Rock flour particles are sufficiently fine to pass through silk and muslin, so that improvised filters are not usually successful. There are two alternatives. Either purchase a commercially available filter or experiment with darkroom or wine making filters.

(e) **The Medical Solution:** The symptoms produced by consumption of untreated water can be treated by drugs such as 'Lomontil'. But surely drugs only treat symptoms and not the cause of the trouble. Surely dependence upon drugs of any kind when on an expedition should be avoided.

FUEL SUPPLIES

Paraffin

You may find that few people have heard of it. Ask for 'Steinóliu' or 'Ljósóliu' at a garage or ironmongers. It can be bought in plastic containers (1 litre) which have been known to leak. It is better to take along your own 5-gallon containers (empty) on the aircraft. Alternatively, if you need large quantities, a 55-litre drum can be obtained from Olíuverzlun Íslands (BP) at a reasonable cost. The storage depot lies to the north of the Reykjavík camp site. Return the empty drums. Unopened drums may be sold back to the company.

The plastic containers cost up to 50% above the normal price which is charged at the fairly large number of filling stations with a 'steinóliu' pump, but where you need your own container. It has been found in the West Fjords that it is impossible to buy paraffin in quantities less than 200 litres, except in the 1 litre plastic containers but it is still easy in Reykjavík and throughout the south. For a fortnight's supply the price difference is appreciable.

Petrol for Stoves

Both leaded and unleaded (blýlaust) petrol are available in Iceland.

Methylated Spirit

Meths is very expensive in Iceland. The industrial type may be bought at chemists in various sizes of container and at the State Liquor Monopoly (ATVR) store on Snorrabraut. ATVR is the only authority permitted to import meths into Iceland. You are unlikely to obtain a permit to import but if you are successful it can be shipped out provided that it is packed in a separate container to be stored in a separate part of the ship. The flashpoint must be stated (64.6°). A cheaper fuel for Trangia stoves is available from the Scout Shop in Snorrabraut (see advertisement). It is known as Rauðspritt and is available in 1 or 5-litre containers. Cheaper still is white spirit (Hreinsað bensín).

Butane Gas

The two principal types of L.P.G. are:

Primus: The small and large (2202) cylinders are universally available from petrol stations and many stores.

Camping Gaz International: Globetrotter, S200 and 907 rechargeable cartridges can be obtained from petrol stations and from the Scout Shop on Snorrabraut. The latter hold the franchise for Gaz and are trying to make the cartridges more universally available. It is worth contacting them (see advertisement). Note that in addition to the S200 cartridges, there is also a cartridge of welding gas of exactly the same dimensions. It is less than half the price.

TENTS

This is not the place to discuss or recommend specific tents. Wind and wet are joing to be your main enemies and cheap tents are not worth considering. Essentials include a sewn-in groundsheet and a flysheet that pins direct to the ground all the way round the tent. A valence on the flysheet would be a great advantage.

If you do not have your own the Icelandic company Tjaldaleigan (Rent-a-Tent) hires 2-, 4-, and 6-man tents at reasonable rates. Also sleeping bags, air/foam mattresses, gas stoves, rucsacs, pots and pans. They also do base camp tents (3.5m x 3m), Bus Packers Kits and Economy Kits for 1, 2, 3, 4, or 5 people. Rates are available from Tour Operators. The two-man tents weigh 6kg and are made of strong sailcloth with a nylon flysheet. They are Icelandic made and not dissimilar to Vango tents. They also have some Lightweight nylon 2-man tents (3.5kg).

If travelling with an Icelandic tour company such as Arena, Guðmundur Jónasson or Úlfar Jacobsen a kitchen wagon and driver, food and cooks,

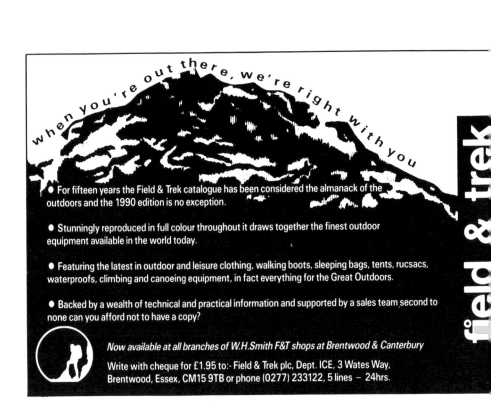

tents and mattresses form part of the package. Rates can be very competitive for groups and details can be obtained through Tour Operators.

CLOTHING AND PERSONAL EQUIPMENT

In general it is fair to say that for travel in Iceland, in the summer, you should be prepared for much the same conditions as in the English Lake District. The regular traveller should have clothing and footwear for wet or windy conditions and might well peruse the sections for expeditions and backpackers although, obviously, they are looking for more extreme conditions. It wouldn't be an expedition otherwise!

For comments on winter conditions, see Chapter 17.

Clothing colour

Bright orange is the most suitable colour for anoraks and cagoules in Iceland. Blues, greens and browns are very difficult to see against ice or against the basaltic background elsewhere. Should you become lost you will appreciate the need for bright identification.

Items of special note

Walking boots: must be sturdy, walked-in, and in good repair. You may need to buy new soles on return. Boots with external stitching may suffer abrasion from lava. The RAF Trans-Iceland Expedition (1972) found the life of boots to depend upon the care with which the foot was placed. The careless 'scuffler' will soon wear his boots out.

Waterproofs: A good anorak is essential but your enjoyment of the expedition will be improved with the ownership of waterproof overtrousers and cagoule or similar jacket.

Sweaters: If you are having to buy one, wait until you get to Iceland. Expensive, but a hand-knitted sweater will last you for years.

Insulation: A lilo or sleeping mat is essential. You will rarely sleep on soft ground. Closed cell mats are best. Lilos rather cold, especially on ice.

Sleeping bag: Even 'Icelandic Specials' have been reported inadequate at times! A good wall-quilted sack is best.

Cookers: Paraffin is most suitable (cost, heat). It is cheap and sold in handy containers. Meths is phenomenally expensive. Gaz is available in Globetrotter, S200 and 907 sizes. Also Primus 2202 gas cylinders.

Polythene Bags: You can never have enough. Airtight tins and silica gel useful for matches, film etc.

Rucksack: According to preference. Good detachable frame most versatile for expeditions.

Other personal items (★ = specialist items)

2 sets underclothing (string vest or long-johns for Vatnajökull?)
2 warm shirts (long sleeves) — preferably wool or thick brushed cotton
1 light shirt
1 pair warm trousers/breeches
1 pair thinner trousers
3 pairs socks/stockings (80% wool, 20% nylon)
1 pair gymshoes/trainers/basketball boots
Gaiters
Swimming trunks
Handkerchiefs
Tracksuit (trebles as pyjamas, spare sweater, spare trousers)
Woollen gloves/mitts
Balaclava
Scarf (small)
Gloves
Toilet kit
Spare laces, polish etc.
Needle and thread
Bivvy bag
Mug, knife, fork and spoon
Torch with spare batteries
Penknife, whistle, compass
★Snowgoggles, harness with karabiner, prussiks
★Overgloves
★Climbing helmet
★Ice-axe, crampons, dead-man belays, ice-pitons, belay slings, karabiners
Notebook, pencils, ballpoint pen, eraser etc.
Personal First Aid kit, glacier cream, Nivea
Camera, film, binoculars
Patience (plenty of it)

PHOTOGRAPHY:

Expedition photography is an art in its own right and this is not the place for a general discourse on the subject other than in the context in Iceland. We can recommend the three articles on photography in Geoff Renner's 'Polar Expeditions'. Photographically Iceland is a photographer's delight because of the clear atmosphere and sharp images.

Ensure that you have a telephoto or zoom lens in addition to your fixed camera lens, and perhaps a wide-angle lens as well to create those important atmospheric shots for the post-expedition report. Little bodies can look very lost in an Icelandic desert landscape! Having said that however it is not necessary to take every conceivable gadget such that you cannot even get off the ground. Be selective and keep it simple.

In Iceland's humid climate great care needs to be taken to keep out condensation (airtight tins and dessicators) and dust, both of which are common problems. Slow film (eg. Kodachrome 25 or 64) is recommended for Iceland and are better for subsequent printing or use in audio-visual presentations. Sharp differences in contrast between basalt landscape, glaring desert surface or ice, make the use of a light meter very necessary for best results. Winter trips will need faster film and Ektachrome 200 or 400 is normally very satisfactory; you can always upgrade the ASA rating if you remember to let the developers know that you have done so. For black and white photography Ilford FP4 or Kodak Panatonic X are best for the bright conditions you will experience.

Even if you are only taking one small camera without sophisticated extras do take cleaning materials with you such as a lens brush and anti-static cloths. A few Kleenex are useful. Icelandic lava surfaces are nasty and your lens runs the risk of being scratched unless you use a UV filter as protection. It will also reduce the excessive sky blue.

If undertaking a winter or icecap expedition beware the fact that most cameras cease to oblige at about -20°C. Batteries need to be removed, kept in a warm place (inside a glove?) and returned to the camera when a shot is needed. In any case your camera will need to be tucked inside your clothing out of Jack Frost's way. Front-zip jacket therefore essential but ensure a sturdy zip. Thin metal ones may break in the cold. Cameras can be 'winterised' to combat this. Your fingers cannot be so treated except by wearing gloves. Mittens are cumbersome but silk gloves rather smart! Winter cold also causes condensation problems when, after a day out in the cold, you return to the warmth of a geothermally heated hut. If you place the camera into a sealed polythene bag the condensation will form on the bag rather than the instrument which can be removed once the termperatures have stabilised.

Whatever you do, have a clear picture of what you want in the way of photography before you depart from home. Is it for the report, lectures, teaching, a personal record, sales, or what? If it is specific then it will need careful thought and the allocation of its supervision to a competent expedition member. An expedition photographer has to opt out of certain chores in order to capture an event and unless specified by the leader this can cause irritation!

If you absolutely cannot wait to see the results of your print film there is now a rapid developing company, Framköllun, in the very centre of town. Here you can actually see your film go in one end and your photographs emerge at the other.

FILM PRODUCTION FACILITIES

There are several film production companies and Iceland has recently seen several very successful domestically-produced cinema and television films that make good use of the Icelandic landscape. Undoubtedly the largest film company with excellent studio and post-production facilities is Saga Film (see advertisement). They have, for example, undertaken filming for the BBC Natural History Unit and a dramatic part of the first programme of

David Attenborough's "The Living Planet" series, and have also acted very successfully as agents, at the Icelandic end, for the shooting of one of the sequences for one of the James Bond films. They have also been very much involved with the production of numerous television commercials, assisting either in the field, or with preliminary groundwork preparation, with preliminary editing of rushes, or transfer of video film. Most types of film facility are available.

In the United Kingdom, there is an Iceland picture library, and location finding service at Iceland Locations, P.O. Box 434, Harrow, Middlesex HA1 3HY (081-422 2825).

10 RED TAPE

The title of this chapter is slightly misleading since Iceland is remarkably free of red tape. There are however a number of procedures that you cannot avoid and we hope that this chapter will guide you through. Having said that the rules change every so often so be prepared. If in doubt ask the Iceland Information Centre.

PERMITS

Fieldwork Permission

The Iceland National Research Council should be aware of the expedition plans. In particular they will want to know the dates, location and numbers in the party. At the time of going to press the work of the Research Council has been split between itself and the Science Council. Research permits have temporarily fallen between two stools but seem likely to come under the aegis of the Science Council. It may be necessary to contact the Iceland Information Centre for clarification. Application for permission may take two forms:

Research Permit for expeditions carrying out any research project of an original nature. Research is defined as 'creative work undertaken on a systematic basis in order to increase the stock of knowledge, including knowledge of man, culture and society, and the use of this stock of knowledge to devise new applications'. Research work would normally be expected to appear in a scientific journal. If one expedition is undertaking research in several field sciences then the leader of each study is required to submit an application for his particular area of responsibility.

Successful applicants will receive a Research Permit which is valid for one calendar year only. On-going research will therfore require re-application on an annual basis.

Educational Permit for expeditions carrying out fieldwork as opposed to research work.

Successful applicants will receive an "Announcement" which is somewhat ambiguously worded in that it says that your expedition "does not warrant a Research Permit". Unless some stipulations have been typed below this statement you can consider yourselves to have been awarded an educational permit. If in doubt contact the Iceland Information Centre.

Application for both types is made on an official Research Permit Application form available from the Research Council or from the Iceland Information Centre. Educational Permit applications should be accompanied by a covering letter stating the fact that the application is for education rather than research. Field programmes need to be clearly defined before an application is made and previous discussion with an Icelandic scientist will further your cause. Permission is not normally turned down if the request is sufficiently explicit and the proposals do not conflict with other work in the area. The application will be passed to the appropriate departments for comments before a decision is made and this can take several months before a reply is received. The relevant sections of the Regulations affecting Foreign Scientists and Explorers in Iceland are given below:

Article 1:   No foreigners are permitted to undertake scientific research work in the field of natural sciences without having first obtained a research permit issued by the Ministry of Culture and Education.

Article 2:   Applications for research permits shall be submitted to the National Research Council.

Article 3:   Each application shall be accompanied by a detailed description of the research programme to be undertaken, specifying among other things the equipment which will be used. In addition to their names the applicants shall provide information on their nationality, educational background, as well as their professional experience and qualifications for carrying out research work similar to that to be undertaken in Iceland. Furthermore, it is desirable that the application be supported by a letter of reference from a well-known scientific institution.

Article 4:   As a rule permits are not granted for research programmes which are currently being carried out by Icelandic scientists, or which they expect to undertake in the near future. **No specimens of birds or eggs may be collected without special permit from the Ministry of Education and Culture.**

Article 5:   Any holder of a research permit shall himself be responsible for obtaining necessary licences for the importation of equipment and other gear. He shall likewise be responsible for the payment of all expenses incurred by the expedition, unless otherwise specifically agreed upon.

Article 6:   **Natural History specimens must not be exported from the country unless permitted by the Icelandic Museum of Natural History.**

Article 7:   Before the members of the expedition leave Iceland they shall submit a preliminary report of their research activities.

Article 8:   When the results of the research programme have been worked out in full, a final report shall be submitted to the National Research Council in three copies. Furthermore, the National Research Council shall be provided with five copies of all articles, books or maps, which are published in connection with the work of the expedition. (This obligation does not apply to those with educational permits but the National Research Council appreciates the receipt of one copy of your report).

NOTE: When permission has been received please be careful to use it in the right way and note that the permit applies **only** to the actual field programme. It does not override any laws pertaining to Iceland. Approval to carry out your plans does not necessarily mean that they are considering your work to be of scientific value. Therefore should you use the approval to support your applications for grant aid? For British expeditions a Royal Geographical Society or Young Explorers' Trust application requires that the permission of the Iceland National Research Council have been sought. The permit is not a 'carte blanche' for duty free imports.

LICENCES

Food Importation: In 1983 a law was passed to levy a tax on imported foodstuffs exceeding 10 kg. per head in weight. This law was designed to catch those European groups arriving by ferry in their own vehicle and bringing all their own food. Such groups were contributing nothing to the Icelandic economy. However, 'bona fide' expeditions who have received a research permit or an "Announcement" from the Iceland National Research Council will, for the time being be exempt from this tax. But please recognise that the research permit is **not** in itself an automatic certificate of exemption, nor does it allow you to import whatever you will. The laws of Iceland must be adhered to (see Customs regulations below).

Groups without permits can expect to be asked to pay the tax on most items in excess of the 10 Kg limit. This could be quite high. To demonstrate educational status it is best to carry an open letter from the Principal of your educational establishment and typed on headed notepaper. The content might be something like this:

To Whom it May Concern

I write in support of this expedition from 'X establishment'. Their visit is entirely educational and I would greatly appreciate any assistance that can be offered to them to enable them to achieve their objectives.

To avoid risk of meeting a customs officer who is unaware of the situation with regard to educational and cultural groups there are two other lines of approach:

1. Obtain a 'carnet' from your local Chamber of Commerce. This will cost about £50 but can save you a lot of trouble. It is issued, for example, to companies exhibiting abroad, who wish to take out, and bring back, equipment that they will be displaying.

2. Use an agent to clear customs for you. The Iceland Information Centre has an arrangement with an agent in Reykjavík, exclusively for expeditions. The cost is small (about £20 in 1990).

Fishing Tackle: All angling equipment and waders must be disinfected by immersion in a solution of 4% formalin for a period of ten minutes, well scrubbed in the solution and then washed in clean water. As proof of this the veterinary surgeon should type a declaration on his practice's headed notepaper to the effect that the equipment has been disinfected against all known freshwater fish disease. On arrival in Iceland you may also be required to purchase a further permit for a small sum.

Guns: Only Icelandic citizens are permitted to hold licences for firearms. Expeditions in transit to Greenland will be required to hand over guns when transferring to, say, Akureyri for the flight to Greenland.

Vehicles: Green cards are required for Iceland. Drivers are supposed to have an International Driving Licence in addition to their own licence but this does not seem to be too rigidly adhered to. Drivers must be 17 years or over to hold a full driving licence, but 20 years or over to rent a car in Iceland.

CUSTOMS REGULATIONS

1. The import of butter, drugs (other than for personal medical use), eggs, firearms (handheld mini-flares are not firearms), uncooked meat and poultry is prohibited.

2. Tourists may bring into Iceland 1 litre of wine **or** other drinks up to 21% alcohol, **or** 12 cans of beer, plus 1 litre of liquor up to 47% alcohol. Also 200 cigarettes or equivalent of other tobacco products. Expeditions have been known to have received supplies of liquor from benevolent firms — this must not be imported into Iceland, even if it is to be consumed solely by the expedition members.

3. The importation and export of Icelandic kronur is controlled. British banks will only receive Icelandic notes of certain values. Check with your local bank. There are no problems in changing travellers' cheques in Iceland and most credit cards are acceptable all over Iceland. It is now possible to draw cash from post offices using Visa and Eurocard.

4. 'Bona fide' expeditions may bring in such food and equipment as is proportionate to the length of their stay and the type of activity to be carried out, provided that it does not breach Icelandic law. See the section on the food import tax.

CLEARING CUSTOMS:

The technicalities of customs clearance vary as much as the advice given by different authorities. Those accompanying their equipment by air will have no problems. The problems arise (less so recently) when freight is shipped in advance and needs to be cleared from a warehouse. We recommend that for maximum preparedness you go armed with:

1. Your National Research Council permit or "Announcement" — if applicable.

2. A signed statement on your headed expedition paper saying: "We hereby declare that all the imported goods will be used exclusively by the members of this expedition and that the imported equipment and unused provisions will be re-exported on (date)". If you have a carnet (see above), it will already state this.

3. A duplicate list of equipment and food.
4. The bills of lading from the shipping company.
5. Your open letter from the Principal — if applicable.

For details of the process of customs clearance see Chapter 18.

VATNAJÖKULL EXPEDITIONS

Any expedition planning to go onto the Vatnjökull icecap should be in touch with the Iceland Glaciological Society and the director of the Iceland National Life-Saving Society which coordinates rescue services. They will be very helpful with their advice. Rescue itself is not a right and can be expensive. Vatnajökull expeditions are encouraged to be in touch with the Iceland Unit and to try to take advantage of the special winter fares offered by Icelandair to carry out a 'reconnaissance' to see all the relevant Icelandic personnel.

TAXES

VAT

Note that VAT of 24.5% sales tax is imposed on all that you buy in Iceland and this may not always be apparent on listed prices (eg. for car hire or air photographs).

Diesel Vehicle Tax

Expeditions importing diesel vehicles will find that a tax is imposed according to the vehicle weight and the length of stay. The rates are not exhorbitant but must be budgeted. Details should be obtainable from Travel Operators.

Food Tax: See 'Licences' above.

INSURANCE

Do make sure that you are adequately covered as medical treatment can be very expensive in Iceland. Scandinavian countries have reciprocal agreements but only recently have Britain and Iceland agreed that medical treatment in Iceland should cost a British citizen no more than that for an Icelander who also belongs to a national health service. Ambulance fees will be charged but hospitalization is free for cases of sudden illness.

If using technical climbing aids, such as pitons or ice screws, then you **must** have mountaineering insurance. Without it the insurance company will not refund any costs. Shop around for quotations but do it in good time so that you do not lose booking deposits in the event of someone dropping out. You will need insurance for medical, repatriation, personal accident, loss of deposits, personal baggage and money, mountain rescue (where appropriate) and, above all else, personal liability. The Iceland Information Centre has arrangements, for expedition and mountaineering insurance in Iceland, with the well known West Mercia Insurance Company.

The following examples may serve to stress the need for cover and caution by expedition members:

— a fourteen year old boy badly broke his knee cap near Landmannalaugar. As it is four to five hours drive to Reykjavík he had to be lifted out by USAF helicopter. Operated on in Reykjavík and sent home.

— a fifteen year old boy sustained third degree burns on both feet when he slipped into a mud spring. He was fortunate to be treated by a passing doctor, brought to Reykjavík by car, and repatriated.

— a member of an ornithological party fell while bird watching and injured his pelvis. Evacuated by air to Reykjavík and repatriated.

— a fourteen year old boy tried to jump over a hot spring at Deildartunga, slipped and fell in. Two friends tried to help him out and also fell in. A USAF helicopter evacuated the boy while conventional ambulance plane returned the two friends. The boy was in intensive care for 10 days and his mother brought from England. Doctors said that he would require operations and skin grafts for the next two years.

— An Australian girl hitched a lift in a car which went off the road. She broke her leg but was not covered by insurance.

— A well-known British horseman was drowned while attempting to ford a river in spate on horseback.

— Two army officers tried to cross Iceland in the winter. They were experienced and had first class equipment. They got 100 km before abandoning the venture, and all their equipment, because one suffered bad frostbite to his feet.

— A tourist attempted to traverse a glacier in plimsoles. He slipped about 30m. fell 6m. and died within 24 hours.

— Two British students were lost on Vatnajökull, never to be seen again. They were last seen walking side by side pulling a sledge. They had skiis but no crampons.

— A party of cyclists tried to cross Iceland on bicycles but lost one cycle and two tents within the first four days. They had to be collected by lorry at their own, not inconsiderable, expense.

— An expedition using gas stoves in nylon tents suffered a conflagration which left one person badly burned about the arms and neck. Required medical treatment and repatriation.

— A party of young foreigners trying to cross a mountain on the south-west coast at Whit were caught by a sudden snowstorm. Three died.

— Two hikers fell into a stream and were swept away by the current. One went over the Skógarfoss waterfall and was never seen again, although his clothing and rucsac were found.

GENERAL

Visas and Innoculations

None are required by European nationals or nationals of Australia, Bahamas, Barbados, Belize, Bermuda, Botswana, Brazil, Canada, Chile, Dominica, Fiji, Gambia, Grenada, Guyana, Hong Kong, India, Israel, Jamaica, Japan, Republic of Korea, Lesotho, Malaysia, Malawi, Morocco, Mauritius, Mexico, New Zealand, Solomon Islands, Seychelles, Singapore, St. Lucia, Swaziland, Tanzania, Trinidad and Tobago, Tunisia, United States of America. All others require a visa issued by an Icelandic consulate.

If you have returned from certain countries outside Europe within the previous 14 days you should have a smallpox vaccination. We recommend that expedition members have anti-tetanus injections or boosters before leaving home.

Passports

A valid passport is required for travellers coming from any country except Denmark, Faroes, Finland, Norway, and Sweden. A British Visitor's Passport is acceptable.

Embassy Notification

Expeditions are advised to notify their respective embassies as to their intentions while in Iceland. Should anything go wrong during your visit they are more likely to be sympathetic if they already know something about you. In the event of an emergency they will want to know:

1. Where you should be at any given time.

2. How many there are of you.

3. What you are doing.

4. Your mode of transport.

5. The name of every member of the party.

6. The name, address, and telephone number of a home agent who may be contacted in the event of an emergency. This person should be available throughout the expedition and should have the names and addresses of all the expedition members and the full details of the expedition insurance policy.

The leader should call, if possible, or at least leave a message at the embassy on arrival in Iceland to report the arrival of the expedition. He should, **without fail** report the expedition safely out again **before** departure. Again this may be done by leaving a message.

Local authority notification

In the past the National Research Council, on granting a research permit or educational 'Announcement', would notify the local police, and sheriff, of the group's presence. This can be a helpful formality. For example, one group on North Vatnajökull, was able to be warned of an impending glacier surge that had rendered the glacier highly dangerous. Should anything go wrong then advance notice of an expedition's presence is helpful. Groups not receiving a permit or announcement are advised to notify local police. The existence of the nearest police station can be obtained from the maps in Chapter 2. A letter can then be sent to The Police Station *(Logreglan)* at that place. Telephone numbers can be obtained from the telephone book, or from the Iceland Information Centre.

Young Explorers' Trust Approval and Grant Aid

British youth expeditions are eligible to apply for the Trust's approval or, if considered worthy, financial assistance as well. The awards are not large but the recognition of the Trust is accepted by numerous firms and other bodies to whom you may be applying for assistance of various kinds. Every year outstanding expeditions are recommended to be put forward to the Royal Geographical Society's expedition panel. Applications must be received by 1st December, and the interviews will take place in mid-January. Expeditions will know the results by early February and will receive their grants in early April. The second round of applications is due by 1st May with results/awards in June/July. However most of the award money is allocated at the first round. Full details are available from the Trust's head office at the Royal Geographical Society.

International Relations

It is so easy for one expedition to undo all the goodwill generated by the majority of well-organised parties. In some instances the scar has taken time to heal. For example a group carried out a sociological study in a farming community where little English was spoken. The party walked all over the farmland without permission, making notes and sketches with the mistaken view that their work would contribute to improving the farmers' lot. Another group in North Iceland managed to turn a farmer against all expeditions on account of damage done to a wall and to turf. A boat was borrowed and not paid for, and a group was rescued from the interior without so much as a 'thank you'.

A little thought and manners go a long way.

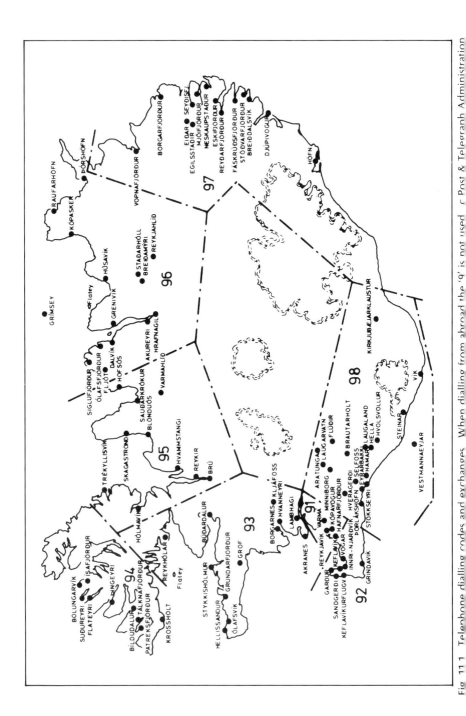

Fig. 11.1 Telephone dialling codes and exchanges. When dialling from abroad the 'o' is not used. c Post & Telegraph Administration

11 RADIO COMMUNICATIONS

THE PATTERN OF COMMUNICATIONS IN ICELAND

Iceland has a good network of telecommunications for the inhabited areas. Most farms have a telephone, but often the exchange has limited operating hours. The 1:250,000 map of Iceland marks the principal telephone exchanges. They are also shown in the Icelandic telephone directory (Símaskrá).

Beyond populated areas, and in the interior and peripheral fingers of uninhabited land radio provides the only means of communication. Iceland is unusual in that it possesses a chain of coastal radio stations that provide a mobile communications service to the interior of the island in addition to its prime task of marine communications. All stations can be called on a set frequency throughout the daylight hours and the major stations monitor this frequency through 24 hours. Some huts in outlying areas (eg. the Hveravellir meteorological station, Kerlingafjöll ski school) have radios.

A second frequency is allocated for communications between mobile stations and, on a third frequency, it is possible to be connected into the Icelandic telephone service. Most coaches and buses, and many private vehicles have HF/SSB radio telephones. A centre-loaded vertical whip aerial is invariably used.

All this gives an intensive pattern of usage which has to be strictly controlled by the issue of licences.

THE TELEPHONE DIRECTORY

The directory is an invaluable aid to planning. It is arranged with Reykjavík telephone numbers in the front followed by the Reykjavík Yellow Pages. Thereafter the towns and exchanges (Fig. 11.1) are arranged alphabetically. Right at the back is an alphabetical list of all the farms in Iceland with their telephone exchanges and postal districts. This can be very useful when trying to sort out base camps in advance. The Iceland Unit always keeps the up-to-date directory and so you can always check details with them.

Remember that individuals are listed by their given, first names. Often their professions is listed against their name as well. When seeking names it is often as well to note the person's middle name, if they have one. There may be, for example, a long list of people with the name Jón Magnússon and so it helps to know that the one you seek is Jón S. Magnússon.

HOW TO OBTAIN RADIO USE

Casual

(a) Hire of a vehicle, such as a coach, will give you access to a radio.

(b) A nearby farm will have a telephone or a radio for use in an emergency. In rural districts some exchanges are only open at certain times of day but this can be verified in advance by reference to the telephone directory or by writing to the Iceland Unit.

(c) Close proximity to a route with sufficient traffic may allow use of someone else's in an emergency.

In all these cases remember that the use of a radio is not a right. You must offer and expect to pay for the use of it.

Regular

Regular use of a radio implies temporary ownership.

(a) **Hire:** The Post and Telegraph Administration are not able to loan or hire out single sideband tranceivers. Double sideband sets may only be hired in very special circumstances. However, they will fix a radio into your vehicle, and this will not take long. This is not absolutely necessary; all you need is a 12-volt battery. Transmitting only once a day will give you sufficient power for a three week expedition. You will be required to keep a log of your transmission times.

On arrival in Iceland you will need to arrange fixed calling times with the transmitting station at Gufunes. You will be advised to check the signal once in Reykjavik and again on your way out of town just to test that all is well.

At the time of writing, the Iceland Unit has no contacts for radio loan or hire. However we are advised that Pye Telecommunications sometimes loan two-way radios if given ample warning. One expedition successfully appealed for assistance through their local radio station.

(b) **Bringing your own:** All sets must be of the single sideband type. You will need written proof of ownership and date of purchase.

It is advisable to write to the P.T.A. well before your expedition and state clearly your intention over radio use. If you wish to talk direct between two sets then a wave band must be arranged. Documentary proof that you are a 'bona fide' expedition (ie. Research Council approval) may allow a licence fee to be waived, but you should be prepared to pay for a licence. You will be asked to complete a registration form indicating the power, modulation and type of radio.

Licences for CB equipment are not normally issued except under special circumstances and provided that the expedition is approved by the National Research Council.

Expeditions should not hesitate to contact the P.T.A. whether hiring or importing radios. They are most helpful. Do not attempt to import a radio without first contacting them or, like many expeditions, you will find your radio confiscated by customs.

If you bring in an HF/SSB set and intend to obtain service from the coastal stations you should be prepared to name someone domiciled in Iceland who would undertake to be responsible for the payment of your bills.

TECHNICAL NOTES:

A set operating on the marine distress band, Channel 16, is not allowed, and the use of 'personnel locator beacons' is heavily restricted, because of the proximity of the NATO airbase and the risk of unnecessary call out by rescue services.

Licences and a private channel can be provided for the band 154-174 MHz. In this case permission is given for one base station only of a maximum e.r.p. 25 watts.

Almost any receiver is capable of intercepting transmissions of the Icelandic weather forecast, providing it has a battery. The weather forecast is broadcast on 209 kHz in Icelandic plain language at the following times GMT:

0700 0815 1225 1615 2230 0100

The weather forecast is transmitted in morse on 276 kHz in Icelandic plain language and repeated in English, at the following times GMT:

0530 1130 1730 2330

The Directorate approval and subsequent licencing **may** be obtained for the following transceiver description which conforms to the required specification Operating in the band 2.7-3 MHz on fixed channels of which one may be used for communication between mobile users while two other channels are intended for communication between mobile users and fixed stations in the Icelandic telecommunications network. Of these two channels, one is used for calling and short messages, the other, a duplex channel, for connection to the telephone network. A charge is made for each call on the public network.

Channel 1.	2790 kHz	TX/RX for calling.
Channel 2.	2833 kHz	TX/RX for communication with other land mobile stations.
Channel 3.	2854 kHz	TX
	2761 kHz	RX for communication with fixed stations in the land mobile (telephone) network.

including A3h, A3A, and A3J modes, intermodulation not exceeding -30dB, spurious emission not less than 50mW, pass-band not more than 3kHz, and frequency drift not more than 40 Hz within 15 minutes.

In respect of power packs, Nickel Cadnium (TX/RX) and Mercuric Oxide (locator beacons) batteries do not operate effectively at temperatures of -20°C and below.

POINTS TO NOTE

1. Do you really need a radio? Most expeditions do **not** because they are close to direct telephone assistance. If in doubt the Iceland Unit can advise. Even a Vatnajökull expedition rejected the use of radio equipment having regard to weight, bulk and the suitability of the equipment. If you cannot easily transport the set or have it available at all times then it serves little purpose.

2. If you decide to take a radio do not let it induce a false sense of security in relation to matters of safety.

3. Ensure that **all** the necessary parts work before leaving the UK, and that you have sufficient spares.

4. It is vital to pack your radio sets securely. Wooden crates with foam padding and/or polystyrene chips are best and should be suitable for re-use on the return journey.

5. Arrange adequate insurance cover.

6. Bare tracts of lava can absorb radio waves and may reduce the effectiveness over a comparatively short distance. Direct radio communication may not therefore be possible.

7. It is essential to have a trained operator in the field, who has at least a working knowledge of how to repair the set. Take a copy of the blue-print with you. If the P.T.A. has to modify your set it will be needed.

8. Unlicenced radio sets have been known to be confiscated by the Icelandic customs on arrival in Iceland. Be forewarned!

NOTE:

The orange rescue huts around the coast, and at certain strategic passes, are the property of the Iceland National Life-Saving Society. They are NOT for general use except in an emergency as they are primarily for mariners. The radios are tuned to the international distress frequency.

12 MOVEMENT IN THE MOUNTAINS AND INTERIOR

INTRODUCTION

This chapter is aimed at a safety awareness among those who leave the beaten track. Of course the major hazards rarely, if at all, appear in one place so that common sense, coupled with a tendency to err on the side of caution is usually sufficient. It is not possible to lay down hard and fast rules for mountaineering in Iceland, nor is it desirable that anyone should do so. Your approach to the conditions will vary according to the area, your experience, motivation and available equipment. The following notes are intended to give an indication of some of the conditions found in Iceland and to attempt to answer some of the many questions sent to the Iceland Information Centre.

An equipment check list will be found in Chapter 9 but briefly it may be stated that the equipment required for mountain/desert work in Iceland is similar to that for British mountains and for snow/ice or glacier work is similar to that for alpine climbing.

Mountaineering is a sport which is increasing in popularity in Iceland and with the advent of the Icelandic Alpine Club (ísalp) many areas of the country are being 'opened-up' to ski-mountaineering and conventional alpine-style mountaineering.

WEATHER CONDITIONS

There is an Icelandic saying that if you do not like the weather, wait a minute. The weather is variable and localised. If one can generalise, the atmosphere in the north is relatively stable with finer weather on the whole, although it can be colder. The relative absence of ground vegetation and trees does mean that little protection can be afforded from wind. In the desert areas this produces sand storms that penetrate most tents somehow or other. The bare sand and rock will heat up more quickly and cool down more quickly than over a glacier or icecap; the resultant pressure gradient can cause powerful katabatic winds from the glacier, especially in the morning. Where there is an appreciable difference in altitude between glacier and outwash the downdraught may be so sudden as to flatten tents.

The prevailing wind on the south coast is south-easterly but commonly south-westerly in summer. In view of this the area west and east of the Öraefajökull, for example, may receive quite different weather conditions at the same time owing to the föhn effect across the mountain.

MAPS (See Chapter 3)

The 1:750,000 map is quite unsuitable for hiking. The new 1:250,000 series are probably the best at present owing to the fact that the 1:100,000 are rather old and inaccurate — especially along the ice margins — and should be read with an open mind. Roads marked on these maps should be treated with caution but in addition to these there are frequently new routes opened up by farmers, Ferðafélag Íslands, or the Power Authority which will take four-wheel drive vehicles.

Several special maps of popular walking areas have been produced. These are:

Hekla	1:50,000
Mývatn	1:50,000
Skaftafell	1:100,000/1:25,000
Hornstrandir	1:100,000
Húsavík-Mývatn	1:100,000
Thórsmörk/Landmannalaugar	1:100,000
Sudvesturland	1:100,000

The last mentioned map covers the interesting south coast and the Reykjanes Country Park; altogether some areas that are greatly underrated by visitors.

COMPASS DEVIATION

The compass deviation is about 20° west but this will vary locally on account of fossil magnetism in the basaltic rocks which may give cause to abandon the usual maxim of 'trust the compass'.

TYPES OF TERRAIN

Wet Ground

There is a great deal of wet ground in the valley floors and on the glacial outwash plains (sandar). Lightweight rubber boots are good if you are to be working for any length of time in these conditions. Ordinary boots need to be in good condition and kept dubbined.

The Icelandic method of getting vehicles out of bogs is very efficient. A hole is dug under the bumper and into this is put stones and then a length of planking. With the bumper jacks on this firm base, the vehicle is raised as high as possible. With a number of jacks the vehicle can be lifted clear of the mud fairly quickly. Mud around the axles is removed with a long-handled shovel, and rubber mats (link type) are put under the wheels. The vehicle can now be jumped onto firm ground (low gear, full revs, and let the clutch out suddenly). Inflatable jacks making use of the exhaust are now available and quite good for this purpose. Do not over-inflate!

Lava Desert

This can be very hard on the boots and can be tiring to walk over — especially when pack carrying. The surface will vary from rough lava to sand, and stony areas. Where pumice overlies earlier lava flows, as around Askja, the cavities below may be hidden. Sandy tracts may vary in hardness. Water supplies may be hard to find owing to the permeable nature of the basalt and sand. Sand storms and whirlwinds can be unpleasant, especially for those who wear spectacles.

Snow gaiters or 'stop touts' are useful to keep dust and small stones out of your boots but the tie strings under the boots will not last long before being severed by sharp stones or lava. Take spares.

If you are trying to pioneer a new route with a Land Rover, a steady plod without excessive revs is advised for sand dunes or steep slopes. Do not rush at a slope. Should you run out of power, or your wheels show signs of slipping, stop, roll back down, and try again. You may need to do this several times.

Hot Spring Areas

These are **highly dangerous** areas and carelessness has led to numerous painful accidents (third degree burns, evacuation and repatriation). The casual visitor will not realise that hot springs change their position over time, covering their tracks with a thin layer of mud and minerals overlying boiling mud or sulphur.

Basalt Ridges

The Icelandic maps give very poor definition to the ground detail in upland areas. Only the air photographs give a true indication of the type of country and whether or not it is negotiable. Basalt ridges tend to be very unstable. The rock itself is fractured and loose; scree may only be a thin layer overlying solid rock below. In the northern, heavily glaciated highlands there are numerous sharp ridges that are too narrow to traverse. The problem is heightened by the growth of a thin layer of mossy vegetation which is extremely slippery.

Glaciers

Most glaciers should not be tackled without the right leadership and equipment. Outlet glaciers to the icecaps are known to move in surges that leave the surface highly crevassed (eg. Brúarjökull: 9Km in 1963!). Small cirque glaciers can do the same (eg. Teigardalsjökull: 100m in 1971). Steep slopes and crevasses are not the sole problem; Icelandic glaciers are temperate. That is to say that they are close to their melting point and there is considerable melt water on the glacier surface resulting in:

(a) wet glacier surfaces.

(b) fast-flowing supra-glacial streams that carve deep channels in their lower reaches and frequently disappear down potholes to continue within the glacier. In other words they are not worth falling into.

(c) extensive glacial outwash zones (sandar) that are difficult or impossible to cross because of the innumerable streams.

Above the firn line the snow is often soft, wet, and deep. Progress can be laborious and the use of a Greenland sledge, for example, would be useless. The lower parts of most glaciers are snow-free in summer so that crevasses are visible. Melting creates a rough honeycombed surface that makes walking without crampons quite safe until slopes are encountered. Ice axes, ropes, crampons and prussiks are essential equipment for any glacier — if only for an emergency.

One Icelandic veteran has described the Vatnajökull icecap as 'the white ocean'. It is a serious proposition for anyone and many experienced groups have turned back at an early stage. Rescue from Vatnajökull is exceptionally difficult and advice should be sought before venturing onto the ice. (See Chapter 14).

Groups working on ice should learn how to move on a rope and how to effect crevasse rescues.

Moraines

There are several categories of moraine:

(a) Old stable moraine: a relative term.

(b) Old blocky moraine: boulder hopping can be hazardous owing to the instability.

(c) Recent moraine: generally unstable, hard on the boots and breath.

(d) Ice-cored moraine: a veneer of moraine or volcanic ash overlies an ice core that has become or is in the process of becoming detached from the glacier. This is understandably difficult to walk on and frequently will have a deep, muddy sludge in the hollows that enjoys creeping over your boots and up your legs.

PARTY PROCEDURES ON SNOW OR ICE

This book cannot set out to be a manual for mountaineers and so we refer you to several mountaineering texts in Chapter 19. Suffice to say that if you do not know the procedures then you should not venture onto this type of terrain.

RIVERS:

Iceland has many rivers, most of which are glacial in origin and therefore have certain characteristics:

(a) They are fast and cold.

(b) They are relatively shallow but the floor is difficult to see owing to discolouration by glacial rock flour.

(c) They fluctuate in level and discharge during the day, being lowest in the early morning (c. 3am) and highest in the early afternoon. However, they respond very rapidly to rainfall or melting and this generalisation may be upset.

(d) They may change course quite frequently, notably after a period of high discharge. Rivers may not therefore appear where the maps mark them.

(e) They have beds of boulders and sand. Quicksands are common. Large stones may be constantly on the move.

These facts suggest several precautions for those walking in the interior:

(a) Suitable methods of river crossing should be learned and practiced before departure. Rivers requiring ropes (of which there are many) are serious propositions not to be undertaken lightly.

(b) The extreme cold of glacial water can be fatal. Waterproof clothing will to some extent protect you in the event of brief immersion. The RAF team that crossed Iceland from west to east in 1972 used a specially designed combination rubber suit on account of the large numbers of rivers that they had to cross. For relatively shallow streams, yet too deep for walking boots, snow gaiters are quite effective — so long as you do not stand still!

(c) It is dangerous to cross a glacial river in bare feet. The sensation afterwards may be exhilarating but the cold may make your feet oblivious to sharp projections and you will not have the necessary protection from moving boulders. Many Icelanders wear calf-length rubber boots. Where frequent immersion is likely, as across a sandur plain, the feet will become softened and it is sensible to wear walking boots all the time. Without them, grit may enter the shoes and rub against your heels.

(d) If a river looks too dangerous it may be worth considering camping until early morning to see if the flow abates.

(e) A walking-stick/staff can be a serious handicap if too much weight is applied to it to keep balance. The water may sweep it away suddenly upsetting your balance.

(f) Keep an eye on the weather conditions and try to estimate the response of your area's rivers to rainfall.

(g) Because of constant river bed changes, a single crossing point cannot be relied upon. Use care at all times.

(h) Sandflats bordering rivers may be firm at low water but become soft and liable to quicksand when immersed.

RIVER CROSSINGS (PERSONNEL)

There is no doubt that the crossing of rivers in Iceland can be a very serious undertaking that requires thorough and careful preparation.

ONLY CROSS IF: 1. The alternative is more dangerous.
2. The crossing can be adequately safeguarded.
3. The river is fordable (not swimmable!)

Where to cross

Where possible examine any likely sites from a good vantage point, often on higher ground a little distance from the river. This may also enable the bottom to be seen more easily. It is as well to remember that the force of the current increases at the rate of the square of the velocity (speed). When the velocity is doubled the force is multiplied by a factor of four, if trebled the force is multiplied by a factor of nine. A fast-flowing river therefore must not be underestimated even if it is relatively shallow.

Cross turbulent rivers at the lower end of pools below rapids or waterfalls. In large rivers look for places where the water is flowing through several channels and cross each of these at its widest (shallowest?) part. A smooth firm river bottom is best and one wants to avoid boulders, slabs of rock, sand and mud. Sand (or silt) on the edge of glacier-melt rivers can be quicksand so extra caution is necessary. In general the outside of river bends have deeper water and stronger flow than the inside, so the best place for crossing is between bends where there is more even depth and shallower water. (see Fig. 12.1).

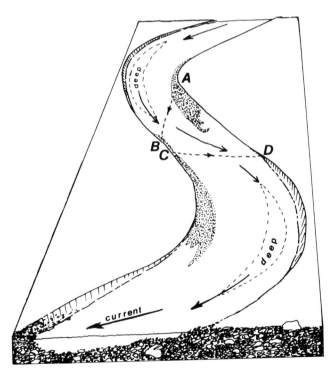

Fig. 12.1. River Crossings: where to cross.

When to cross

Remember that glacial rivers are deeper from midday to about midnight, therefore it may be worth waiting until early morning before crossing. Small run-off streams rise quickly after rainfall and equally they fall quickly after further time, so a brief pause may save a soaking.

Clothing

In general wear as little as possible when crossing rivers! But at the same time remember that exposed flesh will chill more quickly than if covered. Close-fitting trousers are ideal if prolonged immersion is likely. Waterproof overtrousers worn next to the skin are useful since they protect the legs and are easily dried after the event. It is essential that boots are always kept on and it is wise to remove socks before entering the water. Snow-gaiters worn against the skin can act in the same way as overtrousers and are particularly useful in shallower rivers. Whatever clothing is used for the crossing, remember that **dry** clothes next to the skin when you reach the other side are essential.

Packs

All members of the crossing party, EXCEPT THE FIRST MAN, should keep their packs on. When crossing the pack should be kept high on the back and it is **imperative that any waist straps are released** so that the pack can be jettisoned instantly in the event of a slip. If the pack has a waterproof extension it is worth extending it and tying it securely so that additional air is trapped within the sack. Any mechanism for increasing the bouyancy of the sac will be beneficial — eg. up-turned billies, inflated polythene bags.

How to Cross

Views on river crossings vary greatly and this book will not set out to tell you how to do it. Our general view is that the crossing of a serious river should be a last resort. Small streams rarely present many problems. The important thing is to think about the simple mechanics of staying upright (ie. you need a good, firm stance), and about a quick, safe retreat should the river prove too much for you. Anyone wanting further details should send a stamped and addressed envelope to the Iceland Information Centre.

RIVER CROSSING (VEHICLES)

(a) Make a thorough recconnaisance on foot from the bank to decide your precise route.

(b) Remember that smooth flow indicates deep water.

(c) You may not be able to cross straight over but may have to traverse up or down stream travelling from shoal to shoal.

(d) Select a low gear and four-wheel drive and remember that high revs are more important than speed through the water.

(e) If possible, face downstream rather than up to avoid a wave smothering the engine. A flexible extension to elevate the exhaust is a useful fitting.

(f) Should you come to a halt it will probably be for one of two reasons:

(i) the bow-wave has dampened the points etc. In which case you will need to climb out in mid river.

(ii) quicksands. This can be tedious if you have no winch or vehicle to pull you out, therefore:

either stay put and wait for low water and a chance to dig yourself out.

or use two bumper jacks and some rocks to lever yourself out. This may take hours.

or try to get help. Take care. The colleague of an experienced Icelandic mountain driver was drowned trying to do this. The latter saved himself by strapping an empty petrol can to his back before jumping into the river.

SHELTER

Backcountry travellers in Iceland should always carry a tent, sleeping bag, cooker and food. Other forms of shelter may be occupied, derelict or non-existent when you arrive. Because of the probability of strong winds, a low mountain tent is most suitable for Iceland. Tents should ideally have a sewn-in groundsheet with a reasonably wide valence around the outside skin. A popular tent is the Vango Force Ten with a ridge pole. The experience of some expeditions suggests that the ridge pole of the Vango weakens the tent and that it should be removed in high winds. One group successfully pitched the tent head-on to the wind; in strong gusts, such as you get off the icecap, the tent proved to be stable enough to fill like a balloon thus separating the flysheet from the inner and preventing leakage. The door zip was held down by attaching a nylon loop and pegging it to the ground. A snow valence reduces the amount of air getting under the flysheet.

You may camp almost anywhere in the interior but **do remember that you are in a fragile environment where conservation of the landscape is paramount. Any damage will be there for all to see for years to come.** Even in the inhabited, or even the uninhabited valleys of the mountain areas you should ask permission before camping on any in-field or out-field land. Grass is an important crop and should not be flattened by tents before the harvest. The following points may be useful (see also Chapter 5).

(a) Streams emerging from glaciers may be charged with rock flour and are therefore non-potable. Look for springs etc. in the mountainside, or snow melt.

(b) Flat, stony areas may be only superficially stony with a layer of smaller material below, BUT take care that the water tables does not rise into your tent after rainfall or prolonged fine weather!

(c) Dry, harmless-looking hollows can fill and empty very rapidly.

(d) Have you camped in an overflow channel? As pointed out earlier on, the rivers can rise rapidly, spilling into new channels.

(e) **Damaged vegetation takes a long time to recover in Iceland owing to the brevity of the summer, the risk of water erosion in spring, and wind erosion after dry spells. Please avoid digging trenches and pits on the sparsely vegetated patches that you may use in the interior. Rubbish should be burned or carried out with you.**

EMERGENCY SITUATIONS

Your national embassy should be informed of any serious situation so that they can have the facts should any enquiries be made to them. Do this at an early stage. In the case of expeditions, as mentioned in Chapter 10, they should have the full details already.

Evacuation

Any evacuation will be at considerable cost to your expedition. Be adequately insured. The evacuation procedure for individual groups will depend on their locality, numbers, availability of transport etc. Groups wishing to find out the best procedure for their area should write to the Iceland Unit. Groups working in the Kerlingarfjöll/Hveravellir areas, for example, should know of the following:

Radio: Hveravellir and Kerlingarfjöll Ski School.
Airstrip: Hvervellir and about 2Km downvalley from the Ski School.
Medical Centre: Laugavatn and Laugarás.
Hospital: Selfoss, Reykjavík, Blönduós, Akureyri.

Airfields and Airstrips (Figure 12.2)

Iceland has six airfields for **international** commercial air traffic (Akureyri, Egilsstaðir, Höfn, Keflavík, Reykjavík, Sauðarkrókur), eleven airfields with no facilities, temporary manning, and use by **domestic** commercial traffic (Fagurhólsmýri, Grímsey, Húsavík, Ísafjörður, Kópasker, Norðfjörður, Patreksfjöður, Raufarhöfn, Thingeyri, Thórshöfn, Vestmannaeyjar). All of these are gravel runways apart from a small section at Ísafjörður. In addition there are 78 **airstrips** for light aircraft wholly unmanned, and equipped only with a windsock and orange cones to demarcate the landing strip. Surfaces may be uncompacted stones, gravel, or sand. The Iceland Information Centre has notes on the coordinates, length, orientation and surface of these strips. Further information can be obtained from the Directorate of Civil Aviation (Flugmálastjörn). Their offices are in the control tower at Reykjavík airport alongside the Hótel Loftleiðir.

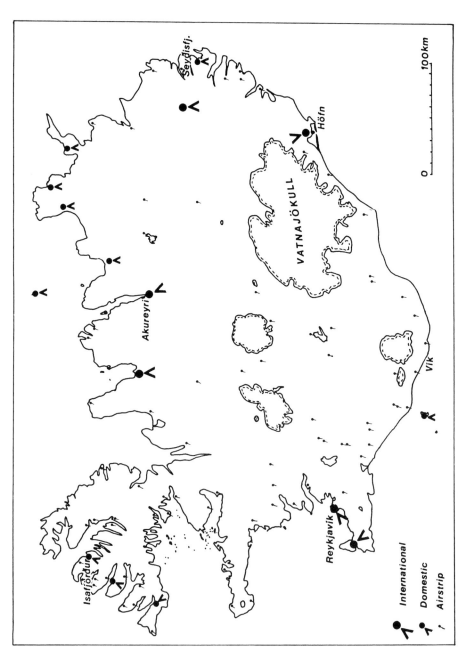

Fig. 12.2 Principal airports and airstrips

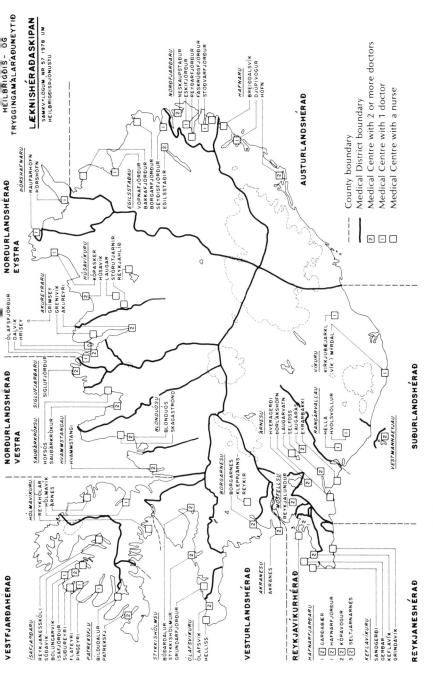

Fig. 12.3. Hospitals and medical centres.

Hospitals and Medical Centres (Figure 12.3)

Hospitals are to be found in the following towns:

Reykjavík	Akranes	Stykkishólmur
Patreksfjördur	Ísafjördur	Blönduós
Saudarkrókur	Siglufjördur	Akureyri
Húsavík	Egilsstadir	Neskaupsstadir
Vestmannaeyjar	Selfoss	Keflavík

Figure 12.3 shows the location of the Icelandic medical centres which, as in Britain, deal only with minor injuries and ailments.

Remember that although you may be eligible for costs equivalent to those charged to Icelanders, medical treatment can be expensive. So do be adequately insured, especially if mountaineering. See also Chapter 10. All foreigners staying in Iceland are entitled to free treatment in hospital and casualty wards in the event of sudden illness or aggravation or chronic disease, provided that the patient has not come to Iceland with a view to obtaining treatment, or is not strong enough to return home. Transport has to be paid by the patient. Medical treatment is never wholly free but British nationals, for example, will obtain partial refunds of doctor's, dentist's and chemist's bills on production of their passports.

First Aid

The equipment that you take must be governed by four factors:

1. Whether or not you have a doctor.
2. Space and weight limitations.
3. The degree of dispersal of your field units.
4. The estimated maximum time which will elapse between occurrences of an accident and the arrival of medical assistance (see above).

In Iceland medical assistance will generally be available within 24 hours because you may have relatively speedy access to a farm telephone or a car-borne radio telephone. Even so, at least one member of the party should have a good working knowledge of First Aid, and preferably more than one.

Ailments that are particularly prevalent among Iceland expeditions seem to be:

1. Eye infections and irritations owing to windblown dust.
2. Persistently open cuts.
3. Burns from primuses and hot springs.
4. Blisters caused by grit in the boot.
5. Earache from persistent cold wind.
6. Headache from moving in and out of hot and cold places and from travel generally.
7. Constipation from A.F.D. food.
8. Bites — mainly restricted to midges at Lake Myvatn.

Details of medical kits are discussed in Robin Illingworth's book on Expedition Medicine. However, from the above, we may conclude the need for:

1. A central base camp kit to cover all eventualities and including local anaesthetic, analgesic, dental dressings, inflatable splints, thermometers, etc.

2. Several field kits containing dressings, antiseptic eye ointment and creams, ear drops, bandages, slings, lint, occlusive dressings, aspirin etc.

3. Personal field kits to include plaster strip, scissors, antiseptic cream, Nivea, fly repellant (where necessary).

4. A thorough pre-expedition dental check-up for all members.

5. Anti-Tetanus injections for all.

6. Adequate insurance (see Chapter 10).

Rescue Huts
Around the coast is a large number of rescue huts, usually painted orange, that are owned and maintained by Slysarvarnafélag Islands (The National Life-Saving Society of Iceland). These huts are for **emergency use only** and primarily for mariners. Details are given in Chapter 5.

Flies
These are not so prolific as in other countries in the Northlands. They occur around Lake Mývatn in two successive swarms in the summer. They swarm in large numbers at the lake's edge and can be avoided by keeping several hundred metres back! Only one specie bites, and happily this is in the minority.

Flares
It is tempting to take flares but bear in mind that if you had them, how useful would they be in reality? Who would see it and would they act upon it? Most flares are considered as firearms. Homing beacons must be approved by the Iceland Post and Telegraph Administration (see Chapter 11) because of the proximity of the Keflavík NATO airbase and the need for a coordinated approach to marine rescue activities.

13 MOUNTAINEERING IN ICELAND

by Roger Smith

INTRODUCTION

This chapter has been compiled by Roger Smith with additional material derived from an article in Icelandic published in **Jökull.** Roger Smith has compiled 'A Pilot Climbing Guide to Iceland', copies of which may be viewed at the Iceland Unit, the Alpine Club, or the Royal Geographical Society. Figure 13.4 and Table 3 indicate t he zones upon which the guide is based.

Mountaineering in Iceland is largely on the scale of that found in Scotland, together with the Alpine features of glaciers, bergschrunds, crevasses, seracs and moraine. Additionally, the icecaps present a unique challenge for the mountaineer. The climate of Iceland is such that for a larger part of the year the Central Highlands are impenetrable, other than by ski or skidoo, and only peripheral communication and transport are possible. This in turn has a profound influence upon the mountaineering potential of the country which may for convenience be divided into two distinct categories of Ski-touring and Snow and Ice Climbing. These activities can be practiced around the fringes of the country in Winter and Spring and in the Central Highlands during the summer months when there is constant daylight for a significant period. On the whole the rock of the country is so brittle that it does not lend itself to rock climbing. However there is plenty of scope for opening up potential rock climbing areas; not all basalt formations are lethal, indeed some polygonal column formations offer superb routes.

The Iceland Alpine Club (Ísalp) (Appendix G) welcomes contact with foreign mountaineers. They are a small society with no office as such, but they meet every Wednesday (2030 hrs) at Grensásvegi 5. Mountaineering trips are organised once or twice a month to which foreign climbers are welcome. Visiting climbers with slide presentations of their home areas would be welcomed.

SKI-TOURING

There are many areas of Iceland that are suitable for ski-Touring but only the principal ones are included here. They are taken in anti-clockwise order starting in the north of the country.

Trollaskagi, the mountainous peninsula to the west of Akureyri, is provided with a ski-hotel and piste-skiing facilities together with many challenging 'off-piste' routes in Winter and Spring. The mountains Sulur (1114m), Kerling (1538m), and Stryta above the Glerá valley are particularly favoured as are the small glaciers of Glerárdalsjökull (1471m) and

Vindheimajökull (1451m). To the west of the Öxnadalur valley are the three glaciers Thverárjökull (1384m), Tungnahryggsjökull (1387m), which provide ski-traversing potential.

Moving westwards, the north-western fjord peninsula has the small icecap of Drangajökull (925m) which although of low altitude affords some excellent ski-ing opportunities more appropriate in the Spring and Summer months when access is easier.

At the end of the prominent Snaefellsnes peninsula further south is the small glacier peak of Snaefellsjökull (1446m) which provides some excellent ski-traverses in Spring and early summer when the snow level extends towards the lowlands that are well served with roads, making the area justly popular.

The area from Snaefellsnes and southwards towards Reykjavík is popular in Winter and Spring for it is easily reached and has some fine ski-routes over the mountains of low altitude draped in Winter raiment. The ski areas of Bláfjoll and Skálafell have tows and lifts and are readily accessible from the city. The mountains between the two, across Mosfellsheiði and Hengill, provide good country for ski-touring. Further inland Langjökull (1355m) with its outliers Eiriksjökull (1675m) to the north and Thórisjökull (1340m) to the south-west is another area with endless ski-touring potential. The complete traverse, from end to end, although technically not hard, is a long and serious undertaking. Hofsjökull (1765m), a nearly circular glacier of thirty two kilometers diameter, is not as challenging as Langjökull but is more remote. Close to Hofsjökull are the Kerlingarfjöll mountains which present a different proposition. From the outlying hill Ásgardsfjall (919m) the view southwards is breathtaking and beneath it lies a well-provisioned ski-school with a camp site nearby. The lower flanks of the mountain range are provided with tows and other facilities, whilst the mountains Snaekjöllur (1477m) and Ögmundur (1300m) together with their neighbours are readily accessible and provide some excellent traverses in the summer months. The couloir on the north-west flank of Lodmundur (1432m) was descended on ski (Scottish Grade I/II in ascent) in 1975 and was considered to be one of the last problems of the area. This area also has the additional attraction of hot springs in the heart of the mountains.

Moving southwards towards the next peripheral area one passes close to Hekla (1491m) which presents some short ski-routes around the crater rim in spring but does not really warrant a special visit in its own right. At the head of the Thorsmork valley further to the south is the next area of interest. Here the glaciers Eyjafjallajökull (1666m) and Mýrdalsjökull (1480m), offer some of the best ski-ing potential in Iceland and owing to their relative ease of access are notably popular. The traverse of Eyjafjallajökull from Stórumörk, in the west, over Hámandur (1666m) to Fimmvörðuhráls in the east is a magnificent route as are many of the obvious routes on the western fringes of Mýrdalsjökull. Nearby Tindfjallajökull (1462m) although much smaller offers some ski-traverses in spring and early summer.

Some distance to the east is Vatnajökull, the largest glacier in Europe, which provides some very fine, serious ski-touring routes. Opportunities are legion but the remoteness of the icecap and the extreme nature of the climate up there add to the seriousness of the routes undertaken. This is taken up again in Chapter 15. The mountains on the fringes of the Vatnajökull are more suited to conventional mountaineering but also have some long, technically very demanding ski-ing possibilities. Here the true sport of ski-mountaineering may be practised without hindrance whilst in the vast interior of Vatnajökull cross-country ski-ing may be pursued for mile after mile.

The eastern fjords area of Iceland is not without its ski-ing possibilities but these are only to be snatched by those fortunate enough to be in the right place at the right time.

Cross-country ski-ing in the centre of Iceland is possible but constrained by distance from habitation and by the strong winds that blow across the desert sweeping the snow away to reveal jagged lava fingers. Advance food dumps layed in the autumn or skidoo support would be necessary. The centre is not generally open to vehicles until late June or even July.

SNOW AND ICE CLIMBING

Iceland experiences seasonal climatic changes so that the snow and ice climbing possibilities fall into two seasonal categories. Firstly, winter/spring mountaineering, found principally around the fringes of the country when certain mountains come into condition; and secondly, summer mountaineering, primarily on the icecaps of the interior of the country. In consideration of each type of mountaineering a mixture of Scottish and Alpine grading systems is used.

Winter/Spring Mountaineering

Winter/spring mountaineering is still in its infancy but with the development of 'ísalp' (1977), it has grown in popularity. The areas commonly explored at this time of the year are those nearest to centres of population, especially Reykjavík and Akureyri. However, several British groups have visited the Mývatn area at New Year to undertake snow-shoeing expeditions based on the Hótel Reynihlíd. These expeditions have started walking at 0900 hrs in darkness and have returned to base at 1700-1800 hrs depending upon the weather conditions. Snowshoeing conditions cannot be guaranteed in view of wind drift revealing rock and jagged lava. Icelanders never snowshoe — they favour cross country skiing.

The mountainous peninsula to the west of Akureyri, especially the peaks above Öxnadalur, Glerá, and Svarfadardalur and Skídadalur, is easily accessible and has an abundance of fine weather climbs to offer. The Akureyri ski-Hotel, at the mouth of the Glerá valley is a satisfactory base for some of the climbs particularly those on Kerling (1538m), Glerárdalsjökull

(1471m) and Vindheimajökull (1451m). The ski-Hotel is not open during the summer months.

Moving westwards the north-western peninsula is not noted for its potential, except for the areas close to Drangajökull (925m) in the north, Lambadalsfjall (957m) and Kaldbakkur (998m) in the central region. The remainder of the area is of lower altitude and does not attract good conditions.

On the Snaefellsnes peninsula there are many fine routes on Helgrindur (986m) most of which have not yet been attempted but are likely to be Difficile (D) to Tres Difficile (TD) in grade. On Snaefellsjökull itself there are a few short, hard (D) ice-routes on the summit blocks but the area has more attractions for ski-ing.

Near to Reykjavik the mountain range sandwiched between Borgarfjördur and Hvalfjördur offers some very fine climbs especially on Skardsheidi (1052m) whose north face has several 700m routes of D to TD standard. Just to the north of Thingvellir is Botnssúlur (1095m) which has numerous routes of Scottish Grade III, IV, and possibly V on it, and when conditions are favourable is a popular climbing area.

In the south of the country suitable conditions can favour winter/spring climbing on Eyjafjallajökull (1666m) and Öraefajökull (2119m), Iceland's highest mountain mass. Both are readily accessible from the coastal road.

Summer Mountaineering

The summer mountaineering potential of Iceland is more of a known quantity since people have been climbing onto icecaps since time immemorial, as reference to the legendary Icelandic sags will bear out. It is on these glaciers and icecaps that attention must focus in order to find out the true wealth of this facet of the sport, for the summer's sun melts much of the winter snow and leaves only ice behind for the short-lived months of summer. A characteristic feature of Iceland's mountains in the summer is their rich colour and the white smears of old snow/ice couloirs that seam their flanks. Couloirs of this nature are abundant and offer straightforward climbing that one might expect of a Scottish Grade I gully — in summer conditions!

Turning our attention to particular areas, in the north of Iceland the mountains of Tröllaskagi, west of Dalvik and Akureyri are of particular merit and contain some excellent routes especially on the fringes of the glaciers Tungnahryggsjökull (1382m), Mýrkarjökull (1387m) and Vindheimajökull (1451m), where ice-tongues present many opportunities in the easier grade brackets (F - PD).

Drangajökull (925m) in the extreme north-west, with its three small nunatuks, Hlódabunga, Reydarbunga, and Hrolleiffsborg, presents little challenge to the mountaineer, but is very remote, making any undertaking all the more serious. Snaefellsjökull (1446m) likewise presents only minor opportunities at this time of year.

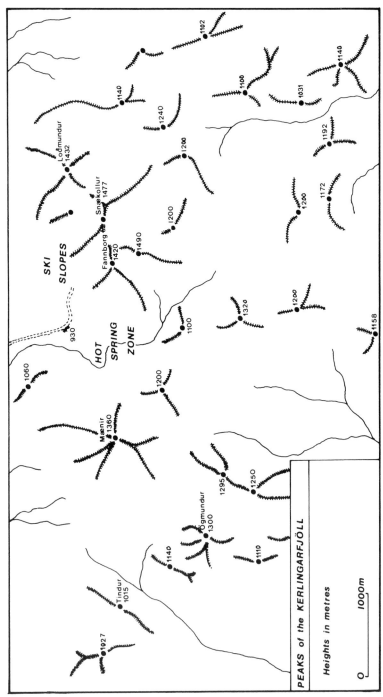

Fig. 13.1. Map of the Kerlingarfjöll.

324

In Central Iceland the story is very different, and the area around Langjökull (1355m) well worth a visit. Eiriksjökull (1675m), and outlier to the north-west of the area is a remarkably abrupt and almost circular glacier that has some long, straightforward routes to its summit. Thorisjökull (1340m) and Geitlandsjökull (1400m) are two more outliers, in the south-west, that are well worth climbing. The views onto Langjökull from the latter are just reward for the ascent. The Hagafell-Jarlhettur region on the south-east margin of Langjökull presents some very dramatic rock scenery which contrasts well with the gentler ice slopes hereabouts. For the climber, however, the eastern margin of the Langjökull itself is of more importance. The glaciers that calve icebergs into Hvitarvatn lake are magnificent and give many 3000 ft. routes up to PD (Peu-Difficle) in standard, onto the icecap. The small eastern outlier, Hrútafell (1410m) has six glaciers that tumble from its summit ice-plateau all of which offer superb 2,000 - 3,000 ft. routes up to TD in standard. The tourist hut in Thjófadalir is a good base for this mountain and also for the north-eastern fringe of Langjökull which offers numerous straightforward (Facile) routes onto the nunatuks.

Across the Kjölur plain to the east is Hofsjökull (1755m) a nearly circular icecap with disappointing ice-climbing possibilities. However, to the south of the Kjölur plain are the Kerlingarfjöll mountains (Figure 28). The north faces of the mountains Lodmundur (1432m) (Figure 29), Snaeköllur (1477m), Fannborg (1420m), Maenir (1360m) and Ögmundur (1300m), that overlook the plain, offer climbing of similar scale to the northern corries of the Cairngorms together with the Alpine features of glaciers, bergschrunds, crevasses, seracs and moraine. Numerous climbs of Grade I/II (PD) are to be found in these mountains all about 1000 - 2000 ft. in length. From the summit of Snaeköllur it is reputed that one can seen both the north and south coasts of the country.

About thirty miles east of the Kerlingarfjöll is Tungnafellsjökull (1525m), an outlier of Vatnajökull, which has three glacial tongues that yield routes of Facile (F) to Difficle (D) in grade, about 2,000 ft. in length. The area abounds in climbing possibilities on the mountains that border the Jökuldalur valley mostly in the Grade I/II category. From here approaches can be made onto the Bardarbunga (2000m) area of Vatnajökull across the Vonaskard valley — see later for particulars.

Turning to the south of the country, Hekla (1491m) presents easy (F) snow routes onto its crater rim and is worthy of a visit on the grounds that it is one of the most recent volcanoes to erupt. Eyjafjallajökull (1666m) comes into its own as one of the finest areas for mountaineering in the summer months and the glacier tongue of Gigjökull, on its northern edge presents one of the most attractive ice-climbing areas in Iceland. There are also numerous routes on to the icecap of F — Assez Difficile (AD) grade and the complete traverse from east-west, although long, is worth the effort. There is a hut on Fimmvörduháls, the pass between Eyjafjallajökull and Myrdalsjökull.

If one travels along the coastal road to the east one is soon confronted with the vast expanse of Vatnajökull whose margin provides some excellent

Fig. 13.2. Routes on Löðmundur.

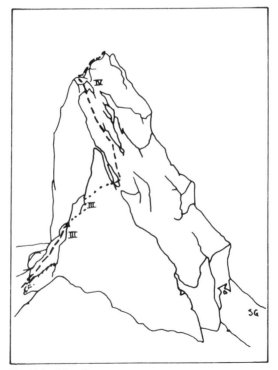

Fig. 13.3. Púmall.

326

climbing possibilities, comparable in size and grade to many Alpine routes. In the north the first area of interest is Kverkfjöll (1920m) which is an area of former volcanic activity with some residual steam vents. The area is approachable from the Hverdalur valley which is one of the most spectacular hot-spring areas in Iceland. There are numerous long (3,000m) routes of PD grade in this area as well as some rather spectacular ice caves carved by flowing geothermal waters. There is a hut close by. Westwards from here is Bardabunga (2000m) which is best approached from the roadhead and tourist hut, at the mouth of the Jökuldalur valley beneath Tungnafellsjökull. The steep glacial wall hereabouts gives access onto the icecap summit by long and complex routes of about AD standard. South of Bardabunga, on the western edge of Vatnajökull are Hamarinn (1573m) and Kerlingar (1339m) which offer little resistance to the mountaineer willing to attack them from the west after a long approach route over the ashen desert. The ice-cliffs of the Grîmsvötn crater, most recently active in June 1983, would be well worth a visit for the mountaineer but involve a 'major' undertaking to even reach the area. Back on the fringe of the icecap just north of the Skaftafell National Park, are the nunataks of Midfellstindur (1430m) and Hrútafellstindur (1875m) which offer some good, long routes of mixed climbing (approximately AD grade) while the nearby thumb of basalt, Púmall (1297m), is an obvious 'plum'. It was first climbed in 1975 and has been graded III (possibly IV). In the summer of 1984 the Icelandic television filmed a climb of the peak (Figure 13.3).

Further south on Öraefajökull, which is almost a separate icecap at a higher altitude, are four distinct peaks. At the centre is a high point, Snaebreid (2041m), which although relatively easy in ascent (F) is most rewarding with its panoramic views over sea and ice. Nearby the nunatuks Knappar (2044m), Hvannadalshnúkur (2119m) and Thurîdatindur (1741m) give good ascents and magnificent views. In this area it is the route chosen to reach the icecap that is more demanding than the final slopes to the peak in question. There are numerous possibilities from both east and west, some deliberately avoiding difficulties and some eking them out, but all of them major undertakings of about 5,000 ft. or more in length. Öraefajökull is discussed in more length in the next chapter.

Further east at the head of the Kalfafellsdalur valley, on the true edge of Vatnajökull are more possibilities on the Nunatuks Snaefell (1554m), Karl and Kerling (1140m), Birnudalstindur (1230m) and Kalfafellsfjöll (1460m), all in the easier (F-AD) grades. Close to the eastern end of Vatnajökull are the glacier tongues of Hoffellsjökull and Lambatungujökull around which are further possibilities, especially on Grasgiljatindur (1275m) and Godaborg (1425m). The ridge traverse on the latter is particularly good at PD grade. In the Lónsöraefi area, just east of Vatnajökull, centred on the small icecap Hofsjökull (1190m), are many shorter climbs of easier (F-PD) grade.

Finally mention must be made of the volcanic plug of Herdubreid (1682m) to the north of Vatnajökull which stands solitarily above the surrounding plain. It has numerous gullies breaking through the rock barrier to the

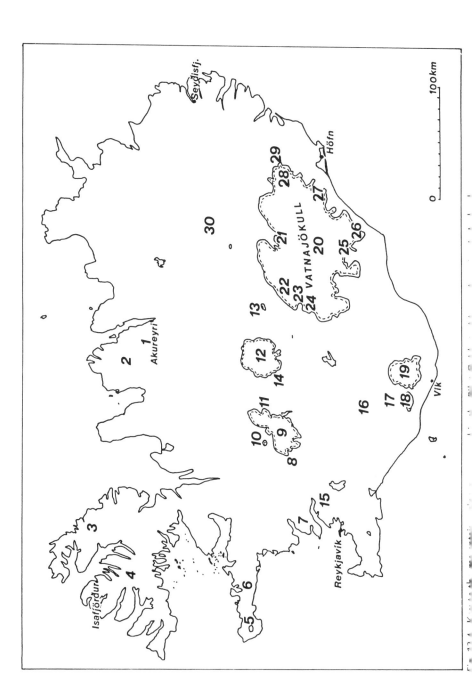

Seyðisfj.

Höfn

30

VATNAJÖKULL

28 29
27
21 20 25 26
22 23 24
13
12
14
11
10 9
8
16 17 18 19 VÍK
Akureyri
2
1
3
4
Ísafjörður
15
7
6
5
Reykjavík

100km

0

summit snow plateau, many of which yield routes, up to Grade III in standard, when conditions are favourable. The usual ascent is from the oasis at Herdubreiðarlindir following a route to the north and then to the west of the peak. It takes around 18 hours for a round trip. The views from the summit are breathtaking and make the climbing all the more rewarding.

Although the country cannot boast large mountain ranges or north faces of repute, it does have a considerable amount of mountaineering potential. Most mountains have been climbed, and often by more than one route, there remain ample opportunities for new routes.

TABLE 3. SUMMARY OF MOUNTAINEERING IN ICELAND (Figure 13.4)

No:	Area:	Ski-ing:	Climbing:
1.	Glerá valley	W	W, (S)
2.	Tungnahryggsjökull	W, S	W, S
3.	Drangajökull	(W), S	(S)
4.	Lambadalsfjall	(W)	
5.	Snæfellsjökull	W, (S)	W, (S)
6.	Helgrindur		W
7.	Skarðsheiði		W
8.	Þórisj./Geitlandsjökull	(W), S	(S)
9.	Langjökull	(W), S	S
10.	Eiriksjökull	(W), S	S
11.	Hrútfell		S
12.	Hofsjökull	(S)	
13.	Tungnafellsjökull		S
14.	Kerlingarfjöll	S	S
15.	Botnssúlur	(W)	W
16.	Hekla	(W)	(S)
17.	Tindafjallajökull	W, S	(S)
18.	Eyjafjallajökull	W, S	(W), S
19.	Mýrdalsjökull	(W), S	(W), (S)
20.	Vatnajökull	(W), S	W, S
21.	Kverkfjöll	(S)	S
22.	Bardarbunga		S
23.	Hamarinn		S
24.	Kerlingar		S
25.	Skaftafell		(W), S
26.	Öræfajökull	W, S	(W), S
27.	Kalfafellsdalur		S
28.	Godaborg	S	S
29.	Lónsöræfi	(W)	S
30.	Herdubreið		S

W = Winter/Spring   S = Summer   (W) or (S) = minor possibilities

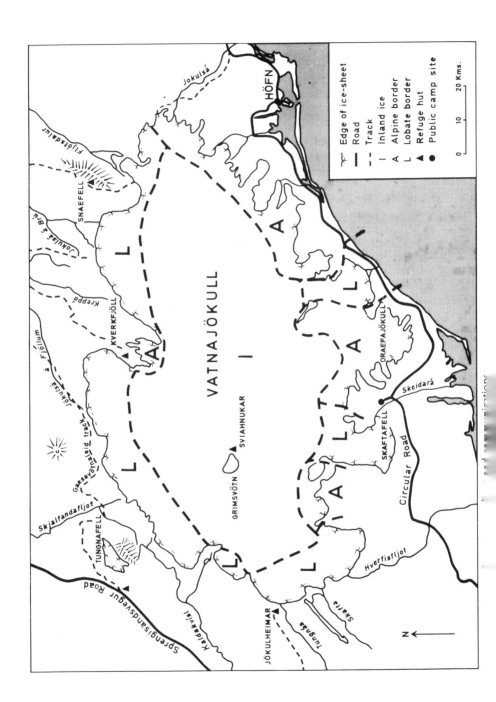

Edge of ice-sheet
Road
Track
Inland ice
Alpine border
Lobate border
Refuge hut
Public camp site

0 10 20 Kms.

VATNAJÖKULL

HÖFN

Jökulsá

Fljótsdalur

SNAEFELL

Jökulsá á Brú

Kreppa

KVERKFJÖLL

Jökulsá á Fjöllum

Gæsavötnaleid track

Skjalfandafljot

TUNGNAFELL

Sprengisandsvegur Road

Kaldakvisl

JÖKULHEIMAR

Tungnáá

Skaftá

Hverfisfljot

Circular Road

Skeidará

SKAFTAFELL

ÖRAEFAJÖKULL

GRIMSVÖTN

SVIAHNUKAR

N ←

330

14 VATNAJÖKULL

Dr. I. Y. Ashwell

INTRODUCTION

With an area of 8456 Km², Vatnajökull is the largest of the Icelandic icecaps and the largest ice mass in Europe. It has been described by Sigurður Thorarinsson as 'the Kingdom of Vatnajökull' which sums up its pre-eminence well. Since it is so much larger than the other Icelandic icecaps it differs from them in many important ways, most particularly it is large enough to exert considerable control over the climate both over and around its perimeter. Whilst not comparable in severity to the climate over the Greenland icecap under normal conditions, there are some similarities, and Vatnajökull must never be underestimated, because of the possibilities both of rapid change in the weather and of freak outbreaks of exceptionally severe conditions. Those aiming to work and travel on Vatnajökull must be prepared to organise on a scale which is well above that required on any other Icelandic icecap at the same time of year.

PHYSICAL BACKGROUND

Because of its size Vatnajökull straddles several important geological formations. The eastern and south-eastern margins lie on the Tertiary basalt formation, the relic of the now extinct volcanism over a million years old, while the western and north-western half lies on recent lava volcanoes with modern lava-flows which have originated, in some cases, under the ice, and ridges of crumbly yellowish tuff (or 'moberg') forming the margins of the ice. This tuff is the result of eruptions under the ice, which formed also the isolated table-mountains found to the north of Vatnajökull. It seems probable that some of the higher parts of Vatnajökull cover volcanic calderas and table mountains since two of the rather narrow zones of recent and fairly recent volcanism run from north-east to south-west under the ice. The Grímsvötn caldera, with frozen lakes causing the 'jökulhlaups' or glacial floods from under Skeiðarárjökull to the south of the icecap, is part of the most recent volcanic strip (Figure 14.1).

The relationship of the topography of Vatnajökull to the underlying geology is best seen on the ERTS or LANDSAT satellite photograph from 31st January, 1973, discussed in Jökull 23 (1973). This photograph also shows the nature of the surrounding topography, although, being taken in winter, water surfaces do not show up and details are, of course, very small. Helgi Björnsson's book on the 'Hydrology of Icecaps in Volcanic Regions' (1988) summarises recent work on surface and bedrock topography of the north-west half of Vatnajökull (with Eyjabakkajökull) and is illustrated by many maps.

In general, there is a marked contrast between the northern and western edges and those of the south and east, due to the fact that the former edges lie on the Central Plateau, with altitudes up to 1000m, the latter reach almost to sea level. The edge of the ice on north and west sides is most often made up of lobes of ice without any great fall, whereas the ice is drained on its south and east sides by true Alpine glaciers falling steeply from the highest levels to nearly sea-level, although Skeiðarárjökull and Breidamerkurjökull are important exceptions (Figure 14.2). The central, inland ice, section is undulating rather than flat and the undulations probably reflect the underlying topography. This can be checked by continuing the line of the straight ridges on the ice margin under the ice, when almost always elevated parts will be found, often with marked crevassing. Where nunataks occur, they often have steep, wind-scoured hollows around them as well as crevasses, so that caution is needed in approaching them.

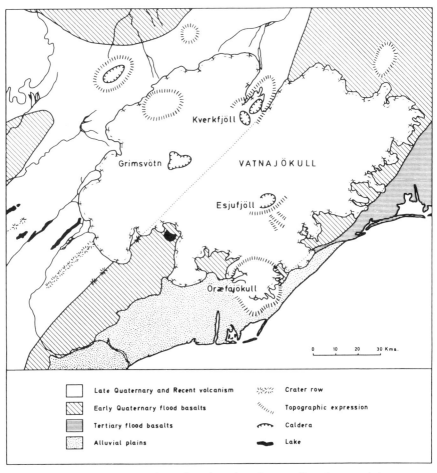

Fig. 14.2. Vatnajökull: topography and geology (based on satellite photography).

Almost certainly, Vatnajökull has a climatic range quite different from that of its surroundings. The southern half has a very heavy precipitation derived from air coming off the warm Irminger current, probably, on average, more than 4,000 mm per year. There is a climatic divide running NNE to SSW across the highest part of the icecap, and north from this precipitation falls rapidly northwards to values of 400 - 800 mm on the Central Plateau, the driest part of Iceland.

Temperatures can be severe, but in July and August the lower parts of the icecap, and sometimes higher parts as well, can have prolonged period when temperatures are above freezing and surfaces of wet snow make travel difficult. The wind is often the major enemy both on and around the ice, since the southern part of Iceland lies in the path of many low pressure systems moving from the west, and strong, rapidly changing winds bring rapid changes in temperature and visibility. Vatnajökull, as already noted, is large enough to have its own wind circulation, draining from the central area towards the periphery, and round the western half of the icecap margin this drainage clashes with the main westerly atmospheric circulation. With the approach of a depression, therefore, these marginal areas experience exceptionally heavy gusts of wind, apparently falling from the icecap, and severe damage to exposed tents can occur and quite heavy objects can be blown around.

Vatnajökull is also sufficiently large to act as a climatic divide, with good weather on one side, bad on the other. This is particularly marked with the Öraefajökull massif, projecting from the south of the icecap. Although this is comparatively narrow its great helmet (the highest point in Iceland) makes a clear divide in the weather under conditions of average weather. With severe weather, however, this does not apply, and the whole massif can be in cloud for continuous periods of days or even longer than one week. On the inland ice of Vatnajökull there are reports of periods up to two weeks when movement was impossible for man-sledge parties due to high wind and poor visibility. Wind-chill is an ever-present hazard, especially with the high winds and damp conditions, just around freezing point, often experienced, even in summer.

Areas on the opposite side of the icecap to the prevailing wind at any time, can experience föhn-type winds. These can be warm, intermittent, and even gusty. These probably have most effect on the margins, especially on melting conditions, but reports of their occurrence are always useful. Further information about spring weather is given below.

ACCESS TO THE ICE
By larger parties
Any party working on or around Vatnajökull will require to be provisioned and equipped for the period of stay, with adequate reserve, and this implies transport to a road-head by lorry, except in the case of the southern margin, where access to and from the main ring road is often possible from the ice-margin. Two-wheel drive vehicles **can** reach Jökulheimar, although it is

always safer to use four-wheel drive because of the frequent occurrence of dust storms in the area and the shifting nature of the track. This is the most favoured approach to the western edge of Vatnajökull, since the main road has been extended to the power station at Sigalda, near where the track branches off to the Veiðivötn and Jökulheimar. The Sprengisandsvegur could also be used in the same way, although the most convenient roadhead is under Tungnafellsjökull, with a fairly long carry to the margin of Vatnajökull. At present it does not appear feasible to transport heavy loads on any of the tracks leading to the east of Vatnajökull, although sometimes there are snowmobiles based in the north-west corner of the icecap for tourist trips in the summer, and also access for travellers to Skálafellsjökull, in the south-east, west of Höfn, by a track to the ice edge, and thence by snowmobile. A new track runs from near Egilsstaðir, in the East, to Snaefell and Eyjabakkajökull.

By smaller parties

As well as the roads mentioned above, parties in small four-wheel drive vehicles can get further afield, although such vehicles should always travel in pairs because of breakdown in a remote area, without radio, could have the most serious consequences. The Gæsavatnaleið, round the north-west corner of Vatnajökull, is not recommended as an approach route (see Chapter 2.9). However Kverkfjöll can be reached from the north, as can Eyjabakkajökull from Egilsstaðir, although this track is said to be a long and difficult one and two vehicles are essential. Another rather difficult track reaches the eastern tip of Vatnajökull from the valley of the river Jökulsá á Lóni, beginning near the Stafafell farm on the ring road. Local knowledge should be picked up when using this track, since farmers use much of it for reaching a remote valley, Viðidalur, not now inhabited but still farmed. On the south-west side of Vatnajökull a long and possibly difficult track in places reaches the Skaftáreldhraun and Laki craters, from which the 1783 lavas were erupted, and from here the ice of Siðujökull and Skaftárjökull can be reached. This track runs from near Kirkjubaejarklaustur, on the ring road but it may be closed to traffic in the near future in which case information will be available from the Nature Conservation Council (Appendix H).

Access along the South Coast

Although the ring road has opened up access, especially to the Öraefi district, it should be noted that the south coast **air** route now goes straight to Höfn in Hornafjördur, and does not call at Fagurhólsmýri in Öraefi, the district between the Skeiðará and Breiðá rivers. However, a bus service now runs daily between Reykjavík and Höfn and will pick up and deposit passengers at points along the ring road. Large parties should not use this bus on a casual basis, however, as it can sometimes be full, and a number of individuals with large rucsacs stands a risk of being left at the roadside. Times of buses can be found out from the Leiðabók (see Chapter 3).

There are public camp sites at Skaftafell and Höfn. Note, however, that the Skaftafell site is the **only** official camp site in the Skaftafell National Park and that camping is not allowed elsewhere in the Park. The public camp site is very well equipped with showers, washing facilities and a shop. Report to the camp site warden on arrival, small cost on a per tent basis.

For those wanting to take freight along the south coast as far as Höfn, two lorry firms ply this route from Vöruflutningamiðstöðin h.f. in Reykjavîk. You may also freight goods in advance from the United Kingdom direct to Höfn (see Chapter 4).

GLACIAL RIVERS

These are the greatest obstacle in the way of access to the ice, and no plans should be made which involve crossing them in the summer as a matter of course on foot or in a vehicle. If it is necessary to cross one occasionally, say in an emergency, it must be regarded as a major undertaking because such rivers flow in braided courses are constantly changing, and move extremely fast near the ice, with a great volume of water. Ropes and/or poles are essential for foot crossing, which is best carried out about dawn when the river reaches its lowest level. Conversely, a crossing in late afternoon, when flow is greatest, must be avoided if at all possible (see Chapter 12).

Most of the major access routes toward's the ice run between the major glacier rivers, thus avoiding a crossing, but if lateral movement round the icecap is necessary, a party on foot should seriously consider getting up on to the ice, especially the lobes, to traverse round the head of any rivers. For a small party with the necessary expertise this is probably the safest course. It should be noted that a lateral route now exists on the northern side of Vatnajökull from Askja to a point north of Kverkfjöll (Upptypingar), where it joins the Krepputungur road from Mödruvellir. The rivers Jökulsá á Fjöllum and Kreppá are bridged.

Along the southern edge of Vatnajökull all the rivers are bridged where the ring road crosses them, though this is often at some considerable distance from the ice edge. Many of these rivers have occasional 'jökulhlaups' or great floods occurring without much warning, caused by sub-glacial lakes melted by geothermal heat reaching a critical level and melting through tunnels under the ice, or by breaking out of ice-dammed lakes. Rivers carrying volcanic jökulhaup water often smell strongly of sulphur or its compounds. The ring road may be breached under these circumstances, although it was built with jökulhlaups in mind., and can be repaired fairly quickly. The worst of the floods come from the Skeiðará river, which even in its normal state is a considerable river and was the last to be bridged in 1974.

On the west side of Vatnajökull the Skaftá is not bridged north of the coastal plain. The Tungnaá is a very large river and was a major obstacle to reaching the Icelandic Glaciological Society's huts and research area at Jökulheimar

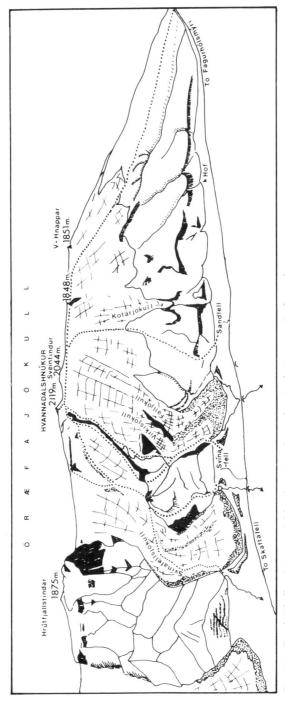

Fig. 14.3. Oræfajökull and Hvannadalshnúkur. Based on a drawing by Snævarr Gudmundsson.

336

until it was bridged at Sigalda, south of Thórisvatn. It should be noted that the Tungnaá also flows between Jökulheimar and the ice edge there, and a traverse has to be made northward some 12 to 15 km to the neighbourhood of the Kerlingar nunataks until a route is found on foot on to the ice. The Kaldakvísl and several of its tributaries which look small on the map are, nevertheless, large rivers.

All the rivers flowing from the northern edge of Vatnajökull are large, although it is possible to get from Tungnafellsjökull to Bardarbunga, on the north-west corner of Vatnajökull, without crossing a major river.

The safest rule about glacier rivers is to regard map evidence with suspicion. Some river channels shown on the maps do not now exist, but many small-looking streams are quite formidable. Large rivers, especially anything called 'Jökulsá' are always dangerous, but any smaller streams apparently rising from the ice should be closely examined.

GLACIER RECESSION

The state of the ice front has been changing over the last fifty years, generally in the direction of retreat. Old editions of maps will therefore not give a correct picture. Landmaelingar Íslands, Icelandic Survey Department, does try to add glacier revisions as new map editions are published, but some map sheets of the more remote areas are not up-to-date. Many glaciers, however, are subject to cyclical rapid advance, or surge, followed by a slow retreat. Skaftárjökull, Tungnaárjökull and Eyjabakkajökull are three known to have a surging regime.

From Breidamerkurjökull eastwards the fronts of all glaciers tend to be edged with glacier lakes, making access difficult. This is not shown on many maps, but anyone wishing to work along the south-east edge of Vatnajökull should seek up-to-date information about access routes.

ACCESS TO HVANNADALSHNÚKUR

The peak named Hvannadalshnúkur (Figure 14.3), Iceland's highest mountain (2119m) crowns the crater rim of the Öraefajokull, that southernmost extension of the Vatnajökull. It is an impressive peak for it rises from the sandur plain (100m) to the summit in a horizontal distance of only 10Km. It has been climbed on numerous occasions, especially between Easter and September, the optimum period being late June to mid-August. Climbing outside that period requires a settled weather outlook. Even in the height of summer the weather is unpredictable as it can vary so greatly between one side of the Öraefajökull and the other.

The most usual approaches are from Falljökull and Sandfell on the west side, although the mountain can be climbed from the farm at Kvísker by ascending Rotarfjall. Other 'obvious' lines of approach are generally inaccessible because the rocks are too steep and broken to be safe. Hvannadalshnúkur is well guarded by ice falls (over 1000m) and basalt cliffs.

Given good weather conditions the mountain can be climbed and base regained within 13 hours from Falljökull. The account that follows is adapted from excerpts from the report of the Royal Holloway College ascent from Sandfell in 1976.

"At the end of the first day Camp 1 was placed about 2000 ft. up at three in the afternoon, the winds and rain getting stronger as we climbed. The going was proving quite straightforward. The camp was reasonably sheltered and horizontal, yet strangely enough in spite of the vast amounts of rain the region had had over the past few weeks, many of the nearby streams had run dry and I was forced to walk a mile for water.

"During the night the wind increased and for the first time I was afraid that the tent might rip. By the time that we had prepared our rucksacks in the tent the familiar sound of torrential rain could be heard outside. At 1100 hours it was still raining hard yet the visibility was much better. Two hours later we roped up and strapped on our crampons. Having reached the ice border we started up the steep ice slope following a bearing to a point on the plateau. The visibility was rapidly detiorating and we were in whiteout. Suddenly in front of me loomed a huge black nunatak. The compass said that I should go to the right of it, yet something else, perhaps not an entirely wise judgement, told me to go to the left, which I did. All at once, whilst staring into the uninterrupted whiteness beyond, the fog cleared sufficiently for me to make out what had been to the right. I was looking into a cataclysmic ice-fall, huge in size, terrifying in nature, some 30 yds beyond. Had I in fact gone right, I would have led us down into it, probably not seeing the crevasses until too late. We decided it wisest to camp on the nunatak as best we could be clearing some bigger rocks to form a site which became Camp 2.

"That night was the most miserable night so far. The cold reached me from below until I put on my duvet for extra warmth and comfort. Getting out in the morning required vast amounts of willpower but the weather had cleared and we were away in record time. Travelling light, leaving the tent pinned down with boulders, we set out for the summit. After $2^{1}/_{2}$ exhausting hours without rest we had reached the plateau. We rested below the vertical rock band of the east face, the summit towering 1000 ft. vertically above us, and even as we relaxed, rockfalls poured off the face every five minutes or so.

"We decided to attempt the N.E. face by first crossing a large bergschrund consisting of a delicate snowbridge leading on to a 15 ft. section of vertical ice. Mike slipped here and fell six feet, spiking his leg with a crampon in the process. The snow that we had seen in photographs had peeled away revealing ice that was getting steeper and steeper. Clearly we were neither experienced enough equipped sufficiently to get over the next section and the afternoon sun had increased the chances of the whole lot suddenly avalanching. But before I had a chance to voice my disappointment our most vital items of ice-climbing gear slipped into a deep crevasse 25 ft. away. There was no option but to return.

"Very soon we found a way round and on to the west face and within an hour had gained the summit ridge. To the north the mountains of Esjufjöll were visible through thin cloud, which gave the impression that we were a great deal higher than 7000 ft.

"After 45 minutes we started down again. Suddenly my leg plummeted through the snow, leaving me lying on my right side. I could feel my leg dàngling in a complete void. With the security of a tight belay I could roll safely out and view what was only a 12 ft. deep crevasse; nothing serious but a sobering reminder that even though we had reached the summit the dangers were still present. By 2115 we were back at Camp 2 after a perfect yet exhausting day."

CONDITIONS ON THE ICE
Normal summer conditions

After early June it is normally a short day's drive from Reykjavík to Jökulheimar, although the odd freak blizzard can cause hold-ups, and dust-storms and sand-drifts in the section between Sigalda and Jökulheimar will delay two-wheel drive vehicles. Glacier rivers will be high at this time of the year which may hinder access to the ice, while the lower reaches of the ice will be rapidly losing the winter snow cover. The snow line moves upwards progressively through the summer and there is usually a belt of exposed and rapidly-melting ice perhaps 2-4 Km broad round the periphery of the ice in some places during August. Crevasses are quite common on both lobes and outlet glaciers, but the scale of crevassing is, of course, much more extensive on the latter because of their rapid fall in altitude. On the exposed ice the crevasses may be large but are easily visible, on the snow they are more of a problem, but are usually only evident on the inland ice where it is moving over a submerged ridge, and their existance can often be estimated from an inspection of one of the smaller-scale maps showing the ridges round the ice margin and their probably trend under the ice.

The main feature of even the summer weather is its changeability. The odd fine day does occur, with clear skies and warm sunshine, but with a chilly breeze always tending to drift down from the centre of the ice. Cloud will appear quickly over the western horizon and thicken in a few hours to fine snow, strong winds and zero visibility, perhaps for a period of several days. Movement is usually impossible during these conditions, and small tents tend to be snowed over. Temperatures are sometimes variable, and during warmer periods melting snow and condensed moisture will run down and freeze on the skirts of the tents, which are then difficult to strike for this reason.

It is extremely difficult to plan movement to fit in with restricted time. Even allowing one day's travel in two is sometimes risky, and parties have been immobolised for more than a week. Always, therefore, give yourself plenty of time if you are travelling across the ice to some specific goal. There is a refuge hut above the Grímsvötn lakes in the middle of the ice, but this is the property of the Icelandic Glaciological Society and is used in their scientific investigations. Exploring parties should avoid using the hut on a casual basis, certainly for sleeping in, although it is always there in case of an emergency. Camping near the hut provides some central location on the ice, from which other objectives can be reached. It must be emphasised that careless use of the hut by one party can damage the prospects of use by many other people, since repairs and replacements in this remote location are exceptionally difficult. Always clear up if you go into the hut, and make sure the door is closed when you leave.

Most of the work on the ice by Icelanders is done in early summer or early autumn, not in late July or August, because then the surfaces are very bad for travel. Even on the snow there may be periods of many days when the snow is too soft for travel either on foot or with sledges, and the only answer is to travel as much as possible in the very early morning, though sometimes even then the snow is soft. The use of ski and lightweight sledges is one solution to this problem for parties with the required training.

Extreme Conditions

In April and May a party tried to cross Vatnajökull from Jökulheimar to Höfn. Unfortunately the weather conditions turned out to be exceptional even for that time of year.

The five-man team was equipped with a sledge, two Black's 'Mountain' tents, paraffin stoves, 'Borg' cold weather jackets and trousers and rubberfoam cell boots. They left Reykjavík on the 28th April, having been held up for six days with delays over freight. Gudmundur Jónasson had provided a lorry and two skidoos for the transport, which had only been estimated for one day. Two other skidoos also joined the party, but the journey, in fact took four days to Jökulheimar, although no extra charge was made. What follows is excerpted and edited from the party leader's report:

"We left the hut at Jökulheimar at 6.00 a.m. on a beautiful, clear, although cold and crisp morning, taking three hours to reach the limits of the Vatnajökull just south of the Kerlingar (Note: the Tungnaá river was frozen at this time of year). We climbed slowly up on to the slopes of the glacier and the higher we climbed the stronger became the wind causing heavy drifting of snow. Mid-afternoon brought about dark skies and heavy snowfall, but visibility was still fair. At 7.00 p.m. we had covered a good twenty miles up to the ice field but now the winds were fierce and the snowfall very heavy. Camp was made and a large snow wall was erected around the tents pitched close together. While the meal was being cooked the temperature dropped by 15° and the conditions became calm. We were able to get a good view of the regions to the west of the glacier for about half-an-hour, the last time we saw the mountains. The temperature began to drop again and snow to fall. By 9.00 a.m. white-out conditions prevailed and the winds were gusting to 35 m.p.h., hitting the tents like a sledge-hammer. The tents were soon snow-covered, being buried completely every two to three hours, with consequent breathing problems for the occupants, and these problems were even worse when one had to venture outside, roped to those in the tent because the visibility was nil and even the other tent six feet away was invisible. On stepping out from the comparatively warm tent, the warmth caused by the great effort in dressing and digging out from the tent, clothing froze instantly and the face was frosted. Though in retrospect amusing, the most uncomfortable part was that the need to pass water occurred every $2^1/_2$ to 3 hours, almost immediate and without warning. The problem was that it took so long to dress and to dig out, and the necessary clothing was so bulky, that it was a race against time, sometimes not won.

"As we found ourselves able to withstand these conditions for some time, and as the weather was slightly worsening, we set about a routine of sleeping when we could, eating, and digging out the tents from the snow every three hours, to coincide with the need to pass water. During the period of sleep after three days, the two-man tent began to collapse, seriously hampering movement and breathing for those inside. There was by now little to distinguish night and day and a short time later the tent collapsed with the ridge pole and 'A' frames bent and twisted, and even the seams opening, and large tears appeared in the canvas, so that evacuation was necessary.

"As the damaged tent required considerable repairs we had to decide whether to cram five men into a two-man tent or break the major rules of the mountain code and move camp. One member had become seriously ill due to dehydration and stomach trouble. It is always a major problem when travelling on snow that there is no running water, and this was made worse for us by the force and continuity of the wind which made it impossible to light a match outside the tent, while inside there was a high risk of fire due to the restricted space and shortage of air for combustion due to the snow cover. Liquid gas stoves would have been useless in these low temperatures below -15°F. We could thus not melt snow and had to eat it, causing excessive dehydration since it was impossible to obtain enough liquids for the body to function normally, and eating too much snow would cause dangerous falls in body temperature. Prolonged shortage of liquids began to cause serious liver complaints evident in tests of urine. We were also forced by the shortage of water to eat only the emergency rations, since the normal rations were dehydrated or highly concentrated and were either inedible due to dryness or would cause severe burning of the mouth and digestive tract due to the high concentration. The dangers of exposed flesh freezing increased as windchill equivalents of -63°F to -72°F occurred at night and because there was little moisture near the skin surface.

"Because of these problems and since we had lost a large amount of equipment, irretrievably buried deep in the snow, and because we had grave doubts about survival in another such storm so far on the glacier, all agreed that we should take the risk and break camp, and it then took several hours for the team to get ready to break camp without delay and serious discomfort. Dressing was difficult since everything was frozen, and while one man dressed, the others worked at softening boots, gaiters and outer clothing, even if it meant chewing them.

"When everyone was ready we quickly began to strike the tents, two men working on each, with the fifth loading the sledge. It was only possible to work for five minutes at a time with backs to the wind and drift, since facing it was like standing in a cold shower facing the water and ice forming over our mouths and nostrils in the freezing vapour was hindering breathing.

"With everything packed we roped on short lines to the sledge and set off into the wind on what we thought and hoped was the way to Jökulheimar, trying not to allow the wind to sway our line of downhill travel. As the slope became steeper the sledge began to over-run and pull us in the wrong direction. Finally, utterly exhausted, we arrived at a flat plain which we thought must be the frozen river Tungnaá which runs to the east of Jökulheimar and camped. With outside temperatures now colder than ever and the morale of the team dangerously low we attempted to get some sleep, taking it in turns to dig out the tent and check on the physical condition of the others. This was the first time that anybody had really felt the cold and it was difficult to stop shivering, to conserve energy. The following two days were difficult ones personally for the team members, but early one morning the wind stopped and I ventured out. Although I froze instantly I could see the sun trying to peer through the drift at a higher level and that we had been camped on the surface of a frozen lake. From the top of a hill some distance away I was able to catch a glimpse of the Jökulheimar huts some 5¹/₂ km. away to the North-west.

"This news brought back life to the team and we quickly broke camp and headed towards the huts. The going became progressively more difficult as we had to cross difficult snowdrifts and the weather was deteriorating again. After five hours we were in a dense snow blizzard with the wind blowing from our left. Once again we took the risk and abandoned everything except the tent, sleeping bags and emergency rations, even leaving the sledge to make a final bid for the hut. Completely exhausted, we began to forget that we were a team and must rely on one another for survival, occasionally losing sight of the others in the blizzard. Suddenly we walked out of the blizzard as into a forest clearing and were standing only 20 feet from the hut.

"We must have slept for many hours before we even attempted to take off our protective clothing. As we began to function normally again we began to realise the extent of our 'injuries' and in the increasing warmth of the paraffin stoves began to peel off frozen clothing, tearing out skin hair and sores on face and hands. One member had slightly frostbitten fingers, but our main worry was the youngest member who had for some time been complaining about the lack of feeling both his feet, and removal of his boots showed that all ten toes were black and swollen. It was clear that if there was no improvement in three days the toes must be amputated."

Postscript

The party spent the next week at Jökulheimar, gradually collecting the sledge and equipment, recuperating, and doing what repairs were possible. On the eighth morning, which was bitterly cold but clear the party left the hut to try to reach Reykjavík across the centre of Iceland. The sledge and all inessential gear were left at the hut, and each member carried about 80-lbs of essentials.

Having expected to cross to the east side of the icecap, the party had only the 1:250,000 maps of this western area, and these show very little detail. The problems were compounded by the deep snow cover of the area which they had to cross. They headed round the northern end of Thórisvatn, having to cross a very rugged area with the deep rift of Heljargjá, which was reached at a very difficult place where one member, already injured, had a fall. It thus took three days to reach a small dam on the Thórisós river, flowing into the northern part of Thórisvatn, and on this dam was a small hut which just held the party. Examination of the youngest member's feet showed the toes to be in a critical state so the leader and one other set off for the power station site at Sigalda, which they were able to reach after numerous changes of route, and get assistance, which only became effective when a Bombardier snowmobile was called in with an expert driver who rescued the remainder of the party. A radio distress beacon had been left with this group, to be used if no rescuers appeared after three days, but fortunately it did not have to be used. If the two who set out for Siglda had not arrived, and the beacon had been used, the two would probably have not been found as their route had changed so much from that known to the other party.

COMMENT

This description gives some idea of extreme conditions to be experienced on Vatnajökull in what we consider to be spring. It is clear that only a party with equipment suited to travel in the Antarctic winter/spring period could have dealt with the conditions experienced. In particular, some kind of pyramid tent would have made life on the icecap more bearable, since its stability and height would allow better ventilation and more space for cooking inside. However, it is all too easy to make such suggestions with hindsight.

As a general rule we do not recommend the use of beacons without prior consultation with the Icelandid authorities and the NATO airbase at Keflavík. Given that you have a beacon you have to ask the question "Even if I did use it, who would be able to pick me up, and who would pay for the rescue?" It is unreasonable to expect people to turn out on to Vatnajökull to rescue you.

You need the permission of the Glaciological Society to use any of their huts but if you do use one in an emergency do treat it with respect, clean up afterwards and notify the Society of any deficiencies as a result of your visit.

WORK ON VATNAJÖKULL

The Icelanders are doing a great deal of scientific work in traverses across the ice with tracked vehicles, and it is recommended that foreign exploring parties can most usefully work round the margins of the ice. Survey of glacier positions, examination of river processes, geomorphological studies of ice-margin features, and meteorological observations are all useful topics for which there is a need.

M H WEALE

15 FIELDWORK AREAS

INTRODUCTION

Over the years it has become apparent that expeditions tend to concentrate in certain areas. These areas are now so visited by groups and tourists that they are ceasing to be ideal expedition venues. Expeditions will undoubtedly wish to visit the classic sites such as Skaftafell or Mývatn but we would suggest that by seeking alternative locations for the main part of the expedition you will be more likely to find the 'expedition experience' that your members have in mind.

The Iceland National Research Council, the Iceland Nature Conservation Council and the Iceland Information Centre have jointly agreed to consider proposals for alternative sites. As these are likely to vary from year to year it is felt inappropriate to include them in this book. Expeditions are therefore invited to write to the Iceland Information Centre. Figure 1.5 shows the principal locations chosen by expeditions between 1962 and 1982 but excludes those groups who were touring from place to place. By implication the black spots are those to avoid although this is not strictly true because some areas have a greater capacity than others. The honeypots of the central highlands and plateau areas are the most sensitive because their season is short both for tourists and for vegetation growth so that the intensity of use is higher than the coastal areas or the more alpine Tertiary basalt zones.

Any expedition will wish to experience as much of Iceland and its culture as is possible in a short time. Costs will preclude extensive tours so itineraries need to be designed so as to take in different routes in to and out from the base camp.

CLASSIFICATION OF AREAS

Preusser in his "Landscapes of Iceland" devised a nine-fold division of Icelandic landscape types which we have used as the basis for our divisions. However his system is not wholly applicable to one designed for expedition logistics and so we have had to considerably modify his primary and secondary boundaries. His primary divisions are:

  I.   Vegetated Lowlands
  II.   Sandar Plains
  III. Fjord Landscapes
  IV.   Tundra Plateau
  V.   Highlands
  VI.   Desert-like plateaux outside the Young Volcanic Landscape
  VII. Young Volcanic Landscape
  VIII. Glaciers
  IX.   Islands

Bibliographic material may be found in Chapter 19.

Fig. 15.1. Expedition Regions (based on Preusser, 1976).

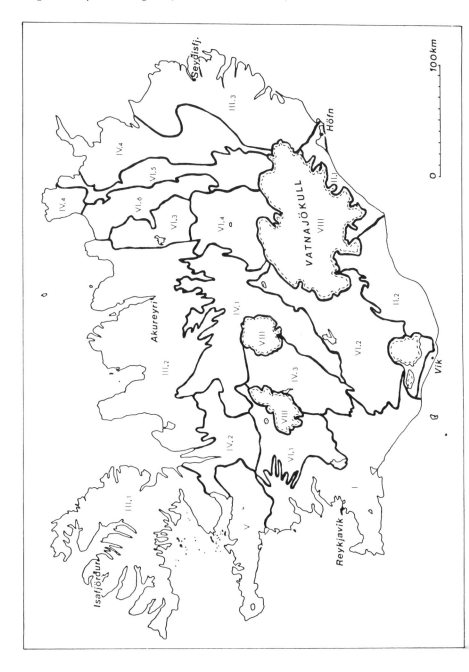

I. VEGETATED LOWLANDS

1. South-west Iceland

The area here termed south-west Iceland is defined more by distance from Reykjavík than any particular landscape type. Broadly speaking it consists of the coastal lowland areas, which by their occupied nature make them unsuitable for most expeditions, and the Reykjanes peninsula which strictly belongs to a young volcanic province.

The region comes into its own at Easter when field study groups may base themselves at Reykjavík or, say, Hella and undertake a variety of excursions. Hella is well placed for visits to a number of the Icelandic 'must sees' such as Gullfoss, Geysir, and Thingvellir. Excursions might include:

Thingvellir and Kaldidalur: site of original Viking parliament, rift valley, step faulting, shield volcano, lava forms, cold desert.

Thjórsardalur: basalt formations, Hekla ash deposits, Viking settlement, hydro-electric power station.

Gullfoss and Geysir: waterfalls, geysers, desert margin.

South coast: glaciers, Skógar folk museum, sandar outwash plains, cliffs and beaches.

Hveragerdi: geothermally-heated greenhouses, Kerid explosion crater.

Reykjanes Peninsula: Krísuvík hot springs, palagonite ridges, lava fields, Graenavatn explosion crater, Grindavík fishing village.

The Reykjanes peninsular, although close to Reykjavík, will afford an 'expedition experience' to the group on a low budget. It is an area much used by Icelandic schools for fieldwork in geology and botany. The Icelandic Scout Association has a camp site at Úlfljótsvatn (south of Thingvallavatn) which, subject to their permission would be ideal for both field studies and hill walking.

The actual lake Thingvellir is included in this area but most interest lies on its northern shores in region VI.1.

The northern part of this south-west region includes the very attractive Borgarfjördur which on the face of it is typical strandflat country with ice polished rocks riding a level plain fringed by myriads of small rocky islands. The district includes some fascinating volcanic vents and lava flows, notably Eldborgarhraun and Gullborgarhraun and in the north-east corner the Grábrók craters and moss-covered flows. All are under the protection of the Nature Conservation Council.

II. SANDAR and their fringing mountains

1. Austur-Skaftafellsýsla

This must be one of the most outstanding wilderness areas in Iceland on account of its high mountains, glaciers, and vast outwash plains. The three are inseparable. Iceland's highest mountain, Hvannadalshnúkur rises from sea level to 2119 m. in a horizontal distance of only nine kilometers. From the lofty crater of Öraefajökull the glaciers cascade over 1,000m icefalls to re-form with magnificent ogives. It is no wonder that the Skaftafell district has been designated a National Park. Further east the ice approaches the coast in the broad tongue of the Breiðamerkurjökull which discharges icebergs into the lagoon Jökulsárlón. Once past the outlet the country again becomes mountainous with large valley glaciers descending between bold, jagged mountains. For many years the Brathay Exploration Group have carried out annual programmes here. Their principal interest was the colonies of arctic tern and great skua but their work has included repeated surveys of glacier tongues (notably Falljökull), studies of sand dune orientation on the Ingólfshöfði headland, and, most importantly, monitoring of the vegetation changes within the National Park as a contribution to long term management plans. Their reports are available for study by contacting the Group at Brathay (see Appendix G). Numerous other glacier studies have been carried out further east by both Brathay and the British Schools Exploring Society.

Although very dynamic and attractive access to the western part is in some ways limited. Within the National Park camping is restricted to the official site. Outside of that the available ground for base camps is limited and often privately owned grazings. East of the Jökulsárlón however the situation changes a little because the approach valleys are longer and more remote. Acess is not too difficult and approval for expedition work would be readily obtained.

Access by road can be achieved on the daily bus from Reykjavík to Höfn or by chartered bus through tour operators. Regular domestic flights go to Höfn but no longer to Fagurhólsmýri.

2. Vestur-Skaftafellsýsla (incl. Eyjafjöll)

The western end of this district is probably the most interesting especially where access to the mountains is possible. The glacier Sólheimajökull has attracted much attention but it should not be too swamped by visitors as the landowners are not keen on seeing too many people within their grazings. Note that its outwash stream discharges sulphur from the subglacial volcano Katla which last erupted in 1918 causing floods and devastation on the plains below. This and other glacial outpourings have gradually extended the coastline to include former offshore islands which stand like fortresses from their sandar. Birdlife is a feature of this zone and the cliffs and beach at Dýrhólaey, near Vik, are a must for a visit.

Apart from the glacial interest this area has not received much attention from expeditions, perhaps because it is well populated or rather narrow in extent. West-east travel in the hills is more difficult than south-north. One notable route is that between Mýrdalsjökull and Eyjafjallajökull. As you travel east the mountains pull back from the coast and larger glacial tongues descend from the Mýrdalsjökull. Streams and dust storms become the major obstacles to access. Once across the desert-like Mýrdalssandur the scenery is dominated by the Skaftáeldar lava flows of 1783 until you reach Kirkjubaejarklaustur. East of here the mountains change again and separate the coastal strip from the western edges of Vatnajökull. The ice-dammed lake Graenalón has been visited in the past and provides a fine expedition setting but it is difficult of access and requires good planning. There is an excellent folk museum at Skógar which includes rebuilt turf houses and innumerable artefacts. The tranquility of the site enables one to appreciate Viking Iceland.

III. FJORD LANDSCAPES

1. Vestfirdir

The Vestfirdir peninsula is in the old grey basalt province and offers some of the best opportunities for a true expedition. The peninsula has a low population, is remote and offers a range of fieldwork possibilities between coast and icecap. Hitherto, expedition attention has focused on the north side of ísafjardardjúp where Sugden and John (op cit) carried out studies of the Kaldalón and the small glacier at its head. Several expeditions have followed up this work or have concentrated on the deglaciation vegetation sequences. More recently (1973-75) Durham University had a programme investigating Pleistocene temperature gradient changes for the North Atlantic. This work covered the entire peninsula and include work on the margins of the diminishing Drangajökull icecap.

From a purely recreational point of view the coastline between Baeir and Nordurfjördur is marvellous hiking country. You can approach from either Baeir or Ingólfsfjördur whence a six day hike will bring you to the manned lighthouse at Straumsnes.

Expeditions have explored Drangajökull and have also canoed the extreme north-west coastline. Although largely abandoned with respect to permanent dwellings the farmhouses are still in private ownership, are used in the summer and should not be entered under any circumstances.

It would be a pity to ignore the opportunities afforded by the rest of the peninsula, especially the south coast from Reykjanes to Latrabjarg (Bardaströnd). The scenery together with the opportunities for botanical, ornithological, geological and geomorphological work make this a very attractive area for expeditions. The district does include several locations singled out for protection but they are in Category 2 (see Chapter 1.5).

The route out and back to the Vestfirdir can be balanced in a number of ways to provide expeditions with a broader experience of Iceland and its landscape. The direct route out can take in the whaling station (Hvalfjördur) and the neo-volcanic district of Kólbeinsstadahreppur which includes the impressive Eldborg crater (30 mins walk from the farm Snorrastadir). An alternative route, perhaps camping at Húsafell on the way, incorporates the old parliament site and rift valley (Thingvellir) and the glacial-volcanic desert along Kaldidalur. The Húsafell district (see Area IV.2) is of great interest.

2. Northern Highlands

The four peninsulas of Skagi, Tröllaskagi, Flateyardalsheiði and Tjörnes constitute this northern sweep of Iceland. Tröllaskagi is well-known and was much visited by groups that were working on the North Iceland Glacier Inventory between 1973 and 1978. It is an ideal expedition location which offers high mountain country, numerous manageable, small glaciers, and interesting proglacial features. In itself, apart from the tip of the Skagi peninsula, it does not offer the truly volcanic side of Iceland but this dimension can be added with a visit to Mývatn or to volcanic sites closer to Reykjavík.

It is also good trekking country but care should be taken in route planning because the maps cannot always be relied upon where the slopes are extremely steep. The basalt is very loose and often coated in slippery mosses. Air photographs can be of great assistance to supplement the maps. Shadows cast by low angled sunlight often reveal sharp pinnacled ridges that quite clearly are impassable.

Skagi is not so well known yet would be interesting for a small expedition with geological (Pleistocene volcanics), botanical, or limnological inclinations. This might represent a focal point for one phase of an expedition programme. Access is easy via Blönduós where all services and a camp site are available.

On account of its landscape, vegetation and birdlife the entire Flateyardalsheiði peninsula has been designated for protection in the near future. It has been abandoned by a permanent population since the mid-1950's but is still extensively used as sheep grazing and the farmers are not too happy about its use by groups. Since access is principally along north-south valleys with no east-west connection it is not suitable for large expeditions anyway. Very small research parties with specific objectives and pemission from the land owners may be permitted.

The coastal scenery of Tjörnes peninsula is very striking but not very suitable for expeditions as the shore is largely inaccessible because of cliffs or private land. Should you visit any of the geological sites there you are urgently requested to respect them even though others have wrought enormous damage.

Apart from the Quaternary flows of Skagi this region is one of Tertiary flood basalts similar to those elucidated in Eastern Iceland by Walker and others. A long-standing geological problem is the status of the highest summit lavas in the peaks around Akureyri and Hörgardalur. These overlie tuffs both north and south of Hörgardalur but their equivalence has yet to be demonstrated or disproved. Detailed mapping of the sub-summit lava tuffs of the Glerádalur-Öxnadalur region to the north and west would be a valuable exercise as yet only partially attempted (Sowan, 1966). At lower levels, detailed work on zeolite zoning, particularly in the north would be useful.

The northern fjords are easily reached by air to Akureyri or Sauðarkrókur, or by daily bus to Akureyri. Many groups vary their outward and return journeys by combining bus and air travel or by travelling the coast road on the outward journey and the Kjölur or Sprengisandur route through the interior on the return.

Base camp would almost certainly need to be on a farm. A reconnaissance would be the best way to check this but local contacts can sometimes be achieved through the Iceland Information Centre.

3. Eastern Highlands

The mountains of Eastern Iceland rise abruptly from the coast to between 1100 and 1200m. In the 1960's the story of these impressive geological piles unravelled by G. P. L. Walker then at Imperial College, London. Since then very little work has been done by expeditions except that by Clapperton and Croot on the surges of Eyjabakkajökull.

Because they are so precipitous and loose the mountains themselves are not very accessible from the coast. Long hikes up the many valleys are necessary. These valleys lead to the edge of the plateau which then slopes gently west towards Fljótsdalur. However those valleys which dissect the western side of the ancient plateau, east of Skriddalur for example, look interesting from a geomorphological point of view. Reconnaisance of the air photographs would reveal a number of sites for studies of landslides and associated phenomena. The only permanent ice is in the southern part on Þrándajökull and Hofsjökull both of which merit examination. An expedition landing at Seydisfjördur or Egilsstadir could approach up Fljótsdalur and then have access to both these ice masses, the eastern edge of Vatnajökull and peaks such as Hornbrynja (961m) and Snaefell (1833m).

IV. TUNDRA PLATEAUX

1. Central Plateau

The plateau lies at about 1000m sloping gently southward from the heads of the valleys of Eyjafjördur and Skagafjördur. Other than for very specific research this area is unsuitable for most expedition purposes. Remote, yes, but largely featureless and barren. Furthermore there is considerable Icelandic research interest there in view of proposals for a new hydro-electric scheme in the western part. The western part is rather wetter with a number of lakes some of which have been studied.

If planning a west-east traverse of Iceland on foot the north side of the Hofsjökull is a difficult area to cross on account of the numerous, ever-changing stream courses. These are glacial, turbulent and cold. When the RAF team crossed here in 1972 and finally arrived at the east coast they mey with some vehicle-borne Icelanders who reassured them that "It's quicker by road, you know."

On the basis of landscape this zone also extends into Region IV.3 but from an expedition point of view we treat this separately. However the west flank of the Sprengisandur route is included. This is a monotonously flat area inhabited by thousands of greylag geese. Access by way of the Sprengisandur route is rarely possible before the middle of July.

2. West Central Plateau

This represents the dying edges of the previous region where the monotonous plateau is dipping towards the north and west coasts. In few areas is the ground free from thick coatings of moraine but it does include numerous small lakes and pools and isolated clumps of vegetation taking refuge above the general swampiness. In the southern part of the area a series of dry valleys have been interpreted as subglacial fluvial channels (Ashwell).

3. Central Highlands

Because of its centrality and proximity to two icecaps this area has always attracted attention. It is eminently suitable for true expedition work subject to the following observations:

(a) The route through the middle (Kjalvegur/Kjölur) is well used in the summer and this automatically eliminates the hot spring site at Hveravellir on account of the number of visitors. The pressure at Hveravellir is such that large groups are advised not to base themselves there.

(c) Thjórsaver, the area south and east of the Hofsjökull is a protected area for pinkfooted geese and permission will not normally be granted for expeditions to stay there.

This therefore leaves the following:

The Kerlingarfjöll Mountains : These snowclad rhyolite peaks with their small hot spring areas make a very dramatic landscape. In the summer months there is a ski school here at Ásgard and therefore quite a lot of people in the vicinity of the huts. Too much activity here is to be discouraged but camping may take place lower down the track and expeditions can move in to the camp are   north of here towards Blágnîpa where the ice from Hofsjökull descends to provide an interesting proglacial area. The climbing potential of this area is covered by Chapter 13.

Hagavatn : The changes in the margins of Langjökull have long been a source of interest at this point. There is an interesting series of overflow channels and evidence of periodic glacier surges which have influenced the shape of the lake. This is also the source region of the sand which is periodically blown over the farmlands that lie to the south-west. Problems of soil erosion can be studied here. This is good expedition country for geology, geomorphology and glaciology.

Geysir-Hvîtarvatn : Several groups, with vehicle support, have walked this challenging route with its desert landscape and impressive lines of volcanic ridges (Jarlhettur). Recommended.

4. North-east

This area is rarely visited and one must be honest and say that at face-value it does not look too attractive for anything other than the true research expedition. It is an undulating tundra plateau crossed by numerous small streams and frequented by many small lakes and bogs. This is predominantly a Tertiary basalt area with Old Grey basalts in the west and north-west. The most northerly part of Iceland the Hraunhafnartangi peninsula is interesting for its truly tundra vegetation, periglacial landforms (polygons), and its geology which includes palagonite and post-glacial volcanism.

Aircraft fly from Reykjavík and Akureyri to Raufarhöfn. Buses depart from Húsavík and Egilsstaðir.

V. HIGHLANDS

1. Snaefellsnes

The Snaefellsnes peninsula is a little difficult to classify within our system because it consists of both highland and coastal lowland. In many ways it is similar to the fjord landscapes but without the indented coastline. It also fits into all the geological zones having both older Tertiary basalts and younger volcanism. Hitherto it has not received enough attention from expeditions although it is very attractive. On the one hand it offers a transect from coast to icecap (Snaefellsjökull — 1446m), and on the other a mountainous backbone that is geomorphologically and botanically interesting. Access is easy yet once away from the road you are remote. The area is therefore ideal for Duke of Edinburgh Award type expeditions. And expeditions wishing to blend a variety of disciplines.

There are a number of Category 3 (Chapter 1.5) conservation areas in this district of which the area referred to as 'Undir Jökli' is the most sensitive; notably around Búdir (vegetation) and the Arnastapi headland (birdlife).

Volcanic craters and lava flows are found at numerous sites around the peninsula notably on the southern approach (Eldborgarhraun and Gullborgarhraun) and on the north coast, the Berserkjahraun. Snaefellsjökull occupies the crater of a composite volcano. The mountains contain several cirques that were apparently occupied by remnant ice in the 1930's.

For routes into and out of Snaefellsnes refer to the last paragraph of Area III.1 Vestfirðir. There are daily buses from Reykjavík to the principal towns of the peninsula.

VI. YOUNG VOLCANIC LANDSCAPES

1. South-west

To date expeditions have largely ignored this district but for a few Duke of Edinburgh Award-type groups for whom it is eminently suitable. Húsafell is a good point for a base camp from which to undertake exploratory acclimatisation hikes. It has the advantage of good access, proximity to Reykjavík, considerable landscape interest and the opportunity for remote expeditions within the glacio-volcanic interior. Tour parties regularly use the route from Thingvellir to Húsafell (Kaldidalur) which would be your means of access but it still has considerable interest and once you move away from the road you are quickly into another world, especially east of Húsafell between Eiríksjökull and Langjökull.

The woodland at Húsafell is protected. The hot springs and magnificent waterfalls of Barnafoss-Hraunfossar are scheduled for protection but in any case these are not strictly sites for expedition work. The lava caves of Surtshellir and Stefánshellir are Category 3 sites and it would be advisable to seek permission for any work there.

Expedition interest is varied and includes geological interest in the lava morphology, especially that of lava tubes. Two notable shield volcanoes, Skjaldbreiður and Ok dominate the Kaldidalur route. Geomorphologists will be interested in the desert features, landslides and periglacial phenomena, and especially the effects of wind-blown sand. Ice is all around, though difficult of access because of the steep approaches. Nevertheless the icecaps are crossable by experienced parties. Vegetation may not seem too apparent to many but the colonisation by plants is something short of remarkable in this severe environment.

Access can only be by road and best by chartered vehicle. There are no regular services beyond Thingvellir in the south but there are daily buses to Reykholt and Húsafell.

2. South-central

This area is very attractive to expeditions because it is so close to Reykjavík and combines a variety of landscape types into a small area. In the eastern part the features of the mid-ocean ridge are well displayed along the Laki and Eldgjá fissures where the grain of the country is seen to run south-west to north-east and under the Vatnajökull glacier. Explosion craters, eruptive cones, and lava flows abound. This grain is also followed by streams, some of which are turbulent and flow through steep-sided gorges undiscernable from the maps. The best source of navigation information in this area is Dick Phillips (Appendix F) who maintains his hostel and library at Fljótshlíd.

However, the area is increasingly visited by tourist groups at certain locations such as Landmannalaugar and Eldgjá, and it contains a growing number of reserves some of which are very sensitive. The Landmannalaugar area (Fjallabak), especially is heavily used and groups are encouraged to avoid spending any length of time there. The Fjallabak reserve (47,000 ha) is one of the largest in Iceland after Hornstrandir, Mývatn-Laxá, and Skaftafell). Under no circumstances should groups camp within the reserve without the express written consent of the Nature Conservation Council.

The key locations in the western part are Hekla, Torfajökull and Tindfjallajökull.

This area also contains a number of huts (see Chapter 5), a list of which is available from the Iceland Information Centre. However as a general principal these should not be used by expeditions except in extreme emergency.

Similar comments apply to the Laki fissure and to the Thórsmörk area even though it is a Category 3 reserve. It is accessible only by four-wheel drive vehicle because of the river Krossá which is exceedingly dangerous. Single vehicles with inexperienced drivers are not recommended to try it.

The East part is especially barren and remote and centres on the Jökulheima hut owned by the Iceland Glaciological Society. It is from here that they make their annual Whitsun snowcat crossing of the Vatnajökull. Access to the ice in this part is prohibited by the Tungnaá river but once north of the Kerlingar access is possible via Sylgjujökull (unnamed on the maps). The glacier that descends between the Kerlingar peaks makes an interesting expedition location. Sylgjujökull is a surging glacier, the evidence for which is quite plain. The outwash zone, though difficult, is interesting geomorphologically (dirt cones, cryonite holes, supraglacial stream and debris flows).

The strip of country hard up agaist the Vatnajökull is very difficult of access and only negotiable by four-wheel drive vehicles travelling from west to east. They should travel in pairs on account of the quicksands, steep slopes and snow patches. The route is described in Chapter 2.9.

The mountain oasis, Nýidalur (Jökuldalir) and the area surrounding Tungnafellsjökull is in part a Category 2 reserve and in part Category 3. Because of its altitude and the brevity of the season there the vegetation is very sensitive to overuse. The Nature Conservation Council wish to discourage groups from using it and special permission must be sought.

3. Mývatn-Gjástykki-Jökulsárgljúfur

There can be no doubt that the Mývatn district (Mývatnsveit) deserves the special protection that it has been given in Icelandic law. Ornithologically, botanically, and geologically it is unique among landscapes. The majority of expeditions will visit as tourists but with a proprietory interest in the natural history. They camp on the official camp sites (Reykjahlíd and Skútustaðir), and happily join in the general appreciation of the district. Camping is restricted in the most visited and farmed area but permission can be obtained to camp further afield where the general public do not go (eg. the approaches to Bláfjöll beyond the Lúdent craters). Objectives must be quite explicit.

Perhaps of greatest recent interest has been the volcanic activity (1976 onwards) associated with the Krafla central volcano and the fissured district (Gjástykki) that runs north to Axafjördur. These are described by Escritt in several Geographical Magazine articles.

It has happened that groups wishing to undertake biological work have been diverted to other areas within this region. Such areas have included Víkingavatn and Vestmannsvatn where similar vegetation and freshwater studies could be carried out. The Kelduhverfi district is interesting although access is to some extent limited by farms and farmland. It is here that the northernmost fissures of the Gjástykki (Krafla) tectonic activity are well displayed. There is also a haf and nehrung coast with skua colonies and

355

small lakes. The Nature Conservation Council are not averse to groups undertaking work within the Jökulsárgljúfur National Park which is, geologically and botanically interesting and a unique place to be. A base camp can be set up at Ásbyrgi and an advance camp in Vesturdalur whence journeys may be made in all directions. No-one could fail to be impressed by this place or at least by the mighty power of the river Jökulsá á Fjöllum as it dives over Dettifoss.

4. Ódaðahraun

South of Grîmsstaðir you enter the glacio-volcanic desert of the Ódaðahraun. You are still within the vast reserve of Mývatn-Laxá where permission must be sought. An expedition in this area would need careful planning and logistical support. Equipment would have to be good because the wind can blow unabated, whipping up powerful sandstorms that can be very unpleasant, especially to the bespectacled. Water is scarce, having sunk down into the sand, gravel and lava. The area is also very sensitive and at Herdubreiðarlindir, for example, is in danger of severe erosion owing to visitor pressure and camping around the hut. Vehicles crossing this rough terrain must be prepared for loose sand and lacerated tyres.

Interest revolves around the periglacial features, desert landscape and the volcanic landforms exemplified by the Askja caldera, Herdubreid (palagonite mountain), Trölladyngja (shield volcano), and Kverkfjöll (hot springs, and ice caves adjacent to and within the icecap).

5. Palagonite Ridge Highlands

The east side of the Jökulsá valley is bordered by palagonite hills stretching some 200km northwards from the Vatnajökull. They rarely exceed 500m. in height. At their southern end they abut onto the icecap at Brúarjökull which is one of the surging type. In 1963/64 the glacier advanced 8km in three months. Its outwash zone is a model for proglacial landforms.

6. Jökulsá á Fjöllum Region

This area really falls into no clear landscape slot. It is bordered by young volcanics to the west and palagonite hills to the east. Its thread of continuity is the mighty river itself which, in its northern section, flows through the impressive Jökulsárgljúfur National Park. This is where the Iceland Breakthrough team canoed to the Dettifoss waterfall before negotiating the fall itself with motorized hanggliders. It is also an area that receives regular dust storm debris from the Ódaðahraun. The national park and the area to the south contain several interesting grabens, craters and crater rows (Hrossaborg and Sveinar). The system includes now dry canyons where the river formerly flowed, the most notable of which is the canyon at Ásbyrgi where two small, deep ponds mark the spot where the river once tumbled over a 100m-high waterfall.

In the southern desertified section the landscape is impressive for its openness and the expanses of gravel and sand. Former courses and levels of the river can be seen here.

VII. GLACIERS

Iceland possesses far more permanent ice than the maps would suggest. In the Tröllaskagi peninsula, for example, there are over a hundred small glaciers of one kind or another. Icelandic ice is close to its melting point and therefore referred to as temperate ice which possesses a great deal of meltwater both on and within it. Meltwater streams, outwash streams and moulins are common features which make navigation hazardous for the explorer. Snow cover varies greatly from year to year and there are no hard and fast rules. On Vatnajökull the permanent snowline is at about 1100m. on the south side but at 1400m on the north side where the fohn effect melts ice at a higher altitude. All Icelandic glaciers are hazardous at anytime because the weather conditions, especially on the icecaps can be so severe. Even experienced alpinists are astonished at the weather that can be flung at them. The damp, cold air makes the conditions much more severe than at equivalent heights in the Alps.

In 1972 the North Iceland Glacier Inventory programme (NIGI) was initiated and its accompanying Manual for Field Survey Parties (Escritt) serve as a useful handbook for glacier-bound fieldworkers. This study highlighted the existence of numerous rock glaciers and related phenomena in the northern highlands.

Details of the Vatnajökull and its adjacent Öraefajökull are given in Chapter 14.

VIII. ISLANDS

There are really only two principal islands, Grímsey and Heimaey. Grímsey, is reached by air or by boat from Akureyri (m.s. Drangur). The principal attraction is the fact that it straddles the arctic circle and provides 24 hours daylight for the sun worshippers. The cliffs are well-known for their seabird colonies. Few expeditions have visited Grímsey in recent years, perhaps discouraged by its lack of surface water, but comparisons with older work would now prove interesting.

Heimaey is reached by daily aircraft from Reykjavík or boat (m.s. Hérjólfur) from Thórlakshöfn. Heimaey is one of the windiest places in Iceland and aircraft landings are often not possible so if planning a one-day excursion to view the 1973 eruption centre be prepared for disappointment. It is best to book this for early in the trip so that if postponed you still have another chance to get out there. Those intending to stay for longer than a day will find the camp site adequate and the hostel accommodating. One or two expeditions have carried out local human geography surveys, but most come simply to view the eruption centre and effects upon the island community. Certainly worth a visit.

The volcano Surtsey, 20 miles south-west of Heimaey, is still the subject of extensive study to see how the bare lava develops a vegetation cover and how new communities come into existence. Expeditions, other than from research institutions, will not receive permission to land.

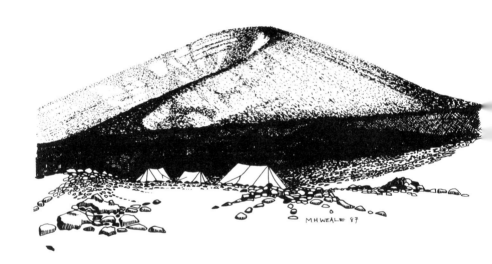

16 BUSINESS IN ICELAND

Introduction

Icelanders, because of their insular and previously remote situation, have always had a keen interest in international trade. The Vikings used to raid Ireland to finance their new settlements, and later, English and Hanseatic merchants established trading bases in Iceland. From 1602-1787 Icelandic trade was constrained by the Danish trade monopoly and it was only when Skúli Magnússon pointed the Icelanders in the right direction that overseas business was actively and enthusiastically pursued. Is it not astonishing that a nation of only a quarter of a million people can operate an international airline, two international shipping lines, and have a sophisticated infrastructure that includes numerous banks.

Iceland has one of the highest per capita incomes in the world based on initiative, hard work, and private enterprise. One in every two people have both a car and a telephone, one in three have a television set. Life expectancy is high (75.0 for men and 80.4 for women), a fact put down to a healthy fish-based diet, and illiteracy is unknown. Of the working population (120,000) 15% work in fisheries, 16% manufacturing, 15% in commerce, 10% in construction, 7% in transportation, 7% in agriculture, and 30% in services.

The Icelandic labour force has the right to negotiate wages and conditions of work, and where necessary the State Mediator becomes involved. The government can only ban strikes by passing a law, and has, in the past, passed laws that temporarily suspend labour rights. The average number of days lost per worker due to strikes has been 0.76 days, but none of the major manufacturing industries have been affected by these. In general the guidelines for working conditions have been set by negotiations between the Confederation of Icelandic Employers and the Icelandic Federation of Labour. Iceland has always boasted full employment but this has altered in the last two years, during which the GDP has fallen for the first time since 1983, and unemployment has occurred at around 2.5%. Thus, whereas it was once relatively easy for foreigners to obtain work in Iceland this is no longer the case.

The level of education in Iceland is very high, and illiteracy non-existent. Although schooling is compulsory from 7 to 16 the percentage of those in further education is very high.

The National Economic Institute publishes briefs and memoranda in English, and the Central Bank publishes Economic Statistics quarterly.

Key Addresses

ASSOCIATION OF ICELANDIC IMPORTERS, EXPORTERS, AND WHOLESALE MERCHANTS, Kinglan 7, 103 Reykjavík (Tel. 1-678910 Fax. 1-688441).

CENTRAL BANK OF ICELAND, Kalkofnsvegi 1, 150 Reykjavík (Tel. 1-699600).

EXPORT COUNCIL OF ICELAND, Lagmuli 5, P.O. Box 8796, 128 Reykjavík (Tel. 1-688777 Fax. 1-689197).

FEDERATION OF ICELANDIC INDUSTRIES, Hallaveigarstigur 1, 101 Reykjavík (Tel. 1-27577 Fax. 1-25380).

ICELAND CHAMBER OF COMMERCE, Kringlan 7, 103 Reykjavík (Tel. 1-83088 Fax. 1-686564).

NATIONAL ECONOMIC INSTITUTE, Kalkofnsvegi 1, 150 Reyjavík. (Tel. 1-699500).

Conference and Incentive Promotions

Iceland's central position in the North Atlantic has proved its worth as a meeting place. International figures drop in officially or unofficially, perhaps most notably the summit meeting between Reagan and Gorbachev which was successfully organised at very short notice. In 1989 the NATO foreign ministers held their conference in the Háskólabió adjacent to Hotel Saga which also has conference facilities. Numerous companies have held conferences or promotions in Iceland now: ICI, Volvo, Philips, IBM, Toyota, Electrolux, Christian Dior, to name but a few. The attraction is not simply the facilities and ease of access, but the unusual and attractive location. In addition to the obvious and unusual coach tours, what other country can offer jeep or snowscooter rallies among warm natural lakes, ejecting geysers, and thundering waterfalls? Where else could you have a buffet 1500m up on a glacier, sail among icebergs with your drink chilled by a 2000 year old ice cube, or soak in comfort surrounded by snow or ice? All this and a vibrant nightlife and unusual events such as a Viking meal and entertainment, midnight golf tournaments, winter golf with coloured balls, and many other such attractions, adapted to fit the needs of the conference.

Reykjavík also has facilities for trade shows, product launches, and exhibitions in the Laugardalsghóll Sports Hall in Laugardalur.

The key hotels (Saga, Loftleiðir, Esja, Holt and Holiday Inn) all deal with conference organisation, as do the principal travel agencies (Úrval/Útsýn, Saga, Samvinn), but there is currently just one company specialising in conventions, conferences and incentive travel programmes, and that is:

RAÐSTEFNUR OG FUNDIR h.f., (Iceland Incentives inc), Hamraborg 1-3, 200 Kópavogur (Tel. 1-41400; Fax. 1-41472).

Fish and Fish-related Products

The cold arctic waters and the warm North Atlantic Drift meet around Iceland to provide nutrient-rich breeding grounds for a wide variety of fish and sea mammals. Inevitably, fish and fish products have been the mainstay (70-80%) of Iceland's exports. Iceland is the world's fifth largest fish-catching nation and 97% of this is exported as frozen, fresh or salted fish, shellfish, canned seafood, or as fish products such as fish liver oil. The firm Lysi h.f. produces 30-40% of the world's cod liver oil, recognised as vital to assisting the human immune system. Liver oils are also fed to farmed fish, both in Iceland and abroad, and the liver oil from the Greenland shark has properties that assist patients recovering from arthritic diseases and cancer. Iceland has its own Marine Research Institute, and enforces strict quality control. Fresh fish are even exported to Japan, where fishing restrictions have reduced their own domestic catches. Capelin represent the highest tonnage, followed by cod, herring and other demersal species. Dried fish are sold to West Africa and to southern Europe. In addition to open sea fisheries there is also a thriving aquacultural industry producing salmon and trout in pollution-free waters.

Over the years the Icelandic fishing industry has developed and refined the equipment that is uses within the harsh environment in which it works. Obviously they are always on the look-out for new efficient equipment from abroad but they have also developed equipment of their own which is proving popular with overseas buyers; products that include automated fishing and fish processing equipment (on-board and on-shore), oval trawl doors, special plastic fish tubs, fibreglass fishing boats, and safety equipment. Firms in Akureyri have developed tough fishing gear (Iceplast), extra-durable steel trawl bobbins (Oddi), and jigging reels (DNG) that yield to the force of the wave to reduce the loss of fish.

Key Addresses

ICECON, Skúlagata 51, P.O. Box 5138, 125 Reykjavík (Tel. 1-622911 Fax. 1-621024). This is a joint company formed by the three principal fish producing and exporting companies (Union of Icelandic Fish Producers, Iceland Freezing Plants Corporation, and Iceland Seafood Ltd.) Its purpose is to advise on all aspects of fishing, management, marketing, and research. ICELANDIC FISH FARMERS AND SEA RANCHERS ASSOCIATION, P.O. Box 1218, 121 Reykjavík (Tel. 1-623660 Fax. 688214). ICELAND HERRING BOARD, Garðastraeti 37, 101 Reykjavík (Tel. 1-27300 Fax. 1-25490).

Details of other fish producing and processing companies, and fish-related manufacturing companies can be obtained from the Iceland Information Centre.

Agriculture

Only 1% of Iceland is cultivated and 5.3% of the working population is in agriculture. Farming is organised on a regional co-operative *(kaupfelagið)* basis under the wing of the central co-operative organisation, Samband Íslenzkra Samvinnufélaga (Samband of Iceland — SÍS). The market concentrates on lamb and dairy products although beef is also produced.

Fine pastures are almost universal and while the lowlands of the south provide the most extensive pastures, some of the best are in the valleys of the north, such as Eyjafjarðarádalur, south of Akureyri, and Svarfaðárdalur, west of Dalvík. Yet Iceland, like so many other agricultural areas, is having to wrestle with the problems of over-production and efforts to maintain the agricultural sector in the face of a changing employment structure that concentrates on towns. Improved communications into rural areas result in greater mobility, the desire for a new lifestyle, and the survival of only those farms large enough and strong enough to withstand the forces of change. The remotest farms, too small to turn over to tank storage of milk, find it hardest of all and are the first to be abandoned. In the main the exports are subsidised to compete in world markets and by trying to reduce output the government is trying to reduce its annual subsidy bill. In this respect many farmers are diversifying into fish or fur farming, and into the provision of tourist accommodation and related activities such as fishing and horse riding. The annual export of around 1000 Icelandic horses is an important source of income.

The largest agricultural export earner is lamb products, of which the smoked lamb (hangikjöt) is an Icelandic speciality, and rather unusual for overseas palates. Next comes the wide variety of excellent cheese products (see advert for The Iceland Dairy Produce Association), which combine flavour with minimum surplus fat content. Other products such as glasshouse-grown vegetables really satisfy only the home market but, interestingly, research has shown that the use of a pumice mix can significantly increase the growth rate and size of such plants.

The importation of agricultural produce is prohibited during the seasons of domestic production.

Key Addresses

ICELAND DAIRY PRODUCE MARKETING ASSOCIATION, Bitruhálsi 2, 110 Reykjavík (Tel. 1-681262 Fax. 1-673465).
SAMBAND OF ICELAND, Samband House, Kirkjusandur, 105 Reykjavík (Tel. 1-698100 Fax. 1-678314).
SLÁTURFÉLAG SUÐURLANDS, Skúlagötu 20, P.O. Box 87, 121 Reykjavík (Tel. 1-25355).
Further addresses can be obtained from the Iceland Information Centre.

Manufacturing

As the fish catches decrease and farm output exceeds demand the need for industrial diversification increases. Iceland needs to capitalise on its cheap and abundant power supplies, and on the high level of expertise within the population.

Fishing-related manufactures have been referred to above. Other manufactures are agricultural, or based on the processing of diatomaceous earth (keysilguhr) by Lake Mývatn, silica and calcareous sand (for cement) at Akranes, seaweed at Reykhólar, and imported bauxite at Straumsvík. 14% of the working population is in manufacturing accounting for 15% of the export earnings. Aluminium smelting at Straumsvík, near Hafnarfjörður, and ferrosilicon production in Hvalfjörður make use of the abundant hydro-electric power supplies and provide the largest source of manufacturing income (around 15%).

The agricultural contribution, which far exceeds the value of dairy and lamb exports, includes the processing and manufacture of woollen goods (clothing, carpets etc), and tanned skins and hides. Farmers also export eider down. Increasingly the natural resources are being exploited for the overseas market: fresh spring water and fruit juices are already on the British market (Saga and Svali), lava has for many years been manufactured into distinctive ceramics (Glit). Pumice is also used in the building industry to manufacture breeze blocks and insulating materials. There is now an Icelandic perfumery (Monts Bleu) and Icelandic spirits are exported.

Icelanders are increasingly entering the field of design and the development of both electronic soft- and hardware. Furniture, cooking utensils, computer software, and even video equipment have emerged from Icelandic studios and production houses.

Key Address

SAMBAND OF ICELAND, Samband House, Kirkjusandur, 105 Reykjavík (Tel. 1-698100 Fax. 1-678314).

Details of the many other companies can be obtained from the Iceland Information Centre.

Power Resources

At present Iceland utilises only 85 of her power potential derived from hydro-electric and geothermal sources. Production is small compared to European plants but well in excess of Icelandic demands. There have even been talks concerning the export of power to Britain, even though the technology for this has yet to be developed. Iceland's best bet is to encourage foreign developments in Iceland where there is ample power, a well-educated labour force, and plenty of suitable sites for factory construction. Iceland has a national power grid around the country, and new schemes, such as the Blandá hydro-electric project in north Iceland, are under construction. The Krafla geothermal power station, currently running at half of its capacity owing to volcanic activity and migrating steams sources, expects to install and operate its second turbine in 1991. The principal power-intensive industry, aluminium smelting at Straumsvík, is entirely foreign owned (Alusuisse). In principal the majority share in such developments should be Icelandic owned (51%) but future developments may continue to be exempted from this requirement subject to requirements being waived by the Minister of Industry. The majority of the board of directors and company's managing director must be Icelanders domiciled in Iceland.

Key Addresses

COMMITTEE ON POWER-INTENSIVE INDUSTRIES, Ministry of Industry, Arnarhvall, 101 Reykjavík (Tel. 1-25000).
LANDSVIRKJUN (National Power Company), Háaleitisbraut 68, 103 Reykjavík (Tel. 1-686400 Fax. 1-687469)
ORKUSTOFNUN (Iceland Power Authority), Grensásvegur 9, 108 Reykjavík (Tel. 1-83600).

Invisible Activities

Until recently there were seven commercial banks in Iceland until mergers took place in 1990. Iceland has been a member of the International Monetary Fund and the World Bank since 1945, and also a member of O.E.C.D., the Nordic Council and the Nordic Investment Bank. Iceland became a contracting party to GATT in 1964 and a member of EFTA in 1964, and, since 1972, has had a special free trade agreement with the European Community. While Iceland has formal diplomatic relations with 73 countries there are only nine overseas embassies. However there are permanent missions in New York, Geneva and Brussels relating to NATO, EFTA, and EC respectively. Working hours, working conditions, and employment benefits are very similar to the United Kingdom, however, 'moonlighting' is common practice.

Services represent one third of the total exports, of which transport is the most important. Icelandair (Flugleiđir — formerly two airlines, Loftleiđir and Flugfélag Íslands) flies regular services to Europe and North America, and Eagle Air has, until recently, served the European market, notably West Germany, Netherlands and Switzerland. At the time of writing, however, the operations of the latter company have been suspended. Smaller air companies (eg. Nordair, Ernir) operate local domestic services in conjunction with Icelandair while Odin Air flies regular services to Kulusuk in Greenland. There is a large container terminal in Reykjavík (Sundahöfn) from which the two principal shipping companies (Eimskip, Samband) operate both domestic and international services to Europe and North America. Internally there is a nationwide network of bus and road transport services. The internal transport of goods is very well organised, including express mail delivery.

Following the abolition of the state monopoly on radio and television broadcasting there are now two television stations. Telephones, radio telephones, and mobile telephones are widely used. Iceland ranks second in the world, after Norway, in the usage of mobile telephones. The Icelandic film industry is small but several feature films have now been made and awards gained at international festivals. The company Saga Film (see advert in the photography section) has a fully equipped and very modern production and post-production studio. They also have a UK representative and location finding service in London at the Iceland Information Centre.

Icelandic expertise in the research and development of geothermal power has earned an international reputation such that Iceland houses the UN University Geothermal Training School. Icelandic expertise is sought worldwide.

Key Addresses

EIMSKIP (Iceland Steamship Company), P.O. Box 200, 121 Reykjavík (Tel. 1-697100 Fax. 1-28216).
SAMBAND LINE, Samband House, Kirkjusandur, 105 Reykjavík (Tel. 1-698100 Fax. 1-678314).
ICELANDAIR, Reykjavík Airport, 101 Reykjavík (Tel. 1-690100).
CENTRAL BANK OF ICELAND, Kalkofnsvegi 1, 150 Reykjavík (Tel. 1-699600).
ICELAND INVESTMENT CORPORATION, Hafnarstraeti 7, 101 Reykjavík (Tel. 1-28466).
ICELAND TOURIST BOARD, Gimli, Laekjargata, Reykjavík (Tel. 1-25855).

17 WINTER IN ICELAND

The very name Iceland conjures up the idea of fearsome winters, and we have the viking, Flóki Vilgerðarsson, to blame for that. Winters can be cold, but they are rarely so inhospitable as the name suggests, indeed it is possible for Reykjavík to see no snow through the winter, and for average temperatures to remain above freezing. Ebenezer Henderson's account of 1815 is rather bleak, but things have moved on apace since then:

Reyjavik is unquestionably the worst place in which to spend the winter in Iceland. The tone of society is the lowest that can well be imagined. Being the resort of a number of foreigners, few of whom have had any education, and who frequent the island solely for the purposes of gain, it not only presents a lamentable blank to the view of the religious observer, but is totally devoid of every source of intellectual gratification. The foreign residents generally idle away the short-lived day with the tobacco-pipe in their mouths, and spend the evening in playing cards, and drinking punch. They have two or three balls in the course of the winter, and a play is sometimes acted by the principal inhabitants. To these purposes they appropriate the Courthouse, and without ceremony take the benches out of the cathedral, to supply the want of seats. An instance has even been known of the same individual who performed one of the acts in a play till late on Saturday night, making his appearance the following morning in the pulpit, in the character of a public teacher of religion!

The influence of such a state of society on the native Icelanders, in and about Reykjavík, is very apparent. Too many of them seem to imbibe the same spirit, and their 'good manners' are evidently getting corrupted by the 'evil communication' of the strangers by whom they are visited.

While some might agree with the sentiments of the latter sentence, the winters in Reykjavík are much more acceptable and cosmopolitan than the visitor might expect. Indeed the winter *can* be an ideal time to visit Iceland; people have more time, and there are no hoards of tourists to dilute the truly Icelandic atmosphere. Winter is a time for talking, music, theatre and the arts. Things do not stop because the winter has arrived, life goes on as usual. Vehicles may have winter tyres, people wrap up well, snow showers may clothe the pavements, ice may freeze the Tjornin, and children may occasionally be recalled from school because of impending blizzards.

The advantage of sub-arctic cold is its dryness. It is not so penetrating as equivalent temperatures in Britain, and undressing at night can produce startling static shocks between nose and vest! However, it does dry the skin, and visitors need to prepare for that. Icelanders do not believe in being cold, build their houses well, and make full use of the natural central-heating. In consequence the businessman, moving from office to office, may well take a while to get used to the idea of alternately wrapping up well and stripping off because of the heat. In practice you acquire so much residual heat that, unless you are to be outside for lengthy periods, there is not the need to dress to the extent that you might in Britain. Take some paracetomol however; alternating heat and cold can bring about headaches — especially when fuelled by regular invitations to sip strong coffee!

It is perhaps the daylight, or rather the lack of it, that the visitor will notice first of all. This is most noticeable in mid-winter when children and office workers will set out in darkness. Full daylight may not appear until 11am, only to recede around 3pm, but you get used to it. By Easter it is daylight by 7am and dark by 7pm. One attraction to the southerner is the appearance of the *Aurora Borealis;* shimmering curtains of light of various hues that wax and wane across the night sky when not obscured by clouds.

Getting about can be restricted by winter conditions. The interior is, of course, closed to regular traffic but snowmobiles are used these days to get to the various huts, to cross Vatnajökull, or to get to rallies in the north. A powerful snowmobile can cross Iceland in five hours, considerably faster than a vehicle in the summer. Farmers are increasingly using these and powered four-wheeled bikes to combat the grip of winter snows. Bus departures need to be checked with the long-distance bus station, road conditions need to be checked with the highway authority (Telephone 21000), and aircraft departures need to be checked as a matter of course with Icelandair — and right up to the last minute. Most of the domestic services rely on visual landing and can be delayed by snow flurries, cross-winds, or the need to snowplough the runway. It is not uncommon for flights to the more distant parts to be delayed for up to several days at a time, and visitors should plan to make such journeys as early as possible in the visit to avoid disappointment. To the regular visitor, such delays and the associated need to keep in repeated touch with Icelandair, are a matter of course.

In Britain we are somewhat cosseted when it comes to winter driving. The roads are gritted and salted, baggage handlers go on strike if there is the slightest bit of ice on the apron, and everything grinds to a halt. Those drivers who venture out, do so at such slow speeds as to be positively dangerous. Driving goes on as normal in Iceland, and no-one complains to their union; vehicles don their winter tyres and proceed more or less as before. However, winter drivers do need to bear at least two things in mind: one, try not to use the footbrake on snow or ice and two, if you do get stuck in a snow drift, move quickly to rock or dig out before the vehicle freezes in. It is a wise precaution to carry a decent long-handled shovel and a length of towing rope for such situations.

The visitor to the south would do well to be prepared for almost anything, including rain. Footware is as important as anything else in view of the possibility of melted snow or slush. Those going to the north will expect the drier cold, and more snow. The important principal is not **how** many clothes you wear, but **what** you wear. Loose-fitting woollens next to the skin and a few warm fabrics on top are preferable to layer upon layer of clothes that may be so tight that no warm air can circulate next to the body. The author, for example, when trekking in the north in winter, advocates woollen long-johns and thermal vest under woollen trousers and a woollen shirt. On top of this he wears only waterproof trousers (against the wind) and a thermal jacket with a cagoule on hand to put on during prolonged stops. Of course, when walking, you generate heat and can quickly overheat if wearing too much. It is at the stops when you feel the cold, especially if you have been perspiring, and so, for emergency purposes, you should carry sleeping bag, bivvy bag, torch and emergency rations. If nothing else, the sleeping bag, inside the rucsac, provides comfortable insulation at lunchtime.

Life in the country areas is more severe. Livestock have to be brought in and are maintained in huge barns. Whenever possible they are taken out for exercise. Even if there is no snow, the average temperature is too low for the grass to grow. On the remoter farms the winters must seem long and the onset of summer welcomed. Traditionally the First Day of Summer is the first Thursday in April and is a call for celebration; in Reykjavík, children parade through the city in a variety of skilfully made costumes. Naturally enough any excuse is good enough to enliven the long winter nights and one such is the celebration of Thorri, the fourth month of winter. At the *Thorrablot* (Thorri sacrifice) traditional Icelandic foods *(Thorramatur)* are eaten; the sort of foods that would have been prepared to last the winter period such as smoked lamb, shark meat, dried fish, and soured rams testicles, all washed down with *brennivin.* This would be sometime in early February.

Tours continue through the winter, although on a provisional basis — provisional upon weather and numbers of people wishing to go. There is no shortage of activities. By day there is swimming in the open-air pools, hotpots, and Blue Lagoon, or skiing at Bláfjöll. Nonni Travel in Akureyri (see advertisement) is currently arranging winter activity holidays offering skiing, snowmobiling, horse riding, fishing, or simply doing your own thing. Vehicles can be rented and, once you have become accustomed to winter driving (not difficult with winter tyres), there is plenty to see and do. By night there are the many restaurants, night clubs, and pubs. Hotel Island stages a programme of events, and then there are the cinemas, theatres and the opera.

Iceland in winter is to be recommended. If business does not take you there Icelandair offers winter breakaways which include half board and selected excursions.

18 PRACTICAL INFORMATION FOR VISITORS

CENTRAL INFORMATION CENTRE

The main Information Centre in Reykjavík is to be found in the old buildings known as Bernhoftstorfan on the corner of Bankastraeti and Laekjagata. It is a part of the old building named Gimli, which faces Laekjagata, but the Information Centre's official address is Bankastraeti 2 (Tel. 623045). The building is shared with the Iceland Tourist Board (Ferdamálaród) whose address is Laekjagata 3. The Information Centre's opening hours are: **June 1 — September 15:** 0830-1900 (Mon-Fri), 0830-1600 (Sat), 1000-1400 (Sun). **September 16 — May 31:** 1000-1600 (Mon-Fri), 1000-1400 (Sat), closed on Sundays.

WHICH AIRPORT?

Although your ticket may tell you that the aircraft will land at Reykjavík this is not so, except on very exceptional occasions. International flights land at Keflavík, 40 km south-west of Reykjavík. Coaches will take you (at cost) to Hótel Loftleidir which acts as the city terminal. You will then have to find your own way to your destination unless your Tour Operator has previously arranged onward transport for you.

DESTINATIONS WITHIN REYKJAVíK (Figure 18.1)

City Centre

The bus from Hotel Loftleidir leaves at approximately every 25 minutes to the hour. From the city centre it leaves every 10 minutes to the hour. The bus is run by Landleidir h.f. and not by S.V.R. the city service. The first bus from Reykjavík is 0750.

To obtain a taxi locate the free telephones on the wall directly ahead of you on entering the foyer from the coach. Speak in English and give your name; your first name will do.

Both buses and taxis depart from the opposite side of the building to that at which you arrived from the airport. If in doubt ask at reception.

School Accommodation

Groups using this school accommodation (Chapter 5) will have booked through a Travel Operator and transport to the school will have been booked and paid for in advance. The school is not named on the Reykjavik street map but is located at the end of a very short street called Smáagerdi which runs east off Háaleitisbraut. (Location 10 in Fig. 18.1).

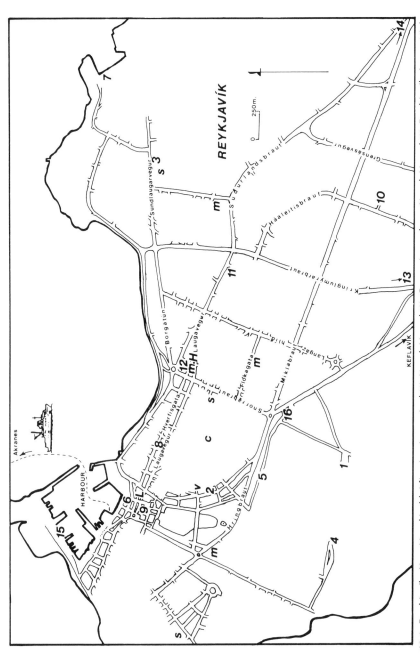

Fig. 18.1. Reykjavík. Key: Hotel Loftleiðir, city air terminal (1), Youth Hostel (2), Camp site and new Youth Hostel (3), Reykjavík airport (4), Long-distance bus station (5), customs house (6), Sundahöfn (7), National Research Council/Nature Conservation Council (8), Post and Telegraph Administration (9), Hvassaleitiskóli (10), Geodetic Survey (11), Police Station (12), to City Hospital (13), to Árbaer museum (14), National Life-

370

Youth Hostel

There are two Youth Hostels in Reykjavík. The central Youth Hostel is on the corner of Laufásvegur and Baldursgata and only a short walk from the Hotel. No bus goes there. The simplest direction on foot is to go from the hotel to the main road via the badly tarmaced road (Flugvallabraut) that leads directly towards Miklatorg ('torg' = square). Turn left along the dual carriageway (Hringbraut). After the hospital bear right into Laufásvegur and Baldursgata is the third on the right. You will pass the British Embassy en route, on the corner of Bragagata. The Hostel opens at 0700 or 0800 but new arrivals are not normally admitted until the warden arrives. However, since late night aircraft are a common feature of travel to Iceland the hostel normally expects arrivals in the middle of the night. But please keep your voices down — do not wake the neighbours; easy to do with a large group. A new hostel has been built adjacent to the municipal camp site and the swimming pool. The directions will then be similar to those for the camp site (see below).

Camp Site

This is a long way from the Hotel but if you walk along the well-surfaced road, turn right at the main road and first left you will reach Eskitorg. Cross the roundabout into Langahlíd and locate the bus stop for a No:8 or No:9 on the right-hand side of the road. The bus takes a devious route (left, right, right, left); after the last turn left, into Laugarnesvegur, the bus travels about 700m. to a major cross roads. Descend and walk about 500m. along Sundlaugarvegur to the camp site. As the bus crossed the main road, Sundlaugarvegur was on the right, travelling east.

Reykjavík Airport

Internal domestic air services run from Reykjavík Airport. The terminal is visible from Hótel Loftleiðir, just across the tarmac runway, but it is not directly accessible. **Either** walk to the main road (Hringabraut), catch a No:6 bus to just short of Melatorg, walk up to Melatorg, turn left into Suðurgata, and catch a No:5 bus to the terminal **or** walk along Hringabraut and opposite the major turning to the right is an unsurfaced road, closed to traffic, that leads almost direct to the Terminal.

Long-Distance Bus Terminal (Umferðamiðstöð)

As for Reykjavík airport above, follow Hringbraut and you will see the Terminal on your left.

Conclusion: Make arrangements with the Tour Operator before you depart for a bus to meet you and take your group direct to its destination! In any case it is worth buying a map of Reykjavík in advance.

MOVEMENT WITHIN REYKJAVÍK

The city bus service (S.V.R.) is the best way to get around. The No:5 bus service is particularly useful because it links camp site, town centre, and Reykjavík airport. Taxis are expensive. Vans can be hired quite easily to transport goods around from, say, the harbour to the long-distance bus station — dial 2-50-50 for a Sendibil. See Chapter 6 for details of the various modes of transport.

EXPEDITION LEADER'S CHECK-LIST

When you have settled in to your hostel or camp site you will have to tie up a number of loose ends. The following is a check-list for which one whole day should be allowed:

Customs Clearance

Details of customs regulations are given in Chapter 10. The following is a guide to the mechanics of customs clearance but, unless you are using an agent (see Chapter 10), do be aware that the details may vary from year to year.

(i) Go to the Customs building in Tryggvagata. The building faces you at the end of Posthússtraeti. Proceed to the fifth floor, turn right into the main customs office, and seek information from the information desk inside the door. You will need to take with you your bills of lading, list of contents, and your Research Permit or Educational 'Announcement', if applicable.

In the past you would have to visit the warehouse at Sundahofn, to locate your freight and return to this office, but it is now possible for them to telefax the information through to the port. With this checked, you should be able to finalise details then and there. Remember that, as of the time of going to press, *bona fide* educational or research expeditions should not have to pay import duties. If there is any doubt refer to the senior customs officer.

(ii) Go to the warehouses at Sundahöfn. To get there catch a No:5 bus to the camp site. Cross the road and walk up Dalbraut towards the Pepsi kiosk, and then down Sundargardar. The Eimskip warehouses are at the bottom of the slope and are enclosed in a concrete wall with an inverted swastika sign. Present the papers to the clerk and locate your freight.

(iii) If you cannot manage to move the equipment yourself, ring 2-50-50 for a 'Sendibil' to take it to wherever you want it. The cost is not excessive. If an agent is dealing with the clearance he can arrange for your freight to be delivered to wherever you want it, but at cost.

Embassy Visit

Report yourself in to your national embassy, leaving full details of your expedition (see Chapter 10). Do not forget to sign out at the end of the trip. For addresses see Appendix H.

Local authority notification

In the past the National Research Council, on granting a research permit or educational 'Announcement', would notify the local police, and sheriff, of the group's presence. This can be a helpful formality. For example, one group on North Vatnajökull, was able to be warned of an impending glacier surge that had rendered the glacier highly dangerous. Should anything go wrong then advance notice of an expedition's presence is helpful. Groups not receiving a permit or announcement are advised to notify local police. The existence of the nearest police station can be obtained from the maps in Chapter 2. A letter can then be sent to The Police Station *(Lögreglan)* at that place. Telephone numbers can be obtained from the telephone book, or from the Iceland Information Centre.

Clear Radios

If you have brought in two-way radios these must be cleared with the Post and Telegraph Administration whose offices are in Austurvöllur, the Parliament square. Details are given in Chapter 11.

Purchase Paraffin and additional stores

See Chapter 9, Shopping Hours (below), and Petrol Stations (below).

Change Travellers' Cheques

See Banking Hours below.

Arrange a post-expedition meal: See Chapter 9.

Reserve seats for the Volcano Show: See Chapter 2.5.

Confirm: (a) your return air flight with Icelandair, and
(b) all onward bookings with the airline and bus operators.

Arrange rentals: (a) vehicle rental, and
(b) tent rental.

Post Letters

The central Post Office and the one at Laugavegur 120 are open from 0830-1630 (Monday), 0900-1700 (Tuesday-Friday), 0900-1200 (Saturday). The Post Office at the Long Distance Bus Station is open 1400-1930 (Monday to Friday), and on Saturdays from 0800-1500.

Check back-country Roads

This really only applies if the weather is known to have been poor, or you are arriving in the early season (June) when roads into the interior may not yet be open. Obtain advance information from either Ferðafélag Íslands, Öldugata 3 (Tel: 1-17-98), or the Long Distance Bus Station (Tel: 2-23-00) on the Hringbraut or the highway authority on 21000.

Purchase maps and air photographs

Maps are available from several Reykjavík bookshops but both maps and air photographs are only available from Landmaelingar Íslands, the Iceland Geodetic Institute, at Laugavegi 178. Details are given in Chapter 3.

Purchase Sweaters

Expedition members in need of a robust and warm sweater can do no better than acquire an Icelandic hand-knitted model. They are very practical for expedition work. The Iceland Travel Club has arranged special discount rates with certain Icelandic shops. Some of the shops, if approached by a whole group may do the same. Be sure not to fall into the trap of buying a machine-knitted sweater when you really want the hand-knitted version.

Chemists: Note the late opening times and locations. See "Emergencies" below.

TELEPHONES

There are very few public telephones in Reykjavík. They are to be found outside the central telephone office in Kirkjustraeti, by the outdoor chess board in Laekjargata, by Tryggvagata 19 near the police station, by Laugavegur 41, at the bus terminals at Laekjatorg and Hlemmur, some cafes, and restaurants. Coins placed in the slot will only go through if the phone is answered. Remember that Icelanders are listed under their first names in the directory — Jóhann Örnolfsson will be found under 'J'. The letters P, Æ and Ö come after Z. To make a collect (reverse charge) call to Britain dial 09. For telegrams dial 06. For operator dial 02.

Table 3: How to make International Telephone Calls

From \ To	Austria	Belgium	Denmark	Finland	France	Germany F.R	Great Britain & N-Ireland	Iceland	Ireland	Jugoslavia	Luxembourg	Netherlands	Norway	Spain	Switzerland	Sweden	USA & Canada	
Austria	–	0032	0045	00358	0033	060	0044	00354	00353	0038	00352	0031	0047	0034	050	0046	001	Austria
Belgium	00+43	–	00+45	00+358	00+33	00+49	00+44	00+354	00+353	00+38	00+352	00+31	00+47	00+34	00+41	00+46	00+1	Belgium
Denmark	00943	00932	–	009358	00933	00949	00944	009354	009353	00938	009352	00931	00947	00934	00941	00946	0091	Denmark
Finland	99043	99032	99045	–	99033	99049	99044	990354	990353	99038	990352	99031	99047	99034	99041	99046	9901	Finland
France	19+43	19+32	19+45	19+358	–	19+49	19+44	19+354	19+353	19+38	19+352	19+31	19+47	19+34	19+41	19+46	19+1	France
Germany, F.R.	0043	0032	0045	00358	0033	–	0044	00354	00353	0038	00352	0031	0047	0034	0041	0046	001	Germany, F.R.
Great Britain & N.-Ireland	01043	01032	01045	010358	01033	01049	–	010354	010353	01038	010352	01031	01047	01034	01041	01046	0101	Great Britain & N.-Ireland
Iceland	9043	9032	9045	90358	9033	9049	9044	–	90353	9038	90352	9031	9047	9034	9041	9046	901	Iceland
Ireland	1643	1632	1645	16358	1633	1649	1644	16354	–	1638	16352	1631	1647	1634	1641	1646	161	Ireland
Jugoslavia	9943	9932	9945	99358	9933	9949	9944	99354	99353	–	99352	9931	9947	9934	9941	9946	991	Jugoslavia
Luxembourg	0043	0032	0045	00358	0033	0049	0044	00354	00353	0038	–	0031	0047	0034		0046	001	Luxembourg
Netherlands	09+43	09+32	09+45	09+358	09+33	09+49	09+44	09+354	09+353	09+38	09+352	–	09+47	09+34	09+41	09+46	09+1	Netherlands
Norway	09543	09532	09545	095358	09533	09549	09544	095354	095353	09538	095352	09531	–	09534	09541	09546	0951	Norway
Spain	07+43	07+32	07+45	07+358	07+33	07+49	07+44	07+354	07+353	07+38	07+352	07+31	07+47	–	07+41	07+46	07+1	Spain
Switzerland	0043	0032	0045	00358	0033	0049	0044	00354	00353	0038	00352	0031	0047	0034	–	0046	001	Switzerland
Sweden	00943+	00932+	00945+	009358+	00933+	00949+	00944+	009354+	009353+	00938+	009352+	00931+	00947+	00934+	00941+	–	0091+	Sweden
USA & Canada	01143	01132	01145	011358	01133	01149	01144	011354	011353	01138	011352	01131	01147	01134	01141	01146	–	USA & Canada

+ wait for a tone

LOST PROPERTY

Lost property may be traced by telephoning the following:

Flugleiðir (airline):   2-78-00
Buses: 8-25-33
General: Police headquarters, Hverfisgötu 113 1-02-00

POST OFFICES

The central Post Office, on Posthússtraeti, is open 0830-1900 (weekdays). The Post Office at the Long Distance Bus Station is open 0900-1930 (weekdays) and 0800-1500 (Saturdays). Post Offices will have telephones and Fax facilities.

BANKING HOURS

Banks are normally open from 0915 to 1600 from Monday to Friday (some are open 1600-1800 on Thursday). In the summer the Íslandsbanki on Laekjartorg is open on Saturday mornings (1900-1200) and there are money exchange facilities inside the Information Centre in Bernhoftstorfan on Saturday mornings (1000-1400). Visa and Eurocards can be used at Post Offices throughout the country, and can be widely used for the purchase of goods and services. Hotels will generally exchange currency.

CURRENCY

The Icelandic currency is the króna (plural: krónur) which is comprised of 100 aurar (Singular: eyrir). The coins are 5, 10 and 50 aurar, and 1, 5, 10 and 50 krónur. The notes are 100, 500, 1000 and 5000 kronur. Generally prices are rounded off to avoid the use of the almost valueless aurar.

TAX FREE SHOPPING

It is possible for visitors to be re-paid the VAT on purchases made at those shops which display the Tax Free Shopping logo. However, any one purchase. At the time of purchase you must obtain a voucher from the vendor. On leaving Iceland, such goods, except woollen goods, must be packed in sealed bags or containers. At the Keflavík Air Terminal you simply present the voucher at the Duty Free store whereupon you will obtain a refund of 13-15% of the total value of the purchases. Those departing from the Seyðisfjörður have to present the voucher to the customs office for Seyðisfjörður have to present the voucher to the customs office for verification. You then mail your application to the Duty Free Store and you will receive your refund in a dollar cheque.

SHOPPING HOURS

Shopping hours are generally 0900-1600 (Monday to Thursday), 0900-1900 (Fridays), and 0900-1200 for those that do open on Saturdays. Bakeries and dairies may open earlier. The Kringlan shopping mall is open weekdays

Table 4. Emergency Telephone Numbers outside Reykjavík

Area Code		Emergency No.	Fire	Police	Ambulance	Doctor	Hospital
93	Akranes	000	12222	11166	11166	12313	12311
96	Akureyri		22222	23222	22222	22444	22100
94	Bíldudalur		2250	1277			
95	Blönduós	4111	4327	4377	4206	4206	4206
94	Bolungarvík		7261	7310	7310	7387	7147
93	Borgarnes		71365	71166	71230		
93	Búdardalur		41411	41405	41114	41114	
96	Dalvík		61344	61222	61500	61500	22100
95	Drangsnes		3231				3121
97	Egilsstadir		11222	11223	11400	11400	11400
97	Eskifjördur		61222	61106	61252	61252	61252
98	Eyrarbakki	000	31400	21154	21154	21300	21300
97	Fáskrúdsfjördur		51222	51280		51226	51225
94	Flateyri		7752	7790		7618	7638
98	Flúdir	000	21220	21154	21154	68880	21300
96	Grenivík		33255	33107			
92	Grindavík	000	68380	68444	68444	14000	14000
93	Grundarfjördur		86800	86800	86800	81128	81128
98	Hella		75101	75020			
95	Hofsós		6498	6666	6375	5270	5270
95	Hólmavík		3132	3268	3121	3121	3121
96	Húsavík		41911	41303	41383	41383	41333
95	Hvammstangi		1311	1364	1311	1329	1329
98	Hveragerdi	000	34153	21154	21154	21300	21300
98	Hvolsvöllur		78425	78434			
97	Höfn		81222	81282	81282	81400	
94	Ísafjördur		3333	4222	3333	3811	4500
92	Keflavík	000	12222	15500	15500	14000	14000
96	Kópasker		52144			52109	
93	Króksfjardarnes		47740				
97	Neskaupstadur		71222	71332	71403	71403	71400
96	Ólafsfjördur		62196	62222	62480	62112	62480
93	Ólafsvík		61234	61219	61219	61207	
94	Patreksfjördur		1400	1277	1110	1110	1110
96	Raufarhöfn			51222	51245	51245	
97	Reydarfjördur		41222	61106		61252	41248
95	Saudárkrókur		5550	6666	5270	5270	5270
98	Selfoss	000	21220	21154	21154	21300	21300
97	Seydisfjördur		21222	21334	21405	21244	21405
96	Siglufjördur		71800	71170	71166	71166	71166
98	Stokkseyri	000	31270	21154	21154	21300	21300
93	Stykkishólmur		81499	81008	81128	81128	81128
94	Súdavík		4920	4222	3333	3811	4500
94	Sudureyri		6121	6266	3333	3811	6144
94	Tálknafjördur		2525	1277			
98	Vestmannaeyjar		1222	11666	11666	11966	11955
98	Vík			71176			
97	Vopnafjördur	31222	31222	31400	31222	31222	31222
94	Þingeyri		8253	8266	8253	8188	8141
98	Þorlákshöfn	000	33800	33773	21154		21300
96	Þórshöfn		81228	81133	81215	81216	81215

from 1000 to 1900, Saturday 1000 to 1400 (Restaurants stay open later). The shop *Kveld-ulfur*, at Freyjugata 15, is open daily from 1000 to 2200 for groceries. On Saturdays the underground car park, *Kolaportid* (close to the docks on Kalkofnsvegur), houses a market from 1000 to 1600.

PETROL STATIONS

Petrol stations are open 0700-2000 (Sundays 0900-2000). Some have 24-hour self-service using bank notes, and there is a 24-hour station beside the Long Distance Bus Station.

NEWS IN ENGLISH

You may well have come away on holiday to get away from the media, but if you would like to hear the news it is broadcast daily at 7.30am through the summer season.

EMERGENCIES

This topic is dealt with in more depth in Chapter 12 but should you require an ambulance while in Reykjavík dial 1-11-00 (Fire: 1-11-00). 24-hour emergency treatment is available at the City Hospital (Borgarspitalinn Slysadeild) (Telephone: 696600). Emergency doctor call outs are on 696600 (0800-1700) and 2-12-30 (1700-0800 and weekends). There is a duty dentist at Heilsurverndarstödin, Barónsstigur 47 from 1700-1800 daily. You will need a doctor's prescription for many items that can normally be bought over the counter in Britain. Chemists are open from 0900-1800 on weekdays while two remain open from 1800-2200 on weekdays and 0900-2200 on Saturdays. To locate chemists look up 'Apotek' in the yellow pages of the telephone directory and for late openings look at the list posted in chemists windows. There is a central chemist on the corner of Posthússtraeti and the Austursstraeti pedestrian precinct. There is also a chemist on the ground floor of the Kringlan Shopping Mall.

For details of backcountry emergencies see Chapter 12.

For details of other emergency telephone numbers around Iceland see Table 4.

EMERGENCY PROCEDURES

Historically Iceland does not have a great risk of either severe volcanic eruption, or of severe earthquake. Nevertheless it is a volcanic and earthquake prone country where you should, at least, be aware of what to do in the event of either.

EARTHQUAKES

If you are in a building:

1. Do not run outside in panic; you may be struck by falling masonry.
2. Stand in a doorway or a corner of the main walls of the building.

3. Take care not to be hit by heavy furniture. Children can easily be hurt by small objects.
4. Try to calm others and get them to follow your example.

If you are in a car:
1. Stop the car in a safe, open area.
2. Stay put until the quake is over.

If you are outside:
1. Move to an open area free from falling masonry etc.
2. If in the mountains avoid the base of slopes where rocks may be dislodged, or landslides and avalanches started.

After the Earthquake:
1. See if anyone is hurt and apply first aid.
2. Use shoes indoors in case of broken glass.
3. If help cannot be reached on the telephone, mark accident areas by an easily-seen flag of some kind, as an aid to rescue teams.
4. See if fire has broken out, and do not use an open fire if flammable substances have spilled.
5. Leave the house if it is badly damaged, being sure to take some warm clothing. A car is often a warm first shelter.
6. Turn off cold and hot water mains if there are uncontrollable leaks. If the house is damaged turn off the electrical mains as well.

VOLCANIC ERUPTIONS
1. Always wear a safety helmet close to an erupting volcano.
2. Keep to the windward side of the eruption and avoid deep gullies or hollows which may contain poisonous gases. If the air tastes acidic move away.
3. Avoid getting under a fall of pumice and ashes in which you may be caught in total darkness and heavy lightening.
4. If you do get caught in an ash fall, cover your mouth and nose with a piece of wet cloth to avoid inhaling grains of ash. The shortest way out of a fall of ash is usually across the direction of the wind.
5. It is dangerous to be too close to the creeping edge of a lava flow, because the edge may suddenly fall over. Thin lava flows travel very swiftly and may advance very suddenly.
6. If you are staying in a house near an erupting volcano, try to cover all windows facing it to prevent incendiaries from breaking in and setting fire to the house.

SALMON FISHING
Many of Iceland's rivers are too cold for salmon, particularly those coming from the Vatnajökull and the shorter streams draining the more alpine west, north and north-west. The best rivers are therefore in the west and south-west of the country; those rivers draining into Breiðafjörður (especially the Norðurá where SVFR has two fishing lodges), the Hvítá that

drains into Borgarfjörður, and the Ölfusá-Thjórsá and Hvítá systems that drain to the south coast. Salmon fishing is well controlled, both by netting and by angling and the number of salmon actually caught has doubled in just over ten years.

The fishing season differs slightly between the South-west (June to August incl) and the South-east (July to September incl). Angling is limited to 12 hours a day (0700-1300 and 1600-2200), including Sundays, and the numbers of rods restricted. Most of the river owners are farmers, but they tend to lease their rivers to angling clubs, of which there are many. The largest is the Reykjavík Sports Fishing Club (Stangaveiðifélag Reykjavíkur) which, among other rivers, manages the Ellidaár which runs through the city.

Anyone wishing to fish for salmon in Iceland should contact the Reykjavík Sports Fishing Club (see Appendix H).

TROUT FISHING

Trout fishing is more widely spread and more generally available. The Icelandic Farm Holidays scheme has a fishing voucher system and many of their farms have fishing tackle for rent. Licenses can also be obtained from numerous locations around the country. Details can be obtained from the Icelandic Farm Holidays (see Appendix H), from the Iceland Information Centre, Tour Operators, or the Information Centre in Reykjavík. Daily rod prices are not exorbitant.

ACTIVITIES FOR EXPEDITION MEMBERS

No expedition can survive the effect of too many members sitting around and kicking their heels while awaiting the clearance of freight. General 'looking around' soon wears thin and it is too early to be buying souvenirs. This is a golden opportunity to broaden the expedition experience by advising members to investigate some of the historical and cultural elements of Icelandic life. The National Museum and the Árbaer Museum are particularly interesting. The latter has a fascinating collection of old National Art Gallery and Kjarvalsstaðir. Chapter 2.5 gives more detailed information about Reykjavík.

19 BIBLIOGRAPHY

Over the years much bibliographical material has been gathered together by Paul Sowan, one time secretary of the former Anglo-Icelandic Field Research Group. It is to his endeavours that we must owe the basis for the list that follows. The Iceland Information Centre holds a certain amount of material in its own library but has the references to several thousand books and articles on Iceland. This source material is used, on request, to put together Area and Subject Profiles — detailed print-outs exclusively for individuals or expeditions.

The student of literature about Iceland may well raise an eyebrow at the type or even the age of some of the references but we have inevitably restricted the material to some of the more useful or more readily available texts or articles. We have tried to take a middle path between the highly scientific and the touristic in the belief that the research student will either have access to a reference system or will contact the Iceland Information Centre anyhow.

The bibliography falls into 5 sections:
  A. General references
  B. Planning
  C. The field sciences
  D. The regions of Iceland (as in Chapter 15)

A. **GENERAL**
Land and People:
ASHWELL I. Y. (1973) Saga of the cod war. Geographical Magazine No. 45 vol 8., p. 550, 553-4, 556.
AUDEN W. H. and MacNEICE L. (1965) Letters from Iceland. London: Faber and Faber.
BARÐARSON H. R. (1982): Iceland: a portrait of its land and people. Reykjavík: Hjálmur R. Barðarson.
BARÐARSON H. R. (1971): Ice and Fire: contrasts of Icelandic nature. Reykjavík: Hjálmur R. Barðarson.
BOUCHER A. (1989): The Iceland Traveller: A hundred years of Adventure. Reykjavík: Iceland Review.
DUFFERIN Lord (1910): Letters from high latitudes. London: J. M. Dent.
EDWARDS T. (1986): Fight the wild island. London: John Murray.
GÍSLASON G. P. (1974) The problem of being an Icelander, past, present and future. Reykjavík: Almenna Bókafélagíd.
HENDERSON E. (1831): Iceland: Or the journal of a residence in that island during the years 1814 and 1815. Boston: Perkins and Marvin.
HJÁLMARSSON J. R. (1988): A short history of Iceland. Reykjavík: Almenna Bókafélagíd.
HORTON J. C. (1983): Iceland. World Bibliographical Series Vol. 37. Oxford: Clio Press.
JÓNSSON H. (1988): Iceland's unique history and culture. Reykjavík: Litbrá.
MAEREL J. L. (1990): Iceland: Discover an unknown world. Reykjavík: V.S.P.
MAGNÚSSON M. (1987): Iceland Saga. London: Bodley Head.
MAGNÚSSON M. and PÁLSSON H. (1960): Njáls Saga. London: Penguin.
MAGNÚSSON M. and PÁLSSON H. (1969): Laxdaela Saga. London: Penguin.

MAGNÚSSON S. A. (1984):Northern Sphinx: Iceland and the Icelanders from the settlement to the present. Reykjavík: Snaebjörn Jónsson.
MAGNÚSSON S. A. (1987): Iceland: Country and People. Reykjavík: Iceland Review.
MURRAY CHAPMAN O. (1930): Across Iceland. London: Bodley Head.
MORRIS W. (1969): Icelandic Journals. Fontwell: Centaur Press.
NORDAL J. and KRISTINSSON V. (1987): Iceland 1986. Reykjavík: Central Bank of Iceland.
O'DELL A. C. (1957): Iceland. In O'Dell A. C. "The Scandinavian World". London: Longmans.
PÁLSSON H. (1971): Hrafnkel's saga and other stories. London: Penguin.
SIMPSON, J. (1967): Everyday life in the viking age. London: Batsford.
SPARRING A. (1972): Iceland, Europe and Nato. World Today.
THORARINSSON S. (1956): The thousand year struggle against ice and fire. Reykjavík: Bókautgafa Menningarsjóds.
THORARINSSON S. (1960): Iceland. In Somme A. " The Geography of Norden". London: Heinemann.
TOMASSON R. F. (1980): Iceland: the first new society. Minneapolis: University of Minnesota Press.
VON LINDEN F-K and WEYER H. (1974): Iceland. Reykjavík: Almenna Bókafélagid.
VON TROIL U. V. (1780): Letters on Iceland. London: Richardson.
WAWN A. (Ed.) (1987): The Iceland Journal of Henry Holland, 1810. London: The Hakluyt Society.

Fiction:
BAGLEY, D. (1971): Running Blind. London: Collins.
FALKIRK R. (1971): The Chill Factor. London: Joseph.
FLEURON S. (1933): The wild horses of Iceland. London: Eyre and Spottiswoode.
HAYES J. (1981): Island on fire. London: Sphere.
LAXNES H. (1936): Salka Valka. London: Allen and Unwin.
LAXNES H. (1946): Independent people. London: Allen and Unwin.
LAXNES H. (1961): The atom station. London: Methuen.
SIMPSON J. (1972): Icelandic folktales and legends. London: Batsford.
VERNE Jules (1965): Journey to the centre of the earth. London: Arno Publications.

B. PLANNING
General:
ILLINGWORTH R. Expedition medicine: a planning guide. Ambleside: Brathay Exploration Group.
RENNER G. (1984): Polar Expeditions. London: Royal Geographical Society.

Iceland:
BORDIN G. et al (1985) Guide de l'Islande. Aubenas: Lienhart.
CARWARDINE M. (1986): Iceland: Nature's Meeting Place. Reykjavík: Iceland Review.
CREMONA J. and CHOTE R. (1988): Exploring Nature in the Wilds of Europe. Southampton: Ashford Press.
ESCRITT T. (1986): Iceland: A Handbook for Expeditions. London: Iceland Information Centre.
HÁLFDÁNARSON Ö. (Ed.) (1988): Iceland Road Guide. Reykjavík: Örn and Örlygur.
PHILPOTTS D. (1989): A visitor's guide to Iceland. Ashbourne: Moorland Publishing.
WIKTORIN K. (1983): Island Erfahren: reiseinformationen. Eichstatt: Lundi.
WILLIAMS D. (1985): Iceland: the visitor's guide. London: Stacey International.

Language:
GLENDENING P. J. T. (1961): Teach Yourself Icelandic. London: English Universities Press.
JÓNSSON S. (1927): A Primer of modern Icelandic. Oxford, England: Oxford University Press.
PÁLSSON E. (1977): Icelandic in easy stages. vol 1 and 2. Reykjavík: Mímir.
SKAPTASON J. (1986): English-Icelandic dictionary. Reykjavík: Örn og Örlygur.
TAYLOR A. R. (1972): English-Icelandic, Icelandic-English Pocket Dictionary. Reykjavík: Orðabókaútgáfan.

D. THE FIELD SCIENCES:
NB: See also the regional bibliographies in Section E.

Botany:
BELLAMY D. (1976): Some like it hot. In "Bellamy's Europe" London: British Broadcasting Corporation.

BJARNASON A. H. (1983): íslenzk flóra með litmyndum. Reykjavík: Iðunn.

CRAWFORD R. M. M. and BALFOUR J. (1983): Female predominant sex ratios and physiological differentiation in arctic willows. Journal of Ecology vol 71 no. 1 p. 149-60.

DAVIÐSSON I. (1967): Immigration and naturalisation of flowering plants in Iceland. Greinar, vol. 4, no. 3, 32p.

EINARSSON E.: The flora and vegetation of Iceland. Reykjavík: Icelandair.

FRIÐRIKSSON S. (1969): The effects of sea ice on flora, fauna and agriculture. Jökull Vol. 19, p. 146-57.

FRIÐRIKSSON S. (1975): Surtsey. Evolution of life of a volcanic island. London: Butterworths.

JOHNSON T. W. (1971): Aquatic fungi of Iceland: pythium. Mycologia Vol. 63, no. 3, p. 517-36.

KRISTINSSON H. (1987): A guide to the flowering plants and ferns of Iceland. Reykjavík: Örn og Örlygur.

LOVE A. (1970): íslenzk Ferðaflóra. Reykjavík: Almenna Bókafélagið.

STEINDÓRSSON S. (1962): On the age and immigration of the Icelandic flora. Reykjavík: Vísindafélag íslendinga, vol. XXXV.

STEINDÓRSSON S. (1964-68): Um hálendisgróður íslands (On the vegetation of the Central Highlands) Several articles in Flóra.

STEFÁNSSON S. (1948): Flóra íslands. Reykjavík: Bókaútgáfan Norðri.

VENZKE J-F. (1987): On the ecology and plant-sociology of "melur" vegetation in Iceland. Acta Botanica Islandica 9, p. 3-8.

WOLSELEY P. (1979): A field key to the flowering plants of Iceland. Sandwick, Shetland: Thule Press.

Freshwater Biology:
JÓNASSON P. M. (1979): Ecology of eutrophic, subarctic Lake Mývatn and the River Laxá. Oikos 32. 1-2, p. 1-308. **Also** as "Lake Mývatn". Copenhagen: The Icelandic Literature Society in Copenhagen.

Entomology:
BENGTSON S-A (1983): Geography of leg colour dimorphism in the carabid beetle (Nebria gyllenhali) in Iceland and the Faeroe Islands. Entomologica Scandinavica 14. p. 57-66.

PRYS-JONES O. E., ÓLAFSSON, E., and KRISTJÁNSSON K. (1981): The Icelandic bumble bee fauna (Bombus Latr. Apidae) and its distributional ecology. Journal of Agricultural Research 20 (3) p. 189-97.

ROYAL ENTOMOLOGICAL SOCIETY: Handbooks for the identification of British Insects: coleoptera, diptera and hymenoptera.

Geology:
AUBOUIN J. (Ed.) (1980): Geology of the European Countries. Volume 2. London: Graham and Trotman.

BAMLETT M. and POTTER J. F. (1988): Icelandic geology: an explanatory excursion guide based on a 1986 field meeting. Proc. Geologists' Association 99 (3), p. 221-246.

EINARSSON P. and BJÖRNSSON S. (1979): Earthquakes in Iceland. Jökull 29, 37-43.

FRIÐLEIFSSON I. B. (1979): Geothermal Activity in Iceland. Jökull 29, 47-56.

FRIÐLEIFSSON I. B. et al (1982): Iceland research drilling project. Jour. Geophys. Res., vol. 87, no. B8, p. 6359-6667. (28 papers).

GUÐMUNDSSON A. T. and KJARTANSSON H. (1984): Guide to the geology of Iceland. Reykjavík: Örn og Örlygur.

JACOBY W. R. et al (1980): Iceland: evolution, active tectonics and structure. Journal of Geophysics, vol. 37, no. 1-3, p. 1-220 (26 articles).

MUNZER U. (1985): Iceland: Volcanoes, glaciers, geysers. Brannenburg: Atlantis.

PERKINS J. W. (1983): Iceland: A geological field guidebook. Cardiff. University of Wales.

PREUSSER H. (1976): The Landscapes of Iceland: Types and Regions. The Hague: Dr. W. Junk.
SAEMUNDSSON K. (1979): Outline of the Geology of Iceland. Jökull, vol. 29, p. 7-28.
THORARINSSON, S. (1959): On the Geology and Geophysics of Iceland. Geografiska Annaler Vol. 41, No. 2-3, p. 135-69.
THORARINSSON S.: On the geology of Iceland. Reykjavík: Icelandair.
THORARINSSON S. (1967): Some problems of volcanism in Iceland. Geol. Rundschau. vol. 57 p. 1-20.
THORARINSSON S. and SAEMUNDSSON K. (1979): Volcanic activity in historical time. Jökull 29, 29-32.
THORARINSSON S. (1979): Tephrachronology and its application in Iceland. Jökull 29, 33-36.
WARD P. L. (1971): New interpretation of the geology of Iceland. Bull. Geological Society of America. p. 2991-3012.
WILLIAMS S. et al. (1983): Geomorphic classification of Icelandic volcanoes. Jökull, vol. 33, p. 19-24.

Geomorphology:
HOPPE G. (1968): Grímsey and the maximum extent of the last glaciation in Iceland. Geografiska Annaler Vol. 50A, p. 16-24.
HOPPE G. (1983): The extent of the last inland icesheet of Iceland. Jökull vol. 31, p. 3-11.
PREUSSER H. (1976): Viz supra.
PRICE R. J. (1973): Glacial and fluvioglacial landforms. Edinburgh: Oliver and Boyd.
SUGDEN D. E. and JOHN B. S. (1976): Glaciers and landscape — a geomorphological approach. London: Edward Arnold.
TÓMASSON H. et al (1981): Comparison of sediment load transport in the Skeidara jokulhlaups in 1972 and 1976. Jökull Vol. 30, p. 21-33.
WHALLEY W. B. et al. (1983): The magnitude and frequency of large rockslides in Iceland in the postglacial. Geografiska Annaler, vol. 65 A, no. 1-2, p. 99-110.

Glaciology:
BJÖRNSSON H. (1979): Glaciers in Iceland. Jökull vol. 29, p. 74-80.
BJÖRNSSON H. (1988): Hydrology of icecaps in volcanic regions. Reykjavík: Societas Scientarium Islandica, XLV.
CROOT D. G. and ESCRITT E. A. (1976): Scourge of Surging Glaciers. Geographical Magazine vol. 48, no. 6, p. 328-34.
EINARSSON T. and ALBERTSON K. J. (1988): The glacial history of Iceland during the past three million years. In: Shackleton N. J. et al. (Edrs.) The past three million years. Evolution of climatic variability in the North Atlantic region. Phil. Trans. Royal Soc. B. 318.
ESCRITT E. A. (1974): North Iceland Glacier Inventory: manual for field survey parties. London: Young Explorers' Trust.
RURIKSSON B. (1983): The power of ice. Geographical Magazine Vol. 55, no. 8, p. 412-7.

Human Geography and Population:
ASHWELL I. Y. (1963): Recent changes in the pattern of farming in Iceland. Canadian Geographer, vol. 7, no. 4, p. 174-80.
JACKSON E. L. (1982): The Laki eruption of 1783: impacts on population and settlement in Iceland. Geography, vol. 67, no. 1, p. 42-50.
STONE K. H. (1971): Isolations and retreat of settlement in Iceland. Scottish Geographical Magazine Vol. 87, no. 1, p. 3-13.
SVEINBJARNARDÓTTIR G. (1982): Farm abandonment in Eyjafjallasveit, South Iceland. Nottingham: Working Paper Series No: 14. Nottingham University Department of Geography.
THORARINSSON S. (1961): Population changes in Iceland. Geographical Review vol. 51, no. 4, p. 519-33.
WHEELER P. T. et al. (1984): Vestfirdir Studies: Farming, fishing and settlement in north-western Iceland, 1979. Regional Studies No:23. Nottingham University Department of Geography. Nottingham: Geographical Field Studies Group.

Hydrology:

GUÐMUNDSSON G. and SIGBJARNARSSON G. (1972): Analysis of glacier runoff and meteorological observations. Journal of Glaciology, V.11, p. 303-318.

KJARTANSSON G. (1967): The Steinshóltshlaup, central south Iceland on January 15th, 1967. Jökull Vol. 3, p. 249-62.

ÖSTREM G. (1964): A method for measuring water discharge in turbulent streams. Geographical Bulletin No. 21 p. 21-43.

RIST S. (1967): Jökulhlaups from the ice cover of Mýrdalsjökull on June 25th, 1955, and January 20th, 1956. Jökull Vol. 3, p. 243-48.

RIST S. (1983): Floods and flood danger in Iceland. Jökull 33 p. 119-132.

Meteorology:

ASHWELL I. Y. (1958): Meteorological factors in the central desert of Iceland. Meteorological Magazine Vol. 87, no. 1038, p. 353-64.

ASHWELL I. Y. (1959): A rapid variation of air and crustal temperatures on Langjökull. Geografiska Annaler Vol. 41, no. 1, p. 67-73.

ASHWELL I. Y. (1966): Glacial control of wind and soil erosion in Iceland. Annals of the Association of American Geographers, vol. 56, no. 3, p. 529-40.

ASHWELL I. Y. (1980): The influence of Vatnajökull, Iceland, on regional air circulation and soil erosion. Discussion Papers in Geography no. 11. Salford, England: University of Salford, Dept. of Geography.

BERGTHÓRSSON P.: The Weather in Iceland. Reykjavík: Icelandair.

ESCRITT E. A. and GEORGE J. (1984): Meteorological projects in the glacier environment, in Renner G. "Polar Expeditions" p. 160-65. London: Royal Geographical Society.

EYTHÓRSSON J. and SIGTRYGGSON H. (1971): The climate and weather of Iceland. Zoology of Iceland, vol 1., pt. 3. Copenhagen: Reykjavík: Munksgaard.

GUÐMUNDSSON G. and SIGBJARNARSSON G. (1972): Analysis of glacier runoff and meteorological observations. Journal of Glaciology, vol. 63, p. 303-18.

LISTER H. (1959): Micro-meteorology over dirt coned ice. Jökull Vol. 2, p. 1-5.

SCHELL I. I. (1961): The ice off Iceland and the climates during the last 1200 years. Geografiska Annaler, vol. 43, no. 3-4, p. 354-62.

SíMONARSON L. (1979): On climatic changes in Iceland. Jökull 29, p. 44-46.

THORARINSSON S. (1956): The thóusand years struggle against ice and fire. Reykjavík: Bókaútgáfa Menningarsjóðs.

Ornithology:

BARÐARSON H. (1986): Birds of Iceland. Reykjavík: Hjálmur R. Barðarson.

BENGTSON S-A (1970): Densities of passerine bird communities in Iceland. Bird Study, vol. 17, no. 3, p. 260-68.

BENGTSON S-A and OWEN D. F. (1972): Polymorphism in the arctic skua Stercorarius parasiticus in Iceland. Ibis, vol. 115, no. 1, p. 87-92.

BRUUN B. (1970): The Hamlyn Guide to the birds of Britain and Europe. London: Hamlyn.

BULSTRODE C. J. K. et al. (1973): Breeding of whooper swans in Iceland. Bird Study, vol. 20, no. 1, p. 37-40.

GARÐARSSON A. (1970): Selection of food by Icelandic ptarmigan. In Watson A. "Animal populations in relation to their food resources." Oxford, England: Blackwell.

GRANT P. R. (1971): Interactive behaviour of puffins and skuas. Behaviour. Vol. 40, no. 3-4, p. 263-81.

GRANT P. R. and NETTLESHIP A. (1971): Nesting habitat selection by puffins in Iceland. Ornis Scandinavica, vol. 2, no. 2, p. 81-7.

HEINZEL H. et al. (1972): The Birds of Britain and Europe. London: Collins.

PETERSEN Æ.: Bird Life in Iceland. Reykjavík: Icelandair.

PETERSEN Æ. (1980): Population study of black guillemots (Cepphus grylle) in Iceland. Nord Ecol Newsletter 12 p. 16-17.

SCOTT P. and FISHER J. (1953): A thousand geese. London: Collins.

YEATES G. K. (1951): Land of the Loon. Country Life Ltd.

Pedology:

ASHWELL I. Y. (1966): Glacial control of wind and soil erosion in Iceland. Annals of the Association of American Geographers, vol. 56 (3) p. 529-40.

JÓHANNESSON B. (1960): The soils of Iceland. Reykjavík: University Research Institute.

MAIZELS J. and DUGMORE A. (1985): A date with tephra. Geographical Magazine, Vol. 57 (10), p. 532-38.

Spelaeology:

MILLS M. T. (1970): A bibliographic history of Icelandic lava cave exploration. Trans. Cave Research Group of Great Britain, vol. 13 (4), p. 229-34.

REICH J. R. (1974) Surtshellir — an expedition to the most famous Icelandic cave. Iceland Review 12(3-4), 56-63.

WOOD C. (1971): The nature and origin of Raufarhólshellir. Trans. Cave Research Group of Great Britain, vol. 13 (4), p. 245-56.

Zoology:

VARIOUS (1937—): The zoology of Iceland. Copenhagen: Munksgard.

E. **REGIONS OF ICELAND**

I.1. **South-west Iceland:**

ASHWELL I. Y. (1976): Morphology of upper Lundarreykjadalur, western Iceland. Jökull, vol. 26, p. 1-7.

ASHWELL I. Y. (1975): Glacial and late glacial processes in western Iceland. Geografiska Annaler vol. 57 A, no. 3-4, p. 225-245.

EINARSSON T. (1965): On the geology of Stapafell-Sulur and the surrounding area. Greinar, vol. 4, no. 1, p. 49-76.

FINNBOGADÓTTIR V. and MAGNÚSSON M. (1986): Reykjavík within your reach. Reykjavík: Mál og Menning.

FRIÐRIKSSON S. (1975): Vegetation of the southern coast of Iceland. In "Surtsey-evolution of life on volcanic island". London: Butterworths.

GUÐMUNDSSON A. (1987): Tectonics of the Thingvellir fissure swarm, S. W. Iceland. J1. Structural Geology (9), p. 61-69.

JONES J. G. (1968): Intraglacial volcanoes of the Laugarvatn region, south-west Iceland. Quart. Jour. Geol. Soc. London, vol. 124, no. 3, p. 197-211.

SAEMUNDSSON K. (1970): Interglacial lava flows in the lowlands of southern Iceland and the problem of two-tiered columnar jointing. Jökull 20 p. 62-77.

THORSTEINSSON B. (1987): Thingvellir. Reykjavík: Örn og Örlygur.

TORFASON H. (1985): The Great Geysir. Reykjavík: Geysir Conservation Committee.

TÓMASSON H. et al (1974): Þórlakshófn: geological report. Reykjavík: Orkustofnun.

WOOD, C. (1975): A preliminary investigation of lava caves of the Gullborgahraun, West Iceland. Journal Shepton Mallet Caving Club vol. 5, no. 9, p. 25-34.

II.1. **Austur-Skaftafellssýsla:**

BOULTON G. S. and VIVIAN R. (1973): Underneath the glaciers. Geographical Magazine (Jan), p. 311-316.

COLLIER R. V. and STOTT M. (1976): Review of ornithological studies in south-east Iceland, 1973-75. Ambleside, England: Brathay Exploration Group.

COLLIER R. V. (1980): The fauna of the Skaftafell National Park, south-east Iceland. Field Studies Report no. 34. Ambleside, England: Brathay Exploration Group.

KING C. A. M. (1966): The coast of south-east Iceland near Ingólfshöfði. Geographical Journal, vol. 122, No. 2, p. 241-46.

LINDROTH C. H. (1965) Skaftafell, Iceland, a living glacial refugium. Oikos Supplement 6, 142 pp.

PRICE R. J. (1983): Changes of the proglacial area of Breiðamerkurjökull, south-eastern Iceland. Jökull, vol. 32, p. 29-35 (see also numerous references in PRICE (1969) "Glacial and fluvioglacial landsforms" Edinburgh: Oliver & Boyd.

THOMPSON A. (1988) Historical development of the proglacial landforms of Svínafellsjökull and Skaftafellsjökull, southeast Iceland. Jökull, (38), p. 17-31.

THORARINSSON S. (1956): The Thousand Years Struggle Against Ice and Fire. Reykjavík: Bókaútgáfa Menningarsjóds.

II.2. **Vesturskaftafellssýsla:**

CARSWELL D. A. (1983): The volcanic rocks of the Sólheimajökull area, southern Iceland. Jökull, vol. 33, p. 61-71.

JACKSON E. L. and RINNE L. (1973): Changes in the pattern of farms in Vestur-Skaftafellsýsla. Report of the Toronto University Geographical Society Expedition.

SVEINBJARNARDÓTTIR G. (1982): Farm abandonment in Eyjafjallasveit, southern Iceland. Working Paper Series No. 14. Birmingham, England: University of Birmingham, Dept. of Geography.

TÓMASSON H. et al. (1981): Comparison of sediment load transport in the Skeiðará jökulhlaups in 1972 and 1976. Jökull, vol. 30, p. 21-33.

III.1. **Vestfirðir:**

GLUE D. E. (1970): The bird communities of two contrasting valleys in north-west Iceland. Bird Study, vol. 17, No. 3, p. 247-59.

HANSOM G. (1983): Variation in meltwater characteristics at Kaldalónsjökull, Iceland. Jökull, vol. 31, p. 95-99.

JOHN B. S. and SUGDEN D. E. (1962): The morphology of Kaldalón: a recently deglaciated valley in Iceland. Geografiska Annaler, vol. 64., no. 3-4, p. 347-65.

JOHN B. S. (1978): Fish for survival in Vestfirðir. Geographical Magazine, vol. 51, no. 1, p. 63-66.

SMÁRASON O. B. (1980): The geology of the Arnes volcano — a Tertiary volcanic centre, N.W. Iceland. Journal Geological Society of London, vol. 137, no. 1, p. 111.

III.2. **Northern Highlands:**

BJARNASON A. (1980): The history of woodland in Fnjóskadalur. Acta Phytogeog. Suec. vol. 68 p. 31-42.

BJÖRNSSON H. (1971): Baegisarjökull, N. Iceland: results of glaciological investigations 1967-68. Part I. Jökull, vol. 21, p. 1-23. (Pt. II in Jökull vol. 22).

CASELDINE C. J. (1983): Resurvey of the margins of Gljúfurárjökull and the chronology of recent deglaciation. Jökull, vol. 33, p. 111-118.

CASELDINE C. J. (1988): Fluctuations of Gljúfurárjökull, northern Iceland 1983-1987. Jökull (38), p. 32-34.

EIRIKSSON J. (1980): Tjörnes, North Iceland: a bibliographical review of the geological research history. Jökull, vol. 30, p. 1-20.

EIRIKSSON J. (1981): Lithostratigraphy of the upper Tjórnes sequence, N. Iceland: the Breiðavík group. Reykjavík: Náttúrufraeðistofnun íslands.

ESCRITT E. A. (1974): North Iceland Glacier Inventory: manual for field survey parties. London: Young Explorers's Trust.

HALLGRÍMSSON H. and KRISTINSSON K. (1965): Um haeðarmörk plantna á Eyjafjarðarsvaeðinu (Altitudinal distribution of plants). Acta Botanica Islandica, vol. 3, p. 9-74.

MARTIN H. E. and WHALLEY W. B. (1987): A glacier ice-cored rock glacier, Tröllaskagi, Iceland. Jökull, (37), p. 49-55.

VÍKINGSSON S. (1980): The deglaciation of the southern part of the Skagafjörður district, northern Iceland. Jökull, vol. 28, p. 1-17.

III.3. **Eastern Highlands:**

BLAKE D. H. (1970): Geology of the Álftafjörður volcano: a tertiary volcanic centre. Science in Iceland, vol. 2, p. 43-63.

GIBSON I. L. et al. (1966): The Geology of the Fáskruðsfjörður area. Greinar, vol. 4, no. 2, p. 53-122.

ROOBOL M. J. (1972) Size-graded, igenous layering in an Icelandic intrusion. Geological Magazine Vol. 109, no. 5, p. 393-404.

SIGBJARNARSON G. (1983): The Quaternary alpine glaciation and marine erosion in Iceland. Jökull, vol. 33, p. 87-98.

WALKER, G. P. L. (1962): Tertiary welded tuffs in Eastern Iceland. Quart. Jour. Geol. Soc. London, vol. 118, p. 275-93.

WALKER G. P. L. (1983): Topographic evolution of eastern Iceland. Jökull, vol. 33, p. 13-20.

IV.1. **Central plateau:**

KALDAL I. (1980): The deglaciation of the area north and north-east of Hofsjökull, central Iceland. Jökull, vol. 28, p. 18-31.

PRIESNITZ K. and SCHUNKE E. (1978): An approach to the ecology of permafrost in central Iceland. Proceedings of the 3rd International Conference on Permafrost. Vol 1 473-79.

IV. 2. **West central plateau:**

ASHWELL I. Y. (1977): Arnarvatnsheidi and its regional geomorphology. Jökull, vol. 25, p. 39-45.

IV.3. **Central Highlands:**

ASHWELL I. Y. (1972): Dust storms in an ice desert. Geographical Magazine, vol. 44, no. 5, p. 322-27.

EINARSSON T. (1967): The Great Geysir and the hot-spring area of Haukadalur, Iceland. Reykjavik: Geysir Committee.

KRÍSTINSSON H. (1974): The Vegetation of Thjórsarver, central Iceland.

SCOTT P. (1953): A thousand geese. London: Collins.

IV.4. **North-east Iceland:**

GRIFFITHS M. E. et al (1973): Selection for food concentration in Víkingavatn by diving duck. Newcastle, England: University of Newcastle Expedition Report. (9 articles)

MORRISON A. (1938): Notes on the birds of N.E. Iceland. Ibis, January, p. 129-36.

V.1. **Snaefellsnes:**

INGÓLFSSON A. (1969): Behaviour of gulls robbing eiders. Bird Study, vol. 16, no. 1, p. 45-52.

RUTTEN M. G. and WENSINK H. (1959) Geology of the Hvalfjördur-Skorradalur area. Geologie en Mijubouw. Vol. 21 p. 172-80.

SIGURDSSON H. (1966): Geology of the Setback area. Greinar, vol. 4, no. 2, p. 1-52.

STEINDÓRSSON S. (1968) Flóra Snaefellsnes. Flóra Vol. 6. p. 41-44.

UPTON B. G. J. and WRIGHT J. B. (1961) Intrusions of gabbro and granophyre in Snaefellsnes, W. Iceland. Geological Magazine Vol. 98, p. 488-92.

VI.1. **South-west young volcanics:**

ASHWELL I. Y. and HANNEL F. G. (1959) The recession of an Icelandic glacier. Geographical Journal Vol. 125, no. 1, p. 84-8.

FRIÐLEIFSSON I. B. (1973): Quaternary volcanics in south-west Iceland. Journal of Geology vol. 129 no. 3 p. 393-420.

PIPER J. D. A. (1973) Volcanic history of the north Langjökull area, central Iceland. Canadian Journal of Earth Sciences Vol. 10, no. 2, p. 164-179.

SIGBJARNARSSON G. (1967) The changing levels of Hagavatn and glacial recession in this century. Jökull Vol. III, no. 17, p. 263-79.

THORARINSSON S. (1966) The age of the maximum post-glacial advance of Hagafellsjökull eystri. A tephrachronological study. Jökull Vol. 3, p. 207-10.

VI.2. **South central young volcanics:**

EINARSSON T. et al (1949-74): The Eruption of Hekla, 1947-1948. Reykjavík: Vísindafélag íslendinga. 5 vols.

THORARINSSON S. (1970): Hekla — a Notorious Volcano. Reykjavík: Almenna Bókafélagid.

THORARINSSON S. (1970): The Lakagígar eruption of 1783. Bulletin Volcanologique, vol. 33, no. 3, p. 910-29.

THORARINSSON S. and SIGVALDASON G. E. (1973): Hekla eruption 1970. Bulletin Volcanologique. vol. 36, no. 2, p. 269-288.

VI.3. Mývatn-Gjástykki:

BENGTSSON S-A (1966): Field studies on the harlequin duck in Iceland. Slimbridge, England: Wildfowl Trust Annual Report no. 17.

BENGTSON S-A. (1971): Food and feeding of diving ducks breeding at Lake Mývatn, Iceland. Acta Ornithol. Fennica.

BENGTSON S-A. (1971): Habitat selection of duck broods in Lake Mývatn area, N.E. Iceland. Ornis Scandinavica 2 17-26.

BENGTSON S-A. and ULFSTRAND S. (1971): Food resources and breeding frequency of the harlequin duck (histrionicus histrionicus) in Iceland. Oikos 22. 235-239.

BENGTSON S-A. (1972) Reproduction and fluctuation in the size of duck populations at Lake Mývatn, Iceland. Oikos 23 p. 35-58.

BJÖRNSSON A. et al. (1977): Current rifting episode in north Iceland. Nature, vol. 266, p. 318-23.

EINARSSON T. (1965): The ring-mountains Hverfjall, Ludent, and Hrossaborg in Northern Iceland. Greinar vol. 4, no. 1, p. 1-28.

ESCRITT E. A. (1982): Krafla's wintry awakening. Geographical Magazine vol. 54, no. 1, p. 2-3. (fourth in a series: vol. 48, no. 7, p. 392-93, vol. 52, no. 8, p. 521-22, vol. 53, no. 1, p. 1-12).

ESCRITT T. (1976) An infernal bore. Geographical Magazine 48 (7), p. 392-393.

ESCRITT T. (1980) Power Station on a volcano. Geographical Magazine 52 (8), p. 521-522.

ESCRITT T. (1980) Unpredictable Krafla takes volcano watchers by surprise. Geogr. Mag. 53 (1) p. 1-12.

ESCRITT T. (1982) Krafla's wintery awakening. Geographical Magazine 54 (1), p. 2-3.

GARÐARSSON A. (1980): Long-term studies of duck populations at Mývatn. Nord Ecol. Newsletter 12. 4-6.

GISLASON G. M. (1980): Ecological studies on the blackfly (Simulium vittatum) in the River Laxá, N.E. Iceland. Nord Ecol. newsletter 12. p. 11-12.

HARRISON J. and HARRISON P. (1989): Mývatn and Laxá. Birds 2(1) p. 8-10.

JÓNASSON P. M. (Ed) (1979): Ecology of eutrophic, subarctic Lake Mývatn and the river Laxá. Copenhagen: Íslenzk Fraeðafélag.

KRISTJÁNSSON J. (1980): Population dynamics of the char stock in Lake Mývatn. Nord Ecol. Newsletter 12. p. 6-8.

NOWAK W. S. W. (1976): The diatomite industry of Iceland: the development of a subarctic resource. Cahiers de Geogr. de Quebec 20 (49), p. 143-162.

SIGURDSSON H. and SPARKS R. S. J. (1978): Rifting episode in N. Iceland in 1874-75 and the eruptions of Askja and Sveinagjá. Bull. Volcanologique vol. 41, no. 3, p. 1-19.

SNORRASON S. (1980): The ecology of Lymnaea peregra (Gastropoda) in Lake Thingvallavatn and its status in the lake food web. Nord. Ecol. Newsletter 12 8-9.

WILLIAMS D. (1988): Mývatn: Nature's paradise. Reykjavík: Örn og Örlygur.

VI.4. Odadahraun:

BEMMELEN R. W. and VAN RUTTEN M. G. (1955): Table Mountains of northern Iceland. Leiden: Brill.

CLARKE G. (1970): The formation and landscapes of deserts in Iceland. Journal of Durham University Geographical Society, Vol. 12, p. 52-64.

THORARINSSON S. (1963): Askja on Fire. Reykjavík: Almenna Bókafélagið.

VI.5. Palagonite Ridge Highlands:

VI.6. Jökulsá á Fjöllum:

GUNNLAUGSSON T. (1975): Jökulsárgljúfur: íslenzkur undraheimur. (Jökulsá Canyon: an Icelandic wonderland) Akureyri: Bókaforlag Odds Björnssonar.

VANDER MOLEN P. (1984): Running the wild Jökulsá á Fjöllum. National Geographic Magazine, vol. 166, No. 3, p. 306-21.

VANDER-MOLEN P. (1985): Iceland Breakthrough. Sparkford, England: The Oxford Illustrated Press.

VII. Glaciers:

AHLMANN H. W. (1938): Land of Ice and Fire. London: Routledge & Kegan Paul.

BJÖRNSSON H. (1974): Explanation of jökulhlaups from Grímsvötn, Vatnajökull, Iceland. Jökull, vol. 24, p. 1-26.

BOULTON G. S. and VIVIAN R. (1973): Underneath the glaciers. Geographical Magazine, January, p. 311-16.

DOWDESWELL J. A. (1982): Supraglacial re-sedimentation from melt-water streams on to snow overlying glacier ice, Sylgjujökull, west Vatnajökull, Iceland. Journal of Glaciology, vol. 28, no. 99, p. 365-75.

ESCRITT, E. A. (1972): The map of Falljökull. Jökull, vol. 22, p. 62-4.

EYLES, N. (1980): Rock glaciers in Esjufjöll nunatak area, south-east Iceland. Jökull, vol. 28, p. 53-56.

FISHWICK A. B. (1974): Kálfafellsdalur, south-east Iceland: a study of landform and depostional assemblages associated with the wastage of a valley glacier. Ambleside: Brathay Exploration Group.

GALON R. (1973): Scientific Results of the Polish geographical expedition to Iceland (Vatnajökull, 1968). Geographica Polonica, vol. 26, 312p.

MILLER K. (1979): Under ice volcanoes. Geographical Journal, vol. 145, no. 1, p. 36-55.

THORARINSSON S. (1958): The Öraefajökull eruption of 1362. Acta Naturalia Islandica, vol. 2, no. 2.

THORARINSSON S. (1956): The Kingdom of Vatnajökull, in "The thousand years struggle against ice and fire." Reykjavík: Bókaútgafa Menningarsjóds.

VIII. Islands:

BJÖRNSSON S. (1968): Iceland and Mid-Ocean Ridges. Reykjavík: Vísindafélag Íslendinga.

CLAPPERTON C. M. (1973): Eruption on Helgafell. Geographical Magazine, vol. 45, no. 7-9 and vol. 46, no. 2 (Four articles).

GROVE N. (1973): Volcano overwhelms an Icelandic village. National Geographic Magazine, vol. 144, no. 1, p. 40-67.

FRIDRIKSSON S. (1975) Vegetation of the outer Westman Islands. In "Surtsey — evolution of life on a volcanic island". London: Butterworths.

GUNNARSSON A. (1973): Volcano: ordeal by fire in Iceland's Westmann Islands. Reykjavík: Iceland Review.

HOLMES P. F. and KEITH D. B. (1936): Observations on the birds of Grímsey and North Iceland. Ibis, April, p. 322-30.

JACK R. (1957): Arctic Living: the story of Grímsey. London: Hodder.

THORARINSSON S. (1964): Surtsey, the New Island in the North Atlantic. Reykjavík: Almenna Bókafélagid.

THORARINSSON S. (1965): Surtsey: island born of fire. National Geographic Magazine, vol. 127, no. 5, p. 713-726.

APPENDICES

APPENDIX A PROTECTED PLANT SPECIES

The following list of vascular plants are totally protected by law in Iceland:

1. Botrychium simplex E. Hitchc.
2. Asplenium septentrionale (L.) Hoffm.
3. Asplenium trichomanes L.
4. Asplenium viride Hudson
5. Blechnum spicant (L.) Roth f. fallax Lge.
6. Cryptogramma crispa (L.) R. Br.
7. Lycopodium clavatum L.
8. Sieglingia decumbens (L.) Bernh.
9. Carex heleonastes L.
10. Carex flava L.
11. Allium oleraceum L.
12. Paris quadrifolia L.
13. Listera ovata (L.) R. Br.
14. Stellaria calycantha (Led.) Bong.
15. Spergula marina (J. & C. Presl.) D. Dietr.
16. Papaver radicatum Rottb. spp. Stefanssonii A. Love
17. Crassula aquatica (L.) Schonl.
18. Galium palustre
19. Saxifraga foliolosa R. Br.
20. Rosa pimpinellifolia L.
21. Rosa vosagiaca
22. Oxalis acetosella L.
23. Viola riviniana Rchb.
24. Primula egaliksensis Wormskj.
25. Ajuga pyramidalis L.
26. Hymenophyllum wilsonii
27. Juncus gerardi
28. Polygonum amphibium
29. Potentilla erecta
30. Callitriche brutia
31. Euphrasia calida

APPENDIX B
LIST OF PROTECTED NATURAL AREAS IN ICELAND

	Character	Hectares
By Special Law		
1. Mývatn-Laxá	geological, biological	440,000
National Parks		
2. Thingvellir	old parliament site, geology	4,200
3. Skaftafell	glaciological, biological	50,000
4. Jökulsárgljúfur	geological, biological	15,100
Nature Reserves		
South-west Iceland:		
5. Eldey	gannets	2
6. Ástjörn	bird life	25
7. Grotta	eider/coastal ecology	5
8. Varmarósar		10
West Iceland:		
9. Geitland	pro-glacial desert	11,750
10. Húsafellskógur	woodland	440
11. Budahraun	lava vegetation	915
12. Stapa and Hellna	coast	75
13. Melrakkaey	divers	9
North-west Iceland:		
14. Hrísey	island ecology	40
15. Flatey	grey phalarope	100
16. Vatnsfjördur	fjord, lake and woodland	20,000
17. Hornstrandir	remote uninhabited area	58,000
North Iceland (west):		
18. Miklavatn	wetland	1,550
North Iceland (east):		
19. Svarfadardal	wetland	540
20. Vestmannsvatn	wetland	600
21. Herdubreidarfridland	highland oasis	17,000
East Iceland:		
22. Hvannalindir	highland oasis	4,300
23. Kringilsarráni	reindeer	8,500
24. Lónsöraefi	wild mountain/lowland area	32,500
25. Esjufjöll	nunatuk	27,000
26. Salthöfdi	wetland	220
27. Ingólfshöfdi	bird life	90
South Iceland:		
28. Dýrhólaey	coastal scenery	510
29. Fjallabak	desert	47,000
30. Þjórsaver	pink footed goose	37,500
31. Surtsey	ecology	270
32. Gullfoss	waterfall	160
33. Herdisarvík		4,000

Natural Monuments
Sout-west Iceland:

34. Eldborg	crater	50
35. Eldborgir u/ Geitahlíd	crater	10.5
36. Hamarinn, Hafnafirði		2
37. Tröllabörn	(Laekjarbotna)	5
38. Vighólar	(Kópavógur)	1
39. Borgir	(Kópavogur)	3
40. Laugarás	(Reykjavík)	1
41. Haubakkar	(Elliðarvógur)	2
42. Staupasteinn	rock formation	7
West Iceland:		
43. Hraunfossar-Barnafoss	waterfalls	39
44. Grábrókargigur	craters	34
45. Eldborg í Hnappadal	crater	150
46. Barðarlaug	hotspring (Snaefells)	50
North-west Iceland:		
47. Surtarbrandsgil	petrified forest	150
48. Dynjandi	waterfall	700
North Iceland (west):		
49. Kattarauga	floating island	1
50. Hveravellir	geothermal	170
North Iceland (East):		
51. Skútustaðargigar	pseudocraters	28
52. Askja	caldera	5,000
East Iceland:		
53. Helgustaðanáma	old calcite mine	1
54. Teigarhorn	zeolites	120
55. Dima í Lóni	rock formation	8
56. Háalda	kettle-hole	46
South Iceland:		
57. Dverghamrar		
58. Kirkjugolf	rock formation	0.2
59. Álftaversgigar	pseudocraters	3,650
60. Lakagigar	crater row	16,000
61. Skógafoss	waterfall	2,204
62. Jörundur í Lambahrauni	lava cave	0.1

Country Parks

63. Bláfjöll ski area	8,400
64. Rauðhólar í Reykjavík	45
65. Reykjanesfolkvangur	30,000
66. Hrutey í Blöndu	10
67. Spákonufellshöfði	30
68. Álfaborg í Borgafirði eystra	10
69. Folkvangur Neskaupstaðar	300
70. Hólmanes	260
71. Osland í Hornafirði	15

APPENDIX C. LIST OF BREEDING BIRDS IN ICELAND

I. Breeding Birds

Scientific name	English name	Icelandic name
Gavia immer	Great Northern Diver	Himbrimi
Gavia stellata	Red-throated Diver	Lómur
Podiceps auritus	Slavonian Grebe	Flórgoði
Fulmarus glacialis	Fulmar	Fýll
Puffinus puffinus	Manx Shearwater	Skrofa
Hydrobates pelagicus	Storm Petrel	Stormsvala
Oceanodroma leucorrhoa	Leach's Petrel	Sjósvala
Sula bassana	Gannet	Súla
Phalacrocorax carbo	Cormorant	Dílaskarfur
Phalacrocorax aristotelis	Shag	Toppskarfur
Cygnus cygnus	Whooper Swan	Álft
Anser Anser	Grey-lag Goose	Grágæs
Anser brachyrhynchus	Pink-footed Goose	Heiðagæs
Branta leucopsis	Barnacle Goose	Helsingi
Anas platyrhynchos	Mallard	Stokkönd
Anas crecca	Teal	Urtönd
Anas strepera	Gadwall	Gargönd
Anas penelope	Widgeon	Rauðhöfðaönd
Anas acuta	Pintail	Grafönd
Anas clypeata	Shoveler	Skeiðönd
Aythya ferina	Pochard	Skutulönd
Aythya fuligula	Tufted Duck	Skúfönd
Aythya marila	Scaup	Duggönd
Somateria mollissima	Eider	Æður
Melanitta nigra	Common Scoter	Hrafnsönd
Histrionicus histrionicus	Harlequin Duck	Straumönd
Clangula hyemalis	Long-tailed Duck	Hávella
Bucephala islandica	Barrow's Goldeneye	Húsönd
Mergus serrator	Red-breasted Merganser	Toppönd
Mergus merganser	Goosander	Gulönd
Haliaetus albicilla	White-tailed Eagle	Haförn
Falco rusticolus	Gyrfalcon	Fálki
Falco columbarius	Merlin	Smyrill
Lagopus mutus	Ptarmigan	Rjúpa
Rallus aquaticus	Water Rail	Keldusvin
Haematopus ostralegus	Oystercatcher	Tjaldur
Pluvialis apricaria	Golden Plover	Heiðlóa
Charadrius hiaticula	Ringed Plover	Sandlóa
Numenius phaeopus	Whimbrel	Spói
Limosa limosa	Black-tailed Godwit	Jaðrakan
Tringa totanus	Redshank	Stelkur
Gallinago gallinago	Snipe	Hrossagaukur
Calidris maritima	Purple Sandpiper	Sendlingur
Calidris alpina	Dunlin	Lóuþræll
Phalaropus fulicarius	Grey Phalarope	Þórshani
Phalaropus lobatus	Red-necked Phalarope	Oðinshani
Stercorarius skua	Great Skua	Skúmur
Stercorarius parasiticus	Arctic Skua	Kjói
Larus canus	Common Gull	Stormmáfur
Larus argentatus	Herring Gull	Silfurmáfur
Larus fuscus	Lesser Black-backed Gull	Sílamáfur
Larus marinus	Great Black-backed Gull	Svartbakur
Larus hyperboreus	Glaucous Gull	Hvítmáfur
Larus ridibundus	Black-headed Gull	Hettumáfur

Rissa tridactyla	Kittiwake	Rita
Sterna paradisaea	Arctic Tern	Kría
Alle alle	Little Auk	Haftyrðill
Alca torda	Razorbill	Álka
Uria lomvia	Brünnich's Guillemot	Stuttnefja
Uria aalge	Common Guillemot	Langvía
Cepphus grylle	Black Guillemot	Teista
Fratercula arctica	Puffin	Lundi
Nyctea scandiaca	Snowy Owl	Snæugla
Asio flammeus	Short-eared Owl	Brandugla
Anthus pratensis	Meadow Pipit	Þúfutittlingur
Motacilla alba	White Wagtail	Maríuerla
Troglodytes troglodytes	Wren	Músarrindill
Oenanthe oenanthe	Wheatear	Steindepill
Turdus iliacus	Redwing	Skóarpröstur
Plectrophenax nivalis	Snow Bunting	Snjótittlingur
Carduelis flammea	Redpoll	Auðnutittlingur
Sturnus vulgaris	Starling	Stari
Corvus corax	Raven	Hrafn

II. Common Passage Migrants or Winter Visitors

Anser albifrons	White-fronted Goose	Blesgæs
Branta leucopsis	Barnacle Goose	Helsingi
Branta bernicla	Brent Goose	Margæs
Arenaria interpres	Turnstone	Tildra
Calidris canutus	Knot	Rauðbrystingur
Calidris alba	Sanderling	Sanderia
Larus glaucoides	Iceland Gull	Bjartmáfur

APPENDIX D. GOLF COURSES IN ICELAND

Golf is a thriving sport in Iceland with some 3,000 players. There are 26 courses with a further 7 under construction. Conditions vary but, surprisingly, it is not impossible for Reykjavík club members to play on all but a very few days in the year. Obviously the weather is a little chillier than you might expect elsewhere, but then there are the long summer days, the magnificent scenery, and the possibility of participating in a midnight golf tournament. The Golf Union of Iceland (Golfsamband Íslands) is to be found at P.O. Box 1076, 121 Reykjavík (Tel. (1)-686686, Fax (1)-29520).

Golf Clubs and Courses

	Club	Founded	Holes	Par	SSS	Length (m)
1.	Akureyri	1935	18	71	71	5582
2.	Borgarnes	1973	9	36	69	5260
3.	Eskifjörður	1976	9	33	66	4412
4.	Fluðir	1986	9	34	68	5016
5.	Grindavík	1980	9	35	68	5029
6.	Hella	1952	18	70	70	5248
7.	Hornafjörður	1971	9	32	62	3700
8.	Húsavík	1967	9	35	70	5302
9.	Ísafjörður	1978	9	35	67	4859
10.	Jökull, Ólafsvík	1973	9	33	65	4530
11.	Keilir, Hafnarfjörður	1967	18	68	68	4993
12.	Kjölur, Mosfellsbaer	1980	9	36	71	5466
13.	Leynir, Akranes	1965	9	35	70	5220
14.	Mostri, Stykkishólmur	1985	9	34	65	4640
15.	Mývatnssveit	1989	6	20	57	3033
16.	Nesklubburinn, Seltj.	1964	9	35	68	4986
17.	Ólafsfjörður	1967	9	34	67	4790
18.	Ós, Blönduós	1985	9	35	67	5010
19.	Reykjavík	1934	18	71	71	5470
20.	Sandgerði	1987	6	21	63	3951
21.	Sauðárkrókur	1970	9	36	71	5708
22.	Selfoss	1971	9	34	68	4990
23.	Siglufjörður	1970	9	30	62	3830
24.	Skagaströnd	1986	6	20	60	3765
25.	Suðurnesja, Keflavík	1964	18	72	71	5633
26.	Vestmannaeyja	1938	9	35	70	5304

Under Construction

		Founded	Holes
1.	Bolungarvík	1982	6
2.	Dalbui, Laugarvatn	1989	
3.	Fljótsdalshérad	1985	6
4.	Garðabaer	1986	9
5.	Hamar, Dalvík	1989	6
6.	Norðfjarðar	1980	9
7.	Vopnafjarðar	1984	6

APPENDIX E: SOME ICELANDIC and ICELAND-RELATED PERIODICALS

Most of the periodicals mentioned below are to be found in the library of the Scott Polar Research Institute in Cambridge.

    Árbók   = annual, yearbook.
    Greinar = articles.
    Rit   = papers, writings, treatises.
    Timarit = periodical, magazine, review.

Acta Botanica Islandica: Journal of Iceland Botany. Replaced the journal Flora (viz) in 1972. Articles in Icelandic, English, German and French. Always with an English summary.

Acta Naturalia Islandica: (1946 onwards). Predominantly geological but natural history generally. Mostly in English.

Árbók, Ferðafélag Akureyrar: Annually. Report of the Akureyri Travel Association's excursions.

Árbók, Ferðafélag Íslands: Iceland Travel Association. Each yearbook deals with a different area. In Icelandic.

Árbók, Landsbókasafn Íslands: National Library publication including list of works published in Iceland.

Ársrit Skógraektarfélags Íslands: Iceland Forestry Commission paper.

Aegir: (Rit Fiskifélags Íslands) Small paper bulletin of the Fisheries Association. In Icelandic.

Flóra: (1963-1968) Journal of Icelandic Botany. In Icelandic. Now superceded by Acta Botanica Islandica (viz).

Hagskýrslur Íslands: (Statistics of Iceland) Published by Hagstofa Íslands, (Statistical Bureau of Iceland), Hverfisgötu 8-10, Reykjavík.

Hagtiðindi: Import-Export statistics published by Hagstofa Íslands.

Heilbrigðisskýrslur: (Public Health in Iceland) Icelandic with English summary.

Iceland Horse International: P.O. Box 8541, 128 Reykjavík.

Iceland Review: English articles of a general nature. Well illustrated.

Iceland: Published by the Central Bank of Iceland. A very good account of the economic and geography of Iceland.

Island-Berichte: Newsletter of the Friends of Iceland, Hamburg. In German.

Jökull: (Journal of the Iceland Glaciological Society) Articles in Icelandic and English. Contains useful statistics on annual glacier measurements. Joined with the Geoscience Society of Iceland in 1977.

Leiðabók: Bus timetables. Available from post offices and from the long-distance bus station in Reykjavík.

Modern Iceland: Quarterly. Articles on industry and the economy. Forskot publishing, Reykjavík.

Náttúrufraedingurinn: Annually. Icelandic. Chiefly botany and geology. Some very short English summaries where important — eg. new species added to list.

News from Iceland: Monthly newspaper in English published by Iceland Review.

Newsletter: of the Iceland Travel Club, Harrow, U.K.

Rit Fiskideildar: (Hafrannsóknastofnunin — Marine Research Institute, Reykjavík) Mostly in English. Each edition devoted to a separate topic.

Saga-Book: Proceedings of the Viking Society for Northern Research. University College London.

Seismological Bulletin: Reykjavík.

Símaskráinn: Telephone book. Available from post offices.

Statistical Bulletin: Thin paper bulletin. English.

Timaritid Týli: Journal of Natural History. Icelandic. Published by the Museum of Natural History, Akureyri.

Timarit Verkfraedingafélags Íslands: Icelandic. Good articles on engineering in Iceland. Maps. Diagrams. Occasional subtitle to diagrams.

Vedrátten: Iceland Meteorological reports.

Vedrid: Journal of Icelandic Meteorology. Icelandic.

Vísindafélag Íslendinga (Societas Scientiarum Islandica): Periodic works on geology, botany, zoology, etc. Three separate types of papers: Rit, Greinar, and the magazine Science in Iceland. Mainly in English.

Vidskiptaskráinn: Commercial directory. Annually. Lists of firms in Iceland. Brief accounts of economic geography.

Yearbook of Trade and Industry: Annually. Published by Iceland Review.

APPENDIX F: ICELAND TOUR OPERATORS

The principal office of ICELANDAIR is listed at the top of every section

United Kingdom

ICELANDAIR, 172 Tottenham Court Road, London W1P 9LG (Tel. 071-388 5599)

ICELANDAIR, Room C, 104 Admin Block C, Glasgow Airport, Paisley (Tel. 041-848 4488)

ARCTIC EXPERIENCE, 29 Nork Way, Banstead, Surrey SM7 1PB (Tel. 07373 62321)

DICK PHILLIPS, Whitehall House, Nenthead, Alston, Cumbria CA9 3PS (Tel. 0498 81440)

DONALD MACKENZIE (Travel) LTD., 144 St. Vincent Street, Glasgow G2 5LH (Tel. 041-248 7781)

A. T. MAYS CITY BREAKS, 22 Royal Crescent, Glasgow G3 7SZ (Tel. 041-331 1200)

EXODUS EXPEDITIONS, 9 Weir Road, London SW12 0LT (Tel. 081-675 5550)

EXPEDITION EXPERIENCE LTD., 165 Northmoor Way, Wareham, Dorset BH20 4EH (Tel. 09295 51280)

FRED OLSEN TRAVEL LTD., 11 Conduit Street, London W1R 0LS (Tel. 01-409 2019)

HIGH PLACES, Globe Works, Penistone Road, Sheffield S6 3AE (Tel. 0742 822333)

HOLIDAY SCANDINAVIA, 22 Hillcrest Road, Orpington, Kent BR6 9AW (Tel. 0689 24958)

MASONS INTERNATIONAL, 50 Sauchiehall Street, Glasgow G2 3AG (Tel. 041-248 3166)

PAGE & MOY HOLIDAYS, 136 London Road, Leicester LE2 1EN (Tel. 0533 542000)

REGENT HOLIDAYS, 31A High Street, Shanklin, Isle of Wight PO37 6JW (Tel. 09386 4212)

SAGA HOLIDAYS, Enbrook House, Sandgate, Folkestone CT20 3SG (Tel. 0800 414383)

SCANSCAPE HOLIDAYS, Hillgate House, 13 Hillgate Street, London W8 7SP (Tel. 071-221 3244)

SCANTOURS, 8 Spring Gardens, Trafalgar Square, London SW1A 2BG (Tel. 071-839 2927)

TRAVELSCENE, 11/15 St Ann's Road, Harrow, Middlesex HA1 1AS (Tel. 081-427 4445)

TWICKERS WORLD, 22 Church Street, Twickenham, Middlesex (Tel. 01-892 7606)

YHA HOLIDAYS, Trevelyan House, 8 St Stephens Hill, St Albans, Herts (Tel. 0727 55215)

Australia

BENTOURS INTERNATIONAL, 32 Bridge Street, Sidney NSW 2000

BUSINESS AND HOLIDAY TRAVEL, 6th Level, 12-14 O'Connell Street, Sidney NSW 2000

SUNBIRD TRAVEL, 252 Collins Street, Bendigo House, Melbourne VIC 3000.

Austria

ICELANDAIR, Stampfenbachstr. 117, 8006 Zurich (Tel. 01-373-0000)

AIRTOUR AUSTRIA, Mollwaldplatz 5, A-1040 Vienna.

BLAGUSS REISEN, Wiedner Hauptstrasse 15A, 1040 Vienna.

KNEISSL TOURISTIK, Linzerstrasse 4, A-4650 Edt Lambach.

PAUL BRAUN, 16 Rue de Mont Blanc, 1211 Geneva (Tel. 022-314335)

REISBURO HUMMER, Makartplatz 9, A-5020 Salzburg.

SAB TOURS — NATURE & REISEN, Kaiser Josef-Platz 2, 4600 Wels.

UNIVERSAL REISEN, Schubertring 9, A-1015 Vienna.

VERKEHRSBURO FUR DANEMARK UND ISLAND, Munsterhof 14, 8001 Zurich

Belgium

ICELANDAIR, Centre International Rogier, Passage International 6, Boite 33, B-1210 Brussels (Tel. 02-218 0880)

BUREAU SCANDINAVIE, Antoine Dansaerts. 124, B-1000 Brussels.

ICTAM, Bergstraat 62-64, 1000 Brussels.

VOYAGES DE KEYSER THORT, Rue de la Madeleine, B-1000 Brussels.

VTB, St. Jakobskarkt 45-47, 2000 Antwerp.

Canada

ALLEGRO TRAVEL, 103-167 Lombard Avenue, Winnipeg, Manitoba R3B 0T6.

GOWAY TRAVEL, 53 Yong Street, Suite 101, Toronto M5E 1J3 (Tel. 416-863-0799)

GOWAY TRAVEL, 402 West Pender Street, Suite 716, Vancouver, British Columbia V6B 1T9 (Tel. 604-687-4004)

RALPH RANSOM TRAVEL, 25 Queen Street North, Bolton, Ontario L7E 5T5.
TRAVEL ARCTIC, Yellowknife N.W.T. X1A 1J9
VIKING TRAVEL, P.O. Box 1080, Gimli, Manitoba ROC 1B0.

Denmark
ICELANDAIR, Vester Farimagsgade 1, DK-1606 Copenhagen (Tel. 01-123388)
ARCTIC ADVENTURE, 37 Aaboulevard, 1960 Copenhagen.
BENNS REJSER, Norregade 51, 7500 Holstebro.
D.S.B. REJSEBUREAU, Nytorv, 1450 Copenhagen.
DVL REJSER, Kultorvet 7, 1175 Copenhagen.
NORDRING REJSER, P.O. Box 209, 8100 Arhus C
PAPUGA REJSER, Kobmagergade 35, 7000 Fredericia.
PROFIL REJSER, G1 Kongevej 3, 1610 Copenhagen.
UNITAS REJSER, Chr. den 8s Vej 8, 8600 Silkeborg
VEJLE REJSER, Volmers plads 4, 7100 Vejle

France
ICELANDAIR, 9 Boulevard des Capuchines, 75002 Paris (Tel. 742-5226)
ALANT'S TOURS, 5 Rue Danielle Casanova, 75001 Paris, France (Tel. 296-59-78)
KUONI, 3 Boulevard Victor Hugo, 6000 Nice
NOUVELLES FRONTIERES, 87 Boulevarde de Grenelle, 75015 Paris
SCANDITOURS, 10 Rue Auber, 75009 Paris
TERRIEN VOYAGES, 1 Allee Turrene Bp 32, 44003 Nantes Cedex
VOYAGES AGREPA, 42 Rue Etienne Marcel, 75002 Paris
VOYAGES BENNET, 5 Rue Scribe, 75009 Paris
VOYAGES GALLIA, 12 Rue Auber, 75009 Paris
VOYAGES KUONI, 33 Boulevard Malesherbes, 75008 Paris
VOYAGES UTA, 3 Rue Meyerbeer, 75442 Paris

Greece
KEY TRAVEL, 6 Kriezotou St, Athens (Tel. 3603 134)

Italy
A. AMICI DELL ISLAND, Via Al Sesto Miglio 4, 00189 Rome.
CRISTIANO VIAGGI, Viale Tibaldi 64, 20 136 Milan.
ESPERO TRAVEL, Via Tarento 44, I-00182 Rome
GIORGIO TRAVEL, Via Longiano 18, Rome
HOTUR, Via Albricci 9, 20122 Milan
HOTUR, Via Ludovisi, 3600187 Roma (Tel. 475-6558)
LEGA COOPERATIVE TOURISMO, Viale Aldo Moro 16, Milan
MALAN VIAGGI, Via Accademia D. Schienze 1, Angolo Piazza Castello, 10123 Turin
VENTANA TOURISMO, Via B. Buossi 10, 10100 Turin

Luxembourg
ICELANDAIR, Luxembourg Airport, P.O. Box 2101, 1021 Luxembourg (Tel. 4798-2470)
EASY TRAVEL, P.O. Box 123, L-9202 Diekirch
KEISER TOURS, Centre Commercial Louvigny, 34 Rue Phillipe 2, Luxembourg

Netherlands
ICELANDAIR, CAD, Aviation Services DV, Muntplein 2, 1012 WR Amsterdam (Tel. 020 270136)
AIR AGENCIES HOLLAND, Vliegfeldweg 30, 3045 ns Rotterdam (Tel. 010-379911)
ARKE REIZEN, Deurningerstraat 15, Postbus 365, 7500 aj Enchede (Tel. 053-353535)
BUREAU SCANDINAVIE, Vijzelgracht 17, 1017 Amsterdam
BURGER AND ZOON b.v., Wiliamskade 14, 3016 dk Rotterdam (Tel. 053-145044)
FIETS VAKANTIE WINKEL, Jan De Bakkerstraat 14, NL-3441 EE Woerden
HOLLAND INTERNATIONAL, PO Box 58, 2000 A B Haarlem

INFO SKANDIC, Pottebakkersrijge 12, 9718 ae Groningen (Tel. 050-143200)
MY WAY, Meent 84e, 3011 jn Rotterdam (Tel. 010-331666)
REISBUREAU BBI, Meerstraat 22, Emmen
REISEBUREAU MUELLER b.v., Damrak 90, 1019 Amsterdam (Tel. 020-264624)
SCANDINAVIAN ARCTIC SUNWAY, Saxen Weimarlaan 58, 1075 ce Amsterdam (Tel. 020-769011)
STICHTING NEDERLANDS JEUGDHERBERGCENRALE, Prof. Tulpplein 4, 1018 gx Amsterdam (Tel. 020-264433)

Norway
ICELANDAIR, Fridthof Nansens Plass 8, 3rd Floor, Oslo 1. (Tel. 02-423975)
ICELANDAIR, SAS Vaagsalmenningenl, SAS Bryggen, Bergen (Tel. 05-312600)
FARRNAND BUSSREISER, P.O. Box 1251, 3100 Tonnsberg
HEITMANN TRAVEL, Overvollgt. 13, 0157 Oslo 1
METRO-BUSINESS TRAVEL, Dramnmensveien 130, P.O. Box 130, Skoyen, 0212 Oslo 2

Singapore
ASS. TOUR SINGAPORE, 204 Bukit Timah Road, 05 Boon Liew Building, Singapore 0922

Spain
EL CORTE INGLES TRAVEL, Glorieta Cuatro Caminos 6Y7, 29020 Madrid
DIMENSIONES, Plazade Espana 9, 28008 Madrid
PULLMANTUR, Juan Bravo 51 Ent. Izq, 28020 Madrid
S.A.S., Gran Via 88, Edificio Espana, 28013 Madrid
TICKET 31, Juan Bravo 51 Ent. Izq., 28006 Madrid
TREKKING Y AVENTURA, Ramon de la Cruz 93, Madrid 6

Sweden
ICELANDAIR, Drottningaten 97, 5th Floor, 113 60 Stockholm (Tel. 08-310240)
AVENTYRSRESOR, P.O. Box 12168, S-102 24 Stockholm
FRITIDSBUSS TERNARESOR, Soder Malarstrand 29, S-117 85 Stockholm
ISLANDSRESEBYRAN, P.O. Box 4095, S-102 60 Stockholm
SPECIAL TOURS, Artillerigatan 28, S-114 51 Stockholm
TRIANGELRESOR, Sturegatan 40, S-114 36 Stockholm

Switzerland
ICELANDAIR, 16 Rue du Mont-Blanc, P.O. Box 98, 1211 Geneva (Tel. 022 314335)
APN VOYAGES, 33 Avenue de Miremont, CH-1206 Geneva
ARCATOUR, Bahnhofstr. 23, CH-6301 Zug (Tel. 042-219779)
HANS IMHOLZ TRAVEL AGENCY, Zentrastrasse 2, 8036 Zurich
ISLAND TOURS, Thurnwiedstrasse 28, 8967 Widen
J. BAUMELLER REISEN AG, Grendel 11, CH-6000 Luzern 6 (Tel. 041-509960)
JUGI TOURS, Postfach 132, Hochhaus 9, Shopping Centre, CH8958 Spreitenbach
PECO TOURS, St. Gallerstrasse 96, CH-8352 Raterschen
REISBURO KUONI AG, Bärenplatz, CH 3001, Bern
REISBURO KUONI AG, Neugasse 231, CH-8037, Zurich (Tel. 01-441261)
SAGA REISEN AG, Bärenstutz, CH-3507 Biglen (Tel. 031-902122)
SSR TRAVEL, Baeckerstrasse 52, CH-8026, Zurich
TCS REISEN, Rue Pierre Fatio 9, CH-1211, Geneva

U.S.A.
ICELANDAIR, 610b Fifth Avenue, Rockefeller Centre, New York, N.Y. 10111-0334 (Tel. (212) 757-8585) Telephone the New York Toll Free number for details of your nearest agent: (800) 442 5910
ICELANDAIR, c/o American Airlines, Prudential Plaza, Prudential Building, Michigan & Randolph Streets, Chicago Ill 60601 (Tel. (800) 223-5500)
ABOVE THE CLOUDS TREKKING, P.O. Box 398, Worcester, MA 01601
AROUND THE WORLD TRAVEL, 93 Cherry Street, P.O. Box 668, New Canaan, CT 06840

BORTON OVERSEAS, 5516 Lyndale Avenue South, Minneapolis, MN 55419
HOUSE INTERNATIONAL TRAVEL, 179 South Main Street, Foud du Lac, WI 54915
ICELAND TOURIST BOARD, 655 Third Avenue, New York, NY 10017
MOUNTAIN TRAVEL, 1398 Solano Avenue, Albany, CA 94706
SCANAM, 795 Franklin Avenue, Franklin Lakes, NJ 07417
SCANTOURS, 1535 Sisth Street South 20, Santa Monica, CA 90401
VIKING TRAVEL, 140 North La Grange, La Grange, ILL 6052

West Germany
ICELANDAIR, Rossmarkt 10, 6000 Frankfurt am Main 1 (Tel. 069-299978)
AIRTOURS INTERNATIONAL, Kurfurstendamm 65, 1 Berlin 15
AIRTOURS INTERNATIONAL, Adalbertstr. 44-48, 6000 Frankfurt 90 (Tel. 0611-79281)
AIRTOURS INTERNATIONAL, Rodingsmarkt 31-33, 2 Hamburg 11
AIRTOURS INTERNATIONAL, Prinzregentstrasse 12, 8 Munich 22
AIRTOURS INTERNATIONAL, Heilmannstrasse 4, 4 Stuttgart 1
ARKTIS REISEN SCHEHLE, Memminger Strasse 75, D-8960 Kempten
ATHENA REISEN GmbH, Adenauerallee 10, 2000 Hamburg 1 (Tel. 0490-245243)
BURO FUR LANDER- UND VÖLKERKUNDE, KARAWANE STUDENTREISEN, Friedrichstr. 167,
    7140 Ludwigsburg (Tel. 07141-83026)
DJH WERK, P.O. Box 220 D, D-493 Detmold
EVANGELISHCHER REISEDIENST, Schutzenbuhlstrasse 81, 7000, Stuttgart 40
FAHRTENRING DES KATHOLISCHEN BILDUNGSWEKES ESSEN e.V, Kettwiger Str. 2-10, 4300
    Essen 1 (Tel. 0201-230862)
FAST REISEN, Alstertor 21, D-2000 Hamburg
FINNLAND REISEN, Sedanstrasse 10, D-7800 Freiburg
ICELAND TOURIST BOARD, 655 Third Avenue, New York, NY 10017
ICELAND TOURIST BOARD, Bronnerstrasser 11, 600 Frankfurt am Main
ICELAND TOURIST BOARD, 5 Laboisen, 200 Hamburg 1
INTER AIR VOSS REISEN GmbH, Triftstr. 28-30, 6000 Frankfurt 71 (Tel. 0611-67031)
IRENE SCHMIDT REISEN, Allerseeweg 37, 8706 Höchberg (Tel. 0931-48681)
KONTAKT REISEN - KATHOLISCHES FERIENWERK WUPPERTAL e.V, Laurentiustr. 7, 5600
    Wuppertal 1 (Tel. 0202-304410)
J. A. REINECKE, Hohe Bleichen 11, P.O. Box 110680, 2000 Hamburg 36.
KARAWANE STUDIENREISEN, Friedrichstrasse 167, 7140 Ludwigsburg
LUNDI TOURS, Hauptsrasse 81, D-6781 Gruenstadt
MENZELL TOURS, Alter Wall 67-69, 2000 Hamburg 11 (Tel. 040-370070)
NEUBAUER RESIEN GmgH, Grosse Str. 4, 2390 Flensburg (Tel. 0461-17175)
NORD EUROPA REISEN, Uhlandstrasse 24, D-7024 Filderstadt
NORDLAND AKTIV REISEN, Konigsallee 10, 4630 Bochum
REISEAGENTUR WALDEMAR FAST, Alsterstor 21, 2000 Hamburg 1
REISEBÜRO NORDEN, Ost-West Str. 70, 2000 Hamburg 11 (Tel. 040-363211)
RITA WAGNER FERIENHAUS, Fehrenwinkel 20, 3000 Hanover
NORDWEST REISEBÜRO PEKOL, Markt 7, 2900 Oldenburg (Tel. 0441-26655)
SHR-REISEN GmbH. Bismarckallee 2a, 7800 Freiburg (Tel. 0761-210077/78)
SEVEN OCEAN TOURS GmbH, Tizianstr. 3, 8200 Rosenheim (Tel. 08031-66616)
S.O.T. REISEN, Oberanger 45, 8000 Munich
STUDIOSUS REISEN, Trappentrau Strasse 1, 8000 Munich 2
TOUR SERVICE, Haupt Strasse 53-55, 5200 Siegburg
WIKINGER REISEN GmbH, Buddinghardt 9, 5800 Hagen 7 (Tel. 02331- 40881)
WOLTERS REISEN GmbH, Postfach 100147, 2800 Bremen 1 (Tel. 0421-89991)
WOLTERS REISEN, Bremerstrasse 48, 2805 Stuhr 1

Yugoslavia
KOMPAS, Prazakova, 61000 Ljubljana

APPENDIX G: USEFUL ADDRESSES IN BRITAIN

See also Appendix F for addresses of Tour Operators

*Those marked with an asterisk offer discount to Iceland Travel Club Members producing their membership cards.

Key Addresses:

EXPEDITION ADVISORY CENTRE, Royal Geographical Society, 1 Kensington Gore, London SW7 2AR (Tel. 071-581 2057).

ICELAND INFORMATION CENTRE, P.O. Box 434, Harrow, Middlesex HA1 3HY (Tel. 081-422 2825).

YOUNG EXPLORERS' TRUST, Royal Geographical Society, 1 Kensington Gore, London SW7 2AR (Tel. 071-589 9724).

General:

ICELAND FREEZING PLANTS Ltd., Estate Road No. 2, S. Humberside Industrial Estate, Grimsby, S. Humberside DV31 2TG (Tel. 0472 44181).

ICELAND EMBASSY, 1 Eaton Terrace, London SW1 (Tel. 071-730 5131).

SAMBAND OF ICELAND, 4 Stratford Village, Romford Road, London E15 4EA (Tel. 081-534 9904).

Airport Information:

LONDON (HEATHROW): Tel. 081-745 7051.

GLASGOW: Tel. 041-889 1001.

Books and Maps:

DICK PHILLIPS, Whitehall House, Nenthead, Alston, Cumbria (Tel. 0498 81440).

ICELAND INFORMATION CENTRE, P.O. Box 434, Harrow, Middlesex HA1 3HY (Tel. 081-422 2825).

Equipment:

*CULVERHOUSE, 96 The Parade, Watford, Hertfordshire WD1 2AW (Tel. Watford 44100).

*FIELD AND TREK (Equipment) Ltd., 3 Wates Way, Brentwood, Essex CM 15 9TB (Tel. 0277 233122)

*JO ROYLE, 6 Market Place, Buxton, Derbyshire SK17 6EB (Tel. 0298 5824).

Expeditions:

BRATHAY EXPLORATION GROUP, Old Brathay, Ambleside, Cumbria LA22 0HP (Tel. 09663 3042).

BRITISH SCHOOLS EXPLORING SOCIETY, Royal Geographical Society, 1 Kensington Gore, London SW7 2AR (Tel. 071-584 0710).

SAIL TRAINING ASSOCIATION, Bosham, Chichester, Sussex.

SCOUT ASSOCIATION, Gilwell Park, Chingford, London E4 7QW.

YOUNG EXPLORERS' TRUST regional exploring societies. Contact the YET office above.

Libraries:

SCOTT POLAR RESEARCH INSTITUTE, Lensfield Road, Cambridge CB2 1ER (Tel. 0223 66499).

ROYAL GEOGRAPHICAL SOCIETY, 1 Kensington Gore, London SW7 2AR (Tel. 071-589 5466).

Shipping:

BRANTFORD INTERNATIONAL Ltd., Queens House, Paragon Street, Hull HU1 3NQ (Tel. 0482 27756) (Agents for Samband Line).

MGH Ltd, Trelawny House, The Dock, Felixstowe, Suffolk (Tel. 039-42 85651) (Agents for Eimskip).

MGH Ltd., McGregor House, Osborne Road, Stallingborough, Grimsby DN37 8DG (Tel. 0469 571880).

MGH Ltd., Stanton Grove Warehouse, Merseyside Trading Park, Speke Hall Road, Speke, Liverpool L24 9CQ (Tel. 051-486 0668) (Agents for Eimskip).

P & O FERRIES, Orkney and Shetland Service, P & O Terminal, Aberdeen AB9 8DL. (Agents for Smyrill Line).

APPENDIX H: USEFUL ADDRESSES IN ICELAND

*Those marked with an asterisk offer discount to Iceland Travel Club members producing their membership cards.

Accommodation:
YOUTH HOSTEL ASSOCIATION (Bandalag Íslenzkra Farfuglar), Laufasvegi 41, Reykjavík (Tel. 2-49-50).
EDDA HOTELS, Iceland Tourist Bureau, Skogahlid, Reykjavík (Tel. 2-58-55).
GISTIHEIMILIÐ BERG, Baejarhraun 4, 220 Hafnafjördur (Tel. (91)65-22-20).
GISTIHEIMILIÐ 101, Laugavegur 101, Reykjavík (Tel. 62-61-01).
GISTIHEIMILIÐ EGILSTÖÐUM, 700 Egilsstadir (Tel. (97)1-11-14).
HÓTEL REYNIHLÍÐ, Reykjahlíd v/Mývatn (Tel. (96)4-41-70).
HÓTEL TANGI, Hafnabyggd 17, 690 Vopnafjördur (Tel. (97)3-12-24).
HÓTEL STEFANÍA, Hafnarstraeti 83-85, Akureyri (Tel. (96)2-63-66).
ICELAND FARM HOLIDAYS, Baendahöllin v/Hagatorg, 107 Reykjavík (Tel. 62-36-40).
SALVATION ARMY GUESTHOUSE, Kirkjustraeti 1, Reykjavík (Tel. 61-32-03).

Aircraft (Domestic and International):
EAGLE AIR, Lagmula 7, Reykjavík (Tel. 2-95-11).
ICELANDAIR: Bookings: Domestic (Innanlandsflug) (Tel. 69-02-00); International (Millilandaflug) (Tel. 690200). Enquiries: Domestic (Tel. 69-02-00); International (Tel. 69-01-007).

Aircraft (Light):
ARNARFLUG (Eagle Air), Reykjavík Airport (Tel. 2-95-77).
ERNIR h.f., Ísafjördur Airport (Tel. (94) 4200).
FLUGFÉLAG AUSTURLANDS, Egilsstadir Airport (Tel. (97) 1122).
FLUGFÉLAG NORDURLANDS, Akureyri Airport (Tel. (96) 2-79-00).
ODIN AIR, Reykjavík Airport (Tel. 61-08-80).
SVERRIR THORODDSSON, Reykjavík Airport (Tel. 2-80-11).

Books, maps and air photographs:
LANDMAELINGAR ÍSLANDS (Icelandic Geodetic Survey), Laugavegi 178, Reykjavík (Tel. 68-16-11) (maps and air photographs).
SIGFÚS EYMUNDSSON, Austurstraeti 18, Reykjavík (Tel. 1-88-80).

Bus Travel and Travel Operators:
ARENA TOURS, Kringlan 57, Reykjavík (Tel. 68-56-86).
*B.S.Í. TRAVEL, Umferdamidstödinni (Long-distance bus station), Hringbraut, Reykjavík (Tel. 2-23-00).
ELDÁ h.f., Reykjahlíd vid Mývatn (Tel. (96) 4-42-20).
GUÐMUNDUR JÓNASSON h.f., Borgartúni 34, Reykjavík (Tel. 8-32-22).
NONNI TRAVEL, Radhústorg, Akureyri (Tel. (96)

Customs Offices:
TOLLGAESLAN, Tollhúsinu, Tryggvagata 19, Reykjavík (Tel. 1-85-00).

Eating out (Reykjavík):
*THRIR FRAKKAR HJÁ ÚLFARI, Baldursgata 14, Reykjavík (Tel. 2-39-39).
*ASKUR, Sudurlandsbraut 14, Reykjavík (Tel. 68-13-44).
*LAUGA-ÁS, Laugarásvegur 1, Reykjavík (Tel. 3-16-20).
*PIZZAHÚSIÐ, Grensásvegur 10, Reykjavík (Tel. 3-88-33).
*VEITINGAHÚSIÐ, Grensásvegur 7, Reykjavík (Tel. 68-83-11).

Embassies:
BRITISH EMBASSY, Laufásvegur 49, Reykjavík (Tel. 1-58-83).
DANISH EMBASSY, Hverfisgötu 29, Reykjavík (Tel. 62-12-30).

FINNISH EMBASSY, Kringlan 7, Reykjavík (Tel. 8-20-40).
FRENCH EMBASSY, Tungata 22, Reykjavík (Tel. 1-76-21).
NORWEGIAN EMBASSY, Fjölugata 17, Reykjavík (Tel. 1-30-65).
SWEDISH EMBASSY, Lagmuli 7, Reykjavík (Tel. 8-20-22).
UNITED STATES, Laufásvegur 21, Reykjavík (Tel. 2-91-00).
WEST GERMANY, Reykjavík (Tel. 1-99-84).

Emergencies:
See Chapters 12 and 18 for police, hospitals, lost property etc.

Film Companies:
SAGA FILM, Vatnagarðar 4, P.O. Box 4249, Reykjavík (Tel. 68-50-85).

Freight Transfer:
LANDFLUTNINGAR h.f., Skútuvógi 8, Reykjavík (Tel. 8-46-00).
SENDIBILASTÖÐIN h.f., Borgartúni 21, Reykjavík (Tel. 2-50-50).
VÖRUFLUTNINGARMIÐSTÖDIN h.f., Borgartúni 21, Reykjavík (Tel. 1-04-40).

Rescue Services:
SLYSAVARNARFÉLAG ÍSLANDS (National Life-saving Society), Grandagarði 14, Reykjavík (Tel. 2-70-00).

Research Enquiries:
HÖLLUSTUVERND (National Centre for Hygiene and Environmental Pollution), Siðamuli 13, Reykjavík (Tel. 8-18-44).
JÖKLARANNSÓKNAFÉLAG ÍSLANDS (Iceland Glaciological Society), P.O. Box 5128, Reykjavík.
NÁTTURUFRAEÐISTOFNUN ÍSLANDS (Icelandic Museum of Natural History), Laugavegi 105, Reykjavík (Tel. 2-98-22).
NÁTTÚRUVERNDARRÁD (Nature Conservation Council), Hverfisgötu 26, Reykjavík (Tel. 2-78-55).
ORKUSTOFNUN (Power Authority), Grensásvegur 9, Reykjavík (Tel. 8-36-00).
RANNSÓKNARÁÐ RÍKISINS (National Research Council), Laugavegi 13, Reykjavík (Tel. 2-13-20).
RAUNVÍSINDASTOFNUN HÁSKOLANS (University Science Research Institute), Dunhaga 3, Reykjavík (Tel. 69-48-00).
ÚTANRÍKISRÁÐUNETTIÐ (Ministry of Foreign Affairs), Hverfisgötu 115, Reykjavík.
VEÐURSTOFNUN ÍSLANDS (Weather Bureau), Bústaðavegi 9, Reykjavík (Tel. 60-06-00).
VÍSINDARÁÐ ÍSLANDS (Science Council), Bárugata 3 (Tel. 1-02-33).

Shipping Companies:
EIMSKIPAFÉLAG ÍSLANDS (Iceland Steamship Company), Posthússtraeti, Reykjavík (Tel. 2-71-00).
SKIPADEILD SAMBANDSINS (SAMBAND LINE), Samband House, Kirkjusandi, Reykjavík (Tel. 69-81-00).

Societies:
Ferries:
m.f. BALDUR, Stykkishólmur (Tel. (93) 8-11-20).
SMYRILL LINE, Laugavegur 3, Reykjavík (Tel. 62-63-62).

Societies:
ANGLING CLUB OF REYKJAVíK, Háaleitisbraut 68, Reykjavík (Tel. 68-60-50).
FERÐAFÉLAG ÍSLANDS (Iceland Travel Club), Öldugata 3, Reykjavík (Tel. 1-95-33).
FERÐAFÉLAG ÍSLENZKRA BIFREIDAEIGENDA (Federation of Icelandic motorists), Borgartúni 33, Reykjavík (Tel. 2-99-99).
ÍSALP (Iceland Alpine Club), P.O. Box 4186, Reykjavík.
KIWANIS INTERNATIONAL, Brautarholt 26, Reykjavík (Tel. 1-44-60).

LIONS CLUB INTERNATIONAL, Háaleitisbraut 68, Reykjavík (Tel. 3-31-22).
ROTARY INTERNATIONAL, Skólavördustig 21, Reykjavík (Tel. 2-64-33).
BANDALAG ÍSLENSKRA SKÁTA (Iceland Scout Association), P.O. Box 831, 121 Reykjavík (Tel. 2-31-90).

Souvenirs:
POSTPHIL (stamps), Central Post Office, Posthústraeti, Reykjavík.
*RAMMAGERÐIN, Hafnarstraeti 19, Reykjavík (Tel. 1-79-10).
*ULLAHÚSIÐ, Adalstraeti 4, Reykjavík (Tel. 8-13-38).

Supplies:
ÓSTABUÐIN (cheese etc), Snorrabraut 54, Reykjavík (Head Office: Bitruhálsi 2, Reykjavík) (Tel. 69-16-00).
RENT-A-TENT (Tjaldaleigan), Hringbraut v/Umferdamidstödina, 101 Reykjavík (Tel. 1-30-72).
*SKÁTABUDIN (Scout Shop), Snorrabraut 60, Reykjavík (Tel. 1-20-45).

Taxis:
Borgarbilastödin: 2-24-40
Baejarleidir: 3-35-00
Hreyfill: 8-55-22
B.S.R.:   1-17-20
Steindór: 1-15-80

Vehicle Hire:
AG CAR RENTAL, Tangarhöfda 8-12, 112 Reykjavík (Tel. 68-55-44).
BERG TRAVEL (camper wagons), Melbraut 8, 250 Gardar (Tel. (92) 2-79-38).
GEYSIR CAR HIRE, Sudurlandsbraut 16, Reykjavík (Tel. 68-88-88).

Vehicle Repairs:
BILANAUST, Sidamula 7-9, Reykjavík (Tel. 8-27-22) (spare parts).
HEKLA h.f., Laugavegi 170, Reykjavík (Tel. 2-12-40) (Land Rover).
HÖLDUR h.f., Fjölnisgötu 18, Akureyri (Tel. (96) 2-13-65) (Land Rover).
SVEINN EGILSSON, Skeifunni 17, Reykjavík (Tel. 68-51-00) (Ford).

APPENDIX J. THE YOUNG EXPLORERS' TRUST

The Young Explorers' Trust is the association of British youth exploring societies whose expressed aims are to increase the opportunities for young people to take part in exploration, discovery and challenging adventure, and to make these expeditions safer and more worthwhile.

The Trust:

- Advises on all aspects of expedition planning.
- Links members with others who have run similar expeditions.
- Organises seminars, lectures and other training and discussion meetings.
- Publishes a quarterly magazine YETMAG full of information for expeditions.
- Produces manuals and leaflets with practical advice.
- Maintains study groups of members with common expedition interests.
- Grants YET APPROVAL to expeditions which meet its standards of planning.
- Makes financial grants to many expeditions of young people each year.

For further details contact the Administrative Officer, Y.E.T., Royal Geographical Society, 1 Kensington Gore, London SW7 2AR.

APPENDIX K. EXPEDITION ADVISORY CENTRE

The Expedition Advisory Centre provides an information and training service for those planning an expedition. It was founded, and is jointly administered by the Royal Geographical Society and the Young Explorers' Trust and is financed by The British Land Company Plc as a sponsorship project.

In addition to the organisation of a variety of seminars and publications, including the annual "Planning a Small Expedition" Seminar, the Centre provides a number of specialist services to explorers and expedition organisers. At its offices on the second floor of the Royal Geographical Society in London, a wide range of information sources are available including reports of past expeditions, a register of planned expeditions, lists of expedition consultants and suppliers, and of members available for expeditions as well as access to information on expedition organisation in all climates.

The Centre is open from 1000 to 1700 Monday to Friday and welcomes enquiries from the general public. For further information contact the Information Officer, E.A.C., Royal Geographical Society, 1 Kensington Gore, London SW7 2AR (01-581 2057)

APPENDIX L. THE ICELAND TRAVEL CLUB

The Iceland Travel Club was founded in 1988 to provide a forum for people interested in Iceland. It is a proprietary club run by the Iceland Information Centre. The Club publishes a Newsletter, has one principal annual meeting, and numerous smaller regional meetings. Membership includes discount facilities at certain Icelandic establishments, and at several outdoor equipment locations in Britain. The secretariat is able to provide information, books and maps relating to a wide variety of topics concerning Iceland and Icelandic travel.

The Club's patron is Magnús Magnússon.

Further details can be obtained from: The Iceland Travel Club, P.O. Box 434, Harrow, Middlesex HA1 3HY.

INDEX
Figures in bold text refer to illustrations

413

KEY TO MAP SYMBOLS

Information

Petrol Station

Post Office

Food Store

Hotel/Guesthouse

Sleeping bag accommodation

Farm Accommodation

Youth Hostel

Camp Site

Bank

Chemist

Medical Centre

Hospital

Vehicle Repairs

Police Station

Swimming Pool

Place of Interest

Museum/Gallery

Airport

Ferry

Opposite:

**MAP OF ICELAND
PRINTED & PRODUCED
by LANDMÆLINGAR ÍSLANDS,
ICELAND GEODETIC SURVEY.**
©
LANDMÆLINGAR ÍSLANDS.